JN111862

司法試験　予備試験

2025年版

完全整理
択一六法

司法試験&予備試験対策シリーズ

Criminal Procedure

刑事訴訟法

はしがき

★令和5年改正刑事訴訟法に一部対応

　令和5年5月10日、改正刑事訴訟法（令和5年法律第28号）が可決・成立し、同月17日に公布されました。今般の法改正による改正点は極めて多岐にわたりますが、①公判期日等への出頭及び裁判の執行を確保するための規定の整備（保釈等をされている被告人の監督者制度の創設や、保釈されている被告人の位置情報を位置測定端末によって取得する制度の創設、拘禁刑以上の刑に処する判決の宣告を受けた者等に係る出国制限制度の創設など）、②犯罪被害者等の情報を保護するための規定の整備（各種手続における個人特定事項の秘匿措置）の2点に大別することができます。これらの改正点のうち、①の改正に係る一部の規定や②の改正に係る規定については、既に司法試験及び予備試験の出題範囲に含まれていますが、それ以外の改正に係る規定については、令和7年以降の施行（出題は令和8年以降）が予定されており、特に今般の改正の目玉ともいえる「保釈されている被告人の位置情報を位置測定端末によって取得する制度」については、「公布の日から起算して5年を超えない範囲内において政令で定める日」に施行されることとされています。

　本書は、試験に出題される可能性や学習の効率化の観点から、上記の改正点のうち、司法試験及び予備試験の出題範囲に含まれる改正部分（①の改正に係る一部の規定や②の改正に係る規定）についてのみ盛り込んでいます。

★令和6年の短答式試験＜刑事訴訟法＞の分析

　今年の刑事訴訟法も、例年どおり、全13問が出題されました。具体的には、捜査、公訴・公判、証拠法等の分野を中心に、基本的な条文・判例の知識・理解を問う問題が出題されています。出題分野及び問題数は、捜査から6問、公訴・公判から3問、証拠法から4問出題されました。このように、各分野から満遍なく出題されているため、論文式試験で問われる知識のみならず、全体について体系的・横断的な知識の習得が求められているといえます。

　また、全体の平均点については、令和元年から順に、「15.6点」（令和元年）→「13.5点」（令和2年）→「14.6点」（令和3年）→「15.9点」（令和4年）→「14.5点」（令和5年）→「14.6点」（令和6年）と推移しています。これらのデータから、今年の刑事訴訟法科目の難易度は、令和元年からの直近6年間の中で、中間に位置する程度のものと推察されます。

★令和6年の短答式試験の結果を踏まえて

　今年の予備試験短答式試験では、採点対象者12,469人中、合格者（270点満点で各科目の合計得点が165点以上）は2,747人となっており、昨年の短答式試

験合格者数 2,685 人を 62 人上回りました。

　まず、「合格点」についてですが、過去の直近 5 年間（令和元年〜令和 5 年）の合格点は「156 点〜168 点以上」という幅のある推移となっており、特に昨年（令和 5 年）の合格点は、令和元年以降最も高い「168 点以上」となっていました。このような近年の状況において、今年の合格点は「165 点以上」と高い水準を維持する形となりましたが、来年の合格点については、引き続き「156 点〜168 点以上」の間で推移するものと予測されます。

　また、「合格率」（採点対象者数に占める合格者数の割合）についてですが、昨年（令和 5 年）の合格率は、予備試験が実施されるようになった平成 23 年から見て最も低い約 20.26％でしたが、今年は約 22.03％となり、約 1.8％上昇しました。このように、予備試験短答式試験の合格率は、おおよそ 20％台にあるといえますが、司法試験短答式試験の今年の合格率が約 78.96％（採点対象者数：合格者数 = 3,746：2,958）であることと比べると、予備試験短答式試験は明らかに「落とすための試験」という意味合いが強い試験だといえます。

　そして、受験者数・採点対象者数は、令和 2 年を除き、平成 27 年から微増傾向にあり、昨年（令和 5 年）の受験者数は、予備試験史上最も多い 13,372 人を記録していましたが、今年の受験者数は 12,569 人となり、一転して減少することとなりました。採点対象者数についても、昨年（令和 5 年）は 13,255 人と予備試験史上最も多い数字でしたが、今年は 12,469 人となり、増加傾向に歯止めがかかった形です。

　受験率については、直近 2 年連続で 80％台を維持していましたが、今年は「79.7％」となり、わずかに 80％を割り込みました。もっとも、来年以降も同様の「受験率」が維持されるものと考えられ、合格者数も 2,500〜2,800 人前後となることが予想されます。

　予備試験短答式試験では、法律基本科目だけでなく、一般教養科目も出題されます。点数が安定し難い一般教養科目での落ち込みをカバーするため、法律基本科目については苦手科目を作らないよう、安定的な点数を確保する対策が必要となります。

　このような現状の中、短答式試験を乗り切り、総合評価において高得点をマークするためには、いかに短答式試験対策を効率よく行うかが鍵となります。そのため、要領よく知識を整理し、記憶の定着を図ることが至上命題となります。

★必要十分な知識・判例を掲載

　刑事訴訟法では、刑事手続の流れを様々な切り口から問うパターンが増えています。このような問題に対応するには、単に条文や判例の知識を丸暗記するだけでは不十分です。手続の流れを、そのような制度設計が採られた趣旨とあわせて理解し、さらに、それを反復して知識を定着化するという、理解と記憶のフィードバック作業が必須となります。

本書は、そのような作業を効率的に行えるよう、手続ごとに要点をまとめた図表を掲載しました。そして、関連する重要判例も記載し、手続の流れと学説・判例を関連づけて理解しやすいように配慮しました。とくに重要な判例については、判例の結論だけでなく、簡潔に事案や理由付けを紹介するなど、記述を充実させました。

また、類似した手続や制度、重要論点における学説の対立などについて、図表にまとめ、比較しながら知識を整理できるよう工夫しています。

刑事訴訟法分野では、刑事訴訟規則や裁判員法など、周辺に位置づけられる法令が多数あり、実際、刑事訴訟規則からは多数の出題が見られます。本書では、出題が予想される個別の法令についてもコンパクトにまとめ、普段の勉強でなかなか手が回らない個別の法令にも対応できるようにしました。

★司法試験短答式試験、予備試験短答式試験の過去問情報を網羅

本書では、司法試験・予備試験の短答式試験において、共通問題で問われた知識に⟨共⟩マーク、予備試験単独で問われた知識に⟨予⟩マーク、司法試験単独で問われた知識に⟨司⟩マークを付しています。複数のマークが付されている箇所は、各短答式試験で繰り返し問われている知識であるため、より重要性が高いといえます。

★最新判例インターネットフォロー

短答式試験合格のためには、最新判例を常に意識しておくことが必要です。そこで、LECでは、最新判例の情報を確実に収集できるように、本書をご購入の皆様に、インターネットで随時、最新判例情報をご提供させていただきます。

アクセス方法の詳細につきましては、「最新判例インターネットフォロー」の頁をご覧ください。

2024 年 9 月吉日

株式会社東京リーガルマインド
ＬＥＣ総合研究所　司法試験部

司法試験・予備試験受験生の皆様へ

LEC司法試験対策　総合統括プロデューサー
反町　雄彦　LEC専任講師・弁護士

◆競争激化の短答式試験

　短答式試験は、予備試験においては論文式試験を受験するための第一関門として、また、司法試験においては論文式試験を採点してもらう前提条件として、重要な意味を有しています。いずれの試験においても、合格を確実に勝ち取るためには、短答式試験で高得点をマークすることが重要です。

◆短答式試験対策のポイント

　司法試験における短答式試験は、試験最終日に実施されます。論文式試験により心身ともに疲労している中、短答式試験で高得点をマークするには、出題可能性の高い分野、自身が弱点としている分野の知識を、短時間で総復習できる教材の利用が不可欠です。

　また、予備試験における短答式試験は、一般教養科目と法律基本科目（憲法・民法・刑法・商法・民事訴訟法・刑事訴訟法・行政法）から出題されます。広範囲にわたって正確な知識が要求されるため、効率的な学習が不可欠となります。

　本書は、短時間で効率的に知識を整理・確認することができる最良の教材として、多くの受験生から好評を得ています。

◆短答式試験の知識は論文式試験の前提

　司法試験・予備試験の短答式試験では、判例・条文の知識を問う問題を中心に、幅広い論点から出題がされています。論文式試験においても問われうる重要論点も多数含まれています。そのため、短答式試験の対策が論文式試験の対策にもなるといえます。

　また、司法試験の憲法・民法・刑法以外の科目においても、論文式試験において正確な条文・判例知識が問われます。短答式試験過去問を踏まえて解説した本書を活用し、重要論点をしっかり学んでおけば、正確な知識を効率良く答案に表現することができるようになるため、解答時間の短縮につながることは間違いありません。

　司法試験合格が最終目標である以上、予備試験受験生も、司法試験の短答式試験・論文式試験の対策をしていくことが重要です。短答式試験対策と同時に、重要論点を学習し、司法試験を見据えた学習をしていくことが肝要でしょう。

◆苦手科目の克服が肝

　司法試験短答式試験では、短答式試験合格点（令和6年においては憲法・民法・刑法の合計得点が93点以上）を確保していても、1科目でも基準点（各科目の満点の40％点）を下回る科目があれば不合格となります。本年では、憲法で317人、民法で192人、刑法で122人もの受験生が基準点に達しませんでした。本年の結果を踏まえると、基準点未満で不合格となるリスクは到底見過ごすことができません。

　試験本番が近づくにつれ、特定科目に集中して勉強時間を確保することが難しくなります。苦手科目は年内に学習し、苦手意識を克服、あわよくば得意科目にしておくことが必要です。

◆本書の特長と活用方法

　完全整理択一六法は、一通り法律を勉強し終わった方を対象とした教材です。本書は、司法試験・予備試験の短答式試験における出題可能性の高い知識を、逐条形式で網羅的に整理しています。最新判例を紹介する際にも、できる限りコンパクトにして掲載しています。知識整理のためには、核心部分を押さえることが重要だからです。

　本書の活用方法としては、短答式試験の過去問を解いた上で、間違えてしまった問題について確認し、解答に必要な知識及び関連知識を押さえていくという方法が効果的です。また、弱点となっている箇所に印をつけておき、繰り返し見直すようにすると、復習が効率よく進み、知識の定着を図ることができます。

　このように、受験生の皆様が手を加えて、自分なりの「完択」を作り上げていくことで、更なるメリハリ付けが可能となります。ぜひ、有効に活用してください。

　司法試験・予備試験は困難な試験です。しかし、継続を旨とし、粘り強く学習を続ければ、必ず突破することができる試験です。

　皆様が本書を100％活用して、試験合格を勝ち取られますよう、心よりお祈り申し上げます。

CONTENTS

はしがき
司法試験・予備試験受験生の皆様へ
本書の効果的利用法
最新判例インターネットフォロー

刑事手続の流れ ·· 2

●第1編　総則（第1条—第188条の7）·························· 4

第1章　裁判所の管轄（第2条—第19条）·················· 8

第2章　裁判所職員の除斥及び忌避（第20条—第26条）······ 12

第3章　訴訟能力（第27条—第29条）····················· 15

第4章　弁護及び補佐（第30条—第42条）················· 16

第5章　裁判（第43条—第46条）························· 34

第6章　書類及び送達（第47条—第54条）················· 36

第7章　期間（第55条・第56条）························· 39

第8章　被告人の召喚、勾引及び勾留（第57条—第98条の11）····· 40

第9章　押収及び捜索（第99条—第127条）················· 57

第10章　検証（第128条—第142条）····················· 64

第11章　証人尋問（第143条—第164条）················· 66

第12章　鑑定（第165条—第174条）····················· 74

第13章　通訳及び翻訳（第175条—第178条）············· 77

第14章　証拠保全（第179条・第180条）················· 78

第15章　訴訟費用（第181条―第188条）・・・・・・・・・・・・・・・・・・・・・・・・ *79*

第16章　費用の補償（第188条の2―第188条の7）・・・・・・・・・・・・ *80*

●第2編　捜査（第189条―第246条）・・・・・・・・・・・・・・・・・・・・・・・・・・・ *82*

●第3編　公訴（第247条―第270条）・・・・・・・・・・・・・・・・・・・・・・・・・ *209*

●第4編　公判・・・ *250*
第1章　公判準備及び公判手続（第271条―第316条）・・・・・・・・・・・・ *250*

第2章　争点及び証拠の整理手続・・・・・・・・・・・・・・・・・・・・・・・・・・・・・・ *339*
　第1節　公判前整理手続・・・・・・・・・・・・・・・・・・・・・・・・・・・・・・・・・・・・・ *339*
　　第1款　通則（第316条の2―第316条の12）・・・・・・・・・・・・・・・ *339*
　　第2款　争点及び証拠の整理
　　　　　　（第316条の13―第316条の24）・・・・・・・・・・・・・・・・・・・ *341*
　　第3款　証拠開示に関する裁定
　　　　　　（第316条の25―第316条の27）・・・・・・・・・・・・・・・・・・・ *353*
　第2節　期日間整理手続（第316条の28）・・・・・・・・・・・・・・・・・・・・・ *354*
　第3節　公判手続の特例（第316条の29―第316条の32）・・・・・・・・・ *355*
　第4節　被害者参加（第316条の33―第316条の39）・・・・・・・・・・・・ *362*

●第5編　証拠（第317条―第328条）・・・・・・・・・・・・・・・・・・・・・・・・・ *366*

●第6編　公判の裁判（第329条―第350条）・・・・・・・・・・・・・・・・・・・ *474*

●第7編　証拠収集等への協力及び訴追に関する合意・・・・・・・・・・・・・・ *492*
第1章　合意及び協議の手続（第350条の2―第350条の6）・・・・・・・・・ *492*

第2章　公判手続の特例（第350条の7―第350条の9）・・・・・・・・・ *496*

第3章　合意の終了（第350条の10―第350条の12）・・・・・・・・・・・ *498*

第4章　合意の履行の確保（第350条の13―第350条の15）・・・・・・ *500*

●第8編　即決裁判手続・・・・・・・・・・・・・・・・・・・・・・・・・・・・・・・・・・・・・・・ *502*
第1章　即決裁判手続の申立て（第350条の16・第350条の17）・・ *502*

第2章　公判準備及び公判手続の特例（第350条の18─第350条の26）･･････････ *503*

第3章　証拠の特例（第350条の27）････････････････････････ *505*

第4章　公判の裁判の特例（第350条の28・第350条の29）･･････ *505*

●第9編　上訴 ･･ *508*
第1章　通則（第351条─第371条）･･････････････････････ *509*

第2章　控訴（第372条─第404条）･･････････････････････ *513*

第3章　上告（第405条─第418条）･･････････････････････ *526*

第4章　抗告（第419条─第434条）･･････････････････････ *530*

●第10編　非常手続 ････････････････････････････････････ *537*
第1章　再審（第435条─第453条）･･････････････････････ *537*

第2章　非常上告（第454条─第460条）･･････････････････ *545*

●第11編　略式手続（第461条─第470条）････････････････ *549*

●第12編　裁判の執行（第471条─第516条）･･････････････ *553*
第1章　裁判の執行の手続（第471条─第506条）････････････ *553*

第2章　裁判の執行に関する調査（第507条─第516条）･･･････ *559*

●付録
　1　刑事訴訟規則 ････････････････････････････････････ *566*
　2　裁判員の参加する刑事裁判に関する法律（抜粋）････････ *651*

◆図表一覧
刑事手続の流れ ･･･ *2*
刑事手続の各段階における制度と原理 ････････････････････････ *7*
刑事訴訟の構造 ･･･ *8*
管轄の種類 ･･･ *8*
予断排除の原則を担保する諸制度 ･･･････････････････････････ *15*
弁護人接見（39）と一般接見（80、81）の比較 ･･･････････････ *27*

弁護人の固有権・独立代理権・・・ *34*

判決・決定・命令の整理・・・ *35*

勾留の基礎となっていない犯罪事実（余罪）を考慮しての権利保釈の許否・・・・ *50*

保釈と勾留の執行停止の異同・・ *51*

女子の身体捜索と身体検査との比較・・・・・・・・・・・・・・・・・・・・・・・・・・・・・・・・・ *62*

鑑定人と鑑定受託者・・・ *77*

証拠保全の手続・・ *78*

捜査の端緒の類型・・ *83*

違法なおとり捜査とその効果に関する学説の整理・・・・・・・・・・・・・・・・・・・・・ *99*

被疑者取調べの法的性質に関する学説の整理・・・・・・・・・・・・・・・・・・・・・・・・ *113*

余罪取調べの限界に関する学説の整理・・・・・・・・・・・・・・・・・・・・・・・・・・・・・・・ *115*

被告人に対する取調べの可否に関する学説の整理・・・・・・・・・・・・・・・・・・・ *118*

逮捕後の手続（警察ルート）・・・ *128*

逮捕後の手続（検察ルート）・・・ *128*

再逮捕・再勾留の整理・・・ *144*

別件逮捕・勾留の適法性に関する学説の整理・・・・・・・・・・・・・・・・・・・・・・・・ *145*

逮捕に対する準抗告の可否に関する学説の整理・・・・・・・・・・・・・・・・・・・・・ *148*

勾留の手続・・ *153*

被疑者勾留と被告人勾留の比較・・・・・・・・・・・・・・・・・・・・・・・・・・・・・・・・・・・・・ *153*

逮捕と被疑者勾留の相違・・ *154*

逮捕の種類と要件のまとめ・・ *160*

司法警察員・司法巡査・検察事務官の権限・・・・・・・・・・・・・・・・・・・・・・・・・・ *161*

強制採尿に必要な令状の種類に関する学説の整理・・・・・・・・・・・・・・・・・・・ *166*

捜索・差押手続の流れ・・・ *170*

物的証拠の収集・保全方法・・ *195*

犯罪被害者の刑事手続上の地位・・・・・・・・・・・・・・・・・・・・・・・・・・・・・・・・・・・・・ *201*

告訴の追完の可否に関する学説の整理・・・・・・・・・・・・・・・・・・・・・・・・・・・・・・ *211*

公訴時効の存在理由についての学説の整理・・・・・・・・・・・・・・・・・・・・・・・・・・ *222*

訴因変更と公訴時効が問題となる場合のまとめ・・・・・・・・・・・・・・・・・・・・・ *228*

被告人の特定の基準に関する学説の整理・・・・・・・・・・・・・・・・・・・・・・・・・・・・ *234*

身代わり等が発覚した時点ごとの具体的な処理手順・・・・・・・・・・・・・・・・・ *235*

不起訴処分・理由の告知・通知・・・・・・・・・・・・・・・・・・・・・・・・・・・・・・・・・・・・・・ *245*

公判手続と公判準備・・・ *250*

訴訟行為の分類・・ *253*

訴訟行為の評価のまとめ・・・ *255*

被告人の出頭義務・・ *270*

証拠調べ手続の流れ・・・ *285*

交互尋問と誘導尋問等・・・ *311*

公訴事実対象説と訴因対象説の比較・・・・・・・・・・・・・・・・・・・・・・・・・・・・・・・・ *316*

訴訟条件の存否と縮小認定に関する学説の整理································ *334*

不適法訴因への訴因変更の可否に関する学説の整理····················· *335*

公判前整理手続··· *347*

裁判員の参加する刑事裁判手続······································· *361*

証拠の種類··· *366*

人的証拠と物的証拠··· *367*

人証・証拠物（物証）・証拠書類（書証）····························· *368*

被告人が挙証責任を負う明文規定····································· *371*

義務的推定と許容的推定··· *372*

心証の程度と証明方法との関係······································· *373*

証拠能力と証明力··· *379*

証拠能力の有無を判断する３つの観点································· *381*

自白法則の根拠··· *413*

自白法則と違法収集証拠排除法則の関係······························· *414*

自白法則が問題となる具体例··· *416*

補強の範囲··· *426*

共犯者・共同被告人の概念··· *431*

共同被告人の供述の証拠能力··· *431*

共同被告人の証人適格··· *432*

手続を分離した場合の共同被告人の証人適格··························· *432*

共同被告人の公判廷外における供述調書の証拠能力····················· *433*

共犯者の自白と補強証拠の要否······································· *434*

伝聞例外の規定の一覧··· *442*

321 条１項各号書面の要件の整理······································ *452*

321 条１項３号書面・２項書面・３項書面・４項書面の整理··············· *458*

既判力と一事不再理効に関する学説の整理····························· *475*

択一的認定の種類··· *481*

即決裁判手続・簡易公判手続・略式手続の比較························· *506*

即決裁判手続の流れ··· *507*

抗告の種類··· *536*

再審請求手続の全体像··· *544*

※　本書の CONTENTS は、現行法の目次と若干異なったものとなっています。具体的には、刑事訴訟法第２編［第一審］を細分化させました。これは、検索性を向上させることによって、効率的な学習を目指したためです。

◆論点一覧表

【司法試験】

年度	論点名	備考	該当頁
H18	職務質問の適法性・職務質問に伴う有形力の行使の限界		84
	所持品検査の適法性		87
	逮捕に伴う無令状捜索・差押えにおける「逮捕の現場」の意義		182
	被疑事実との関連性（物的限界）		185
	伝聞と非伝聞の区別（本件メモの証拠能力）		437 440
	違法収集証拠排除法則	大阪天王寺覚醒剤事件（最判昭53.9.7・百選88事件）	394
H19	強制処分と任意処分の区別基準・任意捜査の限界（ビデオカメラによる撮影の適法性）		94 101
	悪性格の立証（前科証拠による犯人性の証明の可否）	最判平24.9.7・百選60事件	389
H20	伝聞例外（321Ⅰ③）		451
	再伝聞		466
	「必要な処分」（222Ⅰ・111Ⅰ）		174
	令状の事前呈示		173
H21	令状による捜索・差押えと写真撮影		180
	伝聞例外（実況見分調書）		454
	実況見分調書の現場供述		454
H22	領置の適法性	最決平20.4.15・百選9事件	189 190
	ごみ袋の内容確認・メモ片の復元・データ復元の適法性	現場思考	──
	おとり捜査	最決平16.7.12・百選11事件	96
	秘密録音		103

年度	論点名	備考	該当頁
H22	伝聞例外（捜査報告書）	本件捜査報告書は、検証の結果を記載した書面に類似した書面であり、伝聞例外（321Ⅲ）として証拠能力が付与される（出題趣旨参照）。	454
	伝聞と非伝聞の区別		437 451
H23	別件逮捕・勾留		144
	通常逮捕の要件		125
	現行犯逮捕・準現行犯逮捕の要件		157 159
	勾留の要件		133
	伝聞例外（捜査報告書）	各捜査報告書は、検証の結果を記載した書面に類似した書面であり、伝聞例外（321Ⅲ）として証拠能力が付与される（出題趣旨参照）。	454
	伝聞と非伝聞の区別	資料1の捜査報告書については、321条1項3号該当性が問題となる一方、資料2の捜査報告書については、伝聞証拠に該当しないとの理解が前提となる（出題趣旨・採点実感参照）。	437 451
	再伝聞		466
H24	捜索中に搬入された物の捜索	最決平19.2.8・百選22事件	175 177
	捜索差押許可状の効力の及ぶ範囲		175 177
	差押物が存在する蓋然性		171
	逮捕に伴う無令状差押えにおける「逮捕の現場」の意義		182
	裁判所が、証拠上、共謀の存否がいずれとも確定できないのに、被告人にとって共謀の存在が情状の上で有利であることを理由に共謀を認定できるか	現場思考	──
	訴因変更の要否	最決平13.4.11・百選46事件	317 319
H25	準現行犯逮捕の要件		159 160

年度	論点名	備考	該当頁
H25	逮捕に伴う無令状差押えにおける「逮捕の現場」の意義	和光大学内ゲバ事件（最決平8.1.29・百選27事件）	182 183
	被疑事実との関連性（物的限界）		185
	伝聞例外（実況見分調書）		454
	伝聞と非伝聞の区別		437
	立証趣旨を「犯行状況」とする実況見分調書の証拠能力	最決平17.9.27・百選82事件	455
	犯行再現写真の供述者の署名・押印の要否	最決平17.9.27・百選82事件	382 383
H26	強制処分と任意処分の区別基準・任意捜査の限界（任意同行後の宿泊を伴う取調べへの適法性）	高輪グリーンマンション殺人事件（最決昭59.2.29・百選6事件）	108
	起訴後の被告人の取調べ	最決昭36.11.21・百選A14事件	117 118
	訴因変更の要否	最決平13.4.11・百選46事件	317 318
	訴因変更の可否	最判昭29.5.14 最判昭34.12.11 最決昭53.3.6・百選47事件 最決昭63.10.25・百選〔第10版〕46②事件	323
H27	強制処分と任意処分の区別基準・任意捜査の限界（会話の聴取・録音の適法性）	最決昭51.3.16・百選1事件 最決平11.12.16・百選32事件 【捜査①】では、「個人の意思の制圧」の側面をどのように考えるかが問題となる（出題趣旨参照）。 【捜査②】では、「検証」の強制処分としての意義・性質についての正確な理解を前提とした検討が必要となる（出題趣旨参照）。	94 95
	自白法則（約束による自白）	最判昭41.7.1・百選68事件	418
	不任意自白に基づく派生証拠の証拠能力	大阪天王寺覚醒剤事件（最判昭53.9.7・百選88事件） 最判昭61.4.25・百選89事件 最判平15.2.14・百選90事件	394 396 404 422
	伝聞と非伝聞の区別（本件文書・メモの証拠能力）		437 440

年度	論点名	備考	該当頁
H27	伝聞例外（321 I ③）		451
H28	強制処分と任意処分の区別基準・任意捜査の限界（留め置き措置の適法性）	最決昭51.3.16・百選1事件 なお、「留め置きの任意捜査としての適法性を判断するに当たっては、本件留め置きが、純粋に任意捜査として行われている段階と、強制採尿令状の執行に向けて行われた段階とからなっていることに留意する必要があり、両者を一括して判断するのは相当でないと解される。」とする裁判例（東京高判平21.7.1）がある（出題趣旨参照）。	94 95
	接見指定の可否・限界	最大判平11.3.24・百選34事件 最判平12.6.13・百選35事件	28 30
	伝聞と非伝聞の区別		437
	公判前整理手続で明示された主張と異なる被告人質問の制限の可否	最決平27.5.25・百選56事件	282
H29	「必要な処分」（222 I・111 I）	最決平14.10.4・百選A5事件	174
	令状の事前呈示	最決平14.10.4・百選A5事件	173
	令状による捜索の範囲（「場所」に対する捜索差押許可状によって、その場所の居住者の携帯「物」や「身体」を捜索することができるか）	大阪ボストンバッグ捜索事件（最決平6.9.8・百選21事件）	176
	弾劾証拠の範囲（自己矛盾供述に限られるか、供述者の署名押印を欠くものも含まれるか）	最判平18.11.7・百選85事件	472
	328条と回復証拠		473
H30	強制処分と任意処分の区別基準・任意捜査の限界（ビデオカメラによる撮影の適法性）	最決昭51.3.16・百選1事件 京都府学連デモ事件（最大判昭44.12.24） 最決平20.4.15・百選9事件 なお、下線部①の捜査では「みだりにその容ぼう等を撮影されない自由」が制約され、下線部②の捜査では「みだりに個人の営業拠点である事務所内を撮影されない自由」が制約される（採点実感参照）。	94 100
	伝聞と非伝聞の区別		437

年度	論点名	備考	該当頁
H30	伝聞例外（321 I ③・322 I ）	本件メモは被告人以外の者が作成した供述書に当たり、伝聞証拠として用いることになる（出題趣旨参照）。 本件領収書は被告人が作成した供述書に当たり、伝聞証拠として用いる場合と、非伝聞証拠として用いる場合の2パターンが考えられる（出題趣旨参照）。	451 464
R元	別件逮捕・勾留（別件基準説・本件基準説）		144
	訴因変更の可否（狭義の同一性）		323
	公判前整理手続後の訴因変更の許否	東京高判平20.11.18・百選55事件	346
R2	任意同行後の被疑者に対する任意取調べの適法性	高輪グリーンマンション殺人事件（最決昭59.2.29・百選6事件） 平塚ウェイトレス殺し事件（最決平元.7.4・百選7事件）	108 110 111
	自白法則・違法収集証拠排除法則の根拠及び判断基準	最大判昭45.11.25・百選69事件 大阪天王寺覚醒剤事件（最判昭53.9.7・百選88事件）	394 412
	自白法則と違法収集証拠排除法則の関係	ロザール事件控訴審判決（東京高判平14.9.4・百選71事件）	414
	類似事実による犯人性の証明の可否	最判平24.9.7・百選60事件 最決平25.2.20・平25重判4事件	389 391
R3	令状による差押えの範囲（被疑事実との関連性）	最判昭51.11.18・百選23事件	177
	電磁的記録媒体の差押え	最決平10.5.1・百選24事件	178
	伝聞と非伝聞の区別		437
	犯行計画メモの証拠能力		440
	伝聞例外（321 I ③）	証言拒絶の場合も321条1項3号の要件である「供述不能」に含まれるかについては、判例（最大判昭27.4.9等）の内容を踏まえた上で、自己の見解を展開することが求められる（出題趣旨参照）。	447 451
R4	おとり捜査	最決平16.7.12・百選11事件	96 98

年度	論点名	備考	該当頁
R4	訴因の特定の程度（共謀）	識別権説に立つ場合、検察官の釈明した共謀の日時は訴因の内容を構成しないが、防御権説に立つ場合には、訴因の内容を構成する。	237 239
	訴因変更の要否	最決平13.4.11・百選46事件 最決平24.2.29 なお、防御権説に立つ場合には、釈明内容とは異なる日にちを認定するに当たり、訴因変更の要否が問題となる（出題趣旨参照）。	317 319 322
	争点逸脱認定	最判昭58.12.13・百選A26事件	321 323
R5	領置の適法性	最決平20.4.15・百選9事件	189 190
	ごみ袋の回収、使用済み容器の回収	現場思考 当該ごみ袋が「所有者、所持者若しくは保管者」たる大家からの「任意提出物」に該当するか否か、当該容器が「遺留物」に該当するか否かを検討する必要がある。そして、いずれも「領置」の要件を満たすとした場合、次にごみの排出者の「通常、そのまま収集されて他人にその内容を見られることはないという期待」や「DNA型を知られることはないという期待」がプライバシーの利益として法的に保護されるか否か、また、保護されるとしてもなお要保護性が認められるか否かを論じる必要がある（出題趣旨参照）。	——
	伝聞例外（実況見分調書）		454
	伝聞と非伝聞の区別		437
	立証趣旨を「被害再現状況」とする実況見分調書の証拠能力	最決平17.9.27・百選82事件 【実況見分調書②】では、検察官の立証趣旨が「被害再現状況」であるところ、Vの供述どおりの犯行が本件犯行現場で可能だったことを立証する目的ではないことなどの根拠を示し、要証事実は、実質において「再現されたとおりの犯罪事実の存在」（供述内容の真実性）であり、伝聞証拠である旨認定することが求められる（採点実感参照）。	455
	犯行（被害）再現写真の供述者の署名・押印の要否	最決平17.9.27・百選82事件	382 383

【予備試験】

年度	論点名	備考	該当頁
H23	罰条の記載の要否	最大決昭33.7.29・百選20事件	172
	概括的記載の可否	最大決昭33.7.29・百選20事件	172
	令状による差押えの範囲（被疑事実との関連性）	最判昭51.11.18・百選23事件	177
H24	「強制の処分」の意義		94
	おとり捜査	最決平16.7.12・百選11事件	96
	秘密録音・録画	最決平20.4.15・百選9事件	101 103
H25	訴因の特定（実行行為者）	最決平13.4.11・百選46事件	239
	義務的求釈明の要否		275
	訴因変更の要否	最決平13.4.11・百選46事件	317 319
	択一的認定（概括的認定）の可否	最決平13.4.11・百選46事件	482
H26	伝聞例外（供述録音）		385
	自白法則（不任意自白）		412 417
	秘密録音	違法収集証拠排除法則との関係についても問題となり得る。	103
H27	令状による捜索・差押えと写真撮影		180
	伝聞例外（実況見分調書）		454
	実況見分調書の現場指示		454
	実況見分調書に添付された説明写真		384
H28	再逮捕・再勾留の可否		142
	前科証拠による犯人性の立証	最判平24.9.7・百選60事件 なお、判決書謄本については、323条1号所定の特信書面に当たるとする見解や、同条3号所定の特信書面に当たるとする見解がある。	391

年度	論点名	備考	該当頁
H29	現行犯逮捕の要件		157 158
	準現行犯逮捕の要件		159
	訴因の特定の程度（共謀）	識別説に立つ場合、検察官の共謀の成立時期に関する釈明内容は、義務的釈明事項には当たらないため、訴因の内容を構成しない。	237 239
	訴因変更の要否	最決平13.4.11・百選46事件	317 319
	争点逸脱認定	最判昭58.12.13・百選A26事件	323
H30	職務質問に伴う所持品検査の適法性	米子銀行強盗事件（最判昭53.6.20・百選4事件） 大阪天王寺覚醒剤事件（最判昭53.9.7・百選88事件）	87 88 89
	違法収集証拠排除法則	大阪天王寺覚醒剤事件（最判昭53.9.7・百選88事件）	394 401
R元	任意同行が実質的逮捕に当たるかどうか		109
	違法逮捕に基づく勾留請求	東京高判昭54.8.14・百選15事件	138
R2	一事不再理効の及ぶ客観的範囲	最判平15.10.7・百選95事件	478
R3	準現行犯逮捕の要件		159
	接見指定の可否・限界	最大判平11.3.24・百選34事件 最判平12.6.13・百選35事件	28 30
R4	令状による捜索の範囲（「場所」に対する捜索差押許可状によって、その場所の居住者の携帯「物」や「身体」を捜索することができるか）	大阪ボストンバッグ捜索事件（最決平6.9.8・百選21事件）	176 177
	捜索中に搬入された物の捜索	最決平19.2.8・百選22事件	175
	令状に基づく捜索に伴う有形力の行使の可否及び限界		174

年度	論点名	備考	該当頁
R5	逮捕されていない別件の被疑事実を付加して勾留を請求した場合の許否		138
	再勾留禁止の原則	再逮捕との違いについての理解を示しつつ、再勾留の可否を検討させる問題である（出題趣旨参照）。	143

《略記表》

憲⇒憲法

法⇒刑事訴訟法

規⇒刑事訴訟規則

弁護士⇒弁護士法

刑事収容⇒刑事収容施設及び被収容者等の処遇に関する法律

警職⇒警察官職務執行法

国賠⇒国家賠償法

刑⇒刑法

通信傍受法⇒犯罪捜査のための通信傍受に関する法律

被害者保護法⇒犯罪被害者等の権利利益の保護を図るための刑事手続に付随する措置に関する法律

独禁⇒私的独占の禁止及び公正取引の確保に関する法律

出資法⇒出資の受入れ、預り金及び金利等の取締りに関する法律

麻薬特例法⇒国際的な協力の下に規制薬物に係る不正行為を助長する行為等の防止を図るための麻薬及び向精神薬取締法等の特例等に関する法律

裁判員⇒裁判員の参加する刑事裁判に関する法律

麻薬取締法⇒麻薬及び向精神薬取締法

刑補⇒刑事補償法

検審⇒検察審査会法

裁判所⇒裁判所法

破防⇒破壊活動防止法

少年⇒少年法

本書の効果的利用法

各制度の概要などを簡潔に記述

[第198条]

【趣旨】198条は捜査機関による被疑者の出頭要求及び取調べの手続を規定するものである。2項は、取調べの際に供述拒否権の告知を要求するものであり、3項ないし5項は供述調書に関してそれぞれ定めている。

《注 釈》

一 任意同行・任意取調べ

1　任意同行

任意同行とは、被疑者の出頭確保のため、捜査官がその居宅等から警察署等へ同行させることをいう。任意同行には、①行政警察活動である警職法上の任意同行（警察2項）と、②犯罪捜査を目的とする捜査活動としての任意同行（198Ⅰ）がある。このうち、任意同行の許容性として問題となるのは、②の司法警察活動としての任意同行である。

司法警察活動としての任意同行は、被疑者の名誉を保護するため、あるいはその場で取り調べることが適当でない場合、さらには、すでに逮捕状が発付されている場合でも、任意取調べによってさらに逮捕の必要性を慎重に検討するためになされるものである。

2　任意取調べ

任意取調べ（198Ⅰ）とは、任意の出頭や任意同行を求めて行う取調べ、すなわち身柄を拘束されていない被疑者の取調べをい［う］。

3　任意同行・任意取調べの許容限界

（1）2つの次元の限界

上記のように、任意同行・任意取調べは198条1項に基づき行うことができる。もっとも、この任意取調べにも、以下の判例が示すように、大きく2つの次元の限界が存在する。そして、任意取調べがその限界を超えて違法とされる場合、その後の逮捕・勾留の適否（⇒p138）や、これに続く取調べによって得られた供述の証拠能力（⇒p416）に影響を及ぼし得る。

▼ **高輪グリーンマンション殺人事件（最決昭59.2.29・百選6事件）**

「任意捜査においては、強制手段、すなわち、「個人の意思を制圧し、身体、住居、財産等に制約を加えて強制的に捜査目的を実現する行為など、特別の根拠規定がなければ許容することが相当でない手段」……を用いることが許されないことはいうまでもないが、任意捜査の一環としての被疑者に対する取調べは、右のような強制手段によることができないというだけでは足りず、さらに、事案の性質、被疑者に対する容疑の程度、被疑者の態度等諸般の事情を［……］会通念上相当と認められる方法ないし態様及び限度に［……］

この判例によれば、任意取調べの限界は、①「強［……］」価されないか、②（強制処分に当たらないとしても）［……］対する容疑の程度、被疑者の態度等諸般の事情を［……］

108

論文式試験の過去問で問われた項目に下記のマークを明示

司法試験　⇒〈司R5〉

予備試験　⇒〈予R5〉

（数字は出題された年度を表しています。）

検索しやすい大きな条文表示

[第321条]

（e）酒酔い鑑識カード

酒酔い状態の検査・観察を報告する酒酔い鑑識カードの証拠能力について、検証調書とするか争いがある。

この点、判例（最判昭47.62）は、化学判定欄及び被疑者の言語、動作、酒臭、外貌、態度等の外部的状態に関する記載のある欄の記載は、321条3項の「司法警察職員の検証の結果を記載した書面」（検証調書）に当たり、被疑者との問答の記載のある欄には「事件事故の場合」の題下の「飲酒日時」及び「飲酒動機」の両欄の各記載は、いずれも321条1項3号の書面（目面調書）に当たるとしている。

（f）私人作成の実験結果報告書

私人が作成した実験結果の報告書に321条3項を準用して証拠能力を認めることができるか。判例（最決平20.8.27・百選83事件）は、321条3項の文言及び趣旨から準用を否定している。

▼ **最決平20.8.27・百選83事件**

刑訴法321条3項所定の書面の作成主体は司法警察職員に限られ、「検察官、検察事務官又は司法警察職員」より広範囲の文言及びその他の態様に照らすと、本件のような私人作成の書面に同項を準用することはできない。しかし、火災原因の調査、判定に関して特別の学識経験を有する作成者が実験結果を報告したものであり、かつ作成の真正についても立証されているから、同法321条4項の書面に準ずるものとして証拠能力を有する。

7　鑑定書（321Ⅳ）

（1）意義

鑑定書は、裁判所又は裁判官の命じた鑑定人の作成した鑑定（165、179等以下）の経過及び結果を記載した書面をいう。

（2）要件

鑑定書は、321条3項と同様に、その作成者が公判期日において証人として尋問を受け、その真正に作成されたものであることを供述した場合に証拠とすることができる（鑑定人の真正作成供述）。

鑑定書については、まず、①鑑定内容は複雑で専門的であるから、鑑定人の口頭の供述よりも、書面による方がかえって正確であり理解しやすいため、これを証拠とする必要がある。次に、②鑑定人は人違が公正で、宣誓のうえ鑑定（166）、虚偽鑑定に対する制裁もあり（刑171）、しかも、③鑑定は専門的知識に基づき客観的になされ、さらに、④不十分ながら事後に反対尋問の機会が与えられているので、信用性の情況的保障がある。そこで、321条4項は、上述の要件の下で証拠能力を認めた。

456

出題可能性が高い重要判例の事案・判旨をコンパクトに掲載するとともに、一目でわかる青トーンの枠で表示

2025年予備試験での出題が予想される項目を■マークで明示

【趣旨】第1審公判の手続は、冒頭手続・証拠調べ手続・最終弁論手続・判決宣告手続に大別しうる。本条は、そのうちの冒頭手続の内容を規定するものである。

〈注　釈〉

◆ 公判期日の手続

1　冒頭手続 司法予

冒頭手続は、①人定質問、②起訴状朗読、③権利告知、④被告人・弁護人の陳述の手続からなる。

(1)　①人定質問

裁判長が被告人に対し、人違いでないかを確かめるための質問を行う（規196）。これを人定質問という。実務では、被告人の氏名・年齢・住所・職業等を問うのが通例である。

(2)　②起訴状朗読

(a)　検察官が起訴状を朗読する（291Ⅰ）。起訴状朗読は、被告人に防御の対象を示すとともに、裁判所に審判対象を明示する機能を有する。そこで、起訴状の内容に不明確な点がある場合には、裁判長は検察官に釈明を求めることができ（求釈明、規208）、検察官はこれに応じる義務を負う（注）。

(b)　求釈明の要否 司法予

求釈明は、被告人・弁護人が被告事件に対する意見陳述をするために必要・有益な事項に限られるべきであるとされており、基本的に公訴事実に対するものでなければならない。

そして、公訴事実について、裁判所が求釈明をしなければならない場合（義務的求釈明）の範囲は、256条3項の規定に照らし、一般に、訴因の特定に必要な事項であるとされている。これについて、裁判所が求釈明したにもかかわらず、検察官がこれに応じず訴因が特定されないときは、裁判所は公訴棄却すべきである（最判昭33.1.23）。⇒p.20

他方、訴因の特定に必要な事項以外の事項については、裁判所は求釈明をする義務を負わず、裁判長の自由裁量に委ねられる（裁量的求釈明）。もっとも、実務の運用として、訴因の特定に欠けるところはなくても、被告人の防御上重要な事項については、裁判所は任意的な求釈明を行うことが多い。この任意的な求釈明事項については、検察官がこれに応じなくても、公訴棄却されず、裁判所はその後の手続を続行できる。

(3)　③権利告知・④被告人・弁護人の陳述

裁判長は、起訴状の朗読が終わった後、被告人に対し、終始沈黙し、又は個々の質問に対し陳述を拒むことができる旨（291Ⅴ本文前段）、陳述をすることもできる旨及び陳述をすれば自己に不利益な証拠ともなり又は利益な証拠ともなるべき旨を告げなければならない（規則197Ⅰ）。

判例には⟨判⟩マーク、通説には⟨通⟩マークを明示し、短答式試験の過去問で問われた項目にも下記のマークを明示
司法試験　⇒⟨司⟩
予備試験　⇒⟨予⟩
司法試験・予備試験
共通問題　⇒⟨共⟩

当該項目と関連する部分や詳細な記述がなされている部分を ⇒p.で表示し、直ちに当該部分を参照することが可能

随所に図表を設け、ビジュアル的にわかりやすく情報を整理

＜証拠調べ手続の流れ＞ 司

検察官の冒頭陳述（296）
→ 被告人又は弁護人の冒頭陳述（316の30、規198）
→ 公判整理手続の結果の顕出（316の31Ⅰ）

検察官による立証
→ 検察官の証拠取調べ請求（298Ⅰ、規189、193Ⅰ）
　・嘱託証拠調べ（298Ⅱ）→検察官及び被告人又は弁護人の意見（299Ⅱ、規190Ⅰ後段）
　・自白と証拠調べ請求の制限（301）⇒p.299
　・公判前（期日間）整理手続終了後の証拠調べ請求の制限（316の32Ⅰ）
→ 被告人又は弁護人の証拠意見（規190Ⅰ前段）、書面についての同意・不同意（326Ⅰ）
→ 証拠決定（採用決定・却下決定、規190Ⅰ）
→ 証拠調べの範囲・順序・方法の決定・変更（297）
→ 証拠調べの実施（304）
　・人証→尋問（304）　被害者参加人等による情状証人に対する尋問（316の36）
　・証拠書類→朗読（305）又は要旨の告知（規203の2）
　・証拠物（306）
　・証拠物たる書面→朗読又は要旨の告知及び展示（307）
→ 証拠の証明力を争う機会の付与（308、規204）
→ 証拠調べに関する異議の申立て（309）
→ 証拠調べが終了した証拠の提出（310）

被告人・弁護人による立証（298Ⅰ、規193Ⅰ）　※検察官による立証と同様の手続

被告人質問（311Ⅱ）
→ 被害者参加人等による被告人に対する質問（316の37）

証拠の排除決定（規207）

情状に関する立証　※検察官による立証と同様の手続

被害者等の意見の陳述（292の2、規210の2～7）

● 最新判例インターネットフォロー ●

本書の発刊後にも、短答式試験で出題されるような重要な判例が出されることがあります。

そこで、完全整理択一六法を購入し、アンケートにお答えいただいた方に、ウェブ上で最新判例情報を随時提供させていただきます。

・ユーザー名は〈WINSHIHOU〉、パスワードは〈kantaku〉となります。

※画面イメージ

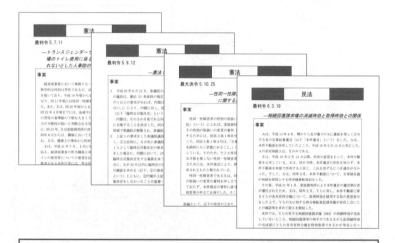

アクセス方法　ＬＥＣ司法試験サイトにアクセス
(https://www.lec-jp.com/shihou/)
↓
ページ最下部の「書籍特典 購入者登録フォーム」へアクセス
(https://www.lec-jp.com/shihou/book/member/)
↓
「完全整理択一六法 書籍特典応募フォーム」にアクセスし、
上記ユーザー名・パスワードを入力
↓
アンケートページにてアンケートに回答
↓
登録いただいたメールアドレスに最新判例情報ページへの
案内メールを送付いたします

完全整理　択一六法

刑事訴訟法

＜刑事手続の流れ＞

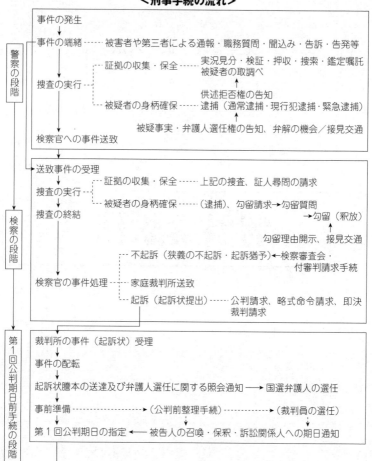

警察の段階

事件の発生
↓
事件の端緒 ‥‥‥‥ 被害者や第三者による通報・職務質問・聞込み・告訴・告発等
↓
捜査の実行‥‥ ┌ 証拠の収集・保全 ‥‥‥‥ 実況見分・検証・押収・捜索・鑑定嘱託
　　　　　　　 │ 　　　　　　　　　　　　　　被疑者の取調べ
　　　　　　　 │ 　　　　　　　　　　　　　　供述拒否権の告知
　　　　　　　 └ 被疑者の身柄確保 ‥‥‥‥ 逮捕（通常逮捕・現行犯逮捕・緊急逮捕）
↓　　　　　　　　　　　被疑事実・弁護人選任権の告知、弁解の機会／接見交通
検察官への事件送致

検察の段階

送致事件の受理
↓
捜査の実行‥‥ ┌‥ 証拠の収集・保全 ‥‥‥‥ 上記の捜査、証人尋問の請求
　　　　　　　 │
　　　　　　　 └‥ 被疑者の身柄確保 ‥‥‥‥（逮捕）、勾留請求→勾留質問
捜査の終結　　　　　　　　　　　　　　　　　　　　　　→勾留（釈放）
　　　　　　　　　　　　　　　　　　　　　　　　勾留理由開示、接見交通
↓
　　　　　　　　 ┌‥ 不起訴（狭義の不起訴・起訴猶予）◀検察審査会・
　　　　　　　　 │ 　　　　　　　　　　　　　　　　　　　付審判請求手続
検察官の事件処理‥‥├‥ 家庭裁判所送致
　　　　　　　　 └‥ 起訴（起訴状提出）‥‥‥‥ 公判請求、略式命令請求、即決
　　　　　　　　 　　　　　　　　　　　　　　　　裁判請求

第1回公判期日前手続の段階

裁判所の事件（起訴状）受理
↓
事件の配転
↓
起訴状謄本の送達及び弁護人選任に関する照会通知 ━━➤ 国選弁護人の選任
↓
事前準備‥‥‥‥‥‥‥➤（公判前整理手続）‥‥‥‥‥‥（裁判員の選任）
↓
第1回公判期日の指定 ◀━━ 被告人の召喚・保釈・訴訟関係人への期日通知

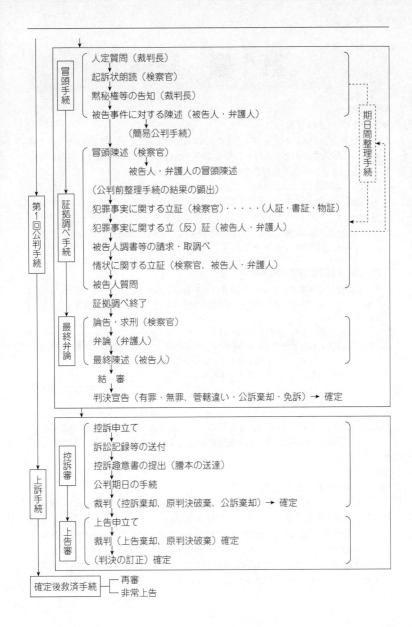

第1回公判手続

冒頭手続
- 人定質問（裁判長）
- 起訴状朗読（検察官）
- 黙秘権等の告知（裁判長）
- 被告事件に対する陳述（被告人・弁護人）
  - （簡易公判手続）

証拠調べ手続
- 冒頭陳述（検察官）
  - 被告人・弁護人の冒頭陳述
- （公判前整理手続の結果の顕出）
- 犯罪事実に関する立証（検察官）‥‥‥（人証・書証・物証）
- 犯罪事実に関する立（反）証（被告人・弁護人）
- 被告人調書等の請求・取調べ
- 情状に関する立証（検察官、被告人・弁護人）
- 被告人質問
- 証拠調べ終了

最終弁論
- 論告・求刑（検察官）
- 弁論（弁護人）
- 最終陳述（被告人）
  - 結　審
- 判決宣告（有罪・無罪、管轄違い・公訴棄却・免訴）→ 確定

期日間整理手続

上訴手続

控訴審
- 控訴申立て
- 訴訟記録等の送付
- 控訴趣意書の提出（謄本の送達）
- 公判期日の手続
- 裁判（控訴棄却、原判決破棄、公訴棄却）→ 確定

上告審
- 上告申立て
- 裁判（上告棄却、原判決破棄）確定
- （判決の訂正）確定

確定後救済手続 ─┬─ 再審
　　　　　　　　└─ 非常上告

3

第1編　総則

《概　説》

◆　刑事訴訟法の意義

刑事訴訟法とは、刑法を実現するための手続を定めた法律、あるいは、刑罰権の具体的実現を目的とする手続に関する法律をいう。犯罪を原因とし刑罰を科せられるべき事件のことを刑事事件という。

民事上の紛争は当事者の間の話合いで決着をつけることもできるが（私的自治の原則）、刑事事件については、真実の発見と個人の人権を保障することが要請されるので、必ず刑事訴訟法に従って事件を解決することが必要である（憲31）。こうして、刑事訴訟法は、刑法と並んで、刑罰法律関係を形成するための不可分かつ必然的な一部といえる。

第1条　〔刑事訴訟法の目的〕

この法律は、刑事事件につき、公共の福祉の維持と個人の基本的人権の保障とを全うしつつ、事案の真相を明らかにし、刑罰法令を適正且つ迅速に適用実現することを目的とする[平]。

> 憲法第31条〔法定の手続保障〕
> 　何人も、法律の定める手続によらなければ、その生命若しくは自由を奪れ、又はその他の刑罰を科せられない。
> 憲法第37条〔刑事被告人の権利〕
> 　Ⅰ　すべて刑事事件においては、被告人は、公平な裁判所の迅速な公開裁判を受ける権利を有する。

[趣旨] 本条は、主に①基本的人権の保障、②事案の真相の究明（実体的真実の発見）、③刑罰法令の適用実現とが、刑事訴訟法によって実現されるべき目的として謳われている。

《注　釈》

一　実体的真実主義の意義

実体的真実主義とは、犯罪の有無・内容を正確に明らかにすることが刑事訴訟の最も重要な目的であるとする考え方である。

実体的真実主義には、積極的実体的真実主義と消極的実体的真実主義がある。積極的実体的真実主義は、犯罪は必ず発見して処罰遺漏がないようにしようとするものである（積極的な処罰確保の理念）。これに対して、消極的実体的真実主義とは、罪のない者を処罰することがないようにしようとするものである（消

極的な処罰阻止の理念）。消極的実体的真実主義によると、罪のない者が誤って処罰されることのないよう、人権を尊重した手続が要請される。

二　人権の保障

　捜査段階の被疑者も、公判段階の被告人も、未だ犯罪者と確定されたわけではない。刑事上の罪に問われているすべての者は、法律に基づいて有罪とされるまでは無罪と推定される権利を有する。このような被疑者・被告人に対して、憲法31条以下は、刑事手続における人権保障規範を詳細に規定した。このことから、刑事訴訟法の重要な目的として人権保障の実現が挙げられることが理解できる。人権保障にも、①国家から不当な侵害を受けない権利を保障する消極的な人権保障と、②自己の刑事事件に関する手続に自ら関与し、自己を主張する権利を保障する積極的な人権保障とがある。①の例としては、憲法の保障する令状主義（憲33、35）、弁護人依頼権（憲34、37）、自己負罪拒否特権（憲38）などがあり、②の例としては、証人審問権（憲37Ⅱ）、各種の情報獲得権などがある。

三　適正手続

　実体的真実主義と人権保障とは、両立することが理想である。しかし、両者が対立・矛盾する場合もある。その場合にいずれの価値を優先させるかが大きな問題である。この点、人権保障を重視した手続を適正手続とするとしても、そこでは実体的真実主義の要請も前提となっている。そうだとすれば、実体的真実主義と人権保障との適正なバランス状態を適正手続と解すべきである。すなわち、適正手続とは、実体的真実主義と人権保障との適正なバランスがとれた手続をいう。

四　手続を支える制度と原則

1　弾劾主義と糾問主義

　弾劾主義とは、訴追者により訴追されることにより手続が開始され、訴追者が主張・立証の責任を負い、被告人は訴追者に協力する義務を負わない方式をいう。

　糾問主義とは、犯罪の真相解明に当たる者（糾問官）が手続を開始し、訴訟関係者に真相解明に必要な証拠の提供を法的に義務付ける方式をいう。

　わが国の刑事訴訟法は、国家訴追主義（247）を採用し、また、歴史的経緯から弾劾主義の訴訟構造を採用していると解されている。

2　当事者主義と職権主義〈司〉

　当事者主義とは、訴訟追行の主導権を当事者に委ねる建前をいう。当事者主義は、裁判所の役割と検察官の役割とを明確に区別することにより、訴訟の公平さを保障するところに1つの意味がある。現行法は、256条3項・4項・6項、298条1項、312条1項等に当事者主義に基づく規定を置いている。

　職権主義とは、訴訟追行の主導権を裁判所に委ねる建前をいう。職権主義は、旧刑事訴訟法の採用していた原則であり、現行法においては、当事者主義を補充するものとして認められているにすぎない（298Ⅱ、312Ⅱ）。

3　公判中心主義　⇒ p.250

公判中心主義とは、犯罪事実の確認は公判でなさなければならないことをいう。犯罪事実の確認が公判でなされる必要があることから、捜査はあくまでも公判への準備活動であり、裁判の中心は公判において決せられることになる。

五　迅速な裁判

1　意義

憲法 37 条 1 項は、「すべて刑事事件においては、被告人は、公平な裁判所の迅速な公開裁判を受ける権利を有する。」と規定し、被告人の迅速な裁判を受ける権利を保障している。迅速な裁判が保障された趣旨は、①国家にとっては、迅速な証拠収集により適正な裁判をし、また訴訟経済を図るとともに、実効的な刑罰を科すことにある。他方、②被告人にとっては、訴訟は公判への出頭義務など物質的にも精神的にも大きな負担となり、身柄を拘束されていればその苦痛は増大し、時の経過により無罪主張が困難になり、誤判につながることを防止することにある。

2　迅速な裁判を担保する制度

現行法には、迅速な裁判を目指すための規定が置かれている。簡易公判手続（291 の 2）、略式手続（461 以下）、及び即決裁判手続（350 の 16 以下）といった審理そのものを簡易迅速化する制度の他に、①起訴状謄本の遅滞なき送達（271、規 176）、②事前準備（規 178 の 2 以下）、③公判前整理手続（316 の 2 以下）、④期日間整理手続（316 の 28）、⑤公判期日の厳守（277、規 179 の 4 以下、182）、⑥継続審理の原則（281 の 6）等の規定が用意されている。

3　裁判の遅延とその救済方法

（1）審理打切りの判断基準

▼　**高田事件（最大判昭 47.12.20・百選 A30 事件）**

起訴後しばらく審理した後、15 年余の間審理が全く行われないで放置された事案について、「具体的刑事事件における審理の遅延が右（迅速な裁判）の保障条項に反する事態に至っているか否かは、遅延の期間のみによって一律に判断されるべきではなく、遅延の原因と理由などを勘案して、その遅延がやむを得ないものと認められないかどうか、これにより右の保障条項が守ろうとしている諸利益がどの程度実際に害せられているかなど諸般の情況を総合的に判断して決せられなければならない」と判示した。

▼　**京都地判平 8.11.28**

約 26 年間心神喪失を理由に公判手続が停止され、起訴後第 1 審判決まで 30 年 6 カ月を経過したという事案において、高田事件の流れを踏襲し、未だ迅速な裁判を受ける権利が侵害されていないと判示した。

(2) 審理打切りの方法

▼ **高田事件（最大判昭47.12.20・百選A30事件）**

結論として、免訴判決を言い渡すべきとした。（しかし、起訴後しばらく審理した後、約15年間審理が全く行われずに放置されたというきわめて異常な事案であったため、超法規的措置として免訴にしたとも評価されており、必ずしも免訴説が判例の立場であるとはいえない。）

4 公訴時効の制度との違いについて

(1) 制度趣旨

公訴時効制度の趣旨につき、訴追されていないという一定の事実状態を尊重して、国家がもはや訴追権を発動しない制度であり、もって個人の法的地位の安定を図ろうとするものと考える立場（新訴訟法説）によると、迅速な裁判も公訴時効制度も被疑者・被告人の法的地位の安定という趣旨において共通することになる。他方、公訴時効制度の趣旨につき、犯罪終了後の一定期間の経過による可罰性の低下をその趣旨とする立場によると、公訴時効制度が国家の立場から訴訟の打切りを考えるのに対して、迅速な裁判を受ける権利は、被告人の権利として訴訟の打切りを考えることになる。

(2) 手続打切りの要件

公訴時効の場合は、法定の期間の経過が要件となる（250）。これに対し、迅速な裁判を受ける権利の場合は、①遅延の期間、②その原因と理由、③遅延がやむを得ないものと認められるか、④迅速な裁判が守ろうとしている諸利益がどの程度害されるか、など諸般の情況を総合的に判断して、憲法違反の異常な事態が生じているといえる場合に訴訟を打ち切るべきであるとされる（判例）。よって、迅速な裁判を受ける権利は、一定の期間が定められておらず、実質的な判断を要する点で公訴時効とは異なる。

＜刑事手続の各段階における制度と原理＞

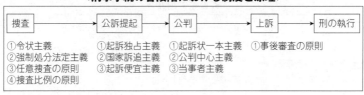

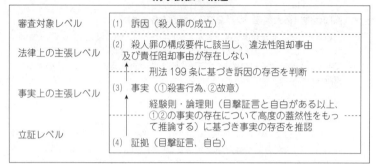

＜刑事訴訟の構造＞

審査対象レベル	(1) 訴因（殺人罪の成立）
法律上の主張レベル	(2) 殺人罪の構成要件に該当し、違法性阻却事由及び責任阻却事由が存在しない ‥‥‥‥ 刑法 199 条に基づき訴因の存否を判断 ‥‥‥‥
事実上の主張レベル	(3) 事実（①殺害行為、②故意） 　　経験則・論理則（目撃証言と自白がある以上、①②の事実の存在について高度の蓋然性をもって推論する）に基づき事実の存否を推認
立証レベル	(4) 証拠（目撃証言、自白）

・第1章・【裁判所の管轄】

第2条 〔土地管轄〕

Ⅰ 裁判所の土地管轄は、犯罪地又は被告人の住所、居所若しくは現在地による。

Ⅱ 国外に在る日本船舶内で犯した罪については、前項に規定する地の外、その船舶の船籍の所在地又は犯罪後その船舶の寄泊した地による。

Ⅲ 国外に在る日本航空機内で犯した罪については、第1項に規定する地の外、犯罪後その航空機の着陸（着水を含む。）した地による。

《注　釈》

▪ 裁判所の管轄とは、特定の裁判所が特定の事件について裁判をなすことができる裁判上の権限をいう。裁判所の管轄は、法定管轄と裁定管轄とに分かれ、法定管轄はさらに事物管轄、土地管轄及び審級管轄に区別される。

＜管轄の種類＞

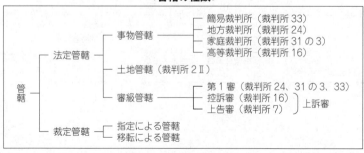

8

一　法定管轄

1　事物管轄

事物管轄とは、事件の軽重や性質による第1審の管轄の分配をいう。

事物管轄が上級裁判所と下級裁判所とで競合する場合は、原則として、上級の裁判所が審判する（10Ⅰ）。各裁判所の事物管轄は以下のとおりである。

(1)　簡易裁判所 圖

　罰金以下の刑に当たる罪及び選択刑として罰金が定められている罪の他、窃盗罪・横領罪など一定の罪について事物管轄を有する（裁判所33Ⅰ②）。ただし、簡易裁判所は、原則として禁錮以上の刑を科すことはできない。例外として、住居侵入罪（刑130）、賭博罪（刑186）、窃盗罪（刑235）、横領罪（刑252）、遺失物横領罪（刑254）、盗品等に関する罪（刑256）など一定の罪については3年以下の懲役を科すことができる（同Ⅱ）。簡易裁判所は、この制限を超える刑を科すのが相当と認めるときは、事件を地方裁判所に移送しなければならない（同Ⅲ、法332）。

(2)　地方裁判所

　原則として、一切の事件について事物管轄を有する（裁判所24）。

(3)　家庭裁判所

　少年法で定める少年の保護事件の審判について事物管轄を有する（裁判所31の3Ⅰ③）。

(4)　高等裁判所

　刑法77条ないし79条の罪（内乱罪）に関する事件につき事物管轄を有する（裁判所16④）。

2　土地管轄

土地管轄とは、事件の場所的関係による第1審の管轄の分配をいう。各裁判所はそれぞれ管轄区域をもっており、その区域内に犯罪地又は被告人の住所・居所・現在地がある事件について土地管轄権が認められる（2Ⅰ）。なお、現在地とは、「公訴提起の当時被告人が任意若しくは適法な強制により現実に在る地域を指す」（最判昭30.5.17）。

3　審級管轄

審級管轄とは、上訴との関係における管轄をいう。

上訴には、控訴・上告・抗告の3種類がある。このうち、控訴はすべて高等裁判所が管轄し（裁判所16①）、上告は最高裁判所の管轄に属する（裁判所7①）。抗告のうち、地方裁判所・家庭裁判所及び簡易裁判所の決定に対する抗告はすべて高等裁判所の管轄となり（裁判所16②）、特別抗告は、最高裁判所の管轄となる（裁判所7②）。

二　裁定管轄

裁定管轄とは、裁判所の裁判によって管轄が定められる場合をいう。

　これには、①管轄裁判所が明らかでない場合の管轄の指定（15、16）と、②本来の管轄裁判所はあるが、特別の事情により他の裁判所に管轄権を生じさせる管轄の移転（17、18）とがある。

第3条 〔関連事件の併合管轄〕

Ⅰ　事物管轄を異にする数個の事件が関連するときは、上級の裁判所は、併せてこれを管轄することができる🈩。

Ⅱ　高等裁判所の特別権限に属する事件と他の事件とが関連するときは、高等裁判所は、併せてこれを管轄することができる。

第4条 〔審判の分離〕

　事物管轄を異にする数個の関連事件が上級の裁判所に係属する場合において、併せて審判することを必要としないものがあるときは、上級の裁判所は、決定で管轄権を有する下級の裁判所にこれを移送することができる。

第5条 〔審判の併合〕

Ⅰ　数個の関連事件が各別に上級の裁判所及び下級の裁判所に係属するときは、事物管轄にかかわらず、上級の裁判所は、決定で下級の裁判所の管轄に属する事件を併せて審判することができる。

Ⅱ　高等裁判所の特別権限に属する事件が高等裁判所に係属し、これと関連する事件が下級の裁判所に係属するときは、高等裁判所は、決定で下級の裁判所の管轄に属する事件を併せて審判することができる。

第6条 〔関連事件の併合管轄〕

　土地管轄を異にする数個の事件が関連するときは、1個の事件につき管轄権を有する裁判所は、併せて他の事件を管轄することができる。但し、他の法律の規定により特定の裁判所の管轄に属する事件は、これを管轄することができない。

第7条 〔審判の分離〕

　土地管轄を異にする数個の関連事件が同一裁判所に係属する場合において、併せて審判することを必要としないものがあるときは、その裁判所は、決定で管轄権を有する他の裁判所にこれを移送することができる。

第8条 〔審判の併合〕

Ⅰ　数個の関連事件が各別に事物管轄を同じくする数個の裁判所に係属するときは、各裁判所は、検察官又は被告人の請求により、決定でこれを一の裁判所に併合することができる。

Ⅱ　前項の場合において各裁判所の決定が一致しないときは、各裁判所に共通する直近上級の裁判所は、検察官又は被告人の請求により、決定で事件を一の裁判所に併合することができる。

第9条 〔関連事件〕

Ⅰ 数個の事件は、左の場合に関連するものとする。

① 1人が数罪を犯したとき。

② 数人が共に同一又は別個の罪を犯したとき。

③ 数人が通謀して各別に罪を犯したとき。

Ⅱ 犯人蔵匿の罪、証憑湮滅の罪、偽証の罪、虚偽の鑑定通訳の罪及び臓物に関する罪とその本犯の罪とは、共に犯したものとみなす。

第10条 〔同一事件と数個の訴訟係属〕

Ⅰ 同一事件が事物管轄を異にする数個の裁判所に係属するときは、上級の裁判所が、これを審判する。

Ⅱ 上級の裁判所は、検察官又は被告人の請求により、決定で管轄権を有する下級の裁判所にその事件を審判させることができる。

第11条 〔同前〕

Ⅰ 同一事件が事物管轄を同じくする数個の裁判所に係属するときは、最初に公訴を受けた裁判所が、これを審判する。

Ⅱ 各裁判所に共通する直近上級の裁判所は、検察官又は被告人の請求により、決定で後に公訴を受けた裁判所にその事件を審判させることができる。

第12条 〔管轄区域外での職務執行〕

Ⅰ 裁判所は、事実発見のため必要があるときは、管轄区域外で職務を行うことができる。

Ⅱ 前項の規定は、受命裁判官にこれを準用する。

第13条 〔管轄違いと訴訟手続の効力〕

訴訟手続は、管轄違の理由によっては、その効力を失わない。

第14条 〔管轄違いと要急処分〕

Ⅰ 裁判所は、管轄権を有しないときでも、急速を要する場合には、事実発見のため必要な処分をすることができる。

Ⅱ 前項の規定は、受命裁判官にこれを準用する。

第15条 〔管轄指定の請求〕

検察官は、左の場合には、関係のある第1審裁判所に共通する直近上級の裁判所に管轄指定の請求をしなければならない。

① 裁判所の管轄区域が明らかでないため管轄裁判所が定まらないとき。

② 管轄違を言い渡した裁判が確定した事件について他に管轄裁判所がないとき。

第16条 〔同前〕

　法律による管轄裁判所がないとき、又はこれを知ることができないときは、検事総長は、最高裁判所に管轄指定の請求をしなければならない。

第17条 〔管轄移転の請求〕

Ⅰ　検察官は、左の場合には、直近上級の裁判所に管轄移転の請求をしなければならない。

　①　管轄裁判所が法律上の理由又は特別の事情により裁判権を行うことができないとき。

　②　地方の民心、訴訟の状況その他の事情により裁判の公平を維持することができない虞があるとき。

Ⅱ　前項各号の場合には、被告人も管轄移転の請求をすることができる。

第18条 〔同前〕

　犯罪の性質、地方の民心その他の事情により管轄裁判所が審判をするときは公安を害する虞があると認める場合には、検事総長は、最高裁判所に管轄移転の請求をしなければならない。

第19条 〔事件の移送〕

Ⅰ　裁判所は、適当と認めるときは、検察官若しくは被告人の請求により又は職権で、決定を以て、その管轄に属する事件を事物管轄を同じくする他の管轄裁判所に移送することができる。

Ⅱ　移送の決定は、被告事件につき証拠調を開始した後は、これをすることができない。

Ⅲ　移送の決定又は移送の請求を却下する決定に対しては、その決定により著しく利益を害される場合に限り、その事由を疎明して、即時抗告をすることができる。

・第2章・【裁判所職員の除斥及び忌避】

第20条 〔除斥〕

裁判官は、次に掲げる場合には、職務の執行から除斥される。

①　裁判官が被害者であるとき。

②　裁判官が被告人又は被害者の親族であるとき、又はあつたとき。

③　裁判官が被告人又は被害者の法定代理人、後見監督人、保佐人、保佐監督人、補助人又は補助監督人であるとき。

④　裁判官が事件について証人又は鑑定人となつたとき。

⑤　裁判官が事件について被告人の代理人、弁護人又は補佐人となつたとき。

⑥　裁判官が事件について検察官又は司法警察員の職務を行つたとき。

⑦　裁判官が事件について第266条第2号の決定、略式命令、前審の裁判、第3 98条乃至第400条、第412条若しくは第413条の規定により差し戻し、 若しくは移送された場合における原判決又はこれらの裁判の基礎となつた取調べ に関与したとき。ただし、受託裁判官として関与した場合は、この限りでない。

第21条 〔忌避〕

Ⅰ　裁判官が職務の執行から除斥されるべきとき、又は不公平な裁判をする虞がある ときは、検察官又は被告人は、これを忌避することができる。

Ⅱ　弁護人は、被告人のため忌避の申立をすることができる。但し、被告人の明示し た意思に反することはできない。

第22条 〔忌避申立ての時期〕

事件について請求又は陳述をした後には、不公平な裁判をする虞があることを理由 として裁判官を忌避することはできない。但し、忌避の原因があることを知らなかつ たとき、又は忌避の原因がその後に生じたときは、この限りでない。

第23条 〔忌避申立てに対する決定〕

Ⅰ　合議体の構成員である裁判官が忌避されたときは、その裁判官所属の裁判所が、 決定をしなければならない。この場合において、その裁判所が地方裁判所であると きは、合議体で決定をしなければならない。

Ⅱ　地方裁判所の1人の裁判官又は家庭裁判所の裁判官が忌避されたときはその裁判 官所属の裁判所が、簡易裁判所の裁判官が忌避されたときは管轄地方裁判所が、合 議体で決定をしなければならない。ただし、忌避された裁判官が忌避の申立てを理 由があるものとするときは、その決定があつたものとみなす。

Ⅲ　忌避された裁判官は、前2項の決定に関与することができない。

Ⅳ　裁判所が忌避された裁判官の退去により決定をすることができないときは、直近 上級の裁判所が、決定をしなければならない。

第24条 〔簡易却下手続〕

Ⅰ　訴訟を遅延させる目的のみでされたことの明らかな忌避の申立は、決定でこれを 却下しなければならない。この場合には、前条第3項の規定を適用しない。第22 条の規定に違反し、又は裁判所の規則で定める手続に違反してされた忌避の申立を 却下する場合も、同様である。

Ⅱ　前項の場合には、忌避された受命裁判官、地方裁判所の1人の裁判官又は家庭裁 判所若しくは簡易裁判所の裁判官は、忌避の申立てを却下する裁判をすることがで きる。

第25条 〔即時抗告〕

忌避の申立を却下する決定に対しては、即時抗告をすることができる。

第26条 〔裁判所書記官の除斥・忌避〕

Ⅰ　この章の規定は、第20条第7号の規定を除いて、裁判所書記にこれを準用する。

Ⅱ　決定は、裁判所書記所属の裁判所がこれをしなければならない。但し、第24条第1項の場合には、裁判所書記の附属する受命裁判官が、忌避の申立を却下する裁判をすることができる。

総則

《注 釈》

一　公平な裁判所の要請

裁判は適正であるとともに、両当事者にとって公平でなければならない。そこで、憲法37条1項は、「被告人は、公平な裁判所の迅速な公開裁判を受ける権利を有する」と規定した。「公平な裁判所」とは、その組織・構成からみて偏頗な裁判をするおそれのない裁判所をいう（最大判昭23.5.5）。この組織・構成の公平を担保するため、裁判官の除斥・忌避・回避の制度が設けられている。東大事件（最決昭49.7.18）は、裁定合議委員会が併合審理案を作成するに際して所属セクト等を調査し、その作成資料が事件の審判に当たる裁判官の了知するところとなっても予断排除の原則に反しないとしている。

二　除斥

除斥とは、不公平な裁判をするおそれが推認される法定の事由があるときに、裁判官を職務から当然に排除する制度をいう（20）。除斥事由のある裁判官は、当然に職務の執行から排除される。それにもかかわらずその裁判官が関与すれば、当事者は忌避の申立てをすることができる（21）。除斥事由のある裁判官が判決に関与したときは、絶対的控訴理由となる（377②）。

▼　**最決平17.8.30・百選〔第9版〕52事件**

決旨：「裁判官が事件について公訴棄却の判決をし、又はその判決に至る手続に関与したことは、その手続において再起訴後の第1審で採用された証拠又はそれと実質的に同一の証拠が取り調べられていたとしても、事件について前審の裁判又はその基礎となった取調べに関与したものとはいえ」ず、刑訴法20条の除斥事由には当たらないとした。

三　忌避

忌避とは、不公平な裁判をするおそれがあるときに、当事者の申立てにより、裁判官を職務の執行から排除する制度をいう（21）。

忌避理由は、除斥事由があること、又は、不公平な裁判をするおそれがあることである（21）。

判例は、逮捕・勾留・保釈に関与した裁判官が審判しても公平な裁判所の裁判でないとはいえないとした（最大判昭25.4.12）。また、訴訟手続内における審理の方法、態度はそれだけでは忌避の理由とならないとする（最決昭48.10.8・百選

A24事件）。なぜなら、訴訟指揮については、異議申立て・抗告といった別途の不服申立手段があるからである。もっとも、手続外の要因により公平な客観性ある裁判を期待できない場合には忌避の理由となりうる。

さらに、共犯者の公判審理により事件内容を知っていた場合でも、忌避の理由とならないとする（最判昭28.10.6）。

忌避申立てに対する裁判は合議体で行い、忌避された裁判官はその裁判に関与できない（23）。ただし、訴訟を遅延させる目的でのみされたことの明らかな忌避申立てなどについては、忌避された裁判官も却下決定に関与できる（簡易却下）（24）。却下決定に対しては即時抗告ができ（25）、簡易却下に対しても準抗告ができる（429Ⅰ①）。

裁判員については、直接、忌避制度が準用されていない。しかし、「理由を示さない不選任の請求」ができ（裁判員36）、忌避に代えている。

四　回避

回避とは、自己に忌避の原因があると思料する裁判官が自ら職務の執行からしりぞく制度をいう（規13）。

<予断排除の原則を担保する諸制度>

第1回公判期日前	① 起訴状一本主義（256Ⅵ） ② 勾留に関する処分は受訴裁判所とは別の裁判官が行う（280Ⅰ） ③ 証拠保全の請求は第1回公判期日前に限る（179Ⅰ）
冒頭手続	犯行の動機・犯罪の状況について、詳細に被告人質問することは許されない
冒頭陳述	証拠能力のない証拠等に基づいて裁判所に予断、偏見を生じさせるおそれのある事項の陳述の禁止（296ただし書）
証拠調べ	自白を内容とする書面及び第三者の供述は、犯罪事実に関する他の証拠が取り調べられた後でなければ取調べ請求をすることはできない（301）

・第3章・【訴訟能力】

第27条　（法人と訴訟行為の代表）

Ⅰ　被告人又は被疑者が法人であるときは、その代表者が、訴訟行為についてこれを代表する。

Ⅱ　数人が共同して法人を代表する場合にも、訴訟行為については、各自が、これを代表する。

第28条〔意思無能力者と訴訟行為の代理〕

　刑法（明治40年法律第45号）第39条又は第41条の規定を適用しない罪に当たる事件について、被告人又は被疑者が意思能力を有しないときは、その法定代理人（2人以上あるときは、各自。以下同じ。）が、訴訟行為についてこれを代理する。

第29条〔特別代理人〕

Ⅰ　前2条の規定により被告人を代表し、又は代理する者がないときは、検察官の請求により又は職権で、特別代理人を選任しなければならない。

Ⅱ　前2条の規定により被疑者を代表し、又は代理する者がない場合において、検察官、司法警察員又は利害関係人の請求があつたときも、前項と同様である。

Ⅲ　特別代理人は、被告人又は被疑者を代表し又は代理して訴訟行為をする者ができるまで、その任務を行う。

・第4章・【弁護及び補佐】

一　弁護人

　弁護人とは、刑事訴訟につき選任され、もっぱら被疑者・被告人のために弁護をなすことを任務とする者をいう。

　憲法37条3項後段は、被告人についてのみ国選弁護制度（裁判所又は裁判長・裁判官が弁護人を選任する制度）を明記し、刑訴法はこれを具体化する。さらに、平成16年の刑訴法改正により、一定の対象事件について被疑者に対して勾留状が発せられている場合において、被疑者が貧困その他の事由により弁護人を選任できないときは、裁判官は、被疑者の請求により、国選弁護人を付さなければならないとされた（37の2Ⅰ）。

二　弁護人の任務

　弁護人の本来の任務が、訴訟代理、保護、防御を通じて被疑者・被告人の人権を擁護することにあるのは当然である。しかし、弁護人は、基本的人権を擁護するのみならず、社会正義を実現することもその使命とする（弁護士1）。そこで、いわゆる弁護人の真実義務が問題となる（東京地判昭38.11.28）。

1　被告人が真犯人であることを弁護人に告白し、弁護人も被告人が犯人であると確信する場合であっても、有罪とするに足りる証拠がないときには、弁護人は証拠不十分による無罪を主張することができる。

2　被告人が実は身代わり犯人であることを弁護人に告白し、弁護人も被告人が無罪であると確信する場合には、たとえ被告人が有罪を望んだとしても、それは被告人の正当な利益とはいえないことから、弁護人としては無罪の主張をすべきである。

3　弁護人は、被告人の正当な利益を擁護する者であるから、被告人に対する不

利益行為は許されない。したがって、無罪を主張する被告人の意思に反して有罪の弁論をすることは許されない。たとえば、被告人を死刑にした第1審判決につき、「被告人の行為は戦慄を覚えるもので原審の判決は相当である」旨の控訴趣意書を提出した国選弁護人に対し、弁護人としてなすべき義務を尽くさなかったとして損害賠償義務を認めた裁判例がある（東京地判昭38.11.28）。

▼ **最決平 17.11.29・百選 53 事件**

　事案：　被告人は、第6回公判期日において、それまでの主張と異なる、犯罪事実の全面的否認に転じた。しかし、最終弁論において、弁護人は被告人の変更後の供述は信頼できないとして、変更前の供述を前提とした有罪の弁論をした。その後、被告人は意見陳述の機会に、弁護人の最終弁論に対し、不服を述べることはなかった。

　決旨：　本件については、第1審の証拠関係・審理経過を踏まえた上で、弁護人が最大限被告人に有利な認定がなされるように企図したことや、被告人が供述を翻した後の供述部分にも信用性の高い部分があり、検討してもらいたいと弁護人が述べたこと、被告人が不服を述べていないことなどを理由として、弁護人の誠実義務違反はないと判断した。

三　弁護人の権限

　弁護人の権限は、一般に被告人の訴訟行為を代理する権限（代理権）と代理に親しまない権限（固有権）とに分けられる。

1　代理権

(1)　本人の明示の意思に反しても許されるもの（独立代理権）

　　①勾留理由開示請求権（82Ⅱ）、②勾留取消し又は保釈請求権（87、88、91）、③証拠保全請求権（179）、④公判期日変更請求権（276Ⅰ）、⑤証拠調請求権（298Ⅰ）、⑥異議申立権（309ⅠⅡ）など。

(2)　本人の明示の意思に反しえないが、黙示の意思には反しうるもの（従属代理権）

　　①忌避申立権（21Ⅱ）、②上訴申立権（355、356）など。

2　固有権

(1)　弁護人のみが有する権利（狭義の固有権）

　　①接見交通権（39Ⅰ）、②訴訟書類・証拠物の閲覧謄写権（40、180）、③鑑定の立会権（170）、④上訴審における弁論権（388、414）など。

(2)　弁護人が被告人と重複して有する権利

　　①捜索差押状の執行の立会権（113Ⅰ）、②検証の立会権（142、113）、③証人尋問の立会権（157Ⅰ、228Ⅱ）、④証人等に対する尋問権（157Ⅲ、304Ⅱ）、⑤第1審公判における最終陳述権（293Ⅱ）、⑥共同被告人に対する質問権（311Ⅲ）など。

第30条 〔弁護人選任の時期・選任権者〕〈回〉

Ⅰ　被告人又は被疑者は、何時でも弁護人を選任することができる。

Ⅱ　被告人又は被疑者の法定代理人、保佐人、配偶者、直系の親族及び兄弟姉妹は、独立して弁護人を選任することができる〈守〉。

憲法第34条 〔抑留・拘禁の要件、不法拘禁に対する保障〕

　何人も、理由を直ちに告げられ、且つ、直ちに弁護人に依頼する権利を与へられなければ、抑留又は拘禁されない。又、何人も、正当な理由がなければ、拘禁されず、要求があれば、その理由は、直ちに本人及びその弁護人の出席する公開の法廷で示されなければならない。

憲法第37条 〔刑事被告人の権利〕

Ⅲ　刑事被告人は、いかなる場合にも、資格を有する弁護人を依頼することができる。被告人が自らこれを依頼することができないときは、国でこれを附する。

[趣旨] 被疑者・被告人は、当事者として自己の利益を防御する権利をもっているが、法律上の知識に乏しい。よって、法律的知識のうえでも、証拠収集能力の点でも被疑者・被告人よりもはるかに強力な検察官の攻撃に対し、自らの権利・利益を1人で守ることはできない。そこで、憲法34条及び37条3項は、被告人及び身柄を拘束された被疑者の弁護人依頼権を保障した。さらに法は、これを一歩進めて、身柄の拘束・不拘束を問わず、すべての被疑者に弁護人選任権を保障した（30）。

第31条 〔弁護人の資格、特別弁護人〕

Ⅰ　弁護人は、弁護士の中からこれを選任しなければならない。

Ⅱ　簡易裁判所又は地方裁判所においては、裁判所の許可を得たときは、弁護士でない者を弁護人に選任することができる。ただし、地方裁判所においては、他に弁護士の中から選任された弁護人がある場合に限る。

第31条の2 〔弁護人選任の申出〕

Ⅰ　弁護人を選任しようとする被告人又は被疑者は、弁護士会に対し、弁護人の選任の申出をすることができる。

Ⅱ　弁護士会は、前項の申出を受けた場合は、速やかに、所属する弁護士の中から弁護人となろうとする者を紹介しなければならない。

Ⅲ　弁護士会は、前項の弁護人となろうとする者がないときは、当該申出をした者に対し、速やかに、その旨を通知しなければならない。同項の規定により紹介した弁護士が被告人又は被疑者がした弁護人の選任の申込みを拒んだときも、同様とする。

第32条 〔選任の効力〕〈同〉

Ⅰ 公訴の提起前にした弁護人の選任は、第1審においてもその効力を有する〈共予〉。

Ⅱ 公訴の提起後における弁護人の選任は、審級ごとにこれをしなければならない〈予〉。

第33条 〔主任弁護人〕

被告人に数人の弁護人があるときは、裁判所の規則で、主任弁護人を定めなければならない。

第34条 〔主任弁護人の権限〕

前条の規定による主任弁護人の権限については、裁判所の規則の定めるところによる。

第35条 〔弁護人の数の制限〕

裁判所は、裁判所の規則の定めるところにより、被告人又は被疑者の弁護人の数を制限することができる。但し、被告人の弁護人については、特別の事情のあるときに限る。

《注　釈》

◆ 弁護人の選任

1 私選弁護

(1) 意義

私選弁護とは、被告人又は被疑者、その他30条2項所定の者が弁護人を選任する場合をいう。

(2) 選任権者

私選弁護人の選任権者は、被疑者・被告人（30Ⅰ）の他、その法定代理人、保佐人、配偶者、直系の親族及び兄弟姉妹である（同Ⅱ）。そして、これらの選任権者は、被疑者・被告人の意思とかかわりなく選任できる（同Ⅱ「独立して」）〈同予〉。

(3) 弁護人選任の方式

公訴の提起前にした弁護人の選任は、弁護人と連署した書面を、当該被疑事件を取り扱う検察官又は司法警察員に差し出した場合に限り、第1審においてもその効力を有する（規17）。また、公訴の提起後における弁護人の選任は、弁護人と連署した書面を差し出してこれをしなければならない（規18）〈予〉。

▼ 最決昭40.7.20 〈同〉

被告人に氏名を記載することができない合理的な理由がないのに、被告人の署名のない弁護人選任届によってした弁護人の選任は無効である。

▼ **最決平24.5.10・平24重判2事件**

35条を受けた刑訴規則27条1項ただし書の「特別の事情」について、「被疑者弁護の意義を踏まえると、事案が複雑で、頻繁な接見の必要性が認められるなど、広範な弁護活動が求められ、3人を超える数の弁護人を選任する必要があり、かつ、それに伴う支障が想定されない場合には、これがある」として、共謀等が争われ、多数の関係者が存在する多額の脱税事件において「特別の事情」を認めた。

2 国選弁護

(1) 意義

国選弁護とは、被告人のために国（裁判所又は裁判長・裁判官）が弁護人を選任する場合をいう。憲法37条3項後段は、被告人が自ら弁護人を依頼することができないときは、国でこれを選任することとした。さらに刑訴法は、一定の被疑者についても国選弁護を認めている（37の2以下）。

(2) 被疑者国選弁護人の選任

被疑者国選弁護人は、(a)請求による場合、(b)職権による場合に選任される。

(a) 請求による場合（37の2）国

ア　被疑者に対して勾留状が発せられている場合、又は勾留を請求された場合において、被疑者が貧困その他の事由により弁護人を選任することができないときは、裁判官は、その請求により、被疑者のため弁護人を付さなければならない。ただし、被疑者以外の者が選任した弁護人がある場合又は被疑者が釈放された場合は、この限りではない（37の2）。これにより、非常に広い範囲の身柄事件が被疑者国選弁護の対象となる。選任時期が逮捕時とされなかったのは、新たな国選弁護人選任手続を逮捕の時間的制限内で行うのは困難であるとされたからである。

これに対して、在宅被疑者は未だ逮捕されておらず勾留請求されていないので（207Ⅰ、逮捕前置主義）、37条の2は適用されず、国選弁護人の請求をすることはできない。

イ　国選弁護人の請求をするには、資力申告書を提出しなければならない（37の3Ⅰ）。その資力が基準額以上である被疑者は、あらかじめ弁護士会に私選弁護人の選任の申出をしなければならない（同Ⅱ、私選弁護人前置主義）。これは、国選弁護人制度には公的資金が投入されるので、貧困等により弁護人を選任することができないとの要件を適正に判断しようとしたものである。

ウ　検察官又は司法警察員は、被疑者に対して、逮捕の際に、上記の国選弁護人選任請求に関する諸事項を教示しなければならない（203Ⅲ、204Ⅱ）。勾留の請求を受けた裁判官も、対象事件については同様の教示義

務がある（207ⅡⅢ）。これは、国選弁護人請求には資力申告書等の提出が必要であり、一定の時間を要することから、準備のために国選弁護人の請求行為が遅延するような事態を避けるために、早期の教示義務を規定したのである。

(b)　職権による場合（37の4、37の5）

　裁判官は、被疑者に対し勾留状が発せられ、かつ弁護人がない場合において、精神上の障害その他の事由により弁護人を必要とするかどうかを判断することが困難である疑いがある被疑者について必要があると認めるときは、職権で弁護人を付することができる。ただし、被疑者が釈放された場合はこの限りではない（37の4）。

　また、裁判官は、国選弁護人対象事件のうち、死刑又は無期の懲役若しくは禁錮に当たる事件については、職権で、さらに弁護人1人を追加して選任することができる（37の5）。後者は、特に法定刑の重い事件について、複数の弁護人による弁護活動が必要と考えられる場合に対応したものである。

(3)　被告人国選弁護人の選任

　国選弁護人は、(a)請求による場合、(b)職権による場合、(c)必要的弁護の場合に選任される。

(a)　請求による場合（36）

ア　被告人が弁護権の内容と放棄の結果を知り、自己の置かれた状況を知り、任意かつ明示的に放棄した場合に限って、国選弁護人を選任しないことが許される。

イ　被告人の請求があれば、裁判所は国選弁護人を付さなければならない。しかし、被告人が国選弁護人を通じて防御活動をする意思がないことを示したと評価できる事情によりこれを辞任に追い込んだ場合、判例（最判昭54.7.24・百選〔第10版〕A29事件）は、その再選任の請求を権利の濫用として却下することも許されるとする。

ウ　国選弁護人の請求をするには、資力申告書を提出しなければならない（36の2）。その資力が基準額以上である被疑者は、あらかじめ弁護士会に私選弁護人の選任の申出をしなければならない（36の3、私選弁護人前置主義）。これは、被疑者国選弁護制度の場合と同様の趣旨であり、平成16年の法改正により新たに設けられた。

(b) 職権による場合（37）

これは、被告人の防御能力が類型的に劣っていると思われる場合に、裁判所が後見的役割を果たす制度である。37条各号の事件であってすでに弁護人が選任されている場合であっても、その弁護人が出頭しないときは、裁判所は職権で弁護人を付することができる（290）。

また、(c)で述べる必要的弁護事件において、弁護人が出頭しないおそれがあるときは、職権で弁護人を付することができる（289Ⅲ）。

(c) 必要的弁護事件の場合（289）〈司〉

死刑又は無期若しくは長期3年を超える懲役若しくは禁錮に当たる事件を審理する場合には、弁護人なしに開廷することはできない（289Ⅰ）。この場合に弁護人が出頭しないとき、若しくは在廷しなくなったとき、又は弁護人がないときは、裁判長は職権で弁護人を付さなければならない（同Ⅱ）。また、弁護人が出頭しないおそれがあるときは、裁判所は職権で弁護人を付することができる（同Ⅲ）。さらに、裁判所は、必要と認めるときは、弁護人に対し出頭及び在廷を命じることができる（278の3Ⅰ）。

(4) 選任の効力

国選弁護人の選任は、被疑者が釈放されたときは、その効力を失う（38の2）。もっとも、公訴が提起された場合は、国選弁護人の選任は、第1審でも効力を有する（32Ⅰ）。

(5) 解任（38の3）〈司予〉

判例（最判昭54.7.24・百選〔第10版〕A29事件）・通説は、選任行為について裁判説を採り、裁判所が解任しない限り、国選弁護人は辞任することはできないとする。

第36条 〔請求による国選弁護〕

　被告人が貧困その他の事由により弁護人を選任することができないときは、裁判所は、その請求により、被告人のため弁護人を附しなければならない。但し、被告人以外の者が選任した弁護人がある場合は、この限りでない。

第36条の2 〔資力申告書の提出〕

　この法律により弁護人を要する場合を除いて、被告人が前条の請求をするには、資力申告書（その者に属する現金、預金その他政令で定めるこれらに準ずる資産の合計額（以下「資力」という。）及びその内訳を申告する書面をいう。以下同じ。）を提出しなければならない。

第36条の3 〔私選弁護人選任申出の前置〕

Ⅰ　この法律により弁護人を要する場合を除いて、その資力が基準額（標準的な必要生計費を勘案して一般に弁護人の報酬及び費用を賄うに足りる額として政令で定める額をいう。以下同じ。）以上である被告人が第36条の請求をするには、あらかじめ、その請求をする裁判所の所在地を管轄する地方裁判所の管轄区域内に在る弁護士会に第31条の2第1項の申出をしていなければならない。

Ⅱ　前項の規定により第31条の2第1項の申出を受けた弁護士会は、同条第3項の規定による通知をしたときは、前項の地方裁判所又は当該被告事件が係属する裁判所に対し、その旨を通知しなければならない。

第37条 〔職権による国選弁護〕

　左の場合に被告人に弁護人がないときは、裁判所は、職権で弁護人を附することができる。

①　被告人が未成年者であるとき。

②　被告人が年齢70年以上の者であるとき。

③　被告人が耳の聞えない者又は口のきけない者であるとき。

④　被告人が心神喪失者又は心神耗弱者である疑があるとき。

⑤　その他必要と認めるとき。

[趣旨] 国選弁護人は、被告人からの請求がなくても選任を相当とする場合があり、このような場合に対処するために、本条は、裁判所の職権による国選弁護人の選任を規定している。

第37条の2　〔被疑者の国選弁護〕同共

Ⅰ　被疑者に対して勾留状が発せられている場合において、被疑者が貧困その他の事由により弁護人を選任することができないときは、裁判官は、その請求により、被疑者のため弁護人を付さなければならない。ただし、被疑者以外の者が選任した弁護人がある場合又は被疑者が釈放された場合は、この限りでない。

Ⅱ　前項の請求は、同項に規定する事件について勾留を請求された被疑者も、これをすることができる。

第37条の3　〔選任請求の手続〕

Ⅰ　前条第1項の請求をするには、資力申告書を提出しなければならない。

Ⅱ　その資力が基準額以上である被疑者が前条第1項の請求をするには、あらかじめ、その勾留の請求を受けた裁判官の所属する裁判所の所在地を管轄する地方裁判所の管轄区域内に在る弁護士会に第31条の2第1項の申出をしていなければならない。

Ⅲ　前項の規定により第31条の2第1項の申出を受けた弁護士会は、同条第3項の規定による通知をしたときは、前項の地方裁判所に対し、その旨を通知しなければならない。

第37条の4　〔職権による選任〕

裁判官は、被疑者に対して勾留状が発せられ、かつ、これに弁護人がない場合において、精神上の障害その他の事由により弁護人を必要とするかどうかを判断することが困難である疑いがある被疑者について必要があると認めるときは、職権で弁護人を付することができる。ただし、被疑者が釈放された場合は、この限りでない。

第37条の5　〔複数の弁護人の選任〕

裁判官は、死刑又は無期の懲役若しくは禁錮に当たる事件について第37条の2第1項又は前条の規定により弁護人を付する場合又は付した場合において、特に必要があると認めるときは、職権で更に弁護人1人を付することができる。ただし、被疑者が釈放された場合は、この限りでない。

[趣旨]改正前37条の2及び37条の4は、被疑者国選弁護制度の対象事件を「死刑又は無期若しくは長期3年を超える懲役若しくは禁錮に当たる事件」としていたが、平成28年改正刑訴法により、かかる制限が撤廃された。これは、法定刑が比較的軽い罪の嫌疑で身体拘束された被疑者であっても、弁護人から援助を受ける機会が実質的に保障される必要があるためである。これにより、被疑者国選弁護制度の対象事件は、「勾留状が発せられている」すべての事件に拡大された。

第３８条　〔選任資格〕

Ⅰ　この法律の規定に基づいて裁判所若しくは裁判長又は裁判官が付すべき弁護人は、弁護士の中からこれを選任しなければならない。

Ⅱ　前項の規定により選任された弁護人は、旅費、日当、宿泊料及び報酬を請求することができる。

第３８条の２　〔選任の効力の終期〕

裁判官による弁護人の選任は、被疑者がその選任に係る事件について釈放されたときは、その効力を失う。ただし、その釈放が勾留の執行停止によるときは、この限りでない。

第３８条の３　〔弁護人の解任〕

Ⅰ　裁判所は、次の各号のいずれかに該当すると認めるときは、裁判所若しくは裁判長又は裁判官が付した弁護人を解任することができる。

①　第30条の規定により弁護人が選任されたことその他の事由により弁護人を付する必要がなくなつたとき。

②　被告人と弁護人との利益が相反する状況にあり弁護人にその職務を継続させることが相当でないとき。

③　心身の故障その他の事由により、弁護人が職務を行うことができず、又は職務を行うことが困難となつたとき。

④　弁護人がその任務に著しく反したことによりその職務を継続させることが相当でないとき。

⑤　弁護人に対する暴行、脅迫その他の被告人の責めに帰すべき事由により弁護人にその職務を継続させることが相当でないとき。

Ⅱ　弁護人を解任するには、あらかじめ、その意見を聴かなければならない。

Ⅲ　弁護人を解任するに当たつては、被告人の権利を不当に制限することがないようにしなければならない。

Ⅳ　公訴の提起前は、裁判官が付した弁護人の解任は、裁判官がこれを行う。この場合においては、前３項の規定を準用する。

第３８条の４　〔虚偽の資力報告書の提出の罪〕

裁判所又は裁判官の判断を誤らせる目的で、その資力について虚偽の記載のある資力申告書を提出した者は、１０万円以下の過料に処する。

第３９条　〔被告人・被疑者の接見交通〕〈司〉

Ⅰ　身体の拘束を受けている被告人又は被疑者は、弁護人又は弁護人を選任すること
　ができる者の依頼により弁護人となろうとする者（弁護士でない者にあつては、第
　３１条第２項の許可があつた後に限る。）と立会人なくして接見し、又は書類若し
　くは物の授受をすることができる〈予〉。

Ⅱ　前項の接見又は授受については、法令（裁判所の規則を含む。以下同じ。）で、
　被告人又は被疑者の逃亡、罪証の隠滅又は戒護に支障のある物の授受を防ぐため必
　要な措置を規定することができる。

Ⅲ　検察官、検察事務官又は司法警察職員（司法警察員及び司法巡査をいう。以下同
　じ。）は、捜査のため必要があるときは、公訴の提起前に限り、第１項の接見又は授
　受に関し、その日時、場所及び時間を指定することができる。但し、その指定は、
　被疑者が防禦の準備をする権利を不当に制限するようなものであつてはならない〈予〉。

憲法第３４条　〔抑留・拘禁に対する保障〕

　　　何人も、理由を直ちに告げられ、且つ、直ちに弁護人に依頼する権利を与
　　へられなければ、抑留又は拘禁されない。又、何人も、正当な理由がなけれ
　　ば、拘禁されず、要求があれば、その理由は、直ちに本人及びその弁護人の
　　出席する公開の法廷で示されなければならない。

[趣旨] 被疑者に弁護人が付いていても、被疑者がその弁護人と十分相談する機会
がなければ、自己の権利・利益の防御を図ることはできない。そこで、法は接見交
通権を保障した。判例は、接見交通権につき、憲法34条前段の保障する弁護人依
頼権に由来するものであるとしている（最大判平11.3.24・百選34事件）〈予〉。

《注　釈》

一　接見交通権の意義・機能

　接見交通権とは、接見、書類・物の授受を通した被疑者・被告人の外部交通の
権利をいう。

　接見交通権には、被疑者と弁護人等との接見交通権（39、弁護人接見）と、弁
護人以外の者との接見交通権（207Ⅰ・80、一般接見）がある。被疑者の防御活
動という観点からは、特に前者の保障が重要である。

　接見交通権は、①被疑者側の訴訟準備を可能とする、②黙秘権を中心とした適
正手続を担保する、③被疑者の心理的安定を得ることができる、という機能を有
する。

　→「身柄の拘束」（39Ⅰ）は、逮捕・勾留のほか、勾引、鑑定留置など、事由
　　のいかんを問わない〈予〉

＜弁護人接見（39）と一般接見（80、81）の比較＞

弁護人接見（39）	一般接見（80、81）
39条1項－原則 主体　身柄を拘束されている被疑者又は被告人 相手方　弁護人又は弁護人となろうとする者 →立会人なくして接見、書類・物の授受が可能	80条－原則 主体　勾留されている被告人（勾引状により刑事施設に留置されている者） 相手方　弁護人又は弁護人となろうとする者以外の者 →法令の範囲内で接見、書類・物の授受が可能
39条3項－例外 →接見指定可能 要件　・検察官・検察事務官・司法警察職員 　　　・公訴提起前 　　　・不当に制限するものでないこと	81条－例外 →接見禁止 要件　・裁判所 　　　・相当な理由ある場合 　　　・請求又は職権

二　任意取調べ中の被疑者と弁護人との接見（面会）

　接見は、一般に、身柄拘束中の被疑者と弁護人との対面のことを指す一方、任意取調べ中の被疑者と弁護人との対面は「面会」ということもある。身柄の拘束を受けていない任意取調べ中の被疑者と接見（面会）を行う場合、39条3項による接見指定の余地はない。

　身体の拘束を受けていない被疑者の弁護人等（弁護人又は弁護人を選任することができる者の依頼により弁護人となろうとする者）が、任意取調べ中の被疑者との接見の申出をした場合には、できる限り速やかにその申出があった事実を被疑者に告げて弁護人等と接見するか任意取調べを継続するかを捜査機関において確認すべきであり、弁護人等であることの事実確認のために必要な時間を要するなど特段の事情がない限り、その事実を告げないまま任意取調べを継続することは許されない（東京高判令3.6.16・百選38事件）。

　∵①　30条1項は、被疑者は何時でも弁護人を選任することができる旨規定しており、被疑者が刑事手続において十分な防御をするためには、弁護人から援助を受ける機会を実質的に保障する必要があるから、被疑者は、身体の拘束を受けていない段階にあっても、接見交通権に準じて、立会人なく接見する利益（接見の利益）を有する

　　②　198条1項の規定から、任意取調べ中の被疑者に取調受忍義務が認められないことは明らかである以上、弁護人等からの接見の申出に関する情報は、任意取調べのために出頭した被疑者にとって、弁護人等の援助を求めて退去するかどうかを自己決定する上でも極めて重要なものであるから、自己決定をする利益を被疑者に保障する観点からも、できる限り速やかに上記接見の申出を被疑者に伝える必要がある

　なお、上記裁判例は、弁護人等による接見の申出があった事実を被疑者に告げないまま任意取調べを継続する捜査機関の措置は、被疑者の接見の利益を侵害するだけでなく、その弁護人等の固有の接見の利益をも侵害するものとして、国家賠償法1条1項の適用上違法となるとしている。

∵① 　接見の利益の保護は、弁護人等にとってもその十分な活動を保障するために不可欠なものであって、被疑者の弁護人等による弁護権の行使においても重要なものである

② 　39条1項によって被告人又は被疑者に保障される接見交通権が、弁護人等にとってはその固有権の重要なものの1つであるとされていることに鑑みれば（最判昭53.7.10参照）、接見の利益も、30条1項の趣旨に照らし、弁護人等の固有の利益である

三　弁護人の接見内容のメモ・録音の自由

1 　メモ、録音機使用の可否
　→接見交通権の一内容として保障されると解すべきである

2 　法的規制の有無
　→39条の適用上、録音機の使用は書類の授受に準じて取り扱い、同条2項に基づく必要な措置を採ることができるとする（矯正当局の見解）

四　接見交通の指定

1 　「捜査のため必要があるとき」の解釈（39Ⅲ本文）　同H28 予R3

A 　限定説
　被疑者を現に取り調べている場合、あるいは、検証や実況見分に同行しているなど事実上身柄に支障がある場合に限るとする見解。

∵① 　39条3項の趣旨

② 　81条との対比

③ 　具体的な罪証隠滅行為の確認なしに、弁護人すべての防御活動を制限するのは、当事者主義の否定に等しい

B 　非限定説
　罪証隠滅の防止を含めた捜査全般の必要性を意味し、必要であるか否かの判断は捜査機関の裁量に委ねられるとする見解。

∵① 　接見交通権は直接の法的根拠を39条1項に置いている

② 　罪証隠滅のおそれがあるのに接見を許しては逮捕・勾留のそもそもの効力が減じられる

C 　準限定説（判例）
　限定説の立場に加え、「間近い時に右取調べ等をする確実な予定があって、弁護人等の必要とする接見等を認めたのでは、右取調べ等が予定どおり開始できなくなるおそれがある場合」も「捜査の中断による支障が顕著な場合」に含める見解（最判平3.5.10）。

▼　杉山事件（最判昭 53.7.10）

　「憲法 34 条前段は、何人も直ちに弁護人に依頼する権利を与えられなければ抑留・拘禁されることがないことを規定し、刑訴法 39 条 1 項は、この趣旨にのっとり、身体の拘束を受けている被疑者・被告人は、弁護人又は弁護人となろうとする者（以下「弁護人等」という。）と立会人なしに接見し、書類や物の授受をすることができると規定する。この弁護人等との接見交通権は、身体を拘束された被疑者が弁護人の援助を受けることができるための刑事手続上最も重要な基本的権利に属するものであるとともに、弁護人からいえばその固有権の最も重要なものの一つであることはいうまでもない。身体を拘束された被疑者の取調べについては時間的制約があることからして、弁護人等と被疑者との接見交通権と捜査の必要との調整を図るため、刑訴法 39 条 3 項は、捜査のため必要があるときは、右の接見等に関してその日時・場所・時間を指定することができると規定するが、弁護人等の接見交通権が前記のように憲法の保障に由来するものであることにかんがみれば、捜査機関のする右の接見等の日時の指定は、あくまで必要やむをえない例外的措置であって、被疑者が防御の準備をする権利を不当に制限することは許されるべきではない（同項但書）。捜査機関は、弁護人等から被疑者との接見の申出があったときは、原則として何時でも接見の機会を与えなければならないのであり、現に被疑者を取調中であるとか、実況見分、検証等に立ち会わせる必要がある等捜査の中断による支障が顕著な場合には、弁護人等と協議してできる限り速やかな接見のための日時等を指定し、被疑者が防禦のため弁護人等と打ち合わせることができるような措置をとるべきである。」

▼　浅井事件（最判平 3.5.10）

　「捜査機関は、弁護人等から被疑者との接見等の申出があったときは、原則として何時も接見等の機会を与えなければならないのであり、これを認めると捜査の中断による支障が顕著な場合には、弁護人等と協議してできる限り速やかな接見等のための日時等を指定し、被疑者が弁護人等と防御の準備をすることができるような措置を採るべきである（最判昭 53.7.10）。そして、右にいう捜査の中断による支障が顕著な場合には、捜査機関が、弁護人等の申出を受けた時に、現に被疑者を取調べ中であるとか、実況見分、検証等に立ち会わせているというような場合だけでなく、間近い時に右取調べ等をする確実な予定があって、弁護人等の必要とする接見等を認めたのでは、右取調べ等が予定どおり開始できなくなるおそれがある場合も含むものと解すべきである。」

総則

▼　**最大判平 11.3.24・百選 34 事件** 司予

　「捜査のため必要があるとき」（39 Ⅲ本文）の解釈について、「接見等を認め
ると取調べの中断等により捜査に顕著な支障が生ずる場合に限られ、右要件が
具備され、接見等の日時等の指定をする場合には、捜査機関は、弁護人等と協
議してできる限り速やかな接見等のための日時等を指定し、被疑者が弁護人等
と防御の準備をすることができるような措置を採らなければならないものと解
すべきである。そして、弁護人等から接見等の申出を受けた時に、捜査機関が
現に被疑者を取調べ中である場合や実況見分、検証等に立ち会わせている場合、
また、間近い時に右取調べ等をする確実な予定があって、弁護人等の申出に沿
った接見等を認めたのでは、右取調べ等が予定どおり開始できなくなるおそれ
がある場合などは、原則として右にいう取調べの中断等により捜査に顕著な支
障が生ずる場合に当たると解すべきである」とした。

2　「被疑者が防禦の準備をする権利を不当に制限するようなものであつてはな
　らない」の解釈（39 Ⅲただし書）司H28 予R3

　　判例（最大判平 11.3.24・百選 34 事件）は、接見指定の要件を具備する場合
　には、「捜査機関は、弁護人等と協議してできる限り速やかな接見等のための
　日時を指定し、被疑者が弁護人等と防御の準備をすることができるような措置
　をとらなければならない」としている。

　　また、とりわけ逮捕直後の初回接見は、弁護人の選任を目的とし、かつ、捜
　査機関からの取調べを受けるに当たっての助言を得るための最初の機会であっ
　て、弁護人依頼権（憲 34 前段）の保障の出発点を成すものであるから、これ
　を速やかに行うことが被疑者の防御のために特に重要である。そこで、判例
　（最判平 12.6.13・百選 35 事件）は、初回接見の場合については、特例措置を講
　じなければならないとしている。

▼　**最判平 12.6.13・百選 35 事件** 司予

　「逮捕直後の初回の接見は、身体を拘束された被疑者にとっては、弁護人の選
任を目的とし、かつ、今後捜査機関の取調べを受けるに当たっての助言を得る
ための初回の機会であって、直ちに弁護人に依頼する権利を与えられなければ
抑留又は拘禁されないとする憲法上の保障の出発点を成すものであるから、こ
れを速やかに行うことが被疑者の防御の準備のために特に重要である。したが
って、右のような接見の申出を受けた捜査機関としては、前記の接見指定の要
件が具備された場合でも、その指定に当たっては、弁護人となろうとする者と
協議して、即時又は近接した時点での接見を認めても接見の時間を指定すれば
捜査に顕著な支障が生じるのを避けることが可能かどうかを検討し、これが可
能なときは、留置施設の管理運営上支障があるなど特段の事情のない限り、犯
罪事実の要旨の告知等被疑者の引致後直ちに行うべきものとされている手続及

びそれに引き続く指紋採取、写真撮影等所要の手続を終えた後において、たとい比較的短時間であっても、時間を指定した上で即時又は近接した時点での接見を認めるようにすべきであり、このような場合に、被疑者の取調べを理由として右時点での接見を拒否するような指定をし、被疑者と弁護人となろうとする者との初回の接見の機会を遅らせることは、被疑者が防御の準備をする権利を不当に制限するものといわなければならない。」

3　面会接見

　検察庁の庁舎内で弁護人が被疑者との接見を求めたにもかかわらず、当該庁舎内には専用の接見室が存在しない場合、検察官は、接見の申出を拒否することができるか。また、接見の申出を拒否するとしても、立会人が居る部屋での短時間の「接見」のように、秘密交通権が十分に保障されないような態様の短時間の「接見」（面会接見）を認めるべきではないか。

▼　最判平 17.4.19・百選 A10 事件〈回子〉

　「検察庁の庁舎内において、弁護人等と被疑者との立会人なしの接見を認めても、被疑者の逃亡や罪証の隠滅を防止することができ、戒護上の支障が生じないような設備のある部屋等が存在しない場合には、……申出を拒否したとしても、これは違法ということはできない」。「検察官が上記の設備のある部屋等が存在しないことを理由として接見の申出を拒否したにもかかわらず、弁護人等がなお検察庁の庁舎内における即時の接見を求め、即時に接見をする必要性が認められる場合には、検察官は、例えば立会人の居る部屋での短時間の『接見』などのように、いわゆる秘密交通権が十分に保障されないような態様の短時間の『接見』（以下、便宜『面会接見』という。）であってもよいかどうかという点につき、弁護人等の意向を確かめ、弁護人等がそのような面会接見であっても差し支えないとの意向を示したときは、面会接見ができるように特別の配慮をすべき義務がある」。本件は、面会接見の意向を弁護人に確認しなかった点で違法であるが、過失が存在しないとした。

4　余罪捜査を理由とする接見指定の可否

　39条3項本文において、捜査機関による接見指定は「公訴の提起前」に限られる。もっとも、同一被告人について、被告事件とは異なる被疑事件が捜査されることがありうる。

　そこで、このような場合、捜査機関はその余罪である被疑事実を理由として接見指定できるかが問題となる。

(1)　余罪につき逮捕・勾留のない場合

▼　**千葉大チフス菌事件（最決昭 41.7.26）**

　「およそ、公訴の提起後は、余罪について捜査の必要がある場合であっても、検察官等は、被告事件の弁護人または弁護人となろうとする者に対し、39 条 3 項の指定権を行使しえないものと解すべきである」と判示した。

(2)　余罪につき逮捕・勾留中の場合

▼　**水戸収賄事件（最決昭 55.4.28・百選 36 事件）** 司書

　「同一人につき被告事件の勾留とその余罪である被疑事件の逮捕、勾留とが競合している場合、検察官等は被告事件についての防禦権の不当な制限にわたらない限り、刑訴法第 39 条第 3 項の接見等の指定権を行使することができるものと解すべき」と判示した。

　この点、最高裁は、被告事件についてのみ弁護人である場合についても、同様の要件で接見指定ができるとしている（最決平 13.2.7・平 13 重判 2 事件）。

5　接見指定の方式

(1)　通知事件制度

　現在、通知事件制度と呼ばれる運用がとられることがある。これは、刑事施設の長のみを対象とした内部的な事務連絡文書である「通知書」（「捜査のため必要があるときは、接見の日時、場所及び時間を指定することがあるので通知する」旨の書面）を送付しておき、通知事件の被疑者について弁護人等から接見の申出があった場合には、その刑事施設から直ちに検察官に連絡がなされ、これを受けた検察官が接見指定をするか否かを決定するものである。

　判例（最判平 16.9.7）は、「通知書」は「検察官が接見指定権を適切に行使する機会を確保するとともに、接見交通権の行使と捜査の必要との調整を図ることを目的として発出されるものであるから、これを発出すること自体を違法ということはできない」とする一方、「通知書を発出した検察官は、……接見等が不当に遅延することがないようにするため、留置係官から接見等の申出があったことの連絡を受けたときは、合理的な時間内に回答すべき義務があるものというべきであり、これを怠ったときは、弁護人等の接見交通権を違法に侵害したものと解するのが相当である」としている。

(2)　接見指定の手続

　勾留中の被疑者の弁護人等から接見の申出を受けた捜査機関（司法警察職員等）が、接見のための日時等の指定につき権限のある捜査機関（検察官等）に連絡し、それに対する具体的措置について指示を受ける等の手続をとる間、弁護人を待機させたり、それだけ接見が遅れることがあったとして

も、それが合理的な範囲内にとどまる限り、許容される（最判平 3.5.31）。

　そして、弁護人等から接見の申出を受けた権限のある捜査機関は、直ちに、当該被疑者について申出時において現に実施している取調べ等の状況又はそれに間近い時における取調べ等の予定の有無を確認して指定要件の存否を判断し、弁護人等の申出の日時等を認めることができないときは、改めて接見の日時等を指定してこれを弁護人等に告知する義務がある（最判平 3.5.10）。

> →捜査機関が日時等を指定する際いかなる方法を採るかは、その合理的裁量にゆだねられているものと解すべきであるから、電話などの口頭による指定をすることはもちろん、弁護人等に対する書面（いわゆる接見指定書）の交付による方法（弁護人等に接見指定書を受け取りに来るよう要求すること）も許されるものというべきであるが、その方法が著しく合理性を欠き、弁護人等と被疑者との迅速かつ円滑な接見交通が害される結果になるようなときには、それは違法なものとして許されない（最判平 3.5.10）。

6　違法な接見指定に対する救済手段

(1)　準抗告（430）

　　接見指定に関し、接見指定のあり方、接見拒否など、検察官等の処分といえれば準抗告の対象になる。

(2)　自白の証拠能力を否定（違法排除説）

(3)　国家賠償請求

第40条〔書類・証拠物の閲覧・謄写〕

Ⅰ　弁護人は、公訴の提起後は、裁判所において、訴訟に関する書類及び証拠物を閲覧し、且つ謄写することができる。但し、証拠物を謄写するについては、裁判長の許可を受けなければならない。

Ⅱ　前項の規定にかかわらず、第157条の6第4項に規定する記録媒体＜ビデオリンク方式により証人の尋問及び供述並びにその状況を記録した記録媒体＞は、謄写することができない。

第41条〔独立行為権〕

　弁護人は、この法律に特別の定のある場合に限り、独立して訴訟行為をすることができる。

[趣旨] 40条は、弁護人が単なる被告人の代理人ではなく公益の代表者であることに着目して、書類等の保全を確保する目的から、弁護人の固有権として書類・証拠物の閲覧・謄写権を認めたものである。

《注 釈》

- 41条は、弁護人が包括的代理権を有することを前提に、被疑者・被告人の意思に反しても行為をすることができる場合があることを規定している。
- 当該権限の内容は、弁護人が独自に有する固有権と、被疑者・被告人の代理として行う独立代理権に分けられる。具体的には、以下のようなものがある。

＜弁護人の固有権・独立代理権＞

固有権	弁護人のみが有する権利（狭義の固有権）	接見交通権（39Ⅰ）、閲覧謄写権（40、180Ⅰ）、鑑定の立会い（170）、上訴審における弁論（388、414）等
	弁護人と被疑者・被告人とで重複する権利	差押状・捜索状の執行の立会い（113）、検証の立会い（142・113）、証人尋問の立会い（157Ⅰ、228Ⅱ）、証人尋問（157Ⅲ、304Ⅱ）、弁論（293Ⅱ）、共同被告人に対する質問（311Ⅲ）等
独立代理権	本人の明示の意思にも反しうるもの	勾留理由開示請求（82Ⅱ）、勾留取消し又は保釈請求（87、88、91）、証拠保全請求（179）、証拠調べ請求（298）、異議申立て（309）等
	本人の明示の意思には反することができないが、黙示の意思には反しうるもの	忌避申立て（21Ⅱ）、上訴申立て（355、356）等

第42条 〔補佐人〕

Ⅰ　被告人の法定代理人、保佐人、配偶者、直系の親族及び兄弟姉妹は、何時でも補佐人となることができる。

Ⅱ　補佐人となるには、審級ごとにその旨を届け出なければならない。

Ⅲ　補佐人は、被告人の明示した意思に反しない限り、被告人がすることのできる訴訟行為をすることができる。但し、この法律に特別の定のある場合は、この限りでない。

・第5章・【裁判】

第43条 〔判決・決定・命令〕

Ⅰ　判決は、この法律に特別の定のある場合を除いては、口頭弁論に基いてこれをしなければならない。

Ⅱ　決定又は命令は、口頭弁論に基いてこれをすることを要しない。

Ⅲ　決定又は命令をするについて必要がある場合には、事実の取調をすることができる。

IV　前項の取調は、合議体の構成員にこれをさせ、又は地方裁判所、家庭裁判所若しくは簡易裁判所の裁判官にこれを嘱託することができる。

[趣旨] 本条は、裁判として判決・決定・命令の3種を認めるとともに、それぞれについて基本的な手続を規定するものである。

《**注　釈**》

一　裁判の意義

　　裁判とは、裁判所又は裁判官の意思表示を内容とする訴訟行為をいう。

　　→捜査上の令状発付や裁判長の訴訟指揮上の処分は裁判

　　→裁判は裁判機関の行為をいうので、検察官や司法警察職員の行為は裁判ではない。また、裁判機関の行為であっても証拠調べや黙秘権の告知のような事実行為は意思表示とはいえないので、裁判ではない

二　裁判の種類

　1　判決・決定・命令

＜判決・決定・命令の整理＞

	主体	口頭弁論	理由	不服申立て
判決	裁判所による裁判	必要（43 I）	附する必要がある（44 I）	控訴・上告
決定	裁判所による裁判	必要ない（43 II）	上訴を許さないものには不要（44 II）	抗告（419）
命令	裁判官による裁判	必要ない（43 II）	上訴を許さないものには不要（44 II）	準抗告（429）

　2　終局裁判・非終局裁判

　　裁判は、裁判の機能により終局裁判・非終局裁判に分けられる。

　(1)　終局裁判：事件を当該審級から離脱させる効果をもつ裁判

　　　ex.　管轄違いの判決（329）、公訴棄却の判決・決定（338、339）、免訴の判決（337）、有罪・無罪の判決（333、334、336）

　(2)　非終局裁判：訴訟の継続進行を目的とする裁判

　　　終局前になされるものと終局後になされるものとがある。

　　(a)　終局前の裁判：終局裁判の準備のための手続の過程でなされる裁判

　　　　ex.　訴訟指揮の裁判、証拠調べに関する裁判

　　(b)　終局後の裁判：終局裁判に付随して生じる派生的問題についての裁判

　　　　ex.　訴訟費用負担の決定（187）、上告裁判所の訂正判決（415）、訴訟費用執行免除の申立てについての決定（500）、解釈の申立て（501）、執行異議の申立てについての決定（502）

3　実体裁判・形式裁判

　　裁判は、公訴提起に対する終局裁判についての分類として実体裁判と形式裁判に分けられる。

(1)　実体裁判：公訴の理由の有無について判断を下す裁判

(2)　形式裁判：公訴の有効・無効について判断を下す裁判

第44条　〔裁判の理由〕

Ⅰ　裁判には、理由を附しなければならない。

Ⅱ　上訴を許さない決定又は命令には、理由を附することを要しない。但し、第428条第2項の規定により異議の申立をすることができる決定については、この限りでない。

[趣旨] 裁判機関の意思決定が恣意に基づくものではないことを保障するため、また上訴審の審査を容易かつ適切にさせるため、理由を附すことが要求されている。

第45条　〔判事補の権限〕

　判決以外の裁判は、判事補が1人でこれをすることができる。

第46条　〔謄本の請求〕

　被告人その他訴訟関係人は、自己の費用で、裁判書又は裁判を記載した調書の謄本又は抄本の交付を請求することができる。

・第6章・【書類及び送達】

第47条　〔訴訟書類の非公開〕

　訴訟に関する書類は、公判の開廷前には、これを公にしてはならない。但し、公益上の必要その他の事由があつて、相当と認められる場合は、この限りでない。

[趣旨] 本条の趣旨は、訴訟に関する書類を公開することにより被告人、被疑者その他の訴訟関係人の名誉その他の利益を不当に害したり、裁判に不当な影響を及ぼすことを防止する点にある。

第48条　〔公判調書の作成、整理〕

Ⅰ　公判期日における訴訟手続については、公判調書を作成しなければならない。

Ⅱ　公判調書には、裁判所の規則の定めるところにより、公判期日における審判に関する重要な事項を記載しなければならない。

Ⅲ　公判調書は、各公判期日後速かに、遅くとも判決を宣告するまでにこれを整理しなければならない。ただし、判決を宣告する公判期日の調書は、当該公判期日後7日以内に、公判期日から判決を宣告する日までの期間が10日に満たない場合における当

該公判期日の調書は当該公判期日後１０日以内（判決を宣告する日までの期間が３日に満たないときは、当該判決を宣告する公判期日後７日以内）に、整理すれば足りる。

第４９条〔被告人の公判調書閲覧権〕

被告人に弁護人がないときは、公判調書は、裁判所の規則の定めるところにより、被告人も、これを閲覧することができる。被告人は、読むことができないとき、又は目の見えないときは、公判調書の朗読を求めることができる。

［趣旨］公判期日における訴訟手続の経過・結果を明らかにして訴訟手続の公正を担保すべく、公判期日における訴訟手続については公判調書が作成される（48Ⅰ）。

《注　釈》

▪ 検察官及び弁護人は公判調書を閲覧できる（40、270）。弁護人のいない被告人も同様である（49）。

第５０条〔公判調書の未整理と当事者の権利〕

Ⅰ　公判調書が次回の公判期日までに整理されなかつたときは、裁判所書記は、検察官、被告人又は弁護人の請求により、次回の公判期日において又はその期日までに、前回の公判期日における証人の供述の要旨を告げなければならない。この場合において、請求をした検察官、被告人又は弁護人が証人の供述の要旨の正確性につき異議を申し立てたときは、その旨を調書に記載しなければならない。

Ⅱ　被告人及び弁護人の出頭なくして開廷した公判期日の公判調書が、次回の公判期日までに整理されなかつたときは、裁判所書記は、次回の公判期日において又はその期日までに、出頭した被告人又は弁護人に前回の公判期日における審理に関する重要な事項を告げなければならない。

第５１条〔公判調書の記載に対する異議申立て〕

Ⅰ　検察官、被告人又は弁護人は、公判調書の記載の正確性につき異議を申し立てることができる。異議の申立があつたときは、その旨を調書に記載しなければならない。

Ⅱ　前項の異議の申立ては、遅くとも当該審級における最終の公判期日後１４日以内にこれをしなければならない。ただし、第４８条第３項ただし書の規定により判決を宣告する公判期日後に整理された調書については、整理ができた日から１４日以内にこれをすることができる。

［趣旨］本条の趣旨は、公判調書の記載は、重要な資料であり、かつ排他的証明力を有していることから（52）、当事者にその正確性につき異議申立てを行う機会を与えて、その正確性を確保する点にある。

第５２条〔公判調書の証明力〕

公判期日における訴訟手続で公判調書に記載されたものは、公判調書のみによつてこれを証明することができる。

［趣旨］52条の趣旨は、上訴審で原審の訴訟手続の適否が問題となった場合に、公判調書に記載されたものについては他の資料による反証を許さないこととして、上訴審に無用の負担をかけ手続が遅延しないようにした点にある。公判調書に排他的証明力を認めたもので、一種の法定証拠主義といえる。

《**注　釈**》

▪ こうした強力な証明力をもつのは、「訴訟手続」に関する記載に限られるので、被告人・証人等が「供述したこと」自体（供述の「存在」）は含まれるが、供述「内容」は含まれない。また、証明力は「調書に記載されたもの」に限って認められるので、記載のない事項については他の資料による証明が許される。

第53条　〔訴訟記録の公開〕

Ⅰ　何人も、被告事件の終結後、訴訟記録を閲覧することができる。但し、訴訟記録の保存又は裁判所若しくは検察庁の事務に支障のあるときは、この限りでない。

Ⅱ　弁論の公開を禁止した事件の訴訟記録又は一般の閲覧に適しないものとしてその閲覧が禁止された訴訟記録は、前項の規定にかかわらず、訴訟関係人又は閲覧につき正当な理由があつて特に訴訟記録の保管者の許可を受けた者でなければ、これを閲覧することができない。

Ⅲ　日本国憲法第82条第2項但書に掲げる事件については、閲覧を禁止することはできない。

Ⅳ　訴訟記録の保管及びその閲覧の手数料については、別に法律でこれを定める。

　　憲法第82条〔裁判の公開〕

　　Ⅰ　裁判の対審及び判決は、公開法廷でこれを行ふ。

　　Ⅱ　裁判所が、裁判官の全員一致で、公の秩序又は善良の風俗を害する虞があると決した場合には、対審は、公開しないでこれを行ふことができる。但し、政治犯罪、出版に関する犯罪又はこの憲法第三章で保障する国民の権利が問題となつてゐる事件の対審は、常にこれを公開しなければならない。

［趣旨］本条は、裁判公開の原則（憲82）を拡張し、裁判の公正を担保し、かつ裁判に対する国民の理解を深めるために、被告事件の確定後、その訴訟記録を国民に公開することとしたものである。

《**注　釈**》

▪ 訴訟関係人のする閲覧請求であっても、「関係人の名誉又は生活の平穏を害する行為をする目的でされた閲覧請求は、権利の濫用として許されない」とした判例がある（最決平20.6.24・平20重判7事件）。

第53条の2　〔情報公開法等の適用除外〕

Ⅰ　訴訟に関する書類及び押収物については、行政機関の保有する情報の公開に関する法律（平成11年法律第42号）及び独立行政法人等の保有する情報の公開に関する法律（平成13年法律第140号）の規定は、適用しない。

Ⅱ　訴訟に関する書類及び押収物に記録されている個人情報については、個人情報の保護に関する法律（平成15年法律第57号）第5章第4節の規定は、適用しない。

Ⅲ　訴訟に関する書類については、公文書等の管理に関する法律（平成21年法律第66号）第2章の規定は、適用しない。この場合において、訴訟に関する書類についての同法第4章の規定の適用については、同法第14条第1項中「国の機関（行政機関を除く。以下この条において同じ。）」とあり、及び同法第16条第1項第3号中「国の機関（行政機関を除く。）」とあるのは、「国の機関」とする。

Ⅳ　押収物については、公文書等の管理に関する法律の規定は、適用しない。

第54条　〔送達〕

書類の送達については、裁判所の規則に特別の定のある場合を除いては、民事訴訟に関する法令の規定（公示送達に関する規定を除く。）を準用する。

▼　最決平 19.4.9・平 19 重判 4 事件

事案：　被告人は滋賀県草津市内の飯場に居住していた昭和62年11月に、業務上過失傷害・道路交通法違反被告事件について在宅のまま起訴された。第1審の無罪判決に対して控訴がなされたが、控訴審での審理中に前記飯場から無断で退去し、以降所在不明になった。控訴裁判所は、平成14年以降前記飯場に宛てて、被告人に対する公判期日召喚状等を書留郵便に付して送達し、被告人不出頭のまま公判期日を開き、平成15年1月、有罪判決を言い渡した。

決旨：　被告人は控訴申立通知書を受けて、検察官が控訴を申し立てたことを承知したのであるから、控訴裁判所に対して刑訴規則62条1項の住居、送達受取人等の届出をする義務があった。それにもかかわらず、被告人はこれを怠っていたのであるから、刑訴規則63条1項により付郵便送達をすることができると解される。したがって、控訴裁判所が前記飯場にあてて行った付郵便送達は有効である。

・第 7 章・【期間】

第55条　〔期間の計算〕

Ⅰ　期間の計算については、時で計算するものは、即時からこれを起算し、日、月又は年で計算するものは、初日を算入しない。但し、時効期間の初日は、時間を論じないで一日としてこれを計算する。

Ⅱ　月及び年は、暦に従つてこれを計算する。

Ⅲ　期間の末日が日曜日、土曜日、国民の祝日に関する法律（昭和23年法律第178号）に規定する休日、1月2日、1月3日又は12月29日から12月31日までの日に当たるときは、これを期間に算入しない。ただし、時効期間については、この限りでない〈刑〉。

第56条　〔法定期間の延長〕

Ⅰ　法定の期間は、裁判所の規則の定めるところにより、訴訟行為をすべき者の住居又は事務所の所在地と裁判所又は検察庁の所在地との距離及び交通通信の便否に従い、これを延長することができる。

Ⅱ　前項の規定は、宣告した裁判に対する上訴の提起期間には、これを適用しない。

・第8章・【被告人の召喚、勾引及び勾留】

第57条　〔召喚〕

裁判所は、裁判所の規則で定める相当の猶予期間を置いて、被告人を召喚することができる。

第58条　〔勾引〕

裁判所は、次の場合には、被告人を勾引することができる。

① 被告人が定まつた住居を有しないとき。

② 被告人が、正当な理由がなく、召喚に応じないとき、又は応じないおそれがあるとき。

第59条　〔勾引の効力〕

勾引した被告人は、裁判所に引致した時から24時間以内にこれを釈放しなければならない。但し、その時間内に勾留状が発せられたときは、この限りでない。

第60条　〔勾留の要件・期間・期間の更新〕〈図〉

Ⅰ　裁判所は、被告人が罪を犯したことを疑うに足りる相当な理由がある場合で、左の各号の一にあたるときは、これを勾留することができる〈司予〉。

① 被告人が定まつた住居を有しないとき。

② 被告人が罪証を隠滅すると疑うに足りる相当な理由があるとき。

③ 被告人が逃亡し又は逃亡すると疑うに足りる相当な理由があるとき。

Ⅱ　勾留の期間は、公訴の提起があつた日から2箇月とする〈刑〉。特に継続の必要がある場合においては、具体的にその理由を附した決定で、1箇月ごとにこれを更新することができる〈刑〉。但し、第89条第1号、第3号、第4号又は第6号にあたる場合を除いては、更新は、1回に限るものとする。

Ⅲ　30万円（刑法、暴力行為等処罰に関する法律（大正15年法律第60号）及び経済関係罰則の整備に関する法律（昭和19年法律第4号）の罪以外の罪について

は、当分の間、2万円）以下の罰金、拘留又は科料に当たる事件については、被告人が定まつた住居を有しない場合に限り、第1項の規定を適用する〈共予〉。

【趣旨】被告人の勾留の目的は、①被告人の公判廷への出頭の確保・罪証隠滅の防止と、②有罪判決がなされた場合の刑の執行のための身柄確保という点にある。本条は、裁判所が被告人を勾留する要件等を規定し、本条の定めは被疑者の場合に準用されている（207）。

《注　釈》

- 勾留の要件は60条1項各号のすべてをみたす必要はなく、いずれかに該当すればよい〈同〉。

第61条 〔勾留質問〕〈共予〉

被告人の勾留は、被告人に対し被告事件を告げこれに関する陳述を聴いた後でなければ、これをすることができない。但し、被告人が逃亡した場合は、この限りでない。

【趣旨】本条は、勾留が長期間の身体の拘束であることから、手続の適正と慎重な裁判を期するため、被告人に弁解の機会を与えるという手続的要件を定めたものである。

《注　釈》

- 被疑者段階において勾留された者がその被疑事実と同一の事実で起訴された場合、改めて勾留質問をする必要はない〈予〉。
  - ∵　起訴と同時にそれまでの被疑者勾留が被告人勾留に切り替わり、特別の手続なしに被告人勾留が開始される（208 Ⅰ、60 Ⅱ）
- 勾留されていない被告人について勾留の裁判をするに当たり、勾留をする裁判所が、すでに被告事件の審理の際、被告事件に関する陳述を聞いている場合には、改めて勾留質問をする必要はない（最判昭41.10.19）〈予〉。
- 勾留更新（60 Ⅱ）をするに当たり、改めて勾留質問をする必要はない〈予〉。

第62条 〔令状〕

被告人の召喚、勾引又は勾留は、召喚状、勾引状又は勾留状を発してこれをしなければならない。

第63条 〔召喚状の方式〕

召喚状には、被告人の氏名及び住居、罪名、出頭すべき年月日時及び場所並びに正当な理由がなく出頭しないときは勾引状を発することがある旨その他裁判所の規則で定める事項を記載し、裁判長又は受命裁判官が、これに記名押印しなければならない。

第64条 〔勾引状・勾留状の方式〕

Ⅰ　勾引状又は勾留状には、被告人の氏名及び住居、罪名、公訴事実の要旨、引致す

べき場所又は勾留すべき刑事施設、有効期間及びその期間経過後は執行に着手することができず令状はこれを返還しなければならない旨並びに発付の年月日その他裁判所の規則で定める事項を記載し、裁判長又は受命裁判官が、これに記名押印しなければならない。

Ⅱ 被告人の氏名が明らかでないときは、人相、体格その他被告人を特定するに足りる事項で被告人を指示することができる。

Ⅲ 被告人の住居が明らかでないときは、これを記載することを要しない。

《注 釈》

一 被告人の出頭の確保

公判は、原則として被告人が出頭しなければ開くことができない（286）。そこで、被告人の出頭を確保するために各種の強制処分が認められている。

二 召喚

召喚とは、特定の者に対して一定の日時・場所に出頭することを命ずる強制処分をいう。召喚状を発して行う（62）。裁判所は公判期日には、被告人を召喚しなければならない（273Ⅱ）。召喚に応じないときは、直接強制として勾引ができる（58②）。

三 勾引

勾引とは、特定の者を一定の場所に引致する裁判及びその執行をいう。勾引は、勾引状を発して行う（62）。被告人の場合、勾引の要件は、①定まった住居を有しないとき（58①）、②正当な理由なく召喚に応じないか、応じないおそれがあるとき（58②）、③正当な理由なく出頭命令・同行命令に応じないとき（68）である。

四 勾留 ⇒ p.153 参照

1 意義

勾留とは、被疑者・被告人を拘禁する裁判及びその執行をいう。召喚や勾引と異なり、対象が被疑者・被告人に限定されている。被告人の勾留期間は、公訴提起のあった日から2か月で、原則1回だけ更新できる（60Ⅱ）。

被告人が死刑又は無期若しくは短期1年以上の懲役若しくは禁錮に当たる罪を犯したものであるとき（89①）、被告人が常習として長期3年以上の懲役又は禁錮に当たる罪を犯したものであるとき（89③）、被告人が罪証を隠滅すると疑うに足りる相当な理由があるとき（89④）、被告人の氏名又は住居が分からないとき（89⑥）には2回以上更新できる（60Ⅱただし書）。

2 勾留手続

① すでに勾留中のとき

→被疑者勾留が自動的に被告人勾留に移行〈共〉

② 逮捕中のとき

→裁判官が勾留質問を行い、勾留状を発する（280Ⅱ）

③　逮捕も勾留もされていないとき（在宅起訴）

→必要があれば、召喚又は勾引したうえで勾留質問（61）を行い、勾留状を発する

3　無罪判決後の勾留（60条と345条の関係）

▼　最決平 12.6.27

「第1審裁判所が……無罪の判決を言い渡した場合であっても、控訴審裁判所は、記録等の調査により、右無罪判決の理由の検討を経た上でもなお罪を犯したことを疑うに足りる相当な理由があると認めるときは、勾留の理由があり、かつ、控訴審における適正、迅速な審理のためにも勾留の必要性があると認める限り、その審理の段階を問わず、被告人を勾留することができ」る。

▼　最決平 19.12.13・百選 94 事件

刑訴法 345 条が無罪の判断が示されたという事実を尊重した趣旨から、同法 60 条 1 項の「被告人が罪を犯したことを疑うに足りる相当な理由」の有無の判断における嫌疑の程度は、「第 1 審段階におけるものよりも強いものが要求される」。

第65条　〔召喚の手続〕

Ⅰ　召喚状は、これを送達する。

Ⅱ　被告人から期日に出頭する旨を記載した書面を差し出し、又は出頭した被告人に対し口頭で次回の出頭を命じたときは、召喚状を送達した場合と同一の効力を有する。口頭で出頭を命じた場合には、その旨を調書に記載しなければならない。

Ⅲ　裁判所に近接する刑事施設にいる被告人に対しては、刑事施設職員（刑事施設の長又はその指名する刑事施設の職員をいう。以下同じ。）に通知してこれを召喚することができる。この場合には、被告人が刑事施設職員から通知を受けた時に召喚状の送達があつたものとみなす。

第66条　〔勾引の嘱託〕

Ⅰ　裁判所は、被告人の現在地の地方裁判所、家庭裁判所又は簡易裁判所の裁判官に被告人の勾引を嘱託することができる。

Ⅱ　受託裁判官は、受託の権限を有する他の地方裁判所、家庭裁判所又は簡易裁判所の裁判官に転嘱することができる。

Ⅲ　受託裁判官は、受託事項について権限を有しないときは、受託の権限を有する他の地方裁判所、家庭裁判所又は簡易裁判所の裁判官に嘱託を移送することができる。

Ⅳ　嘱託又は移送を受けた裁判官は、勾引状を発しなければならない。

Ⅴ　第64条の規定は、前項の勾引状についてこれを準用する。この場合においては、勾引状に嘱託によつてこれを発する旨を記載しなければならない。

第67条 〔嘱託による勾引の手続〕

Ⅰ 前条の場合には、嘱託によつて勾引状を発した裁判官は、被告人を引致した時から24時間以内にその人違でないかどうかを取り調べなければならない。

Ⅱ 被告人が人違でないときは、速やかに且つ直接これを指定された裁判所に送致しなければならない。この場合には、嘱託によつて勾引状を発した裁判官は、被告人が指定された裁判所に到着すべき期間を定めなければならない。

Ⅲ 前項の場合には、第59条の期間は、被告人が指定された裁判所に到着した時からこれを起算する。

第68条 〔出頭命令・同行命令・勾引〕

裁判所は、必要があるときは、指定の場所に被告人の出頭又は同行を命ずることができる。被告人が正当な理由がなくこれに応じないときは、その場所に勾引することができる。この場合には、第59条の期間は、被告人をその場所に引致した時からこれを起算する。

第69条 〔裁判長の権限〕

裁判長は、急速を要する場合には、第57条乃至第62条、第65条、第66条及び前条に規定する処分をし、又は合議体の構成員にこれをさせることができる。

第70条 〔勾引状・勾留状の執行〕

Ⅰ 勾引状又は勾留状は、検察官の指揮によつて、検察事務官又は司法警察職員がこれを執行する。但し、急速を要する場合には、裁判長、受命裁判官又は地方裁判所、家庭裁判所若しくは簡易裁判所の裁判官は、その執行を指揮することができる。

Ⅱ 刑事施設にいる被告人に対して発せられた勾留状は、検察官の指揮によつて、刑事施設職員がこれを執行する。

第71条 〔勾引状・勾留状の管轄区域外における執行・執行の嘱託〕

検察事務官又は司法警察職員は、必要があるときは、管轄区域外で、勾引状若しくは勾留状を執行し、又はその地の検察事務官若しくは司法警察職員にその執行を求めることができる。

第72条 〔被告人の捜査・勾引状・勾留状の執行の嘱託〕

Ⅰ 被告人の現在地が判らないときは、裁判長は、検事長にその捜査及び勾引状又は勾留状の執行を嘱託することができる。

Ⅱ 嘱託を受けた検事長は、その管内の検察官に捜査及び勾引状又は勾留状の執行の手続をさせなければならない。

第73条 〔勾引状・勾留状執行の手続〕

Ⅰ 勾引状を執行するには、これを被告人に示した上、できる限り速やかに且つ直接、指定された裁判所その他の場所に引致しなければならない。第66条第4項の勾引状については、これを発した裁判官に引致しなければならない。

Ⅱ　勾留状を執行するには、これを被告人に示した上、できる限り速やかに、かつ、直接、指定された刑事施設に引致しなければならない。

Ⅲ　勾引状又は勾留状を所持しないためこれを示すことができない場合において、急速を要するときは、前2項の規定にかかわらず、被告人に対し公訴事実の要旨及び令状が発せられている旨を告げて、その執行をすることができる。但し、令状は、できる限り速やかにこれを示さなければならない。

第74条 〔護送中の仮留置〕

勾引状又は勾留状の執行を受けた被告人を護送する場合において必要があるときは、仮に最寄りの刑事施設にこれを留置することができる。

第75条 〔勾引された被告人の留置〕

勾引状の執行を受けた被告人を引致した場合において必要があるときは、これを刑事施設に留置することができる。

第76条 〔勾引された被告人と公訴事実・弁護人選任権の告知〕

Ⅰ　被告人を勾引したときは、直ちに被告人に対し、公訴事実の要旨及び弁護人を選任することができる旨並びに貧困その他の事由により自ら弁護人を選任することができないときは弁護人の選任を請求することができる旨を告げなければならない。ただし、被告人に弁護人があるときは、公訴事実の要旨を告げれば足りる。

Ⅱ　前項の規定により弁護人を選任することができる旨を告げるに当たつては、弁護士、弁護士法人（弁護士・外国法事務弁護士共同法人を含む。以下同じ。）又は弁護士会を指定して弁護人の選任を申し出ることができる旨及びその申出先を教示しなければならない。

Ⅲ　第1項の告知及び前項の教示は、合議体の構成員又は裁判所書記官にこれをさせることができる。

Ⅳ　第66条第4項の規定により勾引状を発した場合には、第1項の告知及び第2項の教示は、その勾引状を発した裁判官がこれをしなければならない。ただし、裁判所書記官にその告知及び教示をさせることができる。

第77条 〔勾留と弁護人選任権等の告知〕回

Ⅰ　被告人を勾留するには、被告人に対し、弁護人を選任することができる旨及び貧困その他の事由により自ら弁護人を選任することができないときは弁護人の選任を請求することができる旨を告げなければならない。ただし、被告人に弁護人があるときは、この限りでない。

Ⅱ　前項の規定により弁護人を選任することができる旨を告げるに当たつては、勾留された被告人は弁護士、弁護士法人又は弁護士会を指定して弁護人の選任を申し出ることができる旨及びその申出先を教示しなければならない。

Ⅲ　第61条ただし書の場合には、被告人を勾留した後直ちに、第1項に規定する事項及び公訴事実の要旨を告げるとともに、前項に規定する事項を教示しなければならない。ただし、被告人に弁護人があるときは、公訴事実の要旨を告げれば足り

総則

る。

Ⅳ　前条第３項の規定は、第１項の告知、第２項の教示並びに前項の告知及び教示についてこれを準用する。

第78条 〔弁護人選任の申出〕

Ⅰ　勾引又は勾留された被告人は、裁判所又は刑事施設の長若しくはその代理者に弁護士、弁護士法人又は弁護士会を指定して弁護人の選任を申し出ることができる。ただし、被告人に弁護人があるときは、この限りでない。

Ⅱ　前項の申出を受けた裁判所又は刑事施設の長若しくはその代理者は、直ちに被告人の指定した弁護士、弁護士法人又は弁護士会にその旨を通知しなければならない。被告人が２人以上の弁護士又は２以上の弁護士法人若しくは弁護士会を指定して前項の申出をしたときは、そのうちの１人の弁護士又は１の弁護士法人若しくは弁護士会にこれを通知すれば足りる。

第79条 〔勾留と弁護人等への通知〕

被告人を勾留したときは、直ちに弁護人にその旨を通知しなければならない。被告人に弁護人がないときは、被告人の法定代理人、保佐人、配偶者、直系の親族及び兄弟姉妹のうち被告人の指定する者１人にその旨を通知しなければならない。

《注　釈》

- 司法警察員が被疑者を逮捕したときに要求される手続は、直ちに犯罪事実の要旨及び弁護人を選任することができる旨を告げることであり、弁護人等への通知は不要である（203）。

第80条 〔勾留と接見交通〕

勾留されている被告人は、第39条第１項に規定する者以外の者と、法令の範囲内で、接見し、又は書類若しくは物の授受をすることができる〈囲〉。勾引状により刑事施設に留置されている被告人も、同様である。

第81条 〔接見交通の制限〕

裁判所は、逃亡し又は罪証を隠滅すると疑うに足りる相当な理由があるときは、検察官の請求により又は職権で、勾留されている被告人と第39条第１項に規定する者以外の者との接見を禁じ、又はこれと授受すべき書類その他の物を検閲し、その授受を禁じ、若しくはこれを差し押えることができる〈同子〉。但し、糧食の授受を禁じ、又はこれを差し押えることはできない。

[趣旨] 80条の趣旨は、被告人の利益保護の観点から、弁護人及び弁護人になろうとする者以外と勾留、勾引されている被告人とが法律の範囲内で自由に接見交通しうることを認めた点にある。一方、81条の趣旨は、接見交通による逃亡・罪証隠滅のおそれを防止する点にある。

《注　釈》

- 判例（最決平31.3.13・令元重判3事件）は、公判前整理手続に付される事件について、「接見等禁止の終期を第1回公判期日が終了する日までの間と定めたことは、公判前整理手続における争点及び証拠の整理等により、罪証隠滅の対象や具体的なおそれの有無、程度が変動し得るにもかかわらず、接見等禁止を長期間にわたり継続させかねないものである」としている。

- 刑事収容施設及び被収容者等の処遇に関する法律116条1項本文は、「刑事施設の長は、その指名する職員に、未決拘禁者の弁護人等以外の者との面会に立ち会わせ……るものとする。」としている〈同〉。

総則

第82条 〔勾留理由開示の請求〕〈同予〉

Ⅰ　勾留されている被告人は、裁判所に勾留の理由の開示を請求することができる。

Ⅱ　勾留されている被告人の弁護人、法定代理人、保佐人、配偶者、直系の親族、兄弟姉妹その他利害関係人も、前項の請求をすることができる〈予〉。

Ⅲ　前2項の請求は、保釈、勾留の執行停止若しくは勾留の取消があつたとき、又は勾留状の効力が消滅したときは、その効力を失う。

第83条 〔勾留の理由の開示〕〈同共予〉

Ⅰ　勾留の理由の開示は、公開の法廷でこれをしなければならない〈予〉。

Ⅱ　法廷は、裁判官及び裁判所書記が列席してこれを開く。

Ⅲ　被告人及びその弁護人が出頭しないときは、開廷することはできない。但し、被告人の出頭については、被告人が病気その他やむを得ない事由によつて出頭することができず且つ被告人に異議がないとき、弁護人の出頭については、被告人に異議がないときは、この限りでない。

第84条 〔同前〕〈同〉

Ⅰ　法廷においては、裁判長は、勾留の理由を告げなければならない。

Ⅱ　検察官又は被告人及び弁護人並びにこれらの者以外の請求者は、意見を述べることができる〈予〉。但し、裁判長は、相当と認めるときは、意見の陳述に代え意見を記載した書面を差し出すべきことを命ずることができる。

第85条 〔同前〕

勾留の理由の開示は、合議体の構成員にこれをさせることができる。

第86条 〔同前〕

同一の勾留について第82条の請求が2以上ある場合には、勾留の理由の開示は、最初の請求についてこれを行う。その他の請求は、勾留の理由の開示が終つた後、決定でこれを却下しなければならない。

［趣旨］憲法34条後段は勾留の理由を公開法廷で開示することを命じているが、刑訴法82条から86条は、このような憲法の要請を受けて、勾留理由開示制度を創設

するものである。　⇒p.149

第87条 〔勾留の取消し〕㊡

Ⅰ　勾留の理由又は勾留の必要がなくなつたときは、裁判所は、検察官、勾留されている被告人若しくはその弁護人、法定代理人、保佐人、配偶者、直系の親族若しくは兄弟姉妹の請求により、又は職権で、決定を以て勾留を取り消さなければならない㊂。

Ⅱ　第82条第3項の規定は、前項の請求についてこれを準用する。

[趣旨] 勾留は、人身の自由に対する重大な侵害であることから、法はその適正な運用を図るために、勾留の効力を将来に向かって消滅させる制度として勾留の取消しの制度を本条及び91条で規定した。

第88条 〔保釈の請求〕㊂共㊡

Ⅰ　勾留されている被告人又はその弁護人、法定代理人、保佐人、配偶者、直系の親族若しくは兄弟姉妹は、保釈の請求をすることができる。

Ⅱ　第82条第3項の規定は、前項の請求についてこれを準用する。

第89条 〔必要的保釈〕㊂㊡

保釈の請求があつたときは、次の場合を除いては、これを許さなければならない共。

①　被告人が死刑又は無期若しくは短期1年以上の懲役若しくは禁錮に当たる罪を犯したものであるとき㊂共。

②　被告人が前に死刑又は無期若しくは長期10年を超える懲役若しくは禁錮に当たる罪につき有罪の宣告を受けたことがあるとき㊂。

③　被告人が常習として長期3年以上の懲役又は禁錮に当たる罪を犯したものであるとき。

④　被告人が罪証を隠滅すると疑うに足りる相当な理由があるとき。

⑤　被告人が、被害者その他事件の審判に必要な知識を有すると認められる者若しくはその親族の身体若しくは財産に害を加え又はこれらの者を畏怖させる行為をすると疑うに足りる相当な理由があるとき。

⑥　被告人の氏名又は住居が分からないとき。

第90条 〔職権保釈〕㊂共㊡

裁判所は、保釈された場合に被告人が逃亡し又は罪証を隠滅するおそれの程度のほか、身体の拘束の継続により被告人が受ける健康上、経済上、社会生活上又は防御の準備上の不利益の程度その他の事情を考慮し、適当と認めるときは、職権で保釈を許すことができる。

第91条 〔不当に長い拘禁と勾留の取消し・保釈〕

Ⅰ　勾留による拘禁が不当に長くなつたときは、裁判所は、第88条に規定する者の請求により、又は職権で、決定を以て勾留を取り消し、又は保釈を許さなければならない。

Ⅱ　第82条第3項の規定は、前項の請求についてこれを準用する。

第92条　〔保釈と検察官の意見〕

Ⅰ　裁判所は、保釈を許す決定又は保釈の請求を却下する決定をするには、検察官の意見を聴かなければならない〈同予〉。

Ⅱ　検察官の請求による場合を除いて、勾留を取り消す決定をするときも、前項と同様である。但し、急速を要する場合は、この限りでない。

第93条　〔保証金額、保釈の条件〕

Ⅰ　保釈を許す場合には、保証金額を定めなければならない〈同共〉。

Ⅱ　保証金額は、犯罪の性質及び情状、証拠の証明力並びに被告人の性格及び資産を考慮して、被告人の出頭を保証するに足りる相当な金額でなければならない。

Ⅲ　保釈を許す場合には、被告人の住居を制限し、その他適当と認める条件を付することができる〈同〉。

Ⅳ　裁判所は、前項の規定により被告人の住居を制限する場合において、必要と認めるときは、裁判所の許可を受けないでその指定する期間を超えて当該住居を離れてはならない旨の条件を付することができる。

Ⅴ　前項の期間は、被告人の生活の状況その他の事情を考慮して指定する。

Ⅵ　第4項の許可をする場合には、同項の住居を離れることを必要とする理由その他の事情を考慮して、当該住居を離れることができる期間を指定しなければならない。

Ⅶ　裁判所は、必要と認めるときは、前項の期間を延長することができる。

Ⅷ　裁判所は、第4項の許可を受けた被告人について、同項の住居を離れることができる期間として指定された期間の終期まで当該住居を離れる必要がなくなつたと認めるときは、当該期間を短縮することができる。

第94条　〔保釈の手続〕〈共〉

Ⅰ　保釈を許す決定は、保証金の納付があつた後でなければ、これを執行することができない。

Ⅱ　裁判所は、保釈請求者でない者に保証金を納めることを許すことができる。

Ⅲ　裁判所は、有価証券又は裁判所の適当と認める被告人以外の者の差し出した保証書を以て保証金に代えることを許すことができる。

[趣旨] 被告人にとって身体の拘束による不利益は大きく、また無罪推定がなお働いているのであるから、身柄拘束をできる限り避けつつ、他方、不出頭の場合には保証金を没取することとして被告人に経済的・精神的負担を与えて被告人の出頭を確保する制度である。

《注　釈》

一　意義・種類

保釈とは、保証金の納付を条件として、勾留の執行を停止し、被告人の身柄拘

束を解く裁判及びその執行をいう。現行法上、保釈は起訴後に限られ、被疑者段階では認められていない（207Ⅰただし書）〈同予〉。

保釈には以下の3種類がある。

① 権利保釈（必要的保釈）（89）：保釈請求権者（88）の請求があれば、除外事由（89、344Ⅰ）に当たらない限り許さなければならないもの〈同共〉

② 裁量保釈（任意的保釈）（90）：権利保釈が許されない場合でも、裁判所が適当と認めるときに、職権で許すことができるもの〈共〉

③ 義務的保釈（91）：勾留による拘禁が不当に長くなったときに、請求権者の請求又は職権で許さなければならないもの

二 保釈と余罪〈同〉

＜勾留の基礎となっていない犯罪事実（余罪）を考慮しての権利保釈の許否＞

学　説	理　由
肯定説	① （人単位説から）一度なされればその効力は被疑者・被告人に全一的に及ぶ ② （事件単位説から）勾留の効力は勾留状記載の事実にしか及ばないのが原則であるが、逃亡のおそれは被告人単位でしか判断できないので、89条1号及び3号に該当する事由の有無に限っては勾留されている事実のみならず、被告人に対する起訴事実すべてを総合して判断すべきである
否定説	① （事件単位説から）勾留の効力は勾留状記載の事実にしか及ばないので、保釈の許否に当たり勾留されていない事実を考慮すべきではない ② 1号・3号といえども、勾留質問を通して確認の手続のとられていない事実を基礎に権利保釈の除外事由の存否を判断すべきでない ③ 必要があれば余罪事実についても勾留状を発しておくべきである

▼ 最決昭44.7.14・百選A28事件〈同予〉

「被告人が甲、乙、丙の3個の公訴事実について起訴され、そのうち甲事実のみについて勾留状が発せられている場合において、……法90条により保釈が適当であるかどうかを審査するにあたっては、甲事実の事案の内容や性質、あるいは被告人の経歴、行状、性格等の事情をも考慮することが必要であり、そのための一資料として、勾留状の発せられていない乙、丙各事実をも考慮することを禁ずべき理由はない」と判示した。

▼ 東京高決昭54.5.2

「従来の任意的保釈条件ではこれに対処することができなくなった場合には、……任意的保釈条件の追加、変更が必要かつ相当とされる場合に限り、任意的保釈条件の追加、変更は正当として許容される」と判示した。

第95条 〔勾留の執行停止〕

Ⅰ　裁判所は、適当と認めるときは、決定で、勾留されている被告人を親族、保護団体その他の者に委託し、又は被告人の住居を制限して、勾留の執行を停止することができる〈同予〉。この場合においては、適当と認める条件を付することができる。

Ⅱ　前項前段の決定をする場合には、勾留の執行停止をする期間を指定することができる。

Ⅲ　前項の期間を指定するに当たつては、その終期を日時をもつて指定するとともに、当該日時に出頭すべき場所を指定しなければならない。

Ⅳ　裁判所は、必要と認めるときは、第2項の期間を延長することができる。この場合においては、前項の規定を準用する。

Ⅴ　裁判所は、期間を指定されて勾留の執行停止をされた被告人について、当該期間の終期として指定された日時まで勾留の執行停止を継続する必要がなくなつたと認めるときは、当該期間を短縮することができる。この場合においては、第3項の規定を準用する。

Ⅵ　第93条第4項から第8項までの規定は、第1項前段の規定により被告人の住居を制限する場合について準用する。

《注　釈》

▪ 勾留の効力を維持したまま被告人を身柄拘束状態から解放する制度である点で、保釈と共通しているが、①保証金の納付が不要、②職権によってのみ行われる、③被疑者も可（207Ⅰ）、④期間を付すことも可（98Ⅰ参照）という点で保釈と異なる。

＜保釈と勾留の執行停止の異同＞

		保　釈	勾留の執行停止
共通点		勾留の効力を維持したまま被告人を身柄拘束状態から解放する制度	
相違点	①保証金	納付必要	納付不要
	②種　類	権利保釈（89） 裁量保釈（90） 義務的保釈（91）	職権によってのみ
	③被疑者	不　可	可（207Ⅰ）
	④期　間	期間を付すことは不可	期間を付すことも可

第95条の2

　期間を指定されて勾留の執行停止をされた被告人が、正当な理由がなく、当該期間の終期として指定された日時に、出頭すべき場所として指定された場所に出頭しないときは、2年以下の懲役に処する。

総則

第９５条の３

Ⅰ　裁判所の許可を受けないで指定された期間を超えて制限された住居を離れてはならない旨の条件を付されて保釈又は勾留の執行停止をされた被告人が、当該条件に係る住居を離れ、当該許可を受けないで、正当な理由がなく、当該期間を超えて当該住居に帰着しないときは、２年以下の懲役に処する。

Ⅱ　前項の被告人が、裁判所の許可を受けて同項の住居を離れ、正当な理由がなく、当該住居を離れることができる期間として指定された期間を超えて当該住居に帰着しないときも、同項と同様とする。

第９５条の４

Ⅰ　裁判所は、被告人の逃亡を防止し、又は公判期日への出頭を確保するため必要があると認めるときは、保釈を許す決定又は第９５条第１項前段の決定を受けた被告人に対し、その住居、労働又は通学の状況、身分関係その他のその変更が被告人が逃亡すると疑うに足りる相当な理由の有無の判断に影響を及ぼす生活上又は身分上の事項として裁判所の定めるものについて、次に掲げるところに従つて報告をすることを命ずることができる。

①　裁判所の指定する時期に、当該時期における当該事項について報告をすること。

②　当該事項に変更が生じたときは、速やかに、その変更の内容について報告をすること。

Ⅱ　裁判所は、前項の場合において、必要と認めるときは、同項の被告人に対し、同項の規定による報告を裁判所の指定する日時及び場所に出頭してすることを命ずることができる。

Ⅲ　裁判所は、第１項の規定による報告があつたときはその旨及びその報告の内容を、同項（第１号に係る部分に限る。）の規定による報告がなかつたとき又は同項（第２号に係る部分に限る。）の規定による報告がなかつたことを知つたときはその旨及びその状況を、それぞれ速やかに検察官に通知しなければならない。

第９６条 〔保釈等の取消し、保証金の没取〕 同共予

Ⅰ　裁判所は、次の各号のいずれかに該当する場合には、検察官の請求により、又は職権で、決定で、保釈又は勾留の執行停止を取り消すことができる。

①　被告人が、召喚を受け正当な理由がなく出頭しないとき。

②　被告人が逃亡し又は逃亡すると疑うに足りる相当な理由があるとき。

③　被告人が罪証を隠滅し又は罪証を隠滅すると疑うに足りる相当な理由があるとき。

④　被告人が、被害者その他事件の審判に必要な知識を有すると認められる者若しくはその親族の身体若しくは財産に害を加え若しくは加えようとし、又はこれらの者を畏怖させる行為をしたとき。

⑤　被告人が、正当な理由がなく前条第1項の規定による報告をせず、又は虚偽の報告をしたとき。

⑥　被告人が住居の制限その他裁判所の定めた条件に違反したとき。

Ⅱ　前項の規定により保釈を取り消す場合には、裁判所は、決定で、保証金の全部又は一部を没収することができる。

Ⅲ　保釈を取り消された者が、第98条の2の規定による命令を受け正当な理由がなく出頭しないとき、又は逃亡したときも、前項と同様とする。

Ⅳ　禁錮以上の刑に処する判決（懲役又は禁錮の全部の執行猶予の言渡しをしないものに限る。以下同じ。）の宣告を受けた後、保釈又は勾留の執行停止をされている被告人が逃亡したときは、裁判所は、検察官の請求により、又は職権で、決定で、保釈又は勾留の執行停止を取り消さなければならない。

Ⅴ　前項の規定により保釈を取り消す場合には、裁判所は、決定で、保証金の全部又は一部を没収しなければならない。

Ⅵ　保釈を取り消された者が、第98条の2の規定による命令を受け正当な理由がなく出頭しない場合又は逃亡した場合において、その者が禁錮以上の刑に処する判決の宣告を受けた者であるときは、裁判所は、決定で、保証金の全部又は一部を没取しなければならない。ただし、第4項の規定により保釈を取り消された者が逃亡したときは、この限りでない。

Ⅶ　保釈された者が、禁錮以上の刑に処する判決又は拘留に処する判決の宣告を受けた後、第343条の2（第404条（第414条において準用する場合を含む。第98条の17第1項第2号及び第4号において同じ。）において準用する場合を含む。）の規定による命令を受け正当な理由がなく出頭しないとき又は逃亡したとき（保釈されている場合及び保釈を取り消された後、逃亡した場合を除く。）は検察官の請求により又は職権で、刑の執行のため呼出しを受け正当な理由がなく出頭しないときは検察官の請求により、決定で、保証金の全部又は一部を没取しなければならない。

第97条　〔上訴と勾留に関する決定〕

Ⅰ　上訴の提起期間内の事件でまだ上訴の提起がないものについて、勾留の期間を更新し、勾留を取り消し、又は保釈若しくは勾留の執行停止をし、若しくはこれを取り消すべき場合には、原裁判所が、その決定をしなければならない。

Ⅱ　上訴中の事件で訴訟記録が上訴裁判所に到達していないものについて前項の決定をすべき裁判所は、裁判所の規則の定めるところによる。

Ⅲ　前2項の規定は、勾留の理由の開示をすべき場合にこれを準用する。

第98条　〔保釈の取消し等と収容の手続〕

Ⅰ　保釈若しくは勾留の執行停止を取り消す決定があつたとき、又は勾留の執行停止の期間が満了したときは、検察事務官、司法警察職員又は刑事施設職員は、検察官の指揮により、勾留状の謄本及び保釈若しくは勾留の執行停止を取り消す決定の謄本又は期間を指定した勾留の執行停止の決定の謄本を被告人に示してこれを刑事施

設に収容しなければならない。

Ⅱ　前項の書面を所持しないためこれを示すことができない場合において、急速を要するときは、同項の規定にかかわらず、検察官の指揮により、被告人に対し保釈若しくは勾留の執行停止が取り消された旨又は勾留の執行停止の期間が満了した旨を告げて、これを刑事施設に収容することができる。ただし、その書面は、できる限り速やかにこれを示さなければならない。

Ⅲ　第71条の規定は、前２項の規定による収容についてこれを準用する。

［趣旨］96条は、保釈及び勾留の執行停止について一定の場合にその取消しを認め、それに伴い保証金の没取をすることを規定するものである。

▼　最決平21.12.9・平22重判6事件

事案：　保釈中の被告人の所在が不明となったため、検察官により保釈保証金の没取請求がなされた。没取請求後、決定前に刑事施設に収容された場合に、なお没取決定がなしうるかが争われた。

決旨：　「刑訴法96条3項［注：現7項］は、……保釈保証金没取の制裁の予告の下、これによって逃亡等を防止するとともに、保釈された者が逃亡等をした場合には、上記制裁を科することにより、刑の確実な執行を担保する趣旨のものである。このような制度の趣旨にかんがみると、保釈された者について、同項所定の事由が認められる場合には、刑事施設に収容され刑の執行が開始された後であっても、保釈保証金を没取することができると解するのが相当である。」

第98条の２

検察官は、保釈又は勾留の執行停止を取り消す決定があつた場合において、被告人が刑事施設に収容されていないときは、被告人に対し、指定する日時及び場所に出頭することを命ずることができる。

第98条の３

保釈又は勾留の執行停止を取り消され、検察官から出頭を命ぜられた被告人が、正当な理由がなく、指定された日時及び場所に出頭しないときは、２年以下の懲役に処する。

第98条の４

Ⅰ　裁判所は、保釈を許し、又は勾留の執行停止をする場合において、必要と認めるときは、適当と認める者を、その同意を得て監督者として選任することができる。

Ⅱ　裁判所は、前項の同意を得るに当たつては、あらかじめ、監督者として選任する者に対し、次項及び第４項に規定する監督者の責務並びに第98条の８第２項及び第98条の11の規定による監督保証金の没取の制度を理解させるために必要な事項を説明しなければならない。

Ⅲ　監督者は、被告人の逃亡を防止し、及び公判期日への出頭を確保するために必要な監督をするものとする。

Ⅳ　裁判所は、監督者に対し、次の各号に掲げる事項のいずれか又は全てを命ずるものとする。

①　被告人が召喚を受けたときその他この法律又は他の法律の規定により被告人が出頭しなければならないときは、その出頭すべき日時及び場所に、被告人と共に出頭すること。

②　被告人の住居、労働又は通学の状況、身分関係その他のその変更が被告人が逃亡すると疑うに足りる相当な理由の有無の判断に影響を及ぼす生活上又は身分上の事項として裁判所の定めるものについて、次に掲げるところに従つて報告をすること。

イ　裁判所の指定する時期に、当該時期における当該事項について報告をすること。

ロ　当該事項に変更が生じたときは、速やかに、その変更の内容について報告をすること。

第98条の5

Ⅰ　監督者を選任する場合には、監督保証金額を定めなければならない。

Ⅱ　監督保証金額は、監督者として選任する者の資産及び被告人との関係その他の事情を考慮して、前条第4項の規定により命ずる事項及び被告人の出頭を保証するに足りる相当な金額でなければならない。

第98条の6

Ⅰ　監督者を選任した場合には、保釈を許す決定は、第94条第1項の規定にかかわらず、保証金及び監督保証金の納付があつた後でなければ、執行することができない。

Ⅱ　監督者を選任した場合には、第95条第1項前段の決定は、監督保証金の納付があつた後でなければ、執行することができない。

Ⅲ　第94条第2項及び第3項の規定は、監督保証金の納付について準用する。この場合において、同条第2項中「保釈請求者でない者」とあるのは「監督者でない者（被告人を除く。）」と、同条第3項中「被告人」とあるのは「被告人及び監督者」と読み替えるものとする。

第98条の7

Ⅰ　裁判所は、監督者を選任した場合において、被告人の召喚がされたときその他この法律又は他の法律の規定により被告人が指定の日時及び場所に出頭しなければならないこととされたときは、速やかに、監督者に対し、その旨並びに当該日時及び場所を通知しなければならない。

Ⅱ　裁判所は、第98条の4第4項（第1号に係る部分に限る。）の規定による出頭があつたときはその旨を、同項（第2号に係る部分に限る。）の規定による報告があつたときはその旨及びその報告の内容を、同項（第1号に係る部分に限る。）の規定による出頭若しくは同項（第2号イに係る部分に限る。）の規定による報告がなかつたとき又は同項（第2号ロに係る部分に限る。）の規定による報告がなかつたことを知つたときはその旨及びその状況を、それぞれ速やかに検察官に通知しなければならない。

第98条の8

Ⅰ　裁判所は、次の各号のいずれかに該当すると認めるときは、検察官の請求により、又は職権で、監督者を解任することができる。

①　監督者が、正当な理由がなく、第98条の4第4項の規定による命令に違反したとき。

②　心身の故障その他の事由により、監督者が第98条の4第4項の規定により命ぜられた事項をすることができない状態になつたとき。

③　監督者から解任の申出があつたとき。

Ⅱ　前項（第1号に係る部分に限る。）の規定により監督者を解任する場合には、裁判所は、決定で、監督保証金の全部又は一部を没取することができる。

第98条の9

Ⅰ　裁判所は、監督者を解任した場合又は監督者が死亡した場合には、決定で、保釈又は勾留の執行停止を取り消さなければならない。

Ⅱ　裁判所は、前項に規定する場合において、相当と認めるときは、次の各号に掲げる場合の区分に応じ、当該各号に定める措置をとることができる。この場合においては、同項の規定は、適用しない。

①　被告人が保釈されている場合　新たに適当と認める者を監督者として選任し、又は保証金額を増額すること。

②　被告人が勾留の執行停止をされている場合　新たに適当と認める者を監督者として選任すること。

Ⅲ　裁判所は、前項前段の規定により監督者を選任する場合には、監督保証金を納付すべき期限を指定しなければならない。

Ⅳ　裁判所は、やむを得ない事由があると認めるときは、前項の期限を延長することができる。

Ⅴ　裁判所は、第3項の期限までに監督保証金の納付がなかつたときは、監督者を解任しなければならない。

Ⅵ　裁判所は、第2項前段（第1号に係る部分に限る。次項において同じ。）の規定により監督者を選任する場合において、相当と認めるときは、保証金額を減額することができる。

Ⅶ　裁判所は、第2項前段の規定により保証金額を増額する場合には、増額分の保証金を納付すべき期限を指定しなければならない。この場合においては、第4項の規

　定を準用する。

Ⅷ　第94条第2項及び第3項の規定は、前項に規定する場合における増額分の保証金の納付について準用する。この場合において、同条第2項中「保釈請求者」とあるのは、「被告人」と読み替えるものとする。

Ⅸ　裁判所は、第7項の期限までに増額分の保証金の納付がなかつたときは、決定で、保釈を取り消さなければならない。

第98条の10

Ⅰ　被告人は、第98条の8第1項第2号に該当すること又は監督者が死亡したことを知つたときは、速やかに、その旨を裁判所に届け出なければならない。

Ⅱ　裁判所は、前項の規定による届出がなかつたときは、検察官の請求により、又は職権で、決定で、保釈又は勾留の執行停止を取り消すことができる。

Ⅲ　前項の規定により保釈を取り消す場合には、裁判所は、決定で、保証金の全部又は一部を没取することができる。

第98条の11

　監督者が選任されている場合において、第96条第1項（第1号、第2号及び第5号（第95条の4第2項の規定による出頭をしなかつたことにより適用される場合に限る。）に係る部分に限る。）の規定により保釈又は勾留の執行停止を取り消すときは、裁判所は、決定で、監督保証金の全部又は一部を没取することができる。

・第9章・【押収及び捜索】

第99条　〔差押え、提出命令〕

Ⅰ　裁判所は、必要があるときは、証拠物又は没収すべき物と思料するものを差し押えることができる。但し、特別の定のある場合は、この限りでない。

Ⅱ　差し押さえるべき物が電子計算機であるときは、当該電子計算機に電気通信回線で接続している記録媒体であつて、当該電子計算機で作成若しくは変更をした電磁的記録又は当該電子計算機で変更若しくは消去をすることができることとされている電磁的記録を保管するために使用されていると認めるに足りる状況にあるものから、その電磁的記録を当該電子計算機又は他の記録媒体に複写した上、当該電子計算機又は当該他の記録媒体を差し押さえることができる。

Ⅲ　裁判所は、差し押えるべき物を指定し、所有者、所持者又は保管者にその物の提出を命ずることができる。

第99条の2　〔記録命令付差押え〕

　裁判所は、必要があるときは、記録命令付差押え（電磁的記録を保管する者その他電磁的記録を利用する権限を有する者に命じて必要な電磁的記録を記録媒体に記録させ、又は印刷させた上、当該記録媒体を差し押さえることをいう。以下同じ。）をす

ることができる。

第100条 〔郵便物等の押収〕

Ⅰ　裁判所は、被告人から発し、又は被告人に対して発した郵便物、信書便物又は電信に関する書類で法令の規定に基づき通信事務を取り扱う者が保管し、又は所持するものを差し押え、又は提出させることができる。

Ⅱ　前項の規定に該当しない郵便物、信書便物又は電信に関する書類で法令の規定に基づき通信事務を取り扱う者が保管し、又は所持するものは、被告事件に関係があると認めるに足りる状況のあるものに限り、これを差し押え、又は提出させることができる。

Ⅲ　前2項の規定による処分をしたときは、その旨を発信人又は受信人に通知しなければならない。但し、通知によつて審理が妨げられる虞がある場合は、この限りでない。

第101条 〔領置〕

被告人その他の者が遺留した物又は所有者、所持者若しくは保管者が任意に提出した物は、これを領置することができる。

第102条 〔捜索〕

Ⅰ　裁判所は、必要があるときは、被告人の身体、物又は住居その他の場所に就き、捜索をすることができる。

Ⅱ　被告人以外の者の身体、物又は住居その他の場所については、押収すべき物の存在を認めるに足りる状況のある場合に限り、捜索をすることができる。

第103条 〔公務上秘密と押収〕

公務員又は公務員であつた者が保管し、又は所持する物について、本人又は当該公務所から職務上の秘密に関するものであることを申し立てたときは、当該監督官庁の承諾がなければ、押収をすることはできない。但し、当該監督官庁は、国の重大な利益を害する場合を除いては、承諾を拒むことができない。

第104条 〔同前〕

Ⅰ　左に掲げる者が前条の申立をしたときは、第1号に掲げる者についてはその院、第2号に掲げる者については内閣の承諾がなければ、押収をすることはできない。

①　衆議院若しくは参議院の議員又はその職に在つた者

②　内閣総理大臣その他の国務大臣又はその職に在つた者

Ⅱ　前項の場合において、衆議院、参議院又は内閣は、国の重大な利益を害する場合を除いては、承諾を拒むことができない。

第105条 〔業務上秘密と押収〕

医師、歯科医師、助産師、看護師、弁護士（外国法事務弁護士を含む。）、弁理士、公証人、宗教の職に在る者又はこれらの職に在つた者は、業務上委託を受けたため、

保管し、又は所持する物で他人の秘密に関するものについては、押収を拒むことができる。但し、本人が承諾した場合、押収の拒絶が被告人のためのみにする権利の濫用と認められる場合（被告人が本人である場合を除く。）その他裁判所の規則で定める事由がある場合は、この限りでない。

第106条 〔令状〕

公判廷外における差押え、記録命令付差押え又は捜索は、差押状、記録命令付差押状又は捜索状を発してこれをしなければならない。

第107条 〔差押状・記録命令付差押状・捜索状の方式〕

Ⅰ　差押状、記録命令付差押状又は捜索状には、被告人の氏名、罪名、差し押さえるべき物、記録させ若しくは印刷させるべき電磁的記録及びこれを記録させ若しくは印刷させるべき者又は捜索すべき場所、身体若しくは物、有効期間及びその期間経過後は執行に着手することができず令状はこれを返還しなければならない旨並びに発付の年月日その他裁判所の規則で定める事項を記載し、裁判長が、これに記名押印しなければならない。

Ⅱ　第99条第2項の規定による処分をするときは、前項の差押状に、同項に規定する事項のほか、差し押さえるべき電子計算機に電気通信回線で接続している記録媒体であつて、その電磁的記録を複写すべきものの範囲を記載しなければならない。

Ⅲ　第64条第2項の規定は、第1項の差押状、記録命令付差押状又は捜索状についてこれを準用する。

第108条 〔差押状・記録命令付差押状・捜索状の執行〕

Ⅰ　差押状、記録命令付差押状又は捜索状は、検察官の指揮によつて、検察事務官又は司法警察職員がこれを執行する。ただし、裁判所が被告人の保護のため必要があると認めるときは、裁判長は、裁判所書記官又は司法警察員にその執行を命ずることができる。

Ⅱ　裁判所は、差押状、記録命令付差押状又は捜索状の執行に関し、その執行をする者に対し書面で適当と認める指示をすることができる。

Ⅲ　前項の指示は、合議体の構成員にこれをさせることができる。

Ⅳ　第71条の規定は、差押状、記録命令付差押状又は捜索状の執行についてこれを準用する。

第109条 〔執行の補助〕

検察事務官又は裁判所書記官は、差押状、記録命令付差押状又は捜索状の執行について必要があるときは、司法警察員に補助を求めることができる。

第110条 〔令状の呈示〕

差押状、記録命令付差押状又は捜索状は、処分を受ける者にこれを示さなければならない。

総則

> ### 第１１０条の２　〔電磁的記録に係る記録媒体の差押えの執行方法〕
>
> 　差し押さえるべき物が電磁的記録に係る記録媒体であるときは、差押状の執行をする者は、その差押えに代えて次に掲げる処分をすることができる。公判廷で差押えをする場合も、同様である。
> 　①　差し押さえるべき記録媒体に記録された電磁的記録を他の記録媒体に複写し、印刷し、又は移転した上、当該他の記録媒体を差し押さえること。
> 　②　差押えを受ける者に差し押さえるべき記録媒体に記録された電磁的記録を他の記録媒体に複写させ、印刷させ、又は移転させた上、当該他の記録媒体を差し押さえること〈図〉。

[趣旨] 110条の趣旨は、差押状等の執行を受ける者に対して、裁判の内容を了知させることにより、手続の明確性と公正を担保するとともに、裁判に対する不服申立ての機会を与える点にある。

《注　釈》

一　令状の事前呈示　⇒ p.173

二　「情報処理の高度化等に対処するための刑法等の一部を改正する法律」（平成23年法律74号）

1　2011年の改正により、刑法でコンピュータウイルスの作成などについての犯罪化がなされた。これに伴い刑事訴訟法においても、コンピュータによる情報処理の高度化に伴ういわゆるハイテク犯罪に処するための電磁的記録物に関する新たな捜索手続が創設された。

2　概要

　電磁的記録物を差し押さえる場合に生じる様々な支障に鑑み、新法では、電磁的記録物に対する捜索差押許可状が発付されている場合に特定の情報のみを収集するという差押えの執行方法が認められた（110の2）。いわば本来の差押えの代替処分である。

　これにより、差押状の執行者は、その差押えに代えて、①差し押さえるべき記録媒体に記録された電磁的記録を他の記録媒体への複写、印刷、又は移転した上、当該他の記録媒体を差し押さえること、若しくは、②差押えを受けるものに差し押さえるべき記録媒体に記録された電磁的記録を他の記録媒体への複写、印刷、又は移転をさせた上、当該他の記録媒体を差し押さえることが可能となった。

　また、「記録命令付き差押え」という新制度を設けることで、一定の電磁的記録をシステム管理者に出力させ、その記録媒体を捜査機関が差し押さえるという規定（99の2）や、目的とする電磁的記録が当該コンピュータに接続している別のコンピュータに蔵置されている場合に対処するための差押方法の明文規定も設けられた（99Ⅱ）。

もっとも、上記差押方法が認められることになったとしても、執行者がコンピュータ技術等に疎ければその実効性を欠く。そこで、新法は被処分者への協力要請の明文規定（111の2）を設けることで、電磁的記録物の差押えの実効性が確保されている。

第111条 〔押収捜索と必要な処分〕

I 差押状、記録命令付差押状又は捜索状の執行については、錠をはずし、封を開き、その他必要な処分をすることができる。公判廷で差押え、記録命令付差押え又は捜索をする場合も、同様である。

II 前項の処分は、押収物についても、これをすることができる。

第111条の2 〔捜索・差押えの際の協力要請〕《同》

差し押さえるべき物が電磁的記録に係る記録媒体であるときは、差押状又は捜索状の執行をする者は、処分を受ける者に対し、電子計算機の操作その他の必要な協力を求めることができる。公判廷で差押え又は捜索をする場合も、同様である。

第112条 〔執行中の出入禁止〕

I 差押状、記録命令付差押状又は捜索状の執行中は、何人に対しても、許可を得ないでその場所に出入りすることを禁止することができる《予》。

II 前項の禁止に従わない者は、これを退去させ、又は執行が終わるまでこれに看守者を付することができる。

第113条 〔当事者の立会い〕《共予》

I 検察官、被告人又は弁護人は、差押状、記録命令付差押状又は捜索状の執行に立ち会うことができる《予》。ただし、身体の拘束を受けている被告人は、この限りでない。

II 差押状、記録命令付差押状又は捜索状の執行をする者は、あらかじめ、執行の日時及び場所を前項の規定により立ち会うことができる者に通知しなければならない。ただし、これらの者があらかじめ裁判所に立ち会わない意思を明示した場合及び急速を要する場合は、この限りでない。

III 裁判所は、差押状又は捜索状の執行について必要があるときは、被告人をこれに立ち会わせることができる。

第114条 〔責任者の立会い〕

I 公務所内で差押状、記録命令付差押状又は捜索状の執行をするときは、その長又はこれに代わるべき者に通知してその処分に立ち会わせなければならない。

II 前項の規定による場合を除いて、人の住居又は人の看守する邸宅、建造物若しくは船舶内で差押状、記録命令付差押状又は捜索状の執行をするときは、住居主若しくは看守者又はこれらの者に代わるべき者をこれに立ち会わせなければならない。これらの者を立ち会わせることができないときは、隣人又は地方公共団体の職員を立ち会わせなければならない《同予》。

第115条 〔女子の身体の捜索と立会い〕

女子の身体について捜索状の執行をする場合には、成年の女子をこれに立ち会わせなければならない。但し、急速を要する場合は、この限りでない。

《注　釈》

◆　女子の身体の捜索

女子の身体の捜索をする場合（115）には、捜索状があっても執行に際して成年の女子の立会いが必要となる。

一方、女子の身体を検査する（131）には医師又は成年の女子の立会いが必要となる（131Ⅱ）。この場合は身体の捜索と異なり、急速を要する場合の例外規定がないことに注意を要する〈択〉。

＜女子の身体捜索と身体検査との比較＞

	女子の身体捜索（115）	女子の身体検査（131Ⅱ）
立ち会う者	成年の女子	医師又は成年の女子
例外	急速を要する場合（115ただし書）	なし

第116条 〔時刻の制限〕

Ⅰ　日出前、日没後には、令状に夜間でも執行することができる旨の記載がなければ、差押状、記録命令付差押状又は捜索状の執行のため、人の住居又は人の看守する邸宅、建造物若しくは船舶内に入ることはできない〈択〉。

Ⅱ　日没前に差押状、記録命令付差押状又は捜索状の執行に着手したときは、日没後でも、その処分を継続することができる〈択〉。

第117条 〔時刻の制限の例外〕

次に掲げる場所で差押状、記録命令付差押状又は捜索状の執行をするについては、前条第1項に規定する制限によることを要しない。

①　賭博、富くじ又は風俗を害する行為に常用されるものと認められる場所

②　旅館、飲食店その他夜間でも公衆が出入りすることができる場所。ただし、公開した時間内に限る。

第118条 〔執行の中止と必要な処分〕

差押状、記録命令付差押状又は捜索状の執行を中止する場合において必要があるときは、執行が終わるまでその場所を閉鎖し、又は看守者を置くことができる。

第119条 〔証明書の交付〕

捜索をした場合において証拠物又は没収すべきものがないときは、捜索を受けた者の請求により、その旨の証明書を交付しなければならない。

第120条 〔押収目録の交付〕

　押収をした場合には、その目録を作り、所有者、所持者若しくは保管者（第110条の2の規定による処分を受けた者を含む。）又はこれらの者に代わるべき者に、これを交付しなければならない。

第121条 〔押収物の保管、廃棄〕

Ⅰ　運搬又は保管に不便な押収物については、看守者を置き、又は所有者その他の者に、その承諾を得て、これを保管させることができる。

Ⅱ　危険を生ずる虞がある押収物は、これを廃棄することができる。

Ⅲ　前2項の処分は、裁判所が特別の指示をした場合を除いては、差押状の執行をした者も、これをすることができる。

第122条 〔押収物の代価保管〕

　没収することができる押収物で滅失若しくは破損の虞があるもの又は保管に不便なものについては、これを売却してその代価を保管することができる。

第123条 〔還付、仮還付等〕

Ⅰ　押収物で留置の必要がないものは、被告事件の終結を待たないで、決定でこれを還付しなければならない。

Ⅱ　押収物は、所有者、所持者、保管者又は差出人の請求により、決定で仮にこれを還付することができる。

Ⅲ　押収物が第110条の2の規定により電磁的記録を移転し、又は移転させた上差し押さえた記録媒体で留置の必要がないものである場合において、差押えを受けた者と当該記録媒体の所有者、所持者又は保管者とが異なるときは、被告事件の終結を待たないで、決定で、当該差押えを受けた者に対し、当該記録媒体を交付し、又は当該電磁的記録の複写を許さなければならない。

Ⅳ　前3項の決定をするについては、検察官及び被告人又は弁護人の意見を聴かなければならない。

第124条 〔押収贓物の被害者還付〕

Ⅰ　押収した贓物で留置の必要がないものは、被害者に還付すべき理由が明らかなときに限り、被告事件の終結を待たないで、検察官及び被告人又は弁護人の意見を聴き、決定でこれを被害者に還付しなければならない。

Ⅱ　前項の規定は、民事訴訟の手続に従い、利害関係人がその権利を主張することを妨げない。

第125条 〔受命裁判官、受託裁判官〕

Ⅰ　押収又は捜索は、合議体の構成員にこれをさせ、又はこれをすべき地の地方裁判所、家庭裁判所若しくは簡易裁判所の裁判官にこれを嘱託することができる。

総則

総則

II　受託裁判官は、受託の権限を有する他の地方裁判所、家庭裁判所又は簡易裁判所の裁判官に転嘱することができる。

III　受託裁判官は、受託事項について権限を有しないときは、受託の権限を有する他の地方裁判所、家庭裁判所又は簡易裁判所の裁判官に嘱託を移送することができる。

IV　受命裁判官又は受託裁判官がする押収又は捜索については、裁判所がする押収又は捜索に関する規定を準用する。但し、第100条第3項の通知は、裁判所がこれをしなければならない。

第126条 〔勾引状等の執行と被告人の捜索〕

　検察事務官又は司法警察職員は、勾引状又は勾留状を執行する場合において必要があるときは、人の住居又は人の看守する邸宅、建造物若しくは船舶内に入り、被告人の捜索をすることができる。この場合には、捜索状は、これを必要としない。

第127条 〔同前〕

　第111条、第112条、第114条及び第118条の規定は、前条の規定により検察事務官又は司法警察職員がする捜索についてこれを準用する。但し、急速を要する場合は、第114条第2項の規定によることを要しない。

・第10章・【検証】

第128条 〔検証〕

　裁判所は、事実発見のため必要があるときは、検証をすることができる。

第129条 〔検証と必要な処分〕

　検証については、身体の検査、死体の解剖、墳墓の発掘、物の破壊その他必要な処分をすることができる。

第130条 〔時刻の制限〕

I　日出前、日没後には、住居主若しくは看守者又はこれらの者に代るべき者の承諾がなければ、検証のため、人の住居又は人の看守する邸宅、建造物若しくは船舶内に入ることはできない。但し、日出後では検証の目的を達することができない虞がある場合は、この限りでない。

II　日没前検証に着手したときは、日没後でもその処分を継続することができる。

III　第117条に規定する場所については、第1項に規定する制限によることを要しない。

第131条 〔身体検査に関する注意、女子の身体検査と立会い〕

I　身体の検査については、これを受ける者の性別、健康状態その他の事情を考慮した上、特にその方法に注意し、その者の名誉を害しないように注意しなければなら

ない。

Ⅱ　女子の身体を検査する場合には、医師又は成年の女子をこれに立ち会わせなければならない〈子〉。

第132条 〔身体検査のための召喚〕

裁判所は、身体の検査のため、被告人以外の者を裁判所又は指定の場所に召喚することができる。

第133条 〔出頭拒否と過料等〕

Ⅰ　前条の規定により召喚を受けた者が正当な理由がなく出頭しないときは、決定で、10万円以下の過料に処し、かつ、出頭しないために生じた費用の賠償を命ずることができる。

Ⅱ　前項の決定に対しては、即時抗告をすることができる。

第134条 〔出頭拒否と刑罰〕

Ⅰ　第132条の規定により召喚を受け正当な理由がなく出頭しない者は、10万円以下の罰金又は拘留に処する。

Ⅱ　前項の罪を犯した者には、情状により、罰金及び拘留を併科することができる。

第135条 〔出頭拒否と勾引〕

第132条の規定による召喚に応じない者は、更にこれを召喚し、又はこれを勾引することができる。

第136条 〔召喚・勾引に関する準用規定〕

第62条、第63条及び第65条の規定は、第132条及び前条の規定による召喚について、第62条、第64条、第66条、第67条、第70条、第71条及び第73条第1項の規定は、前条の規定による勾引についてこれを準用する。

第137条 〔身体検査の拒否と過料等〕

Ⅰ　被告人又は被告人以外の者が正当な理由がなく身体の検査を拒んだときは、決定で、10万円以下の過料に処し、かつ、その拒絶により生じた費用の賠償を命ずることができる。

Ⅱ　前項の決定に対しては、即時抗告をすることができる。

第138条 〔身体検査の拒否と刑罰〕

Ⅰ　正当な理由がなく身体の検査を拒んだ者は、10万円以下の罰金又は拘留に処する。

Ⅱ　前項の罪を犯した者には、情状により、罰金及び拘留を併科することができる。

第139条 〔身体検査の直接強制〕

裁判所は、身体の検査を拒む者を過料に処し、又はこれに刑を科しても、その効果

がないと認めるときは、そのまま、身体の検査を行うことができる。

第140条 〔身体検査の強制に関する訓示規定〕

　裁判所は、第137条の規定により過料を科し、又は前条の規定により身体の検査をするにあたつては、あらかじめ、検察官の意見を聴き、且つ、身体の検査を受ける者の異議の理由を知るため適当な努力をしなければならない。

第141条 〔検証の補助〕

　検証をするについて必要があるときは、司法警察職員に補助をさせることができる。

第142条 〔準用規定〕

　第111条の2から第114条まで、第118条及び第125条＜捜索差押えの際の協力要請、執行中の出入禁止、当事者の立会い、責任者の立会い、執行の中止と必要な処分、受命裁判官、受託裁判官＞の規定は、検証についてこれを準用する。

《注　釈》

◆　検証

　1　意義　⇒p.163
　2　女子の身体捜索との比較　⇒p.62

・第11章・【証人尋問】

《概　説》　⇒p.308

第143条 〔証人の資格〕 司予

　裁判所は、この法律に特別の定のある場合を除いては、何人でも証人としてこれを尋問することができる。

　　憲法第37条 〔刑事被告人の権利〕
　　Ⅱ　刑事被告人は、すべての証人に対して審問する機会を充分に与へられ、
　　　又、公費で自己のために強制的手続により証人を求める権利を有する。

[趣旨]本条は、受訴裁判所が原則として何人でも証人として尋問しうる権限を有すること、そして何人も証人として司法に協力すべき義務を有することを明らかにしている。

第143条の2 〔証人の召喚〕

　裁判所は、裁判所の規則で定める相当の猶予期間を置いて、証人を召喚することができる。

第144条 〔公務上秘密と証人資格〕

　公務員又は公務員であつた者が知り得た事実について、本人又は当該公務所から職務上の秘密に関するものであることを申し立てたときは、当該監督官庁の承諾がなければ証人としてこれを尋問することはできない。但し、当該監督官庁は、国の重大な利益を害する場合を除いては、承諾を拒むことができない。

第145条 〔同前〕

Ⅰ　左に掲げる者が前条の申立をしたときは、第1号に掲げる者についてはその院、第2号に掲げる者については内閣の承諾がなければ、証人としてこれを尋問することはできない。
　①　衆議院若しくは参議院の議員又はその職に在つた者
　②　内閣総理大臣その他の国務大臣又はその職に在つた者
Ⅱ　前項の場合において、衆議院、参議院又は内閣は、国の重大な利益を害する場合を除いては、承諾を拒むことができない。

第146条 〔自己の刑事責任と証言拒絶権〕

　何人も、自己が刑事訴追を受け、又は有罪判決を受ける虞のある証言を拒むことができる〈同〉。

第147条 〔近親者の刑事責任と証言拒絶権〕

　何人も、左に掲げる者が刑事訴追を受け、又は有罪判決を受ける虞のある証言を拒むことができる。
　①　自己の配偶者、三親等内の血族若しくは二親等内の姻族又は自己とこれらの親族関係があつた者〈〉
　②　自己の後見人、後見監督人又は保佐人
　③　自己を後見人、後見監督人又は保佐人とする者

第148条 〔同前の例外〕

　共犯又は共同被告人の1人又は数人に対し前条の関係がある者でも、他の共犯又は共同被告人のみに関する事項については、証言を拒むことはできない。

第149条 〔業務上秘密と証言拒絶権〕

　医師、歯科医師、助産師、看護師、弁護士（外国法事務弁護士を含む。）、弁理士、公証人、宗教の職に在る者又はこれらの職に在つた者は、業務上委託を受けたため知り得た事実で他人の秘密に関するものについては、証言を拒むことができる。但し、本人が承諾した場合、証言の拒絶が被告人のためのみにする権利の濫用と認められる場合（被告人が本人である場合を除く。）その他裁判所の規則で定める事由がある場合は、この限りでない。

《注　釈》

- 「刑事訴追……を受ける虞のある証言」(146) とは、証言の内容自体に刑事訴追を受けるおそれのある事項をいうのであり、証言することによって偽証罪（刑169) の訴追を受けるおそれが生じる場合をいうのではない（最決昭28.9.1) 〈予〉。
- 証言を拒む者は、これを拒む事由を示さなければならない（規則122 I) 〈予〉。

第150条 〔出頭義務違反と過料等〕

Ⅰ　召喚を受けた証人が正当な理由がなく出頭しないときは、決定で、10万円以下の過料に処し、かつ、出頭しないために生じた費用の賠償を命ずることができる。

Ⅱ　前項の決定に対しては、即時抗告をすることができる。

第151条 〔出頭義務違反と刑罰〕

証人として召喚を受け正当な理由がなく出頭しない者は、1年以下の懲役又は30万円以下の罰金に処する。

第152条 〔再度の召喚・勾引〕

裁判所は、証人が、正当な理由がなく、召喚に応じないとき、又は応じないおそれがあるときは、その証人を勾引することができる〈図〉。

第153条 〔準用規定〕

第62条、第63条及び第65条の規定は、証人の召喚について、第62条、第64条、第66条、第67条、第70条、第71条及び第73条第1項の規定は、証人の勾引についてこれを準用する。

第153条の2 〔証人の留置〕

勾引状の執行を受けた証人を護送する場合又は引致した場合において必要があるときは、一時最寄の警察署その他の適当な場所にこれを留置することができる。

第154条 〔宣誓〕

証人には、この法律に特別の定のある場合を除いて、宣誓をさせなければならない。

第155条 〔宣誓無能力〕

Ⅰ　宣誓の趣旨を理解することができない者は、宣誓をさせないで、これを尋問しなければならない。

Ⅱ　前項に掲げる者が宣誓をしたときでも、その供述は、証言としての効力を妨げられない。

《注　釈》

- 宣誓は、人定質問の後、証人尋問の前にさせなければならない（規115、117)。

・宣誓を欠く証言には証拠能力が認められないが、宣誓を理解できない者の宣誓を欠く証言には証拠能力が認められ〈回、誤って宣誓をさせたとしても効力に影響はない（155）。

第156条 〔推測事項の証言〕

I　証人には、その実験した事実により推測した事項を供述させることができる〈回。

II　前項の供述は、鑑定に属するものでも、証言としての効力を妨げられない。

第157条 〔当事者の立会権、尋問権〕

I　検察官、被告人又は弁護人は、証人の尋問に立ち会うことができる。

II　証人尋問の日時及び場所は、あらかじめ、前項の規定により尋問に立ち会うことができる者にこれを通知しなければならない。但し、これらの者があらかじめ裁判所に立ち会わない意思を明示したときは、この限りでない。

III　第1項に規定する者は、証人の尋問に立ち会つたときは、裁判長に告げて、その証人を尋問することができる。

第157条の2 〔証人尋問開始前の免責請求〕

I　検察官は、証人が刑事訴追を受け、又は有罪判決を受けるおそれのある事項についての尋問を予定している場合であつて、当該事項についての証言の重要性、関係する犯罪の軽重及び情状その他の事情を考慮し、必要と認めるときは、あらかじめ、裁判所に対し、当該証人尋問を次に掲げる条件により行うことを請求することができる。

①　尋問に応じてした供述及びこれに基づいて得られた証拠は、証人が当該証人尋問においてした行為が第161条又は刑法第169条の罪に当たる場合に当該行為に係るこれらの罪に係る事件において用いるときを除き、証人の刑事事件において、これらを証人に不利益な証拠とすることができないこと。

②　第146条の規定にかかわらず、自己が刑事訴追を受け、又は有罪判決を受けるおそれのある証言を拒むことができないこと。

II　裁判所は、前項の請求を受けたときは、その証人に尋問すべき事項に証人が刑事訴追を受け、又は有罪判決を受けるおそれのある事項が含まれないと明らかに認められる場合を除き、当該証人尋問を同項各号に掲げる条件により行う旨の決定をするものとする。

第157条の3 〔証人尋問請求後の免責請求〕

I　検察官は、証人が刑事訴追を受け、又は有罪判決を受けるおそれのある事項について証言を拒んだと認める場合であつて、当該事項についての証言の重要性、関係する犯罪の軽重及び情状その他の事情を考慮し、必要と認めるときは、裁判所に対し、それ以後の当該証人尋問を前条第1項各号に掲げる条件により行うことを請求することができる。

II　裁判所は、前項の請求を受けたときは、その証人が証言を拒んでいないと認めら

れる場合又はその証人に尋問すべき事項に証人が刑事訴追を受け、若しくは有罪判決を受けるおそれのある事項が含まれないと明らかに認められる場合を除き、それ以後の当該証人尋問を前条第1項各号に掲げる条件により行う旨の決定をするものとする。

［趣旨］組織的犯罪等において、取調べ以外の方法により適正な手続の下で供述証拠を得ることを可能とし、証拠の収集方法の適正化・多様化に資するとともに、公判審理の充実化にも資するという趣旨から、刑事免責制度が導入された。なお、刑事免責制度は、証人の意思に関わりなく、国家が一方的に免責を付与して自己負罪拒否特権を喪失させるという点で、証人との交渉といった要素は存在せず、被疑者等との間で協議・合意が行われる合意制度（350の2以下）とは異なる。

《注　釈》

一　免責決定の請求権者

免責決定は、検察官の請求に基づいてのみ行われ、弁護人の請求又は裁判所の職権による免責決定は認められない（157の2、157の3参照）。

免責は訴追自体を免責する制度ではないため、検察官は、免責決定がなされた証人尋問において証言した証人につき、公訴提起することも可能である。しかし、当該尋問においてなされた供述やこれに基づいて得られた証拠は、当該証人に対する刑事事件において、証人に不利益な証拠とすることができない。そうすると、当該証人を訴追することは事実上困難な場合がある。このように、免責付与は、当該証人に対する刑事事件の捜査・訴追に与える影響を踏まえて判断される必要があることから、訴追裁量権を有する検察官のみが免責決定を請求できるものとされている。

二　免責決定

裁判所は、免責決定の請求を受けたときは、証人の尋問事項に自己負罪事項が含まれないと明らかに認められる場合を除き、免責決定をしなければならない（157の2Ⅰ②、157の3Ⅱ）。証人尋問の開始の前後を問わず、免責決定の請求及び免責決定をすることができる。

また、第1回公判期日前の証人尋問（226、227）においても、免責決定をすることができるが、この場合には、免責の要件のみならず、226条又は227条の要件も満たす必要がある。

三　免責の意義等

証人が尋問に応じてした供述及びこれに基づいて得られた証拠は、原則として、証人の刑事事件において、これらを証人に不利益な証拠とすることができない（157の2Ⅰ①）。代わりに、当該証人は、146条の規定にかかわらず、自己が刑事訴追を受け、又は有罪判決を受けるおそれのある証言を拒むことができなくなる（同②）。

　証人が尋問に応じてした供述であっても、証人が尋問事項と無関係にした供述は免責の対象とならない。また、証人が当該証人尋問においてした行為が宣誓・証言拒絶の罪（161）又は偽証罪（刑169）に当たり、これらの罪に係る事件に用いられる場合には、免責の対象とならない。

　免責決定をされた証人は、自己負罪のおそれを理由として証言を拒むことができなくなるため、正当な理由なく証言を拒絶すると、証言拒絶の罪により処罰されることがあり得る。

第157条の4　〔証人への付添い〕〈同〉

Ⅰ　裁判所は、証人を尋問する場合において、証人の年齢、心身の状態その他の事情を考慮し、証人が著しく不安又は緊張を覚えるおそれがあると認めるときは、検察官及び被告人又は弁護人の意見を聴き、その不安又は緊張を緩和するのに適当であり、かつ、裁判官若しくは訴訟関係人の尋問若しくは証人の供述を妨げ、又はその供述の内容に不当な影響を与えるおそれがないと認める者を、その証人の供述中、証人に付き添わせることができる〈予〉。

Ⅱ　前項の規定により証人に付き添うこととされた者は、その証人の供述中、裁判官若しくは訴訟関係人の尋問若しくは証人の供述を妨げ、又はその供述の内容に不当な影響を与えるような言動をしてはならない。

第157条の5　〔証人尋問の際の証人の遮へい措置〕〈同予〉

Ⅰ　裁判所は、証人を尋問する場合において、犯罪の性質、証人の年齢、心身の状態、被告人との関係その他の事情により、証人が被告人の面前（次条第1項及び第2項に規定する方法による場合を含む。）において供述するときは圧迫を受け精神の平穏を著しく害されるおそれがあると認める場合であつて、相当と認めるときは、検察官及び被告人又は弁護人の意見を聴き、被告人とその証人との間で、一方から又は相互に相手の状態を認識することができないようにするための措置を採ることができる〈予〉。ただし、被告人から証人の状態を認識することができないようにするための措置については、弁護人が出頭している場合に限り、採ることができる〈予〉。

Ⅱ　裁判所は、証人を尋問する場合において、犯罪の性質、証人の年齢、心身の状態、名誉に対する影響その他の事情を考慮し、相当と認めるときは、検察官及び被告人又は弁護人の意見を聴き、傍聴人とその証人との間で、相互に相手の状態を認識することができないようにするための措置を採ることができる。

第157条の6　〔ビデオリンク方式による証人尋問〕〈同〉

Ⅰ　裁判所は、次に掲げる者を証人として尋問する場合において、相当と認めるときは、検察官及び被告人又は弁護人の意見を聴き、裁判官及び訴訟関係人が証人を尋問するために在席する場所以外の場所であつて、同一構内（これらの者が在席する場所と同一の構内をいう。次項において同じ。）にあるものにその証人を在席させ、

映像と音声の送受信により相手の状態を相互に認識しながら通話をすることができる方法によつて、尋問することができる。

① 刑法第176条、第177条、第179条、第181条若しくは第182条の罪、同法第225条若しくは第226条の2第3項の罪（わいせつ又は結婚の目的に係る部分に限る。以下この号において同じ。）、同法第227条第1項（第225条又は第226条の2第3項の罪を犯した者を幇助する目的に係る部分に限る。）若しくは第3項（わいせつの目的に係る部分に限る。）の罪若しくは同法第241条第1項若しくは第3項の罪又はこれらの罪の未遂罪の被害者

② 児童福祉法（昭和22年法律第164号）第60条第1項の罪若しくは同法第34条第1項第9号に係る同法第60条第2項の罪、児童買春、児童ポルノに係る行為等の処罰及び児童の保護等に関する法律（平成11年法律第52号）第4条から第8条までの罪又は性的な姿態を撮影する行為等の処罰及び押収物に記録された性的な姿態の影像に係る電磁的記録の消去等に関する法律（令和5年法律第67号）第2条から第6条までの罪の被害者

③ 前2号に掲げる者のほか、犯罪の性質、証人の年齢、心身の状態、被告人との関係その他の事情により、裁判官及び訴訟関係人が証人を尋問するために在席する場所において供述するときは圧迫を受け精神の平穏を著しく害されるおそれがあると認められる者

Ⅱ 裁判所は、証人を尋問する場合において、次に掲げる場合であつて、相当と認めるときは、検察官及び被告人又は弁護人の意見を聴き、同一構内以外にある場所であつて裁判所の規則で定めるものに証人を在席させ、映像と音声の送受信により相手の状態を相互に認識しながら通話をすることができる方法によつて、尋問することができる。

① 犯罪の性質、証人の年齢、心身の状態、被告人との関係その他の事情により、証人が同一構内に出頭するときは精神の平穏を著しく害されるおそれがあると認めるとき。

② 同一構内への出頭に伴う移動に際し、証人の身体若しくは財産に害を加え又は証人を畏怖させ若しくは困惑させる行為がなされるおそれがあると認めるとき。

③ 同一構内への出頭後の移動に際し尾行その他の方法で証人の住居、勤務先その他その通常所在する場所が特定されることにより、証人若しくはその親族の身体若しくは財産に害を加え又はこれらの者を畏怖させ若しくは困惑させる行為がなされるおそれがあると認めるとき。

④ 証人が遠隔地に居住し、その年齢、職業、健康状態その他の事情により、同一構内に出頭することが著しく困難であると認めるとき。

Ⅲ 前2項に規定する方法により証人尋問を行う場合（前項第4号の規定による場合を除く。）において、裁判所は、その証人が後の刑事手続において同一の事実につき再び証人として供述を求められることがあると思料する場合であつて、証人の同意があるときは、検察官及び被告人又は弁護人の意見を聴き、その証人の尋問及び供述並びにその状況を記録媒体（映像及び音声を同時に記録することができるもの

に限る。）に記録することができる。

Ⅳ　前項の規定により証人の尋問及び供述並びにその状況を記録した記録媒体は、訴訟記録に添付して調書の一部とするものとする。

《注　釈》

- ビデオリンク方式による証人尋問の対象となるのは、刑法犯としては、主として、不同意わいせつ、不同意性交等、不同意わいせつ等致死傷、16歳未満の者に対する面会要求等、わいせつ又は結婚目的略取及び誘拐・人身売買、一定犯罪の幇助目的に限る被略取者引渡し等、強盗・不同意性交等の罪及びその未遂罪の被害者である。

▼　最判平 17.4.14・百選 64 事件

　　遮へい措置、ビデオリンク方式は憲法82条1項、37条1項に違反しない。証人の姿を見ることはできないけれども、供述を聞くことができ、自ら尋問することもでき、弁護人が出頭している場合に限りすることができるから、弁護人による供述態度等の観察は妨げられず、証人審問権（憲法37条2項前段）は侵害されていないというべきである。ビデオリンク方式も同様である。

第158条 〔証人の裁判所外への喚問・所在尋問、当事者の権利〕

Ⅰ　裁判所は、証人の重要性、年齢、職業、健康状態その他の事情と事案の軽重とを考慮した上、検察官及び被告人又は弁護人の意見を聴き、必要と認めるときは、裁判所外にこれを召喚し、又はその現在場所でこれを尋問することができる。

Ⅱ　前項の場合には、裁判所は、あらかじめ、検察官、被告人及び弁護人に、尋問事項を知る機会を与えなければならない。

Ⅲ　検察官、被告人又は弁護人は、前項の尋問事項に附加して、必要な事項の尋問を請求することができる。

第159条 〔同前〕

Ⅰ　裁判所は、検察官、被告人又は弁護人が前条の証人尋問に立ち会わなかつたときは、立ち会わなかつた者に、証人の供述の内容を知る機会を与えなければならない。

Ⅱ　前項の証人の供述が被告人に予期しなかつた著しい不利益なものである場合には、被告人又は弁護人は、更に必要な事項の尋問を請求することができる。

Ⅲ　裁判所は、前項の請求を理由がないものと認めるときは、これを却下することができる。

第160条 〔宣誓証言の拒絶と過料等〕

Ⅰ　証人が正当な理由がなく宣誓又は証言を拒んだときは、決定で、10万円以下の過料に処し、かつ、その拒絶により生じた費用の賠償を命ずることができる。

Ⅱ　前項の決定に対しては、即時抗告をすることができる。

第161条 〔宣誓証言の拒絶と刑罰〕

　正当な理由がなく宣誓又は証言を拒んだ者は、1年以下の懲役又は30万円以下の罰金に処する。

第162条 〔同行命令・勾引〕

　裁判所は、必要があるときは、決定で指定の場所に証人の同行を命ずることができる。証人が正当な理由がなく同行に応じないときは、これを勾引することができる。

第163条 〔受命裁判官、受託裁判官〕

Ⅰ　裁判所外で証人を尋問すべきときは、合議体の構成員にこれをさせ、又は証人の現在地の地方裁判所、家庭裁判所若しくは簡易裁判所の裁判官にこれを嘱託することができる。

Ⅱ　受託裁判官は、受託の権限を有する他の地方裁判所、家庭裁判所又は簡易裁判所の裁判官に転嘱することができる。

Ⅲ　受託裁判官は、受託事項について権限を有しないときは、受託の権限を有する他の地方裁判所、家庭裁判所又は簡易裁判所の裁判官に嘱託を移送することができる。

Ⅳ　受命裁判官又は受託裁判官は、証人の尋問に関し、裁判所又は裁判長に属する処分をすることができる。但し、第150条及び第160条の決定は、裁判所もこれをすることができる。

Ⅴ　第158条第2項及び第3項並びに第159条に規定する手続は、前項の規定にかかわらず、裁判所がこれをしなければならない。

第164条 〔証人の旅費・日当・宿泊料〕

Ⅰ　証人は、旅費、日当及び宿泊料を請求することができる。但し、正当な理由がなく宣誓又は証言を拒んだ者は、この限りでない。

Ⅱ　証人は、あらかじめ旅費、日当又は宿泊料の支給を受けた場合において、正当な理由がなく、出頭せず又は宣誓若しくは証言を拒んだときは、その支給を受けた費用を返納しなければならない。

・第12章・【鑑定】

第165条 〔鑑定〕

　裁判所は、学識経験のある者に鑑定を命ずることができる〈同〉。

第166条 〔宣誓〕

　鑑定人には、宣誓をさせなければならない〈共予〉。

第167条 〔鑑定留置、留置状〕同予

I　被告人の心神又は身体に関する鑑定をさせるについて必要があるときは、裁判所は、期間を定め、病院その他の相当な場所に被告人を留置することができる。

II　前項の留置は、鑑定留置状を発してこれをしなければならない。

III　第1項の留置につき必要があるときは、裁判所は、被告人を収容すべき病院その他の場所の管理者の申出により、又は職権で、司法警察職員に被告人の看守を命ずることができる。

IV　裁判所は、必要があるときは、留置の期間を延長し又は短縮することができる。

V　勾留に関する規定は、この法律に特別の定のある場合を除いては、第1項の留置についてこれを準用する。但し、保釈に関する規定は、この限りでない同。

VI　第1項の留置は、未決勾留日数の算入については、これを勾留とみなす。

第167条の2 〔鑑定留置と勾留の執行停止〕

I　勾留中の被告人に対し鑑定留置状が執行されたときは、被告人が留置されている間、勾留は、その執行を停止されたものとする。

II　前項の場合において、前条第1項の処分が取り消され又は留置の期間が満了したときは、第98条の規定を準用する。

第168条 〔鑑定と必要な処分、許可状〕同予

I　鑑定人は、鑑定について必要がある場合には、裁判所の許可を受けて、人の住居若しくは人の看守する邸宅、建造物若しくは船舶内に入り、身体を検査し、死体を解剖し、墳墓を発掘し、又は物を破壊することができる。

II　裁判所は、前項の許可をするには、被告人の氏名、罪名及び立ち入るべき場所、検査すべき身体、解剖すべき死体、発掘すべき墳墓又は破壊すべき物並びに鑑定人の氏名その他裁判所の規則で定める事項を記載した許可状を発して、これをしなければならない。

III　裁判所は、身体の検査に関し、適当と認める条件を附することができる。

IV　鑑定人は、第1項の処分を受ける者に許可状を示さなければならない。

V　前3項の規定は、鑑定人が公判廷でする第1項の処分については、これを適用しない。

VI　第131条、第137条、第138条及び第140条<身体検査に関する注意、女子の身体検査と立会い、身体検査の拒否と過料等、身体検査の拒否と刑罰、身体検査の強制に関する訓示規定>の規定は、鑑定人の第1項の規定によつてする身体の検査についてこれを準用する。

《注 釈》

▪鑑定には、身体検査の直接強制（139）が準用されていない。

▪鑑定人の宣誓（166）は、鑑定の真実性及び正確性を担保するためのものであるから、鑑定をする前に、これをさせなければならない（規則128 I）予。

▪鑑定の経過及び結果は、鑑定人に鑑定書により又は口頭でこれを報告させなけれ

ばならない（規則 129 Ⅰ）⟨🈡⟩。

第169条 〔受命裁判官〕

　裁判所は、合議体の構成員に鑑定について必要な処分をさせることができる。但し、第167条第1項に規定する処分については、この限りでない。

第170条 〔当事者の立会い〕

　検察官及び弁護人は、鑑定に立ち会うことができる。この場合には、第157条第2項の規定を準用する。

第171条 〔準用規定〕

　前章の規定は、勾引に関する規定を除いて、鑑定についてこれを準用する⟨🈡⟩。

第172条 〔裁判官に対する身体検査の請求〕⟨回⟩

Ⅰ　身体の検査を受ける者が、鑑定人の第168条第1項の規定によつてする身体の検査を拒んだ場合には、鑑定人は、裁判官にその者の身体の検査を請求することができる。

Ⅱ　前項の請求を受けた裁判官は、第10章の規定に準じ身体の検査をすることができる。

第173条 〔鑑定料・鑑定必要費用等〕

Ⅰ　鑑定人は、旅費、日当及び宿泊料の外、鑑定料を請求し、及び鑑定に必要な費用の支払又は償還を受けることができる。

Ⅱ　鑑定人は、あらかじめ鑑定に必要な費用の支払を受けた場合において、正当な理由がなく、出頭せず又は宣誓若しくは鑑定を拒んだときは、その支払を受けた費用を返納しなければならない。

第174条 〔鑑定証人〕

　特別の知識によつて知り得た過去の事実に関する尋問については、この章の規定によらないで、前章の規定を適用する。

《注 釈》

- 鑑定については、証人尋問に関する規定（171・143〜164）が準用されるが、勾引に関する規定は準用されない（171）⟨🈡⟩。

　∵　鑑定人は、証人とは異なり代替性が認められるため、直接強制してまで出頭を確保する必要はない

　→裁判所は、鑑定人が正当な理由がなく召喚に応じないときであっても、その鑑定人を勾引することができない（152参照）

<鑑定人と鑑定受託者>〈同〉

		鑑定人	鑑定受託者
共通点	鑑定留置	可（167 I）	可（224 I）
	鑑定処分許可状	必要（168 II）	必要（225 IV、168 II）
相違点	選　任	命令（165）	嘱託（223 I）
	宣誓・刑事処罰	あり（166、刑171）	なし
	弁護人の立会権	あり（170前段）	なし
	身体検査における直接強制	可（172）	なし（⇒ p.198）〈同予〉

・第13章・【通訳及び翻訳】

第175条 〔通訳〕

　国語に通じない者に陳述をさせる場合には、通訳人に通訳をさせなければならない。

第176条 〔同前〕

　耳の聞えない者又は口のきけない者に陳述をさせる場合には、通訳人に通訳をさせることができる。

《注　釈》

- 裁判所法74条は「裁判所では、日本語を用いる」旨定めているため、外国語で公判手続を進めることは違法である〈同〉。
- 判例は、判決を宣告する場合において、国語に通じない被告人に対しては通訳人を付さなければならないとする（最判昭30.2.15）〈同〉。
- 外国人である被疑者を通訳を介して取り調べる場合、通訳の正確性等を事後的に吟味・確認できれば、その供述録取書を日本語で作成することも許される旨判示している（東京高判昭51.11.24）〈同予〉。

第177条 〔翻訳〕

　国語でない文字又は符号は、これを翻訳させることができる。

第178条 〔準用規定〕

　前章の規定は、通訳及び翻訳についてこれを準用する。

・第14章・【証拠保全】

第179条 〔証拠保全の請求、手続〕〈司共〉

Ⅰ 被告人、被疑者又は弁護人は、あらかじめ証拠を保全しておかなければその証拠を使用することが困難な事情があるときは、第1回の公判期日前に限り、裁判官に押収、捜索、検証、証人の尋問又は鑑定の処分を請求することができる〈司予〉。

Ⅱ 前項の請求を受けた裁判官は、その処分に関し、裁判所又は裁判長と同一の権限を有する。

第180条 〔当事者の書類・証拠物の閲覧・謄写権〕

Ⅰ 検察官及び弁護人は、裁判所において、前条第1項の処分に関する書類及び証拠物を閲覧し、且つ謄写することができる。但し、弁護人が証拠物の謄写をするについては、裁判官の許可を受けなければならない。

Ⅱ 前項の規定にかかわらず、第157条の6第4項に規定する記録媒体は、謄写することができない。

Ⅲ 被告人又は被疑者は、裁判官の許可を受け、裁判所において、第1項の書類及び証拠物を閲覧することができる。ただし、被告人又は被疑者に弁護人があるときは、この限りでない。

<証拠保全の手続>

書類・証拠物の閲覧・謄写権（180）

	弁護人	弁護人なき被疑者・被告人	検察官
閲覧権	あり	裁判官の許可が必要	あり
謄写権	裁判官の許可が必要	なし	あり

・第15章・【訴訟費用】

第181条 〔被告人等の費用負担〕

Ⅰ 刑の言渡をしたときは、被告人に訴訟費用の全部又は一部を負担させなければならない。但し、被告人が貧困のため訴訟費用を納付することのできないことが明らかであるときは、この限りでない。

Ⅱ 被告人の責に帰すべき事由によつて生じた費用は、刑の言渡をしない場合にも、被告人にこれを負担させることができる。

Ⅲ 検察官のみが上訴を申し立てた場合において、上訴が棄却されたとき、又は上訴の取下げがあつたときは、上訴に関する訴訟費用は、これを被告人に負担させることができない。ただし、被告人の責めに帰すべき事由によつて生じた費用については、この限りでない。

Ⅳ 公訴が提起されなかつた場合において、被疑者の責めに帰すべき事由により生じた費用があるときは、被疑者にこれを負担させることができる。

第182条 〔共犯の費用〕

共犯の訴訟費用は、共犯人に、連帯して、これを負担させることができる。

第183条 〔告訴人等の費用負担〕

Ⅰ 告訴、告発又は請求により公訴の提起があつた事件について被告人が無罪又は免訴の裁判を受けた場合において、告訴人、告発人又は請求人に故意又は重大な過失があつたときは、その者に訴訟費用を負担させることができる。

Ⅱ 告訴、告発又は請求があつた事件について公訴が提起されなかつた場合において、告訴人、告発人又は請求人に故意又は重大な過失があつたときも、前項と同様とする。

第184条 〔上訴等の取下げと費用負担〕

検察官以外の者が上訴又は再審若しくは正式裁判の請求を取り下げた場合には、その者に上訴、再審又は正式裁判に関する費用を負担させることができる。

第185条 〔被告人負担の裁判〕

裁判によつて訴訟手続が終了する場合において、被告人に訴訟費用を負担させるときは、職権でその裁判をしなければならない。この裁判に対しては、本案の裁判について上訴があつたときに限り、不服を申し立てることができる。

第186条 〔第三者負担の裁判〕

裁判によつて訴訟手続が終了する場合において、被告人以外の者に訴訟費用を負担させるときは、職権で別にその決定をしなければならない。この決定に対しては、即時抗告をすることができる。

第187条 〔本案の裁判がないとき〕

　裁判によらないで訴訟手続が終了する場合において、訴訟費用を負担させるときは、最終に事件の係属した裁判所が、職権でその決定をしなければならない。この決定に対しては、即時抗告をすることができる。

第187条の2 〔公訴の提起がないとき〕

　公訴が提起されなかつた場合において、訴訟費用を負担させるときは、検察官の請求により、裁判所が決定をもつてこれを行う。この決定に対しては、即時抗告をすることができる。

第188条 〔負担額の算定〕

　訴訟費用の負担を命ずる裁判にその額を表示しないときは、執行の指揮をすべき検察官が、これを算定する。

・第16章・【費用の補償】

第188条の2 〔無罪判決と費用の補償〕

Ⅰ　無罪の判決が確定したときは、国は、当該事件の被告人であつた者に対し、その裁判に要した費用の補償をする。ただし、被告人であつた者の責めに帰すべき事由によつて生じた費用については、補償をしないことができる〈回〉。

Ⅱ　被告人であつた者が、捜査又は審判を誤らせる目的で、虚偽の自白をし、又は他の有罪の証拠を作ることにより、公訴の提起を受けるに至つたものと認められるときは、前項の補償の全部又は一部をしないことができる。

Ⅲ　第188条の5第1項の規定による補償の請求がされている場合には、第188条の4の規定により補償される費用については、第1項の補償をしない。

第188条の3 〔補償の手続〕

Ⅰ　前条第1項の補償は、被告人であつた者の請求により、無罪の判決をした裁判所が、決定をもつてこれを行う。

Ⅱ　前項の請求は、無罪の判決が確定した後6箇月以内にこれをしなければならない。

Ⅲ　補償に関する決定に対しては、即時抗告をすることができる。

第188条の4 〔上訴費用の補償〕

　検察官のみが上訴をした場合において、上訴が棄却され又は取り下げられて当該上訴に係る原裁判が確定したときは、これによつて無罪の判決が確定した場合を除き、国は、当該事件の被告人又は被告人であつた者に対し、上訴によりその審級において生じた費用の補償をする。ただし、被告人又は被告人であつた者の責めに帰すべき事

由によつて生じた費用については、補償をしないことができる。

第188条の5 〔補償の手続〕

Ⅰ　前条の補償は、被告人又は被告人であつた者の請求により、当該上訴裁判所であつた最高裁判所又は高等裁判所が、決定をもつてこれを行う。

Ⅱ　前項の請求は、当該上訴に係る原裁判が確定した後2箇月以内にこれをしなければならない。

Ⅲ　補償に関する決定で高等裁判所がしたものに対しては、第428条第2項の異議の申立てをすることができる。この場合には、即時抗告に関する規定をも準用する。

第188条の6 〔補償費用の範囲〕

Ⅰ　第188条の2第1項又は第188条の4の規定により補償される費用の範囲は、被告人若しくは被告人であつた者又はそれらの者の弁護人であつた者が公判準備及び公判期日に出頭するに要した旅費、日当及び宿泊料並びに弁護人であつた者に対する報酬に限るものとし、その額に関しては、刑事訴訟費用に関する法律の規定中、被告人又は被告人であつた者については証人、弁護人であつた者については弁護人に関する規定を準用する。

Ⅱ　裁判所は、公判準備又は公判期日に出頭した弁護人が2人以上あつたときは、事件の性質、審理の状況その他の事情を考慮して、前項の弁護人であつた者の旅費、日当及び宿泊料を主任弁護人その他一部の弁護人に係るものに限ることができる。

第188条の7 〔刑事補償法の例〕

補償の請求その他補償に関する手続、補償と他の法律による損害賠償との関係、補償を受ける権利の譲渡又は差押え及び被告人又は被告人であつた者の相続人に対する補償については、この法律に特別の定めがある場合のほか、刑事補償法（昭和25年法律第1号）第1条に規定する補償の例による。

第2編　捜査

《概　説》

一　意義・目的

1　捜査とは、捜査機関が犯罪が発生したと考えるときに、公訴の提起・遂行のため、犯人を発見・保全し、証拠を収集・確保する行為をいう。

2　捜査の目的は、犯罪の嫌疑の有無を解明して、公訴を提起するか否かの決定をなし、公訴が提起される場合に備えてその準備をすることである。具体的には、①被疑者の身柄保全、②証拠の収集・保全が捜査の目的となる。

二　捜査の原則

捜査も、憲法の保障下にある刑事手続の一環である以上、常に捜査の必要性と人権保障との合理的な調和を全うしつつ適正に行われなければならない。そこで、法は両者の調和を図るための以下のような基本原則を採用している。

1　令状主義（憲33・35、法199 I・218 I 等）

令状主義とは、強制処分を行うには原則として裁判所又は裁判官の発する令状に基づかなければならないことをいう。

捜査機関は、犯罪捜査のため市民の身体の自由、住居・書類・所持品やプライバシーを侵害する処分を行うことがある。しかし、捜査機関が逮捕、捜索、押収など最も人権侵害の危険のある強制処分を自らの判断だけで行うことができるとすると、捜査の必要性と人権保障の合理的調和を全うできないおそれがある。

そこで、捜査機関による一般的・探索的な捜査活動の抑止を目的として、原則として中立・公平な第三者である裁判官の発する「正当な理由」に基づき、被疑者や捜索すべき場所、押収すべき物を特定・明示する令状により逮捕、捜索、押収がなされなければならないとするのが令状主義である。令状主義は、強制処分一般に妥当する原則である（62、106、167 II、199 I、207 I 本文、218 I、225 III）。

もっとも、例外的に被処分者の同意に基づき令状が不要となる場合がある《脚》。

ex. 同意に基づいて採取した口腔内細胞を試料としたDNA型検査（検証）

2　任意捜査の原則（197 I）

任意捜査の原則とは、捜査目的が強制処分によっても任意処分によっても達成される場合には、任意処分によって行われるべきとする原則をいう。この原則は、強制捜査を法規上も運用上もなるべく例外にとどめることによって、捜査と人権の調和を図ろうとするものである。

3 捜査比例の原則

　捜査比例の原則とは、捜査上の処分は、必要性に見合った相当なものでなければならないという原則をいう。捜査は、被疑者等の自由、財産その他私生活上の利益に直接重大な脅威を及ぼすものである以上、捜査の必要と人権保障の間には合理的調和が求められる。

　任意捜査の原則も、この原則の現れといえる。また、強制処分を行う場合にも、できるだけ権利・利益の侵害の程度が少ない方法・種類が選択されなければならない。

第189条 〔一般司法警察職員と捜査〕

Ⅰ　警察官は、それぞれ、他の法律又は国家公安委員会若しくは都道府県公安委員会の定めるところにより、司法警察職員として職務を行う。

Ⅱ　司法警察職員は、犯罪があると思料するときは、犯人及び証拠を捜査するものとする〈共〉。

第190条 〔特別司法警察職員〕

森林、鉄道その他特別の事項について司法警察職員として職務を行うべき者及びその職務の範囲は、別に法律でこれを定める。

《注　釈》

一　捜査の端緒〈回〉

1 意義

　捜査の端緒とは、捜査機関が犯罪ありと思料するに至った理由をいう。

2 類型

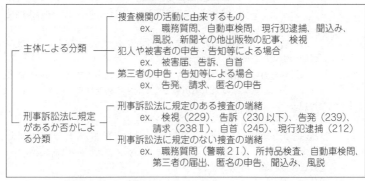

＜捜査の端緒の類型＞

※　捜査の端緒には制限はない〈共〉

二 職務質問〈司〈司H18

1 意義

職務質問とは、①警察官が、主として犯罪の予防、公安の維持等のために、いわゆる挙動不審者等を見出した際、これを停止させて行う質問行為をいう（警職2Ⅰ）。もっとも、②その場で質問することが本人に不利であり、又は交通の妨害になると認められる場合には、付近の警察署、派出所、又は駐在所に同行を求めることができる（警職法上の任意同行、警職2Ⅱ）〈予。この任意同行も質問形態の1つであるので、広義では職務質問に含まれる。職務質問は、質問の結果、特定の犯罪について嫌疑を生ずれば、捜査が開始されることになるので、捜査の端緒の1つといえる。

職務質問の対象は、①罪を犯したと疑うに足りる相当の理由のある者、②罪を犯そうとしていると疑うに足りる相当の理由のある者、③既に行われた犯罪について知っていると認められる者、④犯罪が行われていることについて知っていると認められる者、である。

2 法的性格

職務質問は、特定犯罪の犯人訴追の準備活動たる司法警察活動ではなく、個人の生命・身体・財産の保護、各種犯罪の予防・鎮圧を目的とする行政警察活動の一環である。ただ、職務質問を継続している間に嫌疑が少しずつ固まり、質問が捜査としての被疑者取調べの性格をもつに至ることもあるので、職務質問と犯罪捜査を明確に区別することは実際上困難である。そこで、職務質問が実質的に犯罪捜査の一環とみられる場合には警職法と刑訴法が競合適用され、また、職務質問の違法性が捜査手続の効力に影響を及ぼすこともある。

3 根拠規定

警察法は、対象者を「停止させ」（警職2Ⅰ）、「同行することを求める」（警職2Ⅱ）ことができるとしており、これが職務質問に伴う有形力行使の根拠規定であると解されている。

∵① 職務質問に伴う有形力の行使が一切禁止されていると解すると、職務質問の実効性を欠き、妥当でない

② 仮に有形力の行使が許されないのであれば、何らの権利・利益の侵害もないから、警職法2条1項があえて規定する必要はないはずである

4 判断枠組み

(1) 身体拘束その他の強制に当たらないこと

警職法2条3項は、身体拘束、意に反する連行、答弁の強要について刑訴法の規定によるとしているが、これは例示列挙にすぎず、同項は強制処分一般を禁止する趣旨であると解される。

(2) 具体的状況下において必要かつ相当な限度であること

警察比例の原則（警職1Ⅱ）は職務質問にも適用されるため、任意捜査の

限界の判断枠組みと類似する判断枠組みとなっている。

5 判例

▼ **最決昭 29.7.15** 〈下〉

職務質問中、駐在所から突然逃げ出した者を 130 メートル追跡し、「どうして逃げるのか」と言いながら背後から腕に手をかけて引きとめた事案において、任意に応じない者を停止させるためこの程度の実力を行使しても適法と判断した。

▼ **最決昭 53.9.22** 〈下〉

酒気帯び運転の疑いのある者が車に乗り込んで運転しようとした際、窓から手を入れてエンジンキーを回転してスイッチを切った事案において、停止させる方法として「必要かつ相当」だと判断した。

▼ **最決昭 59.2.13**

警察官に対し暴行を加え傷害を負わせた者が路上の集団に紛れ込んだ場合において、警察官が集団に対し停止を求め、集団の一員たるその者が立ち去ろうとしているところ、背後から肩に手をかけた行為は、適法と判断した。

▼ **最決平元 .9.26**

交通事故後の現場整理をしていた警察官が、つばを故意に吐きかけられたと認識し、相手方の胸元をつかんで歩道上に押し上げた事案につき、職務質問のためにこの程度の行動をとることは、「職務質問に付随する有形力の行使として当然許される」と判断した。

▼ **最決平6.9.16・百選2事件** 🔒

1 エンジンキーを取り上げた行為について

「職務質問を開始した当時、被告人には覚せい剤使用の嫌疑があったほか、幻覚の存在や周囲の状況を正しく認識する能力の減退など覚せい剤中毒をうかがわせる異常な言動が見受けられ、かつ、道路が積雪により滑りやすい状態にあったのに、被告人が自動車を発進させるおそれがあったから、……被告人運転車両のエンジンキーを取り上げた行為は、警察官職務執行法2条1項に基づく職務質問を行うため停止させる方法として必要かつ相当な行為であるのみならず、道路交通法67条3項（現4項）に基づき交通の危険を防止するため採った必要な応急の措置にあたるということができる。」

2 被疑者を長時間留め置いた行為について

「被告人の身体に対する捜索差押許可状の執行が開始されるまでの間、警察官が被告人による運転を阻止し、約6時間半以上も被告人を本件現場に留め置いた措置は、当初は前記のとおり適法性を有しており、被告人の覚せい剤使用の嫌疑が濃厚になっていたことを考慮しても、被告人に対する任意同行を求めるための説得行為としてはその限度を超え、被告人の移動の自由を長時間にわたり奪った点において、任意捜査として許容される範囲を逸脱したものとして違法といわざるを得ない。」

▼ **最決平15.5.26・百選3事件** 🔒

事案： ホテル責任者が、宿泊料金を支払わない宿泊客Xについて、薬物使用の可能性も疑い、警察に通報した。警察官が客室を訪れ、職務質問し、この質問を継続するために内ドアを押し開け敷居に足を踏み入れ閉扉を防止した。Xがこの職務質問・客室立ち入りの是非を争った。

決旨： 一般に、ホテル客室の性格に照らし、職務質問の際に宿泊客の意思に反して室内に入ることは原則として許されない。しかし、警察官はホテルの責任者からXを退去させる要請を受けており、しかもXが、合理的説明もなく質問への応答を拒否し扉を閉めようとしたという本件事情の下では、質問継続のため、警察官が内ドアを押し開け足を踏み入れた程度の行為は職務質問に付随するものとして適法な措置である。

▼　**東京高判平22.11.8・平23重判1事件**

　　強制採尿令状を請求するためには、予め採尿を行う医師を確保することが前提となり、かつ、同令状の発付を受けた後、所定の時間内に当該医師の許に被疑者を連行する必要もある。したがって、捜査機関において同令状の請求が可能であると判断し得る程度に犯罪の嫌疑が濃くなった場合には、令状執行の対象である被疑者の所在確保の必要性には非常に高いものがあるから、強制採尿令状請求が行われていること自体を被疑者に伝えることが条件となるが、純粋な任意捜査の場合に比し、相当程度強くその場に止まるよう被疑者に求めることも許される。

三　職務質問に伴う所持品検査〈司H18 予H30〉

1　意義

　　所持品検査とは、相手が身につけ所持している物を開示させて警察官が点検したり、警察官自ら開示する処分をいう。職務質問に伴う所持品検査には、4段階の態様がある。

　①　所持品の外部を観察して質問する行為

　②　所持品の開示を要求し、開示されたらこれを検査する行為

　③　所持人の承諾のないときに、所持品の外部に触れる行為

　④　承諾のないときに、内容物を取り出し、検査する行為

2　法的性格

　　職務質問に伴う所持品検査は、職務質問と同様に、行政警察活動に属する。

　　所持品検査の態様ごとに検討すると、①は職務質問の範囲と考えられ、②は相手方の任意の承諾があり、職務質問に随伴すると考えることができる。そうすると、これらの態様の所持品検査が許されることには格別の問題はない。これに対し、③、④の態様のように任意の承諾がない場合、実力行使の余地を認めるか否かが問題となる。

3　根拠規定

　　判例（最判昭53.6.20・百選4事件）は、所持品検査の根拠規定につき、職務質問の付随行為（警職2Ⅰ）として許されるとしている。

4　判断枠組み

　(1)　承諾

　　　まず、所持品検査は、職務質問の付随行為である以上、所持人の承諾を得て行うことが原則となる。

　(2)　捜索に当たらず、強制にわたらないこと

　　　携帯品等の所持品検査について、捜索に至らない程度の行為であるというためには、それを開披するにとどめるか、あるいは、せいぜい中に手を入れて所持品を取り出し、検査するまでが限界であって、その内部を探索するよ

うな行為はプライバシーを侵害し、捜索に当たるというべきである。また、警察官や所持人の言動、行使された実力の程度等を考慮し、意思制圧を伴う場合には強制にわたるものといえる。

(3) 必要性、緊急性、これによって害される個人の法益と保護されるべき公共の利益との権衡などを考慮し、具体的状況の下で相当と認められる限度であること

→考慮要素としては、①犯罪の種類、②嫌疑の程度、③所持品検査の必要性・緊急性、④被疑者の拒否の程度等が挙げられる

→承諾によらない検査はあくまでも例外であるから、粘り強い説得や濃厚な嫌疑の確認等の手順を経ることなく、法益侵害の度合いの大きい行為を行うことは許されない

→また、被疑事実が重大で凶器所持の疑いも強い場合には内容物を取り出す行為も相当とされる余地がある一方で、薬物事犯で凶器所持の疑いもない場合には、所持品の毀棄・隠匿を阻止する緊急の必要性がある場合を除き、外表の検査にとどめる必要がある

5 判例

▼ 米子銀行強盗事件（最判昭53.6.20・百選4事件）司予 予H30

① 所持品検査は、口頭による質問と密接に関連し、かつ、職務質問の効果をあげるうえで必要・有効であるから、警職法2条1項に基づいて許される場合がある。

② 所持品検査は、任意手段である職務質問の附随行為として許容されるのであるから、相手方の承諾を得て、その限度において行うのが原則である。

③ しかし、流動する各般の警察事象に迅速適正に対処すべき行政警察の責務にかんがみると、相手方の承諾のない限り所持品検査は一切許容されないと解するのは相当でなく、「捜索に至らない程度の行為は、強制にわたらない限り、所持品検査においても許容される場合がある」と解すべきである。

④ もっとも、捜索に至らない程度の行為であってもこれを受ける者の権利を害するものであるから状況のいかんを問わず許されるわけではなく、「限定的な場合において、所持品検査の必要性、緊急性、これによって害される個人の法益と保護されるべき公共の利益との権衡などを考慮し、具体的状況のもとで相当と認められる限度においてのみ、許容される」としたうえで、バッグの開披については、所持品検査の緊急性・必要性が強かった反面、検査の態様は、施錠されていないバッグのチャックを開披し内部を一べつしたにすぎず、法益侵害の程度も大きくないから適法とした。これに対して、鍵をこじ開けたことは刑事訴訟法上の捜索と目すべき行為であって違法であるとした原審判断を是認した。

⇒ p.394

▼ 大阪天王寺覚醒剤事件（最判昭53.9.7・百選88事件）　〔予〕〔予-H30〕

　「警察官が被告人に対し、被告人の上衣左側内ポケットの所持品の提示を要求した段階においては、被告人に覚せい剤の使用ないし所持の容疑がかなり濃厚に認められ、また、同巡査らの職務質問に妨害が入りかねない状況もあったから、右所持品を検査する必要性ないし緊急性はこれを肯認しうるところであるが、被告人の承諾がないのに、その上衣左側内ポケットに手を差し入れて所持品を取り出した上検査した同巡査の行為は、一般にプライバシイ侵害の程度の高い行為であり、かつ、その態様において捜索に類するものであるから、上記のような本件の具体的な状況の下においては、相当な行為とは認めがたいところであって、職務質問に付随する所持品検査の許容限度を逸脱したものと解するのが相当である。」

▼ 第一京浜職務質問事件（最決平7.5.30・平7重判6事件）

　覚醒剤使用の嫌疑に基づき、車内に「白い粉状の物」があるという報告を受けて、被告人立会いのうえで、シートを前後に動かす等くまなく車内検査を始めた。車内を細かく調べたところ、白い粉状の粉末の入ったビニール袋1個が発見され、後に覚醒剤と判明した。車内を調べている間、被告人は異議などは述べなかったという事案において、所持品検査の限界を超え違法であることは否定し難いが、諸般の状況から違法の程度は大きいとはいえないとした。

▼ 最決平15.5.26・百選3事件

事案：　①警察官が、ホテル責任者の通報を受けて宿泊客Xに職務質問を開始したところ、Xの対応から覚醒剤使用が疑われたので、警察官は所持品検査として、客室内机上の封のされていない財布から覚醒剤を抜き出した。その間、②警察官は暴れる全裸のXを30分にわたり制圧した。Xは当該覚醒剤の証拠能力を争った。

決旨：① 　所持品検査について

　　　　Xが不可解なことを口走り、注射器を所持している等飛躍的に覚醒剤所持の疑いが高まっている状況下で、証拠が散逸する危険が大きい。他方、Xは警察官の所持品検査に明示に拒否する意思を示しておらず、警察官も放置されていた封の開いた財布から抜き取ったにすぎない。このような事情の下では所持品検査は適法である。

　　　② 　警察官が全裸のXを30分制圧したことについて

　　　　職務質問に付随するものとしては許容限度を超えており、所持品検査の適法性に影響を及ぼしうる。しかし、Xを現行犯逮捕したり、警職法5条に基づく制止もしえた余地のある本件では、証拠排除に結びつくほどではない。

四　自動車検問

1　意義

自動車検問とは、警察官が犯罪の予防、検挙のため、進行中の自動車を停止させ、当該自動車の運転者等に対し必要な事項を質問することをいう。

2　分類

① 交通検問：交通違反の予防検挙を主たる目的とする検問

② 警戒検問：不特定の一般犯罪の予防検挙を目的とする検問

③ 緊急配備検問：特定の犯罪が発生した際、犯人の検挙と情報収集を目的として行う検問

3　無差別・一斉検問の適法性

▼ 最決昭55.9.22・百選A1事件 同

「警察法２条１項が『交通の取締』を警察の責務として定めていることに照らすと、交通の安全及び交通秩序の維持などに必要な警察の諸活動は、強制力を伴わない任意手段による限り、一般的に許容されるべきものであるが、それが国民の権利、自由の干渉にわたるおそれのある事項にかかわる場合には、任意手段によるからといって無制限に許されるものでないことも同条２項及び警察官職務執行法１条などの趣旨にかんがみ明らかである。しかしながら、自動車の運転者は、公道において自動車を利用することを許されていることに伴う当然の負担として、合理的に必要な限度で行われる交通の取締に協力すべきものであること、その他現時における交通違反、交通事故の状況なども考慮すると、警察官が、①交通取締の一環として交通違反の多発する地域等の適当な場所において、②交通違反の予防、検挙のための自動車検問を実施し、同所を通過する自動車に対して走行の外観上の不審な点の有無にかかわりなく短時分の停止を求めて、運転者などに対し必要な事項についての質問などをすることは、③それが相手方の任意の協力を求める形で行われ、④自動車の利用者の自由を不当に制約することにならない方法、態様で行われる限り、適法なものと解すべきである。」

▼ 大阪高判昭38.9.6

当時続発していたタクシー強盗の予防・検挙のため、路上に自動車検問所を設け、巡査が手に持っていた赤色燈を回して停車の合図をするという方法で自動車検問を実施していたという一斉警戒検問に関する事案について、警職法2条1項説に立ちつつ、警職法の職務質問は任意の手段であるから、適法であるためには、以下の要件を充足する必要があるとした。

① 道路に障害物を置く等物理的な停車強制の方法を用いないこと。

② 罪を犯し、または犯そうとしている者が自動車を利用している蓋然性があること。

③ 自動車利用者の自由が公共の安全と秩序の維持のために制限されてもやむを得ないと認められること（自動車を利用する重要犯罪に限る、検問しなければ検挙が困難である、検挙手段として適切である、最小限度の自由の制限に止まる）。

第191条 〔検察官・検察事務官と捜査〕

Ⅰ 検察官は、必要と認めるときは、自ら犯罪を捜査することができる〈注〉。

Ⅱ 検察事務官は、検察官の指揮を受け、捜査をしなければならない。

第192条 〔捜査に関する協力〕

検察官と都道府県公安委員会及び司法警察職員とは、捜査に関し、互に協力しなければならない。

第193条 〔検察官の司法警察職員に対する指示・指揮〕

Ⅰ 検察官は、その管轄区域により、司法警察職員に対し、その捜査に関し、必要な一般的指示をすることができる。この場合における指示は、捜査を適正にし、その他公訴の遂行を全うするために必要な事項に関する一般的な準則を定めることによつて行うものとする。

Ⅱ 検察官は、その管轄区域により、司法警察職員に対し、捜査の協力を求めるため必要な一般的指揮をすることができる。

Ⅲ 検察官は、自ら犯罪を捜査する場合において必要があるときは、司法警察職員を指揮して捜査の補助をさせることができる。

Ⅳ 前3項の場合において、司法警察職員は、検察官の指示又は指揮に従わなければならない。

第194条 〔司法警察職員に対する懲戒・罷免の訴追〕

Ⅰ 検事総長、検事長又は検事正は、司法警察職員が正当な理由がなく検察官の指示又は指揮に従わない場合において必要と認めるときは、警察官たる司法警察職員については、国家公安委員会又は都道府県公安委員会に、警察官たる者以外の司法警

察職員については、その者を懲戒し又は罷免する権限を有する者に、それぞれ懲戒
又は罷免の訴追をすることができる。

Ⅱ　国家公安委員会、都道府県公安委員会又は警察官たる者以外の司法警察職員を懲
戒し若しくは罷免する権限を有する者は、前項の訴追が理由のあるものと認めると
きは、別に法律の定めるところにより、訴追を受けた者を懲戒し又は罷免しなけれ
ばならない。

第195条　〔検察官・検察事務官の管轄区域外での職務執行〕

検察官及び検察事務官は、捜査のため必要があるときは、管轄区域外で職務を行う
ことができる。

[趣旨] 検察官と司法警察職員とは、原則として、対等・協力関係にある（192）。
しかし、捜査は、公訴の提起及び維持のために行われるから、検察官は、この目的
に合致した捜査が行われるように司法警察職員に指示することができなければなら
ない。また、自ら捜査するときは、司法警察職員を指揮することができなければな
らない。そこで、法は、検察官に司法警察職員に対する指示権及び指揮権を与えた
（193）。

《注　釈》

一　司法警察職員

司法警察職員とは、捜査を担当して、検察官の検察権の行使を補助する者をいう。
司法警察職員は、①一般司法警察職員と②特別司法警察職員とからなる。

このうち、①一般司法警察職員には司法警察員（司法巡査以外の司法警察職
員）と司法巡査との区別がある。また、②特別司法警察職員には、海上保安官、
労働基準監督官、麻薬取締官、船長等がある。

二　検察官と司法警察職員の関係

1　両者の関係

検察官も司法警察職員も捜査機関であるから、両者の関係が問題となる。そ
こで、法は、両者は捜査に関し互いに協力しなければならないとの訓示規定を
置いている（192）。

2　指示・指揮

（1）　一般的指示（193Ⅰ）

検察官は、その管轄区域により、司法警察職員に対し、その捜査に関し、
必要な一般的指示をすることができる。この指示は、捜査を適正にし、その
他公訴の遂行を全うするために必要な事項に関する一般的な準則を定めるこ
とによって行われる。

（2）　一般的指揮（193Ⅱ）

これは、検察官が自ら捜査を行い、又は行おうとする場合に、司法警察職
員一般に対して必要な指揮をとることを認める趣旨である。

(3) 具体的指揮（193Ⅲ）

　　これは、検察官が具体的事件を捜査している場合に限られる。また、この権限は、一般的指揮が司法警察職員一般を対象とするのとは異なり、特定の司法警察職員を対象とする。

(4) 司法警察職員は、(1)～(3)の検察官の指示又は指揮に従わなければならない（193Ⅳ）。司法警察職員が正当な理由なく従わなかった場合、検察官は、懲戒罷免権者に対し懲戒罷免の訴追をすることができる（194）。

第196条 〔捜査関係者に対する訓示規定〕

　検察官、検察事務官及び司法警察職員並びに弁護人その他職務上捜査に関係のある者は、被疑者その他の者の名誉を害しないように注意し、且つ、捜査の妨げとならないように注意しなければならない。

第197条 〔捜査に必要な取調べ〕

Ⅰ　捜査については、その目的を達するため必要な取調をすることができる。但し、強制の処分は、この法律に特別の定のある場合でなければ、これをすることができない。

Ⅱ　捜査については、公務所又は公私の団体に照会して必要な事項の報告を求めることができる。

Ⅲ　検察官、検察事務官又は司法警察員は、差押え又は記録命令付差押えをするため必要があるときは、電気通信を行うための設備を他人の通信の用に供する事業を営む者又は自己の業務のために不特定若しくは多数の者の通信を媒介することのできる電気通信を行うための設備を設置している者に対し、その業務上記録している電気通信の送信元、送信先、通信日時その他の通信履歴の電磁的記録のうち必要なものを特定し、30日を超えない期間を定めて、これを消去しないよう、書面で求めることができる。この場合において、当該電磁的記録について差押え又は記録命令付差押えをする必要がないと認めるに至つたときは、当該求めを取り消さなければならない。

Ⅳ　前項の規定により消去しないよう求める期間については、特に必要があるときは、30日を超えない範囲内で延長することができる。ただし、消去しないよう求める期間は、通じて60日を超えることができない。

Ⅴ　第2項又は第3項の規定による求めを行う場合において、必要があるときは、みだりにこれらに関する事項を漏らさないよう求めることができる。

[趣旨] 本条1項は、捜査に関する一般的な規定である。本文で、その目的を達成するために捜査機関において必要と認める手法・方法を用いることができるとし、ただし書において、それが強制処分にわたるときは、法律に特別の定めが必要であるとする。

《注 釈》

一 任意捜査と強制捜査 ◁司◁司H19 司H27 司H28 司H30 予H24

1 意義

強制捜査とは、強制処分による捜査方法をいい、任意捜査とは、強制処分によらない捜査方法をいう。

2 任意処分と強制処分の区別

「強制の処分」は、法律にこれを許容する特別の根拠規定がある場合にのみ許される（強制処分法定主義、197Ⅰただし書）。また、強制の処分を無令状で行うことは許されない（令状主義）。他方、任意処分とは強制処分に当たらない処分をいう。そこで、強制処分の意義が問題となる。

A （i)直接的・有形的な実力行使を伴う処分、あるいは(ii)相手方に義務を負わせる処分とする見解

　∵　従来から強制処分の典型とされてきたものは、多くの場合に目に見える物理的作用を伴っている

　←直接的な強制力を伴わない処分（通信傍受など）に適切な統制を及ぼせない、また、有形力の行使が全て強制処分に含まれてしまうという批判がある

B 上記の(i)(ii)に加え、(iii)同意を得ないで個人の権利・法益を侵害する処分か否かも基準とする見解

　∵①　科学技術を応用した新たな捜査方法が登場し、それらの方法を十分にコントロールすることができないおそれがある

　　②　強制処分を重要な権利・利益の制約に限るとすれば、有形力の行使であっても任意処分に当たる場合もあり、強制処分法定主義の機能が弱まる危険がある

　←あらゆる法益侵害が強制処分になるとするのは広きに失するという批判がある

C 相手方の明示又は黙示の意思に反して、重要な権利・利益を実質的に侵害・制約する処分とする見解（有力説）

　∵①　上記①と同じ

　　②　強制処分は強制処分法定主義や令状主義によって厳格に規制されるから、そのような厳格な規制を及ぼす必要があるほど重要な権利・利益の制約を伴う場合にはじめて、強制処分になると解すべきである

▼ **最決昭51.3.16・百選1事件**〈司予〉

　　任意取調べ中の被疑者が椅子から立ち上がり出口の方へ行こうとしたところ、警察官が同人の手首を掴んだという事案において、「捜査において強制手段を用いることは、法律の根拠規定がある場合に限り許容される……。しかしながら、ここにいう強制手段とは、有形力の行使を伴う手段を意味するものではなく、個人の意思を制圧し、身体、住居、財産等に制約を加えて強制的に捜査目的を実現する行為など、特別の根拠規定がなければ許容することが相当でない手段を意味するものであって、右の程度に至らない有形力の行使は、任意捜査においても許容される場合がある」として、本件行為は、「強制手段にあたるものと判断することはできない」とした。

3　判例（最決昭51.3.16・百選1事件）の射程

　(1)　「個人の意思を制圧し」

　　(a)　強制の処分を行うに先立ち、相手方の承諾がある場合には、「意思を制圧」しているとはいえないため、強制の処分には当たらない。

　　　　もっとも、承諾留置や、家宅の承諾捜索、女子の身体検査等は、承諾があっても許されない。法益の重大性からみて真摯な同意が考えにくいからである。

　　(b)　「意思を制圧」には、必ずしも明示の意思に反する場合のみならず、その黙示の意思に反する場合も含まれると解されている。相手方が不知の間になされる法益侵害もまた強制処分というべきだからである。

　(2)　「身体、住居、財産等に制約を加えて強制的に捜査目的を実現する行為」

　　　「身体、住居、財産」とは、憲法33条及び35条が挙げるような重要で価値の高い法益の例示列挙である。したがって、これ以外の法益（プライバシー、容ぼうなど）であっても、それが重要な権利利益といえるのであれば「等」に含まれる。

二　任意捜査の限界〈司H27 司H28〉

1　任意捜査

　　任意処分については、強制処分のように各々厳格な法律要件が規定されていない。しかし、それは、任意処分の多様かつ非類型的という性質上、画一的な規制になじまないということであって、比例原則が当然に及ぶ。そこで、任意処分については、比例原則に照らして処分の適否を個別的に考察していく必要がある。

　　なお、何人の法益をも侵害しないことが明らかな場合（ex. 公道等における実況見分）は当然許される。また、個人的な生活領域の平穏との関係で若干問題が生じる場合（ex. 内偵、聞込み、尾行等）については、必要な限度を超えない限りで許される。

2　任意捜査における有形力の行使

　ある捜査方法が強制捜査に当たらず任意捜査とされても、無制限に許される
わけではなく、任意捜査における有形力の行使にも限界がある。そこで、その
判断基準が問題となる。

▼　**最決昭51.3.16・百選1事件**

決旨：「強制手段にあたらない有形力の行使であっても、何らかの法益を侵害
し又は侵害するおそれが……あるから、……必要性・緊急性なども考慮し
たうえ、具体的状況のもとで相当と認められる限度において許容される
ものと解するべきである」とした。そして、任意取調べ中に椅子から立
ち上がり出口の方へ行こうとした被疑者の手首を掴んだ警察官の行為は
「強制手段にあたるものと判断することはできない」とした。

評釈：　必要性・緊急性を判断するに当たっては、犯罪の重大性や嫌疑の程度
も加味しつつ、当該手段を用いる必要性がどの程度あったのか、そのよ
うな手段を用いることが緊急やむを得なかったのか等を個別具体的に検
討する。

　また、相当性の判断については、必要性・緊急性と対象者の具体的な
被侵害法益との衡量により、相当な捜査手段であるといえるかどうかを
検討する。

三　おとり捜査〈司 司H22 司R4 予H24〉

1　意義

　おとり捜査とは、「捜査機関又はその依頼を受けた捜査協力者が、その身分
や意図を相手方に秘して犯罪を実行するように働き掛け、相手方がこれに応じ
て犯罪の実行に出たところで現行犯逮捕等により検挙するもの」（最決平
16.7.12・百選11事件）をいう。

　おとり捜査は、詐術的なものに基づいているものではあるが、犯人が自分自
身の意思で行動している以上、任意捜査と解されている。

2　類型

(1)　犯意誘発型：誘惑者が、被誘惑者に働きかけて犯意を発生させて犯罪を実
行させるもの

(2)　機会提供型：誘惑者が、すでに犯意を有している被誘惑者に犯行の機会を
提供するもの

3　適法性・限界

(1)　強制処分に当たるか

　　前記1のとおり、おとり捜査は、おとりによる働きかけがあるとはいえ、
一応、犯人が自己の自由な意思決定に基づいて犯行に着手している以上、犯
人の重要な権利利益の制約を伴うものではなく、「強制の処分」（197 Ⅰただ

し書）には当たらず、任意処分と解されている。
(2) 任意処分としての適否

以下のとおり、おとり捜査の任意処分としての適否については、主観説と客観説の立場がある。現在は、客観説の立場が有力とされている。

A 主観説

前記2の類型に従い、おとり捜査を犯意誘発型と機会提供型に分類し、犯意誘発型については違法、機会提供型については適法とする見解
∵ 犯意誘発型のおとり捜査は人格的自律権を侵害する点で違法であるが、機会提供型のおとり捜査は人格的自律権を実質的に侵害するとまではいえない

B 客観説

おとり捜査の任意処分としての適否は、必要性・緊急性及び相当性の有無で判断する見解
∵ おとり捜査も任意捜査（197）の一種であるから、主観説のように単純に二分して判断するのではなく、比例原則に照らして判断すべき
→客観説に立つ場合、犯意誘発型でも適法となり得る場合があり、機会提供型でも違法となり得る場合がある

(3) 判断枠組み（客観説）
(a) 必要性・緊急性

犯意誘発型の場合、おとり捜査の対象者には事前の犯罪傾向が存在しないため、一般的に必要性・緊急性が乏しいといえる。他方、機会提供型の場合、おとり捜査の対象者は既に犯意を有しているため、必要性・緊急性は高いといえる。

また、覚醒剤取締法違反事件（所持・自己使用等）のように、直接の被害者が存在せず、証拠の収集が困難な事件においては、必要性が肯定されやすい。

(b) 相当性

おとりによる働きかけの手法の強度・性質・態様が不相当といえる場合には、違法となる。この点、おとりによる働きかけの手法が強度な犯意誘発型は、相当性に欠ける場合が多いといえる。

4 判例

▼ **最決昭28.3.5**

おとり捜査が行われても、犯人の訴追・処罰には何の影響もないとした。

▼ 池袋覚醒剤事件（東京高判昭57.10.15）

　被告人はＡに対し以前にも4、5回、本件直前にはその1か月前に1回、本件の場合と同様の方法で覚醒剤の取引をしていたことが認められるのであり、……今回の場合もＡの譲受の申し込みは、……かねてからよい客があれば覚醒剤を売ろうとして所持の犯意を有していた者に、その現実化及び対外的行動化の機会を与えたに過ぎないというべきである。また、捜査方法の当否については、覚醒剤の弊害が大きく、その密売ルートの検挙の必要性が高いのに、検挙は通常『物』が存在しないと困難であることに鑑みると、……捜査員が取調べ中のＡの自発的申し出に基き、Ａの供述の裏づけをとる一方で、Ａとつながる密売ルートの相手方の検挙の端緒を得ようとしたことは、当該状況下においては捜査上必要な措置であったと認められ、これが公訴提起手続を無効にするほど、適正手続等の条項に違反した、違法ないしは不当な捜査方法であったとは認められない。

▼ 東京高判昭62.12.16

　機会提供型のおとり捜査の事案において、「おとり捜査がなされたことは明らかであるが、それによって、被告人らの覚せい剤取引に関する犯意が誘発、惹起されたものでなく、当初からあった犯意が持続、強化されたにすぎないというべきであり、本件事案の重大性、特殊性をも考慮すれば、右のおとり捜査は、捜査として許される限度を越えた違法なものとはいえず、著しく不当であるともいえない」と判示した。

▼ 最決平16.7.12・百選11事件 司R4

① おとり捜査の定義

　「おとり捜査は、捜査機関又はその依頼を受けた捜査協力者が、その身分や意図を相手方に秘して犯罪を実行するように働き掛け、相手方がこれに応じて犯罪の実行に出たところで現行犯逮捕等により検挙するものである」。

② おとり捜査の適法性

　「少なくとも、直接の被害者がいない薬物犯罪等の捜査において、通常の捜査方法のみでは当該犯罪の摘発が困難である場合に、機会があれば犯罪を行う意思があると疑われる者を対象におとり捜査を行うことは、刑訴法197条1項に基づく任意捜査として許容されるものと解すべきである」。

5　おとり捜査が違法と判断された場合の効果

　違法なおとり捜査に基づいて公訴提起を受けた被告人を、どのように救済することができるか。

＜違法なおとり捜査とその効果に関する学説の整理＞

学　説	内容・理由
無効果説	おとり捜査が行われても、犯人の訴追・処罰には何の影響もないとする見解 ∵　捜査の違法を抑えるには、おとりの行政責任を追及し、又は、おとりを教唆犯として処罰すれば足りる
無罪説	行為者にそもそも可罰的な責任を問えないから、実体法上無罪であるとする見解 ∵　犯人は、たとえば麻薬等を持って来たら逮捕される運命にあるから、その所持には抽象的危険さえもなく違法性を欠く
違法収集証拠排除説	∵　違法なおとり捜査は、「令状主義の精神を没却する」ものではないが、将来の違法な捜査の抑制の観点から相当でないので、重大な違法があるおとり捜査から得られた証拠は違法収集証拠として証拠能力が否定されるべきである
免訴説	∵　おとり捜査が違法な場合は、国家の処罰適格が欠ける
公訴棄却説 **（多数説）**	∵　捜査の廉潔性が欠けるので、憲法31条違反で公訴棄却判決（338④）を言い渡すべき
競合説	犯意誘発型では公訴棄却説を採り、機会提供型の違法なおとり捜査については違法収集証拠排除説を適用するという見解

※　前述の最決平16.7.12・百選11事件は、「おとり捜査が実体法的には影響せず、また公訴棄却や免訴になるわけではないとするこれまでの最高裁判例を踏襲しつつも、訴訟法的には、違法なおとり捜査によって得られた証拠は排除されうることを示唆したもの」という指摘がなされている。

四　コントロールド・デリバリー

1　意義

　　コントロールド・デリバリー（略称 CD）とは、捜査機関等が薬物等を認知した場合に、監視の下に運搬を続行させ、取引に関与した者をつきとめて一網打尽に検挙する捜査方法をいう。

2　種類

　　CD には、①禁制品を荷物から抜きとり、又は他の物品に置き換える方法であるクリーン CD と、②禁制品を抜きとらずそのままにしておく方法であるライブ CD がある。

3　検討

　　CD は任意捜査であり、おとり捜査と異なり、捜査機関から何らかの働きかけをするものではない。したがって、犯人に特段の不利益を及ぼし人権を侵害するとはいえないので、原則として適法に認められる。

　　ただ、追跡手段にも任意捜査としての限界があるといえる。

捜査

五　呼気の採取

　酒気帯び運転の検査に際して、呼気検査は、被疑者の同意があれば任意処分として許される。他方、同意がない呼気検査は、呼気の収集自体が相手方に対して直接、強制力を行使するものではない手段・方法による場合には、令状がなくても呼気採取の必要性・緊急性があり、手段・方法が相当といえる限り、許容されると解される。

▼　**最判平 9.1.30・百選Ａ８事件**

　　事案：　道路交通法 120 条 1 項 11 号（現 67 条 3 項、118 条の 2）の呼気検査拒否罪の規定が自己に不利益な供述を強要されないとする憲法 38 条 1 項に違反するかどうかが争われた。

　　判旨：　右検査は供述を得ようとするものではないから、右道路交通法の規定は、憲法 38 条 1 項に違反するものではない。

六　写真・ビデオの撮影 〈司H30〉

1　写真撮影の適法性〈司〉

　　刑訴法は、一定の場合に写真撮影について規定するのみで（218Ⅲ）、それ以外の場合については何ら規定していない。そこで、そもそも写真撮影が任意処分か強制処分か、写真撮影が任意処分に当たるとするならば、任意捜査の許される限界が問題となる。

⑴　家屋内にいる人を撮影する場合

　　みだりにその容ぼう等を撮影されない自由に加え、住居内における自分の行動を他人に見られることはないというプライバシーの正当な期待を侵害されるため、黙示の意思に反する重要な権利利益の侵害があり、強制処分に当たる。

⑵　公道上の人を撮影する場合

　　公道上では、対象者の有するみだりにその容ぼう等を撮影されない自由はある程度放棄されているといえ、直ちに強制処分には当たらない。

⑶　強制処分法定主義（197Ⅰただし書）との関係

　A　強制処分である写真撮影は 218 条 3 項のほかは、逮捕に伴う無令状の検証（220 条 1 項 2 号）としてしか許されないとする説（多数説）

　　∵　218 条 3 項、220 条 1 項 2 号の類推適用は不当な拡張解釈である

　B　218 条 3 項、220 条 1 項 2 号を類推適用する説

　　→実質的に逮捕できる状況がある場合には、証拠保全の必要性から認められる

　　∵①　写真撮影は、検証と近似した性格をもつ

　　　②　写真撮影が比較的侵害度が弱く、他方で、証拠を正確に保全するという特殊性から、現実に逮捕がなくても認めるべき

▼ **京都府学連デモ事件（最大判昭 44.12.24）**

「何人も、その承諾なしに、みだりにその容ぼう・姿態を撮影されない自由を有するものというべきである」。しかし、「現に犯罪が行われもしくは行われたのち間がないと認められる場合であって、しかも証拠保全の必要性および緊急性があり、かつその撮影が一般的に許容される限度を超えない相当な方法をもって行われるとき」は裁判官の令状がなくても警察官による個人の容ぼう等の撮影が許容されると判示した。

▼ **最決平 2.6.27・百選 33 事件**

判例は、捜索の際に、捜索手続の適法性を担保する目的で捜索状況を撮影したり押収物の証拠価値を保全するためにその状況を撮影することを許容している。

(4) 自動速度取締装置による写真撮影の適法性

▼ **最判昭 61.2.14**

「自動速度監視装置による運転者の容ぼうの写真撮影は、現に犯罪が行われている場合になされ、犯罪の性質、態様からいって緊急に証拠保全をする必要性があり、その方法も一般的に許容される限度を超えない相当なものであるから、憲法 13 条に違反せず、また、右写真撮影の際、運転者の近くにいるため除外できない状況にある同乗者の容ぼうを撮影することになっても、憲法 13 条、21 条に違反しない」として、これを適法とした。

▼ **東京高判平 5.9.24**

「速度違反自動監視装置による写真撮影が、当該道路の交通に著しい危険を生じさせるおそれのある大幅な速度超過の場合に限って、その違反行為（犯罪行為）に対する処罰のため証拠保全として行われるものであれば、所謂指摘の憲法 13 条によるプライバシーの保護という観点から考えても、このような犯罪行為を行うものに対して事前に証拠保全のための写真撮影が行われることを告知しておく必要はないものと解される……。（予告板の掲示は）、運転者らにこのような警告を与えることによって、速度違反の行為に出ないという自己抑制の効果が生じることを主たる目的としたもの（であり）、このような予告板の有無は、右装置による写真撮影の結果を捜査及び刑事訴追に利用することについてなんら影響を及ぼすものではない」とする。

2 ビデオ撮影の適法性

(1) 写真撮影と比較し、①犯罪発生前からの継続撮影であること、②常時可動状態で設置され、連続的な記録を行うテレビカメラであること等が異なることから別途の考慮が必要である。

(2) この点、写真撮影に関する前述の京都府学連事件判決（最大判昭44.12.24）の射程をどう理解するのかについて、学説上は、同判決が示した要件（特に現行犯性）をみたす限りにおいて認められるとする見解（限定説）と、事案が異なればこれと異なる要件でも認められるとする見解（非限定説）を両極として対立しているが、裁判実務上は非限定説が採られている。

▼ 山谷テレビカメラ監視事件（東京高判昭63.4.1・百選〔第9版〕10事件）

「①当該現場において犯罪が発生する相当高度の蓋然性が認められる場合であり、②あらかじめ証拠保全の手段、方法をとっておく必要性及び緊急性があり、かつ、③その撮影、録画が社会通念に照らして相当と認められる方法でもって行われるときには、現に犯罪が行われる時点以前から犯罪の発生が予測される場所を継続的・自動的に撮影、録画することも許されると解すべき」であるとした。

▼ 東京地判平17.6.2・平18重判1事件

「本件ビデオカメラによる撮影は、……公道に面する被告人方玄関ドアを撮影するというプライバシー侵害を最小限にとどめる方法が採られていることや、本件が住宅街における放火という重大事案であることに鑑みると、本件ビデオカメラの撮影が、弁護人が指摘するような犯罪発生の相当高度の蓋然性が認められる場合にのみ許されるとするのは相当ではなく、また、被告人に罪を犯したと疑うに足りる相当な理由が存在する場合にのみ許されるとするのも厳格にすぎると解される。むしろ、被告人が罪を犯したと考えられる合理的な理由の存在をもって足りると解すべきである」。そして、本件では、犯罪の嫌疑、撮影の必要性、緊急性、相当性が認められるとして、ビデオテープの証拠能力を肯定した。

▼ **最決平20.4.15・百選9事件** 同予

事案： 被害者を殺害しキャッシュカード等を強取した後、ATMから現金を窃取した事件において、防犯カメラに写っていた人物と被告人との同一性を確認するため、警察官が公道上及びパチンコ店で被告人をビデオ撮影した事案である。

決旨： 捜査機関において被告人が犯人である疑いを持つ合理的な理由が存在していたものと認められ、かつ、前記各ビデオ撮影は、強盗殺人等事件の捜査に関し、防犯ビデオに写っていた人物の容ぼう、体型等と被告人の容ぼう、体型等との同一性の有無という犯人の特定のための重要な判断に必要な証拠資料を入手するため、これに必要な限度において、公道上を歩いている被告人の容ぼう等を撮影し、あるいは不特定多数の客が集まるパチンコ店内において被告人の容ぼう等を撮影したものであり、いずれも、通常、人が他人から容ぼう等を観察されること自体は受忍せざるを得ない場所におけるものである。以上からすれば、これらのビデオ撮影は、捜査目的を達成するため、必要な範囲において、かつ、相当な方法によって行われたものといえ、捜査活動として適法なものというべきである。

3 写真撮影とビデオ撮影の相違

一般的に、ビデオ撮影の方が、音声が録音され、動画が撮影されるという意味において静止画による写真撮影よりもプライバシー侵害の程度が強度であるということができる。また、ビデオ撮影の方が容ぼう・姿態がより明瞭に写されることとなる点で、犯人性特定が容易となり、行動に関するプライバシー侵害の程度が強度であるともいえる。

七 当事者録音・同意録音 司H22 予H24 予H26

1 意義

当事者録音（秘密録音）とは、会話の一方当事者が、相手方の同意なく会話を録音することをいう。

同意録音とは、会話の一方当事者の同意を得て、第三者が会話を録音することをいう。

2 捜査機関による当事者録音・同意録音

(1) 強制処分に当たるか

話者のプライバシー権の主要な要素である会話の秘密性は、会話の相手方に委ねられている。当事者録音等においては、相手方がそれを処分するにすぎないから、完全な意味でのプライバシー侵害はなく、「強制の処分」（197Ⅰただし書）には当たらない。

なお、捜査機関が当事者双方の同意を得ずに、電話等の電気通信を傍受する場合（通信傍受）は、強制処分に当たる。 ⇒ p.196

(2) 任意処分としての適否

　当事者録音等が任意処分であるとしても、他方当事者の会話の自由・プライバシーの制約を伴うことは否定できない。したがって、具体的状況の下で相当と認められる限度においてのみ、許容される（千葉地判平3.3.29・百選10事件）。

▼　**千葉地判平3.3.29・百選10事件**

　「捜査機関が対話の相手方の知らないうちにその会話を録音することは、原則として違法であり、ただ録音の経緯、内容、目的、必要性、侵害される個人の法益と保護されるべき公共の利益との権衡などを考慮し、具体的状況のもとで相当と認められる限度においてのみ、許容されるべきものと解すべきである。」

3　私人による当事者録音

　私人による当事者録音については、捜査機関による当事者録音と同視することはできないことから、原則として刑訴法上の違法性は問題とならない。判例（最決平12.7.12）は、私人による相手方の同意のない会話録音テープの証拠能力が問題となった事案において、「詐欺の被害を受けたと考えた者が、被告人の説明内容に不審を抱き、後日の証拠とするため、被告人との会話を録音したものであるところ、このような場合に、一方の当事者が相手方との会話を録音することは、たとえそれが相手方の同意を得ないで行われたものであっても、違法ではなく、その録音テープの証拠能力は否定されない」としている。

八　GPS捜査

　自動車やバイク等にGPS端末を取り付け、これらの位置情報を取得しつつ追尾等の捜査を行うことが強制処分に当たるかどうかが問題となる。

▼　**GPS捜査の適法性（最大判平29.3.15・百選31事件）**

事案：　Xが複数の共犯者と共に犯したと疑われていた窃盗事件に関して、組織性の有無や程度、組織内におけるXの役割を含む犯行の全容を解明するために、捜査の一環として、平成25年5月ころから約6か月半にわたり、Xや共犯者のほか、Xの知人女性も使用する蓋然性があった自動車等合計19台に、Xらの承諾なく、かつ、令状を取得することなく、GPS端末を取り付けた上で、その所在を検索して移動状況を把握するという方法により、GPS捜査が実施された。本件では、かかるGPS捜査が刑訴法197条1項ただし書の「強制の処分」に該当するかどうかが主要な争点となった。

判旨：1 「GPS捜査は、対象車両の時々刻々の位置情報を検索し、把握すべく行われるものであるが、その性質上、公道上のもののみならず、個人のプライバシーが強く保護されるべき場所や空間に関わるものも含めて、対象車両及びその使用者の所在と移動状況を逐一把握することを可能にする。このような捜査手法は、個人の行動を継続的、網羅的に把握することを必然的に伴うから、個人のプライバシーを侵害し得るものであり、また、そのような侵害を可能とする機器を個人の所持品に秘かに装着することによって行う点において、公道上の所在を肉眼で把握したりカメラで撮影したりするような手法とは異なり、公権力による私的領域への侵入を伴うものというべきである。」

2 「憲法35条は、『住居、書類及び所持品について、侵入、捜索及び押収を受けることのない権利』を規定しているところ、この規定の保障対象には、『住居、書類及び所持品』に限らずこれらに準ずる私的領域に『侵入』されることのない権利が含まれるものと解するのが相当である。そうすると、前記のとおり、個人のプライバシーの侵害を可能とする機器をその所持品に秘かに装着することによって、合理的に推認される個人の意思に反してその私的領域に侵入する捜査手法であるGPS捜査は、個人の意思を制圧して憲法の保障する重要な法的利益を侵害するものとして、刑訴法上、特別の根拠規定がなければ許容されない強制の処分に当たる……とともに、一般的には、現行犯人逮捕等の令状を要しないものとされている処分と同視すべき事情があると認めるのも困難であるから、令状がなければ行うことのできない処分と解すべきである。」

3 「GPS捜査は、情報機器の画面表示を読み取って対象車両の所在と移動状況を把握する点では刑訴法上の『検証』と同様の性質を有するものの、対象車両にGPS端末を取り付けることにより対象車両及びその使用者の所在の検索を行う点において、『検証』では捉えきれない性質を有することも否定し難い。仮に、検証許可状の発付を受け、あるいはそれと併せて捜索許可状の発付を受けて行うとしても、GPS捜査は、GPS端末を取り付けた対象車両の所在の検索を通じて対象車両の使用者の行動を継続的、網羅的に把握することを必然的に伴うものであって、GPS端末を取り付けるべき車両及び罪名を特定しただけでは被疑事実と関係のない使用者の行動の過剰な把握を抑制することができず、裁判官による令状請求の審査を要することとされている趣旨を満たすことができないおそれがある。さらに、GPS捜査は、被疑者らに知られず秘かに行うのでなければ意味がなく、事前の令状呈示を行うことは想定できない。刑訴法上の各種強制の処分については、手続の公正の担保の趣旨から原則として事前の令状呈示が求められており（同法222条1項、110条）、他の手段で同趣旨が図られ得

るのであれば事前の令状呈示が絶対的な要請であるとは解されないとしても、これに代わる公正の担保の手段が仕組みとして確保されていないのでは、適正手続の保障という観点から問題が残る。

これらの問題を解消するための手段として、一般的には、実施可能期間の限定、第三者の立会い、事後の通知等様々なものが考えられるところ、捜査の実効性にも配慮しつつどのような手段を選択するかは、刑訴法197条1項ただし書の趣旨に照らし、第一次的には立法府に委ねられていると解される。仮に法解釈により刑訴法上の強制の処分として許容するのであれば、以上のような問題を解消するため、裁判官が発する令状に様々な条件を付す必要が生じるが、事案ごとに、令状請求の審査を担当する裁判官の判断により、多様な選択肢の中から的確な条件の選択が行われない限り是認できないような強制の処分を認めることは、『強制の処分は、この法律に特別の定のある場合でなければ、これをすることができない』と規定する同項ただし書の趣旨に沿うものとはいえない。

以上のとおり、ＧＰＳ捜査について、刑訴法197条1項ただし書の『この法律に特別の定のある場合』に当たるとして同法が規定する令状を発付することには疑義がある。ＧＰＳ捜査が今後も広く用いられ得る有力な捜査手法であるとすれば、その特質に着目して憲法、刑訴法の諸原則に適合する立法的な措置が講じられることが望ましい。」

評釈：　電子機器等を用いた継続的で広範囲の監視・情報取得方法であっても、その性質上、もっぱら公道上その他不特定多数の人に開かれた場所における人・車両等の所在や移動状況をモニターし、あるいはこれらに関わる情報を取得するのみで、「個人のプライバシーが強く保護されるべき場所や空間」に関わる情報を取得する可能性がおよそないと認められるような捜査の適法性については、本判決の射程外であり、強制処分には当たらないと評されている。

他方、本判決で問題となったＧＰＳ捜査が強制処分に当たるとされた実質的根拠が、「個人のプライバシーが強く保護されるべき場所や空間」に関わるものである可能性が常にある位置情報を捜査機関が逐一取得し、そのプライバシーを侵害することが可能な状態にするという点にあるとすれば、もともとＧＰＳ機能を有する携帯電話や自動車、ＧＰＳ端末を仕込んだ物品等を対象者に察知されない形で渡すことにより、同様の状態にするのも、対象者に携帯電話等を渡した時点で強制処分になると評されている。

九　エックス線検査

エックス線検査によって梱包物の中身を確認することが、強制処分であるか、それとも任意捜査となるか。

　最高裁はこの点につき、以下のように判断した。もっとも、判旨では「内容物によっては」と明示しており、この判例がすべてのエックス線検査に検証許可状を要求する趣旨ではないと考えられる。

▼　最決平21.9.28・百選30事件〈司予〉

事案：　警察官らは、かねてより覚醒剤密売の嫌疑でA社を内偵捜査していたところ、A社に配達される予定の宅配便荷物の内容を把握する必要があると考えた。そこで、警察官らは、荷送人・荷受人の承諾を得ることなく、同荷物についてエックス線検査装置による検査を行ったところ、細かい固形物が均等に詰められている長方形の袋の影影が確認された。警察官らは、本件エックス線検査の写真等を疎明資料の1つとして発付された捜索差押許可状に基づいて捜索を実施したところ、A社関係者が受け取った宅配便荷物の中などから、本件覚醒剤等が発見されたため、これを差し押さえた。

決旨：　「本件エックス線検査は、荷送人の依頼に基づき宅配便業者の運送過程下にある荷物について、捜査機関が、捜査目的を達成するため、荷送人や荷受人の承諾を得ることなく、これに外部からエックス線を照射して、内容物の射影を観察したものであるが、その射影によって荷物の内容物の形状や材質をうかがい知ることができる上、内容物によってはその品目等を相当程度具体的に特定することも可能であって、荷送人や荷受人の内容物に対するプライバシー権等を大きく侵害するものであるから、検証としての性質を有する強制処分に当たるものと解される」。本件では、検証許可状の発付を受けていなかったので、違法とされたが、本件覚醒剤などの証拠能力は認められた。　⇒p.398参照

第198条　〔被疑者の出頭要求・取調べ〕

Ⅰ　検察官、検察事務官又は司法警察職員は、犯罪の捜査をするについて必要があるときは、被疑者の出頭を求め、これを取り調べることができる〈司〉。但し、被疑者は、逮捕又は勾留されている場合を除いては、出頭を拒み、又は出頭後、何時でも退去することができる〈司〉。

Ⅱ　前項の取調に際しては、被疑者に対し、あらかじめ、自己の意思に反して供述をする必要がない旨を告げなければならない。

Ⅲ　被疑者の供述は、これを調書に録取することができる。

Ⅳ　前項の調書は、これを被疑者に閲覧させ、又は読み聞かせて、誤がないかどうかを問い、被疑者が増減変更の申立をしたときは、その供述を調書に記載しなければならない〈共予〉。

Ⅴ　被疑者が、調書に誤のないことを申し立てたときは、これに署名押印することを求めることができる〈予〉。但し、これを拒絶した場合は、この限りでない〈司〉。

[趣旨]198条は捜査機関による被疑者の出頭要求及び取調べの手続を規定するものである。2項は、取調べの際に供述拒否権の告知を要求するものであり、3項ないし5項は供述調書に関してそれぞれ定めている。

《注　釈》
一　任意同行・任意取調べ〈司〉
1　任意同行

任意同行とは、被疑者の出頭確保のため、捜査官がその居宅等から警察署等へ同行させることをいう。任意同行には、①行政警察活動である警職法上の任意同行（警職2Ⅱ）と、②犯罪捜査を目的とする司法警察活動としての任意同行（198Ⅰ）がある。このうち、任意同行の許容限度として問題となるのは、②の司法警察活動としての任意同行である。

司法警察活動としての任意同行は、被疑者の名誉を保護するため、あるいはその場で取り調べることが適当でない場合、さらには、すでに逮捕状が発付されている場合でも、任意取調べによってさらに逮捕の必要性を慎重に検討するためになされるものである。

2　任意取調べ

任意取調べ（198Ⅰ）とは、任意の出頭や任意同行を求めて行う取調べ、すなわち身柄を拘束されていない被疑者の取調べをいう。

3　任意同行・任意取調べの許容限度〈司H26 司R2〉
(1)　2つの次元での限界

上記のように、任意同行・任意取調べは198条1項に基づき行うことができる。もっとも、この任意取調べにも、以下の判例が示すように、大きく2つの次元での限界が存在する。そして、任意取調べがその限界を超えて違法とされる場合、その後の逮捕・勾留の適否（⇒ p.138）や、これに続く取調べによって得られた供述の証拠能力（⇒ p.416）に影響を及ぼし得る。

▼　**高輪グリーンマンション殺人事件（最決昭59.2.29・百選6事件）**〈司R2〉

「任意捜査においては、強制手段、すなわち、『個人の意思を制圧し、身体、住居、財産等に制約を加えて強制的に捜査目的を実現する行為など、特別の根拠規定がなければ許容することが相当でない手段』……を用いることが許されないことはいうまでもないが、任意捜査の一環としての被疑者に対する取調べは、右のような強制手段によることができないというだけでなく、さらに、事案の性質、被疑者に対する容疑の程度、被疑者の態度等諸般の事情を勘案して、社会通念上相当と認められる方法ないし態様及び限度において、許容される」。

この判例によれば、任意取調べの限界は、①「強制手段による」ものと評価されないか、②（強制処分に当たらないとしても）事案の性質、被疑者に対する容疑の程度、被疑者の態度等諸般の事情を勘案して、社会通念上相当

と認められる方法ないし態様・限度にとどまるか、という2つの次元で問題となる。すなわち、任意取調べが①「強制手段」に当たれば直ちに違法となるが、これに当たらない場合でも、②諸般の事情から相当性を欠く場合には違法となる。

(2) 「強制手段」の意義

①は強制処分性の問題であり、判例（最決昭51.3.16・百選1事件 ⇒ p.95）の基準によって判断される。

その際、任意同行が実質的逮捕に当たるかどうかについては、同行を求めた場所・時間帯、同行の具体的方法・態様、同行後の状況等の諸事情を総合的に考慮して判断する（東京高判昭54.8.14・百選15事件参照 ⇒ p.139）予R元

また、任意同行の過程、同行後・出頭後の留置きの措置が形式的には任意の形をとっていても「実質的逮捕」に当たり、憲法33条及び法199条以下に反し違法ではないかという判断も、①の判断に含まれる。

▼ 富山任意同行事件（富山地決昭54.7.26・百選5事件）

「当初被疑者が自宅前から富山北警察署に同行される際、被疑者に対する物理的な強制が加えられたと認められる資料はない。しかしながら、同行後の警察署における取調は、昼、夕食時など数回の休憩時間を除き同日午前8時ころから翌24日午前零時ころまでの長時間にわたり断続的に続けられ、しかも夕食時である午後7時ころからの取調は夜間にはいり、被疑者としては、通常は遅くとも夕食時には帰宅したいとの意向をもつと推察されるにもかかわらず、被疑者にその意思を確認したり、自由に退室したり外部に連絡をとったりする機会を与えたと認めるに足りる資料はない。

右のような事実上の看視付きの長時間の深夜にまで及ぶ取調は、仮に被疑者から帰宅ないし退室について明示の申出がなされなかったとしても、任意の取調であるとする他の特段の事情の認められない限り、任意の取調とは認められないものというべきである。従って、本件においては、少なくとも夕食時である午後7時以降の取調は実質的には逮捕状によらない違法な逮捕であったというほかはない」。

なお、実質的逮捕は、身体・行動の自由に対する制約を問題とするが、取調べに伴い得る「強制手段」は、拷問・強制、暴行・脅迫など、身体拘束に限られるものではない。そのため、「強制手段」とは、取調べに伴い得る様々な「強制」を含むものと解される。

(3) 相当性の意義

上記判例（最決昭59.2.29・百選6事件）の示す、②相当性の判断枠組みの捉え方として、以下の見解がある。

A　比較衡量説（多数説）

いわゆる比例原則（⇒ p.83）を任意取調べに適用したものとして捜査の必要性と被侵害利益とを比較衡量して判断するとの見解

∵① 任意であっても、捜査機関の求めに渋々応じる場合などには、意思決定の自由に対するある程度の侵害・制約が認められ、そのような被侵害利益との関係で比例原則の適用が理論上可能である

② 仮に意思決定の自由について「程度」を観念し得ないとしても、取調べに応じることによって行動の自由や心身の苦痛・疲労といった負担・不利益は生じ得る。たしかに、取調べに任意で応じる際、それらの負担・不利益にも同意したといえるが、それが積極的な同意でなければ、取調べによる自由の制約や不利益・負担が放棄されている（考慮する必要がない）とはいえず、そのような被侵害利益との関係で比例原則の適用が理論上可能である

B　行為規範説

捜査機関に対する行為規範としての観点から判断するとの見解

∵① 任意取調べの場面で問題になり得る法益は取調べに応じる（ないし供述する）か否かの「意思決定の自由」であるところ、意思決定の自由には侵害・制約の程度を考えることができない（渋々・嫌々であろうと最終的に真意に基づいた同意をしたかが問題となるため、侵害されるか否かのいずれかしかない）から、任意に取調べに応じた以上何らの法益侵害もなく、利益衡量論に基づく比例原則の規律を任意取調べに及ぼすべき理論的基盤はない

② 任意取調べについてとくに規律している198条の諸規定の趣意と同様に、取調べを実施する捜査機関に対する事前の行為規範・行動準則を設定したものと解することができる

▼ **高輪グリーンマンション殺人事件（最決昭 59.2.29・百選6事件）** 司R2

事案：　某日早朝、殺人事件につき、嫌疑の強まったXに任意同行を求めたところ、これに応じた。Xの取調べは同日午後11時過ぎに一応終わったが、Xから旅館に泊めてもらいたい旨の申出（答申書）を受け、警察署近くの民間会社の宿泊施設にXを宿泊させ、捜査官4、5名も同宿した。うち1名の捜査官はXの隣室に泊まり込む等してXの挙動を監視した。翌日以降、捜査官らはXをホテルに3泊させ、ホテル周辺でその動静を監視した。Xは、この4泊の間、宿と警察署との間を自動車で送迎され、連日朝から深夜まで取調べが行われた。宿泊代金は4日目の分を除き、警察が支払った。

決旨：　Xの取調べは、198条に基づき任意捜査としてなされたところ、「任意捜査においては、強制手段、すなわち、『個人の意思を制圧し、身体、住

居、財産等に制約を加えて強制的に捜査目的を実現する行為など、特別の根拠規定がなければ許容することが相当でない手段』……を用いることが許されないことはいうまでもないが、任意捜査の一環としての被疑者に対する取調べは、右のような強制手段によることができないというだけでなく、さらに、事案の性質、被疑者に対する容疑の程度、被疑者の態度等諸般の事情を勘案して、社会通念上相当と認められる方法ないし態様及び限度において、許容される」。

本件において、任意同行の手段・方法等の点は相当性を有する。しかし、Xを4夜にわたり捜査官の手配した宿泊施設に宿泊させた上、前後5日間にわたって被疑者としての取調べを続行した点については、Xの住居は警察署から遠くなく、深夜であっても帰宅できない特段の事情はなく、1日目の夜は、捜査官が同宿Xの挙動を直接監視し、2日目以降は、ホテルに同宿こそしなかったもののその周辺でXの動静を監視し、警察署との往復には、警察の自動車による送迎がされ、最初の三晩については警察において宿泊費用を支払っており、しかもこの間午前中から深夜に至るまでの長時間、連日にわたり取調べが続けられたもので、「これらの諸事情に徴すると、Xは、捜査官の意向にそうように、右のような宿泊を伴う連日にわたる長時間の取調べに応じざるを得ない状況に置かれていたものとみられる一面もあり、その期間も長く、任意取調べの方法として必ずしも妥当なものであったとはいい難い。」

「しかしながら、他面、Xは、右初日の宿泊については前記のような答申書を差出しており、また、記録上、右の間にXが取調べや宿泊を拒否し、調べ室あるいは宿泊施設から退去し帰宅することを申し出たり、そのような行動に出た証跡はなく、捜査官らが、取調べを強行し、Xの退去、帰宅を拒絶したり制止したというような事実も窺われないのであって、これらの諸事情を総合すると、右取調べにせよ宿泊にせよ、結局、Xがその意思によりこれを容認し応じていたものと認められるのである。」

本件取調べは、「宿泊の点など任意捜査の方法として必ずしも妥当とはいい難いところがあるものの、Xが任意に応じていたものと認められるばかりでなく、事案の性質上、速やかにXから詳細な事情及び弁解を聴取する必要性があったものと認められることなどの本件における具体的状況を総合すると、結局、社会通念上やむを得なかったものというべく、任意捜査として許容される限界を越えた違法なものであったとまでは断じ難い」。

▼ 平塚ウェイトレス殺し事件（最決平元.7.4・百選7事件）

午後11時過ぎから徹夜で翌日午後9時25分頃まで、2〜30分の休憩をはさみ、合計約22時間に及ぶ取調べを行ったという事案において、「本件任意取調

べは、Ｘに一睡もさせずに徹夜で行われ、更にＸが一応の自白をした後もほぼ半日にわたり継続してなされたものであって、一般的に、このような長時間にわたる被疑者に対する取調べは、たとえ任意捜査としてなされるものであっても、被疑者の心身に多大の苦痛、疲労を与えるものであるから、特段の事情がない限り、容易にこれを是認できるものではな」いとした上で、①冒頭にＸから進んで取調べを願う旨の承諾を得ていたこと、②当初の自白は翌朝午前９時半過ぎになされたところ、その後取調べが長時間に及んだのは、自白の強要や逮捕の際の時間制限を免れる意図によるのでなく、Ｘの自白が犯罪の成否に関する部分に虚偽を含んでいると判断されたためであること、③Ｘが帰宅や休息の申出をした形跡がないことという本件の「特殊な事情」を考慮して、「本件事案の性質、重大性を総合勘案すると、本件取調べは、社会通念上任意捜査として許容される限度を逸脱したものであったとまでは断ずることができ」ないとした。

二　被疑者取調べ

1　意義

被疑者取調べとは、捜査機関が犯罪の嫌疑を受けて捜査の対象となっている者に対する質疑応答の形で情報を得ることをいう。

2　被疑者取調べが問題となる場面

(1)　身柄を拘束されていない被疑者に対する取調べ

任意取調べは任意であるから、被疑者は、いつでも取調室を退出することができる（取調受忍義務はない）。もっとも、実際捜査機関からの要求を拒むことが事実上できず、途中で退出できない場合も少なくないことから、任意取調べの許容限度が問題となる。　⇒ p.108

(2)　身柄を拘束されている被疑者に対する取調べ

①　身柄を拘束（逮捕・勾留）されている被疑者の取調べについては、取調べのための出頭・滞留義務（取調受忍義務）があるかが問題となる。
⇒下記「三　取調受忍義務の有無」

②　①と関連して、身柄を拘束されている被疑者に対する取調べの法的性格が問題となる。
⇒下記「四　被疑者取調べの法的性質」

③　①・②と関連して、余罪取調べの可否・限界が問題となる。
⇒下記「五　身柄拘束中の被疑者に対する余罪取調べ」

三　取調受忍義務の有無

A　肯定説（実務）

身体を拘束されている被疑者には出頭拒否及び退去の自由はなく、取調受忍義務があるとする見解

∵①　198条１項ただし書の「逮捕又は勾留されている場合を除いては」

との規定の反対解釈

 ② 逮捕・勾留は捜査上の処分であり、取調べという形での拘束を予定したものである

B 否定説（通説）

身体を拘束されている被疑者に対しても、居房から取調室への出頭を強制することはできず、取調室から居房へ帰ることを求められれば、これを許さなければならないとする見解

 ∵① 198条1項ただし書は、「取調室」への出頭規定ではなく「捜査機関」への出頭規定であり、すでに捜査機関に身体拘束されている被疑者の出頭・退出は問題とならない

 ② 取調受忍義務を認めると黙秘権（憲38Ⅰ）の侵害となりうる

 ③ 現行法は第一次的に当事者主義を採っており、被疑者も捜査機関と相対立する一方当事者であるから、被疑者は相手方である捜査機関に協力すべき義務はない

 ④ 逮捕・勾留は、取調べを目的とするものではなく、被疑者の逃亡・罪証隠滅の防止、ひいては将来の公判への出頭を確保するためのものである

▼ **東京地決昭 49.12.9**

 余罪の取調べについてその義務がないと判断するに際して、「いわゆる取調受忍義務がある」ことを示した。

なお、判例（最大判平 11.3.24・百選 34 事件）は、「身体の拘束を受けている被疑者に取調べのために出頭し、滞留する義務があると解することが、直ちに被疑者からその意思に反して供述することを拒否する自由を奪うことを意味するものでないことは明らかである」と判示し、出頭・滞留義務を肯定することは、直ちに憲法 38 条 1 項に反しないとしている〈予〉。

四 被疑者取調べの法的性質

＜被疑者取調べの法的性質に関する学説の整理＞

学　説		内容・理由
任意処分説	取調受忍義務を肯定しつつも任意処分とする見解	∵ 取調受忍義務を認めたからといって、供述の義務を課すことにはならず、任意処分である
	取調受忍義務を否定して任意処分とする見解	∵ 供述はもとより、取調べに応じるか否かも自由であるから、取調べは任意処分である

学 説		内容・理由
強制処分説	取調受忍義務を肯定して強制処分とする見解	∵ 取調受忍義務を課せられた取調べは強制処分に他ならない
	取調受忍義務は否定するが強制処分とする見解	198条の取調べは197条1項ただし書を受けた権限創設規定と理解し、取調べは規定の限度でのみ許されるとする ∵ 身柄拘束中の被疑者に対する取調べでは、身柄拘束が事実上プレッシャーになりうるので、現行法の予定する弁護人不在のままの取調べは、強制処分と位置付けるべきである

捜査

五 身柄拘束中の被疑者に対する余罪取調べ

1 意義

余罪取調べとは、被疑事実A（本罪）について逮捕・勾留されている被疑者を、A以外の被疑事実B（余罪）について取り調べることをいう。

2 別件逮捕・勾留と余罪取調べ

通常、被疑事実A（本罪）についての捜査が先行し、本罪の取調べが行われた後、併せて被疑事実B（余罪）について取調べが行われるのが余罪取調べである。これに対して、別件逮捕・勾留は、反対に被疑事実B（本件）についての捜査が先行し、これが捜査機関の狙う本命であるところ、ひとまず被疑者を被疑事実A（別件）で逮捕・勾留しておき、この間に被疑事実B（本件）について取り調べるという関係にある。このように、別件逮捕・勾留における被疑事実B（本件）についての取調べは、被疑事実A（別件）からみれば、余罪取調べに他ならないといえ、別件逮捕・勾留と余罪取調べは、同時に問題となり得る。

もっとも、別件逮捕・勾留と余罪取調べは別個の事柄であり、余罪取調べの適否は、別件逮捕・勾留の可否を検討した後、これとは別個に判断される必要がある。

3　身柄拘束中の被疑者に対する余罪取調べの限界

＜余罪取調べの限界に関する学説の整理＞

	内容・理由	取調受忍義務との関係
限定説	**身柄拘束中の取調べを強制処分とする見解からのアプローチ** 　身柄拘束されている本罪については、取調受忍義務を課しての取調べは許されるが、身柄拘束されていない余罪については、取調受忍義務を課した取調べは許されず、任意取調べの限度でのみ許される 　∵　事件単位の原則が取調受忍義務の及ぶ範囲についても適用される（浦和地判平2.10.12・百選18事件） 　→①密接に関連するとか同種余罪である等、逮捕・勾留の基礎となった事実の取調べとしても重要な意味をもつ場合や、②取調受忍義務のないことが明瞭な、純粋の任意捜査として行われる場合は例外を認める	肯定説
	身柄拘束中の取調べを任意処分とする見解からのアプローチ 　身柄拘束中の取調べは任意処分ではあるものの、強制的契機がつきまとうため、事件単位の原則を適用し、本罪については取調べが許されるが、余罪については、原則として取調べそのものが許されない 　→例外的に、主たる犯罪の取調べに付随し、並行して行われる場合等における余罪取調べは許される	否定説
非限定説	**身柄拘束中の取調べを強制処分とする見解からのアプローチ** 　本罪及び余罪の双方に取調受忍義務が及び、本罪であるか余罪であるかにかかわらず、いずれについても取調受忍義務を課しての取調べを行うことが許される 　∵　198条1項ただし書が逮捕・勾留されている事実を限定していない	肯定説
	身柄拘束中の取調べを任意処分とする見解からのアプローチ 　本罪であるか余罪であるかにかかわらず、いずれについても取調受忍義務を課さない任意取調べの限度でのみ取調べが許される	否定説
	令状主義潜脱説 　余罪取調べについては一般的に禁止されないが、具体的状況の下で令状主義を潜脱するような段階に至っているといえる場合には、違法であるとして禁止される 　→令状主義を潜脱しているか否かは、①本罪と余罪の関係、②罪質・軽重の相違、③余罪の嫌疑の程度、④その取調べの態様等を総合して判断する 　∵　逮捕・勾留は逃亡・罪証隠滅防止のための制度であるから、逮捕・勾留の効力に関する原則である事件単位の原則を取調べと結び付けることはできず、取調べの範囲に制限はない	無関係

捜査

▼ 神戸まつり事件（大阪高判昭59.4.19）

「逮捕・勾留中の被疑者に対する余罪の取調べには一定の制約があることを認めなければならない。特に、もっぱらいまだ逮捕状・勾留状の発付を請求しうるだけの証拠の揃っていない乙事実（本件）について被疑者を取調べる目的で、すでにこのような証拠の揃っている甲事実（別件）について逮捕状・勾留状の発付を受け、同事実に基づく逮捕・勾留に名を借りて、その身柄拘束を利用し、本件について逮捕・勾留して取り調べるのと同様の効果を得ることをねらいとして、本件の取調べを行う、いわゆる別件逮捕・勾留の場合、別件による逮捕・勾留がその理由や必要性を欠いて違法であれば、本件についての取調べも違法で許容されないことはいうまでもないが、別件の逮捕・勾留についてその理由又は必要性が欠けているとまではいえないときでも、右のような本件の取調べが具体的状況の下において実質的に令状主義を潜脱するものであるときは、本件の取調べは違法であつて許容されないといわなければならない。」

▼ 福岡高判昭61.4.28

「別件（甲事実）の逮捕・勾留についてその理由または必要性が認められるときでも、右のような本件（乙事実）の取調が具体的状況のもとにおいて憲法及び刑事訴訟法の保障する令状主義を実質的に潜脱するものであるときは、本件取調は違法……。そして、……具体的状況のもとで令状主義の原則を実質的に潜脱するものであるか否かは、①甲事実と乙事実との罪質及び態様の相違、法定刑の軽重、並びに捜査当局の両事実に対する捜査上の重点の置き方の違いの程度 ②甲事実と乙事実との関連性の有無及び程度 ③取調時の甲事実についての身柄拘束の必要性の程度 ④乙事実についての取調方法（場所、身柄拘束状況、追及状況等）及び程度（時間、回数、期間等）並びに被疑者の態度、健康状態 ⑤乙事実について逮捕・勾留して取り調べたと同様の取調が捜査において許容される被疑者の逮捕・勾留期間を超えていないか ⑥乙事実についての証拠、とくに客観的証拠の収集の程度 ⑦乙事実に関する捜査の重点が被疑者の供述（白白）を追及する点にあったか ⑧取調担当者らの主観的意図がどうであったか等の具体的状況を総合して判断するという方法をとるのが相当というべきである」と判示した。

▼ **浦和地判平 2.10.12・百選 18 事件**

「余罪の取調べにより事件単位の原則が潜脱され、形骸化することを防止するため、これが適法とされるのは、原則として右取調べを受けるか否かについての被疑者の自由が実質的に保障されている場合に限ると解する……（例外として、逮捕・勾留の基礎となる別件と余罪との間に密接な関係があって、余罪に関する取調べが別件に関する取調べにもなる場合は別論である。）」。被疑者に取調受忍義務があるとしてもあくまで当該逮捕・勾留の基礎とされた事実についての場合に限られるのであり、もしそうでなく「一旦何らかの事実により身柄を拘束された者は、他のいかなる事実についても取調受忍義務を負うと解するときは、捜査機関は、別件の身柄拘束を利用して、他のいかなる事実についても逮捕・勾留の基礎となる事実と同様の方法で、被疑者を取り調べ得ることとなり、令状主義なかんずく事件単位の原則は容易に潜脱され、被疑者の防御権の保障（告知と聴聞の保障、逮捕・勾留期間の制限等）は、画餅に帰する。従って、捜査機関が、別件により身柄拘束中の被疑者に対し余罪の取調べをしようとするときは、被疑者が自ら余罪の取調べを積極的に希望している等、余罪についての取調べを拒否しないことが明白である場合……を除いては、取調べの主題である余罪の内容を明らかにした上で、その取調べに応ずる法律上の義務がなく、いつでも退去する自由がある旨を被疑者に告知しなければならないのであり、被疑者がこれに応ずる意思を表明したため取調べを開始した場合においても、被疑者が退去の希望を述べたときは、直ちに取調べを中止し」なければならない。

六 被告人の取調べ

1 捜査は、起訴後においても公訴維持のため行われる場合があるが、起訴後は公判中心主義の要請があり（43Ⅰ、282Ⅰ、303）、また、被告人は当事者たる地位に立つので、その立場に配慮する必要がある。

2 被告人に対する取調べの可否 〈司H26〉

起訴後、被告人に対して取調べをすることが許されるか。198条1項が取調べの対象として「被告人」を含めていないことから問題となる。

＜被告人に対する取調べの可否に関する学説の整理＞

学　説		内容・理由
肯定説 （判例）		∵　取調べが任意処分であるとすれば、197条で本来許容されるべきものであるから、198条はその確認規定ということになり、したがって「被疑者」の文言は必ずしも限定的な意味をもたない
否定説	A説	被告人の取調べを否定するが、被告人が自ら取調べを求めるような、名実ともに任意処分と認められる場合には許されるとする見解 ∵①　被告人には、弁護人の援助を受ける権利があり（憲37Ⅲ）、よって、その立会いを排して、密室で行う取調べ自体に強制処分性を認めるべきである ②　被告人は、公判廷での包括的黙秘権があり、他方で憲法上いつでも弁護人依頼権が保障されており、そういう被告人を法廷外で取り調べるのは右諸制度の明らかな脱法である ③　真に任意の処分であれば、普通の「会話」以上のものではなく、禁止されるはずがない
	B説	公判外での被告人取調べは原則として否定すべきであるが、例外として一定の条件の下で許容すべきである ∵①　被告人は当事者たる地位に立っており、かかる地位に鑑みれば、捜査官による被告人取調べは原則として許容すべきでない ②　複雑な事案について、被告人から事情を聴取する必要性があることは否定できない
	C説	被告人取調べを任意処分としつつも否定する見解 ∵①　法廷外で弁護人の立会いもなしに捜査官が密室で取り調べることは、当事者主義、公判中心主義、被告人の弁護を受ける権利（憲37Ⅲ）、といった観点から疑問がある ②　198条1項は、捜査機関による被疑者・被告人の取調べは任意処分であることを前提に、被告人取調べはたとえ任意処分であってもこれを許さない趣旨である

▼　最決昭36.11.21・百選A14事件

197条は、「任意捜査についてなんら制限をしていないから、同法198条『被疑者』という文字にかかわりなく、起訴後においても、捜査官はその公訴を維持するために必要な取調を行うことができるものといわなければならない。なるほど起訴後においては被告人の当事者たる地位にかんがみ、被告人を取り調べることはなるべく避けなければならないところであるが、これによって直ちにその取調を違法」と解すべきではないとし、被告人取調べを肯定した。

3　被告人に対する余罪取調べ

被告人についてその被告事件とは別の被疑事件を取り調べることは、被疑者取調べる本質をもつものであるから否定されるわけではない。しかし、この場合被疑者は同時に被告人であるので、純粋の被疑者取調べと同一視すること

はできない。この被告人に対する余罪被疑事件の取調べの問題は、被告事件と被疑事件の両事件についての身柄拘束関係を区別して考える必要がある。

	被告人勾留なし	被告人勾留あり
被疑者勾留なし	①	③
被疑者勾留あり	②	④

　このうち、①・②については、ほぼ通常の被疑者取調べ論がそのまま妥当する。問題となるのは、③・④の場合であるので以下検討する。

(1)　被告人勾留はあるが被疑者勾留はない場合（③の場合）

　A　身柄不拘束被疑者の取調べに準ずる配慮が必要とする見解（旭川地判昭60.3.20）

　B　取調べに弁護人の立会いを要求し、別件起訴として違法となる場合を認める見解

　∵①　勾留中の被告人に在宅被疑者と同じ権利行使を期待することは非現実的であるから、弁護人の立会いを必要とすべきである

　　②　勾留期間が被疑者勾留よりも長期である被告人勾留を利用して被疑者取調べが行われる危険がある。重大な被疑事件の取調べに利用する目的で、軽微な被告事件で起訴・勾留する場合は違法な別件起訴としなければならない

▼　**最決昭53.7.3**

「起訴後の勾留中であっても起訴されていない余罪につき任意に取調べをなすことは違法とはいえない」と判示して、被告人の余罪取調べについて任意捜査として取り調べることは違法ではないとする。

▼　**旭川地判昭60.3.20**

事案：　業務上横領事件で起訴したのちその勾留を利用して殺人事件の取調べを行い、その結果、殺人の自白を得たので殺人で逮捕・勾留し、起訴した。

判旨：　この場合の殺人事件の取調べは任意捜査であるから「身柄不拘束の被疑者を取り調べる場合に準ずるような配慮をしなければならない」として本件取調べを違法とし、殺人につき無罪とした。

(2)　被告人勾留があり被疑者勾留もある場合（④の場合）

　この場合は、余罪被疑事件について身柄拘束がなされているので、身柄拘束中の被疑者に対する取調べ論がそのまま妥当するようにも思える。しかし、被疑事件の取調べによって被告事件の防御権が侵害されないことが保障

捜査

されなければならない。特に、被疑事件の捜査の必要を理由とする接見交通の指定については、被告事件についての防御権の不当な制限にわたることがあってはならない（39Ⅲ）。

七　取調べに対する被疑者の防御

1　事前規制

①黙秘権（憲38Ⅰ、法198Ⅱ）、②接見交通権（憲34前段、法39Ⅰ）、③出頭の拒否・出頭後の退出（198Ⅰ）、④供述調書作成の適正化（198ⅢⅣⅤ）

2　事後規制

①自白法則（憲38Ⅱ、法319Ⅰ）・補強法則（憲38Ⅲ、法319Ⅱ）、②不当な取調べに対する国家賠償（国賠1Ⅰ）・職権濫用罪（刑193以下）

八　捜査における被疑者の防御

1　被疑者の防御の種類

①　黙秘権（憲38Ⅰ、法198Ⅱ）

②　積極的に捜査処分を争う権利

ex.　勾留理由開示請求権（憲34後段、法207Ⅰ、82）、勾留の取消請求権（207Ⅰ、87Ⅰ、91）、不服申立権（429、430）

③　自らの証拠を収集・保全する権利（法179、規137、138）

④　弁護人依頼権（憲34前段、法30Ⅰ・203Ⅰ等）

2　被告人との差異

被疑者の権利保障につき訴訟当事者である被告人とは以下のような差異を設けている。

①　被疑者と弁護人との接見制限もありうるとの規定が置かれている（39Ⅲ）。

②　被疑者には保釈制度がない（207Ⅰただし書）。

③　被疑者は強制処分に際して立会権が認められていない。

九　黙秘権

1　自己負罪拒否特権

憲法38条1項は、「何人も、自己に不利益な供述を強要されない」と定める。このように、供述の強要から保護される人の法的地位を自己負罪拒否特権という。

判例（最大判昭32.2.20）は、憲法38条1項の法意について、「何人も自己が刑事上の責任を問われる虞ある事項について供述を強要されないことを保障したもの」であるとしている。

2　証言拒否権と黙秘権

自己負罪拒否特権を保障した憲法38条1項を受けて、刑訴法は、証人について証言拒否権を定め（146）、被告人については、「終始沈黙」することができるとして、いわゆる包括的黙秘権を保障している（311Ⅰ、291Ⅴ）。

3 被疑者の黙秘権

(1) 黙秘権の根拠

　被疑者については、刑訴法上被告人のような明文規定はないが、198条2項は、捜査機関に対する告知義務を通して、被疑者に黙秘権を保障したものと解されている《チ》。

(2) 被疑者の黙秘権の法的性格

　現行法における被疑者の地位を考慮すれば、被疑者の黙秘権も被告人の包括的黙秘権と同質のものと理解すべきといえる。

4 黙秘しうる事項

(1) 氏名に黙秘権は及ぶか

　判例（最大判昭32.2.20）は、被告人の氏名には黙秘権が及ばないので、刑事施設の居室番号の自署、拇印等により自己を表示してなされた弁護人選任届であっても、被告人がその氏名を黙秘してなされた場合には、その弁護人選任届を不適法として却下することができる旨判示している《チ》。

　∴　氏名は、原則として不利益な事項に該当するものではない

(2) 刑事免責が黙秘権を侵害しないか

　下記の判例は、自己負罪拒否特権を侵害するかの問題にふれることなく、刑事免責による証言強制によって得た嘱託尋問調書の証拠能力を直ちに否定した。

▼ ロッキード事件丸紅ルート最高裁判決（最大判平7.2.22・百選63事件）《チ》

　「我が国の憲法が、その刑事手続に関する諸規定に照らし、このような（刑事免責）制度の導入を否定しているものとまでは解されないが、刑訴法は、この制度に関する規定を置いていない。この制度は、前記のような合目的的な制度として機能する反面、犯罪に関係のある者の利害に直接関係し、刑事手続上重要な事項に影響を及ぼす制度であるところからすれば、これを採用するかどうかは、これを必要とする事情の有無、公正な刑事手続の観点からの当否、国民の法感情からみて公正感に合致するかどうかなどの事情を慎重に考慮して決定されるべきものであり、これを採用するのであれば、その対象範囲、手続要件効果等を明文をもって規定すべきものと解される。しかし、我が国の刑訴法は、この制度に関する規定を置いていないのであるから、結局、この制度を採用していないものというべきであり、刑事免責を付与して得られた供述を事実認定の証拠とすることは、許されない」。

　※　なお、平成28年改正により、刑事免責制度（157の2・157の3　⇒p.69以下）や合意制度（350の2以下　⇒p.492以下）が導入された。

5　呼気の採取

道交法 67 条 3 項による警察官の呼気検査は黙秘権を侵害するか、呼気が「供述」といえるかが問題となる。判例（最判平 9.1.30・百選 A 8 事件）は、憲法 38 条 1 項による強要禁止の対象が、言語を用いた意思・観念の伝達行為に限定されるという観点から、これを否定している。

▼　**最判平 9.1.30・百選 A8 事件**

事案：　道路交通法 120 条 1 項 11 号（現 67 条 3 項、118 条の 2）の呼気検査拒否罪の規定が、自己に不利益な供述を強要されないとする憲法 38 条 1 項に違反するかが争われた。

判旨：　**右検査は、酒気を帯びて車両等を運転することの防止を目的として運転手らから呼気を採取してアルコール保有の程度を調査するものであって、その供述を得ようとするものではないから、右道路交通法の規定は、憲法 38 条 1 項に違反するものではない。**

6　ポリグラフ検査　⇒ p.421

ポリグラフ検査は黙秘権を侵害するか。生理的変化が「供述」といえるかが問題となる。

A　非供述説

被疑者の供述とはいえず、黙秘権侵害の問題は生じないが、単なる身体検査ではなく心理の検査であるから、現行法上被検査者の同意がなければ許されないとする見解

∵①　質問を発する場合でも、被検査者の答えは必ずしも必要ではない

②　証拠に使われるのは生理的変化にすぎないから黙秘権の侵害にはならない

B　供述説

被疑者の供述の一種であるので、黙秘権侵害の問題となり、被検査者の同意がなければ許されないとする見解

∵①　生理的変化は独立に証拠となるのではなく、発問との対応で証拠的意味をもつので、供述証拠の性質がある

②　生理的・心理的反応を介して被検査者の意思を伝達させようとするものであるから、それは強制的な供述の取得に他ならない

▼　**東京高決昭 41.6.30**

質問に対して答弁したとしても「心理検査の結果を非供述証拠として使用するに過ぎない」から黙秘権侵害の問題は生じないと判示した。

7　被疑者の黙秘権の担保
(1)　黙秘権の告知
　　黙秘権の告知（198Ⅱ）については、憲法上も要求されているか。

▼　**最判昭 25.11.21**

　　黙秘権の告知は憲法 38 条 1 項が義務づけるところではないとする。

(2)　弁護人との接見交通権
　　　→黙秘権等を効果的に行使するため、弁護人依頼権（憲 34 前段、法 30）
　　　　は単なる弁護人選任権のみならず、接見交通権を保障している（39Ⅰ）
8　行政取締目的のための記帳・報告義務が黙秘権を侵害するか
(1)　行政手続に黙秘権の保障は及ぶか

▼　**川崎民商事件（最大判昭 47.11.22）**

　　憲法 38 条 1 項の黙秘権の保障は、刑事手続以外の手続でも、「実質上、刑事
責任追及のための資料の取得収集に直接結び付く作用を一般的に有する手続」
に及ぶと判示した。

▼　**最判昭 56.11.26**

　　本邦に入国した外国人に対し一定期間内に外国人登録を申請しなければなら
ないと定める外国人登録法 3 条について、外国人の居住関係及び身分関係を明
確にするためのものであるから憲法 38 条 1 項には反しないとした。

(2)　麻薬取扱者に記帳義務を課すことは黙秘権を侵害しないか

▼　**最大判昭 31.7.18・百選〔第 10 版〕A52 事件**

　　前出のような規定は「麻薬の性能にかんがみ、その取扱の適正を確保するた
めの必要な取締手続」であるから憲法 38 条 1 項の保障とは関係ないとする。

▼　**最判昭 29.7.16**

　　「麻薬取扱者たることを自ら申請して免許された者は、そのことによって当然
麻薬取締法規による厳重な監査を受け、その命ずる一切の制限または義務に服
することを受諾しているものというべきである」として記帳義務を肯定する。

(3)　交通事故の報告義務が黙秘権を侵害しないか
　　判例（最大判昭 37.5.2・百選 A 9 事件）は、①「道路における危険とこれ
による被害の増大とを防止し、交通の安全を図る等のため必要かつ合理的な
規定」であり、②「刑事責任を問われる虞のある事故の原因その他の事項ま
でも報告義務のある事項中に含まれるものとは解されない」から憲法 38 条
1 項の法意に反することはないとする。

▼ **最判昭 45.7.28**

　　事故報告義務違反に対して刑罰を科する道路交通法 119 条 1 項 10 号は、最大判昭 37.5.2・百選Ａ 9 事件の趣旨に照らし違憲ではないとする。

（4）　医師法上の異常死体等届出義務は黙秘権を侵害しないか

▼ **最判平 16.4.13・平 16 重判 1 事件**

　　「本件届出義務は、警察官が犯罪捜査の端緒を得ることを容易にするほか、場合によっては、警察官が緊急に被害の拡大防止措置を講ずるなどして社会防衛を図ることを可能にするという役割をも担った行政手続上の義務と解される。そして、異状死体は、人の死亡を伴う重い犯罪にかかわる可能性があるものであるから、上記のいずれの役割においても本件届出義務の公益上の必要性は高いというべきである。他方、……本件届出義務は、……これにより、届出人と死体とのかかわり等、犯罪行為を構成する事項の供述までも強制されるものではない。また、医師免許は、人の生命を直接左右する診療行為を行う資格を付与するとともに、それに伴う社会的責務を課するものである。このような本件届出義務の性質、内容・程度及び医師という資格の特質と、本件届出義務に関する前記のような公益上の高度の必要性に照らすと、医師が、同義務の履行により、捜査機関に対し自己の犯罪が発覚する端緒を与えることにもなり得るなどの点で、一定の不利益を負う可能性があっても、それは、医師免許に付随する合理的根拠のある負担として許容されるものというべきである。」

9　黙秘権の効果
　　①　供述しないことに対する制裁の禁止
　　②　黙秘権を侵害して得られた証拠の排除　⇒ p.419
　　③　不利益推認の禁止

第199条 （逮捕状による逮捕の要件）📖

Ⅰ　検察官、検察事務官又は司法警察職員は、被疑者が罪を犯したことを疑うに足りる相当な理由があるときは、裁判官のあらかじめ発する逮捕状により、これを逮捕することができる。ただし、３０万円（刑法、暴力行為等処罰に関する法律及び経済関係罰則の整備に関する法律の罪以外の罪については、当分の間、２万円）以下の罰金、拘留又は科料に当たる罪については、被疑者が定まつた住居を有しない場合又は正当な理由がなく前条の規定による出頭の求めに応じない場合に限る。

Ⅱ　裁判官は、被疑者が罪を犯したことを疑うに足りる相当な理由があると認めるときは、検察官又は司法警察員（警察官たる司法警察員については、国家公安委員会又は都道府県公安委員会が指定する警部以上の者に限る。次項及び第２０１条の２第１項において同じ。）の請求により、前項の逮捕状を発する🈲。ただし、明らかに逮捕の必要がないと認めるときは、この限りでない。

Ⅲ　検察官又は司法警察員は、第1項の逮捕状を請求する場合において、同一の犯罪事実についてその被疑者に対し前に逮捕状の請求又はその発付があつたときは、その旨を裁判所に通知しなければならない。

第200条 〔逮捕状の方式〕

Ⅰ　逮捕状には、被疑者の氏名及び住居、罪名、被疑事実の要旨、引致すべき官公署その他の場所、有効期間及びその期間経過後は逮捕をすることができず令状はこれを返還しなければならない旨並びに発付の年月日その他裁判所の規則で定める事項を記載し、裁判官が、これに記名押印しなければならない。

Ⅱ　第64条第2項＜氏名不明の場合の特定記載事項＞及び第3項の規定は、逮捕状についてこれを準用する。

第201条 〔逮捕状による逮捕の手続〕

Ⅰ　逮捕状により被疑者を逮捕するには、逮捕状を被疑者に示さなければならない 司 。

Ⅱ　第73条第3項＜勾引状・勾留状の緊急執行＞の規定は、逮捕状により被疑者を逮捕する場合にこれを準用する 司予 。

[趣旨] 199条は、憲法33条に基づく令状主義の精神を受けて、あらかじめ発付された逮捕状による逮捕である通常逮捕について定めるものである。3項は再逮捕の存在を予定しているが、逮捕の厳格な時間的制約（203以下）の潜脱を防止すべく、再逮捕は原則として禁止されるというべきであり（再逮捕禁止の原則）、例外を認めるには慎重な検討を要するとされる。

《注　釈》

一　通常逮捕

通常逮捕とは、令状（逮捕状）による逮捕のことをいう（199Ⅰ）。

憲法33条は、逮捕するには、「権限を有する司法官憲」の発する令状によることが原則であるとしており、通常逮捕が逮捕の原則型である。

二　通常逮捕の要件 司H23

手続要件　→手続の履践（後述）

実体要件　→①逮捕の理由、②逮捕の必要性の存在

1　逮捕の理由

逮捕の理由とは、「被疑者が罪を犯したことを疑うに足りる相当な理由のある」（199Ⅰ本文）こと、つまり、嫌疑の相当性があることをいう。

▼ **大阪高判昭50.12.2**

「逮捕の理由とは罪を犯したことを疑うに足りる相当な理由をいうが、ここに相当な理由とは捜査機関の単なる主観的嫌疑では足りず、証拠資料に裏付けられた客観的・合理的な嫌疑でなければならない。もとより、捜査段階のことであるから、有罪判決の事実認定に要求される合理的疑いを超える程度の高度の証明は必要でなく、また、公訴を提起するに足りる程度の嫌疑までも要求されていないことは勿論であり、さらには勾留理由として要求されている相当の嫌疑よりも低い程度の嫌疑で足りると解せられる」とする。

2 逮捕の必要性〈同〉

逮捕の理由がある場合であっても、「明らかに逮捕の必要がないと認めるときは」逮捕状の請求は却下される（199Ⅱただし書）。「逮捕の必要がない」とは、被疑者の年齢、境遇、犯罪の軽重及び態様等の諸般の事情に照らし、被疑者が逃亡するおそれがなく、かつ、罪証を隠滅するおそれがない等の事情をいう（規143の3）。

3 捜査機関への不出頭と逮捕の必要性

被疑者の不出頭により、逮捕の必要性がみたされるかが、199条1項ただし書との関係で問題となる。

A 肯定説

正当な理由なくして出頭しない場合には、それだけで逮捕の必要性を肯定することができる。

∵① 199条1項ただし書は、一定の軽微事件については、正当な理由なく捜査機関の出頭要求に応じなければ、逃亡又は罪証隠滅のおそれがなくとも逮捕を許す趣旨である

② 規則143条の3が、逃亡、罪証隠滅のおそれがない「等」逮捕の必要がないと認めるときを規定している

B 否定説

正当な理由なくして出頭しない場合にも、逮捕の必要性を肯定することは許されない。

∵① 取調べのための呼出しが相手方に任意の捜査協力を依頼する意思表示である以上、これに応じないことは、任意捜査に協力しないとの意思表示であり、198条1項ただし書の出頭拒否権の行使である。したがって、権利行使自体を不利益に扱うことはできない

② 199条1項ただし書は、一定の軽微事件については逃亡又は罪証隠滅のおそれがあるだけでは逮捕できず、それに加えて掲記の事情があって初めて逮捕できるとして、逮捕要件を加重した趣旨である

③ 規則143条の3は、逃亡、罪証隠滅のおそれのないときに準じるよ

うな場合にはその必要性がないとして逮捕できないと規定しているのであって、積極的に逮捕ができる場合を規定したものではない

C　不出頭それ自体は逮捕の理由とならないが、不出頭が重なることにより逮捕の必要性が推認されるとする見解

　∵①　否定説の理由
　　②　不出頭が度重なるときは、逃亡又は罪証隠滅のおそれが認められると考えられる

▼　**指紋押捺拒否事件（最判平 10.9.7）**

　　逮捕の必要について検討するに、本件における事実関係によれば、「被上告人について、逃亡のおそれ及び指紋押なつをしなかったとの事実に関する罪証隠滅のおそれが強いものであったということはできないが、Ｘは、巡査部長らから５回にわたって任意出頭するように求められながら、正当な理由がなく出頭せず、また、被上告人の行動には組織的な背景が存することがうかがわれたこと等にかんがみると、本件においては、明らかに逮捕の必要がなかったということはできず、逮捕状の請求及びその発付は、刑訴法及び刑訴規則の定める要件を満たす適法なものであったということができる」。

三　通常逮捕の手続

　通常逮捕は、①逮捕状の請求→②逮捕状の発付→③逮捕の実行という順序で行われ、④逮捕後の手続に至る。

1　逮捕状の請求

(1)　請求権者

　検察官又は司法警察員（警察官である司法警察員については、いわゆる指定警部以上の者に限られる）に限定される（199Ⅱ、規141の2）。

(2)　請求の方式

　①一定の請求書（規142）及び、②逮捕の理由と必要性があることを認めるべき資料を提供することが必要である（規143）。

2　逮捕状の発付

3　逮捕の実行

(1)　要件

　請求を受けた裁判官は、逮捕の理由と必要性について審査する。

　逮捕の理由があると認めるときは、明らかに逮捕の必要がないと認められる場合を除いて、逮捕状を発付しなければならない（199Ⅱ）。

(2)　方式

　逮捕状には、被疑者の氏名・住居・罪名、被疑事実の要旨、引致すべき場所、有効期間などが記入され、裁判官が記名押印する（200、規144～146）。

(a) 逮捕権者〈司予〉

検察官、検察事務官又は司法警察職員（199Ⅰ）。

(b) 通常執行（201Ⅰ）

被疑者に逮捕状を示さなければならない。

(c) 緊急執行（201Ⅱ、73Ⅲ）〈司〉

逮捕状を所持していなくても、急速を要する場合には、被疑事実の要旨及び令状が発せられている旨を告げて逮捕できる。

もっとも、できる限り速やかに逮捕状を被疑者に示さなければならない。

4 逮捕後の手続〈司予〉

被疑者は逮捕後一定期間留置されるが、その後は検察官による勾留請求へと進む可能性がある。このとき、①司法巡査又は司法警察員が直接逮捕し検察官に送致する場合（警察ルート）と②検察官又は検察事務官が直接逮捕した場合（検察ルート）の2つの流れができる。

＜逮捕後の手続（警察ルート）＞

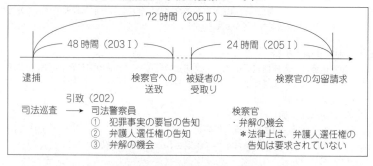

＜逮捕後の手続（検察ルート）＞

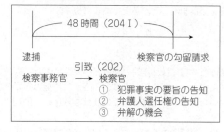

四　逮捕に際しての実力行使

▼　**最判昭50.4.3**

　　　現行犯逮捕の事案について、「その際の状況から見て社会通念上逮捕のために必要かつ相当であると認められる限度内の実力を行使することが許され」ると判示した。

五　逮捕された被疑者に対する捜査処分

1　許される場合
　被疑者が任意に応じる場合・明文の許容法規がある場合等
　ex.　実況見分の立会い
2　許されない場合
　新たな強制処分を行う場合
　→別個の令状によるべき　ex.　検証への立会い、強制採尿

第201条の2

Ⅰ　検察官又は司法警察員は、次に掲げる者の個人特定事項（氏名及び住所その他の個人を特定させることとなる事項をいう。以下同じ。）について、必要と認めるときは、第199条第2項本文の請求と同時に、裁判官に対し、被疑者に示すものとして、当該個人特定事項の記載がない逮捕状の抄本その他の逮捕状に代わるものの交付を請求することができる。

　①　次に掲げる事件の被害者

　イ　刑法第176条、第177条、第179条、第181条若しくは第182条の罪、同法第225条若しくは第226条の2第3項の罪（わいせつ又は結婚の目的に係る部分に限る。以下このイにおいて同じ。）、同法第227条第1項（同法第225条又は第226条の2第3項の罪を犯した者を幇助する目的に係る部分に限る。）若しくは第3項（わいせつの目的に係る部分に限る。）の罪若しくは同法第241条第1項若しくは第3項の罪又はこれらの罪の未遂罪に係る事件

　ロ　児童福祉法第60条第1項の罪若しくは同法第34条第1項第9号に係る同法第60条第2項の罪、児童買春、児童ポルノに係る行為等の規制及び処罰並びに児童の保護等に関する法律第4条から第8条までの罪又は性的な姿態を撮影する行為等の処罰及び押収物に記録された性的な姿態の影像に係る電磁的記録の消去等に関する法律第2条から第6条までの罪に係る事件

　ハ　イ及びロに掲げる事件のほか、犯行の態様、被害の状況その他の事情により、被害者の個人特定事項が被疑者に知られることにより次に掲げるおそれがあると認められる事件

(1) 被害者等（被害者又は被害者が死亡した場合若しくはその心身に重大な故障がある場合におけるその配偶者、直系の親族若しくは兄弟姉妹をいう。以下同じ。）の名誉又は社会生活の平穏が著しく害されるおそれ

(2) (1)に掲げるもののほか、被害者若しくはその親族の身体若しくは財産に害を加え又はこれらの者を畏怖させ若しくは困惑させる行為がなされるおそれ

② 前号に掲げる者のほか、個人特定事項が被疑者に知られることにより次に掲げるおそれがあると認められる者

イ その者の名誉又は社会生活の平穏が著しく害されるおそれ

ロ イに掲げるもののほか、その者若しくはその親族の身体若しくは財産に害を加え又はこれらの者を畏怖させ若しくは困惑させる行為がなされるおそれ

Ⅱ 裁判官は、前項の規定による請求を受けた場合において、第199条第2項の規定により逮捕状を発するときは、これと同時に、被疑者に示すものとして、当該請求に係る個人特定事項を明らかにしない方法により被疑事実の要旨を記載した逮捕状の抄本その他の逮捕状に代わるものを交付するものとする。ただし、当該請求に係る者が前項第1号又は第2号に掲げる者に該当しないことが明らかなときは、この限りでない。

Ⅲ 前項の規定による逮捕状に代わるものの交付があつたときは、前条第1項の規定にかかわらず、逮捕状により被疑者を逮捕するに当たり、当該逮捕状に代わるものを被疑者に示すことができる。

Ⅳ 第2項の規定による逮捕状に代わるものの交付があつた場合において、当該逮捕状に代わるものを所持しないためこれを示すことができない場合であつて、急速を要するときは、前条第1項の規定及び同条第2項において準用する第73条第3項の規定にかかわらず、被疑者に対し、逮捕状に記載された個人特定事項のうち当該逮捕状に代わるものに記載がないものを明らかにしない方法により被疑事実の要旨を告げるとともに、逮捕状が発せられている旨を告げて、逮捕状により被疑者を逮捕することができる。ただし、当該逮捕状に代わるものは、できる限り速やかに示さなければならない。

第202条 〔検察官・司法警察員への引致〕

検察事務官又は司法巡査が逮捕状により被疑者を逮捕したときは、直ちに、検察事務官はこれを検察官に、司法巡査はこれを司法警察員に引致しなければならない〈同〉。

第203条 〔司法警察員の手続、検察官送致の時間の制限〕〈同〉

Ⅰ 司法警察員は、逮捕状により被疑者を逮捕したとき、又は逮捕状により逮捕された被疑者を受け取つたときは、直ちに犯罪事実の要旨及び弁護人を選任することができる旨を告げた上、弁解の機会を与え、留置の必要がないと思料するときは直ちにこれを釈放し、留置の必要があると思料するときは被疑者が身体を拘束された時から48時間以内に書類及び証拠物とともにこれを検察官に送致する手続をしなければならない〈予〉。

Ⅱ　前項の場合において、被疑者に弁護人の有無を尋ね、弁護人があるときは、弁護人を選任することができる旨は、これを告げることを要しない。

Ⅲ　司法警察員は、第1項の規定により弁護人を選任することができる旨を告げるに当たつては、被疑者に対し、弁護士、弁護士法人又は弁護士会を指定して弁護人の選任を申し出ることができる旨及びその申出先を教示しなければならない。

Ⅳ　司法警察員は、第1項の規定により弁護人を選任することができる旨を告げるに当たつては、被疑者に対し、引き続き勾留を請求された場合において貧困その他の事由により自ら弁護人を選任することができないときは裁判官に対して弁護人の選任を請求することができる旨並びに裁判官に対して弁護人の選任を請求するには資力申告書を提出しなければならない旨及びその資力が基準額以上であるときは、あらかじめ、弁護士会（第37条の3第2項の規定により第31条の2第1項の申出をすべき弁護士会をいう。）に弁護人の選任の申出をしていなければならない旨を教示しなければならない。

Ⅴ　第1項の時間の制限内に送致の手続をしないときは、直ちに被疑者を釈放しなければならない。

第204条　〔検察官の手続・勾留請求の時間の制限〕

Ⅰ　検察官は、逮捕状により被疑者を逮捕したとき、又は逮捕状により逮捕された被疑者（前条の規定により送致された被疑者を除く。）を受け取つたときは、直ちに犯罪事実の要旨及び弁護人を選任することができる旨を告げた上、弁解の機会を与え、留置の必要がないと思料するときは直ちにこれを釈放し、留置の必要があると思料するときは被疑者が身体を拘束された時から48時間以内に裁判官に被疑者の勾留を請求しなければならない〈共予〉。但し、その時間の制限内に公訴を提起したときは、勾留の請求をすることを要しない〈予〉。

Ⅱ　検察官は、前項の規定により弁護人を選任することができる旨を告げるに当たつては、被疑者に対し、弁護士、弁護士法人又は弁護士会を指定して弁護人の選任を申し出ることができる旨及びその申出先を教示しなければならない。

Ⅲ　検察官は、第1項の規定により弁護人を選任することができる旨を告げるに当たつては、被疑者に対し、引き続き勾留を請求された場合において貧困その他の事由により自ら弁護人を選任することができないときは裁判官に対して弁護人の選任を請求することができる旨並びに裁判官に対して弁護人の選任を請求するには資力申告書を提出しなければならない旨及びその資力が基準額以上であるときは、あらかじめ、弁護士会（第37条の3第2項の規定により第31条の2第1項の申出をすべき弁護士会をいう。）に弁護人の選任の申出をしていなければならない旨を教示しなければならない。

Ⅳ　第1項の時間の制限内に勾留の請求又は公訴の提起をしないときは、直ちに被疑者を釈放しなければならない。

Ⅴ　前条第2項の規定は、第1項の場合にこれを準用する。

第205条 〔司法警察員から送致を受けた検察官の手続・勾留請求の時間の制限〕

Ⅰ 検察官は、第203条の規定により送致された被疑者を受け取つたときは、弁解の機会を与え、留置の必要がないと思料するときは直ちにこれを釈放し、留置の必要があると思料するときは被疑者を受け取つた時から24時間以内に裁判官に被疑者の勾留を請求しなければならない〈同共予〉。

Ⅱ 前項の時間の制限は、被疑者が身体を拘束された時から72時間を超えることができない〈共予〉。

Ⅲ 前2項の時間の制限内に公訴を提起したときは、勾留の請求をすることを要しない〈共予〉。

Ⅳ 第1項及び第2項の時間の制限内に勾留の請求又は公訴の提起をしないときは、直ちに被疑者を釈放しなければならない〈共〉。

第206条 〔制限時間の不遵守と免責〕

Ⅰ 検察官又は司法警察員がやむを得ない事情によつて前3条の時間の制限に従うことができなかつたときは、検察官は、裁判官にその事由を疎明して、被疑者の勾留を請求することができる。

Ⅱ 前項の請求を受けた裁判官は、その遅延がやむを得ない事由に基く正当なものであると認める場合でなければ、勾留状を発することができない。

🖊第207条 〔被疑者の勾留〕〈同〉

Ⅰ 前3条の規定による勾留の請求を受けた裁判官は、その処分に関し裁判所又は裁判長と同一の権限を有する〈共予〉。但し、保釈については、この限りでない〈共予〉。

Ⅱ 前項の裁判官は、勾留を請求された被疑者に被疑事件を告げる際に、被疑者に対し、弁護人を選任することができる旨及び貧困その他の事由により自ら弁護人を選任することができないときは弁護人の選任を請求することができる旨を告げなければならない。ただし、被疑者に弁護人があるときは、この限りでない〈予〉。

Ⅲ 前項の規定により弁護人を選任することができる旨を告げるに当たつては、勾留された被疑者は弁護士、弁護士法人又は弁護士会を指定して弁護人の選任を申し出ることができる旨及びその申出先を教示しなければならない。

Ⅳ 第2項の規定により弁護人の選任を請求することができる旨を告げるに当たつては、弁護人の選任を請求するには資力申告書を提出しなければならない旨及びその資力が基準額以上であるときは、あらかじめ、弁護士会（第37条の3第2項の規定により第31条の2第1項の申出をすべき弁護士会をいう。）に弁護人の選任の申出をしていなければならない旨を教示しなければならない。

Ⅴ 裁判官は、第1項の勾留の請求を受けたときは、速やかに勾留状を発しなければならない〈予〉。ただし、勾留の理由がないと認めるとき、及び前条第2項の規定により勾留状を発することができないときは、勾留状を発しないで、直ちに被疑者の釈放を命じなければならない。

[趣旨] 勾留には被疑者勾留と被告人勾留の2つがあるが、207条は被疑者勾留に関するものである。逮捕に引き続いて勾留が行われることを逮捕前置主義といい、長期の身柄拘束の前に短期の身柄拘束を先行し、二重の司法審査を要求することが人権保障に資するという点にその趣旨がある。本条1項の「裁判所又は裁判長と同一の権限を有する」とは、総則の被告人勾留に関する規定（60以下）を「準用する」というのと同義である。

《注　釈》

一　勾留 ⇒ p.153 参照

1　意義・目的

（1）勾留とは、被疑者・被告人を比較的長期間拘束する裁判及びその執行のことをいう。

　　勾留には、①起訴前の被疑者段階で拘束される被疑者勾留（起訴前勾留）と、②起訴後被告人となってから拘束される被告人勾留（起訴後勾留）がある。このうち、捜査段階で問題となるのは、①の被疑者勾留である。

　　少年の被疑事件であっても、やむを得ない場合であれば、勾留することができる（少年43Ⅲ、48）〈共 予〉

（2）勾留は、被疑者・被告人の逃亡防止及び罪証隠滅の防止を目的とする。

▼　**最大判昭58.6.22**

　　「未決勾留は、刑事訴訟法の規定に基づき、逃亡又は罪証隠滅の防止を目的として、被疑者……の住居を監獄内に限定するもの」と判示する。

2　実体要件〈司〉〈司H23〉

（1）勾留の理由（207Ⅰ、60Ⅰ）

　（a）「罪を犯したことを疑うに足りる相当な理由」があること

　　　→犯罪の「相当な」嫌疑は、通常逮捕の場合よりも高いものが要求される

　（b）「定まった住居を有しないとき」（60Ⅰ①）、「罪証を隠滅すると疑うに足りる相当な理由があるとき」（同②）、「逃亡し又は逃亡すると疑うに足りる相当な理由があるとき」（同③）のいずれか1つに該当すること

　　　ア　「定まった住居を有しないとき」とは、住所・居所を有しないこと（住居不定）をいう。30万円（刑法等の罪以外の罪については2万円）以下の罰金、拘留又は科料に当たる事件については、住居不定の場合でなければ勾留することができない（60Ⅲ）。

　　　イ　「罪証を隠滅すると疑うに足りる相当な理由」は、単なる抽象的な可能性では足りず、具体的・現実的可能性がある場合でなければならない（最決平26.11.17・百選14事件参照）。「罪証」には、被疑事実の証拠に限られず、検察官の公訴を提起するかどうかの判断や、裁判官の刑の量定に際して参酌される事情に関する証拠も含まれる（最判平10.9.7）。

「隠滅」の具体的な態様としては、物証の毀棄・隠匿、共犯者との通謀、証人・参考人との通謀ないし圧迫等が挙げられる。

→罪証隠滅の主観的可能性、客観的可能性・実効性がなければ罪証隠滅のおそれは認められない

ex.1　被害者が警察官に供述した後に死亡した場合

ex.2　証拠品である覚醒剤がすでに捜査機関に押収されている場合

ウ　「逃亡し又は逃亡すると疑うに足りる相当な理由」は、被疑者の生活状況、犯罪の軽重・態様、その他諸般の事情から判断される。これについても、上記イと同様、具体的・現実的可能性が必要である（最決平27.10.22・平27重判1②事件参照）。

→被疑者が黙秘し、住居・氏名が不明であるときは、逃亡すると疑うに足りる相当な理由があると認められる

エ　逮捕との比較

逮捕状を請求する場合において、「逃亡する虞」がなく、かつ「罪証を隠滅する虞」がない等の「明らかに逮捕の必要がない」ときは、逮捕状の請求が却下される（規143の3）。

これに対し、勾留を請求する場合は、上記イウのとおり、「逃亡し又は逃亡すると疑うに足りる相当な理由」又は「罪証を隠滅すると疑うに足りる相当な理由」がなければ、勾留の請求は却下される。勾留は逮捕と比較して重大な強制処分であるため、「虞」よりも嫌疑の程度の高い「相当な理由」が積極的に認定されなければならないと解されている。

(2)　勾留の必要性（207Ⅰ、87Ⅰ）

「勾留の必要がなくなったとき」（87Ⅰ）とは、勾留の理由はあるが、勾留をすることが相当でないと認められる場合をいう。勾留の必要性は、勾留によって得られる捜査上の利益の程度と、勾留によって生じる権利・利益の侵害の程度とが明らかに均衡を失する場合に否定される。このように、勾留の必要性が要件として求められるのは、勾留が逮捕と比較して重大な強制処分であるためである。

ex.1　住居不定ではあるものの、確実な身元引受人が存在し、逃亡のおそれがないと認められる場合

ex.2　罰金刑が相当であるなど、事案が軽微で身柄を拘束することが均衡を失する場合

3　手続要件

(1)　勾留の前に逮捕手続が先行していること（207Ⅰ、逮捕前置主義）

(2)　裁判官の勾留質問を受けること（207Ⅰ、61）

　(a)　意義

勾留質問とは、裁判官が被疑者に対して被疑事実を告げて、これに対す

る陳述を聞く手続のことをいう（207Ⅰ、61）。

(b) 告知事項

明文はないが、裁判官は弁解の機会を与えるだけでなく、勾留の理由及び黙秘権を告げることを要すると解すべきである。

(c) 勾留質問手続と弁護人の立会い

明文の規定はないが、裁判官の裁量によって勾留質問手続に弁護人立会いを認めることは問題ない（通説）。ただし、被疑者に対する勾留質問の場合、捜査の秘密に配慮する必要があるため、実務上は、ほとんどの場合、弁護人を立ち会わせない運用がなされている【共】。

4 勾留期間【司】

(1) 勾留を請求してから10日（208Ⅰ）が原則である。

→やむを得ない事由があるときは10日を限度として延長できる（208Ⅱ）【予】

→一定の罪に当たる事件についてはさらに5日を限度として延長できる（208の2）

→裁判官は、検察官から勾留期間の延長の請求があった場合でも、その請求された勾留期間よりも短い期間しか延長を認めない裁判をすることができる【共】

(2) 10日より短期の勾留状を発することはできるか。

▼ **大阪地決昭40.8.14**〈司〉

検察官の勾留請求に対し、裁判官が勾留期間を5日間とする勾留の裁判を行ったという事案について、「法定の10日の勾留期間を短縮しうる権限を認めるべき規定もない現行刑事訴訟法の下においては、裁判官がその裁量により右勾留期間を短縮することは違法であるといわざるを得ない」と判示した。

(3) 勾留期間の延長の認められる場合の「やむを得ない事由」（208Ⅱ）

判例は、①事件の複雑性、②証拠収集の遅延若しくは困難性から、さらに取調べをしなければ起訴・不起訴の決定をすることが困難な場合に勾留延長が認められるとする。

▼ **最判昭37.7.3**

「事件の複雑困難（被疑者もしくは被疑事実多数のほか、……被疑者関係人らの供述又はその他の証拠のくいちがいが少からず、あるいは取調を必要と見込まれる関係人、証拠物等多数の場合等）、あるいは証拠収集の遅延もしくは困難（重要と思料される参考人の病気旅行、所在不明もしくは鑑定等に多くの日時を要すること）等により勾留期間を延長してさらに取調をするのでなければ起訴もしくは不起訴の決定をすることが困難な場合をいう」としている。

5　勾留の場所

勾留の場所は、刑事施設である（207 I 、64 I ）。刑事施設には、いわゆる警察留置施設も含まれ（刑事収容15）、これを「代用刑事施設」という（以前は「代用監獄」と呼ばれていた）。実務では、被疑者の勾留の場所は代用刑事施設とされる場合が多い。

▼　**代用監獄での勾留が許されないとした裁判例（浦和地命平4.11.10・百選〔第9版〕A2事件）**

被告人が、余罪捜査を理由に、起訴後も引き続き代用監獄に勾留されていたという事案において、「……起訴後も引き続き代用監獄に勾留するには、その必要性及び相当性につき、それらを基礎付ける特段の事情を要すると考えられる」ところ、本件では、必要性も、相当性も認められないと判示して、職権で、勾留場所を代用監獄から、拘置所に変更した。

▼　**代用監獄での勾留を許した裁判例（東京地決昭47.12.1）**

事案：　被疑者が、窃盗被疑事件につき、勾留場所を代用監獄たる留置場（留置施設）とする勾留の裁判を受け、勾留のまま起訴された。

決旨：　「勾留場所を拘置監たる監獄にするか、代用監獄たる留置場にするかは……裁判官の裁量によって決定すべきものであって」、本件では、原裁判が拘留場所を代用監獄たる留置施設と指定したことが違法とはいえない。

▼　**職権による移監命令（最決平7.4.12・平7重判1事件）**

事案：　代用監獄に勾留されたまま起訴された被告人が、起訴後、勾留場所の指定部分の取消し、勾留場所を拘置所とする旨の勾留の一部取消しを申し立てたところ、裁判官が右請求を却下した。そこで、被告人は右却下の裁判に対して準抗告を申し立てた。

決旨：　「……裁判官は職権により……勾留場所を変更する旨の移監命令を発することができるものと解すべきところ」、移監命令の職権発動を促す趣旨でなされた勾留取消請求を却下した裁判に対して、不服申立てをすることはできない。

二　事件単位の原則〈司共予〉

1　逮捕・勾留の範囲

A　人単位説

逮捕・勾留の効力を被疑者について考える。

∵①　訴訟行為の一回性の原則に反する

②　1人について同時に2回以上の身柄の拘束があることは極めて不自然であり、被疑者の身柄拘束期間を長期化させ、被疑者の人身の自由を弱めることになる

B　事件単位説（通説）

　　逮捕・勾留の効力は、逮捕状・勾留状に記載されている犯罪事実に及ぶと考え、それ以外の事実には及ばないとする。

　　∵①　逮捕・勾留は裁判官の司法審査を受けた被疑事実についてのみ及ぶという点で、令状主義を原則として維持することができる

　　　②　逮捕・勾留の手続は、特定の事実を基礎になされることが予定されている（203、205、207Ⅰ、60Ⅰ、61、64Ⅰ等）

　　→A罪で既に逮捕・勾留されている者を、更にB罪を理由として逮捕・勾留することもできる（二重逮捕・二重勾留）

2　事件単位説における「事件」の範囲

　　→先行する逮捕と勾留、勾留延長で罪名や事実に変動があっても、その基本的事実間に同一性（被疑事実の同一性）があればよく、その判断は、公訴事実の同一性（312Ⅰ）のそれに準じる　⇒p.323

3　余罪捜査の必要を理由とした勾留延長の可否

　　→勾留の基礎となっている事件と余罪たる事件が密接に関連して余罪事件が明らかになれば勾留の基礎となっている事件の犯情も明らかになるという場合は、勾留延長の根拠となしうる

▼　**最判昭37.7.3**

　　「『やむを得ない事由』の存否の判断には当該事件と牽連のある他の事件との関係も相当な限度で考慮に入れることを妨げるものではない」。

三　逮捕前置主義

1　意義

　　逮捕前置主義とは、被疑者の勾留には適法な逮捕が先行する必要があるとする原則をいう。

2　根拠

　　①　207条1項本文は、逮捕から引き続いて検察官が請求するという形でしか勾留を予定していない。

　　②　逮捕と勾留の2段階で要件の審査をした方が、司法的抑制の徹底のためにも好ましい。

　　③　いきなり勾留を認める方が拘束期間が短いようにもみえるが、逮捕だけで釈放される場合もあり、その方が被疑者に有利である。

3　逮捕事実と異なる事実に基づく勾留請求の可否

　　ex.　A罪で逮捕した被疑者を、後に発覚したB罪で勾留請求することができるか（A罪とB罪の間には被疑事実の同一性がないことが前提）

　　　cf.　A罪で逮捕した被疑者を、B罪で勾留請求する場合であっても、その逮捕事実と勾留請求事実の食い違いが、捜査の進展に伴い同一事件の事

捜査

実関係や法的評価が変化した場合であれば、A罪とB罪の間には被疑事実の同一性が認められるため、勾留請求は許される〈予〉

(1) 人単位説からの帰結
  → B罪で勾留請求することもできる

(2) 事件単位説からの帰結
  → B罪で勾留請求することはできない〈予〉

(3) 付加してなされた勾留請求の可否〈同共予〉〈予R5〉
  ex. A罪で逮捕して、逮捕を経ていないB罪の事実をA罪に付加して勾留することは許されるか

  A 消極説
    ∵① 事件単位の原則の徹底
    ② 付加する事実についても、逮捕が前置されている必要がある

  B 積極説（通説）
    ∵① 逮捕された事件については逮捕前置主義が守られており、付加された事実については逮捕期間が短縮されるので、被疑者に有利
    ② 被疑者はいずれにしろ逮捕された事件で勾留されるので、事件単位の原則をこの程度修正することは許される

四 違法逮捕に基づく勾留請求〈予R元〉

1 違法逮捕に基づく勾留請求の可否

  A 肯定説
    逮捕手続に違法がある場合にも、勾留請求は認められる。
    ∵ 逮捕と勾留は別個独立の手続であり、逮捕の違法は勾留の適否とは関係がない

  B 否定説（通説）
    逮捕手続に違法がある場合には、勾留請求は認められない。
    ∵① 逮捕手続に重大な瑕疵・違法が認められる場合、身柄拘束の法的根拠がなくなる以上、被疑者は直ちに釈放されるべきであり、引き続く勾留請求も当然に許されない
    ② 逮捕手続に重大な瑕疵・違法が認められる場合において、引き続く勾留請求を適法とすることは、司法の廉潔性（司法への信頼の保護）や将来の違法捜査抑止の観点から妥当でない
    ③ 刑訴法は逮捕を準抗告の対象としておらず（429 Ⅰ参照）、勾留請求の段階で逮捕に関する違法性も含めて司法審査することが予定されている

2 逮捕手続に違法がある場合、その違法が軽微であっても常に勾留請求は認められないのか。

  先行する逮捕手続の違法が軽微であっても、直ちに勾留が違法となるとす

れば、被疑者の逃亡や罪証隠滅を防いだ状態で捜査を続行することが困難となる。したがって、逮捕手続の違法が重大な場合に限り、勾留請求を却下すべきであると解されている。

3　具体的検討

(1)　逮捕状によらない違法な逮捕（要件をみたさないのに現行犯逮捕した等）の場合

　　→令状主義に反する重大な瑕疵があり、勾留請求は許容されない

▼　**東京地決昭 39.10.15**

「逮捕が違法である以上、検察官としては直ちに被疑者の釈放を命ずべきであって勾留の請求をすることができず、たとえ勾留請求がなされても不適法な請求であるから、裁判官は勾留状を発付することができない」。

(2)　任意同行が実質的逮捕と評価され、引き続いて正式な逮捕手続がとられ勾留請求された場合

　(a)　あらかじめ逮捕状の発付を得て任意同行した場合

　　　　①実質的逮捕時点を起点とする制限時間内である限り請求は認められるとする裁判例（神戸地決昭 43.7.9）と、②「実質逮捕の時点から計算しても制限時間不遵守の問題は生じないけれども、約5時間にも及ぶ逮捕状によらない逮捕という令状主義違反の違法は、それ自体重大な瑕疵であって、制限時間遵守によりその違法性が治癒されるものとはされない」とする裁判例（富山地決昭 54.7.26・百選5事件）とがある。

　(b)　実質的逮捕の時点で未だ逮捕状が発付されていなかった場合

▼　**東京高判昭 54.8.14・百選 15 事件**

駐在所から警察署への同行は、Xが「始めに『どこにでも行ってよい』旨述べたとはいえ、その場所・方法・態様・時刻・同行後の状況等からして、逮捕と同一視できる程度の強制力を加えられていたもので、実質的には逮捕行為にあたる違法なものといわざるをえない。しかし、当時警察官は緊急逮捕はできないと判断していたのではあるが、前記の諸事情、特に、買い物袋窃取の犯人が乗って逃走した自動車をその2、3時間後にXが運転しており、しかも警察官の停止合図を無視して逃走したこと、約1週間前に遠隔地の刑務所を出所したばかりで、しかも運転免許を持たないXが数時間前に盗まれた自動車を運転していたことなどからすると、右実質的逮捕の時点において緊急逮捕の理由と必要性はあったと認めるのが相当であり、他方、右実質的逮捕の約3時間後には逮捕令状による通常逮捕の手続がとられていること、右実質的逮捕の時から48時間以内に検察官への送致手続がとられており、勾留請求の時期についても違法の点は認められないことを合わせ考えると、右実質的逮捕の違法性の程度はその後になされた勾留を違法ならしめるほど重大なものではないと考えられる」。

五　一罪一逮捕一勾留の原則 ⟨司共⟩

1　意義

同一の被疑事実については、原則として、1つの逮捕・勾留を1回に限り行うことができるとする原則をいう。

一罪一逮捕一勾留の原則には、同一の被疑事実について、①同時に2個以上の身柄拘束を許さないという側面（重複逮捕・重複勾留禁止の原則）と、②同一の被疑事実による身柄拘束は異なった時点であっても1回しか許さないという側面（再逮捕・再勾留禁止の原則）がある。以下では、①重複逮捕・重複勾留禁止の原則を単に「一罪一逮捕一勾留の原則」といい、詳しく説明する。なお、②再逮捕・再勾留禁止の原則の例外については、後に詳しく説明する。
⇒p.142

そして、ここにいう「一罪」とは、実体法上の一罪と解するのが通説である（実体法上一罪説）。

2　根拠

一罪一逮捕一勾留の原則の趣旨は、実体法上一罪の関係にある被疑事実について、逮捕・勾留の繰り返しや重複を無条件に許せば、法が定める厳格な身柄拘束期間の制限（203以下）が無意味になり、身体拘束の不当な蒸し返しになるので、これを回避する点にある。

3　一罪一逮捕一勾留の原則が適用されない場合

(1) 被疑者（以下「甲」とする）のA事実による逮捕・勾留が終了した後に、甲が新たに常習一罪の関係にあるB事実を新たに犯した場合

A事実とB事実は実体法上一罪の関係にあり、既にA事実で身柄拘束された以上、B事実について再度逮捕・勾留することはできないとも思える。もっとも、A事実の勾留の時点で、B事実は行われていなかったのであるから、A事実による逮捕・勾留中に、同時にB事実について捜査を遂げ得る可能性がなかった（同時処理が不可能であった）といえる。このように、同時処理が不可能な場合は、逮捕・勾留の繰り返しや重複という問題が生じない以上、一罪一逮捕一勾留の原則の根拠は妥当しない。

→A事実とB事実は別の被疑事実として扱われ、後のB事実について逮捕・勾留することは適法である

(2) 甲がA事実により逮捕・勾留され、起訴された後、保釈中に常習一罪の関係にあるC事実を新たに犯した場合

A事実とC事実と実体法上一罪の関係にあり、保釈中であっても勾留の効力は継続している以上、C事実について重ねて逮捕・勾留することはできないとも思える。もっとも、上記(1)の場合と同様、捜査機関はC事実について同時処理が不可能であったといえるので、一罪一逮捕一勾留の原則がそもそも適用されない。

→A事実とC事実は別の被疑事実として扱われ、後のC事実について逮捕・勾留することは適法である

以上より、上記(1)(2)のように同時処理の可能性がない場合は、実体法上は一罪であっても、手続法の身体拘束に関しては一罪（同一の被疑事実）として扱われないため、一罪一逮捕一勾留の原則はそもそも適用されないと解される。

4　一罪一逮捕一勾留の原則が適用される場合
(1)　実体法上一罪関係にある犯罪事実を分割してそれぞれにつき逮捕・勾留する場合〈予〉

　　ex. 強盗の被疑事実を暴行の被疑事実と窃盗の被疑事実に分割し、暴行の被疑事実で逮捕・勾留された後に、改めて、窃盗の被疑事実で逮捕状を請求することは、実体法上一罪の関係にある被疑事実について重ねて逮捕することになるから、一罪一逮捕一勾留の原則に反し、許されない

(2)　甲をA事実により逮捕・勾留し、さらに科刑上一罪（観念的競合・牽連犯、刑54Ⅰ参照）の関係にあるB事実により逮捕・勾留する場合〈予〉

　　ex. 科刑上一罪である住居侵入・強盗の事案において、甲が強盗罪で逮捕された後、これに引き続く勾留請求が却下された場合、さらに住居侵入罪で逮捕・勾留することは、実体法上一罪の関係にある被疑事実について重ねて逮捕することになるから、一罪一逮捕一勾留の原則に反し、許されない

(3)　甲のA事実による逮捕・勾留がなお継続している間に、甲がA事実による身柄拘束以前にA事実と常習一罪の関係にあるB事実も行っていたことが判明した場合

　　上記3(1)(2)の場合と異なり、ここのB事実は、当初のA事実による逮捕・勾留の前の犯罪であるから、A事実による逮捕・勾留中に同時にB事実について捜査を遂げ得る可能性がある（同時処理が可能である）といえる。したがって、実体法上一罪の関係にあるB事実について重ねて逮捕・勾留することは、原則として一罪一逮捕一勾留の原則に反し、許されない。

　　→もっとも、身体拘束の不当な蒸し返しを防ぐという趣旨に基づく再逮捕・再勾留禁止の原則にも例外が認められるのと同様、この場合においても、①新証拠の発見、逃亡・罪証隠滅のおそれの再発生などの事情変更による重複逮捕の必要性が認められ、②事案の重大性、重複逮捕の必要性その他諸般の事情から、被疑者の利益を考慮しても重複逮捕がやむを得ない場合であり、③身体の拘束の不当な蒸し返しとはいえない場合には、例外的に重複逮捕・勾留が認められ得る

5　小括
　　以上の処理をまとめると、まず、①実体法上一罪を構成するか、②同時処理

の可能性があるかを検討し、一罪一逮捕一勾留の原則が適用されて重複逮捕・重複勾留となる場合には、次に③その例外の要件（上記4(3)参照）を満たすかを検討することになる。

> **▼ 仙台地決昭 49.5.16・百選 17 事件**
>
> 事案：　Ｘは、昭和 49 年 2 月 18 日、賭博被疑事件により、逮捕・勾留された上、3 回の賭博行為を内容とする常習賭博罪で起訴されたが、保釈された。保釈後、関係者の供述により、昭和 48 年 5 月 19 日に賭博（本件常習賭博）が行われた事実が判明しており、保釈中にＸが本件常習賭博に関与したことが明らかとなった。そこで、昭和 49 年 5 月 9 日、Ｘは本件常習賭博の被疑事実で逮捕され、引き続き勾留されたが、これに対し、弁護人から勾留の取消しが申し立てられた。
>
> 決旨：　「本件常習賭博は、昭和 48 年 5 月 19 日になされたものであり、前記起訴にかかる常習賭博と一罪をなすものであり、その逮捕勾留中に同時に捜査を遂げうる可能性が存したのである……従って本件逮捕勾留は、同時処理の可能性のある常習一罪の一部についての逮捕勾留であるから、一罪一勾留の原則を適用すべきである」。本件逮捕勾留は一個の犯罪事実につき再度の逮捕勾留がなされた場合に該当するので、再逮捕勾留の適否が問題となり、「前記認定のごとく前掲起訴にかかる常習賭博につき逮捕状の発付があった事実の記載を欠き、違法というべきである。」
>
> 評釈：　本裁判例は、「同時処理の可能性」と述べているところ、「同時処理の可能性」については、①同時処理の可能性を観念的に捉え、当初の逮捕・勾留の前に犯罪が行われたというだけで（捜査機関に犯罪自体が発覚していることすら要しない）、「同時処理の可能性」を肯定する立場と、②同時処理の可能性を現実的な可能性と捉え、その犯罪自体が当初の逮捕・勾留の時点において捜査機関に発覚していたときは、「同時処理の可能性」を認めるという立場があるとされる。本裁判例は、②の立場と解されているが、②の立場は基準が曖昧・不明確であるため、①の立場が学説上で有力と解されている。

六　再逮捕・再勾留禁止の原則の例外

1　再逮捕の例外について

→再逮捕禁止の原則の例外は認められる

∵①　一度逮捕・勾留がなされると、どんな事情の変化が生じても再逮捕・勾留は一切許されないとするのは、必ずしも合理的ではない

②　逮捕については、法が再逮捕を前提にした規定を置いている（199 Ⅲ・規 142 Ⅰ⑧）

③　身体拘束の時間制限の趣旨を没却するような不当な蒸し返しにならなければ許容してよい

2 再勾留の例外について〈予R5〉

→再勾留禁止の原則の例外も認められる

∵ 再勾留についてはこれを許した明文規定は存在しないが、再逮捕のみ認め再勾留は認められない、と両者を切り離して考えることは相当でない

3 再逮捕・再勾留禁止の原則の例外が認められる要件

（1）再逮捕

①新証拠の発見、逃亡・罪証隠滅のおそれの再発生等の事情変更による再逮捕の必要性が認められ、②事案の重大性、再逮捕の必要性その他諸般の事情から、被疑者の利益を考慮しても再逮捕がやむを得ない場合であり、③身体拘束の不当な蒸し返しとはいえない場合であれば、再逮捕禁止の原則の例外が認められる。

（2）再勾留

再逮捕と同様の基準で判断されるが、逮捕と比べて、勾留の身体拘束期間は長期に及び、被疑者に与える不利益がより大きいこと、法が身柄拘束期間について厳格な制約（203以下）を規定していることから、再逮捕の場合と比べて、より厳格に判断すべきである〈予R5〉。

▼ **東京地決昭47.4.4・百選16事件**

事案： 被疑者Xは、爆弾使用を内容とする5件の爆発物取締罰則違反の事実により逮捕・勾留されたが、Xは犯行を否認し続け、他に犯行を証明するための資料も得られなかったことから、勾留期間満了日に処分保留のまま釈放された。しかし、その後の捜査により、前記5件のうち1件（本件）について関与した共犯者を逮捕して取り調べたところ、その共犯者がXと共謀して本件を敢行した旨自白したため、Xを本件被疑事実により再逮捕した。検察官は、Xの再逮捕に引き続きXの勾留を請求したが、裁判官は、すでに同一の被疑事実に対する20日の勾留期間を経過しているとの理由に基づき、勾留請求を却下した。

決旨： 「199条3項は再度の逮捕が許される場合のあることを前提にしていることが明らかであり、現行法上再度の勾留を禁止した規定はなく、また、逮捕と勾留は相互に密接不可分の関係にあることに鑑みると、法は例外的に同一被疑事実につき再度の勾留をすることも許しているものと解するのが相当である。そしていかなる場合に再勾留が許されるかについては、……先行の勾留期間の長短、その期間中の捜査経過、身柄釈放後の事情変更の内容、事案の軽重、検察官の意図その他の諸般の事情を考慮し、社会通念上捜査機関に強制捜査を断念させることが首肯し難く、また、身柄拘束の不当なむしかえしでないと認められる場合に限るとすべき」とした。その上で、結論としては、本件を再勾留が許される例外的な場合に当たるとして、原裁判を取り消し、被疑者を勾留した。

捜査

▼ **浦和地決昭 48.4.21**

「超過した時間が比較的僅少であり、しかも右の時間超過に相当の合理的理由が存し、しかも事案が重大であって治安上社会に及ぼす影響が大きいと考えられる限り」特別の事情の変更なくとも再逮捕は許されるとしている。

＜再逮捕・再勾留の整理＞

1 逮捕後、引致前に逃走	未だ逮捕の目的を達成していない →再逮捕の問題ではない
2 逮捕、引致後に逃走	逮捕の目的は達成されている →新たな逮捕状が必要
3 逮捕後に釈放された場合	捜査の必要性と被疑者の利益との調和 →一定の要件の下で認めうる
4 勾留後、勾留理由・必要性消滅により釈放された場合	3 の場合よりも厳格に解釈して認めうる （10 日より短い期間の指定も可能）
5 勾留期間満了により釈放されたとき	3 の場合の要件にさらに要件を加重して、限定的に認めるべき
6 先行逮捕が違法であるとき	＜原則＞ 先行する逮捕手続に違法があり、勾留請求が却下され釈放されたような場合には、同一の事実で再逮捕することは許されない ＜例外＞ 事案の重大性、逃亡・罪証隠滅のおそれ等による逮捕の必要性が認められ、違法の程度が比較的軽く、かつ、先行する逮捕手続の程度・種類や不当な逮捕の蒸し返しにならない場合には、再逮捕が認められる ∵ 違法の程度・種類を問わず、一切の再逮捕を認めないとすれば、実体的真実発見の見地から妥当でない →現行犯逮捕の要件が備わっていないにもかかわらず現行犯逮捕をしたが、緊急逮捕の要件は備わっていたなど、手続の選択を誤った場合にすぎない場合

七　別件逮捕・勾留 司H23 司R元

1　意義

本件について逮捕の要件がみたされていないのにもっぱらその取調べのため、逮捕の要件の具備している別件を利用して、ことさら逮捕すること（広義説）である。

2　別件逮捕・勾留の適法性

<別件逮捕・勾留の適法性に関する学説の整理>

学　説	内容・理由
別件基準説	逮捕の被疑事実である別件を基準に、逮捕の理由及び必要性を判断する見解 →本件を取り調べる目的があることは、別件逮捕の適法性には影響せず、余罪取調べの問題となるにすぎない　⇒ p.114 ∵① 本件取調べの意図を令状審査段階で知ることは困難であり、令状裁判官に無理を強いることになりかねない 　② 捜査官に本件を取り調べる意図があることが判明したのであれば、別件についての逮捕・勾留の必要がないということになり、それを理由に令状請求を却下すればよい
本件基準説 （金沢地七尾支判昭44.6.3、多数説）	別件逮捕は、本件を基準に判断し、本件について取り調べる目的でなされた逮捕・勾留は、たとえ別件についての逮捕の要件が具備していても、その別件を違法とする見解 ∵① 逮捕の目的が別罪の取調べにある場合には実質的にみて令状主義に反するといえる 　② 別件逮捕・勾留の後、本件による逮捕・勾留が予定されているときは、法の定めた厳格な身柄拘束期間（203以下）を潜脱する結果となる 　←必ずしも本件による逮捕・勾留が行われるとは限らず、これがいまだ行われていない段階である以上、厳格な身柄拘束期間を潜脱しているというには無理がある 　③ 逮捕・勾留の目的は取調べにはないので取調べを目的とする身柄拘束は違法である
実体喪失説	別件による逮捕・勾留は、別件による逮捕・勾留としての実体を失って、実質上、本件取調べのための身柄拘束となったものと評価し、このような状態となった場合には、その後の勾留は令状によらない身柄拘束となるため、身柄拘束自体が令状主義に反して違法になるとする見解 →別件による逮捕・勾留としての実体が失われたか否かは、①捜査官の目的ないし意図、②本件取調べへの流用の程度、③本件と別件との関係、④取調べの態様及び供述の自発性の有無、⑤捜査全般の進行状況など諸般の事情を総合考慮して判断するとされている ∵① 起訴前の身柄拘束期間の趣旨は、その身柄拘束の基礎となる被疑事実について、被疑者の逃亡及び罪証隠滅を阻止した状態で、起訴・不起訴の決定に向けた捜査を行うための期間である 　② 身柄拘束期間が制限されているのは、身柄拘束が身体的自由に対する重大な人権侵害であることを考慮し、その期間を不必要に長期化させないためであるから、別件による逮捕・勾留期間中は、別件の適正な処分のための捜査活動又はその公判審理を主眼とすべきである

捜査

▼　蛸島事件（金沢地七尾支判昭44.6.3）

「被疑者の逮捕・勾留中に、逮捕・勾留の基礎となった被疑事実以外の事件について当該被疑者の取調べを行うこと自体は法の禁ずるところではないが、それはあくまでも逮捕・勾留の基礎となった被疑事実の取調べに附随し、これと併行してなされる限度において許されるにとどまり、専ら適法に身柄を拘束するに足りるだけの証拠資料を収集し得ていない重大な本来の事件（本件）について被疑者を取調べ、被疑者自身から本件の証拠資料（自白）を得る目的で、たまたま証拠資料を収集し得た軽い別件に藉口して被疑者を逮捕・勾留し、結果的には別件を利用して本件で逮捕・勾留して取調べを行ったのと同様の実を挙げようとするが如き捜査方法は、いわゆる別件逮捕・勾留であつて、見込捜査の典型的なものというべく、かかる別件逮捕・勾留は、逮捕・勾留手続を自白獲得の手段視する点において刑事訴訟法の精神に悖るものであり、……また別件による逮捕・勾留期間満了後に改めて本件によって逮捕・勾留することが予め見込まれている点において、公訴提起前の身柄拘束につき細心の注意を払い、厳しい時間的制約を定めた刑事訴訟法203条以下の規定を潜脱する違法・不当な捜査方法であるのみならず、別件による逮捕・勾留が専ら本件の捜査に向けられているにもかかわらず、逮捕状あるいは勾留状の請求を受けた裁判官は、別件が法定の要件を具備する限り、本件についてはなんらの司法的な事前審査をなし得ないまま令状を発付することになり、従つて、当該被疑者は本件につき実質的には裁判官が発しかつ逮捕・勾留の理由となつている犯罪事実を明示する令状によることなく身柄を拘束されるに至るものと言うべく、結局、かかる別件逮捕・勾留は令状主義の原則を定める憲法33条並びに国民の拘禁に関する基本的人権の保障を定める憲法34条に違反するものであると言わなければならない。」

▼　狭山事件（最決昭52.8.9）

「第一次逮捕・勾留は、その基礎となった被疑事実について逮捕・勾留の理由と必要性があったことは明らかである。そして、『別件』中の恐喝未遂と『本件』とは社会的事実として一連の密接な関連があり、『別件』の捜査として事件当時の被告人の行動状況について被告人を取り調べることは、他面においては『本件』の捜査ともなるのであるから、第一次逮捕・勾留中に『別件』のみならず『本件』についても被告人を取り調べているとしても、それは、専ら『本件』のためにする取調べというべきではなく、『別件』について当然しなければならない取調べをしたものにほかならない。それ故、専ら、いまだ証拠の揃っていない『本件』について被告人を取り調べる目的で、証拠の揃っている別件の逮捕・勾留に名を借り、その身柄の拘束を利用して、『本件』について逮捕・勾留して取り調べるのと同様の効果を得ることをねらいとしたものである、とすることはできない。」

▼ **浦和地判平 2.10.12・百選 18 事件**

事案： 警察は、現住建造物等放火の事実でＸを逮捕するだけの供述が得られなかったことから、ひとまず嫌疑が明白であった不法残留罪でＸを現行犯逮捕し、放火については後日取り調べることとした。その後、引き続きＸは不法残留罪で勾留されたが、捜査当局は、勾留3日目限りで同事実の取調べをほぼ終了し、当初の予定通り、残りの勾留期間を使って本件放火の取調べを行い、Ｘから放火の自白を得た。公判において、Ｘは放火の事実を否認したため、Ｘの自白調書の証拠能力と信用性が争われ、その際、別件逮捕・勾留の違法性が問題となった。

判旨： 「いわゆる別件逮捕・勾留に関する人権侵害の多くは、もし本件に関する取調べの目的がないとすれば、身柄拘束をしてまで取り調べることが通常考えられないような軽微な別件について、主として本件の取調べの目的で……身柄を拘束し、本件についての取調べを行うことから生じていることが明らかである。そして、このような場合……未だ身柄拘束をするに足りるだけの嫌疑の十分でない本件について、被疑者の身柄を拘束した上で取り調べることが可能になるという点では、典型的な別件逮捕・勾留の場合と異なるところがないのであるから……『本件についての取調べを主たる目的として行う別件逮捕・勾留』が何らの規制に服さないと考えるのは不合理である。当裁判所は、違法な別件逮捕・勾留として許されないのは……典型的な別件逮捕・勾留の場合だけでなく……『未だ重大な甲事件について被疑者を逮捕・勾留する理由と必要性が十分でないのに、主として右事件について取り調べる目的で、甲事件が存在しなければ通常立件されることがないと思われる軽微な乙事件につき被疑者を逮捕・勾留する場合』も含まれると解する……。このような……逮捕・勾留は、形式的には乙事実に基づく……が、実質的には甲事実に基づくものといってよいのであって、未だ逮捕・勾留の理由と必要性の認められない甲事実取調べを主たる目的として……、乙事実の嫌疑を持ち出して被疑者を逮捕・勾留することは、令状主義を実質的に潜脱し、一種の逮捕権の濫用にあたると解される。」

3　別件逮捕・勾留に対する司法的抑制
（1）事前抑制
　①　別件による逮捕・勾留ないし勾留延長・取消しの審査
　②　本件による逮捕・勾留ないし勾留延長・取消しの審査
（2）事後抑制
　①　別件逮捕・勾留中に獲得された自白の証拠能力を否定
　②　別件の起訴が行われたときに公訴権濫用を理由とし、公訴棄却判決

八　逮捕に対する被疑者の権利・防御

1　逮捕された被疑者の権利・防御の方法には、以下のものがある。

① 逮捕理由と逮捕された場合における自己の権利を知る権利

② 弁護人選任権（203、204）、弁護人との接見交通権（39Ⅰ）

＊ 逮捕状によって逮捕された被疑者は、39条1項に規定する者以外の者と接見する権利を有しない（80参照）。　⇒ p.27

③ 逮捕に重大な違法がある場合における勾留への準抗告（429Ⅰ②）

2　逮捕に対する準抗告の可否〈司予〉

＜逮捕に対する準抗告の可否に関する学説の整理＞

学　説	理　由
否定説 （判例・通説）	① 429条1項各号には準抗告の対象として「逮捕に関する裁判」は挙げられていない ② 逮捕といった緊急処分は不服申立てになじまない。また、逮捕期間中に有効な被疑者側の不服申立手段を設けることは技術的に不可能である ③ 逮捕に関する違法は一括して後の勾留請求の段階における裁判官の司法審査で規制するのが法の趣旨である
肯定説	① 逮捕は身柄を勾引して勾留につなぐための即時的処分であり質的には勾留と等質である ② 旧法は逮捕に対する不服申立てを否定していたが、現行法では最大72時間の身柄拘束がありうるから不服申立てが認められてよい ③ 文理上も、429条1項2号の「勾留……に関する裁判」に「勾留のための引致」である逮捕を含めて解釈することができる

▼　**最決昭57.8.27**〈共〉

「逮捕に関する裁判及びこれに基づく処分は、刑訴法429条1項各号所定の準抗告の対象となる裁判に含まれないと解するのが相当である」とした。

九　勾留に対する被疑者の防御

1　勾留は自由の拘束であり、被疑者にとって不利益の大きい処分である。そのうえ、期間が10日ないし20日（場合により25日）とかなり長期に及ぶこと、保釈の制度がない（207Ⅰただし書）ことから、主として、身柄の解放に向けた防御活動が必要となる。勾留に対する被疑者の権利・防御活動の方法・手段には以下のものがある。

① 勾留理由開示請求（207Ⅰ・82）

② 勾留の取消請求（207Ⅰ・87）

③ 勾留の執行停止の申立て（207Ⅰ・95Ⅰ）

④ 勾留の裁判に対する準抗告（429Ⅰ②）

⑤ 接見交通権（39Ⅰ、80）

以下、①～⑤のそれぞれにつき検討する。

2　勾留理由開示請求〈司〉

(1)　意義

　　勾留理由開示制度とは、勾留されている被疑者・被告人の請求に応じて、裁判官が公開の法廷で勾留理由を開示する制度のことをいう（憲34後段、法207Ⅰ・82以下）〈司〉。

(2)　趣旨

　　①勾留理由の公開を要求できるにとどまる見解と、②不当な拘束からの救済を目的とする見解がある。

(3)　内容〈司〉

　　勾留理由開示請求がなされると、裁判所は、勾留理由（60Ⅰ各号）を開示する必要がある。その際、検察官・被告人・弁護人は意見を述べることができる（207Ⅰ・84Ⅱ）。

(4)　効果

　　勾留理由開示は勾留の取消しをもたらすものではない。しかし、①その後、準抗告を申し立てることにより取消しに結び付きうる点、及び、②裁判官に対して勾留要件について再検討の機会を与える点に意味がある。

(5)　時期

　　勾留理由開示請求は、勾留の開始された当該裁判所においてのみなすことが許されるから（最決昭29.8.5、最決昭29.9.7参照）、第1審で被告人の勾留が開始された後、勾留のまま第1審裁判所が被告人に対して実刑判決を言い渡し、その後、被告人の控訴により訴訟記録が控訴裁判所に到達している場合には、第1審裁判所に対するものであっても勾留理由開示の請求をすることは許されない（最決平26.1.21・平26重判5事件）。

3　勾留の取消請求

(1)　勾留の理由又は必要がなくなったときに、被疑者・弁護人等は勾留の取消しを請求することができる（207Ⅰ・87）。

(2)　裁判官は職権で取消しができる（207Ⅰ・87）。

(3)　勾留が不当に長くなったときは、理由又は必要が消失していなくとも、勾留を取り消す義務がある（207Ⅰ・91）。

4　勾留の執行停止の申立て〈司〉

　　裁判官は、適当と認めるときは、勾留中の被疑者を親族その他の者に委託し、又は被疑者の住居を制限して、勾留の執行を停止することができる（207Ⅰ・95Ⅰ前段）。これは、保釈以外の方法で、裁判官が職権で勾留の執行を仮に解く方法である。

　　ex.　病気治療のための入院、両親・配偶者等の重病又は死亡、家庭の重大な災害、入学試験

捜査

5　勾留の裁判に対する準抗告
 (1)　勾留の裁判に対しては、準抗告により検察官又は被疑者からその取消し・変更を請求することができる（429Ⅰ②）。
 (2)　「犯罪の嫌疑」がないことを理由として準抗告の申立てができるであろうか。

　　法文上から、犯罪の嫌疑がないことを理由として準抗告はできないとする見解（通説）と、被疑者の場合はまだ公訴を提起されていないので、犯罪の嫌疑の審理が公判の審理と重複するおそれもなく、また犯罪の嫌疑の存在は被疑者勾留の要件の中で最も基礎をなすものであることを根拠に、「犯罪の嫌疑」がないことを理由として準抗告の申立てができるとする見解がある。

6　接見交通権
 (1)　弁護人（弁護人となろうとする者を含む）との接見交通
　　原則として被疑者は自由に接見できる（39Ⅰ）。
　　検察官などは、捜査のため必要があるときは、公訴の提起前に限り、その日時、場所及び時間を指定することができるが、その指定は、被疑者が防御の準備をする権利を不当に制限するようなものであってはならない（39Ⅲ）。
 (2)　弁護人以外の者との接見交通
　　弁護人以外の者との接見交通は、法令の範囲内で認められる（207Ⅰ・80、81）。

第２０７条の２

Ⅰ　検察官は、第２０１条の２第１項第１号又は第２号に掲げる者の個人特定事項について、必要と認めるときは、前条第１項の勾留の請求と同時に、裁判官に対し、勾留を請求された被疑者に被疑事件を告げるに当たつては当該個人特定事項を明らかにしない方法によること及び被疑者に示すものとして当該個人特定事項の記載がない勾留状の抄本その他の勾留状に代わるものを交付することを請求することができる。

Ⅱ　裁判官は、前項の規定による請求を受けたときは、勾留を請求された被疑者に被疑事件を告げるに当たつては、当該請求に係る個人特定事項を明らかにしない方法によるとともに、前条第５項本文の規定により勾留状を発するときは、これと同時に、被疑者に示すものとして、当該個人特定事項を明らかにしない方法により被疑事実の要旨を記載した勾留状の抄本その他の勾留状に代わるものを交付するものとする。ただし、当該請求に係る者が第２０１条の２第１項第１号又は第２号に掲げる者に該当しないことが明らかなときは、この限りでない。

第２０７条の３

Ⅰ　裁判官は、前条第２項の規定による措置をとつた場合において、次の各号のいずれかに該当すると認めるときは、被疑者又は弁護人の請求により、当該措置に係る個人特定事項の全部又は一部を被疑者に通知する旨の裁判をしなければならない。

① イ又はロに掲げる個人特定事項の区分に応じ、当該イ又はロに定める場合であるとき。

　イ　被害者の個人特定事項　当該措置に係る事件に係る罪が第201条の2第1項第1号イ及びロに規定するものに該当せず、かつ、当該措置に係る事件が同号ハに掲げるものに該当しないとき。

　ロ　被害者以外の者の個人特定事項　当該措置に係る者が第201条の2第1項第2号に掲げる者に該当しないとき。

② 当該措置により被疑者の防御に実質的な不利益を生ずるおそれがあるとき。

Ⅱ　裁判官は、前項の請求について裁判をするときは、検察官の意見を聴かなければならない。

Ⅲ　裁判官は、第1項の裁判（前条第2項の規定による措置に係る個人特定事項の一部を被疑者に通知する旨のものに限る。）をしたときは、速やかに、検察官に対し、被疑者に示すものとして、当該個人特定事項（当該裁判により通知することとされたものを除く。）を明らかにしない方法により被疑事実の要旨を記載した勾留状の抄本その他の勾留状に代わるものを交付するものとする。

Ⅳ　第70条第1項本文及び第2項の規定は、第1項の裁判の執行について準用する。

Ⅴ　第1項の裁判を執行するには、前条第2項の規定による措置に係る個人特定事項の全部について当該裁判があつた場合にあつては勾留状を、当該個人特定事項の一部について当該裁判があつた場合にあつては第3項の勾留状に代わるものを、被疑者に示さなければならない。

第208条　〔起訴前の勾留期間、期間の延長〕

Ⅰ　第207条の規定により被疑者を勾留した事件につき、勾留の請求をした日から10日以内に公訴を提起しないときは、検察官は、直ちに被疑者を釈放しなければならない。

Ⅱ　裁判官は、やむを得ない事由があると認めるときは、検察官の請求により、前項の期間を延長することができる。この期間の延長は、通じて10日を超えることができない。

第208条の2　〔勾留期間の再延長〕

裁判官は、刑法第2編第2章乃至第4章又は第8章の罪＜内乱に関する罪、外患に関する罪、国交に関する罪、騒乱の罪＞にあたる事件については、検察官の請求により、前条第2項の規定により延長された期間を更に延長することができる。この期間の延長は、通じて5日を超えることができない。

第208条の3

期間を指定されて勾留の執行停止をされた被疑者が、正当な理由がなく、当該期間の終期として指定された日時に、出頭すべき場所として指定された場所に出頭しないときは、2年以下の懲役に処する。

第208条の4

Ⅰ 裁判所の許可を受けないで指定された期間を超えて制限された住居を離れてはならない旨の条件を付されて勾留の執行停止をされた被疑者が、当該条件に係る住居を離れ、当該許可を受けないで、正当な理由がなく、当該期間を超えて当該住居に帰着しないときは、2年以下の懲役に処する。

Ⅱ 前項の被疑者が、裁判所の許可を受けて同項の住居を離れ、正当な理由がなく、当該住居を離れることができる期間として指定された期間を超えて当該住居に帰着しないときも、同項と同様とする。

第208条の5

勾留の執行停止を取り消され、検察官から出頭を命ぜられた被疑者が、正当な理由がなく、指定された日時及び場所に出頭しないときは、2年以下の懲役に処する。

第209条 〔逮捕状による逮捕についての準用規定〕

第74条、第75条及び第78条の規定は、逮捕状による逮捕についてこれを準用する。

《注 釈》

- 勾留期間の起算日は「勾留の請求をした日から」（208Ⅰ）であり、初日不算入（55Ⅰ）の例外となっているので注意を要する〈司予〉。
- 「やむを得ない事由があると認めるとき」（208Ⅱ）について、判例（最判昭37.7.3）は、「事件の複雑困難（被疑者もしくは被疑事実多数のほか、計算複雑、被疑者関係人らの供述又はその他の証拠のくいちがいが少からず、あるいは取調を必要と見込まれる関係人、証拠物等多数の場合等）、あるいは証拠収集の遅延若しくは困難（重要と思料される参考人の病気、旅行、所在不明もしくは鑑定等に多くの日時を要すること）等により勾留期間を延長して更に取調をするのでなければ起訴もしくは不起訴の決定をすることが困難な場合をいう」とし、この「やむを得ない事由」の存否の判断には「当該事件と牽連ある他の事件との関係も相当な限度で考慮にいれることを妨げるものではない」としている〈予〉。
- 被告人勾留の場合と同様、勾留更新（208Ⅱ）をするに当たり、改めて勾留質問をする必要はない〈予〉。 ⇒p.41 参照

＜勾留の手続＞

1 勾留請求	請求権者は、検察官に限られる（204Ⅰ、205Ⅰ）〈⼿〉
↓	
2 勾留質問	裁判官が被疑者に対して被疑事実を告げて、これに対する陳述を聴く（207Ⅰ・61）
↓	
3 勾留状の発付	(1) 要件 ①勾留の理由、②必要性、③適法性（207Ⅴただし書）を審査 (2) 方式 勾留状には、被疑者の氏名・住居・罪名、被疑事実の要旨等が記載され、裁判長又は受命裁判官が記名押印（207Ⅰ・64、規70）
↓	
4 勾留状の執行	検察官の指揮により、検察事務官、司法警察職員、刑事施設職員が執行 →弁護人等への通知が必要（207Ⅰ・79、規79）

捜査

＜被疑者勾留と被告人勾留の比較＞〈司共〉

	被疑者勾留（207）	被告人勾留（280、60）
主体	検察官の請求により裁判官が行う（204Ⅰ、205Ⅰ、207Ⅰ）	① 第1回公判期日までは裁判官が行う（280Ⅰ） ② それ以降は裁判所（60）
勾留の期間	10日＋延長10日＋再延長5日（208、208の2）	2か月＋1か月ごとに更新（60Ⅱ）
逮捕前置主義	逮捕を前提とする（207Ⅰ）	逮捕を前提としない
保釈	認められない（207Ⅰただし書）	認められる（88以下）
接見指定	できる（39Ⅲ）	できない（39Ⅲ）
不服申立て	準抗告（429Ⅰ②）	① 第1回公判期日前：準抗告（429Ⅰ②） ② それ以降：抗告（419）
取消し	認められる（207Ⅰ）	認められる（87）
勾留理由開示	認められる（207Ⅰ）	認められる（82～86）
執行停止	認められる（207Ⅰ）	認められる（95Ⅰ）

＜逮捕と被疑者勾留の相違＞

	逮　捕	被疑者勾留
令状の性質	実務―許可状（捜査機関に逮捕の権限を与える裁判の裁判書） 学説―命令状（被疑者の強制引致を命令する裁判の裁判書）	命令状 （勾留という強制処分の執行を命ずる裁判の裁判書）
要　件	① 逮捕の理由 →「被疑者が罪を犯したことを疑うに足りる相当な理由があるとき」（199Ⅰ） ② 逮捕の必要性	① 勾留の理由（207Ⅰ・60Ⅰ） ・犯罪の嫌疑 ・住居不定、罪証隠滅のおそれ、逃亡のおそれ、のうちの1つ ② 勾留の必要性
裁判官による審査の内容	① 逮捕状の請求をした者の出頭を求めてその陳述を聴く ② その者に対し書類その他の物の提示を求めることも可（規143の2）	① 事実の取調べができる（43Ⅲ） ② 証人尋問、鑑定命令もできる（規33Ⅲ）
場　所	逮捕状に記載される 「引致すべき場所」（200）	「刑事施設」（64Ⅰ） ただし、警察署に附属する留置施設を刑事施設に代用することができる（刑事収容15、「代用刑事施設」）
期　間	当初の拘束から最大72時間（203Ⅰ、205）	原則：10日（208Ⅰ） 延長：10日（208Ⅱ） 再延長：一定の事件について5日（208の2）
救済制度	なし（429Ⅰ②反対解釈）	① 勾留取消し（207Ⅰ・87） ② 勾留理由開示（207Ⅰ・82以下） ③ 準抗告（429Ⅰ②）
接見交通権	39条1項に掲げる者（弁護人又は弁護人になろうとする者）とのみ接見可	39条1項に掲げる者及びそれ以外の者（80）と接見可

第２１０条 〔緊急逮捕〕

Ⅰ　検察官、検察事務官又は司法警察職員は、死刑又は無期若しくは長期3年以上の懲役若しくは禁錮にあたる罪を犯したことを疑うに足りる充分な理由がある場合で、急速を要し、裁判官の逮捕状を求めることができないときは、その理由を告げて被疑者を逮捕することができる。この場合には、直ちに裁判官の逮捕状を求める手続をしなければならない[司共予]。逮捕状が発せられないときは、直ちに被疑者を釈放しなければならない。

Ⅱ　第２００条の規定は、前項の逮捕状についてこれを準用する。

第２１１条〔緊急逮捕と準用規定〕

前条の規定により被疑者が逮捕された場合には、第１９９条＜逮捕状による逮捕＞の規定により被疑者が逮捕された場合に関する規定を準用する〈予〉。

憲法第３３条〔逮捕の要件〕

何人も、現行犯として逮捕される場合を除いては、権限を有する司法官憲が発し、且つ理由となつてゐる犯罪を明示する令状によらなければ、逮捕されない。

〔趣旨〕緊急逮捕（210）は、現行犯逮捕と並ぶ、令状による逮捕の例外を認めるものである（令状主義の例外）。

《注 釈》

一 緊急逮捕の意義

緊急逮捕とは、一定の重罪を犯したと疑うに足りる充分な理由がある場合に無令状で行う逮捕をいう。緊急逮捕における逮捕状の請求権者については、通常逮捕の場合のような制限（199Ⅱ参照）はなく、逮捕者でなくてもよいし、検察事務官や司法巡査でもよい〈予〉。緊急逮捕の合憲性について、判例（最大判昭30.12.14・百選Ａ３事件）・実務は争いなく合憲であると解している。

二 緊急逮捕の要件

緊急逮捕は、①一定の重大な犯罪を犯したと疑うに足りる「充分な理由」があり、②「急速を要し、裁判官の逮捕状を求めることができない」（緊急性がある）場合に、③「理由を告げて」逮捕することができ、④逮捕後「直ちに」令状を請求しなければならない。

①「充分な理由」とは、通常逮捕における「相当な理由」（199Ⅱ）よりもさらに嫌疑の程度が高いことをいい、②緊急性がある場合とは、被疑者が逃走又は証拠隠滅する可能性が高く、逮捕状を請求している時間的余裕がない場合をいう。また、③逮捕者は、「理由」として、被疑事実の要旨及び令状発付を待つことができない旨を告げ、④「直ちに」、すなわち逮捕状請求のための疎明資料を整えるために合理的にみて必要な時間（ほぼ「即時」に近い時間）内に逮捕状を請求することを要する。

令状請求の疎明資料は、逮捕時に存在したものでなければならない。また、逮捕状を発付するには、逮捕時における緊急逮捕の要件及び逮捕状発付時における通常逮捕の要件を満たす必要がある。

第２１２条〔現行犯人・準現行犯人〕

Ⅰ 現に罪を行い、又は現に罪を行い終つた者を現行犯人とする。

Ⅱ 左の各号の一にあたる者が、罪を行い終つてから間がないと明らかに認められるときは、これを現行犯人とみなす〈共予〉。

① 犯人として追呼されているとき。

② 贓物又は明らかに犯罪の用に供したと思われる兇器その他の物を所持しているとき。

③ 身体又は被服に犯罪の顕著な証跡があるとき。

④ 誰何されて逃走しようとするとき。

第213条 〔現行犯逮捕〕

現行犯人は、何人でも、逮捕状なくしてこれを逮捕することができる〈司共予〉。

第214条 〔私人による現行犯逮捕と被逮捕者の引渡し〕

検察官、検察事務官及び司法警察職員以外の者は、現行犯人を逮捕したときは、直ちにこれを地方検察庁若しくは区検察庁の検察官又は司法警察職員に引き渡さなければならない〈予〉。

第215条 〔現行犯人を受け取った司法巡査の手続〕

Ⅰ 司法巡査は、現行犯人を受け取つたときは、速やかにこれを司法警察員に引致しなければならない。

Ⅱ 司法巡査は、犯人を受け取つた場合には、逮捕者の氏名、住居及び逮捕の事由を聴き取らなければならない。必要があるときは、逮捕者に対しともに官公署に行くことを求めることができる。

第216条 〔現行犯逮捕と準用規定〕

現行犯人が逮捕された場合には、第199条<逮捕状による逮捕>の規定により被疑者が逮捕された場合に関する規定を準用する〈共予〉。

第217条 〔軽微事件と現行犯逮捕〕

30万円（刑法、暴力行為等処罰に関する法律及び経済関係罰則の整備に関する法律の罪以外の罪については、当分の間、2万円）以下の罰金、拘留又は科料に当たる罪の現行犯については、犯人の住居若しくは氏名が明らかでない場合又は犯人が逃亡するおそれがある場合に限り、第213条から前条までの規定を適用する〈共予〉。

[趣旨] 憲法33条が現行犯逮捕を令状主義の例外としているのを受け、212条・213条は、現行犯人の無令状逮捕を認める。現行犯逮捕が令状主義の例外として許されるのは、①犯罪の実行が明白で、司法判断を経なくても誤認逮捕のおそれが少なく（明白性）、かつ、②逮捕状の発付を待っていたのでは犯人が逃走し、又は証拠を隠滅するおそれが高く、令状請求の時間的余裕がない（緊急性）ためである。

《注 釈》

一 現行犯逮捕

1 意義

現行犯とは、現に罪を行い、又は現に罪を行い終わった者をいう（212Ⅰ）。そして、誰でも令状なしで、現行犯人を逮捕することができる（213）。ただし、私人は逮捕に伴う捜索・差押えの主体にはならない〈司予〉。

2 要件 司H23 予H29
(1) 明白性
　逮捕者にとって、犯罪と犯人が明白であることをいう。
(2) 犯罪の現行性・時間的接着性 予
　①その犯罪が現在の事件として逮捕者の眼前で行われている（現に罪を行っている現行犯人）か、又は②犯行後時間的に極めて接着した段階にあることが逮捕者に明らかである（現に罪を行い終わった現行犯人）ことをいう。
　もっとも、逮捕者が逮捕行為に着手した後に犯人に対する追跡行為が継続していれば、時間的経過は許され、現行犯逮捕をなしうる。
　なお、未遂犯の処罰規定のある犯罪の実行に着手した者については、その犯罪が既遂に達していなくても、現行犯逮捕することができる 予。
(3) 場所的接着性 予H29
　犯行場所と逮捕場所の接着性（近接性）は、時間的接着性と異なり、条文の文言上要求されているものではない。もっとも、犯行場所と逮捕場所との距離が離れれば離れるほど犯人の明白性が低減するため、場所的接着性は「現に罪を行い終つた者」を認定するための重要な間接事実であると解されている。
(4) 逮捕の必要性
　A 積極説（大阪高判昭60.12.18・百選A2事件、多数説）
　　∵ 217条は、一定の軽微事件については要件を加重し、「犯人の住居若しくは氏名が明らかでない場合又は犯人が逃亡するおそれがある場合」に限って現行犯逮捕を許容したものである
　B 消極説（東京高判昭41.1.27）
　　∵① 他の逮捕類型と異なり、必要性を要件とする明文の規定がない
　　　② 217条は極めて軽微な事件についても一定の場合には現行犯逮捕を許容している

▼ 大阪高判昭60.12.18・百選A2事件
　「現行犯逮捕も人の身体の自由を拘束する強制処分であるから、その要件はできる限り厳格に解すべきであって、通常逮捕の場合と同様、逮捕の必要性をその要件と解するのが相当である」とした。

3 明白性の判断基準・認定資料
(1) 判断基準について
　上記のとおり、明白性とは、逮捕者にとって、犯罪と犯人が明白であることをいう。すなわち、外部的に何人にとっても犯罪が明白であることまでは必要ではなく、逮捕者にとって明白であればよい。
　警察官が内偵等により事前に収集していた客観的資料や知識により現に特

定の犯罪が行われていると判断できる場合（贈収賄罪の金品の授受、禁制品の取引、特殊詐欺の受け子による金品の授受やＡＴＭからの現金の引き出しなど）には、逮捕する必要性が高く、誤認逮捕のおそれもないので、現行犯逮捕することができると解されている。

(2) 認定資料について〈予H29〉

(a) 裁判例（京都地決昭44.11.5・百選12事件）は、明白性が「逮捕の現場における客観的外部的状況等から、逮捕者自身においても直接明白に覚知しうる場合であることが必要」であるとしている。すなわち、明白性の認定資料は、逮捕者が現認した事情に限定されるという立場に立つものといえる。

しかし、実務上では、私人が犯人とその犯行を現認しても、自ら逮捕するのではなく、警察官に通報して臨場するのを待ち、その臨場した警察官が犯人を逮捕する場合が多い（この場合の逮捕者は、当該私人ではなく警察官である）。

そこで、逮捕者は、犯行を現認していない場合であっても、逮捕時における具体的状況（犯行との時間的・場所的な関係、犯罪通報の時期・方法・内容、被害者や目撃者の犯人との接触状況、現場の状況、犯人や被害者の挙動など）を総合して客観的に判断し、犯行を現認したのと同程度に現行犯人であることが明白であると認められるときは、現行犯逮捕が許されるものと解されている（最決昭31.10.25、最決昭41.4.14参照）〈予〉。

(b) また、明白性の認定資料について、供述証拠（被害者や目撃者の供述や被疑者の自供）を用いることができるか〈予H29〉について、その信用性が判然としない供述証拠をもって明白性を肯定するのは妥当でないとの見解がある一方、これらの供述も明白性の判断の合理性を担保することがあること、これらの供述を考慮してはならないというのも非現実的であることから、供述証拠も現場の状況の1つとして用いることができるとの見解が実務上有力とされる。

4 共犯と現行犯逮捕

実行行為を分担していない共謀共同正犯者であっても、現行犯逮捕の要件をみたす場合には、現行犯逮捕をすることができる。

この場合、共謀共同正犯者について犯罪と犯人の明白性が認められるためには、①実行正犯者が「現に罪を行い、又は現に行い終わった」という要件をみたし、かつ、②共犯関係の明白性が認められることが必要である。そして、共犯関係の明白性が認められるか否かは「単に共謀者が犯罪現場にいたということのみならず、現実に行われた犯罪の態様、実行行為者の行為との関連における共謀者の外形的な挙動、その他犯行現場における四囲の具体的状況を総合判断して」行う（東京高判昭57.3.8）。

二 準現行犯逮捕

1 意義

準現行犯とは、犯人として追呼されている等の一定の場合であって、罪を行い終わってから間がないと明らかに認められる者をいう（212Ⅱ）。準現行犯は、現行犯とみなされる（212Ⅱ）。

2 準現行犯逮捕の合憲性

→要件を厳格に絞っており、令状主義の精神に反するとまではいえないことから違憲とはいえない

3 準現行犯逮捕の要件〈司H23 司H25 予H29 予R3〉

(1) 犯罪及び犯人の明白性

準現行犯逮捕も、現行犯逮捕と同様に、逮捕時の状況から犯罪と犯人の明白性につき逮捕者の判断の客観性が保障されていることが必要である。ただし、準現行犯においては、逮捕者が犯行を確認していることは必要ではない。

犯罪及び犯人の明白性という要件を判断するに当たっては、逮捕者が直接現認した状況のみでなく、通報内容等の逮捕者がそれまでに得ていた情報や、2号ないし4号に該当する事実を含む逮捕当時の具体的状況を考慮に含めて判断される。

▼ **和光大学内ゲバ事件（最決平 8.1.29・百選 13 事件）**

事案： 傷害現場から約4キロメートル離れたところで、約1時間経過後に警察官がXを見つけた。Xの挙動、姿態を見て、警察官が職務質問のため停止を求めたところ、Xは逃げ出したので、約300メートル追跡して追い付き、その際Xが腕に篭手を装着しているのを認めたなどの事情があったため準現行犯人として逮捕した。Y、Zについて、本件犯行終了後約1時間40分を経過したころ、犯行現場から約4キロメートル離れた路上で、警察官が泥で汚れた両名を発見した。警察官が職務質問のため停止を求めたところ逃げ出したので、数十メートル追跡して追い付き、その際Y、Zらの髪が濡れ、靴は泥で汚れ、Zは顔に傷があり、血の混じったつばを吐いているなどの事情があったため、両名を準現行犯人として逮捕した。

決旨： 被告人らに対して行われた本件各逮捕は、「いずれも刑訴212条2項2号ないし4号に当たる者が罪を行い終わってから間がないと明らかに認められるときにされたもの」であって適法であると判示した。

(2) 時間的接着性・場所的近接性

時間的接着性とは、犯罪実行行為終了後時間的に極めて近接した段階をいい、最大でも数時間を超えてはならない（通説）。場所的近接性が要求されるのは当然である。

(3) 212条2項各号に該当する事実の存在の逮捕者による認識

212条2項各号該当事実は、罪が終わってから間がないものであることを推認させる証拠となる。

また、212条2項3号の要件につき、被告人自身には「犯罪の顕著な証跡」が存在しないが、同行していた共犯者に「犯罪の顕著な証跡」が存在する場合には、212条2項3号の要件を充足するとした裁判例（東京高判昭62.4.16）がある 司H25 。

212条2項4号の要件（＊）は犯罪との結び付きが弱く、これ自体で被逮捕者を特定の犯罪の犯人と認めるのは危険である。よって、それ以外の状況から犯罪と犯人の明白性を判断すべきで、犯人に関する情報、被逮捕者の挙動等がその資料となる。

＊　4号の「誰何されて逃走しようとするとき」には、「だれか」と問う必要は必ずしもなく、制服警官の姿を見て逃げ出した場合も含むと解されている 供 。

▼ 東京高判昭62.4.16

「被告人Aのワイシャツに付着していた血痕については、それが同被告人自身からの出血によるものか、相手方の出血が返り血となって付いたものかなど、付着経緯の詳細は不明であったとうかがわれるが、その血痕は、付着箇所や付着状況からみて、少なくとも同被告人が乱闘に加わったことにより付着したと認められるものであったから、同被告人が『被服に犯罪の顕著な証跡があるとき』（刑訴法212条2項3号）の要件を具備していたことは疑いを容れない。また、被告人A以外の被告人らについては、その者ら自身の被服には格別の証跡等があったわけではないが、犯行が複数の犯人によるものであって、しかも、その犯人らが同一の車両に乗って行動を共にしていたことが明らかな場合であるから、被告人Aのワイシャツに血痕が付着していたことは、その同乗者である他の被告人らについても『被服に犯罪の顕著な証跡があるとき』にあたるものと解することができる」。

＜逮捕の種類と要件のまとめ＞

種　類	要　件	逮捕状を請求できる者	逮捕できる者
通常逮捕 （199）	① 逮捕の相当な理由 ② 逮捕の必要性	検察官 司法警察員 （警部以上）	検察官、検察事務官、司法警察員、司法巡査
現行犯逮捕 （212 I）	① 犯罪及び犯人の明白性 ② 犯罪の現行性・時間的接着性の明白性 ③ 逮捕の必要性		上記のほか、一般私人（213）

捜査

種　類	要　件	逮捕状を請求できる者	逮捕できる者
準現行犯逮捕（212Ⅱ）	① 犯罪及び犯人の明白性 ② 時間的接着性・場所的近接性 ③ 212Ⅱ各号に該当する事実の存在の逮捕者による認識 ④ 逮捕の必要性		現行犯逮捕の場合と同様（213）
緊急逮捕（210）	① 一定の重罪事件 ② 高度の嫌疑 ③ 緊急性 ④ 逮捕の必要性	検察官 検察事務官 司法警察員 司法巡査	通常逮捕と同様

＜司法警察員・司法巡査・検察事務官の権限＞

	司法警察員	司法巡査	検察事務官
接見指定（39Ⅲ）	○	○	○
被疑者の出頭請求・取調べ（198Ⅰ）	○	○	○
逮捕（199Ⅰ、211、216）	○	○	○
通常逮捕の逮捕状請求（199Ⅱ）	○（＊1）	×	○
緊急逮捕の逮捕状請求（210Ⅰ）	○	○	○
被疑者の勾留請求（204Ⅰ、205Ⅰ）（＊2）	×	×	×
差押え・記録命令付差押え・捜索・検証（218Ⅰ）	○	○	○
差押え・記録命令付差押え・捜索・検証の令状請求（218Ⅳ）	○	×	○
領置（221）	○	○	○
第三者に対する出頭要求・取調べ・鑑定・翻訳等の嘱託（223Ⅰ）	○	○	○
鑑定留置・鑑定処分許可の請求（224Ⅰ、225Ⅱ）	○	×	○
代行検視（229Ⅱ）（＊3）	○	×	○
告訴、告発、自首の受理（241Ⅰ、245）	○	×	×

※　司法警察職員（39Ⅲかっこ書）とは、司法警察員及び司法巡査をいう。警察官の場合、国家及び都道府県公安委員会が189条1項に基づいて階級が巡査部長以上の者を司法警察員に、巡査を司法巡査に指定している。

＊1　警察官たる司法警察員については国家公安委員会又は都道府県公安委員会が指定する警部以上の者に限る（199Ⅱかっこ書、規141の2）。

＊2　被疑者の勾留の請求は、検察官のみがなし得る（204、205、211、216参照）。

＊3　検視は検察官の権限とされるが（229Ⅰ）、検察事務官又は司法警察員に行わせることができる（代行検視、229Ⅱ）。

> **第２１８条 〔令状による差押え・記録命令付差押え・捜索・検証〕**
>
> Ⅰ 検察官、検察事務官又は司法警察職員は、犯罪の捜査をするについて必要がある
> ときは、裁判官の発する令状により、差押え、記録命令付差押え、捜索、又は検証
> をすることができる。この場合において、身体の検査は、身体検査令状によらなけ
> ればならない。
>
> Ⅱ 差し押さえるべき物が電子計算機であるときは、当該電子計算機に電気通信回線
> で接続している記録媒体であつて、当該電子計算機で作成若しくは変更をした電磁
> 的記録又は当該電子計算機で変更若しくは消去をすることができることとされてい
> る電磁的記録を保管するために使用されていると認めるに足りる状況にあるものか
> ら、その電磁的記録を当該電子計算機又は他の記録媒体に複写した上、当該電子計
> 算機又は当該他の記録媒体を差し押さえることができる。
>
> Ⅲ 身体の拘束を受けている被疑者の指紋若しくは足型を採取し、身長若しくは体重
> を測定し、又は写真を撮影するには、被疑者を裸にしない限り、第１項の令状によ
> ることを要しない⟨矛⟩。
>
> Ⅳ 第１項の令状は、検察官、検察事務官又は司法警察員の請求により、これを発する
> ⟨矛⟩。
>
> Ⅴ 検察官、検察事務官又は司法警察員は、身体検査令状の請求をするには、身体の
> 検査を必要とする理由及び身体の検査を受ける者の性別、健康状態その他裁判所の
> 規則で定める事項を示さなければならない。
>
> Ⅵ 裁判官は、身体の検査に関し、適当と認める条件を附することができる。
>
>> 憲法第３５条 〔住居の不可侵〕
>>
>> Ⅰ 何人も、その住居、書類及び所持品について、侵入、捜索及び押収を受
>> けることのない権利は、第３３条の場合を除いては、正当な理由に基いて
>> 発せられ、且つ捜索する場所及び押収する物を明示する令状がなければ、
>> 侵されない。
>>
>> Ⅱ 捜索又は押収は、権限を有する司法官憲が発する各別の令状により、こ
>> れを行ふ。

[趣旨]218条１項は、憲法35条の令状主義の要請を受けて捜査機関が行う捜索・
差押えに裁判官の事前の令状審査を要求するものである。憲法には検証に関する規
定はないが、憲法35条にいう「捜索」には検証をも包含すると解されていること
から、捜索・押収に関する令状主義の趣旨は当然に検証にも妥当すると解されてい
る。

《注 釈》

一 捜索・差押え

捜索・差押えには、原則として裁判官の令状が必要である（令状主義）。同一
の機会に行われる捜索と差押えについては、普通、１通の「捜索差押許可状」が
発付されることになる。

二　検証

1　検証の意義

検証とは、場所・物・人について、強制的にその形状・性質を五官の作用で感知する処分をいう。

2　令状による検証〈司〉

検証は原則として、令状に基づいて行われる（218Ⅰ）。

検証の手続は、捜索とほぼ同様である（222ⅠⅣⅤⅥ）。検証については、身体の検査、死体の解剖、墳墓の発掘、物の破壊その他必要な処分をすることができる（129）。検証の結果は検証調書に記載して保全される。また、身体検査に関する218条6項は、その規定する条件の付加が強制処分の範囲、程度を減縮させる方向に作用するので、身体検査令状以外の検証許可状にもその準用を肯定することができる〈司〉。

3　令状によらない検証

(1) 逮捕に伴う場合（220Ⅰ②）

(2) 逮捕・勾留されている場合

逮捕・勾留されている被疑者の指紋・足型の採取、身長・体重の測定、写真撮影は、被疑者を裸にしない限り、令状なしでできる（218Ⅲ）〈司予〉。

4　実況見分

検証と同じ内容のことを任意処分として行う場合を、実況見分という。

実況見分には、検証と同様の処分を、①被処分者の同意・承諾を得て行う場合〈予〉と、②利益を侵害される者がいないために処分を強制することにならない場合（ex. 公道上の交通事故現場における見分）がある。実況見分の結果は、実況見分調書、又は、捜査報告書に記載して保全される。

三　身体検査

1　身体の捜索（222Ⅰ・102）

身体捜索は、着衣の上のみならず着衣の内側、身体の外表にも及ぶ〈予〉。また、証拠物が肛門等の体腔に挿入された疑いのある場合は、被疑者を裸にする等して行う身体検査も捜索に当たる〈予〉。

2　検証としての身体検査（218Ⅰ後段）

検証としての身体検査は、身体の外表部分の形状を認識する検査である。対象は、被疑者に限られない〈司〉。この検証としての身体検査を行うには、通常の検証令状ではなく、身体検査令状が必要となる。

検証としての身体検査を拒否した場合には、制裁による間接強制が可能である（222Ⅰ・137、138）。また、間接強制では効果がないと認められる場合には直接強制も可能である（222Ⅰ・139）。

3　鑑定としての身体検査（223Ⅰ・225、168）〈司〉

鑑定としての身体検査は、身体の外表部分の検査にとどまらず、身体内部へ

の侵襲を伴う検査である。鑑定処分としての身体検査を拒否した場合には、間接強制が可能である（225Ⅳ・168Ⅵ、137、138）が、鑑定受託者の場合には、直接強制はできない。

∵① 225条は172条を準用していない
② 225条は168条1項を準用している結果、168条6項も準用されることとなるが、168条6項は139条を準用していない

四　強制採尿

1　強制採尿の可否・要件

（1）強制採尿の可否

　　覚醒剤取締法違反事件のうち、覚醒剤自己使用事件については、被疑者の尿を調べることが最も効果的な捜査方法である。この点、被疑者が尿を任意提出し、捜査機関がこれを領置（221）する場合や、被疑者が自然に排出した尿を差押許可状（218Ⅰ）によりこれを取得する場合には、特に問題は生じない。これらに対し、被疑者が尿の任意提出を拒否した場合、捜査機関はカテーテル（導尿管）を使用して強制的に採尿することができるかが問題となる。

　　学説上では、このような直接の身体への侵襲を伴う方法での強制採尿は、被疑者の人格の尊厳を侵害することから、およそ比例原則に反して許されないとする見解も有力に主張されているが、判例（最決昭55.10.23・百選28事件。以下、「昭和55年決定」という）は、一定の要件を満たす場合には、例外的に強制採尿を行うことも許されるとしている。

▼ **最決昭55.10.23・百選28事件**

　「尿を任意に提出しない被疑者に対し、強制力を用いてその身体から尿を採取することは、身体に対する侵入行為であるとともに屈辱感等の精神的打撃を与える行為であるが、右採尿につき通常用いられるカテーテルを尿道に挿入して尿を採取する方法は、被採取者に対しある程度の肉体的不快感ないし抵抗感を与えるとはいえ、医師等これに習熟した技能者によって適切に行われる限り、身体上ないし健康上格別の障害をもたらす危険性は比較的乏しく、仮に障害を起こすことがあっても軽微なものにすぎないと考えられるし、また、右強制採尿が被疑者に与える屈辱感等の精神的打撃は、検証の方法としての身体検査においても同程度の場合がありうるのであるから、被疑者に対する右のような方法による強制採尿が捜査手続上の強制処分として絶対に許されないとすべき理由はなく、被疑事件の重大性、嫌疑の存在、当該証拠の重要性とその取得の必要性、適当な代替手段の不存在等の事情に照らし、犯罪の捜査上真にやむをえないと認められる場合には、最終的手段として、適切な法律上の手続を経てこれを行うことも許されてしかるべきであり、ただ、その実施にあたっては、被疑者の身体の安全とその人格の保護のため十分な配慮が施されるべきものと解するのが相当である」。

(2) 強制採尿令状発付の要件

　昭和55年決定によれば、「被疑事件の重大性、嫌疑の存在、当該証拠の重要性とその取得の必要性、適当な代替手段の不存在等の事情に照らし、犯罪の捜査上真にやむをえないと認められる場合には、最終的手段として、適切な法律上の手続を経て」、強制採尿を行うことが許される。

　一般的に、覚醒剤自己使用事件については、被疑事件の重大性及び証拠の重要性とその取得の必要性は、特段の疎明を行うまでもなく明らかであるとされる（覚醒剤取締法違反は重大であり、覚醒剤自己使用事件では被疑者の尿以外に適切な客観的証拠が存在しないため）。

　そこで、特に問題となるのが「嫌疑の存在」と「適当な代替手段の不存在」（最終的手段としての強制採尿の必要性）の要件である。

(a) 嫌疑の存在

　嫌疑の存在に関しては、具体的にどの程度の嫌疑の存在が必要なのかが問題となる（なお、ここでは、強制採尿を実施するには「捜索差押許可状」が必要であるとの判例法理（最決昭55.10.23・百選28事件）を前提としているが、この点については後述する（⇒下記「2　強制採尿に必要な令状の種類」参照））。

　この点、強制採尿が「犯罪の捜査上真にやむをえないと認められる場合」にのみ許されることや、強制採尿令状の効力により採尿場所への連行も可能であること（最決平6.9.16・百選29事件参照）に鑑みれば、通常の捜索差押許可状の場合よりも高度な嫌疑の存在が必要であるとする見解がある。

　一方、強制採尿は通常の捜索・差押えと同じく捜査の初動段階で行われることが多いこと、昭和55年決定が単に「嫌疑の存在」と述べるにとどまっていることから、嫌疑の程度は通常の捜索差押許可状の場合と同程度のもので足りるとする見解もある。

＊　いずれも説得的な見解であるので、いずれの見解を採用してもよいと考えられる。

(b) 適当な代替手段の不存在〈予〉

　昭和55年決定が強制採尿を「最終的手段」と強調していることから、捜査機関としては、被疑者からの任意の尿の提出が期待できる状況にある場合には、原則として、強制採尿令状の請求に先立ち、被疑者に対する任意採尿の説得を尽くすことが必要であると一般に解されている。

▼ **最判令4.4.28・令4重判6事件**

事案：　警察官らは、「Ｘから何度か覚醒剤を買った」旨の参考人の供述を得るとともに、Ｘに覚醒剤事犯の犯歴が多数あることを確認したため、裁判官に対し、覚醒剤の自己使用を被疑事実とする捜索差押許可状（強制採尿令状）等を請求し、その発付を受けた。その疎明資料には、密売人であるＸが品質確認のため自ら覚醒剤を使用している蓋然性が高いことや、Ｘが過去に4回任意採尿を拒否して強制採尿が行われた経緯等が記載されていた。

　　　　一方、警察官らは、本件強制採尿令状の請求に先立ち、Ｘと接触して任意採尿の説得を行うといった措置をとっていなかった。

判旨：　「本件においては、……参考人の供述内容とＸの犯歴等を併せ考えても、本件強制採尿令状発付の時点において、本件犯罪事実について同令状を発付するに足りる嫌疑があったとは認められないとした原判断が不合理であるとはいえない。また、……Ｘの過去の採尿状況に照らすと、Ｘが本件当時も任意採尿を拒否する可能性が高いと推測されるものの、……同令状請求に先立って警察官がＸに対して任意採尿の説得をしたなどの事情はないから、同令状発付の時点において、Ｘからの任意の尿の提出が期待できない状況にあり適当な代替手段が存在しなかったとはいえない。したがって、同令状は、Ｘに対して強制採尿を実施することが『犯罪の捜査上真にやむを得ない』場合とは認められないのに発付されたものであって、その発付は違法であり、警察官らが同令状に基づいてＸに対する強制採尿を実施した行為も違法といわざるを得ない」。

評釈：　本判決は、任意採尿の説得を、強制採尿令状を請求するための不可欠の前提要件とする趣旨ではないと解されている。判例（最決平3.7.16）は、被疑者が錯乱状態に陥っており、任意の尿の提出が期待できない状況において実施された強制採尿手続を適法としている。

2　強制採尿に必要な令状の種類

＜強制採尿に必要な令状の種類に関する学説の整理＞

学　説	理　由
身体検査令状説	∵① 身体検査（218Ⅰ）には、内部検査も含み、社会通念上是認される程度の軽微な損傷を与えることも許される ② 医師等の専門家を補助者として実施する限り、鑑定の場合に準ずる程度の検査が許されると解される
鑑定処分許可状説	∵① 身体の損傷を伴う内部検査は、専門的知識と技術を必要とするから、性質上鑑定処分（225）に属する ② 直接強制ができない点は172条の準用ないし類推適用を認めることで解決可能である

学　説	理　由
鑑定処分許可状と身体検査令状の併用説（多数説）	∵　身体検査は人体の外表部分の検査に限られるので、体内への侵入は鑑定処分が必要である。他方、鑑定処分は直接強制ができない（172条は、223条以下で準用されていない）ので、直接強制を可能とする身体検査令状も必要である
捜索差押令状説（判例）	捜索差押令状によるべきだが、身体検査令状に関する218条6項が準用されるべきである ∵①　体内の尿は、身体の一部ではなく、いつでも体外に排出できる老廃「物」である ②　人権侵害のおそれがある点で検証としての身体検査と共通の性質を有している

▼　**最決昭 55.10.23・百選 28 事件** 同予

①　「体内に存在する尿を犯罪の証拠物として強制的に採取する行為は捜索・差押の性質を有するものと見るべきであるから、捜査機関がこれを実施するには捜索差押令状を必要とすると解すべきである。」

②　「ただし、右行為は人権の侵害にわたるおそれがある点では、一般の捜索・差押と異なり、検証の方法としての身体検査と共通の性質を有しているので、身体検査令状に関する刑訴法218条5項［注：現6項］が右捜索差押令状に準用されるべきであって、令状の記載要件として、強制採尿は医師をして医学的に相当と認められる方法により行わせなければならない旨の条件の記載が不可欠であると解さなければならない。」

3　採尿のための強制連行

　　強制採尿令状に基づいて採尿を実施するために、対象者を採尿に適した場所まで強制連行することができるかが問題となる。

A　消極説

　　採尿の付随的行為として強制連行は許容できない。

B　積極説

　b-1　必要処分説（東京高判平 2.8.29）

　　　　強制採尿行為は令状により許可された捜索・差押えであり、連行は、捜索・差押えに「必要な処分」（111Ⅰ前段）として許される。

　b-2　令状内在説（判例）

　　　　強制採尿令状自体の効力として連行しうる。

　　　　∵　令状は医学的に適当な場所で行われることを前提として発付されている

捜査

▼ **最決平 6.9.16・百選 29 事件**〈同予〉

「身柄を拘束されていない被疑者を採尿場所へ任意に同行することが事実上不可能であると認められる場合には、強制採尿令状の効力として、採尿に適する最寄りの場所まで被疑者を連行することができ、その際、必要最小限度の有形力を行使することができるものと解するのが相当である。けだし、そのように解しないと、強制採尿令状の目的を達することができないだけでなく、このような場合に右令状を発付する裁判官は、連行の当否を含めて審査し、右令状を発付したものとみられるからである。その場合、右令状に、被疑者を採尿に適する最寄りの場所まで連行することを許可する旨を記載することができることはもとより、被疑者の所在場所が特定しているため、そこから最も近い特定の採尿場所を指定して、そこまで連行することを許可する旨を記載することができることも明らかである。」

五　血液の採取

1　体内の血液の採取は、採尿と比べて被処分者の羞恥心・屈辱感はそれほど強くない。もっとも、採血に伴う人権侵害を考慮すれば、強制処分というべきで、何らかの令状を得ることが必要である〈同〉。

　なお、流出した血液の採取は、任意捜査の一環として可能であると考えられる。

2　強制採血に必要な令状の種類〈同共予〉

　強制採血に必要な令状の種類についての議論は、強制採尿に必要な令状の種類についての議論がほぼ妥当する。もっとも、判例（最決昭 55.10.23・百選 28 事件）は、「尿がやがて対外に排出される人体にとっての不要物である」という特殊性を考慮しており、血液等の有用物についてはこの決定の趣旨は及ばないと理解されている。そのため、実務上も、強制採血に必要な令状の種類として鑑定処分許可状及び身体検査令状の併用という運用がなされている。

▼ **仙台高判昭 47.1.25・百選 A 7 事件**

「たとえ採血が……少量で身体の健康にどれほどの影響も及ぼさない程のものにすぎなかったとしても捜査官としては任意の承諾のもとに血液の提出を受けない以上医師に対して刑事訴訟法第 223 条に基づく鑑定の嘱託をなし同法第 225 条、第 168 条第 1 項による鑑定処分許可状を求める手続を践むべき場合であった……。採血行為自体……人の身体の傷害を伴うもので重大な人権にかかわるものであり、本件採血行為は令状主義に反し重大な手続違背を犯したものといわなければなら」ないと判示した。

六 唾液の採取

▼ **東京高判平 28.8.23**

事案： 警察官らは、ＤＮＡ型検査の資料を得る目的を秘した上、コップにそそいだお茶を飲むよう被告人に勧め、使用したコップの管理を放棄させて回収し、紙コップに付着した唾液から被告人のＤＮＡサンプルを採取した。

判旨： 「警察官らの捜査目的が……個人識別のためのＤＮＡの採取にある場合には、……ＤＮＡを含む唾液を警察官らによってむやみに採取されない利益（個人識別情報であるＤＮＡ型をむやみに捜査機関によって認識されない利益）は、強制処分を要求して保護すべき重要な利益であ」るから、本件捜査方法は、強制処分に当たり、「令状によることなく身柄を拘束されていない被告人からその黙示の意思に反して唾液を取得した」行為は、違法である。

七　捜索・差押えの手続

＜捜索・差押手続の流れ＞〈司〉

```
1  令状の請求
    (1)  請求権者  →検察官、検察事務官又は司法警察員（218Ⅳ）
    (2)  方式  →①一定の方式の請求書（規155）及び、②一定の資料を提供すること
               が必要（規156）

2  令状の発付
    (1)  要件
        請求を受けた裁判官は、①「正当な理由」の存在、②対象の特定性、③必要性を審査
        →令状の発付に際して、捜索・差押えの理由の他、捜索・差押えの必要性をも
         判断することができるか明文にないため問題となるが、肯定すべき
         ∵　任意捜査で十分捜査目的を達成し得ることが明らかな場合まで、あえて
            市民生活の平穏を侵害する強制処分を許すべきではない
        →犯罪の態様や軽重、対象物の重要性の程度、捜索・差押えを受ける者の不利
         益の大小など諸般の事情に照らして、明らかに捜索・差押えの必要がないと
         認められる場合には、司法的抑制の観点から、裁判官は捜索差押令状の請求
         を却下すべき
    (2)  方式
        捜索差押令状には被疑者若しくは被告人の氏名、罪名、差し押えるべき物、捜
        索すべき場所などが記載され、裁判官が記名押印（219、規157の2）

3  令状の執行
    (1)  執行官  →検察官、検察事務官又は司法警察職員（218Ⅰ⑦）
    (2)  令状の呈示
        処分を受ける者に令状を示さなければならない（222Ⅰ・110）
        ∵　手続の公正を担保し、相手方の利益を保護する
        →令状は執行に先立って示すのが原則
        →しかし、証拠隠滅防止等その実効確保のため必要があるときは、令状呈示前
         の捜索準備行為として現場保存措置をなしうる（大阪高判平6.4.20）
    (3)  令状の執行
        ①　令状の執行に当たっては、錠をはずしたり封を開いたり、その目的を達す
         るために必要な処分をすることができる（222Ⅰ・111Ⅰ）
        ②　執行中に出入り禁止等の措置を採ることができる
        ③　日の出前、日没後の捜索・差押えは、令状にこれを許す旨の記載がなけれ
         ば許されないが、日没前に着手していた場合や夜間でも公開性の高い場所に
         ついては例外あり（222Ⅲ・116、117）
    (4)  責任者の立会い
        処分を受ける者の利益保護と手続の公正を担保するために、責任者の立会いが
        要求される
        ①　公務所の場合は、その長又はこれにかわるべき者に通知して立ち会わせる
        ②　その他の住居等については、住居主、看守者等を立ち会わせなければなら
         ない（222Ⅰ・114）
        ③　女子の身体につき捜索状を執行する場合には原則として成年女子の立会い
         が必要（222Ⅰ・115）
        ④　被疑者・弁護人には立会権はない
        ⑤　捜査機関の側で必要であれば被疑者に立ち会わせることができる（222Ⅵ）
```

捜
査

第219条 〔差押え等の令状の方式〕

Ⅰ　前条の令状には、被疑者若しくは被告人の氏名、罪名、差し押さえるべき物、記録させ若しくは印刷させるべき電磁的記録及びこれを記録させ若しくは印刷させるべき者、捜索すべき場所、身体若しくは物、検証すべき場所若しくは物又は検査すべき身体及び身体の検査に関する条件、有効期間及びその期間経過後は差押え、記録命令付差押え、捜索又は検証に着手することができず令状はこれを返還しなければならない旨並びに発付の年月日その他裁判所の規則で定める事項を記載し、裁判官が、これに記名押印しなければならない⟨司⟩。

Ⅱ　前条第2項の場合には、同条の令状に、前項に規定する事項のほか、差し押さえるべき電子計算機に電気通信回線で接続している記録媒体であつて、その電磁的記録を複写すべきものの範囲を記載しなければならない⟨司⟩。

Ⅲ　第64条第2項の規定は、前条の令状についてこれを準用する。

［趣旨］219条1項は憲法35条が令状の要件として一般令状を禁止しているのを受けて、捜索・差押え、検証等にかかる令状の記載要件を規定するものである。

《注　釈》

一　令状による捜索・差押え

1　要件⟨司⟩

　　令状による捜索・差押えの要件としては、①「正当な理由」（憲35）の存在、②捜索・差押えの対象の特定性が要求される。また、③明文の規定はないものの、捜索・差押えの必要性も要件として要求されると解されている（最決昭44.3.18・百選A4事件）。

2　①「正当な理由」（憲35）⟨司H24⟩

(1)　捜索

　　捜索における「正当な理由」とは、特定の犯罪の嫌疑が存在する場合において、その犯罪との関連性を有する差押目的物が存在する蓋然性が認められることをいう。

　　この点、被疑者捜索における被疑者の住居・物・身体などについては、当該犯罪と関連性を有する物の存在が推定されるので、差押目的物が存在する蓋然性は明文で要求されていないが（222Ⅰ、102Ⅰ）、差押目的物が存在しないことが明らかな場合には、捜索の「正当な理由」を欠く。

　　他方、被疑者以外の者に対する第三者捜索の場合、差押目的物の「存在を認めるに足りる状況」のあること（差押目的物が存在する蓋然性）が明文で要求されている（222Ⅰ、102Ⅱ）⟨司⟩。

(2)　差押え

　　差押えにおける「正当な理由」とは、特定の犯罪の嫌疑が存在する場合において、差押目的物がその犯罪との関連性（被疑事実の証拠又は没収物件となりうること）を有することをいう。

捜
査

3 ②捜索・差押えの対象の特定性

(1) 捜索場所の特定

(a) 特定が要求された趣旨

　捜索場所の特定が要求された趣旨は、①令状裁判官が令状審査において「正当な理由」があるかどうかを判断するためには、捜索場所の特定が必要不可欠であること、②捜査の実施に当たり、あらゆる場所が無差別的に捜索される一般的捜索を防止することである。

(b) 特定の程度

▼ **最決昭 30.11.22**

　「合理的に解釈してその場所を客観的に特定しうる程度に記載することを必要とするとともに、その程度の記載があれば足りる」とした。

▼ **佐賀教組事件（佐賀地決昭 41.11.19）**

　「『差押え物件が隠匿保管されていると思料される場所』が……同会館内のどの場所を指しているのか全く明らかでない。……かくては憲法の禁止する一般的探険的捜索差押を許す結果とならざるをえない」として、特定性を欠く違憲、違法なものとした。

(2) 差押物の特定

　差押物の特定の趣旨も、捜索場所の特定と同様に、①令状裁判官が令状審査において「正当な理由」があるかどうかを判断するためには、差押物の特定が必要不可欠であること、②捜査の実施に当たり、あらゆる物が無差別的に捜索される一般的捜索を防止することである。

(a) 概括的記載の可否 予H23

▼ **最大決昭 33.7.29・百選 20 事件**

　「本件〔捜索差押〕許可状に記載された『本件に関係ありと思料せられる一切の文書及び物件』とは、『会議議事録、闘争日誌、指令、通達類、連絡文書、報告書、メモ』と記載された具体的な例示に附加されたものであって、」令状記載の被疑事件に関係があり、かつ右例示の物件に準ずるような闘争関係の文書、物件を示すことが明らかであるから、物の明示に欠けるところはない、とした。

(b) 罰条の記載の要否 予H23

▼ **最大決昭 33.7.29・百選 20 事件**

　「捜索差押許可状に被疑事件の罪名を、適用法条を示して記載することは憲法の要求するところでなく、捜索する場所及び押収する物以外の記載事項はすべて刑訴法の規定するところに委ねられており、刑訴219条1項により右許可状に罪名を記載するに当っては、適用法条まで示す必要はない」とした。

(c) 被疑事実の記載の要否〈司〉

逮捕状の場合（⇒ p.127）とは異なり、法は捜索差押許可状には、被疑事実（又はその要旨）を記載することを要請していない。その理由は、①被疑者を含む関係者の名誉保護、②捜査の秘密保持、③捜査の迅速性・実効性の確保等にある。

しかし、目的物の記載がやや概括的であるため被疑事実の記載によってその特定化を図る必要があるときには、記載が禁じられるわけではない。

4 ③捜索・差押えの必要性

5 氏名の記載

令状には、被疑者の氏名を記載しなければならない（219Ⅰ）。被疑者の氏名が不明のときは、人相、体格その他被疑者を特定するに足りる事項を記載すれば足りる（219Ⅲ・64Ⅱ）。また、規定はないが、被疑者そのものが不明のときは、実務上、被疑者の氏名欄に「被疑者不詳」と記載して令状発付することが認められている〈予〉。

▼ **最決昭44.3.18・百選A4事件**

「刑訴法218条1項によると、検察官もしくは検察事務官または司法警察職員は『犯罪の捜査をするについて必要があるとき』に差押をすることができるのであるから、検察官等のした差押に関する処分に対して、同法430条の規定により不服の申立を受けた裁判所は、差押の必要性の有無についても審査することができるものと解するのが相当である。……差押物が〔証拠物又は没収すべき物〕であっても、犯罪の態様、軽重、差押物の証拠としての価値、重要性、差押物が隠滅毀損されるおそれの有無、差押によって受ける被差押者の不利益の程度その他諸般の事情に照らし明らかに差押の必要がないと認められるときにまで、差押を是認しなければならない理由はない。」

二 令状の事前呈示〈司H20 司H29〉

捜索差押許可状は、処分を受ける者に示さなければならない（222Ⅰ・110）。手続の公正を担保するとともに、処分を受ける者の人権に配慮する趣旨に出たものであるから、原則として事前の呈示が必要である。もっとも、覚醒剤事犯において、対象物件を隠匿破棄されるおそれがある場合には、マスターキーで室内に入り、その後直ちに被疑者に令状を呈示して捜索・差押えをなしても違法ではない（後述最決平14.10.4・百選A5事件）〈予〉。

「処分を受ける者」とは、身体の捜索を受ける者、差し押さえるべき物又は捜索すべき場所を直接に、又は事実上支配している者をいう。捜索場所の占有管理者と差押物件の所有者が異なる場合には、捜索場所の管理者のみに呈示すれば足りるとする裁判例がある（東京地判平3.4.26）〈司〉。

三　令状の執行と「必要な処分」〈司H20 司H29 予R4〉

「必要な処分」（222 I・111 I 前段）とは、捜索・差押えの目的を達するために合理的に必要な範囲の付随処分をいう。具体的には、覚醒剤事犯等において、①宅配便業者を装って玄関を解錠させる行為、②来意を告げずマスターキーで客室ドアを解錠する行為、③合鍵による開扉、鎖錠の切断が「必要な処分」として認められた例がある。

また、押収物に関する「必要な処分」（222 I・111 II）として、差し押さえたフィルムの現像、差し押さえた電磁的記録媒体の内容の精査等を行うことができる。

▼　最決平 14.10.4・百選A5事件〈司〉〈司H29

　本件の「事実関係の下においては、捜索差押許可状の呈示に先立って警察官らがホテル客室のドアをマスターキーで開けて入室した措置は、捜索差押えの実効性を確保するために必要であり、社会通念上相当な態様で行われていると認められるから、刑訴法222条1項、111条1項に基づく処分として許容される。また、同法222条1項、110条による捜索差押許可状の呈示は、手続の公正を担保するとともに、処分を受ける者の人権に配慮する趣旨に出たものであるから、令状の執行に着手する前の呈示を原則とすべきであるが、前記事情の下においては、警察官らが……直後に呈示を行うことは、法意にもとるものではなく、捜索差押えの実効性を確保するためにやむを得ないところであって、適法というべきである。」

▼　大阪高判平 6.4.20

1　宅急便の配達を装って玄関扉を開けさせた点について

「法は、捜索を受ける者が受忍的協力的態度をとらず、令状を提示できる状態にない場合においては……社会通念上相当な手段方法により、令状を提示することができる状況を作出することを認めていると解され、執行を円滑、適正に行うために、執行に必要不可欠な事前の行為をすることを許容して〔いる〕（111条）。……薬物犯罪において、捜索に拒否的態度をとるおそれのある相手方であって、その住居の玄関扉等に施錠している場合は……容易に証拠を隠滅される危険性があるから……このような場合、捜査官は令状の執行処分を受ける者らに証拠隠滅工作に出る余地を与えず、かつ、できるだけ妨害を受けずに円滑に捜索予定の住居内に入って捜索に着手でき、かつ捜索処分を受ける者の権利を損なうことがなるべく少ないような社会的に相当な手段方法をとることが要請され、法は、前同条の『必要な処分』としてこれを許容しているものと解される。

本件……警察官らが、宅急便の配達を装って、玄関扉を開けさせて住居内に立ち入ったという行為は、有形力を行使したものでも、玄関扉の錠ないし扉そのものの破壊のように、住居の所有者や居住者に財産的損害を与えるものでも

なく、平和裡に行われた至極穏当なものであって、手段方法において、社会通念上相当性を欠くものとまではいえない。」
2　令状呈示前に住居の中央に位置する部屋まで立ち入った行為について
「……令状提示前の数分間になされた警察官らの室内立入りは、捜索活動というよりは、むしろその準備行為ないし現場保存行為というべきであり、本来の目的である捜索行為そのものは令状提示後に行われていることが明らかであるから、本件において……警察官がとった措置は、社会的に許容される範囲内のものと認められる。」

四　令状による捜索の範囲

1　場所に対する捜索令状による捜索の物的範囲

令状に記載された場所と同一管理権の及ぶ範囲であれば具体的な記載がなくても捜索できる。しかし、同一場所にあっても、他人の排他的な管理が及ぶ場合、その場所の捜索は許されない〈同H24〉

∵　裁判官は同一管理権の及ぶ範囲を基準としてプライバシーの利益を考慮し令状審査をしている

(1)　捜索場所に存する「物」の捜索

(a)　付属物

場所に対する捜索令状によって、捜索場所にある「物」を捜索することができる。しかし、場所に対する捜索と同様に、第三者の排他的支配下にある場合、捜索することはできない。

∵　捜索場所に存する「物」に対するプライバシーの利益は、場所に対するプライバシーの利益に包摂されている

(b)　捜索中に配達された郵送物

▼　最決平19.2.8・百選22事件〈予〉〈同H24 予R4〉

事案：　覚醒剤取締法違反被疑事件において、令状に基づく捜索執行中、被告人方に、被告人を依頼主兼受取人とする菓子箱様の荷物が配達され、被告人はこれを受領した。警察官らは、以前に伝票に依頼主兼受取人として被疑者氏名が記載された荷物から覚醒剤を発見した経験があったため、被告人に送られた菓子箱様の荷物を開封し、中から覚醒剤が発見されたので、被告人を現行犯逮捕、覚醒剤を差し押さえた。

決旨：　「警察官が、被告人に対する覚せい剤取締法違反被疑事件につき、捜索場所を被告人方居室等、差し押さえるべき物を覚せい剤とする捜索差押許可状に基づき、被告人立会いの下に上記居室を捜索中、宅配便の配達員によって被告人あてに配達され、被告人が受領した荷物について」捜索することができる。

評釈：　仮に、被疑者が荷物の受領を拒絶した場合、捜査機関はその荷物の中身を捜索することができないと解される。被疑者がその荷物の受領を拒

[第219条]

絶した以上、その荷物は令状記載の捜索場所に付属せず、その荷物の捜索を許容すると、令状記載の捜索場所にない荷物の中身を捜索することとなるためである。

(2) 捜索場所に居合わせた者の携帯物

(a) 居住者・同居人の携帯物

居住者・同居人の携帯物であっても、通常その場所に属する物又は付属物であれば、場所に対する捜索令状によって捜索することができる。

∵ 捜索場所に属する物であれば、現に携帯するか否かで区別する意味はない

▼ **大阪ボストンバッグ捜索事件（最決平6.9.8・百選21事件）**〈司〉〈司H29 予R4〉

「警察官は、Xの内妻であったYに対する覚せい剤取締法違反被疑事件につき、同女及びXが居住するマンションの居室を捜索場所とする捜索差押許可状の発付を受け、……右許可状に基づき右居室の捜索を実施したが、その際、同室に居たXが携帯するボストンバッグの中を捜索したというのであって、右のような事実関係の下においては、前記捜索差押許可状に基づきXが携帯する右ボストンバッグについても捜索できるものと解するのが相当である。」

(b) 第三者の携帯物

原則として、場所に対する捜索令状によって、偶然居合わせた第三者の携帯物を捜索することはできない。

∵ 偶然居合わせた第三者の携帯物は、通常その場所に属する物又は付属物ではない

もっとも、例外として、周囲の事情などから、通常その場所に属する物又は付属物を隠匿したと疑うに足りる相当な理由が認められるときは、「必要な処分」として、第三者の携帯物を捜索することができる。

(3) 人の身体・着衣〈司〉〈司H29〉

(a) 原則

場所に対する捜索令状によって、その場所にいる者（居住者、偶然居合わせた第三者を問わない）の身体・着衣を捜索することはできない（消極説）。

∵① 捜索の対象としての「身体」は「場所」と区別して規定されている（222Ⅰ、102）

② 身体の捜索により侵害される利益（人格の尊厳や人身の自由）は、場所の捜索により侵害される利益（生活の平穏や業務の円滑）より重大で保護の必要も大きい

176

(b) 例外

場所に対する捜索令状の効力は、「当該捜索すべき場所に現在する者が当該差し押さえるべき物をその着衣・身体に隠匿所持していると疑うに足りる相当な理由があり、許可状の目的とする差押を有効に実現するためにはその者の着衣・身体を捜索する必要が認められる具体的な状況の下においては、その者の着衣・身体にも及ぶ」（東京高判平6.5.11）。

2 場所に対する捜索令状による捜索の時間的範囲 〈予 司H24 予R4〉

捜索令状による捜索中に捜索場所に配達され、被疑者が受領した郵送物についても、当該場所に所在する「物」であるとして、当該捜索令状に基づいて捜索することができる（最決平19.2.8・百選22事件参照）。 ⇒ p.175

∵① 捜査機関は、令状の有効期間内であればいつでも捜索に着手できるのに、着手後有効期間内に捜索場所に加わった物を捜索できないのは不合理である

② 裁判官は、令状審査の際、当該令状の有効期間内において捜索すべき場所に差押目的物が存在する蓋然性の有無を審査しており、令状呈示という行為自体に、捜索対象を令状呈示時に存在するものに限定するという効力はない

五 被疑事実との関連性

1 令状による差押えの執行とその範囲

令状によって差し押さえることができるのは、令状記載の物件であって、かつ被疑事実と関連するものに限られる。そこで、差押えの実施に当たっては、捜査機関は、当該物が令状記載の差押目的物に当たるかどうかだけでなく、差し押さえようとする物件と当該被疑事実との関連性（222Ⅰ本文前段・99Ⅰ本文）を確認することも必要である 〈司H24 司R3 予H23〉。

▼ 大阪南賭博開張事件（最判昭51.11.18・百選23事件）

「右捜索差押許可状……の記載物件は、右恐喝被疑事件が暴力団であるＯ連合Ｏ組に所属し又はこれと親交のある被疑者らによりその事実を背景として行われたというものであることを考慮するときは、Ｏ組の性格、被疑者らと同組との関係、事件の組織的背景などを解明するために必要な証拠として掲げられたものであることが、十分に認められる。そして、本件メモ写しの原物であるメモには、Ｏ組の組員らによる常習的な賭博場開張の模様が克明に記録されており、これにより被疑者であるＡと同組との関係を知り得るばかりでなく、Ｏ組の組織内容と暴力団的性格を知ることができ、右被疑事件の証拠となるものであることが認められる。してみれば、右メモは、前記許可状記載の差押の目的物にあたると解するのが相当である。」

2 コンピュータと差押え

(1) フロッピーディスク等の電磁的記録媒体の差押え〈司R3〉

　　パソコンやフロッピーディスク、USBメモリ、DVDなどの可視性・可読性のない電磁的記録が令状記載の差押目的物に当たる場合でも、原則として、被疑事実との関連性を確認する必要がある。

　　もっとも、一定の場合には、例外的に内容を確認せずに差し押さえることが許される（最決平10.5.1・百選24事件）。

▼ 最決平10.5.1・百選24事件〈司予〉〈司R3〉

　　事案：　差し押さえるべき物を「組織的犯行であることを明らかにするための磁気記録テープ、光磁気ディスク、フロッピーディスク、パソコン一式」等とする旨の記載がある捜索差押許可状に基づいて、司法警察職員は被疑者のパソコン1台、フロッピーディスク合計108枚等を差し押さえた。差し押さえられたパソコン、フロッピーディスク等は、事件の組織的背景及び組織的関与を裏付ける情報が記録されている蓋然性が高いと認められた上、被疑者が記録された情報を瞬時に消去するコンピュータソフトを開発しているとの情報もあったことから、捜索差押えの現場で内容を確認することなく差し押さえられた。

　　決旨：　「令状により差し押さえようとするパソコン、フロッピーディスク等の中に被疑事実に関する情報が記録されている蓋然性が認められる場合において、そのような情報が実際に記録されているかをその場で確認していたのでは記録された情報を損壊される危険があるときは、内容を確認することなしに右パソコン、フロッピーディスク等を差し押さえることが許される」。

　　評釈：　本決定は、情報が損壊される危険がある場合について判断したものである。したがって、電磁的記録媒体が大量に存在するため、全内容を確認するために長時間を要し、被処分者にも著しい不利益が生じる場合や、電磁的記録媒体にプロテクトがかけられているなど、技術的に現場での内容確認が不可能・困難である場合において、情報が損壊される危険が認められないときに、同様の差押えが許されるか否かは、本決定の射程外である。

(2) アウトプットの可否

　　→目的達成のための必要最小限度で、社会的に相当な方法でなされたアウトプットは、「必要な処分」（222 I・111 I 前段）として許される

(3) 被処分者ないしその他の関係者に対する協力の強制の可否

　　現行法では協力義務を定めた規定が存しないことから、協力を強制することはできず、任意の協力を求めるしかないと考えられる。

　　そして、協力を得られないときは、①電磁的記録を包括的に差し押さえ

る、②「必要な処分」として専門家たる補助者に依頼して現場に立ち入らせる等の措置を採ることになる。

(4) 電磁的記録物の捜索・差押方法

平成23年6月17日、「情報処理の高度化等に対処するための刑法等の一部を改正する法律」が成立し、同月24日公布された。

本法律は、コンピュータによる情報処理の高度化に伴う新たな犯罪に対応することを目的とする。①電気通信回線で接続している記録媒体からの複写の制度の導入（99Ⅱ、218Ⅱ）、②記録命令付差押えの新設（99の2、218Ⅰ）、③電磁的記録に係る記録媒体の差押えの執行方法の整備（110の2・222Ⅰ）、④通信業者に対する通信履歴の保全要請（197Ⅲ〜Ⅴ）が主な内容である。

本法律は、いわゆるサイバー犯罪に対する国際的な取組みの一環であり、電磁的記録物に対する捜索・差押えを導入することで、これまで有体物のみを対象としていた既存の刑事手続の枠組みを広げるものである。

上記①（電気通信回線で接続している記録媒体からの複写）に関しては、日本国外に電磁的記録を保管した記録媒体（サーバ）が存在する場合において、捜査機関がこれにリモートアクセス（コンピュータを用いてこれと電気通信回線で接続している記録媒体にアクセスすること）を行うこと、及びそれによる電磁的記録の複写を行うことの適法性が問題となる。具体的には、国外にある記録媒体を対象とするリモートアクセスの根拠が現行刑訴法にあるか、また、国際捜査共助によらずに上記リモートアクセス等を行うことは当該サーバの所在国の主権を侵害するのではないかが問題となる。

これらの問題点について、判例（最決令3.2.1・百選25事件）は、次のとおり判示している。

▼ **最決令 3.2.1・百選 25 事件**

「刑訴法99条2項、218条2項の文言や、これらの規定がサイバー犯罪に関する条約……を締結するための手続法の整備の一環として制定されたことなどの立法の経緯……等に照らすと、刑訴法が、上記各規定に基づく日本国内にある記録媒体を対象とするリモートアクセス等のみを想定しているとは解されず、**電磁的記録を保管した記録媒体が同条約の締約国に所在し、同記録を開示する正当な権限を有する者の合法的かつ任意の同意がある場合に、国際捜査共助によることなく同記録媒体へのリモートアクセス及び同記録の複写を行うことは許されると解すべきである**」。

また、この判例では、リモートアクセスによる電磁的記録の複写の処分を実施する際、個々の電磁的記録について、被疑事実との関連性の有無を個別に確認することなく一括して複写の処分を行うことの適法性（同様の問題に

ついて、最決平 10.5.1・百選 24 事件参照）も問題となった。令状主義の下で
は、被疑事実と関連性の認められるものに限って差押えが許されるのが原則
だからである（⇒ p.178 参照）。

この点について、判例（最決令 3.2.1・百選 25 事件）は、次のとおり判示
している。

▼ **最決令 3.2.1・百選 25 事件**

　　本件捜索差押許可状による複写の処分の対象となる電磁的記録に、被疑事実
と関連する情報が記録されている蓋然性が認められることを前提に、「差押えの
現場における電磁的記録の内容確認の困難性や確認作業を行う間に情報の毀損
等が生ずるおそれ等に照らすと、本件において、同許可状の執行に当たり、
個々の電磁的記録について個別に内容を確認することなく複写の処分を行うこ
とは許される」。

六　令状による捜索・差押えと写真撮影

1　捜索・差押え時の写真撮影の可否〈司H21 予H27〉
→令状に「差し押さえるべき物」として記載されている目的物以外の物件を
写真撮影することは、無令状の検証（218 Ⅰ）であり、令状主義を潜脱し
違法であるのが原則である（通説）。もっとも、捜索・差押えの執行状況
を確認したり、差押物の位置関係を記録したりするための写真撮影は「必
要な処分」（222 Ⅰ、111 Ⅰ前段）として許容される

2　違法な写真撮影に対する準抗告の可否

▼ **令状外写真撮影事件（最決平 2.6.27・百選 33 事件）**〈共〉

　　本件においては、「司法警察員が申立人方居室において、捜索差押をするに際
して、右許可状記載の『差し押さえるべき物』に該当しない印鑑、ポケットティ
ッシュ、髭剃り、背広を写真撮影したというのであるが、……右の写真撮影
は、それ自体としては検証としての性質を有すると解されるから、刑訴法 430
条2項の準抗告の対象となる『押収に関する処分』にはあたらないというべき
である。」

⚓第220条〔令状によらない差押え・捜索・検証〕

Ⅰ　検察官、検察事務官又は司法警察職員は、第199条の規定により被疑者を逮捕
する場合又は現行犯人を逮捕する場合において必要があるときは、左の処分をす
ることができる。第210条の規定により被疑者を逮捕する場合において必要がある
ときも、同様である〈司予〉。
① 人の住居又は人の看守する邸宅、建造物若しくは船舶内に入り被疑者の捜索を
すること〈予〉。
② 逮捕の現場で差押、捜索又は検証をすること〈予〉。

Ⅱ　前項後段の場合において逮捕状が得られなかつたときは、差押物は、直ちにこれを還付しなければならない〈予〉。第123条第3項の規定は、この場合についてこれを準用する〈同〉。

Ⅲ　第1項の処分をするには、令状は、これを必要としない〈同予〉。

Ⅳ　第1項第2号及び前項の規定は、検察事務官又は司法警察職員が勾引状又は勾留状を執行する場合にこれを準用する。被疑者に対して発せられた勾引状又は勾留状を執行する場合には、第1項第1号の規定をも準用する。

憲法第35条　〔住居の不可侵〕

Ⅰ　何人も、その住居、書類及び所持品について、侵入、捜索及び押収を受けることのない権利は、第33条の場合を除いては、正当な理由に基いて発せられ、且つ捜索する場所及び押収する物を明示する令状がなければ、侵されない。

[趣旨] 220条は、憲法35条1項が「第33条の場合を除いて」としているのを受けて、逮捕の場合に令状なくして捜索・差押えができることを規定したものである（令状主義の例外）。

《注　釈》

一　令状によらない捜索・差押えの根拠〈予〉

A　相当説（判例・実務）

逮捕の現場には証拠の存在する蓋然性が高いので、合理的な証拠収集手段として認められる。

∵① 220条は、逮捕の現場には証拠の存在する蓋然性が高いことから認められたものである

② 身柄の拘束という重大な法益侵害が行われる場合であるから、これよりも権利侵害の程度の少ない捜索・差押えを捜査の必要上、合理的範囲内で認めることができる

B　緊急処分説（限定説）〈予〉

被逮捕者の抵抗を抑圧し、逃亡を防止し、同時に現場の証拠の破壊を防止するための緊急の必要性から無令状捜索・差押えが認められる。

→なお、この見解も、逮捕の現場には証拠の存在する蓋然性が一般的に高いという前提を否定するわけではない〈予〉

∵① 令状主義の趣旨の重視

② 220条は、逃亡の防止と証拠破壊の防止の必要性から設けられたのであるから、捜索・差押えは緊急事態において行われることを要する

▼　最大判昭36.6.7・百選A6事件

「〔憲法〕35条が……捜索、押収につき令状主義の例外を認めているのは、この場合には、令状によることなくその逮捕に関連して必要な捜索、押収等の強制処分を行うことを認めても、人権保障上格別の弊害もなく、かつ、捜査上の

便益にも適うことが考慮されたによるものと解されるのであって、刑訴220条が被疑者を緊急逮捕する場合において必要があるときは、逮捕の現場で捜索、差押等をすることができるものとし、且つ、これらの処分をするには令状を必要としない旨を規定するのは、緊急逮捕の場合について憲法35条の趣旨を具体的に明確化したものに外ならない。」

二　時間的限界〈司予〉

A　逮捕との時間的接着性があれば、逮捕の着手を不要とする見解（判例）［相当説から］

　　∵①　具体的状況によっては、被疑者等による証拠破壊・隠匿を防止するため逮捕に先行して差押えを行う必要がある場合もある

　　②　逮捕と接着して行われる限り特に人権侵害の弊害はない

B　逮捕に着手すればよく、逮捕が成功したかどうかは問わないとする見解［緊急処分説・限定説から］

　　→被疑者が現場に存在する場合には、逮捕の直前であっても許される

　　∵①　220条1項柱書は、「逮捕する場合」と規定し、「逮捕した場合」としていない

　　②　A説の①の理由

▼　最大判昭36.6.7・百選A6事件〈予〉

「『逮捕する場合において』と……は、単なる時点よりも幅のある逮捕する際をいうのであり、……逮捕との時間的接着を必要とするけれども、逮捕着手時の前後関係は、これを問わないと解すべきであって、……従って……〔本件のごとく〕緊急逮捕のため被疑者方に赴いたところ、被疑者がたまたま他出不在であつても、帰宅次第緊急逮捕する姿勢の下に捜索、差押がなされ、且つ、これと時間的に接着して逮捕がなされる限り、その捜索、差押は、なお、緊急逮捕する場合その現場でなされたとするのを妨げるものではない。」

三　場所的限界〈司〉

1　「逮捕の現場」（220 I ②）の意義〈予〉〈司H18 司H24 司H25〉

A　同一管理権の及ぶ場所をいうとする見解（判例）

　　∵①　（相当説から）証拠の存在する蓋然性が高い場所であれば足りる

　　②　（緊急処分説・限定説から）逮捕者への加害ないし証拠の破壊は、現場に居合わせた共犯者や家族などによってもなされることがある

B　被疑者の身体又は直接の支配下にある場所に限るとする見解〈予〉

　　∵①　緊急処分説・限定説からの帰結

　　②　「逮捕の現場」という文言に合致する

▼ **最大判昭 36.6.7・百選A 6事件**

「逮捕の現場で」について、「場所的同一性を意味するにとどまる」と判示した。

▼ **東京高判昭 44.6.20・百選 26 事件**

　「刑事訴訟法 220 条第 1 項第 2 号が、被疑者を逮捕する場合、その現場でなら、令状によらないで、捜索差押をすることができるとしているのは、逮捕の場所には、被疑事実と関連する証拠物が存在する蓋然性が極めて強く、その捜索差押が適法な逮捕に随伴するものである限り、捜索差押収令状が発付される要件を殆んど充足しているばかりでなく、逮捕者らの身体の安全を図り、証拠の散逸や破壊を防ぐ急速の必要があるからである。従って、同号にいう『逮捕の現場』の意味は……最高裁判所大法廷の判決〔最大判昭 36.6.7・百選A 6事件〕からも窺われるように、右の如き理由の認められる時間的・場所的且つ合理的な範囲に限られるものと解するのが相当である。」

　これを〔本件〕捜索押収についてみると、本件捜査の端緒、被告人とBとの関係、殊に 2 人が飛行機の中で知り合い、その後行動をともにし、且つ同室もしていたこと、右のような関係から同たばこについても或いは 2 人の共同所持ではないかとの疑いもないわけではないこと、Bの逮捕と「同たばこの捜索差押との間には時間的、場所的な距りがあるといつてもそれはさしたるものではなく、また逮捕後自ら司法警察員らを引続き自己と被告人の投宿している相部屋の右 714 号室に案内していること」、同たばこの捜索差押後被告人も 1 時間 20 分ないし 1 時間 45 分位のうちには同室に帰って来て本件で緊急逮捕されていることおよび「本件が検挙が困難で、罪質もよくない大麻取締法違反の事案であることなどからすると、この大麻たばこ 7 本の捜索差押をもって、直ちに刑事訴訟法第 220 条第 1 項第 2 号にいう『逮捕の現場』から時間的・場所的且つ合理的な範囲を超えた違法なものであると断定し去ることはできない。」

2　被逮捕者の身体の特殊性

　被逮捕者の身体についての捜索は、逮捕をした場所でしなければならないのであろうか。被疑者を逮捕したうえ、近くの警察署などに連行してなした被疑者の身体の捜索が、「逮捕の現場」（220Ⅰ②）における無令状捜索・差押えとして許容されるかが問題となる。

▼ **和光大学内ゲバ事件（最決平 8.1.29・百選 27 事件）**

　「逮捕した被疑者の身体又は所持品に対する捜索、差押えである場合においては、逮捕現場付近の状況に照らし、被疑者の名誉等を害し、被疑者らの抵抗による混乱を生じ、又は現場付近の交通を妨げるおそれがあるといった事情のため、その場で直ちに捜索、差押えを実施することが適当でないときには、速やかに被疑者を捜索、差押えの実施に適する最寄りの場所まで連行した上、これらの処分を実施することも、同号にいう『逮捕の現場』における捜索、差押え

と同視することができ、適法な処分と解するのが相当である。」

　「これを本件の場合についてみると、原判決の認定によれば、被告人Ａが腕に装着していた籠手及び被告人Ｂ、Ｃがそれぞれ持っていた所持品（バッグ等）は、いずれも逮捕のときに警察官らがその存在を現認したものの、逮捕後直ちには差し押さえられず、被告人Ａの逮捕場所からは約500メートル、被告人Ｂ、Ｃの逮捕場所からは約３キロメートルの直線距離がある警視庁町田署に各被告人を連行した後に差し押さえられているが、被告人Ａが本件により準現行犯逮捕された場所は店舗裏搬入口付近であって、逮捕直後の興奮さめやらぬ同被告人の抵抗を押さえて籠手を取り上げるのに適当な場所でなく、逃走を防止するためにも至急同被告人を警察車両に乗せる必要があった上、警察官らは、逮捕後直ちに右車両で同署を出発した後も、車内において実力で籠手を差し押さえようとすると、同被告人が抵抗してさらに混乱を生ずるおそれがあったため、そのまま同被告人を右警察署に連行し、約５分をかけて同署に到着した後間もなくその差押を実施したというのである。また、被告人Ｂ、Ｃが本件により準現行犯逮捕された場所も、道幅の狭い道路上であり、車両が通る危険性等もあった上、警察官らは、右逮捕現場近くの駐在所でいったん同被告人らの前記所持品の差押えに着手し、これを取り上げようとしたが、同被告人らの抵抗を受け、更に実力で差押えを実施しようとすると不測の事態を来すなど、混乱を招くおそれがあるとして、やむなく中止し、その後手配によって来た警察車両に同被告人らを乗せて右警察署に連行し、その後間もなく、逮捕の時点からは約１時間後に、その差押えを実施したというのである。以上のような本件の事実関係の下では、……刑訴法220条１項２号にいう『逮捕の現場』における差押えと同視することができる」として当該差押手続を適法とした。

▼ 東京高判昭53.11.15

　「……逮捕現場が群衆に取り囲まれていて同所で逮捕者について着衣や所持品等を捜索押収することが、混乱を防止し、被疑者の名誉を保護するうえで適当ではないと認められる場合、当該現場から自動車で数分、距離約数百メートル程度離れた警察署等適当な場所で押収手続をとることは刑訴法220条１項２号にいう逮捕の現場で差押する場合に当たると解すべきである」と判示し、本件押収を適法とした。

3　逮捕の現場に居合わせた第三者の身体についての捜索・差押えの可否
　A　積極説
　　「押収すべき物の存在を認めるに足りる状況」（222Ⅰ、102Ⅱ）の要件をみたすのであれば、居合わせた第三者の身体への捜索も許される。
　　∵　第三者の身体であっても、証拠物が存在する蓋然性は否定されない
　B　消極説
　　原則として、逮捕の現場に居合わせた第三者の身体を捜索することは許さ

れないが、居合わせた第三者が証拠物を警察官の目の前で隠匿したような場合には、妨害を排除して現状に回復するために合理的にみて必要な処分をすることができる

∵① 個別具体的にはともかく、一般的・類型的にみて証拠の存在する蓋然性が高いとはいえない

② 妨害排除の処分は、捜索の効力あるいは「必要な処分」（222Ⅰ、111Ⅰ）として許される

▼ **函館地決昭55.1.9**

押収すべき物を共犯者が所持していると認めるに足りる状況が客観的に存在しているとして、被疑者を逮捕した居室に同室していた共犯者の身体捜索を適法とした。

四 物的限界 〈同予〉〈同H18 司H25〉

A 被疑事実に関連する証拠物であれば広く含まれるとする見解（相当説、判例・実務）

B 逮捕の理由となっている被疑事実に関する証拠物・没収すべき物及び武器・逃走具に限られるとする見解

∵① （緊急処分説・限定説から）逮捕に伴う捜索・差押えは、証拠の損壊・隠滅を防ぎ、また、逮捕行為を安全・確実にするために認められている

② 逮捕に当たっては、被疑者が凶器を所持していることが多く、これを取り上げない限り逮捕の目的を達することができない

▼ **札幌高判昭58.12.26**

刑事訴訟法220条1項2号における「捜索、差押は、逮捕の原由たる被疑事実に関する証拠物の発見、収集、及びその場の状況からみて逮捕者の身体に危険を及ぼす可能性のある凶器等の発見、保全などに必要な範囲内で行われなければならず、この範囲を超え、余罪の証拠の発見、収集などのために行うことが許されないことは多言を要しない」として、本件覚醒剤は「違法な捜索の過程中に発見、収集された証拠物である」とした。

▼ **福岡高判平5.3.8・百選〔第10版〕24事件**〈司〉

刑訴法220条1項2号にいう「『逮捕する場合』とは、……『逮捕する時』という概念よりも広く、被疑者を逮捕する直前及び直後を意味するものと解される」。「本件においては、警察官が被告人の目前においてペーパーバッグを開披し、ポリ袋入り覚せい剤一袋を確認した時点では、被告人を右覚せい剤所持の現行犯人として逮捕する要件が充足されて」いる。「しかしながら、同条項にいう『逮捕の現場』は、逮捕した場所との同一性を意味する概念ではあるが、被疑者

を逮捕した場所でありさえすれば、常に逮捕に伴う捜索等が許されると解することはできない。すなわち、住居に対する捜索等が生活の平穏やプライバシー等の侵害を伴うものである以上、逮捕に伴う捜索等においても、当然この点に関する配慮が必要であると考えられ、本件のように、職務質問を継続する必要から、被疑者以外の者の住居内に、その居住者の承諾を得た上で場所を移動し、同所で職務質問を実施した後被疑者を逮捕したような場合には、逮捕に基づき捜索できる場所も自ずと限定されると解さざるを得ないのであって、K子方に対する捜索を逮捕に基づく捜索として正当化することはできないというべきである。」

五　緊急捜索・差押えと別件捜索・差押え

1　意義

　緊急捜索・差押えとは、憲法35条の要求する捜索・押収の要件を具備しているが、証拠破壊のおそれが高く司法官憲による事前の審査をする暇がない場合、逮捕に伴う捜索・差押えによらないでなされる無令状の捜索・差押えをいう。

　別件捜索・差押えとは、本件についての証拠を発見・収集する目的で、捜索・差押えの理由・必要性の欠けた、ないし乏しい事件（別件）の捜索・差押えの手続をとることをいう。

2　緊急捜索・差押えと別件捜索・差押えの差異

　緊急捜索・差押えは、適法な捜索の過程でたまたま他事件の証拠が発見された場合に問題となる。これに対して、別件捜索・差押えは、最初から他事件（本件）の証拠を収集することを目的としてなされる点で異なっている。

3　緊急捜索・差押え

　A　否定説

　　∵①　緊急捜索・差押えを許容する明文の規定はない

　　　②　令状を別罪の捜索差押令状に化けさせてしまう危険性がある

　　　③　事件単位の原則

　B　肯定説

　　証拠存在の蓋然性、証拠破壊の危険性及び時間的切迫性があれば、220条1項2号を準用して、例外的に緊急捜索・差押えを肯定する。

4　別件捜索・差押え

(1)　適法性

　捜査機関がもっぱら本件の証拠収集のためにことさら別件に名を借りた捜索・差押えをなすことは、一般的・探索的な捜索・差押えを禁止した令状主義（憲35、法219Ⅰ）の趣旨に反し違法である。

▼ **最判昭 51.11.18・百選 23 事件**

「憲法 35 条 1 項及びこれを受けた刑訴法 218 条 1 項、219 条 1 項は、……その趣旨からすると、令状に明示されていない物の差押が禁止されているばかりでなく、捜査機関が専ら別罪の証拠に利用する目的で差押許可状に明示された物を差し押さえることも禁止されるものというべきである」とした。

▼ **福岡高判平 5.3.8・百選〔第 10 版〕24 事件**

「同女方の捜索は、被告人が投げ捨てたペーパーバッグの中から発見された覚せい剤所持の被疑事実に関連する証拠の収集という観点から行われたものではなく、被告人が既に発見された覚せい剤以外にも A 子方に覚せい剤を隠匿しているのではないかとの疑いから、専らその発見を目的として実施されていることが明らかである。そして、右二つの覚せい剤の所持が刑法的には一罪を構成するとしても、訴訟法的には別個の事実として考えるべきであって、一方の覚せい剤所持の被疑事実に基づく捜索を利用して、専ら他方の被疑事実の証拠の発見を目的とすることは、令状主義に反し許されないと解すべきである。」

(2) 判断基準

前掲判例は捜査機関がもっぱら別罪の証拠に利用する目的を有していたかにより決する。しかし、捜査機関の主観的意図の判断は必ずしも容易ではない。そこで、捜査機関の主観的意図のみならず、捜査の客観的状況をも基準として判断すべきである。

▼ **広島高判昭 56.11.26・百選〔第 10 版〕26 事件**

「問題のモーターボート競走法違反被疑事件は、被告人に対する被疑事実の内容、被告人の関与の態様、程度、当時の捜査状況からみて、多数関係者のうち特に被告人方だけを捜索する必要性が果たしてあったものかどうか、記録を検討してみてもすこぶる疑問であるばかりでなく、後に認定するように、右捜索に際し、被告人が預金通帳 3 冊を所持しているのを発見したが、これが右被疑事件を立証するものとは認めなかったのに、これをその場で被告人より提出させて領置していること、被告人は右被疑事件について逮捕、勾留されたが起訴されなかったことなどを併せ考えると、右被告人方の捜索は警察当局において、本件業務上横領事件の証拠を発見するため、ことさら被告人方を捜索する必要性に乏しい別件の軽微な競走法違反事件を利用して、捜索差押令状を得て右捜索をしたもので、違法の疑いが強いといわざるを得（ない）」と判示した。

▼ **札幌高判昭 58.12.26**

　「警察官らは右暴行事件による被告人の逮捕の機会を利用し、右暴行事件の逮捕、捜査に必要な範囲を超え、余罪、特に被告人又は A による覚せい剤の所持、使用等の嫌疑を裏付ける証拠の発見、収集を意図していたものと認められる」として、右捜索を違法とした。

六　承諾捜索

　処分を受ける者が捜索のなんたるかを理解するとともに、捜査官の申出を拒絶できることを十分に知ったうえで、真摯に承諾すれば任意捜査として許される。そして、①任意性の立証責任は捜査官側にあり（犯罪捜査規範 100）、②実務運用上いわゆる家宅捜索は、承諾が得られる見込みがあっても、令状発付を受けて行うべきものとされている（犯罪捜査規範 108）。

▼ **福岡高判平 5.3.8・百選〔第 10 版〕24 事件**

　「承諾に基づく住居等に対する捜索については、犯罪捜査規範 108 条が、人の住居等を捜索する必要があるときは、住居主等の任意の承諾が得られると認められる場合においても、捜索許可状の発付を受けて捜索をしなければならない旨規定しているが、住居等の捜索が生活の平穏やプライバシー等を侵害する性質のものであることからすれば、捜索によって法益を侵害される者が完全な自由意思に基づき住居等に対する捜索を承諾したと認められる場合には、これを違法視する必要はないと考えられる。しかし、住居等に対する捜索は法益侵害の程度が高いことからすれば、完全な自由意思による承諾があったかどうかを判断するに当たっては、より慎重な態度が必要であると考えられる。そこで、この点を本件についてみると、確かに A 子方に対する捜索は、S 警部からの申し出に対し、同女が『いいですよ。……』と返事したことを受けて行われたものではあるが、同女は当時 20 歳前の女性であったこと、……同女方に入ってきた警察官の人数は決して少ない数ではなかった上、その最高責任者 S 警部から、『他に覚せい剤を隠していないか。あったら出しなさい』と告げられた上で、A 子方に対する捜索について承諾を求められていたことを併せ考えると、A 子が同警部の申し出を拒むことは事実上困難な状況にあったと考えざるを得ない。そうすると、A 子としては、同女方にまだ覚せい剤が隠されているのではないかとの警察官らの疑いを晴らす必要があったことや、被告人が、『A 子見せんでいいぞ』と怒鳴って A 子が捜索を承諾するのを制止したにもかかわらず、同女が『いいですよ』等と返事していることを考慮に入れても、同女の承諾が完全な自由意思による承諾であったと認めるのは困難であって、S 警部らによる A 子方の捜索が同女の承諾に基づく適法な捜索であったということはできない。」

第221条 〔領置〕〈司予〉

　検察官、検察事務官又は司法警察職員は、被疑者その他の者が遺留した物又は所有者、所持者若しくは保管者が任意に提出した物は、これを領置することができる。

《注　釈》
一　法的性質

　領置は、差押えと同様、物の占有を取得・保持する処分であるが、占有取得の過程に強制の要素が認められない点で差押えと異なる。したがって、憲法35条の「押収」には含まれず、令状を要しない〈予〉。

　一方、いったん領置によって物を取得した後は、差押えと同様、占有の保持に強制力が生じる。すなわち、捜査機関は、還付（押収した物を所有者等に返還すること）しなければならない場合（222Ⅰ・123Ⅰ）を除き、還付の請求があってもこれを拒むことができる〈司〉。したがって、刑訴法上の「押収」には含まれる。

　→以上より、領置は、物を取得するまでは任意処分、物を取得した後は強制処分の性質を有するものとされる

　領置した物の検証等（回収したごみ袋内にあった犯行計画メモの欠片を復元する行為等）は、「必要な処分」（222Ⅰ・111Ⅱ）として肯定され得る〈司H22〉。

二　意義

1　「遺留した物」（遺留物）〈司R5〉

　遺留物とは、遺失物より広い概念であり、自己の意思によらずに占有を喪失した場合に限らず、自己の意思により占有を放棄し、離脱させた物を含む。

　∵　領置は差押えと異なり、占有取得の過程に強制の要素が認められないからこそ令状を要しないとされている

2　「所有者、所持者若しくは保管者が任意に提出した物」〈司R5〉

　「所有者」とは、当該物件の所有権を有する者をいう。

　「所持者」とは、自己のために当該物件を占有する者をいう。

　「保管者」とは、他人のために当該物件を占有する者をいう。

三　領置の適法性〈司R5〉

　領置の適法性を判断するに当たっては、①「領置」の要件を満たすかどうか、②「領置」の要件を満たす場合には、相手方の期待（「通常、そのまま収集されて他人にその内容を見られることはないという期待」や「ＤＮＡ型を知られることはないという期待」など）がプライバシーの利益として法的に保護されるものか否か、③相手方の利益が法的に保護される利益であるとしても、当該事案においてなお要保護性が認められるか否か（当該事案の具体的状況下における遺失物・任意提出物の領置の必要性及び相当性が認められるか否か）を検討する必要がある。

1　領置が適法とされた場合

▼　**最決平20.4.15・百選9事件** 〈共予〉〈司H22 司R5〉

事案：　本件は、金品強取の目的で被害者を殺害して、キャッシュカード等を強取し、同カードを用いて現金自動預払機から多額の現金を窃取するなどした強盗殺人、窃盗、窃盗未遂の事案である。

　　　　捜査の過程で被告人が本件にかかわっている疑いが生じたため、警察官は、被告人及びその妻が自宅付近の公道上にあるごみ集積所に出したごみ袋を回収し、そのごみ袋の中身を警察署内において確認した。その際、前記現金自動預払機の防犯ビデオに写っていた人物が着用していたものと類似するダウンベスト、腕時計等を発見し、これらを領置した。

決旨：　「ダウンベスト等の領置手続についてみると、被告人及びその妻は、これらを入れたごみ袋を不要物として公道上のごみ集積所に排出し、その占有を放棄していたものであって、排出されたごみについては、通常、そのまま収集されて他人にその内容が見られることはないという期待があるとしても、捜査の必要がある場合には、刑訴法221条により、これを遺留物として領置することができるというべきである。また、市区町村がその処理のためにこれを収集することが予定されているからといっても、それは廃棄物の適正な処理のためのものであるから、これを遺留物として領置することが妨げられるものではない。」

評釈：　本決定は、領置の限界について、被告人のプライバシーの利益の要保護性に着目し、各領置の必要性と比較衡量をして相当性の判断を行うという判断枠組みを採用している。

▼　**東京高判平30.9.5・百選8事件**

事案：　本件は、被告人がA短期大学内に侵入し、その金庫から現金を窃取したという窃盗事案である。

　　　　被告人の住む本件マンションには、ごみに関連する施設として、各階にごみの集積場所であるゴミステーションがあり、地下1階にごみ置場が設けられていた。警察は、被告人が居住していた階のゴミステーションに置かれたごみ袋をごみ回収責任者に回収してもらい、地下1階のごみ置場において、被告人が出した可能性のあるごみ袋4袋について、本件マンションの管理会社の管理員から任意提出を受けて領置した上、同管理員立会いの下、1袋ずつ開封していった。その際、そのうち1袋から紙片（金庫内保管時に被害紙幣束に付されていたメモ紙の断片と思しきもの）等が発見されたため、警察は、同管理員から改めてその紙片等の任意提出を受け、これを領置した。

判旨：　「本件マンションにおけるごみの取扱いからすると、居住者等は、回収・搬出してもらうために不要物としてごみを各階のゴミステーション

捜査

に捨てているのであり、当該ごみの占有は、遅くとも清掃会社が各階のゴミステーションから回収した時点で、ごみを捨てた者から、本件マンションのごみ処理を業務内容としている管理組合、その委託を受けたマンション管理会社及び更にその委託を受けた清掃会社に移転し、重畳的に占有しているものと解される。……本件紙片等の入っていたごみ1袋を含むごみ4袋は、その所持者が任意に提出した物を警察が領置したものであり、警察がそのごみ4袋を開封しその内容物を確認した行為は、領置した物の占有の継続の要否を判断するために必要な処分として行われたものであるといえる。」

「本件マンションの居住者等は、ゴミステーションに捨てたごみが清掃会社によりそのまま回収・搬出され、みだりに他人にその内容を見られることはないという期待を有しているものといえるが、このことを踏まえても、本件紙片を領置するに至った捜査は、……必要性があり、その方法も相当なものであった」といえる。したがって、「警察がその所持者から本件紙片等の入っていたごみ1袋を含むごみ4袋の任意提出を受けて領置した上、それらのごみ袋を開封してその内容物を確認し、証拠となり得る物と判断した本件紙片等について、改めて任意提出を受けて領置した捜査手続は適法なものといえる」。

2 領置が違法とされた場合

▼ 東京高判令3.3.23・令4重判1事件

事案： 警察官らは、殺人等事件の被疑者であるXのDNA型鑑定に必要な資料を採取するため、Xが所有し居住するマンションの敷地内にあるごみ集積場（マンションの居住部分の建物とは独立して設置されており、施錠設備はないが、屋根・壁・扉がある）に立ち入り、Xが排出したごみ袋を回収した。その際、警察官らは、無令状でマンションの敷地内に立ち入り、マンションの管理業務を行っていたA社の承諾を得ず、ごみ収集を行っていた清掃組合の協力も得ていなかった。

判旨： 警察官らは、「Xの捨てたごみを探し、これを回収するという目的で、管理者等の承諾も令状もないのに本件マンションの敷地内、すなわち私有地に立ち入っている」。しかも、本件ごみ集積場は、「私有地内に屋根と壁と扉で周囲と隔てられた空間を形成しており、明らかに第三者の無断立入りを予定していない構造となっている」ところ、警察官らは、「本件ごみ集積場の中にあった複数のごみからXが捨てたごみを選別・特定している」。この警察官らのよる「Xのごみの選別・特定に係る行為は、刑訴法218条1項にいう捜索に当たる。」また、「私有地内に建設された第三者の無断立入りが予定されていない本件ごみ集積場に体を入れ、その中にあった本件ビニール袋に及んでいる他人の占有を排し、本件ビニール袋の占有を取得した」行為は、「同条にいう差押えに当たる」。

捜査

捜
査

　　　　刑訴法221条の「『遺留物』とは、自己の意思によらずに占有を喪失し、あるいは、自己の意思によって占有を放棄した物をいうが、ここでの占有とは、物理的な管理支配関係としての占有を指すものと解される。……本件ごみ集積場の構造、本件ごみ集積場と本件マンションの距離等に照らせば、本件マンションの住人が本件ごみ集積場にごみを搬入しても、直ちに搬入した者の当該ごみに対する物理的な管理支配関係が放棄あるいは喪失されたとは認め難く、他方で、ごみが本件ごみ集積場に搬入された時点で、本件ごみ集積場を管理しているＡ社の物理的な管理支配関係が生じたとみる余地もある」。そうすると、本件ごみ袋は「『遺留物』には該当せず、警察官によって回収された時点では、なおＸ及びＡ社の重畳的な占有下にあったというべきである」。警察官による「本件回収行為は、捜索差押えに該当し、捜索差押許可状によることなく行われたのであるから、違法な捜索差押えである」。

評釈：　本件では、本件ごみ袋の中にあった煙草の吸殻を契機として得られた資料のＤＮＡ型鑑定結果が記載された統合捜査報告書等（本件吸殻関連証拠）について、その証拠能力が違法収集証拠排除法則により否定されるか否かも争点となった。本件吸殻関連証拠は、違法な本件回収行為自体から得られたものではないとした上で、本件回収行為と関連性を有する極めて重要な証拠であるとし、結論として、「本件回収行為に、令状主義の精神を潜脱し、没却するような重大な違法があったとは認められない」として、その証拠能力を肯定した。

第222条　〔押収・捜索・検証に関する準用規定、検証の時刻の制限、被疑者の立会い等〕

Ⅰ　第99条第1項＜差押え＞、第100条＜郵便物等の押収＞、第102条から第105条まで＜捜索、公務上の秘密・業務上の秘密と押収＞、第110条から第112条まで＜差押状等の提示、差押えに代わる処分、必要な処分、出入り禁止＞、第114条＜責任者等の立会い＞、第115条＜女子の身体の捜索＞及び第118条から第124条まで＜執行を中止する場合の措置、証明書の交付、押収目録の作成・交付、押収物の保管＞の規定は、検察官、検察事務官又は司法警察職員が第218条、第220条及び前条の規定によつてする押収又は捜索について、第110条＜差押状等の提示＞、第111条の2＜協力の要請＞、第112条＜出入り禁止＞、第114条＜責任者等の立会い＞、第118条＜執行を中止する場合の措置＞、第129条＜検証と必要な処分＞、第131条＜身体検査に関する注意＞及び第137条から第140条まで＜身体検査拒否に対する身体検査の強制＞の規定は、検察官、検察事務官又は司法警察職員が第218条又は第220条の規定によつてする検証についてこれを準用する。ただし、司法巡査は、第122条から第124条まで＜押収物の売却・還付等＞に規定する処分をすることができない。

Ⅱ　第２２０条＜令状によらない差押え・捜索・検証＞の規定により被疑者を捜索する場合において急速を要するときは、第１１４条第２項＜責任者の立会い＞の規定によることを要しない。

Ⅲ　第１１６条＜夜間の差押状・捜索状の執行＞及び第１１７条＜同前の例外＞の規定は、検察官、検察事務官又は司法警察職員が第２１８条の規定によつてする差押え、記録命令付差押え又は捜索について、これを準用する

Ⅳ　日出前、日没後には、令状に夜間でも検証をすることができる旨の記載がなければ、検察官、検察事務官又は司法警察職員は、第２１８条の規定によつてする検証のため、人の住居又は人の看守する邸宅、建造物若しくは船舶内に入ることができない。但し、第１１７条＜同前の例外＞に規定する場所については、この限りでない。

Ⅴ　日没前検証に着手したときは、日没後でもその処分を継続することができる。

Ⅵ　検察官、検察事務官又は司法警察職員は、第２１８条の規定により差押、捜索又は検証をするについて必要があるときは、被疑者をこれに立ち会わせることができる。

Ⅶ　第１項の規定により、身体の検査を拒んだ者を過料に処し、又はこれに賠償を命ずべきときは、裁判所にその処分を請求しなければならない。

[趣旨] 222条は、裁判所の行う捜索・差押えの手続に関する規定を、捜査機関の行う捜索・差押えに準用するものである。222条に当事者の立会権に関する規定（113）の準用はなく、捜査機関の側で必要があれば被疑者を立ち会わせることができる（222Ⅵ）。

[準用条文] ⟨同子⟩

　218条、220条、221条の規定によってする捜索・押収については、①差押え、提出命令（99）、②郵便物等の押収（100）、③捜索（102）、④公務上秘密と押収（103、104）、⑤業務上秘密と押収（105）、⑥令状の呈示（110）、⑦押収捜索と必要な処分（111）、⑧執行中の出入禁止（112）、⑨責任者の立会い（114）、⑩女子の身体の捜索と立会い（115）、⑪執行の中止と必要な処分（118）、⑫証明書の交付（119）、⑬押収目録の交付（120）、⑭押収物の保管、廃棄（121）、⑮押収物の代価保管（122）、⑯還付、仮還付（123）、⑰押収贓物の被害者還付（124）が準用される。また、218条の規定によってする押収又は捜索については、⑱時刻の制限（116）、⑲時刻の制限の例外（117）が準用される。

　そして、検証については、①令状の呈示（110）、②執行中の出入禁止（112）、③責任者の立会い（114）、④執行の中止と必要な処分（118）、⑤検証と必要な処分（129）、⑥身体検査に関する注意、女子の身体検査と立会い（131）、⑦身体検査の拒否と過料等（137）、⑧身体検査の拒否と刑罰（138）、⑨身体検査の直接強制（139）、⑩身体検査の強制に関する訓示規定（140）が準用される。

《注 釈》
一 物的証拠の収集・保全と被疑者の防御
1 捜索・差押え時の防御
(1) 令状による捜索・差押えの場合

捜索差押令状の事前呈示（222Ⅰ・110）により、捜査内容を把握することができる。

(2) 令状によらない捜索・差押えの場合

逮捕との時間的接着性、場所的同一性が問題となるが、職務質問に伴う所持品検査から発展して逮捕に至ることも少なくないので、場合によっては所持品検査の適否と関連付けて検討することが必要である。

(3) 弁護人・被疑者の立会い

弁護人・被疑者の立会権は認められていないが（222Ⅰ・113参照）〈司共 予〉、捜査機関は弁護人・被疑者を立ち会わせることはできる（222Ⅵ）。

(4) 事前の通知〈予〉

司法警察職員が、捜索差押許可状により被疑者以外の者の住居の捜索を行うに際して、あらかじめ、その者に執行の日時を通知する必要はない（222Ⅰ・113Ⅱ参照）。

2 事後の防御
(1) 押収物の目録の交付（222Ⅰ・120）

なお、押収物がない場合はその旨の証明書の交付を請求することができる（222Ⅰ・119）。

(2) 仮還付請求（222Ⅰ・123Ⅱ）

3 準抗告（429、430）

押収に関しては、裁判官の裁判、検察官・検察事務官・司法警察職員のした処分に対してその取消し・変更を請求できる（429、430）。では、差押え許可の裁判自体に対して準抗告の申立てができるであろうか。

この点、①現実に差押処分の執行が行われた後には、取消しを求める利益がなくなり、差押処分の取消し請求しかできない。②さらに、処分の有無にかかわらず、捜査機関に対する差押令状の発付は、差押えを命ずる厳密な意味の「裁判」ではなく、国家機関相互間の内部的行為にすぎず、処分を受ける者に直接効力を及ぼすものではないから、独立に準抗告の対象にはなりえないとの裁判例がある（①につき東京地決昭55.1.11、②につき大阪地決昭54.5.29）。

二　物的証拠の収集・保全の種類

＜物的証拠の収集・保全方法＞

1　捜索：一定の場所、物又は人の身体について、物又は人の発見を目的として
　　　　　行われる強制処分（222Ⅰ・102）
2　押収：物の占有を取得する処分（99）
　(1)　差押え：物の占有を強制的に取得する処分（222Ⅰ・99Ⅰ、218Ⅰ、220Ⅰ）
　(2)　領置：遺留物や任意提出物の占有を取得する処分（222Ⅰ、101、221）
　(3)　提出命令：差押えの対象となる物を指定し、所有者、所持者又は保管者に
　　　　　　　　　その物の提出を命じる裁判（99Ⅱ、100ⅠⅡ）
3　検証：場所・物・人について、強制的にその形状・性質を五官の作用で感知
　　　　　する処分（218Ⅰ）
4　鑑定：特別の知識経験を有する者による、事実の法則又はその法則を具体的
　　　　　事実に適用して得た判断の報告（223Ⅰ）
5　実況見分：検証と同じ内容のことを任意処分として行う場合のこと

第222条の2　〔電気通信の傍受〕

　通信の当事者のいずれの同意も得ないで電気通信の傍受を行う強制の処分については、別に法律で定めるところによる。

[趣旨] 通信傍受は通信の秘密・個人のプライバシーを侵害する強制処分であるため、222条の2は、強制処分法定主義（197Ⅰただし書）の要請に従い、特別法により通信傍受を行うものとする。本条の趣旨を受けて現在通信傍受法が制定されており、その手続に従ってのみ通信傍受は行うことができる。

※　なお、平成28年の「刑事訴訟法等の一部を改正する法律」が成立したことにより、通信傍受法も改正され、対象犯罪に①爆発物の使用、②現住建造物等放火、③殺人、④傷害・傷害致死、⑤逮捕・監禁関係の罪、⑥略取・誘拐関係の罪、⑦窃盗、⑧強盗・強盗致死傷、⑨詐欺・電子計算機使用詐欺、⑩恐喝、⑪児童ポルノ関係の罪が加えられる等の改正が施されている。

《注　釈》

一　意義等

　　秘密録音とは、会話を当事者の同意なく秘密裏に録音することをいう。

　法的には、①当事者双方の同意を得ずに電話等の電気通信を傍受すること（通信傍受）や、住居に侵入して会話を傍受すること（会話傍受）のように強制捜査に当たる場合と、②公共の場での会話を録音することや、一方当事者の同意を得て会話を録音すること等の任意捜査に当たる場合との区別が重要である。

　通信傍受については、「電話傍受は、通信の秘密を侵害し、ひいては、個人のプライバシーを侵害する強制処分」（最決平11.12.16・百選32事件）であり、「犯罪捜査のための通信傍受に関する法律」に基づいて行われる《回》。

二　通信傍受の要件・手続《回》

　通信傍受の要件としては、薬物、銃器及び集団密航に関する犯罪、組織的な殺人等の重大犯罪について、「他の方法によっては、犯人を特定し、又は犯行の状況若しくは内容を明らかにすることが著しく困難である」ことが要求される（通信傍受法3）。そして、令状請求権者を検事、警視以上の警察官、令状発付権者を地方裁判所の裁判官に限定し（同法4）、傍受令状には被疑事実の要旨及び罰条の記載も要求され（同法6）、傍受期間を10日間（最長30日間）とする（同法7）。

　通信傍受の実施に関する手続としては、令状の提示（同法10）、立会人の常時立会い（同法13）、該当性判断のための傍受（同法14）、いわゆる別件傍受の限定（同法15）、傍受した全通信の記録（同法24）、立会人による封印、裁判官による保管（同法25）、当事者に対する事後通知（同法30）、不服申立て制度（同法33）等がある。

第223条　〔第三者に対する出頭要求・取調べ・鑑定等の嘱託〕《回》

Ⅰ　検察官、検察事務官又は司法警察職員は、犯罪の捜査をするについて必要があるときは、被疑者以外の者の出頭を求め、これを取り調べ、又はこれに鑑定、通訳若しくは翻訳を嘱託することができる《同共》。

Ⅱ　第198条第1項但書及び第3項乃至第5項＜出頭拒否権・退去権、供述の録取、調書についての増減変更申立権、署名押印拒絶権＞の規定は、前項の場合にこれを準用する《予》。

第224条　〔鑑定の嘱託と鑑定留置の請求〕《回》

Ⅰ　前条第1項の規定により鑑定を嘱託する場合において第167条第1項＜鑑定留置＞に規定する処分を必要とするときは、検察官、検察事務官又は司法警察員は、裁判官にその処分を請求しなければならない。

Ⅱ　裁判官は、前項の請求を相当と認めるときは、第167条の場合に準じてその処分をしなければならない。この場合には、第167条の2＜鑑定留置と勾留の執行停止＞の規定を準用する。

Ⅲ　第207条の2及び第207条の3の規定は、第1項の請求について準用する。この場合において、第207条の2中「勾留を」とあるのは「第167条第1項に規定する処分を」と、同条並びに第207条の3第3項及び第5項中「勾留状」と

あるのは「鑑定留置状」と、第２０７条の２第２項中「前条第５項本文の規定により」とあるのは「第２２４条第２項前段の規定により第１６７条の場合に準じて」と読み替えるものとする。

第２２４条の２

第２０７条の２第２項の規定による勾留状に代わるものの交付があつた場合における前条第２項後段において準用する第１６７条の２第２項において準用する第９８条の規定の適用については、同条第１項中「勾留状の謄本」とあるのは、「第２０７条の２第２項本文の勾留状に代わるもの」とする。

第２２５条 〔鑑定受託者と必要な処分、許可状〕〈囲〉

Ⅰ 第２２３条第１項の規定による鑑定の嘱託を受けた者は、裁判官の許可を受けて、第１６８条第１項に規定する処分＜鑑定と必要な処分＞をすることができる。

Ⅱ 前項の許可の請求は、検察官、検察事務官又は司法警察員からこれをしなければならない〈予〉。

Ⅲ 裁判官は、前項の請求を相当と認めるときは、許可状を発しなければならない。

Ⅳ 第１６８条第２項乃至第４項及び第６項＜許可状、条件の付与、許可状の呈示、身体検査に関する注意、女子の身体検査と立会い、身体検査の拒否と過料等、身体検査の拒否と刑罰、身体検査の強制に関する訓示規定＞の規定は、前項の許可状についてこれを準用する。

《注 釈》

一 参考人の取調べ

1 意義

検察官、検察事務官又は司法警察職員は、犯罪の捜査をするについて必要があるときは、被疑者以外の者（参考人、共犯関係にある者（最判昭36.2.23））の出頭を求め、これを取り調べることができる（223Ⅰ）〈予〉。

参考人の取調べは、当然任意処分であって、出頭拒否権・退去権がある。

2 方法・手続

取調べの方法は被疑者の場合に準ずる（223Ⅱ）。参考人の供述は調書に録取され、後に一定の要件の下で証拠能力が与えられる。

もっとも、被疑者取調べと異なり、参考人取調べは当人の犯罪に関する取調べではないため、黙秘権の告知を行う必要はなく（223条２項は198条２項を準用していない）、弁護人選任権の告知（203Ⅰ）を行う必要もない〈同予〉。

3 問題点

(1) 参考人取調べと被疑者取調べの限界

参考人取調べの場合、黙秘権等の権利告知がない。しかし、重要参考人について、権利告知しないまま取調べを進めて自白を得て、後に改めて権利告知をして自白調書を作成する方法は妥当ではない。そこで、被疑者の疑いが

生じた段階で速やかに権利告知をなし、弁護人の選任もできる限り早期に認めるべきである。

▼ **東京高判平22.11.1・平24重判1事件**

　黙秘権を告げず、参考人として事情聴取し、被告人に不利益な事実を録取した警察官調書について、「捜査機関は、連続放火犯人の容疑者の一人として6月4日から被告人の尾行をしていたのであり、被告人を6月13日に参考人として事情聴取した際、……被告人の立件を視野に入れて被告人を捜査対象としていたとみざるを得ない」とし、「黙秘権を実質的に侵害して作成した違法がある」とした。

(2)　被害者等の参考人の権利保護の必要性

　被害者等の第三者には、事案の真相解明に協力する一般的な義務はあるが、これらの者の権利が不当に侵害されることがあってはならない。特に、犯罪の被害者が捜査手続の対象となることで、第二次的被害を受けることはできる限り避けなければならず、被害者の取調べに当たっては、被害者の精神的被害を拡大させないような配慮が必要である。

二　鑑定

1　意義

　鑑定とは、特別の知識経験を有する者による、事実の法則又はその法則を具体的事実に適用して得た判断の報告をいう。捜査機関は、犯罪の捜査をするについて必要があるときは、専門家（鑑定受託者）に鑑定を嘱託することができる（鑑定嘱託、223Ⅰ）。鑑定の結果は、検査結果回答書、又は捜査報告書に記載して保全される。この場合は、鑑定に関する総則規定（第1編12章）のそのままの適用はない。

　捜査機関は専門家に鑑定を嘱託することができるが（223Ⅰ）、その際必要があれば、強制捜査の1つとして被疑者を病院等に留置（鑑定留置）することができる（224Ⅰ）。

2　鑑定処分

　鑑定受託者は、鑑定について必要がある場合には、裁判官の鑑定処分許可状を得て住居等に入り、身体を検査し、死体を解剖し、墳墓を発掘又は物を破壊することができる（225Ⅰ・168Ⅰ）。

　しかし、225条4項で準用する168条6項は、139条を準用しておらず、また172条も準用していないため、身体検査を直接強制することはできない【司予】。

3　鑑定留置

　捜査機関は、被疑者の心神又は身体に関する鑑定をさせる必要がある場合には、被疑者の留置を裁判官に請求しなければならない（224Ⅰ・167Ⅰ）。裁判官は、期間を定め、病院その他の相当な場所に被疑者を留置する（224Ⅱ・167）。

　鑑定留置は令状によらなければならず（憲33、34）、鑑定留置状の発付が必

要となる。

　勾留されている場合は、鑑定留置の期間、勾留の執行は停止される（224Ⅱ・167の2）が、勾留の効力は消滅しない（最判昭28.9.1）。

第226条 〔証人尋問の請求〕

　犯罪の捜査に欠くことのできない知識を有すると明らかに認められる者が、第223条第1項の規定による取調に対して、出頭又は供述を拒んだ場合には、第1回の公判期日前に限り、検察官は、裁判官にその者の証人尋問を請求することができる◀同共予▶。

第227条 〔同前〕◀同共予▶

Ⅰ　第223条第1項の規定による検察官、検察事務官又は司法警察職員の取調べに際して任意の供述をした者が、公判期日においては前にした供述と異なる供述をするおそれがあり、かつ、その者の供述が犯罪の証明に欠くことができないと認められる場合には、第1回の公判期日前に限り、検察官は、裁判官にその者の証人尋問を請求することができる◀予▶。

Ⅱ　前項の請求をするには、検察官は、証人尋問を必要とする理由及びそれが犯罪の証明に欠くことができないものであることを疎明しなければならない。

第228条 〔証人尋問〕

Ⅰ　前2条の請求を受けた裁判官は、証人の尋問に関し、裁判所又は裁判長と同一の権限を有する。

Ⅱ　裁判官は、捜査に支障を生ずる虞がないと認めるときは、被告人、被疑者又は弁護人を前項の尋問に立ち会わせることができる◀同共予▶。

[趣旨]証人尋問は、被疑者以外の第三者に宣誓のうえ強制的に供述させるものである。被疑者以外の第三者に対し捜査機関は強制力を使うことはできないため、検察官が裁判官に証人尋問を請求できるとしたものである。

《注　釈》

- 検察官は、第1回公判期日前に限り（226、227）、強制手段として裁判官に証人尋問の請求をすることができる。
- 227条1項の「異なる供述」とは、犯罪の証明に影響を与える程度（犯罪事実の認定を左右する程度）の差のある供述をいう。末梢的な点で異なるにすぎない場合はこれに含まれない。そして、「異なる供述」とは、供述が被疑者・被告人に有利に変更される場合が通常であるが、不利に変更される場合も含まれる◀予▶。
- 捜査における証人尋問には、公判における証人尋問の規定が準用されるので（228Ⅰ）、検察官には立会権・尋問権がある（157）。しかし、被告人・被疑者又は弁護人が立会い・尋問をすることができるのは、捜査に支障を生ずるおそれのない場合に限られる（228Ⅱ）◀同共予▶。判例（最決昭28.4.25）も、第1回公判期日

捜査

前の証人尋問の場合には、必ずしも被告人及び弁護人の立会いを要するものとはされておらず、その証人尋問に当たって、被告人・弁護人のいずれか又はその双方、あるいは弁護人中の何名に立会いを許すかということもその証人尋問をする裁判官の裁量に属する旨判示している〈予〉。

- 検察官は、公訴提起後であっても、「第1回の公判期日前」（227 I）であれば227条に基づく証人尋問の請求をすることが可能である。そして、227条の請求を受けた「裁判官は、証人の尋問に関し、裁判所又は裁判長と同一の権限を有する」（228 I）こととされており、公訴提起後であっても、227条に基づく証人尋問の請求先はあくまでも「裁判官」であって「裁判所」ではない〈予〉。

第229条 〔検視〕

I 変死者又は変死の疑のある死体があるときは、その所在地を管轄する地方検察庁又は区検察庁の検察官は、検視をしなければならない〈同共〉。

II 検察官は、検察事務官又は司法警察員に前項の処分をさせることができる〈同共〉。

《注 釈》

一 意義

検視とは、変死者（犯罪による疑いのある死体）又は変死の疑いのある死体があるときに、犯罪の嫌疑の有無を確認するため、死体の状況を外表から見分する処分をいう〈予〉。

二 手続

1 検視は事柄の重大性から検察官の権限とされる（229 I）が、検察事務官又は司法警察員に行わせることができる（代行検視、229 II）。検視は要急処分であるため令状を要しない。

2 検視には、刑訴法に基づき犯罪の疑いの有無を確認する司法検視と、行政法規に基づいて犯罪と無関係な死体を見分する行政検視とがある。犯罪による死亡でないことが明白な場合には、司法検視の対象とはならず、公衆衛生などの行政上の目的から行政検視の対象となりうる。司法検視は、令状を要しない反面、単に外観を観察できるにとどまり、部分的にも解剖やエックス線検査は許されない〈司予〉。

第230条 〔告訴権者〕

犯罪により害を被つた者は、告訴をすることができる。

第231条 〔同前〕

Ⅰ 被害者の法定代理人は、独立して告訴をすることができる《同子》。

Ⅱ 被害者が死亡したときは、その配偶者、直系の親族又は兄弟姉妹は、告訴をすることができる。但し、被害者の明示した意思に反することはできない《同》。

第232条 〔同前〕

被害者の法定代理人が被疑者であるとき、被疑者の配偶者であるとき、又は被疑者の四親等内の血族若しくは三親等内の姻族であるときは、被害者の親族は、独立して告訴をすることができる。

第233条 〔同前〕

Ⅰ 死者の名誉を毀損した罪については、死者の親族又は子孫は、告訴をすることができる。

Ⅱ 名誉を毀損した罪について被害者が告訴をしないで死亡したときも、前項と同様である。但し、被害者の明示した意思に反することはできない。

第234条 〔告訴権者の指定〕

親告罪について告訴をすることができる者がない場合には、検察官は、利害関係人の申立により告訴をすることができる者を指定することができる《同》。

[趣旨] 230条から234条までは、告訴権者に関する規定であり、何らかの犯罪が行われた場合に、被害者その他の特定の者に告訴権者としての地位を認め、犯人の処罰についてそれらの者の意思をできるだけ反映させ、犯罪の防圧と被害者の保護に重要な意義をもつ。

＜犯罪被害者の刑事手続上の地位＞

捜査段階

被害届・告訴	被害者は、被害届の提出・告訴（230）によって捜査の端緒に関与することができる →被害者の親権者が2人あるときは、その各自が「被害者の法定代理人」（231Ⅰ）として、告訴をすることができる（最決昭34.2.6）
取調べ・証人尋問	捜査過程において、犯罪被害者は参考人としての取調べ（223）を受ける他、証人尋問（226、227）の対象となる。その結果は、参考人調書として証拠となりうる（321Ⅰ）
被害者連絡制度	警察による「被害者連絡制度」が実施されており、被疑者の逮捕、処分状況等の情報が被害者に通知されている

捜査

公訴段階

検察官の起訴・不起訴の決定（248）	① 被害状況や示談の有無、被害者の宥恕の意思表示などを考慮 ② 親告罪については告訴が訴訟条件
不当な不起訴処分に対する抑制手段	① 検察審査会への審査申立て（検審 30 以下） ② 職権濫用事件における付審判請求（準起訴手続、262 以下）の制度がある

公判段階

証人となる被害者の保護	① 証人威迫罪（刑 105 の 2） ② 保釈の除外事由・取消事由として、いわゆる「お礼参り」のおそれがある場合が規定（89 ⑤、96 I ④） ③ 公判期日外で非公開の証人尋問（281） ④ 被告人・傍聴人の退廷（304 の 2、規 202） ⑤ 証人付添人（157 の 2） ⑥ 証人と被告人又は傍聴人との間の遮へい措置（157 の 3） ⑦ ビデオリンク方式による証人尋問（157 の 4 I）
被害者の公判手続の傍聴	「刑事被告人の事件が属する裁判所の裁判長は、……被害者等……から、当該被告事件の公判手続の傍聴の申出があるときは、傍聴席及び傍聴を希望する者の数その他の事情を考慮しつつ、申出をした者が傍聴できるよう配慮しなければならない」（被害者保護法 2）
公判記録の閲覧	原則として、公判記録の閲覧・謄写が認められている（被害者保護法 3、4）
被害者等の意見陳述	「裁判所は、被害者等……から、被害に関する心情その他の被告事件に関する意見の陳述の申出があるときは、公判期日において、その意見を陳述させるものとする」（292 の 2）
刑事和解	被告人と被害者等との間で、被告事件に関する民事上の争いについて合意が成立した場合には、裁判所に対して被告人と被害者等が共同して当該合意の公判調書への記載を求める申立てをすることができ、裁判所がその内容を公判調書に記載したときは、裁判上の和解と同一の効力を有する（被害者保護法 13 以下） これにより、被告人から合意に基づく履行がないときは、被害者は当該公判調書により直ちに強制執行することが可能となる
損害賠償命令	一定の刑事被告事件について、刑事裁判を利用して簡易迅速に損害賠償を請求できる制度が創設された（被害者保護法 17）
被害者参加制度	316 の 33 以下　⇒ p.362
犯罪被害者等の氏名等の情報保護	公開の法廷で被害者等の氏名等（被害者特定事項）が明らかにされることにより、被害者等の名誉や社会生活の平穏が著しく害されるおそれがある事件では、裁判所は、被害者特定事項を明らかにしない旨の決定をすることができる（290 の 2 I）

第235条 〔告訴期間〕

　親告罪の告訴は、犯人を知つた日から6箇月を経過したときは、これをすることができない〈司〉。ただし、刑法第232条第2項の規定により外国の代表者が行う告訴及び日本国に派遣された外国の使節に対する同法第230条又は第231条の罪につきその使節が行う告訴については、この限りでない。

第236条 〔告訴期間の独立〕

　告訴をすることができる者が数人ある場合には、1人の期間の徒過は、他の者に対しその効力を及ぼさない〈司〉。

【趣旨】 235条の趣旨は、親告罪について告訴権の行使期間を無制限に認めると、国家刑罰発動の可能性が私人である告訴権者の意思によっていつまでも変動的な状態に置かれることになることから、告訴をなしうる期間を制限する点にある。

第237条 〔告訴の取消し〕

I　告訴は、公訴の提起があるまでこれを取り消すことができる〈司予〉。
II　告訴の取消をした者は、更に告訴をすることができない〈司予〉。
III　前2項の規定は、請求を待つて受理すべき事件についての請求についてこれを準用する。

【趣旨】 刑罰権の行使を完全に被害者に委ねると、法的安定性からも、適正公平な刑罰権の行使の実現という観点からも適当ではないことから、いったん行使した告訴の取消しを認めつつ、本条において、その時期を制限し、さらに、取消後の再度の告訴を禁止するものである。

第238条 〔告訴の不可分〕

I　親告罪について共犯の1人又は数人に対してした告訴又はその取消は、他の共犯に対しても、その効力を生ずる。
II　前項の規定は、告発又は請求を待つて受理すべき事件についての告発若しくは請求又はその取消についてこれを準用する。

【趣旨】 起訴ないし審判を合一的に行うものとして、告訴人らの恣意によって生じる共犯者間の不公平を排除しようとするものである。

第239条 〔告発〕

I　何人でも、犯罪があると思料するときは、告発をすることができる。
II　官吏又は公吏は、その職務を行うことにより犯罪があると思料するときは、告発をしなければならない。

第240条 〔告訴の代理〕 〈同〉

告訴は、代理人によりこれをすることができる。告訴の取消についても、同様である。

第241条 〔告訴・告発の方式〕 〈同予〉

Ⅰ 告訴又は告発は、書面又は口頭で検察官又は司法警察員にこれをしなければならない。

Ⅱ 検察官又は司法警察員は、口頭による告訴又は告発を受けたときは調書を作らなければならない 〈予〉。

第242条 〔告訴・告発を受けた司法警察員の手続〕 〈共予〉

司法警察員は、告訴又は告発を受けたときは、速やかにこれに関する書類及び証拠物を検察官に送付しなければならない。

第243条 〔告訴・告発の取消しの手続〕

前2条の規定は、告訴又は告発の取消についてこれを準用する。

第244条 〔外国代表者等の行う告訴の特別方式〕

刑法第232条第2項の規定により外国の代表者が行う告訴又はその取消は、第241条及び前条の規定にかかわらず、外務大臣にこれをすることができる。日本国に派遣された外国の使節に対する刑法第230条又は第231条の罪につきその使節が行う告訴又はその取消も、同様である。

［趣旨］241条は、告訴、告発の方式について規定しており、告訴、告発が訴訟条件とされている場合の手続の明確性を確保する趣旨である。

《注 釈》

一 告訴（230以下）

1 意義

告訴とは、犯罪の被害者その他一定の者が、捜査機関に対して犯罪事実を申告し、その訴追を求める意思表示をいう。

告訴を行うには告訴能力が必要である。判例は、被害者が告訴当時13歳11か月であっても告訴能力があるとしている（最決昭32.9.26）。裁判例においては、告訴当時10歳11か月の被害者にも告訴能力が認められている（名古屋高金沢支判平24.7.3・平24重判3事件）。

また、犯罪事実を申告し、犯人の処罰を求める意思の表示がされていれば、被害者の司法警察員に対する「供述調書」であっても、告訴調書として有効である（最決昭34.5.14）〈同〉。

告訴は、通常、捜査の端緒としての意味をもつにすぎないが、親告罪においては告訴の存在が訴訟条件とされる。

なお、親告罪について告訴がなくても、捜査をすることはできる 〈共〉。

2　手続

(1)　告訴権者

告訴権者は、犯罪の被害者、被害者の法定代理人等法定されている（230以下）〈司予〉。

→「独立して」（231Ⅰ）とは、本人の意思とは無関係にという意味であり、被害者の法定代理人は、被害者の明示・黙示の意思に反しても告訴をすることができる〈予〉

(2)　告訴期間

原則として、犯人を知った日から6か月以内にしなければならない（235）〈司〉。告訴期間は各告訴権者ごとに計算する（236）〈司〉。

(3)　方式〈司〉

告訴は、書面又は口頭で、検察官又は司法警察員に対し行う（241Ⅰ）。口頭のときは告訴調書が作成される（241Ⅱ）。なお、告訴は代理人によって行うこともできる（240前段）。

告訴は、特定の犯罪事実を対象としてなされるもので、特定の犯人を対象としてなされるものではない。したがって、常に必ずしも犯人を指定してなされなければならないものではない（大判昭12.6.5）〈司予〉。

(4)　告訴の取消しと告訴権の放棄

(a)　告訴は、公訴の提起があるまで取り消すことができ（237Ⅰ）、その方式は告訴の場合に準じて扱われる（243）。取消し後は、告訴権が消滅するので、再告訴はできない（237Ⅱ）〈司予〉。

告訴の取消しができるのは、告訴をした者である。そして、法定代理人の告訴権（231Ⅰ）は法定代理人自身の固有権と解されているから（最決昭28.5.29）、被害者の法定代理人がした告訴は、法定代理人のみ取り消すことができ、被害者本人が取り消すことはできない〈予〉。

(b)　告訴権の放棄ができるかが問題となるが、明文の規定がなく、実際上その必要性も乏しいので許す必要はないと解される（最決昭37.6.26）。

(5)　その後の手続〈予〉

告訴により捜査が開始され、①司法警察員は、告訴に関する書類・証拠物を速やかに検察官に送付する義務を負う（242）。②検察官は、告訴人等に対する起訴・不起訴処分の通知義務を負い（260）、告訴人等による請求があるときは、不起訴理由の告知義務を負う（261）。

捜査

(6)　「犯人を知った」の意義

▼　**最決昭 39.11.10** 〈同予〉

「犯人を知った」とは、犯人がだれかを知ることをいい、犯人の住所・氏名等の詳細を知る必要はないが、少なくとも犯人の何人たるかを特定し得る程度に認識することを要する。

3　告訴の効力（告訴不可分の原則）

　親告罪の告訴に関し、1個の犯罪事実ないし共犯関係について、告訴の効力は全体に及ぶ。これを告訴不可分の原則という。この原則には、①客観的不可分の原則と、②主観的不可分の原則とがある。告訴の取消しについても同様である。

(1)　客観的不可分の原則〈同〉

　(a)　意義

　　客観的不可分の原則とは、一罪の一部についての告訴の効力は、その全部に及ぶことをいう。明文の規定はないが、①告訴をする場合、通常、訴追の範囲を犯罪の一部に限定する意思はないであろうし、②被害者等に事件の分割を許すべきではないという理由で認められている。

　　→告訴の効力の及ぶ範囲については、告訴の客観的不可分の原則により、捜査又は公判で判明した事実が告訴のあった事実と異なっても、告訴のあった事実と公訴事実の同一性がある限り、告訴の効力は判明した事実にも及ぶと解されている〈同〉

　(b)　客観的不可分の原則の例外

　　告訴の客観的不可分の原則の趣旨に照らし導かれる例外がある。

　ア　親告罪である一罪の各部分が被害者を異にする場合（たとえば、1通の文書でA・B2名の名誉毀損をした場合）、一方の者に対する告訴の効力は、他方の者にかかる事実には及ばない〈予〉。

　イ　一罪の一部が親告罪である場合、非親告罪に限定してなされた告訴の効力は、親告罪の部分には及ばない（通説）。

(2)　主観的不可分の原則〈同〉

　(a)　意義

　　主観的不可分の原則とは、共犯者の1人（又は数人）に対してなした告訴は、他の共犯者に対してもその効力を生ずることをいう（238）。①告訴は特定の犯人を選別するものではなく、犯罪事実の訴追を求める制度であること、②被害者に犯人特定の能力がないという理由で認められている。

　(b)　主観的不可分の原則の例外

　　親族に関する特例（刑244Ⅱ）のように親告罪か否かが犯人の人的関係で決まる相対的親告罪の場合、非身分者に対する告訴は身分関係のある共

犯者には及ばない（通説）。

二 告発 (239)

1 意義

告発とは、第三者（すなわち、告訴権者及び犯人・捜査機関以外の者）が、捜査機関に対して、犯罪事実を申告しその訴追を求める意思表示をいう。

2 手続

告発は、何人でも犯罪があると思料するときに行うことができる（239Ⅰ）。告発は一般には権利にすぎないが、公務員がその職務を行うことにより犯罪を発見したときは、告発の義務がある（239Ⅱ）。また、一定の犯罪については訴訟条件となる（独禁96Ⅰ等）。なお、告発を訴訟条件とする事件であっても、その告発前に強制捜査をすることは可能である（最決昭35.12.23）。

告発の手続・効果については、告訴の場合に準じて扱われる（238Ⅱ、241～243、183）。

3 告発の効力範囲

▼ **最判平 4.9.18**

議院証言法の偽証罪について、「議院等の告発が訴訟条件とされるのは、議院の自律権能を尊重する趣旨に由来するもの」であるが、そのことから「直ちに告発の効力の及ぶ範囲についてまで議院等の意思に委ねるべきものと解さなければならないものではない」。同罪につき、「数個の陳述の一部について議院等の告発がされた場合、一罪を構成する他の陳述部分についても当然に告発の効力が及ぶものと解するのが相当である。」

三 請求 (237Ⅲ、238Ⅱ)

請求とは、第三者が、捜査機関に対して、犯罪事実を申告しその訴追を求める意思表示をいい、告発類似の制度である。ただ、特定の罪について認められている（刑92Ⅱ）点において、告発と異なる。

手続については、親告罪の告訴の規定が準用される（237Ⅲ、238Ⅱ）。

第245条 〔自首〕

第241条及び第242条の規定は、自首についてこれを準用する。

《注 釈》

- 第241条及び第242条の規定は、自首についてこれを準用する。自首とは、犯人が、罪を犯したことが発覚する前に、自ら捜査機関に自己の犯罪事実を申告し、処分に服するとの意思表示をいう。
- 刑法上、刑の減免の理由となるので（刑42Ⅰ等）、告訴・告発に準じた慎重な手続をとる（245・241、242）。

- 245 条は、告訴の取消しについて定める 237 条 1 項を準用しておらず、自首した犯人は自首を取り消すことができない〈拱〉。

第２４６条 〔司法警察員から検察官への事件の送致〕

司法警察員は、犯罪の捜査をしたときは、この法律に特別の定のある場合を除いては、速やかに書類及び証拠物とともに事件を検察官に送致しなければならない〈予〉。但し、検察官が指定した事件については、この限りでない〈予〉。

《注　釈》

- 「特別の定」（246 本文）として、(1)被疑者が逮捕された場合の時間的制限に関する規定（203、211、216）、(2)告訴・告発・自首を受けた場合の書類・証拠物の送付に関する規定（242、245）の他、少年法 41 条がある。

- 少年法 41 条前段は、「司法警察員は、少年の被疑事件について捜査を遂げた結果、罰金以下の刑にあたる犯罪の嫌疑があるものと思料するときは、これを家庭裁判所に送致しなければならない。」と規定する〈拱〉。

- 犯罪が極めて軽微であり、かつ、検察官から事件送致の手続をとる必要がないとあらかじめ指定されたものについて、司法警察員は、事件送致をしないことができる（246 ただし書、捜査規範 198）。これを微罪処分という。

第3編　公訴

《概　説》
一　訴訟条件
1　意義
　　訴訟条件とは、訴訟手続を有効に成立させ、これを継続させるための条件をいう。
　　訴訟条件が備わっていなければ、裁判所は、その事由に応じて、管轄違い（329以下）、公訴棄却（338、339）、免訴（337）という形式裁判で手続を打ち切ることになる。
2　訴訟条件の存在時期
　　訴訟条件が公訴の提起の要件たる機能を果たすものである以上、訴訟条件は起訴から判決までの訴訟の全過程に存在するのが原則である。もっとも、土地管轄については公訴提起の際にあればよく、事後に被告人が住居を移すなどして事由が消滅してもかまわない（331参照）。また、後述するように、訴訟条件の追完が認められるか、問題となる。
3　訴訟条件の審査方法
　　原則：裁判所の職権調査事項　∵事柄の重要性と公益的性質のため
　　例外：被告人の申立てをまって判断（331Ⅰ）
4　告訴を欠いた親告罪の捜査の可否
　　告訴が得られる可能性が全くなければ、公訴提起の余地はないので捜査の必要性は認められず、捜査は許されないと解すべきである。しかし、将来告訴が得られる余地を残しているときは、被疑者及び証拠を保全しておく必要性は否定できないことから、この場合の捜査行為は許される。

二　訴訟条件の種類
1　訴訟条件の分類方法
　　訴訟条件の分類方法には様々なものがあるが、ここでは説明の便宜上、実定法に即して、管轄違いの事由、公訴棄却の事由、免訴の事由との関連で3種に分類し（これらを類型的訴訟条件と呼ぶ）、あわせて、たとえば、迅速裁判違反、公訴権濫用などの非類型的訴訟条件とを加味するという分類方法に従って説明する。
2　類型的訴訟条件
　（1）管轄違いの事由（329以下）
　（2）公訴棄却の事由（338、339）
　　　→①判決によるもの（338）、②決定によるもの（339）

公訴

(3) 免訴事由（337）

3 非類型的訴訟条件

訴訟条件は、前述のとおり、法定された訴訟条件に限定されない。法定されたもの以外の新たな訴訟条件を包括して非類型的訴訟条件という。検察官の訴追裁量権の逸脱による公訴権濫用の場合（⇒ p.218）や迅速な裁判の保障に反する場合（⇒ p.6）、証拠開示命令に従わない場合（⇒ p.297）、既判力の効果により再訴がしりぞけられるべき場合（⇒ p.474）等がある。

三 訴訟条件の追完

1 はじめに

訴訟条件は起訴から判決までの訴訟の全過程に存在するのが原則であるが、起訴時には欠けていた訴訟条件を後に追完することにより例外的に公訴を有効とすることはできるか。これが訴訟条件の追完といわれる問題である。訴訟条件の追完については、特に告訴の追完が問題となる。

訴訟条件の追完の問題としては、従来、次の3つの場合が挙げられてきた。

① 初めから告訴がないのに親告罪の訴因で起訴し、そして後に告訴があった場合

② 非親告罪で起訴したが、後に親告罪であることが判明し、告訴があった場合（ex. 東京地判昭 58.9.30・百選 A21 事件）

③ 科刑上一罪が親告罪と非親告罪とからなる場合に、非親告罪の部分のみが起訴され、後に親告罪の部分が告訴を得て追加された場合

→このうち②・③は、起訴自体は適法・有効であるため、親告罪へ訴因変更又は親告罪が追加された時点で「告訴」がされれば足り、「追完」の問題は生じない。すなわち、起訴の時点で「告訴」を欠く①のみが訴訟条件の「追完」の問題となる。

▼ ダイトー食品事件（東京地判昭 58.9.30・百選 A21 事件）

「非親告罪として起訴された後にこれが親告罪と判明した場合について起訴の時点では告訴がなかった点をどう考えるべきかについて付言するに、当初から検察官が告訴がないにもかかわらず敢えてあるいはそれを見過ごして親告罪の訴因で起訴したのとは全く異なり、本件のように、訴訟の進展に伴い訴因変更の手続等によって親告罪として審判すべき事態に至ったときは、その時点で初めて告訴が必要となったにすぎないのであるから、現行法下の訴因制度のもとでは、右時点において有効な告訴があれば訴訟条件の具備につきなんら問題はなく実体裁判をすることができる。」

2 告訴の追完の可否〜上記①のケース

親告罪については告訴が訴訟条件であり、告訴を欠く場合には公訴が無効となるので公訴棄却判決を下すことになる。では、起訴時に告訴がないが後に告

訴がなされた場合、当該起訴を有効としてよいか、いわゆる告訴の追完の可否が問題となる。

＜告訴の追完の可否に関する学説の整理＞

学　説	内容・理由
肯定説	①　訴訟の発展的性格に鑑みれば、当該事件が親告罪か否かは起訴時には必ずしも明らかでない ②　一度公訴棄却しても再起訴があれば裁判所は結局実体判決をせざるを得ないので、告訴の追完を認める方が訴訟経済に資する
否定説 （通説）	①　検察官が親告罪の訴因を掲げながら告訴なしで起訴した瑕疵は重大である ②　いったん公訴棄却がなされた後、被告人が被害者と示談を行い、告訴取下げにより訴追を免れるという利益がある
例外的 肯定説	原則として告訴の追完を否定するが、例外的に、冒頭手続の終了時までの追完であるか、又は被告人が追完に同意した場合に、告訴の追完を認める ∵①　否定説の理由①② ②　冒頭手続の段階で公訴棄却判決をする前に瑕疵を補正したときには、告訴を認めても手続上不都合でない ③　一度公訴棄却されても、再起訴によって再び審理が繰り返され被告人が不利益を受けることになるので、被告人の意思に反してまで告訴の追完を否定すべきでない

3　訴因と訴訟条件　⇒ p.333

第247条　〔国家訴追主義〕

公訴は、検察官がこれを行う。

検察審査会法（昭和23年7月12日法律第147号）（抜粋）
第39条の5〔議決〕
Ⅰ　検察審査会は、検察官の公訴を提起しない処分の当否に関し、次の各号に掲げる場合には、当該各号に定める議決をするものとする。
①　起訴を相当と認めるとき　起訴を相当とする議決
②　前号に掲げる場合を除き、公訴を提起しない処分を不当と認めるとき　公訴を提起しない処分を不当とする議決
③　公訴を提起しない処分を相当と認めるとき　公訴を提起しない処分を相当とする議決
Ⅱ　前項第1号の議決をするには、第27条の規定にかかわらず、検察審査員8人以上の多数によらなければならない。
第41条〔検察官の処分義務〕
Ⅰ　検察審査会が第39条の5第1項第1号の議決をした場合において、前条の議決書の謄本の送付があつたときは、検察官は、速やかに、当該議決を参考にして、公訴を提起すべきか否かを検討した上、当該議決に係る事件について公訴を提起し、又はこれを提起しない処分をしなければならない。

公訴

II　検察審査会が第39条の5第1項第2号の議決をした場合において、前条の議決書の謄本の送付があつたときは、検察官は、速やかに、当該議決を参考にして、当該公訴を提起しない処分の当否を検討した上、当該議決に係る事件について公訴を提起し、又はこれを提起しない処分をしなければならない。

III　検察官は、前2項の処分をしたときは、直ちに、前2項の検察審査会にその旨を通知しなければならない。

第41条の2〔再度の不起訴処分の審査〕

I　第39条の5第1項第1号の議決をした検察審査会は、検察官から前条第3項の規定による公訴を提起しない処分をした旨の通知を受けたときは、当該処分の当否の審査を行わなければならない。ただし、次項の規定による審査が行われたときは、この限りでない。

II　第39条の5第1項第1号の議決をした検察審査会は、第40条の規定により当該議決に係る議決書の謄本の送付をした日から3月（検察官が当該検察審査会に対し3月を超えない範囲で延長を必要とする期間及びその理由を通知したときは、その期間を加えた期間）以内に前条第3項の規定による通知がなかつたときは、その期間が経過した時に、当該議決があつた公訴を提起しない処分と同一の処分があつたものとみなして、当該処分の当否の審査を行わなければならない。ただし、審査の結果議決をする前に、検察官から同項の規定による公訴を提起しない処分をした旨の通知を受けたときは、当該処分の当否の審査を行わなければならない。

第41条の6〔起訴議決〕

I　検察審査会は、第41条の2の規定による審査を行つた場合において、起訴を相当と認めるときは、第39条の5第1項第1号の規定にかかわらず、起訴をすべき旨の議決（以下「起訴議決」という。）をするものとする。起訴議決をするには、第27条の規定にかかわらず、検察審査員8人以上の多数によらなければならない。

II　検察審査会は、起訴議決をするときは、あらかじめ、検察官に対し、検察審査会議に出席して意見を述べる機会を与えなければならない。

III　検察審査会は、第41条の2の規定による審査を行った場合において、公訴を提起しない処分の当否について起訴議決をするに至らなかったときは、第39条の5第1項の規定にかかわらず、その旨の議決をしなければならない。

第41条の7〔議決書の作成及び送付〕

I　検察審査会は、起訴議決をしたときは、議決書に、その認定した犯罪事実を記載しなければならない。この場合において、検察審査会は、できる限り日時、場所及び方法をもつて犯罪を構成する事実を特定しなければならない。

II　略

Ⅲ　検察審査会は、第1項の議決書を作成したときは、第40条に規定する
措置をとるほか、その議決書の謄本を当該検察審査会の所在地を管轄する
地方裁判所に送付しなければならない。ただし、適当と認めるときは、起
訴議決に係る事件の犯罪地又は被疑者の住所、居所若しくは現在地を管轄
するその他の地方裁判所に送付することができる。

第41条の9〔指定弁護士〕

Ⅰ　第41条の7第3項の規定による議決書の謄本の送付があつたときは、
裁判所は、起訴議決に係る事件について公訴の提起及びその維持に当たる
者を弁護士の中から指定しなければならない。

Ⅱ　略

Ⅲ　指定弁護士（第1項の指定を受けた弁護士及び第41条の11第2項の
指定を受けた弁護士をいう。以下同じ。）は、起訴議決に係る事件につい
て、次条の規定により公訴を提起し、及びその公訴の維持をするため、検
察官の職務を行う。ただし、検察事務官及び司法警察職員に対する捜査の
指揮は、検察官に嘱託してこれをしなければならない。

Ⅳ～Ⅵ　略

第41条の10〔公訴の提起〕

Ⅰ　指定弁護士は、速やかに、起訴議決に係る事件について公訴を提起しな
ければならない。ただし、次の各号のいずれかに該当するときは、この限
りでない。

①　被疑者が死亡し、又は被疑者たる法人が存続しなくなつたとき。

②　当該事件について、既に公訴が提起されその被告事件が裁判所に係属
するとき、確定判決（刑事訴訟法第329条及び第338条の判決を除
く。）を経たとき、刑が廃止されたとき又はその罪について大赦があつ
たとき。

③　起訴議決後に生じた事由により、当該事件について公訴を提起したと
きは刑事訴訟法第337条第4号又は第338条第1号若しくは第4号
に掲げる場合に該当することとなることが明らかであるとき。

Ⅱ～Ⅲ　略

公訴

［趣旨］本条は国家訴追主義及び起訴独占主義を規定したものである。公益の代表
者たる検察官に公訴権を運用させることで、公訴権運用の公正・公平を図る趣旨で
ある。

《注　釈》

一　国家訴追主義

現行法では「公訴は、検察官がこれを行う」（247）として、被害者などの私人
による訴追を認めず、国家機関である検察官だけが起訴を行う法制をとる。これ
を国家訴追主義という。

準起訴手続、及び検察審査会の一定の議決に公訴提起の効果を認めた平成16年の法改正は、この国家訴追主義を修正したものといえる。

二　起訴独占主義〈刑〉

247条の規定は公訴提起の権限を検察官にだけ認めている。これを起訴独占主義という。ただし、起訴独占主義に関しては、準起訴手続（262〜269）、検察審査会制度という例外がある。

三　国家訴追主義・起訴独占主義の長所・短所

公益を代表する検察官により、個人的な報復感情にとらわれない統一的かつ公正な公訴権行使が期待できるという長所がある一方で、訴追権を国家が独占すると被害者感情や民衆の意識が反映されづらくなるとの短所がある。このような欠点を矯正するために様々な制度があり、また、公訴権濫用論という理論が唱えられている。

第248条　〔起訴便宜主義〕

犯人の性格、年齢及び境遇、犯罪の軽重及び情状並びに犯罪後の情況により訴追を必要としないときは、公訴を提起しないことができる〈同共予〉。

［趣旨］本条の趣旨は、犯人の性格、年齢等の具体的事情の下、訴追を必要としないと考えられる場合に検察官の裁量により起訴しないことを認めることで、具体的正義の実現を図るものである。

《注　釈》

一　検察官処分主義

1　意義

検察官は、その認知・受理した事件をすべて起訴しなければならないわけではない。現行法では、検察官に、①どの事実が犯罪を構成するものとして訴追するかの選別、②被疑者について訴追の必要があるかの判断を委ねている。このうち、①のように検察官に訴追の選択権を認める建前を検察官処分（権）主義といい、②を起訴便宜主義という。

検察官処分主義は、検察官はある行為を犯罪として刑罰請求することにより秩序維持を図る責任機関であり、処罰請求の主体であることに基づく。このことは、不告不理の原則（裁判所は公訴の提起された事件についてのみ審判できる）の下、起訴便宜主義の下で検察官が公訴権を独占し、さらに審判対象の設定権を独占していることに現れている。

2　一罪の一部起訴

(1)　一部起訴の可否〈同予〉

実体的真実の発見という刑事訴訟法の趣旨に反しうることを理由に一部起訴を否定する見解もあるが、判例・通説は、一部起訴を肯定する。

∵①　訴因の設定・変更は検察官の専権とされている（247、312Ⅰ）
　②　起訴猶予裁量が認められていることとの均衡（起訴便宜主義、248）
　③　訴因制度の下では、裁判所は検察官の主張たる訴因について審判する義務があり、訴因から離れて事実を認定することはできない。したがって、検察官の主張の範囲で真実を発見するのが裁判所の任務であり、実体的真実との乖離もやむを得ない

▼　最決昭59.1.27

　「選挙運動者たる乙に対し、甲が公職選挙法221条1項1号所定の目的（供与目的）をもって金銭等を交付したとの共謀があり、乙が右共謀の趣旨に従いこれを第三者に供与した疑いがあったとしても、検察官は、立証の難易等諸般の事情を考慮して、甲を交付罪のみで起訴することが許されるのであって、このような場合、裁判所としては、訴因の制約の下において、甲についての交付罪の成否を判断すれば足り、訴因として掲げられていない乙との共謀による供与罪の成否につき審理したり、検察官に対し、右供与罪の訴因の追加・変更を促したりする義務がない」として、肯定説に立つ。

▼　名古屋高判昭62.9.7

　「専属的に訴追権限を有する検察官が、審判の直接的対象である訴因を構成・設定するにあたって、被告人の業務上過失致死行為と被害者の死亡との因果関係の立証の難易や訴訟経済等の諸般の事情を総合的に考慮して、合理的裁量に基づき、現に生じた法益侵害のいわば部分的結果である傷害の事実のみを摘出して、これを構成要件要素として訴因を構成して訴追し、その限度において審判を求めることも、なんら法の禁ずるところではないし、審判を求められた裁判所としては、検察官が設定し提起した訴因に拘束され、その訴因についてのみ審判すべき権限と義務を有するにすぎないのであるから、その審理の過程において、取り調べた証拠によって訴因の範囲を越える被害者が死亡した事実および被告人の過失行為と被害者の死亡との間に因果関係の存することが判明するに至ったとしても、裁判所の訴因変更命令ないし勧告にもかかわらず、検察官において訴因変更の措置を講ぜず、なお、従前からの業務上過失傷害の訴因を維持する以上、裁判所は、右訴因の範囲内において審判すべきは当然であ」ると判示して、肯定説を採用した。

▼　東京高判平17.12.26・平18重判2事件

　かすがいに当たる児童淫行罪を起訴せず、児童ポルノ製造罪とその余の児童淫行罪を別々に起訴してもよい。

▼ **最決平21.7.21・平21重判6事件** ⟨共予⟩

　　検察官が共謀共同正犯の成立が疑われる事案であるにもかかわらず、単独犯として起訴した事件につき、判例は「他に共謀共同正犯者が存在するとしても……裁判所は訴因どおりに犯罪事実を認定することが許される」とし、一部起訴が許されることを前提に、あくまで裁判所は訴因に基づいて判断すること判示した。

(2)　一部起訴の限界

　　一罪の一部起訴を認めるとしても、無制限に認められるわけでなく、真実発見及び人権保障の要請からの限界がある。

(a)　実体的真実にとって耐えられないような一部起訴

　　検察審査会の審査を免れるために、殺人事件について手段である暴行罪として一部起訴することは許されない。

(b)　親告罪の一部を非親告罪として起訴する場合

　　強姦罪（改正前刑177）において告訴が得られないので、その手段である暴行だけを起訴することは、親告罪の被害者保護の趣旨を潜脱し、許されない（東京地判昭38.12.21、なお平成29年刑法改正前の事案）。

二　起訴便宜主義 ⟨司予⟩

1　はじめに

(1)　起訴便宜主義と起訴法定主義

　　検察官は、捜査を終了した事件について犯罪の証明が十分であると認める場合にも、犯人の性格、年齢及び境遇、犯罪の軽重並びに犯罪後の情況により訴追を必要としないときは、公訴を提起しないことができる（248）。このように犯罪の嫌疑があり、訴訟条件が備わっているが訴追の必要のないときに、検察官の裁量により不起訴とすることを起訴猶予という。この起訴猶予を認める法制を起訴便宜主義という。これに対して、犯罪の嫌疑があり、訴訟条件が備わっていれば検察官は必ず起訴しなければならないとする法制を起訴法定主義という。現行法は、起訴便宜主義（248）を採用している。

(2)　起訴便宜主義と起訴法定主義の長所・短所

(a)　起訴法定主義

　　ア　長所

　　　　刑法の画一的な実現を図り、検察官の公訴権運用の公平さを期待できる。

　　イ　短所

　　　　軽微な犯罪でも有罪判決を受ければ前科者として社会的に冷遇されるし、また起訴されただけでも、行為者は社会的に不利益を受ける。

　　　　→すべての被疑者を訴追することはかえって具体的正義に反し、刑事政策的に好ましくない

(b) 起訴便宜主義

ア 長所

① 軽微な犯罪を起訴しないことにより、犯罪者というラベルが貼られることを避け、行為者の社会復帰・更生の機会を付与

② 被害者その他の民衆の意思を公訴権行使に反映

③ 必要な事件だけを訴追することで刑事司法資源を有効に利用

イ 短所

検察官により訴追裁量権が濫用されるおそれがある。

▼ **東京地判平 21.12.21・平 22 重判 1 事件**

事案： 交通事故被害者の両親である原告は、警察官は被告人の供述等を鵜呑みにして事案を解明する適正な捜査をせず、検察官は虚偽の公訴事実で公訴を提起し、その後、真実の事実結果に沿うように訴因変更する努力を怠ったことにより、被告人に不当に量刑の軽い判決を得させたことは、事案の真相解明に真摯に向けられた適正な捜査権及び公訴権の行使及びこれらに基づく適正な処罰により、被害を受けた個人の権利利益及び社会における尊厳を回復する権利を侵害するとして国及び県に対して国家賠償請求を提起した。

判旨： 「犯罪被害者等に保障された、その尊厳にふさわしい処遇を受ける権利の内容は、あくまで、刑事手続において、犯罪被害者等自身が同手続に関与して適切な処遇を受ける権利であると解するのが相当であり……捜査機関による捜査権及び検察官による公訴権の行使並びにこれらに基づく刑事処罰の結果について、犯罪被害者等に対し、……適正な処罰等により被害回復を図る権利が付与されているものとは認められない。」

(3) 起訴便宜主義の例外

少年事件については、家庭裁判所の判断を尊重する観点から、起訴便宜主義の例外が定められている。

→検察官は、家庭裁判所から送致を受けた事件について、公訴を提起するに足りる犯罪の嫌疑があると思料するときは、公訴を提起しなければならない（少年 45 ⑤）〈司〉

→もっとも、かかる場合でも起訴をすることが強制されるにとどまり、検察官が殺人被疑事件として逆送された事件につき、傷害致死罪の罪名で起訴することは許される〈司〉

2 考慮する事項〈司〉

検察官が起訴・起訴猶予の決定をなすに当たり、その判断の基準とすべき事項として、法は「犯人の性格、年齢及び境遇、犯罪の軽重及び情状並びに犯罪後の情況」を挙げている（248）。これらは、①犯人に関する事項、②犯罪自体

に関する事項及び③犯罪後の情況に関する事項に大別できる。検察官は、犯人の責任を基礎として、一般予防（社会秩序の維持）及び特別予防（犯人の更生・社会復帰）の観点から総合的に考慮して起訴猶予とするか決定する。

三 不当な起訴を抑制する手段

不当な不起訴処分に対しては、不十分ながら抑制手段が用意されているが、不当な起訴処分に対しては、現行法上、明文規定がない。

確かに、不当な起訴が行われた場合、①国家賠償の対象とされたり（最判平元.6.29）、②刑法上の犯罪（刑193）とされたり、③行政法上の懲戒処分を受けたりすることはありうる。

しかし、このような事後的な救済手段では、検察官が現に不当な起訴をした場合に被告人を迅速に救済することはできない。そこで、明文にないが、解釈上不当起訴の抑制手段として公訴権濫用論が主張されている。

四 公訴権濫用論

1 意義

公訴権濫用論とは、検察官による公訴権の行使が権限の濫用といえる場合には、裁判所は形式裁判で訴訟手続を打ち切るべきであるという主張である。

2 類型

公訴権濫用論の類型としては、①嫌疑なき起訴、②起訴猶予相当事件の起訴、③違法捜査に基づく起訴の3つがある。

(1) 嫌疑なき起訴

公訴提起に当たって犯罪の嫌疑が必要なことについては争いがない。なぜなら、国民にとって起訴されること自体、実質的な利益侵害であり負担であるからである。この点、刑事訴訟法も嫌疑が必要であることを前提にしている（248）。したがって、嫌疑がないとして無罪の裁判が言い渡された場合、起訴処分が「違法な公権力の行使」として国家賠償の対象とされることはある。

しかし、犯罪の嫌疑が起訴の有効要件であるか、つまり、犯罪の嫌疑がないのに起訴した場合、その起訴が違法であり、裁判所が公訴棄却判決（338④）を下すべきか争いがある。

▼ **最判昭53.10.20・百選A11事件**

「刑事事件において無罪の判決が確定したというだけで直ちに……公訴提起・追行……が違法となるということはない。けだし、……公訴の提起は、検察官が裁判所に対して犯罪の成否、刑罰権の存否につき審判を求める意思表示にほかならないのであるから、起訴時あるいは公訴追行時における検察官の心証は、その性質上判決時における裁判官の心証とは異なり、起訴時あるいは公訴追行時における各種の証拠資料を総合勘案して合理的な判断過程により有罪と認められる嫌疑があれば足りるものと解するのが相当であるからである。」

公訴

(2) 起訴猶予相当事件の起訴

　検察官が訴追裁量権を逸脱し、起訴猶予処分が相当の事件を起訴した場合、公訴権の濫用として起訴を無効とし、公訴棄却判決（338④）を下すべきか。

▼ **チッソ川本事件（最決昭55.12.17・百選39事件）**

　「検察官は、現行法制の下では、公訴の提起をするかしないかについて広範な裁量権を認められているのであって、公訴の提起が検察官の裁量権の逸脱によるものであったからといって、直ちに無効となるものではない。」

　「たしかに、右裁量権の行使については種々の考慮事項が刑訴法に列挙されていること」（刑訴法248条、検察庁法4条、刑訴法1条、刑訴規則1条2項）「等を総合して考えると、検察官の裁量権の逸脱が公訴の提起を無効ならしめる場合のあり得ることを否定することはできないが、それは例えば公訴の提起自体が職務犯罪を構成するような極限的な場合に限られるものというべきである。」

　「本件の事態が公訴提起の無効を結果するような極限的な場合にあたるものとは、原審の認定及び記録に照らしても、とうてい考えられない」として、原審の公訴棄却の判断を失当とした。もっとも、第2審判決を破棄しなければ著しく正義に反する（411①）とまではいえないとして、検察官の上告を棄却し、原審を維持した。

(3) 違法捜査に基づく起訴

　重大な違法捜査に基づき起訴した場合について、公訴の効力を否定し、公訴棄却（338④）すべきか。すなわち捜査手続の違法が公訴提起の効力に影響するか否かという問題である。具体的には、現行犯逮捕の際に逮捕を指揮した警察官から暴行を受けたような違法逮捕に基づく起訴、違法なおとり捜査により誘発された事件の起訴等が問題となる。

▼ **大森鞭打ち傷害事件（最判昭41.7.21・百選A13事件）**

　警察官が速度違反取締り中に現行犯逮捕した被告人に対して逮捕の際暴行を加え、被告人に鞭打ち傷害を負わせた事案で、第1審（大森簡判昭40.4.5）は逮捕の際の暴力行使は一種の拷問であり、本件事案が軽微であり現行犯逮捕の必要性がなかったことを総合判断し、憲法31条を適用し、338条4号を準用して公訴棄却判決を言い渡した。これに対し最高裁は「逮捕の際、犯人に対して警察官による暴行陵虐の行為があったとしても、そのために公訴提起が憲法31条に違反し無効になるものではない」と判示した。

第249条 〔公訴の効力の人的範囲〕

公訴は、検察官の指定した被告人以外の者にその効力を及ぼさない。

第250条 〔時効〕 <共予>

Ⅰ 時効は、人を死亡させた罪であつて禁錮以上の刑に当たるもの（死刑に当たるものを除く。）については、次に掲げる期間を経過することによつて完成する。

① 無期の懲役又は禁錮に当たる罪については30年

② 長期20年の懲役又は禁錮に当たる罪については20年

③ 前2号に掲げる罪以外の罪については10年

Ⅱ 時効は、人を死亡させた罪であつて禁錮以上の刑に当たるもの以外の罪については、次に掲げる期間を経過することによつて完成する。

① 死刑に当たる罪については25年

② 無期の懲役又は禁錮に当たる罪については15年

③ 長期15年以上の懲役又は禁錮に当たる罪については10年

④ 長期15年未満の懲役又は禁錮に当たる罪については7年

⑤ 長期10年未満の懲役又は禁錮に当たる罪については5年

⑥ 長期5年未満の懲役若しくは禁錮又は罰金に当たる罪については3年

⑦ 拘留又は科料に当たる罪については1年

Ⅲ 前項の規定にかかわらず、次の各号に掲げる罪についての時効は、当該各号に定める期間を経過することによつて完成する。

① 刑法第181条の罪（人を負傷させたときに限る。）若しくは同法第241条第1項の罪又は盗犯等の防止及び処分に関する法律（昭和5年法律第9号）第4条の罪（同項の罪に係る部分に限る。） 20年

② 刑法第177条若しくは第179条第2項の罪又はこれらの罪の未遂罪 15年

③ 刑法第176条若しくは第179条第1項の罪若しくはこれらの罪の未遂罪又は児童福祉法第60条第1項の罪（自己を相手方として淫行をさせる行為に係るものに限る。） 12年

Ⅳ 前2項の規定にかかわらず、前項各号に掲げる罪について、その被害者が犯罪行為が終わつた時に18歳未満である場合における時効は、当該各号に定める期間に当該犯罪行為が終わつた時から当該被害者が18歳に達する日までの期間に相当する期間を加算した期間を経過することによつて完成する。

第251条 〔時効期間の標準となる刑〕

二以上の主刑を併科し、又は二以上の主刑中その一を科すべき罪については、その重い刑に従つて、前条の規定を適用する。

第252条 〔同前〕

刑法により刑を加重し、又は減軽すべき場合には、加重し、又は減軽しない刑に従つて、第250条の規定を適用する。

第253条 〔公訴時効の起算点〕

Ⅰ 時効は、犯罪行為が終つた時から進行する。

Ⅱ 共犯の場合には、最終の行為が終つた時から、すべての共犯に対して時効の期間を起算する〈同予〉。

第254条 〔公訴提起と時効の停止〕

Ⅰ 時効は、当該事件についてした公訴の提起によつてその進行を停止し、管轄違又は公訴棄却の裁判が確定した時からその進行を始める〈予〉。

Ⅱ 共犯の一人に対してした公訴の提起による時効の停止は、他の共犯に対してその効力を有する〈共予〉。この場合において、停止した時効は、当該事件についてした裁判が確定した時からその進行を始める〈同予〉。

第255条 〔その他の理由による時効の停止〕

Ⅰ 犯人が国外にいる場合又は犯人が逃げ隠れているため有効に起訴状の謄本の送達若しくは略式命令の告知ができなかつた場合には、時効は、その国外にいる期間又は逃げ隠れている期間その進行を停止する。

Ⅱ 犯人が国外にいること又は犯人が逃げ隠れているため有効に起訴状の謄本の送達若しくは略式命令の告知ができなかつたことの証明に必要な事項は、裁判所の規則でこれを定める。

公訴

[趣旨] 250条から255条までは、公訴の時効に関する規定であり、250条は、公訴の時効に関する基本規定であって、時効期間及び効果を定める。公訴時効制度の趣旨は、処罰の必要性（行為の可罰的評価）と法的安定性の調和を図ることにある（最判令4.6.9・令4重判3事件）が、証拠の散逸による誤判の危険の防止という訴訟法的観点も併せて立法理由とされている。

《注 釈》

一 はじめに

1 意義

公訴時効とは、一定の期間経過によって公訴の提起ができなくなる制度をいう。

公訴時効が完成した事件は、検察官は時効完成を理由に不起訴処分に付すことを要し、起訴後に時効の完成が判明した場合は、裁判所はその事件につき判決で免訴の言渡しをしなければならない（337④）。

　2　存在理由

＜公訴時効の存在理由についての学説の整理＞

学　説	内容・理由
実体法説	時間の経過によって被害感情・応報感情が薄れ、犯罪の社会的影響が弱くなり、これによって未確定の刑罰権が消滅する 批判：　刑罰権が消滅するのであれば無罪を言い渡すべきであるから、時効完成後の公訴提起に対して免訴判決を言い渡すこととされている（337 ④）点を説明できない
訴訟法説	時間の経過によって証拠等が散逸し、適正な裁判の実現が困難になる 批判：　犯人が国外にいる場合に公訴時効がその進行を停止することを説明できない
競合説	実体法説と訴訟法説の考え方を合わせて、可罰性の減少と証拠の散逸とによって訴訟を追行することが不当となることを理由とする
新訴訟法説	公訴時効は、犯人が一定期間訴追されないという事実状態を尊重して、国家の訴追権行使を限定して個人を保護する制度である。したがって、可罰性の減少や証拠の散逸がなくても時効を認めることになる ∵　公訴時効制度は、国家の利益からではなく、被疑者の立場から基礎付けるべきである 批判：　被告人の法的地位の安定は、公訴時効制度の反射的利益にすぎず、犯人処罰の要請に優越する正当な利益ないし権利とはいえない

※　犯罪後、公訴提起前の法改正による時効期間変更と学説の関係
　　犯罪後、公訴提起前に、法改正により時効期間の変更があった場合、改正前の時効期間によるのか（行為時説）、改正後のそれによるのか（裁判時説）が問題となる。
　　公訴時効を純然たる手続上の制度とみる訴訟法説の立場に立てば、特別の定めを置かない限り、裁判時説によるべきこととなる。

二　時効期間

　　時効期間は法定刑を基準として決められている（250）。
　　→犯罪後、刑の変更があったときは、刑法6条の原則により適用すべき罰条の法定が基準となる（最決昭42.5.19）
　　→公訴提起後、訴因変更がなされた場合、変更後の訴因の公訴時効は、起訴時を基準に判断すべきである（最決昭29.7.14）
　　主刑が2つ以上ある場合（死刑又は無期若しくは5年以上の懲役を定める殺人罪（刑199）など）には、その最も重い刑が基準となる（251）。また、法律上の加重・減軽をすべき場合には、加重・減軽する前の法定刑が基準となる（252）。
　　→判例（最判昭32.11.19・刑法百選Ⅰ94事件）は、非占有者が業務上横領罪（刑253）に加功した場合、非占有者には刑法65条1項により業務上横領罪の共犯が成立するが、同条2項により通常の横領罪（刑252）の刑を科すとしているところ、判例（最判令4.6.9・令4重判3事件）は、非占有者に対す

る公訴時効の期間は、通常の横領罪の法定刑である「5年以下の懲役」について定められた「5年」（刑訴250Ⅱ⑤）であるとしている

∵ 公訴時効制度の趣旨は、処罰の必要性と法的安定性の調和を図る点にあるところ、ここでの処罰の必要性（行為の可罰的評価）は、犯人に対して科される刑に反映される

▼ **公訴時効廃止の遡及適用を規定した経過措置規定の合憲性（最判平27.12.3・百選42事件）**

事案： Xは、平成9年に行われた強盗殺人事件により、平成25年2月、起訴された。平成16年改正法によれば、死刑に当たる罪の公訴時効は15年から25年へと延長されているが、同法附則3条2項は、同法施行前の罪については公訴時効の延長の対象外としていた。したがって、同法によれば、本件は公訴時効の完成によって公訴提起できないはずである。

しかし、平成22年改正法によれば、人を死亡させた罪であって死刑に当たる罪の公訴時効は撤廃され、同法附則3条2項は、平成16年改正法施行前の人を死亡させた罪で禁錮以上の刑に当たるものであって、平成22年改正法施行の際、公訴時効が完成していない罪については、公訴時効を撤廃した改正刑訴法250条1項を適用するとしている。したがって、平成22年改正法施行の際、公訴時効が完成していない本件は、改正刑訴法250条1項により、公訴時効が撤廃されているから、平成25年2月の時点でも起訴することが可能である。

そこで、平成16年改正法によれば公訴提起できないはずの本件を、改正刑訴法250条1項を適用するとして公訴提起の対象とした平成22年改正法附則3条2項は、遡及処罰の禁止を規定した憲法39条前段、ないし31条に違反するかが問題となった。

判旨： 「公訴時効制度の趣旨は、時の経過に応じて公訴権を制限する訴訟法規を通じて処罰の必要性と法的安定性の調和を図ることにある。本法［注：平成22年改正法］は、その趣旨を実現するため、人を死亡させた罪であって、死刑に当たるものについて公訴時効を廃止し、懲役又は禁錮の刑に当たるものについて公訴時効期間を延長したにすぎず、行為時点における違法性の評価や責任の重さを遡って変更するものではない。そして、本法附則3条2項は、本法施行の際公訴時効が完成していない罪について本法による改正後の刑訴法250条1項を適用するとしたものであるから、被疑者・被告人となり得る者につき既に生じていた法律上の地位を著しく不安定にするようなものでもない。

したがって、……本法附則3条2項は、憲法39条、31条に違反せず、それらの趣旨に反するとも認められない。」

評釈： 公訴時効期間は法定刑の長短に応じて定められており、行為の可罰性に対する評価を反映しているといえるから、これを延長・撤廃することは行為の可罰性に対する評価を遡及的に引き上げることを意味するとい

える。しかし、刑の新設や加重を伴うものでなければ、処罰可能性に関する行為時の行為者の予測可能性を確保するという遡及処罰の禁止の趣旨を害するものではないと考えられる。

また、公訴時効の延長・撤廃が訴追可能性を拡張するものである以上、被疑者の法律上の地位に事後的な影響を及ぼすことは明らかであるとしても、一定期間が経過すれば処罰を免れるという被疑者の期待や、その間築かれた事実状態を尊重して刑事手続を断念することはあり得ず、その保護の必要性も高くないと考えられる。

本判決の結論は、上記のような考慮に基づくものとみることも可能と評されている。

三　公訴時効の起算点

1　原則

時効期間の起算点は、「犯罪行為が終つた時」である（253Ⅰ）。

結果犯の場合争いあるが、この「犯罪行為」には結果を含むと解する（結果時説）。

∵① 結果犯では結果発生によって初めて処罰可能の状態に達する

② 結果発生によって処罰感情も採証可能性も高まる

→なお、継続犯、包括一罪、集合犯の場合も、その最終行為の終了時から一体的に判断する

▼ 熊本水俣病事件（最決昭63.2.29・百選43事件）同予

「公訴時効の起算点に関する刑訴法253条1項にいう『犯罪行為』とは、刑法各本条所定の結果を含む趣旨と解するのが相当であるから、Aを被害者とする業務上過失致死罪の公訴時効は、当該犯罪の終了時である同人死亡の時点から進行を開始する」と判示して、結果時説をとることを明らかにした。

▼ 最決平18.12.13・平19重判2事件

事案：　被告人らは、本件土地・建物について偽計競売入札妨害の事実で起訴されたところ、被告人が現況調査に当たった執行官に対して虚偽の事実を申し向けるなどした時点から起訴までには4年余りが経過していた。被告人らは、現況調査に当たった執行官に対して虚偽の説明をし、あるいは内容虚偽の書類を提出した時点で既遂に達しているから、その時点から公訴時効が成立している旨を主張した。

決旨：　現況調査に訪れた執行官に対して虚偽の事実を申し向け、内容虚偽の契約書類を提出した行為は、刑法96条の3第1項の偽計を用いた、「公の競売又は入札の公正を害すべき行為」に当たるが、その時点をもって刑訴法253条1項にいう「犯罪行為が終った時」と解すべきものではなく、上記虚偽の事実の陳述等に基づく競売手続が進行する限り、上記「犯罪行為が終った時」には至らないものと解するのが相当である。

2　結果的加重犯の場合

　たとえば、傷害致死の場合に、傷害の発生時を起算点とするか、死亡の発生時を起算点とするか。

　A　加重的結果発生時基準説

　　∵　結果的加重犯の場合も、結果犯と同様に、加重的結果が発生して初めて処罰可能の状態に達する

　B　基本犯の結果発生時説

　　∵①　基本結果発生後かなりの期間をおいて加重的結果が発生する場合には犯人に甚だしく酷である

　　　②　基本犯として処罰可能な以上、基本犯の結果発生時を基準とすべきである

3　科刑上一罪の公訴時効期間

　(1)　観念的競合

　　A　個別説（通説）

　　　各個の犯罪事実ごとに時効期間の進行が開始する。

　　　∵①　科刑上一罪は本来独立した数罪である

　　　　②　公訴時効は、個人保護の制度である（新訴訟法説）

　　B　一体説（最判昭41.4.21）

　　　観念的競合の場合、すべての行為を一体的に捉え、その最も重い刑を基準とし、かつ最終結果発生時から起算すべきである。

　　　∵　刑法54条1項前段によって一罪的処分が行われる以上、一体的に捉えるべきである

▼　**熊本水俣病事件（最決昭63.2.29・百選43事件）**

「観念的競合の関係にある各罪の公訴時効完成の有無を判定するに当たっては、その全部を一体として観察すべきものと解するのが相当である」と判示し、観念的競合につき一体説を採用した。

　(2)　牽連犯

　　A　個別説（通説）

　　　各個の犯罪事実ごとに時効が開始する。

　　　∵①　科刑上一罪は本来独立した数罪である

　　　　②　公訴時効は、個人保護の制度である（新訴訟法説）

　　B　一体説

　　　全体を一罪としてその最も重い罪の刑の時効期間を基準として一括して算定する。

　　　∵　刑法54条1項後段によって一罪的処分が行われるものである以上、

一体的に捉えるべき
C　時効的連鎖説（判例）

牽連犯の場合、原則として一体説が妥当だが、目的行為が手段行為の時効期間満了前に実行されたときに限り両者は不可分的に最も重い刑を基準に最終行為の時より起算すべきである。

∵①　B説の理由
　②　牽連犯についても時効期間を一体的に考えると、手段行為の公訴時効は目的行為が行われない限り完成しないことになるので、手段行為の時効期間内に目的行為が行われた場合にのみ一体的に考えるべきである

▼　**最判昭 47.5.30**

「牽連犯において、目的行為がその手段行為についての時効期間の満了前に実行されたときは、両者の公訴時効は不可分的に最も重い刑を基準に最終行為の時より起算すべきものと解するのが相当である」と判示し、牽連犯につき時効的連鎖説を採用した。

四　公訴時効の停止

1　意義

公訴時効の停止とは、一定の事由により公訴時効の進行が停止し、停止事由が消滅した後に残存期間が進行する制度をいう。

2　停止理由

①　公訴の提起（254）
②　犯人が国外にいる場合（255Ⅰ）
③　犯人が逃げ隠れしているため有効に起訴状の謄本送達又は略式命令の告知ができなかった場合（255Ⅰ）

▼　**最判昭 37.9.18** 回

255条1項前段の「『犯人が国外にいる場合』は、公訴時効の進行停止につき、起訴状の謄本の送達若しくは略式命令の告知ができなかつたことを前提要件とするものでない……また、……捜査官において犯罪の発生またはその犯人を知ると否とを問わ」ないと判示し、他の加重要件は不要とした。

▼ 最決平 18.11.20・百選 A12 事件〈⌘〉

事案： 検察官は、まず出資法5条2項違反の制限超過利息受領行為1件を起訴し、次いで同種の行為20件を追加する訴因変更請求書を裁判所に提出した。裁判所はいったん訴因変更を許可したものの、4年以上経過した時点で、当初の訴因と追加分の訴因には公訴事実の同一性がないから訴因変更許可決定は、不適法であるとして、職権で訴因変更許可取消決定をした。そこで、検察官は改めて取消決定により排除された20件分の事実を公訴事実として、起訴したものの、その時点では、出資法5条2項違反の事実についての3年の公訴時効期間が既に経過していた。

決旨： 出資法5条2項違反の各行為は、個々の制限超過利息受領行為ごとに一罪が成立し、併合罪として処断すべきものであるから、検察官としては、訴因変更請求に係る事実を訴追するには、訴因変更請求ではなく追起訴手続によるべきであった。しかし、検察官において、訴因変更請求書を裁判所に提出することにより、その請求に係る特定の事実に対する訴追意思を表明したものとみられるから、その時点で刑訴法254条1項に準じて公訴時効の進行が停止すると解するのが相当である。

▼ 最決平 21.10.20・平 21 重判 2 事件〈⌘〉

「犯人が国外にいる間は、それが一時的な海外渡航による場合であっても」公訴時効が停止すると判示した。

3 公訴時効停止の客観的範囲
公訴事実の同一性の範囲で時効進行が停止する（判例、通説）。

▼ 最決昭 56.7.14

「刑訴法254条が、公訴時効の停止を検察官の公訴提起にかからしめている趣旨は、これによって、特定の罪となるべき事実に関する検察官の訴追意思が裁判所に明示されるのを重視した点にあると解されるから、起訴状の公訴事実の記載に不備があって、実体審理を継続するのに十分な程度に訴因が特定していない場合であっても、それが特定の事実について検察官が訴追意思を表明したものと認められるときは、右事実と公訴事実を同一にする範囲において、公訴時効の進行を停止する効力を有すると解するのが相当である」と判示した。

4 公訴時効停止の主観的範囲
真犯人でない者が誤認されて起訴された場合、公訴事実の同一性がないので真犯人に対する公訴時効は停止しない。

5 無効な起訴と公訴時効の停止
254条1項からすれば、公訴時効の停止が認められるためには、公訴提起が適法であることを要しないことは明らかである。しかし、不適法な起訴のすべ

てに公訴時効が停止するとしてよいか。具体的には訴因不特定の場合や起訴状不送達の場合の起訴によって、公訴時効が停止するかが問題となる。

(1) 訴因不特定の場合

特定の事実について検察官が訴追意思を表明したものと認められるときは、公訴事実を同一にする範囲において、公訴時効の進行は停止すると解すべきである。

▼ **最決昭56.7.14**

訴因不特定でも、「特定の事実について検察官の訴追意思の表明が認められるとき」は時効は停止するとした。

(2) 起訴状の不送達の場合

▼ **最決昭55.5.12・百選〔第10版〕A13事件**

起訴状謄本不送達の場合も公訴時効は停止するか争われた事案において、「刑訴法254条1項の規定は、起訴状の謄本が同法271条2項所定の期間内に被告人に送達されなかったため、同法339条1項1号の規定に従い決定で公訴が棄却される場合にも適用があり、公訴の提起により進行を停止していた公訴時効は、右公訴棄却決定の確定したときから再びその進行をはじめると解するのが相当であ」ると判示し、254条1項は、起訴状謄本の不送達による公訴棄却の場合にも適用されるとした。

五 訴因と公訴時効

訴因と公訴時効の関係は、訴因と訴訟条件の問題の一内容だが、時効の起算点、時効の停止、縮小認定、不適法訴因への変更や適法訴因への変更の問題が複雑に関連し合う問題である。

1 類型

<訴因変更と公訴時効が問題となる場合のまとめ>

	起訴時　変更時	論点
I	A ○ → ○ B ○ → ○	通常の訴因変更
II	A ○ → ○　公訴事実 B ○ → ×　の同一性	Aの訴因の起訴によってBの訴因の時効も停止するか（時効停止の範囲）
III	A × → × B ○ → ○	訴因変更による訴訟条件の追完の問題

公訴

	起訴時　　変更時	論点
IV (II＋III)	A ×　→　× B ○　→　×	不適法起訴による時効停止の有無（254 I） ↓肯定 訴因変更による訴訟条件の追完
V	A ×　→　× B ×　→　×	免訴（337④） いずれの訴因について免訴なのか
VI	A ○　→　○ B ×　→　× ○　→　×	不適法な訴因への変更の可否 B訴因へ変更させて免訴

○：時効未完成　　×：時効完成

2　具体的検討

(1)　公訴時効停止の客観的範囲が問題となる類型（IIの類型）

　　たとえば、詐欺について起訴があったところ、横領に訴因変更の請求があり（公訴事実の同一性あり）、その時点で横領の時効が完成している場合（起訴時には未完成）、裁判所は横領についても訴訟条件を具備するものとして訴因変更請求を許可すべきか。詐欺についての起訴で横領についての時効も停止するか、公訴時効停止の客観的範囲が問題となる。

　　この点、公訴時効の停止の効果は公訴事実の同一性の範囲に及ぶという通説・判例（最決昭56.7.14）からは、起訴時点において横領についても時効が停止することになる。

(2)　訴因変更による訴訟条件の追完が問題となる類型（IIIの類型）

　　起訴状記載の訴因では公訴時効が完成している場合に、時効未完成の訴因に変更することができるか。

A　免訴判決の一事不再理効を肯定する説から

　a-1　訴因変更肯定説

　　　∵　免訴判決に公訴事実の同一性の範囲で一事不再理の効力を認めるのであれば、一定の範囲で変更を認めないと訴追側に厳格すぎることになる

　a-2　訴因変更否定説

　　　∵　訴訟条件は被告人の不適法な起訴からの早期解放を目的とする起訴条件の性質も有しているから、訴因変更にその瑕疵を補正させる効力を認めるべきではない。この場合、訴因変更前に検察官が公訴を取り消せば、公訴棄却決定の確定後、あたらしい重要な証拠の発見に基づき事件を再起訴することはできる（340）

B　免訴判決の一事不再理効を否定する説から

　　免訴判決の一事不再理効を否定する見解によれば、「訴因変更を認めな

いと時効未完成の訴因について処罰することができなくなる」という問題
は生じないといえる。そこで、この場合についても不適法訴因の適法訴因
への変更の可否（訴訟条件の追完）の問題がそのまま妥当すると考えられ
る。　⇒p.335

(3)　不適法起訴による時効停止の有無（及び公訴時効停止の客観的範囲）と訴
因変更による訴訟条件の追完が問題となる類型（Ⅳの類型）

たとえば、すでに公訴時効の完成している横領について起訴があったとこ
ろ、詐欺に訴因変更の請求があり（公訴事実の同一性あり）、その時点で詐
欺についても時効が完成している場合（起訴時には未完成）、裁判所は詐欺
についても訴訟条件を具備するものとして訴因変更請求を許可すべきか。

この点、公訴時効の停止が認められるためには公訴提起が適法であること
を要しない（254Ⅰ）。そして、公訴時効は公訴事実の同一性の範囲内で停止
するので、公訴提起の時点で詐欺についても公訴時効が停止する。よって、
詐欺については訴訟条件を具備することになる。

そこで、裁判所が詐欺についての訴因変更請求を許可すべきかは、Ⅲの類
型と同様に訴因変更による訴訟条件の追完が認められるかの問題にかかわる
こととなる。　⇒p.335

(4)　不適法訴因への訴因変更の可否が問題となる類型（Ⅵの類型）

たとえば、詐欺について起訴されたが、審理の結果、横領と判明したとこ
ろ、起訴の時点で横領の公訴時効が完成していた場合、裁判所はいかなる措
置を採るべきかが問題となる（また、詐欺についての起訴で、公訴時効が停
止しなかったため、横領への訴因変更時に横領の公訴時効が完成してしまっ
た場合も問題となる）。

この点、訴訟条件存否の判断基準に関する訴因基準説、そして、不適法な
訴因への訴因変更も許されるとする見解に従えば、横領への訴因変更があれ
ば免訴とし、詐欺の訴因が維持されれば無罪とすることになる（この場合、
免訴にも一事不再理効を認める通説からは、いずれによるかの区別に実益は
ない）。

なお、判例（最判昭31.4.12、最判平2.12.7）は、かかる問題が生じる事例
において、訴因変更なく免訴の言渡しをすべきとする。しかし、それらの判
例で問題となったケースは、縮小認定と理解できるケースである。

3　訴訟条件の競合的欠缺

公訴時効の完成（免訴事由、337④）と管轄違い（329）が競合した場合、
裁判所は免訴判決と管轄違い判決のいずれをなすべきか。

たとえば、被害者の死亡から4年経過した後に、傷害致死として地方裁判所
に起訴されたが、審理の結果、裁判所は、過失致死であるとの心証を抱いた
（過失致死については地方裁判所に管轄権がない。裁判所24②）。そこで、検

察官から過失致死への訴因変更の請求があったという場合、裁判所はいかなる措置を採るべきかという形で問題となる。

A　管轄違いの言渡しをなすべきとする見解

∵　免訴判決を形式裁判としつつも、なお、一事不再理効が生じるとする通説的見解を前提とすると、管轄の存在という手続条件と免訴事由の不存在という訴訟追行条件とが競合的に欠けている場合、管轄の存在という純手続的条件が欠けている点で公訴権は成立しないのであるからそれ以上の判断に入るべきではなく、管轄違いの言渡しをすべきである

B　いずれの裁判を選択してもよいとする見解

∵　免訴判決を他の形式裁判と同様に実体についての一事不再理効を生じないとする考え方をとれば、理論的にはいずれの裁判を選択してもかまわない

📖第256条　〔起訴状、訴因、罰条〕

Ⅰ　公訴の提起は、起訴状を提出してこれをしなければならない 予。

Ⅱ　起訴状には、左の事項を記載しなければならない。

①　被告人の氏名その他被告人を特定するに足りる事項

②　公訴事実

③　罪名

Ⅲ　公訴事実は、訴因を明示してこれを記載しなければならない。訴因を明示するには、できる限り日時、場所及び方法を以て罪となるべき事実を特定してこれをしなければならない。

Ⅳ　罪名は、適用すべき罰条を示してこれを記載しなければならない。但し、罰条の記載の誤は、被告人の防禦に実質的な不利益を生ずる虞がない限り、公訴提起の効力に影響を及ぼさない。

Ⅴ　数個の訴因及び罰条は、予備的に又は択一的にこれを記載することができる 共予。

Ⅵ　起訴状には、裁判官に事件につき予断を生ぜしめる虞のある書類その他の物を添附し、又はその内容を引用してはならない 予。

［趣旨］本条は、公訴提起の要件・方式を定めるとともに、現行法における当事者主義的訴訟構造の基本となる訴因制度と起訴状一本主義を規定する。

《注　釈》

一　公訴提起

1　はじめに

公訴提起（起訴）とは、検察官が裁判所に対して特定の刑事事件につき審判を求める意思表示をいう。公訴提起のうち、検察官が公判廷における正式裁判を請求することを公判請求というが、即決裁判手続の申立てや略式命令請求も

公訴提起である。

　公訴提起は、必ず起訴状という書面を裁判所に提出して行う（256Ⅰ）。口頭による起訴、電話・電報による起訴はできない〈同予〉。

　公訴提起が厳格な要式行為とされるのは、①起訴状は裁判所の審判手続の基礎となるので、審判の対象の明確化を図るとともに、②被告人に対し防御の範囲を明らかにする必要があるからである。

　起訴状には、①被告人の氏名その他被告人を特定するに足りる事項、②公訴事実及び③罪名を記載しなければならない（256Ⅱ）。また、被告人が逮捕又は勾留されているときは、その旨を記載しなければならない（規164Ⅰ②）。

2　具体的内容

(1)　被告人の氏名その他被告人を特定するに足りる事項（256Ⅱ①）〈同〉

　　公訴の効力は検察官の指定した被告人以外のものには効力を及ぼさない（249）ので、起訴状には被告人の氏名その他被告人を特定するに足りる事項を記載して、公訴の効力の及ぶ範囲を明らかにしなければならない。

(2)　公訴事実（256Ⅱ②）

　(a)　公訴事実

　　　起訴状には公訴事実を記載しなければならない（256Ⅱ②）。

　　　公訴事実とは公訴において示される犯罪事実、つまり公訴犯罪事実である。これにより、起訴された犯罪事実が明らかとなり、その犯罪事実をめぐって当事者の攻撃・防御が展開されることになる。

　(b)　訴因

　　　一方、刑事訴訟法は「公訴事実は、訴因を明示してこれを記載しなければならない」と規定している（256Ⅲ）。この訴因とは、特定・具体化された犯罪構成事実をいう。

　　　「公訴事実」と「訴因」との関係については、いわゆる審判対象論として争われているように、両者は違うものとして予定されている。しかし、訴訟開始段階においては、公訴事実は訴因という形で記載されるのみであるから（256Ⅲ）、公訴事実と訴因は同じものと理解しておいてよい。

　　　　⇒ p.315

(3)　罪名（256Ⅱ③）

　　罪名とは、窃盗（刑235）や、内乱（刑77）などの犯罪の呼称のことである。罪名は、法律上の呼称がないものがほとんどなので、正確を期すために「罪名は、適用すべき罰条を示して記載しなければならない」（256Ⅳ）とされている。罰条は訴因の特定につき補助的な役割をもつものであるから、その記載の誤りは、被告人の防御に実質的な不利益を生ずるおそれがない限り、公訴提起の効力に影響しない（256Ⅳただし書）。

3　公訴提起の効果

(1)　訴訟係属

　　公訴提起がなされると、被告事件について訴訟係属が生ずる。訴訟係属とは、事件が裁判所で審理されるべき事実状態のことである。

(2)　公訴時効の停止

　　公訴提起がなされると、当該事件についての公訴時効の進行が停止される（254Ⅰ前段）。

　　共犯の1人に対してした公訴の提起による時効の停止は、他の共犯に対してその効力を有する（254Ⅱ前段）。

(3)　二重起訴の禁止

　　公訴提起がなされると、同一事件について重ねて公訴提起することはできない（338③、10、11）。

　　→「事件」とは、「先に起訴された訴因と公訴事実の同一性の範囲内において」という意味

　　→この趣旨は、被告人の二重処罰を禁止するためである

　　→したがって、①　同一裁判所への二重起訴

　　　　　　　　　　　→後訴に対し公訴棄却判決（338③）

　　　　　　　　　②　他の裁判所への二重起訴

　　　　　　　　　　　→10条、11条により審判できない裁判所は公訴棄却決定（339Ⅰ⑤）

二　被告人の特定

1　はじめに

　　刑事訴訟法は、起訴状に「被告人の氏名その他被告人を特定するに足りる事項」を記載しなければならない（256Ⅱ①）と規定している。さらに、刑事訴訟規則は「被告人の年齢、職業、住居及び本籍」等の記載を求めている（規164Ⅰ①）。

　　しかし、(1)被告人（真実は甲）が自己の氏名を乙であると偽った場合、検察官が、主観的には「乙と名乗っている氏名不詳者」を指定していても、乙が実在の人物の場合には、起訴状の記載のみによっては、本物の乙が被告人として指定されたのか、「乙こと氏名不詳者」が被告人として指定したのか明らかでない。そこで、犯罪の嫌疑を受けて検察官から公訴提起された者（実質的意味の被告人）は誰かが問題になる。

　　また、(2)被告人として取り扱うべき者が甲であったのに、乙が起訴状を受け取り、あるいは被告人として訴訟行為を行ったりして、形式上被告人として取り扱われた場合には、裁判所はそのような形式的意味の被告人に対してどのような処置をとるべきかが問題になる。

2　被告人の特定の基準〈Ｂ〉

＜被告人の特定の基準に関する学説の整理＞

学　説	内容・理由
意思説	起訴状の記載その他の資料によって、検察官が起訴したと判断される者が被告人である ∵　公訴とは、検察官の特定人に対する訴追の意思表示である以上、検察官の訴追意思を基準とすべきである
挙動説	実際に被告人として行動した者を被告人とする
形式的表示説	起訴状に客観的に表示された者を被告人とすべきである ∵　起訴状の記載を基準として形式的に判断するのが明確性の点で最も優れている
実質的表示説 （通説）	表示説を基本としつつ、起訴状の表示の合理的解釈の資料として、検察官の訴追意思（意思説的要素）や、被告人らしく振る舞った者の行為、特に勾留の有無などの事情（挙動説的要素）を斟酌すべきである ∵　手続の確実性を重視しつつ、表示説を形式的に貫くことによる不都合を回避できる

▼　**大阪窃盗氏名詐称事件（最決昭60.11.29・百選50事件）**

「本件においては、申立人が、捜査官に対し、ことさら知人Ａの氏名を詐称し、かねて熟知していた同女の身上及び前科を正確に詳しく供述するなどして同女であるかのように巧みに装ったため、捜査官は、申立人が右Ａであることについて全く不審を抱かず、両者の指紋の同一性の確認をしなかった結果、執行猶予の判決確定前には申立人の前科を覚知できなかったというのであるから、検察官が執行猶予取消請求求権を失わないとした原審の判断は正当である。」

3　形式的被告人に対する処置

(1)　形式的被告人

　　本来は被告人でない者が、身代わり等により被告人のように行動したため、裁判所もこれを被告人として取り扱い、手続が進行して、あたかもその者に対する訴訟係属があるかのような状態となることがある。それが発覚した場合、裁判の無効を宣言する形式的裁判によって手続を終了させることで、それまでの事実上の訴訟係属の終了を明確にする必要がある。

(2) 具体的な処理手順

＜身代わり等が発覚した時点ごとの具体的な処理手順＞

	ex.1　AがBとされたが、BがAと称して法廷に出頭した（手続的身代わり）	ex.2　Aが起訴されたが、後日、Bが真犯人と判明した（実体的身代わり）	ex.3　Aが起訴されたが、後日、AはBと自称するAであることが判明した（氏名冒用）
冒頭手続で発覚	Bに事実上の訴訟係属すら生じていないので、Bを手続から排除すれば足りる	検察官は公訴を取り消し（257）、裁判所は公訴棄却の決定をなす（339Ⅰ③）	検察官は起訴状の記載をAに訂正する
公判審理手続進行中に発覚	手続の確実性の要請から、Bを被告人とみなしたうえ、適法な公訴提起がなかったとして公訴棄却判決をすべき（338④準用）	同上	Aとの呼称で進行すべき手続をBとの呼称で進行してきた誤りを手続的に明確にするために、ex.1の身代わりと同様に公訴棄却判決を下すべきか（338④準用）、単なる呼称の問題だけで被告人Aの手続的保障はなされていることから、ex.1の身代わりと異なり単に起訴状の記載をAに訂正するのみで足りるか、2通りの考えがありうる
有罪判決確定前に発覚	公訴提起がないのにBに対して実体判決をしたので、不告不理の原則に反することを理由に控訴できる（378③）（「不法に」公訴を受理したとして378②による説あり）	検察官は公訴を取り消さず（257）、上訴し（351Ⅰ、382）、控訴裁判所は原判決を判決で破棄する	ex.1の身代わりと同様に控訴できると考えるか（378③若しくは378②）、単なる呼称の問題だけでBに対して実体判決を下したことにはならないことから、ex.1の身代わりと異なり判決書の誤記訂正で足りるか、2通りの考えがありうる
有罪判決確定後に発覚	公訴棄却すべきであったのにそうしなかったのであるから、無罪を言い渡すべき再審事由がない。したがって非常上告（454）によるべき	検察官は再審請求をし（435⑥）、再審開始決定を得て確定判決の既判力を失わせ、再審で無罪判決を得て、Bを起訴する	非常上告手続（454）によるとする考えと、再審（435）によるべきとする考えがある

公訴

4 略式手続における被告人の特定の基準

▼ **最決昭 50.5.30** 〈回〉

「簡易迅速を旨とする略式手続においては、人定質問のような被告人選別の手続はなく、専ら書面の上で特定された被告人に対し裁判がなされる。このことは右事件のように、三者即日処理方式により氏名冒用者が捜査機関に対し被疑者として振る舞い、且つ裁判所において被冒用者名義の略式命令の交付を受け、罰金を納付したという事実があったとしても、変わりはない。それゆえ、右略式命令における被告人は、表示どおり被冒用者であったというべきである」として、形式的表示説をとった。

三 訴因の特定

1 はじめに

(1) 訴因の特定の意義

公訴事実は、訴因を明示してこれを記載しなければならない。訴因を明示するには、できる限り日時、場所及び方法を以て罪となるべき事実を特定してこれをしなければならない（256Ⅲ）。

(2) 訴因の特定が要求される趣旨（最大判昭 37.11.28・百選 A15 事件）〈予〉

① 審判対象の画定

② 被告人の防御範囲の明示

2 特定の対象・程度

(1) 訴因の特定の対象

訴因として明示されるのは、①「罪となるべき事実」（cf. 335Ⅰ）と、②「日時、場所及び方法」である。

(a) 罪となるべき事実

訴因の特定のためには、「罪となるべき事実」として、被告人の行為が特定の犯罪構成要件に該当することかどうかを判定するに足りる程度の具体的事実を明示する必要がある。

ex. 強盗罪の訴因であれば、強盗罪を構成する要素すなわち反抗抑圧程度の暴行・脅迫、財物の強取等に該当する具体的事実の記載が必要となる

→これにより、訴因が恐喝や窃盗でなく強盗であることが明確になる

(b) 日時、場所及び方法

訴因は、犯罪構成要件に該当する具体的事実の主張である。したがって、構成要件を抽象的に記載するだけでは足りず、日時、場所、方法等を具体的に記載して特定しなければならない。そして、通常は「誰が（犯罪の主体）、いつ（犯罪の日時）、どこで（犯罪の場所）、何を又は誰に対し

（犯罪の客体）、どのような方法で（犯罪の方法）、何をしたか（犯罪の結果）」という六何の原則に従い、具体的に記載される。

(2) 訴因の特定の程度 ◀司R4 予H29▶

(a) 総説

A 識別説

他の犯罪事実との識別が可能な程度に記載することを要し、かつ、それで足りるとする説

→訴因の特定のためには、当該被告人の行為が特定の構成要件に該当するかを判断できる程度の具体的事実が明示され、かつ、他の犯罪事実との区別できる程度に特定していれば足りる

∵① 訴因の識別機能を重視する

② 審判対象が画定されれば、被告人はその範囲で防御すれば足りるから、審判対象の画定は、同時に被告人の防御範囲をも示すことになる

③ 被告人の防御の利益は、起訴状提出以後の手続過程（事前準備、起訴状に対する釈明、冒頭陳述など）で柔軟に対応すれば足りる

④ 過度に詳細な記載を要求すると、捜査の長期化、自白の偏重、裁判官の予断、公判審理の硬直化をもたらすからである

B 防御権説

被告人の防御に支障をきたさない程度の具体的な特定が必要とする説

→訴因の特定のためには、当該被告人の行為が特定の構成要件に該当するかを判断できる程度の具体的事実が明示され、かつ、他の犯罪事実との区別できる程度に特定していることに加え、被告人の防御権の行使に充分であることが必要となる

∵① 訴因の防御機能を重視する

② 訴因の特定の趣旨は、裁判所に対し審判対象を明確化するだけでなく、被告人の防御権の行使を効果的にする点にもあるので、努めて被告人の防御の観点からの特定化を考慮する必要がある

③ 法が「できる限り」と規定した趣旨は、日時・場所・方法などで幅のある表示をしても、被告人の防御に支障をきたさないようにしなければならないということにある。したがって、「できる限り」とは、「できれば」ではなく、「できる限り正確に」という意味である

(b) 犯罪の日時・場所・方法

ア 公訴事実の日時、場所、方法等に幅のある記載をすることが許されるか。

→判例（最大判昭 37.11.28・百選 A 15 事件）は、「犯罪の種類、性質等の如何により、これらをつまびらかにできない特殊事情がある場合には、前記法の目的を害さない限り幅のある表示をしても、その一事のみを以て、罪となるべき事実を特定しない違法があるということはできない」としている

▼ 最決平 14.7.18・平 14 重判 4 事件〈回共〉

「訴因は、暴行態様、傷害の内容、死因等の表示が概括的なものであるにとどまるが、検察官において、当時の証拠に基づき、できる限り日時、場所、方法等をもって傷害致死の罪となるべき事実を特定して訴因を明示したものと認められるから、訴因の特定に欠けるところはない」と判示した。

▼ 包括一罪と訴因の特定（最決平 26.3.17・百選 45 事件）

一定の期間内に多数回の暴行を加えたことによる傷害の公訴事実に関し、訴因不特定の違法があるとする弁護人の主張について、その暴行全体を一体のものと評価し、包括一罪の関係にあるとした上で、「訴因における罪となるべき事実は、その共犯者、被害者、期間、場所、暴行の態様及び傷害結果の記載により、他の犯罪事実との区別が可能であり、また、それが傷害罪の構成要件に該当するかどうかを判定するに足りる程度に具体的に明らかにされているから、訴因の特定に欠けるところはない」と判示した。

イ　覚醒剤使用事犯の場合

覚醒剤使用事犯においては、一般に、使用行為ごとに 1 個の犯罪が成立することから、日時に幅のある記載がなされた場合に、その幅のある期間内に複数回の覚醒剤使用が行われた可能性が否定できず、どの使用行為を起訴したものであるか明らかでなく、他の犯罪事実との識別が問題となる。

→日時等に幅のある訴因の記載を、被告人の尿の採取に先立つ直近の最終使用行為を起訴した趣旨であると説明する見解（最終行為説）、起訴状記載の期間、場所内の少なくとも 1 回の使用行為を起訴した趣旨であると説明する見解（最低 1 回行為説）などがある

▼ **吉田町覚醒剤使用事件（最決昭56.4.25・百選44事件）**

「『被告人は、法定の除外事由がないのに、昭和54年9月26日ころから同年10月3日までの間、広島県高田郡吉田町内及びその周辺において、覚せい剤であるフエニルメチルアミノプロパン塩類を含有するもの若干量を自己の身体に注射又は服用して施用し、もって覚せい剤を使用したものである。』との本件公訴事実の記載は、日時、場所の表示にある程度の幅があり、かつ、使用量、使用方法の表示にも明確を欠くところがあるとしても、検察官において起訴当時の証拠に基づきできる限り特定したものである以上、覚せい剤使用罪の訴因の特定に欠けるところはないというべきである」と判示して、弁護人の訴因不特定の主張を斥けた。

(c) 共謀・謀議〈司〉〈司R4 予H29〉

共謀共同正犯については、共謀のあった事実とそれに基づく実行行為が記載されていれば訴因は特定されているといえるか。それとも共謀の日時、場所、内容の具体的記載も必要か。

→識別説からは、他の共謀者による実行行為が日時、場所、方法等によって特定されている以上、公訴事実が他の犯罪事実から識別されており、「共謀の上」との記載だけで足りるとする

→防御権説からは、共謀のみに関与した者にとって、共謀したという点が犯罪事実と結び付き防御の重点が集約されるため、共謀の日時、場所、方法等は訴因を明示する上で必要であるとする

▼ **東京高判昭32.12.27**

「数人共謀の上、共同一体となつて具体的犯罪事実を実行した旨を、実行行為について犯罪の日時、場所、行為の態様を特定して記載すれば足り、敢て、共謀者の氏名、場所、具体的内容、実行行為の担当者、又は各自の分担した実行行為の態様の点までも明示することを要しないものと解するのを相当とする」と判示した。

(d) 実行行為者〈予H25〉

判例は、共同正犯については、誰が実行行為者であるかについて記載されていなくても訴因は特定されているとした〈司〉。

公訴

▼　**最決平13.4.11・百選46事件**

1　殺人罪の共同正犯の訴因としては、実行行為者が誰であるかが明示されていなくてもそれだけで訴因の特定にかけるものとはいえない。したがって、裁判所が、訴因において実行行為者が明示された場合にそれと異なる認定をするとしても、審判対象の画定という見地からは訴因変更は不要である。

2　とはいえ、実行行為者が誰であるかは一般的に被告人の防御にとって重要な事項であるから、争点の明確化のために検察官が実行行為者を明示した場合は、裁判所は、それと異なる事実を認定するには原則として訴因変更を要する。

3　しかし、実行行為者の明示は訴因の記載として不可欠な事項ではないことから、被告人の防御の具体的状況に照らして被告人に不意打ちを与えるものではなく、かつ、判決で認定する事実が訴因として記載された事実に比べて被告人に不利益とならないものであるときは、例外的に訴因変更なしに訴因と異なる実行行為者を認定しても違法ではない。

(e)　過失犯における過失

過失犯における過失について、どの程度の記載があれば訴因が特定したといいうるか。

→過失の存否の判断のためには、過失の内容・態様の主張が具体的でなければならない

→たとえば業務上過失致死傷事件で、単に「漫然と運転し」とか、「過失により」という記載では、訴因を特定したことにならず、具体的事実の記載が必要

3　訴因不特定の効果　⇒ p.275

訴因が特定しない場合、公訴提起は無効であり、裁判所は公訴棄却判決（338④）を言い渡すのが原則である。

しかし、全く不特定で補正の余地のない場合は別として、まず検察官に釈明を求め、検察官がこれに応じて訴因を補正して特定させれば有効な公訴提起として扱い、補正しない場合には公訴棄却すべきである（最判昭33.1.23、通説）〈司〉。

4　訴因の予備的記載・択一的記載〈司〉

数個の訴因又は罰条は、予備的に又は択一的に記載することができる（256Ⅴ）。

(1)　訴因の予備的記載とは、たとえば、甲がAを死なせたことは分かっているが、殺意の有無について疑念が残るときに、殺人、そうでなければ傷害致死として、2個の訴因に順序を付して記載することをいう。この場合、裁判所は殺人（本位的訴因という）から審理を始め、殺意が認められないときに、傷害致死（予備的訴因という）を審理することになる。

→本位的訴因との関係で公訴事実の同一性が認められない事実を予備的訴

因とすることは許されない〈予〉

→本位的訴因について有罪となれば、予備的訴因は排斥されたこととなるから、予備的訴因について、ことさら、無罪判決を言い渡す必要はない〈予〉

(2) 訴因の択一的記載とは、被告人が恐喝して財物を交付させたのか、欺罔して財物を騙取したのかいずれかを認定してほしいとき、つまり、恐喝と詐欺のどちらで処罰してもらってもよいときに、恐喝と詐欺の訴因を択一的に記載することをいう。この場合、裁判所はどちらの訴因から審理してもよい。

四　予断排除の原則・起訴状一本主義

1　予断排除の原則

(1) 意義

予断排除の原則とは、裁判所は事件について予断・偏見を抱いてはならないという原則である。起訴状一本主義（256Ⅵ）は、予断排除の原則を担保する代表的な制度である。

(2) 趣旨

裁判官の予断偏見を防止し、公正な判断を担保することで、「公平な裁判所」（憲37Ⅰ）を実現する。

2　予断排除の原則を担保する諸制度　⇒ p.15

3　起訴状一本主義〈予〉

(1) 意義

起訴状には、裁判官に予断を生じさせるおそれのある書類等を添付し、又は、その内容を引用してはならない（256Ⅵ）。起訴に際しては、検察官は起訴状だけを提出するので、この建前を起訴状一本主義という。

(2) 起訴状一本主義の趣旨〈司〉

(a) 裁判官の予断偏見を防止し、公正な判断を担保することで、「公平な裁判所」（憲37Ⅰ）を実現。

→予断排除の現れ

(b) 捜査機関の嫌疑と裁判所の心証が遮断され、裁判官は事前に証拠に接する機会がないため、主張立証の主導権は検察官と被告人・弁護人の両当事者に委ねられ（当事者主義）〈予〉、裁判官は、中立的な立場から心証形成することになった（公判中心主義）。

→当事者主義の訴訟構造を実現するために不可欠

4　起訴状一本主義に反するか否か

（1）　証拠の添付・引用

▼　**最判昭 33.5.20** 〈同予〉

　　恐喝の手段として被害者に郵送された脅迫文書のほぼ全文が記載された起訴状につき、①脅迫文書の趣旨が婉曲暗示的であって、②起訴状にこれを要約摘記するには、相当詳細にわたるのでなければこの文書の趣旨が判明し難い場合には、起訴状にその文書の全文とほとんど同様の記載がなされていても、その起訴状は刑事訴訟法256条6項に違反しないとした。

▼　**最決昭 44.10.2**

　　雑誌の記事原文の一部（約3500字）を名誉毀損の訴因に記載した事案につき、「検察官が同文書のうち犯罪構成要件に該当すると思料する部分を抽出して記載し」たものであって、「本件訴因を明示するための方法として不当とは認められず、」また、「裁判官に事件につき予断を生ぜしめるおそれのある書類の内容を引用したものというにはあたらない」。

（2）　逮捕状・勾留状の添付〈予〉

　　検察官は、逮捕又は勾留されている被告人について公訴を提起したときは、速やかにその裁判所の裁判官に逮捕状又は逮捕状及び勾留状を差し出さなければならない（刑訴規 167 Ⅰ前段）。

　　裁判例（東京高判昭 31.7.10）は、起訴状のすぐ次に勾留状や逮捕状等が編綴されていたという事案において、勾留状や逮捕状は、「被告人が逮捕され、現に勾留されている事実を示すにとどまり、その事件や犯情そのものに関係のある特段の記載は存在しないものであるから、それらの書面は必ずしも裁判官に事件につき予断を生ぜしめる虞のある書面ということはできない」としている。

（3）　余事記載の禁止

（a）　被告人の前科の記載

▼　**最大判昭 27.3.5** 〈同予〉

　　詐欺罪の公訴事実について、「被告人は詐欺罪により既に2度処罰を受けたものであるが」と記載された起訴状につき、「公訴犯罪事実について、裁判官に予断を生ぜしめるおそれのある事項は、起訴状に記載することは許されないのであって、かかる事項を起訴状に記載したときは、これによってすでに生じた違法性は、その性質上もはや治癒することができない」とした上で、それが累犯加重の原因となる事由であっても、「詐欺の公訴について、詐欺の前科を記載することは、……公訴犯罪事実につき、裁判官に予断を生ぜしめるおそれのある事項にあたると解しなければならない。……もっとも被告人の前科であっても、そ

れが、公訴犯罪事実の構成要件となっている場合……又は公訴犯罪事実の内容となっている場合……等は、公訴犯罪事実を示すのに必要であって、これを一般の前科と同様に解することはできないからこれを記載することはもとより適法である」と判示した。

(b) 被告人の経歴・素行・動機

▼ **大阪高判昭 57.9.27・百選 41 事件**

「刑事訴訟法 256 条 6 項の規定が起訴状の中に裁判官をして事件の審理に先立ち当該被告人にとって不利な予断を生ぜしめる事実の引用を禁止している……反面、同条 3 項は、……と規定する。そして、右の罪となるべき事実とは犯罪構成要件該当事実のみならず、共犯者があれば、その者との共謀の事実、態様をも含むと解すべきである。……、本件は被告人を含む共犯者 3 名が一通の起訴状で一括して公訴を提起せられた傷害被告事件であって、被告人が単独で本件傷害事件を惹起したとされる案件ではない。このような案件の場合には、起訴状の中になされた所論のような記載は、被告人と共犯者の関係を明らかにすることによって共謀の態様を明示し、公訴事実を特定するためのものであるとも解せられ、いまだ刑事訴訟法 256 条 6 項の規定に違反するものと見られない。従って、本件公訴の提起が違法、無効であるとはいえない。」

5 違反の効果

(1) 起訴状一本主義違反の場合

起訴状は無効となり公訴棄却の判決（338 ④）〈予〉

∵ 一度裁判官に予断を与えると、もはやそれを治癒することはできないので、単に削除するだけでは済まされない（最大判昭 27.3.5）

(2) 起訴状への余事記載の場合

① 単なる余事記載（256 Ⅱ Ⅲ違反）

→余事記載部分を削除（補正）すれば公訴提起は有効

② 裁判官に予断を与えるような余事記載（256 Ⅵ違反）

→公訴提起は無効（338 ④）

第256条の2

検察官は、公訴の提起と同時に、被告人に送達するものとして、起訴状の謄本を裁判所に提出しなければならない。ただし、やむを得ない事情があるときは、公訴の提起後速やかにこれを提出すれば足りる。

第257条 〔公訴の取消し〕〈同共予〉

公訴は、第 1 審の判決があるまでこれを取り消すことができる。

《注　釈》

- 起訴便宜主義の下では、起訴後に不起訴処分とする事由が判明したような場合には公訴の取消しを認めるのが相当である。このように公訴の取消しを認める原則を起訴変更主義という。
- 現行法では、公訴は第1審の判決があるまでは取り消すことができる（257）としてこの原則を採用している。
- 公訴の取消しがあると、裁判所が公訴棄却の決定をする（339Ⅰ③）。一度公訴が取り消された場合は「犯罪事実につきあらたに重要な証拠を発見した場合」だけ再起訴できる（340）。被告人の法的地位を考慮して、検察官に恣意的な再起訴を許さない趣旨である。

第258条 〔他の管轄への送致〕

　検察官は、事件がその所属検察庁の対応する裁判所の管轄に属しないものと思料するときは、書類及び証拠物とともにその事件を管轄裁判所に対応する検察庁の検察官に送致しなければならない。

第259条 〔被疑者に対する不起訴処分の告知〕

　検察官は、事件につき公訴を提起しない処分をした場合において、被疑者の請求があるときは、速やかにその旨をこれに告げなければならない。

第260条 〔告訴人等に対する起訴・不起訴の通知〕〈司共〉

　検察官は、告訴、告発又は請求のあった事件について、公訴を提起し、又はこれを提起しない処分をしたときは、速やかにその旨を告訴人、告発人又は請求人に通知しなければならない。公訴を取り消し、又は事件を他の検察庁の検察官に送致したときも、同様である。

第261条 〔告訴人等に対する不起訴理由の告知〕

　検察官は、告訴、告発又は請求のあった事件について公訴を提起しない処分をした場合において、告訴人、告発人又は請求人の請求があるときは、速やかに告訴人、告発人又は請求人にその理由を告げなければならない〈司〉。

《注　釈》

◆　起訴・不起訴の抑制

　1　はじめに

　　起訴便宜主義の採用により、検察官には公訴を提起しない裁量権が与えられているが、検察官が事件を不起訴処分にすると、その事件については裁判所の審判の機会がなくなることになる。つまり、不当な不起訴処分があれば、重要な犯人が処罰を免れることになり、刑事司法の公正が害される。そこで、不当な不起訴処分をチェックする制度が必要となる。

　　現行法上不当な不起訴を抑制する手段としては、①告訴人等への不起訴処分・理由の通知（260、261）、②検察審査会（検察審査会法）及び③準起訴手続（付審判請求手続）（262〜269）がある。

2　告訴人・告発人等への不起訴処分・理由の通知
(1)　起訴・不起訴等の通知
　(a)　意義
　　　検察官は、告訴、告発又は請求のあった事件について、公訴を提起し、又は公訴を提起しない処分をしたときは、速やかにその旨を告訴人、告発人又は請求人に通知しなければならない（260）。
　(b)　趣旨
　　①　検察官の専断的な不起訴処分に対する自主的コントロールを期待する。
　　②　告訴人等に不起訴処分の当否につき検討させ、検察審査会に対する審査申立てや、準起訴手続による審判請求をする機会を与える意義を有する。
(2)　告訴人等に対する不起訴理由の告知
　　不起訴処分の告知については、告訴人等の請求があるときは、その理由も告知しなければならない（261）。
　　→不起訴処分の妥当性を判断することができるように、具体的な根拠も告知すべき

＜不起訴処分・理由の告知・通知＞

	相手方	適用場面	相手方からの請求の要否
不起訴処分の告知	被疑者	不起訴処分	必要
起訴・不起訴の通知	告訴人、告発人、請求人	起訴・不起訴処分、公訴取消し、事件を他の検察庁の検察官に送致	不要
不起訴理由の告知	告訴人、告発人、請求人	不起訴処分	必要

3　検察審査会
(1)　意義
　(a)　目的：公訴権の実行に関し民意を反映せしめてその適正を図るため（検審1）
　(b)　設置場所：地方裁判所とその支部
　(c)　審査員：衆議院議員の選挙権者の中からくじで選定された11人の審査

員で構成（検審4）

(2) 検察審査会によるコントロール〈同〉

　　検察審査会は、平成16年改正前検察審査会法においては、刑事手続に対する市民参加制度としての意義を有するもののその議決に法的拘束力が認められなかったため、検察官の不当な不起訴処分を間接的にコントロールできるにすぎなかった。そのため、不当な不起訴処分に対する抑制手段としての限界を指摘されていた。

　　これに対し、同法の平成16年改正（平成21年5月21日より施行）は、いわゆる起訴議決制度（同法41条の6）を導入し、検察官の不当な不起訴処分に対する直接的なコントロールの途を開いた。すなわち、検察審査会が行った起訴相当の議決にもかかわらず検察官が不起訴処分をした場合又は法定の期間内に処分を行わなかった場合において、検察審査会は再度の審査を行い、その結果、起訴すべき旨の議決（起訴議決）が行われたときには、裁判所が指定した弁護士が被疑者を起訴することとなった〈予〉。なお、かかる場合にはあくまで弁護士が起訴をすることになるのであり、検察官について起訴の強制がされるわけではない（同法41の10 I 本文）。

　　この改正により、検察審査会制度は、準起訴手続と並んで起訴独占主義の例外をなすこととなった。また、準起訴手続があくまで裁判所という国家機関による起訴制度であるのに対して、検察審査会制度は国家訴追主義にも修正を加えたものといえる。

第262条 〔準起訴手続・付審判の請求〕〈予〉

I　刑法第193条から第196条＜公務員職権濫用、特別公務員職権濫用、特別公務員暴行陵虐、特別公務員職権濫用等致死傷＞まで又は破壊活動防止法（昭和27年法律第240号）第45条若しくは無差別大量殺人行為を行った団体の規制に関する法律（平成11年法律第147号）第42条若しくは第43条の罪について告訴又は告発をした者は、検察官の公訴を提起しない処分に不服があるときは、その検察官所属の検察庁の所在地を管轄する地方裁判所に事件を裁判所の審判に付することを請求することができる。

II　前項の請求は、第260条の通知＜告訴人等に対する起訴・不起訴の通知＞を受けた日から7日以内に、請求書を公訴を提起しない処分をした検察官に差し出してこれをしなければならない。

第263条 〔請求の取下げ〕

I　前条第1項の請求は、第266条の決定があるまでこれを取り下げることができる。

II　前項の取下をした者は、その事件について更に前条第1項の請求をすることができない。

第264条 〔公訴提起の義務〕

検察官は、第262条第1項の請求を理由があるものと認めるときは、公訴を提起しなければならない。

第265条 〔準起訴手続の審判〕

I　第262条第1項の請求についての審理及び裁判は、合議体でこれをしなければならない。

II　裁判所は、必要があるときは、合議体の構成員に事実の取調をさせ、又は地方裁判所若しくは簡易裁判所の裁判官にこれを嘱託することができる。この場合には、受命裁判官及び受託裁判官は、裁判所又は裁判長と同一の権限を有する。

第266条 〔請求棄却・付審判の決定〕

裁判所は、第262条第1項の請求を受けたときは、左の区別に従い、決定をしなければならない。

① 請求が法令上の方式に違反し、若しくは請求権の消滅後にされたものであるとき、又は請求が理由のないときは、請求を棄却する。

② 請求が理由のあるときは、事件を管轄地方裁判所の審判に付する。

第267条 〔公訴提起の擬制〕

前条第2号の決定があつたときは、その事件について公訴の提起があつたものとみなす。

第267条の2 〔付審判決定の通知〕

裁判所は、第266条第2号の決定をした場合において、同一の事件について、検察審査会法（昭和23年法律第147号）第2条第1項第1号に規定する審査を行う検察審査会又は同法第41条の6第1項の起訴議決をした検察審査会（同法第41条の9第1項の規定により公訴の提起及びその維持に当たる者が指定された後は、その者）があるときは、これに当該決定をした旨を通知しなければならない。

第268条 〔公訴の維持と指定弁護士〕

I　裁判所は、第266条第2号の規定により事件がその裁判所の審判に付されたときは、その事件について公訴の維持にあたる者を弁護士の中から指定しなければならない。

II　前項の指定を受けた弁護士は、事件について公訴を維持するため、裁判の確定に至るまで検察官の職務を行う。但し、検察事務官及び司法警察職員に対する捜査の指揮は、検察官に嘱託してこれをしなければならない。

III　前項の規定により検察官の職務を行う弁護士は、これを法令により公務に従事する職員とみなす。

IV　裁判所は、第1項の指定を受けた弁護士がその職務を行うに適さないと認めるときその他特別の事情があるときは、何時でもその指定を取り消すことができる。

Ⅴ　第1項の指定を受けた弁護士には、政令で定める額の手当を給する。

第269条 〔請求者に対する費用賠償の決定〕

　裁判所は、第262条第1項の請求を棄却する場合又はその請求の取下があつた場合には、決定で、請求者に、その請求に関する手続によつて生じた費用の全部又は一部の賠償を命ずることができる。この決定に対しては、即時抗告をすることができる。

第270条 〔検察官の書類・証拠物の閲覧・謄写権〕

Ⅰ　検察官は、公訴の提起後は、訴訟に関する書類及び証拠物を閲覧し、且つ謄写することができる。

Ⅱ　前項の規定にかかわらず、第157条の6第4項に規定する記録媒体＜ビデオリンク方式により証人の尋問及び供述並びにその状況を記録した記録媒体＞は、謄写することができない。

《注　釈》

◆　付審判請求手続

1　意義

　検察官が公訴権を独占し、しかも訴追裁量が認められる制度の下では、公務員特に警察官による職権濫用罪等が起訴されない傾向になりやすい。

　準起訴手続（付審判請求手続）は国民の人権保障を実効化するために、職権濫用罪について検察官の不起訴処分を直接に抑制する制度であり、起訴独占主義（247）の例外である。

2　手続

　公務員の職権濫用罪等（刑193～196、破防45等）について、告訴又は告発をした者が、検察官の不起訴処分に不服があるときに裁判所に審判を請求（262）。

　　→裁判所は、請求が理由のないとき　→請求棄却（266①）

　　　　　　　　　　　　　理由のあるとき　→事件を管轄地方裁判所の審判に付する決定（266②）

　　→審判に付する決定があったときは、その事件について公訴が提起されたとみなされる（267）

　　→この場合、裁判所の指定する弁護士が公訴維持に当たる（268）

　　∵　検察官が公訴維持に当たると不公正な訴訟追行がなされるおそれがある

3　準起訴手続（付審判請求手続）の構造

　準起訴手続においては、捜査の不十分さについての審査という本来の機能を果たすため、また事件が特殊であるため立証が困難であるから、事件の内容に通じている請求人の協力を必要とする場合がある。

　そこで、請求人が当事者的地位で審判手続に関与することができるか、具体

的には請求人の代理人に捜査記録の閲覧・謄写が認められるか等が問題となる。

　この点、学説は①裁判所による捜査の続行とみる見解と、②抗告訴訟ないし三面訴訟に類似する制度とみる見解がある。

　判例は、準起訴手続は「捜査に類似する性格をも有する公訴提起前における職権手続であり、本質的には対立当事者の存在を前提とする対審構造を有しない」と判示して、対審構造を否定するとともに、審理の密行性を強調して、特段の事情がない限り請求代理人の訴訟記録等の謄写閲覧は認められないとする（最決昭49.3.13・百選〔第9版〕A12事件）。これは基本的に①説に立つものである。

4　準起訴手続（付審判請求手続）によるコントロールの限界

　準起訴手続は検察官の不起訴処分の妥当性を直接コントロールできる制度であるが、適用を受ける事件が職権濫用罪に限定されていること、及び、付審判決定事件が非常に少ないことから、不当不起訴の抑制手段としては限界がある。

公訴

第4編　公判

・第1章・【公判準備及び公判手続】

《概　説》

一　公判手続と公判準備

　　広義における公判手続とは、この公訴提起から裁判が確定し訴訟手続が終結するまでの手続段階のすべてをいう。審級制度によって、第1審、控訴審、上告審の3段階に分かれる（以下、第8編まで第1審の手続について説明する。上訴については第9編参照）。

　　広義の公判手続のうち、公判期日における手続を狭義の公判手続といい、狭義の公判手続の準備の手続を公判準備という。　　⇒ p.263

＜公判手続と公判準備＞

```
                    ┌─ 狭義の公判手続：公判期日における手続
  広義の公判手続  ──┤
                    └─ 公判準備：公判準備の手続

                    ┌─ 1人制（単独体）
  裁判所の審判形態 ─┤                   ┌─ 裁判官のみによる合議制
                    └─ 合議制（合議体） ─┤
                                         └─ 裁判員の参加する合議制

                    ┌─ 通常の準備手続
  公判準備  ────────┤
                    └─ 公判前整理手続
```

二　公判中心主義

　1　はじめに

　　公判手続の中核をなすのは、公判期日の手続である。これを狭義の公判手続又は単に公判と呼ぶ。公判準備もこの手続のためになされる。

　　公判期日における取調べは必ず公判廷で行わなければならない（282Ⅰ）。当事者の証拠の提出や弁論等の攻撃や防御は、この公判廷で展開し、裁判所の審判も公判廷で行わなければならない。このように、犯罪事実の存否の確認は公判でなされなければならないことを公判中心主義という。公判中心主義が近代刑事訴訟の大原則とされるのは、公判期日の手続（公判）が、公平な裁判所の前で、公開の法廷において、生の証拠をぶつけ合い、当事者が口頭で弁論を展開することが予定されているからである。

2 公判中心主義を支える諸原則

(1) 公開主義

一般国民に公判の審判を公開し、傍聴を認める原則をいう。裁判所の手続を一般国民の監視の下に置くことにより、裁判の公正を保障し、国民の裁判に対する信頼を維持するのが目的である。公開主義は憲法上の要請であり（憲82Ⅰ）、また、公開裁判を受ける権利は被告人の権利とされている（憲37Ⅰ）。

もっとも、公開主義にも限界がある。判決と異なり、対審（審理）については公開しないで行いうる場合がある（憲82Ⅱ）。この他、表現の自由ないし国民の知る権利との関係で、傍聴人のメモ採取の可否、公判廷での写真撮影・録音・放送の可否等が憲法上問題となっている。

▼ レペタ訴訟（最大判平元.3.8）

一般傍聴人のメモに関して、裁判長の法廷警察権による規制（288Ⅱ、裁判所71）は予定しつつも、一方で憲法21条1項の趣旨をふまえ、他方で、メモが公正・円滑な訴訟運営を妨げることは通常あり得ないとの認識を示し、特段の事情がない限り、傍聴人の自由に任せるべきとした。

(2) 口頭主義

裁判所が、口頭で提供された訴訟資料に基づいて審判を行う原則をいう。書面主義に対する原則である。手続の進行が密室で処理されやすい書面方式に比べ、口頭方式によれば鮮明な印象で語りかけるので、証拠調べや弁論など訴訟の実質的内容にかかわる場合には適当と考えられたためである。証拠書類の取調べは朗読によること（305）、判決は口頭弁論に基づくこと（43Ⅰ）はこの原則の現れである。

(3) 弁論主義

当事者の弁論、すなわち当事者の主張・立証・意見陳述に基づいてしか判決を行いえない原則をいう。裁判所が自ら進んで確定した事実に基づいて判決を行うとする職権探知主義はこの例外である。口頭主義と合わせて、口頭弁論主義と呼ばれる（43Ⅰ）。

ただし、当事者主義を基本としつつも補充的に職権主義をも採用しているので（298Ⅱ、312Ⅱ）、弁論主義は徹底されていない。

(4) 直接主義

法廷で裁判所により直接取り調べられた証拠に基づいてしか判決できない原則をいう。

直接主義は、①裁判官は直接的な証拠によるべしという客観的直接主義と、②裁判官の面前で取り調べた証拠によるべしという主観的直接主義とに分けることができる。たとえば、第三者の供述を内容とする公判廷での供述（伝聞証言）を証拠とすることを原則として禁ずるのは、客観的直接主義か

公判

らの要請といえる。公判が開かれた後に裁判官が交替したときに、公判手続の更新が必要とされる（315）のは、主観的直接主義からの要請である。

(5) **集中審理主義**

裁判所が、事件を継続的に集中して審理しなければならない原則をいう。迅速な裁判を実現するのが目的である。裁判所は、審理に2日以上を要する事件については、できる限り連日開廷し、継続して審理を行わなければならない（281の6Ⅰ）。

三　公判の構造

- 当事者主義と職権主義　⇒p.5

(1) **意義**

審判の対象を設定し、証拠により立証していく過程を訴訟の追行という。公判廷を開くには裁判官及び裁判所書記官が列席し、検察官が出席しなければならない（282Ⅱ）。

(2) **当事者主義の各段階**

(a) **形式的当事者主義（弾劾主義）**

判断者と訴追者を分離して、3面構造（裁判所・検察官・被告人）をなす形態である。もっとも、基本となるのは裁判所による職権証拠調べであり、検察官は訴訟進行の監視役にすぎないので、実質は職権主義である。

(b) **実質的当事者主義（当事者追行主義）**

検察官が審判対象の設定権をもち、証拠調べも当事者（検察官・被告人）が主導権をとる形態である。裁判所は公訴の提起された事件についてのみ審判できるという不告不理の原則が徹底され、名実ともに当事者主義となった状態といえる。

→検察官の審判対象（訴因）設定権（256Ⅲ）、当事者（検察官・被告人・弁護人）による証拠調べ請求権（298Ⅰ）、当事者による交互尋問制（規199の2以下）、証明力を争う権利（308）

(c) **当事者対等主義（被告人当事者主義）**

事実上、当事者（検察官・被告人）間では攻撃・防御力の格差が著しいので、(b)を前提にしたうえで、被告人の防御力を増強して実質的な当事者対等を実現しようとする形態である。

→弁護人依頼権（憲37Ⅲ、法30・36・28）、黙秘権（憲38Ⅰ、法311）

四　訴訟行為

1 **意義**

刑事訴訟は犯罪事件の解決に向けた一連の手続であり、それは裁判所・訴訟関係人・第三者の行為の積み重ねで構成されている。このように訴訟手続を構成する行為で、かつ訴訟法上の効果を生ずるものを、訴訟行為という。

2 分類

＜訴訟行為の分類＞

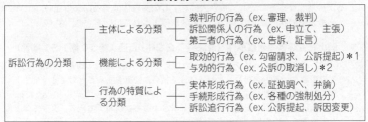

訴訟行為の分類 ─┬─ 主体による分類 ─┬─ 裁判所の行為（ex. 審理、裁判）
　　　　　　　　　│　　　　　　　　　├─ 訴訟関係人の行為（ex. 申立て、主張）
　　　　　　　　　│　　　　　　　　　└─ 第三者の行為（ex. 告訴、証言）
　　　　　　　　　├─ 機能による分類 ─┬─ 取効的行為（ex. 勾留請求、公訴提起）＊1
　　　　　　　　　│　　　　　　　　　└─ 与効的行為（ex. 公訴の取消し）＊2
　　　　　　　　　└─ 行為の特質によ ─┬─ 実体形成行為（ex. 証拠調べ、弁論）
　　　　　　　　　　　る分類　　　　　├─ 手続形成行為（ex. 各種の強制処分）
　　　　　　　　　　　　　　　　　　　└─ 訴訟追行行為（ex. 公訴提起、訴因変更）

＊1　取効的行為：一定の裁判を要求する行為であり、裁判によって本来の目的を達す
　　　るもの
＊2　与効的行為：直接訴訟上の効果を発生させる行為

五　訴訟行為の要件

1 行為適格

行為適格とは、訴訟行為をなしうる資格をいう。行為適格のない者の行為（ex. 検察官以外の者による公訴提起）は、訴訟行為として無効である。

2 代理

(1) 弁護人による代理

弁護人は、被告人の保護者たる地位に基づいて、包括的代理権を有している。

▼ **最大決昭 63.2.17**

「およそ弁護人は、被告人のなし得る訴訟行為について、その性質上許されないものを除いては、個別的な特別な授権がなくても、被告人の意思に反しない限り、これを代理して行うことができる」と判示して、このことを確認している（判）。

(2) 弁護人以外の者による代理

① 被疑者・被告人が法人の場合にその代表者（27）

② 被疑者・被告人に意思能力がない場合にその法定代理人（28）

③ 告訴の申立て・取消しについての代理人（240）

④ 上訴申立ての場合の法定代理人又は保佐人（353）

→代理権のない者のした訴訟行為は無効

3 訴訟能力

訴訟能力とは、適法に訴訟行為をすることができる意思能力をいう。

訴訟能力のない者のした訴訟行為は無効である。もっとも、被告人が法人である場合は訴訟能力がないので、代表者に訴訟行為を代表させることができ

（27）、また、訴訟能力のない場合でも、法定代理人に訴訟行為を代理させることのできる事件もある（28）。被告人に訴訟能力が欠けた場合、個々の訴訟行為が無効となるとしても、被告人に対する公訴自体は無効にならない。

心神喪失の状態にある間は公判手続が停止されるにとどまる（314Ⅰ）。

▼ **岡山聴覚障害者窃盗事件（最決平7.2.28・百選〔第10版〕51事件）**

　刑訴法314Ⅰにいう「心神喪失の状態」とは、「訴訟能力、即ち、被告人としての重要な利害を弁別し、それに従って相当な防御をすることのできる能力を欠く状態をいうと解するのが相当である。原判決の認定するところによれば、被告人は、耳も聞こえず、言葉も話せず、手話も会得しておらず、文字もほとんど分からないため、通訳人の通訳を介しても、被告人に対して黙秘権を告知することは不可能であり、また、法廷で行われている各訴訟行為の内容を正確に伝達することも困難で、被告人自身、現在置かれている立場を理解しているかどうかも疑問であるというのである。右事実関係によれば、被告人に訴訟能力があることには疑いがあるといわなければならない。そして、このような場合には、裁判所としては、同条4項により医師の意見を聴き、必要に応じ、さらにろう（聾）教育の専門家の意見を聴くなどして、被告人の訴訟能力の有無について審理を尽くし、訴訟能力がないと認めるときは、原則として同条1項本文により、公判手続を停止すべきものと解するのが相当である。」

▼ **最判平10.3.12・平10重判4事件**

　被告人が、少年時代から窃盗を常習的に敢行し、前科15犯、通算25年近く服役している先天性の重度の聴覚障害者であったため、訴訟能力の有無が問題となった。原審（大阪高裁）は、第1審の訴訟手続には314条の解釈を誤った違法があるとして破棄し、事件を差戻したのに対し、検察官が上告した。最高裁は、訴訟能力の内容として、自己の置かれている立場、各訴訟行為の内容、黙秘権等に関して必ずしも一般的、抽象的、言語的な理解能力ないし意思疎通能力までは必要とせず、具体的、実質的、概括的な理解能力ないし意思疎通能力があれば足りるとし、被告人は「心神喪失の状態」にはなかったとし、原判決を破棄した。

公
判

254

六　訴訟行為の評価

1　訴訟行為の評価

＜訴訟行為の評価のまとめ＞

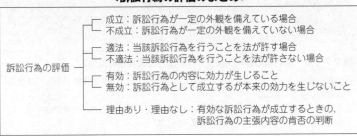

2　訴訟行為の瑕疵の治癒

訴訟行為に瑕疵があって無効な場合でも、後に有効とされる場合がある（無効の治癒）。瑕疵が治癒される場合として、(1)補正・追完と(2)責問権の放棄がある。

(1)　補正・追完

(a)　補正

訴訟行為の方式に不備があるときに、後にその不備を補充することをいう。瑕疵が重大な場合には補正ができない。たとえば起訴状一本主義に違反して公訴提起がなされた場合には、瑕疵が重大なので補正は許されず、公訴棄却される。

▼　**最判昭 33.1.23**

検察官が不特定訴因を補正して特定訴因とすることを許した。

(b)　追完

本来、先行行為を前提に後行行為が行われるところ、先行行為なくして後行行為が行われた場合に、後に先行行為を行って後行行為を有効とする場合をいう。瑕疵が重大な場合は追完できない。

＊　親告罪の告訴の追完　⇒ p.210

(2)　責問権の放棄

当事者が異議の申立て（309）をしないことによって、訴訟行為の瑕疵が治癒されることをいう。当事者主義の下では、訴訟行為の無効の主張は、それにより不利益を受ける当事者の責任とするのが原則であるので、主として当事者の利益のために設けられた手続規定に違反がある場合、異議申立てがなされないことで瑕疵の治癒を認めてよい。しかし、被告人の基本的権利に

関する規定違反の場合には、異議申立てがないからといって瑕疵の治癒を認めるべきではない。

▼ **最判昭 29.9.24**

尋問事項書を被告人に送達しないで行った公判廷外の証人尋問について、責問権の放棄を認めた。

第271条 〔起訴状謄本の送達・不送達と公訴提起の失効〕

Ⅰ 裁判所は、公訴の提起があつたときは、遅滞なく起訴状の謄本を被告人に送達しなければならない。

Ⅱ 公訴の提起があつた日から2箇月以内に起訴状の謄本が送達されないときは、公訴の提起は、さかのぼつてその効力を失う。

第271条の2

Ⅰ 検察官は、起訴状に記載された次に掲げる者の個人特定事項について、必要と認めるときは、裁判所に対し、前条第1項の規定による起訴状の謄本の送達により当該個人特定事項が被告人に知られないようにするための措置をとることを求めることができる。

① 次に掲げる事件の被害者

イ 刑法第176条、第177条、第179条、第181条若しくは第182条の罪、同法第225条若しくは第226条の2第3項の罪（わいせつ又は結婚の目的に係る部分に限る。以下このイにおいて同じ。）、同法第227条第1項（同法第225条又は第226条の2第3項の罪を犯した者を幇助する目的に係る部分に限る。）若しくは第3項（わいせつの目的に係る部分に限る。）の罪若しくは同法第241条第1項若しくは第3項の罪又はこれらの罪の未遂罪に係る事件

ロ 児童福祉法第60条第1項の罪若しくは同法第34条第1項第9号に係る同法第60条第2項の罪、児童買春、児童ポルノに係る行為等の規制及び処罰並びに児童の保護等に関する法律第4条から第8条までの罪又は性的な姿態を撮影する行為等の処罰及び押収物に記録された性的な姿態の影像に係る電磁的記録の消去等に関する法律第2条から第6条までの罪に係る事件

ハ イ及びロに掲げる事件のほか、犯行の態様、被害の状況その他の事情により、被害者の個人特定事項が被告人に知られることにより次に掲げるおそれがあると認められる事件

(1) 被害者等の名誉又は社会生活の平穏が著しく害されるおそれ

(2) (1)に掲げるもののほか、被害者若しくはその親族の身体若しくは財産に害を加え又はこれらの者を畏怖させ若しくは困惑させる行為がなされるおそれ

② 前号に掲げる者のほか、個人特定事項が被告人に知られることにより次に掲げるおそれがあると認められる者

　ロ　その者の名誉又は社会生活の平穏が著しく害されるおそれ
　ロ　イに掲げるもののほか、その者若しくはその親族の身体若しくは財産に害を
　　　加え又はこれらの者を畏怖させ若しくは困惑させる行為がなされるおそれ
Ⅱ　前項の規定による求めは、公訴の提起において、裁判所に対し、起訴状ととも
　に、被告人に送達するものとして、当該求めに係る個人特定事項の記載がない起訴
　状の抄本その他の起訴状の謄本に代わるもの（以下「起訴状抄本等」という。）を
　提出して行わなければならない。
Ⅲ　前項の場合には、起訴状抄本等については、その公訴事実を第256条第3項に
　規定する公訴事実とみなして、同項の規定を適用する。この場合において、同項中
　「できる限り日時、場所及び方法を以て罪となるべき事実」とあるのは、「罪となる
　べき事実」とする。
Ⅳ　裁判所は、第2項の規定による起訴状抄本等の提出があつたときは、前条第1項
　の規定にかかわらず、遅滞なく起訴状抄本等を被告人に送達しなければならない。
　この場合において、第255条及び前条第2項中「起訴状の謄本」とあるのは、
　「起訴状抄本等」とする。

第271条の3

Ⅰ　検察官は、前条第2項の規定により起訴状抄本等を提出する場合において、被告
　人に弁護人があるときは、裁判所に対し、弁護人に送達するものとして、起訴状の
　謄本を提出しなければならない。
Ⅱ　裁判所は、前項の規定による起訴状の謄本の提出があつたときは、遅滞なく、弁
　護人に対し、起訴状に記載された個人特定事項のうち起訴状抄本等に記載がないも
　のを被告人に知らせてはならない旨の条件を付して起訴状の謄本を送達しなければ
　ならない。
Ⅲ　検察官は、第1項に規定する場合において、前項の規定による措置によつては、
　前条第1項第1号ハ⑴若しくは第2号イに規定する名誉若しくは社会生活の平穏が
　著しく害されること又は同項第1号ハ⑵若しくは第2号ロに規定する行為を防止で
　きないおそれがあると認めるときは、裁判所に対し、起訴状の謄本に代えて弁護人
　に送達するものとして、起訴状抄本等を提出することができる。
Ⅳ　裁判所は、前項の規定による起訴状抄本等の提出があつたときは、遅滞なく、弁
　護人に対し、起訴状抄本等を送達しなければならない。

第271条の4

Ⅰ　裁判所は、第271条の2第2項の規定による起訴状抄本等の提出があつた後に
　弁護人が選任されたときは、速やかに、検察官にその旨を通知しなければならな
　い。
Ⅱ　検察官は、前項の規定による通知を受けたときは、速やかに、裁判所に対し、弁
　護人に送達するものとして、起訴状の謄本を提出しなければならない。

公
判

Ⅲ　裁判所は、前項の規定による起訴状の謄本の提出があつたときは、遅滞なく、弁護人に対し、起訴状に記載された個人特定事項のうち起訴状抄本等に記載がないものを被告人に知らせてはならない旨の条件を付して起訴状の謄本を送達しなければならない。

Ⅳ　検察官は、第２項に規定する場合において、前項の規定による措置によつては、第２７１条の２第１項第１号ハ(1)若しくは第２号イに規定する名誉若しくは社会生活の平穏が著しく害されること又は同項第１号ハ(2)若しくは第２号ロに規定する行為を防止できないおそれがあると認めるときは、裁判所に対し、起訴状の謄本に代えて弁護人に送達するものとして、起訴状抄本等を提出することができる。

Ⅴ　裁判所は、前項の規定による起訴状抄本等の提出があつたときは、遅滞なく、弁護人に対し、起訴状抄本等を送達しなければならない。

第２７１条の５

Ⅰ　裁判所は、第２７１条の２第４項の規定による措置をとつた場合において、次の各号のいずれかに該当すると認めるときは、被告人又は弁護人の請求により、当該措置に係る個人特定事項の全部又は一部を被告人に通知する旨の決定をしなければならない。

①　イ又はロに掲げる個人特定事項の区分に応じ、当該イ又はロに定める場合であるとき。

イ　被害者の個人特定事項　当該措置に係る事件に係る罪が第２７１条の２第１項第１号イ及びロに規定するものに該当せず、かつ、当該措置に係る事件が同号ハに掲げるものに該当しないとき。

ロ　被害者以外の者の個人特定事項　当該措置に係る者が第２７１条の２第１項第２号に掲げる者に該当しないとき。

②　当該措置により被告人の防御に実質的な不利益を生ずるおそれがあるとき。

Ⅱ　裁判所は、第２７１条の３第４項又は前条第５項の規定による措置をとつた場合において、次の各号のいずれかに該当すると認めるときは、被告人又は弁護人の請求により、弁護人に対し、当該措置に係る個人特定事項を被告人に知らせてはならない旨の条件を付して当該個人特定事項の全部又は一部を通知する旨の決定をしなければならない。

①　第２７１条の３第２項又は前条第３項の規定による措置によつて、第２７１条の２第１項第１号ハ(1)及び第２号イに規定する名誉又は社会生活の平穏が著しく害されること並びに同項第１号ハ(2)及び第２号ロに規定する行為を防止できるとき。

②　当該措置により被告人の防御に実質的な不利益を生ずるおそれがあるとき。

Ⅲ　裁判所は、前２項の請求について決定をするときは、検察官の意見を聴かなければならない。

Ⅳ　第１項又は第２項の決定に係る通知は、裁判所が、当該決定により通知することとした個人特定事項を記載した書面によりするものとする。

<u>Ⅴ　第1項又は第2項の請求についてした決定に対しては、即時抗告をすることができる。</u>

第271条の6

Ⅰ　裁判所は、第271条の3第1項又は第271条の4第2項の規定による起訴状の謄本の提出があつた事件について、起訴状に記載された個人特定事項のうち起訴状抄本等に記載がないもの（前条第1項の決定により通知することとされたものを除く。以下この条及び第271条の8第1項において同じ。）が第271条の2第1項第1号又は第2号に掲げる者のものに該当すると認める場合において、検察官及び弁護人の意見を聴き、相当と認めるときは、弁護人が第40条第1項の規定により訴訟に関する書類又は証拠物を閲覧又は謄写するに当たり、これらに記載され又は記録されている当該個人特定事項を被告人に知らせてはならない旨の条件を付し、又は被告人に知らせる時期若しくは方法を指定することができる。ただし、当該個人特定事項に係る者の供述の証明力の判断に資するような被告人その他の関係者との利害関係の有無を確かめることができなくなるときその他の被告人の防御に実質的な不利益を生ずるおそれがあるときは、この限りでない。

Ⅱ　裁判所は、第271条の3第3項又は第271条の4第4項の規定による起訴状抄本等の提出があつた事件について、起訴状に記載された個人特定事項のうち起訴状抄本等に記載がないものが第271条の2第1項第1号又は第2号に掲げる者のものに該当すると認める場合において、検察官及び弁護人の意見を聴き、相当と認めるときは、弁護人が第40条第1項の規定により訴訟に関する書類又は証拠物を閲覧又は謄写するについて、これらのうち当該個人特定事項が記載され若しくは記録されている部分の閲覧若しくは謄写を禁じ、又は当該個人特定事項を被告人に知らせてはならない旨の条件を付し、若しくは被告人に知らせる時期若しくは方法を指定することができる。ただし、当該個人特定事項に係る者の供述の証明力の判断に資するような被告人その他の関係者との利害関係の有無を確かめることができなくなるときその他の被告人の防御に実質的な不利益を生ずるおそれがあるときは、この限りでない。

Ⅲ　裁判所は、第1項本文に規定する事件について、起訴状に記載された個人特定事項のうち起訴状抄本等に記載がないものが第271条の2第1項第1号又は第2号に掲げる者のものに該当すると認める場合において、弁護人から第46条の規定による請求があつた場合であつて、検察官及び弁護人の意見を聴き、相当と認めるときは、弁護人に裁判書又は裁判を記載した調書の謄本又は抄本を交付するに当たり、これらに記載されている当該個人特定事項を被告人に知らせてはならない旨の条件を付し、又は被告人に知らせる時期若しくは方法を指定することができる。ただし、当該個人特定事項に係る者の供述の証明力の判断に資するような被告人その他の関係者との利害関係の有無を確かめることができなくなるときその他の被告人の防御に実質的な不利益を生ずるおそれがあるときは、この限りでない。

公判

Ⅳ　裁判所は、第2項本文に規定する事件について、起訴状に記載された個人特定事項のうち起訴状抄本等に記載がないものが第271条の2第1項第1号又は第2号に掲げる者のものに該当すると認める場合において、弁護人から第46条の規定による請求があつた場合であつて、検察官及び弁護人の意見を聴き、相当と認めるときは、裁判書若しくは裁判を記載した調書の抄本であつて当該個人特定事項の記載がないものを交付し、又は弁護人に裁判書若しくは裁判を記載した調書の謄本若しくは抄本を交付するに当たり、当該個人特定事項を被告人に知らせてはならない旨の条件を付し、若しくは被告人に知らせる時期若しくは方法を指定することができる。ただし、当該個人特定事項に係る者の供述の証明力の判断に資するような被告人その他の関係者との利害関係の有無を確かめることができなくなるときその他の被告人の防御に実質的な不利益を生ずるおそれがあるときは、この限りでない。

Ⅴ　裁判所は、第271条の2第2項の規定による起訴状抄本等の提出があつた事件について、起訴状に記載された個人特定事項のうち起訴状抄本等に記載がないものが同条第1項第1号又は第2号に掲げる者のものに該当すると認める場合において、被告人その他訴訟関係人（検察官及び弁護人を除く。）から第46条の規定による請求があつた場合であつて、検察官及び当該請求をした被告人その他訴訟関係人の意見を聴き、相当と認めるときは、裁判書又は裁判を記載した調書の抄本であつて当該個人特定事項の記載がないものを交付することができる。ただし、当該個人特定事項に係る者の供述の証明力の判断に資するような被告人その他の関係者との利害関係の有無を確かめることができなくなるときその他の被告人の防御に実質的な不利益を生ずるおそれがあるときは、この限りでない。

Ⅵ　裁判所は、前項本文に規定する事件について、起訴状に記載された個人特定事項のうち起訴状抄本等に記載がないものが第271条の2第1項第1号又は第2号に掲げる者のものに該当すると認める場合において、検察官及び被告人の意見を聴き、相当と認めるときは、被告人が第49条の規定により公判調書を閲覧し又はその朗読を求めるについて、このうち当該個人特定事項が記載され若しくは記録されている部分の閲覧を禁じ、又は当該部分の朗読の求めを拒むことができる。ただし、当該個人特定事項に係る者の供述の証明力の判断に資するような被告人その他の関係者との利害関係の有無を確かめることができなくなるときその他の被告人の防御に実質的な不利益を生ずるおそれがあるときは、この限りでない。

第271条の7

Ⅰ　裁判所は、第271条の3第2項、第271条の4第3項、第271条の5第2項若しくは前条第1項から第4項までの規定により付した条件に弁護人が違反したとき、又は同条第1項から第4項までの規定による時期若しくは方法の指定に弁護人が従わなかつたときは、弁護士である弁護人については当該弁護士の所属する弁護士会又は日本弁護士連合会に通知し、適当な処置をとるべきことを請求することができる。

Ⅱ　前項の規定による請求を受けた者は、そのとつた処置をその請求をした裁判所に通知しなければならない。

第271条の8

Ⅰ　裁判所（第1号及び第4号にあつては裁判長及び合議体の構成員を、第2号及び第3号にあつては第66条第4項の裁判官並びに裁判長及び合議体の構成員を含み、第5号にあつては裁判官とする。）は、第271条の2第2項の規定による起訴状抄本等の提出があつた事件について、起訴状に記載された個人特定事項のうち起訴状抄本等に記載がないものが同条第1項第1号又は第2号に掲げる者のものに該当すると認める場合において、相当と認めるときは、次に掲げる措置をとることができる。

① 当該個人特定事項を明らかにしない方法により第61条の規定による被告事件の告知をすること。

② 勾引状又は勾留状を発する場合において、これと同時に、被告人に示すものとして、当該個人特定事項を明らかにしない方法により公訴事実の要旨を記載した勾引状の抄本その他の勾引状に代わるもの又は勾留状の抄本その他の勾留状に代わるものを交付すること。

③ 当該個人特定事項を明らかにしない方法により第76条第1項の規定による公訴事実の要旨の告知をし、又はこれをさせること。

④ 当該個人特定事項を明らかにしない方法により第77条第3項の規定による公訴事実の要旨の告知をし、又はこれをさせること。

⑤ 当該個人特定事項を明らかにしない方法により第280条第2項の規定による被告事件の告知をすること。

Ⅱ　前項（第2号に係る部分に限る。）の規定による勾引状に代わるものの交付があつた場合における第73条第1項及び第3項の規定の適用については、同条第1項前段中「これ」とあり、同条第3項中「勾引状又は勾留状」とあり、及び同項ただし書中「令状」とあるのは「第271条の8第1項第2号の勾引状に代わるもの」と、同中「公訴事実の要旨及び」とあるのは「勾引状に記載された個人特定事項のうち第271条の8第1項第2号の勾引状に代わるものに記載がないものを明らかにしない方法により公訴事実の要旨を告げるとともに、」とする。

Ⅲ　第1項（第2号に係る部分に限る。）の規定による勾留状に代わるものの交付があつた場合における第73条第2項及び第3項の規定の適用については、同条第2項中「これ」とあり、同条第3項中「勾引状又は勾留状」とあり、及び同項ただし書中「令状」とあるのは「第271条の8第1項第2号の勾留状に代わるもの」と、同中「公訴事実の要旨及び」とあるのは「勾留状に記載された個人特定事項のうち第271条の8第1項第2号の勾留状に代わるものに記載がないものを明らかにしない方法により公訴事実の要旨を告げるとともに、」とする。

公判

Ⅳ　裁判長又は合議体の構成員は、第1項（第2号に係る部分に限る。）の規定による勾留状に代わるものの交付があつた場合又は第207条の2第2項の規定による勾留状に代わるものの交付があつた場合において、勾留に記載された個人特定事項のうちこれらの勾留状に代わるものに記載がないもの（第271条の5第1項の決定又は第207条の3第1項の裁判により通知することとされたものを除く。）が第271条の2第1項第1号又は第2号に掲げる者のものに該当すると認める場合であつて、検察官及び弁護人の意見を聴き、相当と認めるときは、勾留の理由の開示をするに当たり、当該個人特定事項を明らかにしない方法により被告事件を告げることができる。

Ⅴ　第1項（第2号に係る部分に限る。）の規定による勾留状に代わるものの交付があつた場合又は第207条の2第2項の規定による勾留状に代わるものの交付があつた場合における第98条の規定の適用については、同条第1項中「勾留状の謄本」とあるのは、「第271条の8第1項第2号の勾留状に代わるもの又は第207条の2第2項本文の勾留状に代わるもの」とする。

Ⅵ　前項の規定は、第1項（第2号に係る部分に限る。）の規定による勾留状に代わるものの交付があつた場合又は第207条の2第2項の規定による勾留状に代わるものの交付があつた場合であつて、第167条の2第2項に規定するときにおける同項において準用する第98条の規定の適用について準用する。

第272条　〔弁護人選任権等の告知〕

Ⅰ　裁判所は、公訴の提起があつたときは、遅滞なく被告人に対し、弁護人を選任することができる旨及び貧困その他の事由により弁護人を選任することができないときは弁護人の選任を請求することができる旨を知らせなければならない。但し、被告人に弁護人があるときは、この限りでない。

Ⅱ　裁判所は、この法律により弁護人を要する場合を除いて、前項の規定により弁護人の選任を請求することができる旨を知らせるに当たつては、弁護人の選任を請求するには資力申告書を提出しなければならない旨及びその資力が基準額以上であるときは、あらかじめ、弁護士会（第36条の3第1項の規定により第31条の2第1項の申出をすべき弁護士会をいう。）に弁護人の選任の申出をしていなければならない旨を教示しなければならない。

第273条　〔公判期日の指定・召喚・通知〕

Ⅰ　裁判長は、公判期日を定めなければならない。

Ⅱ　公判期日には、被告人を召喚しなければならない。

Ⅲ　公判期日は、これを検察官、弁護人及び補佐人に通知しなければならない。

第274条　〔召喚状送達の擬制〕

裁判所の構内にいる被告人に対し公判期日を通知したときは、召喚状の送達があつた場合と同一の効力を有する。

第275条 〔期日の猶予期間〕

第1回の公判期日と被告人に対する召喚状の送達との間には、裁判所の規則で定める猶予期間を置かなければならない。

第276条 〔公判期日の変更〕

Ⅰ　裁判所は、検察官、被告人若しくは弁護人の請求により又は職権で、公判期日を変更することができる。

Ⅱ　公判期日を変更するには、裁判所の規則の定めるところにより、あらかじめ、検察官及び被告人又は弁護人の意見を聴かなければならない。但し、急速を要する場合は、この限りでない。

Ⅲ　前項但書の場合には、変更後の公判期日において、まず、検察官及び被告人又は弁護人に対し、異議を申し立てる機会を与えなければならない。

《注 釈》

■一　第1回公判期日前の公判準備（事前準備）

1　裁判所の事前準備

(1)　起訴状謄本の送達

　　被告人が訴追の内容となった犯罪事実を知って防御の準備ができるように、裁判所は公訴提起後遅滞なく直ちに被告人に起訴状の謄本を送達しなければならない（271Ⅰ、規176Ⅰ）。迅速な裁判を実現させるため、公訴提起から2か月以内に送達されなかったときは、理由のいかんを問わず公訴提起はさかのぼってその効力を失う（271Ⅱ）。

(2)　弁護人選任権の告知と弁護人の選任

　　裁判所は被告人に弁護人がないときは弁護権を告知しなければならない（272Ⅰ、規177）。そして、被告人の意思を確認するため、必要的弁護事件では弁護人を選任するかどうか、その他の事件では国選弁護人の選任請求をするかどうかについて、回答を求める。回答がなく、又は弁護人の選任もなければ、必要的弁護事件では、裁判長が直ちに弁護人を選任する（規178）。

(3)　第1回公判期日の指定・変更

　　以上の諸手続が済むと、裁判長が第1回公判期日を指定し、検察官、弁護人及び補佐人に通知する（273）。裁判所は、当事者の請求又は職権により、公判期日を変更できる。ただし、期日の変更は関係者の混乱や訴訟遅延を招くため、やむを得ない場合に限られ、手続上は当事者の意見を聴くことが義務付けられている（276、規182Ⅰ）。

2　訴訟関係人（当事者）の事前準備

　　訴訟関係人は、第1回公判期日前に、できる限り証拠を収集・整理して、審理が迅速に行われるよう準備することが要請されている（規178の2）。たとえば、検察官は、取調べを請求する意思のある証拠書類や証拠物（299）につ

公
判

いて、なるべく速やかに被告人又は弁護人に閲覧の機会を与えなければならないし、弁護人は、被告人その他の関係者に面接する等適当な方法によって、事実関係を確かめておく他、閲覧の機会を与えられた証拠に対して同意・不同意の見込みを検察官に通知しなければならない（規178の6）。

二　第1回公判期日後の公判準備

1　裁判所の準備手続

第1回公判期日後の準備手続

→① （第2回以後の）公判期日の指定・変更（273、274、276）

② 公務所・公私の団体に対する照会（279）

③ 証拠調べ、特に公判期日外の証人尋問（158、281）等

2　裁判所による証拠の収集保全

(1)　はじめに

刑訴法は、「事実の認定は、証拠による。」として証拠裁判主義を採用しているので（317）、証拠の収集保全は必要不可欠である。ただ、その証拠の収集保全のためにすでに捜査が先行しているので、起訴後は裁判所が補充的に行うにとどまる。また、第1回公判期日前の準備手続（事前準備）では予断排除の原則が働く（規178の10Ⅰ）ので、裁判所による強制処分としての証拠の収集保全の手続は、第1回公判期日後において行われることになる。

(2)　捜索・押収

裁判所による捜索・押収が捜査の場合と異なるのは、①差押え（99Ⅰ）、領置（101）の他に提出命令（99Ⅲ）が認められること、②検察官・被告人（身体の拘束を受けている場合を除く）・弁護人が、捜索状・差押状の執行に立ち会うことができること（113Ⅰ）などである。

もっとも、捜索状・差押状が必要なのは公判廷外で行う場合であって（106）、公判廷でなす捜索・差押には令状は不要である。なお、提出命令とは、物を指定して所有者、所持者又は保管者に提出を命ずる処分をいう。命令を受けた者が提出の義務を負うので強制処分であるが、これに応じない場合には直接強制の方法はなく、改めて差押えをするほかない。

(3)　検証・鑑定

裁判所の行う検証（128）が捜査の場合と異なるのは、①強制処分であるが、裁判所自らが行うため令状が不要であること（218参照）、②当事者に立会権が認められていること（142、113Ⅰ）である。裁判所は、特別の知識経験がある者に鑑定を命ずることができ、命じられた者を鑑定人という（165）。被告人の心神又は身体に関する鑑定に必要があるときは、裁判所は、病院その他の相当な場所に被告人を留置できる（鑑定留置、167Ⅰ）。検察官及び弁護人は、鑑定に立ち会うことができる（170）。

(4)　公判期日外の証人尋問
　　証人尋問は公判期日に裁判所で行うのが原則
　　→例外的に公判期日外に行うこともある　⇒ p.267

第277条 〔不当な期日変更に対する救済〕

　裁判所がその権限を濫用して公判期日を変更したときは、訴訟関係人は、最高裁判所の規則又は訓令の定めるところにより、司法行政監督上の措置を求めることができる。

第278条 〔不出頭と診断書の提出〕

　公判期日に召喚を受けた者が病気その他の事由によつて出頭することができないときは、裁判所の規則の定めるところにより、医師の診断書その他の資料を提出しなければならない。

第278条の2

　保釈又は勾留の執行停止をされた被告人が、召喚を受け正当な理由がなく公判期日に出頭しないときは、2年以下の懲役に処する。

第278条の3 〔検察官・弁護人に対する出頭命令〕

Ⅰ　裁判所は、必要と認めるときは、検察官又は弁護人に対し、公判準備又は公判期日に出頭し、かつ、これらの手続が行われている間在席し又は在廷することを命ずることができる。

Ⅱ　裁判長は、急速を要する場合には、前項に規定する命令をし、又は合議体の構成員にこれをさせることができる。

Ⅲ　前2項の規定による命令を受けた検察官又は弁護人が正当な理由がなくこれに従わないときは、決定で、10万円以下の過料に処し、かつ、その命令に従わないために生じた費用の賠償を命ずることができる。

Ⅳ　前項の決定に対しては、即時抗告をすることができる。

Ⅴ　裁判所は、第3項の決定をしたときは、検察官については当該検察官を指揮監督する権限を有する者に、弁護士である弁護人については当該弁護士の所属する弁護士会又は日本弁護士連合会に通知し、適当な処置をとるべきことを請求しなければならない。

Ⅵ　前項の規定による請求を受けた者は、そのとつた処置を裁判所に通知しなければならない。

第279条 〔公務所等に対する照会〕

　裁判所は、検察官、被告人若しくは弁護人の請求により又は職権で、公務所又は公私の団体に照会して必要な事項の報告を求めることができる。

公
判

第280条 〔勾留に関する処分〕

Ⅰ 公訴の提起があつた後第１回の公判期日までは、勾留に関する処分は、裁判官がこれを行う《共》。

Ⅱ 第199条若しくは第210条の規定により逮捕され、又は現行犯人として逮捕された被疑者でまだ勾留されていないものについて第204条又は第205条の時間の制限内に公訴の提起があつた場合には、裁判官は、速やかに、被告事件を告げ、これに関する陳述を聴き、勾留状を発しないときは、直ちにその釈放を命じなければならない《共》。

Ⅲ 前２項の裁判官は、その処分に関し、裁判所又は裁判長と同一の権限を有する。

[趣旨] 本条は、起訴状一本主義の予断排除の要請から、第１回公判期日前の被告人の勾留に関する処分について、公判裁判所ではなく裁判官がこれを行うこととするとともに、逮捕中に起訴された場合の被告人の身柄の措置について規定している。

《注 釈》

▪ 逮捕された状態から、被疑者勾留を経ることなく起訴された場合、検察官は、起訴状に「逮捕中求令状」と表記して、裁判官の職権発動を促すのが実務上の慣例である《共》。

▪ 検察官は、逮捕又は勾留されている被告人について公訴を提起したときは、速やかにその裁判所の裁判官に逮捕状又は逮捕状及び勾留状を差し出さなければならない（規167Ⅰ）《回》。

第281条 〔期日外の証人尋問〕

証人については、裁判所は、第158条に掲げる事項＜証人の重要性、年齢、職業、健康状態その他の事情と事案の軽重＞を考慮した上、検察官及び被告人又は弁護人の意見を聴き必要と認めるときに限り、公判期日外においてこれを尋問することができる。

第281条の2 〔被告人の退席〕

裁判所は、公判期日外における証人尋問に被告人が立ち会つた場合において、証人が被告人の面前（第157条の5第1項に規定する措置を採る場合並びに第157条の6第1項及び第2項に規定する方法による場合を含む。）においては圧迫を受け充分な供述をすることができないと認めるときは、弁護人が立ち会つている場合に限り、検察官及び弁護人の意見を聴き、その証人の供述中被告人を退席させることができる。この場合には、供述終了後被告人に証言の要旨を告知し、その証人を尋問する機会を与えなければならない。

[趣旨] 281条の2は、暴力事犯等におけるいわゆるお礼参りに対処するため、証人威迫罪（刑105の2）、権利保釈の除外事由の拡張（89⑤）とともに新設されたものである。

公
判

《注　釈》

◆　公判期日外の証人尋問

1　はじめに

(1) 原則：証人尋問は公判期日に裁判所で行う（281反対解釈）。

∵　裁判公開の憲法原則（憲82）、公判中心主義等の訴訟法上の基本原理

(2) 例外：① 公判期日外に裁判所で行う場合（期日外尋問、281）

ex. 被告人が公判期日に欠席した場合、その期日の無駄を避けるため、出頭した証人を公判準備の形で尋問する場合

② 裁判所外で行う場合（裁判所外尋問、158）

ex. 証人が病気のために出頭できないときに、その現在場所へ赴いて行う尋問

→受命裁判官又は受託裁判官に行わせることもできる

2　公判期日外の証人尋問調書の証拠能力〈予〉

公判期日外の証人尋問調書は、公判中心主義の要請から、後の公判期日に職権で取り調べなければならない（303）。この調書は無条件で証拠能力をもつ（321Ⅱ前段）。

3　被告人に立会いの機会を与えないでなされた証人尋問の適法性〈予〉

当事者は証人尋問権（憲37Ⅱ前段）があるので公判期日外でも被告人に立会権がある。

→証人尋問の日時は、原則としてあらかじめ相手方及び弁護人に知らせなければならない（157、158）

4　裁判公開の原則（憲82Ⅰ）との関係〈予〉

公判準備は憲法にいう「対審」には当たらない（最大決昭23.11.8）。そして、裁判所外の証人尋問（158）は公判期日で取り調べるべき証拠の収集であり、公判準備に当たるから、これを公開する必要はない。

公
判

第281条の3　〔開示された証拠の範囲〕

弁護人は、検察官において被告事件の審理の準備のために閲覧又は謄写の機会を与えた証拠に係る複製等（複製その他証拠の全部又は一部をそのまま記録した物及び書面をいう。以下同じ。）を適正に管理し、その保管をみだりに他人にゆだねてはならない。

第281条の4　〔開示された証拠の目的外使用の禁止〕

Ⅰ　被告人若しくは弁護人（第440条に規定する弁護人を含む。）又はこれらであつた者は、検察官において被告事件の審理の準備のために閲覧又は謄写の機会を与えた証拠に係る複製等を、次に掲げる手続又はその準備に使用する目的以外の目的

で、人に交付し、又は提示し、若しくは電気通信回線を通じて提供してはならない。

① 当該被告事件の審理その他の当該被告事件に係る裁判のための審理

② 当該被告事件に関する次に掲げる手続

　イ　第1編第16章の規定による費用の補償の手続

　ロ　第349条第1項の請求があつた場合の手続

　ハ　第350条の請求があつた場合の手続

　ニ　上訴権回復の請求の手続

　ホ　再審の請求の手続

　ヘ　非常上告の手続

　ト　第500条第1項の申立ての手続

　チ　第502条の申立ての手続

　リ　刑事補償法の規定による補償の請求の手続

Ⅱ　前項の規定に違反した場合の措置については、被告人の防御権を踏まえ、複製等の内容、行為の目的及び態様、関係人の名誉、その私生活又は業務の平穏を害されているかどうか、当該複製等に係る証拠が公判期日において取り調べられたものであるかどうか、その取調べの方法その他の事情を考慮するものとする。

第281条の5　〔目的外使用の罪〕

Ⅰ　被告人又は被告人であつた者が、検察官において被告事件の審理の準備のために閲覧又は謄写の機会を与えた証拠に係る複製等を、前条第1項各号に掲げる手続又はその準備に使用する目的以外の目的で、人に交付し、又は提示し、若しくは電気通信回線を通じて提供したときは、1年以下の懲役又は50万円以下の罰金に処する。

Ⅱ　弁護人（第440条に規定する弁護人を含む。以下この項において同じ。）又は弁護人であつた者が、検察官において被告事件の審理の準備のために閲覧又は謄写の機会を与えた証拠に係る複製等を、対価として財産上の利益その他の利益を得る目的で、人に交付し、又は提示し、若しくは電気通信回線を通じて提供したときも、前項と同様とする。

第281条の6　〔連日的開廷の確保〕

Ⅰ　裁判所は、審理に2日以上を要する事件については、できる限り、連日開廷し、継続して審理を行わなければならない。

Ⅱ　訴訟関係人は、期日を厳守し、審理に支障を来さないようにしなければならない。

第282条　〔公判廷〕

Ⅰ　公判期日における取調は、公判廷でこれを行う。

Ⅱ　公判廷は、裁判官及び裁判所書記が列席し、且つ検察官が出席してこれを開く。

《注　釈》

◆ 公判廷の構成

公判期日の手続は、公判廷で行われる（282Ⅰ）。

・公判期日：裁判官、当事者、その他の訴訟関係人が公判廷に集まって訴訟行為
　　　　　　をするために定められた日時

・公判廷：公判を開く法廷という意味で、裁判官、裁判所書記官が列席し、検察
　　　　　官が出席して開く（282Ⅱ）

▼ 最決平 19.6.19・平 19 重判 8 事件

事案：　本件被告事件の第 1 審第 3 回公判期日（判決宣告期日）のあった日の
　　　　午後 4 時 30 分ころ、単独裁判官が入廷したところ、裁判所書記官が列
　　　　席し、被告人及び弁護人が在廷していたが、検察官は出席していなかっ
　　　　た。裁判官は判決の主文を朗読し、理由の要旨を告げ、上訴期間を告知
　　　　した。その後、同日午後 5 時過ぎころ、勾留場所に戻った被告人を呼び
　　　　戻して検察官出席の上で再度判決の宣告が行われた。

決旨：　判決宣告期日の午後 4 時 30 分ころ、判決の主文を朗読し、理由の要
　　　　旨を告げ、上訴期間を告知した上、被告人の退廷を許し、被告人は法廷
　　　　外に出たものであるから、この時点で、判決宣告のための公判期日は終
　　　　了したものというべきである。その後、同日午後 5 時過ぎころ……行わ
　　　　れた判決の宣告は事実上の措置にすぎず、法的な効果を有しないものと
　　　　いうほかはない。そうすると、同日 4 時 30 分ころに行われた本件第 1
　　　　審の判決宣告手続には、刑訴法 282 条 2 項違反があり、この違反は判決
　　　　に影響を及ぼすことが明らかというべきである。

第283条 〔法人と代理人の出頭〕

被告人が法人である場合には、代理人を出頭させることができる。

第284条 〔軽微事件の出頭義務免除・代理人の出頭〕

５０万円（刑法、暴力行為等処罰に関する法律及び経済関係罰則の整備に関する法
律の罪以外の罪については、当分の間、５万円）以下の罰金又は科料に当たる事件に
ついては、被告人は、公判期日に出頭することを要しない。ただし、被告人は、代理
人を出頭させることができる。

第285条 〔出頭義務とその免除〕

Ⅰ　拘留にあたる事件の被告人は、判決の宣告をする場合には、公判期日に出頭しな
　ければならない。その他の場合には、裁判所は、被告人の出頭がその権利の保護の
　ため重要でないと認めるときは、被告人に対し公判期日に出頭しないことを許すこ
　とができる。

公
判

Ⅱ　長期3年以下の懲役若しくは禁錮又は50万円（刑法、暴力行為等処罰に関する法律及び経済関係罰則の整備に関する法律の罪以外の罪については、当分の間、5万円）を超える罰金に当たる事件の被告人は、第291条の手続をする場合及び判決の宣告をする場合には、公判期日に出頭しなければならない。その他の場合には、前項後段の例による。

第286条 〔被告人の出頭と開廷〕

前3条に規定する場合の外、被告人が公判期日に出頭しないときは、開廷することはできない。

《注　釈》

<被告人の出頭義務>

	判決の宣告	冒頭手続	その他の公判期日
50万円以下の罰金又は科料	なし	なし	なし
拘留	あり	裁判所による免除可	裁判所による免除可
長期3年以下の懲役若しくは禁錮又は50万円を超える罰金	あり	あり	裁判所による免除可
長期3年を超える懲役若しくは禁錮、死刑	あり	あり	あり

公判

第286条の2 〔被告人の不出頭と公判手続〕

被告人が出頭しなければ開廷することができない場合において、勾留されている被告人が、公判期日に召喚を受け、正当な理由がなく出頭を拒否し、刑事施設職員による引致を著しく困難にしたときは、裁判所は、被告人が出頭しないでも、その期日の公判手続を行うことができる〈予〉。

第287条 〔身体の不拘束〕

Ⅰ　公判廷においては、被告人の身体を拘束してはならない。但し、被告人が暴力を振い又は逃亡を企てた場合は、この限りでない。

Ⅱ　被告人の身体を拘束しない場合にも、これに看守者を附することができる。

第288条 〔被告人の在廷義務、法廷警察権〕

Ⅰ　被告人は、裁判長の許可がなければ、退廷することができない。

Ⅱ　裁判長は、被告人を在廷させるため、又は法廷の秩序を維持するため相当な処分をすることができる。

第289条 〔必要的弁護〕

Ⅰ 死刑又は無期若しくは長期3年を超える懲役若しくは禁錮にあたる事件を審理する場合には、弁護人がなければ開廷することはできない。

Ⅱ 弁護人がなければ開廷することができない場合において、弁護人が出頭しないとき若しくは在廷しなくなつたとき、又は弁護人がないときは、裁判長は、職権で弁護人を付さなければならない。

Ⅲ 弁護人がなければ開廷することができない場合において、弁護人が出頭しないおそれがあるときは、裁判所は、職権で弁護人を付することができる。

《注 釈》

一 被告人の出頭

被告人は公判廷に出頭する権利と義務があり、被告人の出頭がなければ、原則として公判は開廷できない（286）。公判廷は当事者の攻撃・防御の場であり、当事者である被告人を出廷させることがその防御権の保障のために必要だからである。

もっとも、被告人が法人の場合（代理人の出頭で足りる、283）や事案が軽微な場合、退廷させられた場合等、被告人の出頭・在廷なしで開廷できる例外がある。

▼ 首相官邸侵入事件（最決昭50.9.11）

「被告人は自己の行為によって反対尋問権等を喪失したとみられるだけでなく、被告人らの退廷後も弁護人が証調に終始立ち会っており反対尋問の機会も与えられていたから、……被告人不在のまま当日の公判審理を行うことができる」と判示した。

二 弁護人の出頭

1 総説

被告人と異なり、弁護人の出頭は、一般には開廷の要件ではない。しかし、死刑又は無期若しくは長期3年を超える懲役・禁錮に当たる事件では、弁護人の出頭が開廷の要件とされている（必要的弁護事件、289Ⅰ）。これは被告人の防御の利益を守るとともに、公判審理の適正を期し、ひいては国家刑罰権の公正な行使を確保するためである。

なお、平成16年改正により、必要的弁護事件につき、弁護人が出頭しないとき若しくは在廷しなくなったとき、又は弁護人がないときは、裁判長は職権で弁護人を付さなければならなくなった（同Ⅱ）。また、弁護人が出頭しないおそれがあるときは、裁判所は職権で弁護人を付することができるようになった（同Ⅲ）。さらに、裁判所は、必要と認めるときは、弁護人に対し出頭及び在廷を命じることができることとなった（278の2）。

公判

2　例外

(1)　必要的弁護事件であっても、弁護人の在廷が必要なのは実体審理の場合だけなので、人定質問（最決昭 30.3.17）や判決宣告（最判昭 30.1.11）〈予〉のみを行う場合などには、弁護人の在廷は不要である。

(2)　必要的弁護事件（289 I）であっても、弁護人が正当な理由もなくほしいままに出廷しなかったり、法廷戦術として、在廷命令に反して退廷したり、秩序維持のために退廷を命じられたりすることがある。このような場合、弁護人不在のまま手続を進めてよいか。

＊　職権で弁護人を付することができるようになったため、この論点は実際上問題とならなくなった。

▼　**最決平 7.3.27・百選 52 事件**〈予〉

「刑訴法 289 条に規定するいわゆる必要的弁護制度は、被告人の防御の利益を擁護するとともに、公判審理の適正を期し、ひいては国家刑罰権の公正な行使を確保するための制度である……。……このように、裁判所が弁護人出頭確保のための方策を尽したにもかかわらず、被告人が、弁護人の公判期日への出頭を妨げるなど、弁護人が在廷しての公判審理ができない事態を生じさせ、かつ、その事態を解消することが極めて困難な場合には、当該公判期日については、刑訴法 289 条 1 項の適用がないものと解するのが相当である。けだし、このような場合、被告人は、もはや必要的弁護制度による保護を受け得ないものというべきであるばかりでなく、実効ある弁護活動も期待できず、このような事態は、被告人の防御の利益の擁護のみならず、適正かつ迅速に公判審理を実現することをも目的とする刑訴法の本来想定しないところだからである」。

3　他の必要的弁護制度

①　公判前整理手続（316 の 4、316 の 7、316 の 29）

②　期日間整理手続（316 の 28 II、316 の 4、316 の 7、316 の 29）

③　裁判員裁判対象事件（裁判員 49 により公判前整理手続が必要的）

④　即決裁判手続（350 の 23）

第290条 〔任意的国選弁護〕

第37条各号＜職権による国選弁護＞の場合に弁護人が出頭しないときは、裁判所は、職権で弁護人を附することができる。

第290条の2 〔公開の法廷での被害者特定事項の秘匿〕〈同予〉

I　裁判所は、次に掲げる事件を取り扱う場合において、当該事件の被害者等若しくは当該被害者の法定代理人又はこれらの者から委託を受けた弁護士から申出があるときは、被告人又は弁護人の意見を聴き、相当と認めるときは、被害者特定事項（氏名及び住所その他の当該事件の被害者を特定させることとなる事項をいう。以下同じ。）を公開の法廷で明らかにしない旨の決定をすることができる。

①　刑法第176条、第177条、第179条、第181条若しくは第182条の罪、同法第225条若しくは第226条の2第3項の罪（わいせつ又は結婚の目的に係る部分に限る。以下この号において同じ。）、同法第227条第1項（第225条又は第226条の2第3項の罪を犯した者を幇助する目的に係る部分に限る。）若しくは第3項（わいせつの目的に係る部分に限る。）の罪若しくは同法第241条第1項若しくは第3項の罪又はこれらの罪の未遂罪に係る事件

②　児童福祉法第60条第1項の罪若しくは同法第34条第1項第9号に係る同法第60条第2項の罪、児童買春、児童ポルノに係る行為等の処罰及び児童の保護等に関する法律第4条から第8条までの罪又は性的な姿態を撮影する行為等の処罰及び押収物に記録された性的な姿態の影像に係る電磁的記録の消去等に関する法律第2条から第6条までの罪に係る事件

③　前2号に掲げる事件のほか、犯行の態様、被害の状況その他の事情により、被害者特定事項が公開の法廷で明らかにされることにより被害者等の名誉又は社会生活の平穏が著しく害されるおそれがあると認められる事件[予]

Ⅱ　前項の申出は、あらかじめ、検察官にしなければならない。この場合において、検察官は、意見を付して、これを裁判所に通知するものとする。

Ⅲ　裁判所は、第1項に定めるもののほか、犯行の態様、被害の状況その他の事情により、被害者特定事項が公開の法廷で明らかにされることにより被害者若しくはその親族の身体若しくは財産に害を加え又はこれらの者を畏怖させ若しくは困惑させる行為がなされるおそれがあると認められる事件を取り扱う場合において、検察官及び被告人又は弁護人の意見を聴き、相当と認めるときは、被害者特定事項を公開の法廷で明らかにしない旨の決定をすることができる。

Ⅳ　裁判所は、第1項又は前項の決定をした事件について、被害者特定事項を公開の法廷で明らかにしないことが相当でないと認めるに至つたとき、第312条の規定により罰条が撤回若しくは変更されたため第1項第1号若しくは第2号に掲げる事件に該当しなくなつたとき又は同項第3号に掲げる事件若しくは前項に規定する事件に該当しないと認めるに至つたときは、決定で、第1項又は前項の決定を取り消さなければならない。

公判

▼　最決平20.3.5・百選A29事件

　　刑訴法290条の2に基づく被害者特定事項の秘匿措置がなされた事件において、弁護人が被害者特定事項を公開の法廷で明らかにしないことは憲法32条、37条に違反すると主張したが、裁判所は「裁判を非公開で行う旨のものではないことは明らかであって、公開裁判を受ける権利を侵害するものとはいえない」と判示した。

第２９０条の３ 〔公開の法廷での証人等特定事項の秘匿〕

Ⅰ 裁判所は、次に掲げる場合において、証人、鑑定人、通訳人、翻訳人又は供述録取書等（供述書、供述を録取した書面で供述者の署名若しくは押印のあるもの又は映像若しくは音声を記録することができる記録媒体であつて供述を記録したものをいう。以下同じ。）の供述者（以下この項において「証人等」という。）から申出があるときは、検察官及び被告人又は弁護人の意見を聴き、相当と認めるときは、証人等特定事項（氏名及び住所その他の当該証人等を特定させることとなる事項をいう。以下同じ。）を公開の法廷で明らかにしない旨の決定をすることができる[子]。

① 証人等特定事項が公開の法廷で明らかにされることにより証人等若しくはその親族の身体若しくは財産に害を加え又はこれらの者を畏怖させ若しくは困惑させる行為がなされるおそれがあると認めるとき。

② 前号に掲げる場合のほか、証人等特定事項が公開の法廷で明らかにされることにより証人等の名誉又は社会生活の平穏が著しく害されるおそれがあると認めるとき。

Ⅱ 裁判所は、前項の決定をした事件について、証人等特定事項を公開の法廷で明らかにしないことが相当でないと認めるに至つたときは、決定で、同項の決定を取り消さなければならない。

第２９１条 〔冒頭手続〕

Ⅰ 検察官は、まず、起訴状を朗読しなければならない。

Ⅱ 第２９０条の２第１項又は第３項の決定があつたときは、前項の起訴状の朗読は、被害者特定事項を明らかにしない方法でこれを行うものとする。この場合において、検察官は、被告人に起訴状を示さなければならない[子]。

Ⅲ 前条第１項の決定があつた場合における第１項の起訴状の朗読についても、前項と同様とする。この場合において、同項中「被害者特定事項」とあるのは、「証人等特定事項」とする。

Ⅳ 第２７１条の２第４項の規定による措置がとられた場合においては、第２項後段（前項前段の規定により第２項後段と同様とすることとされる場合を含む。以下この項において同じ。）の規定は、当該措置に係る個人特定事項の全部又は一部について第２７１条の５第１項の決定があつた場合に限り、適用する。この場合において、第２項後段中「起訴状」とあるのは、「第２７１条の２第４項の規定による措置に係る個人特定事項の全部について第２７１条の５第１項の決定があつた場合にあつては起訴状を、第２７１条の２第４項の規定による措置に係る個人特定事項の一部について当該決定があつた場合にあつては起訴状抄本等及び第２７１条の５第４項に規定する書面」とする。

Ⅴ 裁判長は、第１項の起訴状の朗読が終わつた後、被告人に対し、終始沈黙し、又は個々の質問に対し陳述を拒むことができる旨その他裁判所の規則で定める被告人の権利を保護するため必要な事項を告げた上、被告人及び弁護人に対し、被告事件について陳述する機会を与えなければならない[共了]。

公
判

[趣旨] 第1審公判の手続は、冒頭手続・証拠調べ手続・最終弁論手続・判決宣告手続に大別しうる。本条は、そのうちの冒頭手続の内容を規定するものである。

《注 釈》

◆ 公判期日の手続

1 **冒頭手続** 同共予

冒頭手続は、①人定質問、②起訴状朗読、③権利告知、④被告人・弁護人の陳述の手続からなる。

(1) **①人定質問**

裁判長が被告人に対し、人違いでないかを確かめるための質問を行う（規196）。これを人定質問という。実務では、被告人の氏名・年齢・住所・職業等を問うのが通例である。

(2) **②起訴状朗読**

(a) 検察官が起訴状を朗読する（291 Ⅰ）。起訴状朗読は、被告人に防御の対象を示すとともに、裁判所に審判対象を明示する機能を有する。そこで、起訴状の内容に不明確な点がある場合には、裁判長は検察官に釈明を求めることができ（求釈明、規208）、検察官はこれに応じる義務を負う 予。

(b) **求釈明の要否** 予H25

求釈明は、被告人・弁護人が被告事件に対する意見陳述をするために必要・有益な事項に限られるべきであるとされており、基本的に公訴事実に対するものでなければならない。

そして、公訴事実について、裁判所が求釈明をしなければならない場合（義務的求釈明）の範囲は、256条3項の規定に照らし、一般に、訴因の特定に必要な事項であるとされている。これについて、裁判所が求釈明したにもかかわらず、検察官がこれに応じず訴因が特定されないときは、裁判所は公訴棄却すべきである（最判昭33.1.23）。 ⇒ p.240

他方、訴因の特定に必要な事項以外の事項については、裁判所は求釈明をする義務を負わず、裁判長の自由裁量に委ねられる（裁量的求釈明）。もっとも、実務の運用として、訴因の特定に欠けるところはなくても、被告人の防御上重要な事項については、裁判所は任意的な求釈明を行うことが多い。この任意的な求釈明事項については、検察官がこれに応じなくても、公訴棄却されず、裁判所はその後の手続を続行する。

(3) **③権利告知・④被告人・弁護人の陳述**

裁判長は、起訴状の朗読が終わった後、被告人に対し、終始沈黙し、又は個々の質問に対し陳述を拒むことができる旨（291 Ⅴ）のほか、陳述をすることもできる旨及び陳述をすれば自己に不利益な証拠ともなり又利益な証拠ともなるべき旨を告げなければならない（規則197 Ⅰ）予。

公
判

　　そして、被告人・弁護人に対し、被告事件について陳述する機会を与える（291Ⅴ）。この陳述のうち、起訴事実の認否に関するものは特に「罪状認否」と呼ばれる。被告人が罪状認否手続で、起訴状に記載された訴因について「有罪である旨」の陳述をした場合には、一定の要件の下で簡易公判手続（291の2）に移行する。

2　証拠調べ　⇒p.285以下

3　最終弁論〈予〉

　　証拠調べがすべて終わると、その結果に基づいて当事者による意見陳述がなされ、これを最終弁論という。最終弁論は、証拠調べの後、できる限り速やかに行われなければならず（規211の2）、争いのある事実については、その意見と証拠との関係を具体的に明示して行わなければならない（規211の3）。

　　検察官は、事実及び法律の適用について意見を陳述しなければならず（293Ⅰ）、これを論告という。実務ではさらに、科すべき刑の種類と量についても意見を述べる慣行となっており、これを求刑という。他方、被告人・弁護人も意見を陳述でき（293Ⅱ）、これを弁論という。被告人側には意見陳述を「最終に」行う機会が与えられ（規211）、これを最終陳述権という。

　　実務では通常、検察官の論告・求刑→弁護人の弁論→被告人の最終陳述の順で行われる。最終弁論が済むと審理手続が閉じられ、あとは判決宣告手続を残すだけとなり、この状態を結審又は弁論の終結という。

4　判決の宣告

　　公判手続の最終段階として、判決が言い渡される。判決は、必ず公開の法廷（憲82Ⅰ）で、宣告により告知する（342）。宣告は裁判長が行い、主文及び理由を朗読するか、又は主文の朗読と同時に理由の要旨を告げなければならない（規35）。

第291条の2　〔簡易公判手続の決定〕

　被告人が、前条第5項＜罪状認否＞の手続に際し、起訴状に記載された訴因について有罪である旨を陳述したときは、裁判所は、検察官、被告人及び弁護人の意見を聴き、有罪である旨の陳述のあつた訴因に限り、簡易公判手続によつて審判をする旨の決定をすることができる。ただし、死刑又は無期若しくは短期1年以上の懲役若しくは禁錮に当たる事件については、この限りでない。

第291条の3　〔簡易公判手続の取消し〕

　裁判所は、前条の決定があつた事件が簡易公判手続によることができないものであり、又はこれによることが相当でないものであると認めるときは、その決定を取り消さなければならない。

《注　釈》

◆　簡易公判手続

1　意義

　　当事者間に争いのない軽微な事件については、通常の公判手続による手間を
かけた審理を行う必要がない。そこで、被告人が、罪状認否手続で、起訴状に
記載された訴因について有罪である旨を陳述したときは、裁判所は、検察官、
被告人及び弁護人の意見を聴き、有罪である旨の陳述のあった訴因に限り、簡
易公判手続という簡略な手続で審判する旨の決定をすることができる（291の
2）。

2　要件・効果

　(1)　要件：①　死刑又は無期若しくは短期1年以上の懲役若しくは禁錮に当た
　　　　　　　　　る事件ではないこと（291の2ただし書）。

　　　　　　　②　被告人が有罪の陳述をなしたこと（291の2本文）。

　　　　　　　③　裁判長が簡易公判手続の趣旨を説明し、被告人の陳述が自由意
　　　　　　　　　思に基づくかどうかを確認すること（規197の2）。

　　　　　　　④　簡易公判手続によることが相当と認めるとき（291の3参照）

　(2)　効果：通常の手続よりも大幅に簡略化

　　　　　　　①　伝聞法則（320Ⅰ）が不適用となり、伝聞証拠を使用できる
　　　　　　　　　（320Ⅱ）。

　　　　　　　②　通常の証拠調べ手続に関する主要な規定が不適用となり、適当
　　　　　　　　　と認める方法で証拠調べを行ってよい（307の2）。

　　　　　　　③　判決書には、公判調書に記載された証拠の標目を特定して引用
　　　　　　　　　できる（規218の2）。

3　アレインメント制度との相違

　　英米法では、いわゆるアレインメント制度により、被告人が有罪の答弁をす
ると、事実認定が省略されて直ちに量刑手続に入る。簡易公判手続は、この制
度を参考にしたものであるが、被告人の有罪陳述のみで直ちに有罪と決まるわ
けではなく（319Ⅲ）、証拠による有罪認定の原則をあくまで維持している点で
異なる。

第292条　〔証拠調べ〕

　証拠調べは、第291条の手続が終つた後、これを行う。ただし、次節第1款に定
める公判前整理手続において争点及び証拠の整理のために行う手続については、この
限りでない。

《注　釈》

▪ 292条は証拠調べの時期を冒頭手続の終了後と規定するものであり、したがって

冒頭手続において被告人に事件の詳細な供述を求めることは許されない。

🔖第292条の2　〔被害者等の意見の陳述〕〈回〉

Ⅰ　裁判所は、被害者等又は当該被害者の法定代理人から、被害に関する心情その他の被告事件に関する意見の陳述の申出があるときは、公判期日において、その意見を陳述させるものとする〈回子〉。

Ⅱ　前項の規定による意見の陳述の申出は、あらかじめ、検察官にしなければならない。この場合において、検察官は、意見を付して、これを裁判所に通知するものとする。

Ⅲ　裁判長又は陪席の裁判官は、被害者等又は当該被害者の法定代理人が意見を陳述した後、その趣旨を明確にするため、これらの者に質問することができる。

Ⅳ　訴訟関係人は、被害者等又は当該被害者の法定代理人が意見を陳述した後、その趣旨を明確にするため、裁判長に告げて、これらの者に質問することができる。

Ⅴ　裁判長は、被害者等若しくは当該被害者の法定代理人の意見の陳述又は訴訟関係人の被害者等若しくは当該被害者の法定代理人に対する質問が既にした陳述若しくは質問と重複するとき、又は事件に関係のない事項にわたるときその他相当でないときは、これを制限することができる。

Ⅵ　第157条の4、第157条の5並びに第157条の6第1項及び第2項＜証人への付添い、証人尋問の際の証人の遮へい、ビデオリンク方式による証人尋問＞の規定は、第1項の規定による意見の陳述について準用する〈予〉。

Ⅶ　裁判所は、審理の状況その他の事情を考慮して、相当でないと認めるときは、意見の陳述に代え意見を記載した書面を提出させ、又は意見の陳述をさせないことができる〈回子〉。

Ⅷ　前項の規定により書面が提出された場合には、裁判長は、公判期日において、その旨を明らかにしなければならない。この場合において、裁判長は、相当と認めるときは、その書面を朗読し、又はその要旨を告げることができる。

Ⅸ　第1項の規定による陳述又は第7項の規定による書面は、犯罪事実の認定のための証拠とすることができない〈回子〉。

《注　釈》

- 被害者等の意見陳述制度は、「事件の当事者」といえる被害者等に、刑事手続への主体的関与の機会を認めたものである。

- 犯罪被害者は、第1回の公判期日後当該被告事件の終結までの間において、事件の訴訟記録の閲覧・謄写をすることができる（被害者保護法3Ⅰ）〈回〉。

- 292条の2第1項による意見陳述の場合、被害者等に宣誓義務（154参照）を課す規定はない（292の2参照）〈予〉。これと同様に、316条の38第1項による意見陳述の場合も、被害者参加人等に宣誓義務を課す規定はない（316の38参照）。

- 292条の2第1項による意見陳述の場合、その陳述を犯罪事実の認定のための証拠とすることはできない（292の2Ⅸ）が、量刑資料とすることまでは禁じられ

ていない〈予〉。他方、316条の38第1項による意見陳述の場合、その意見陳述は検察官による論告・求刑と同じく純然たる意見であるので、量刑資料とすることもできない（316の38Ⅳ）〈同〉。

- 292条の2第1項による意見陳述の場合、陳述することができるのは、文言上、被害に関する心情その他被告事件に関する意見に限られている（292の2Ⅰ）。これに対し、316条の38第1項による意見陳述の場合には、事実又は法律の適用についての意見を陳述することができるとされている〈同〉。

第293条 〔弁論〕

Ⅰ　証拠調が終つた後、検察官は、事実及び法律の適用について意見を陳述しなければならない〈予〉。

Ⅱ　被告人及び弁護人は、意見を陳述することができる〈同予〉。

[趣旨] 本条は証拠調べ終了後に当事者が事実及び法律について行う意見の陳述を規定する。

《注　釈》

- 検察官は「公益の代表者」（検察庁4参照）として被告人に有利な事情も考慮すべきであり、審理の経過により場合によっては無罪判決を求める論告が行われることもあり得ると解されている〈予〉。
- 本条からは被告人・弁護人の最終陳述権が権利か否か明らかではないが、規則211条は被告人・弁護人の最終陳述権を権利として保障している〈同〉。

第294条 〔訴訟指揮〕

公判期日における訴訟の指揮は、裁判長がこれを行う。

《注　釈》

一　訴訟指揮

1　はじめに

(1)　意義

円滑・迅速な訴訟運営のための手続の進行を適切にコントロールする裁判所の活動を、訴訟指揮といい、訴訟指揮を行う権限を訴訟指揮権という。当事者の弁論を制限したり（295）、訴因の変更を命じたり（312Ⅱ）、当事者の申立て・主張などを明確にするため、発問して陳述を求め、あるいは当事者に立証を促したりすること（釈明権の行使、規208）がその典型例である。

(2)　訴訟指揮権の帰属

訴訟指揮権はもともと裁判所に属するが、公判期日における訴訟指揮は、迅速に行われる必要があるため、包括的に裁判長に委ねられている（294）。もっとも、重要な訴訟指揮、たとえば公判期日の変更（276Ⅰ）、簡易公判手続の決定（291の2）、職権証拠調べ（298Ⅱ）、訴因・罰条の変更（312）、

公
判

弁論の分離・併合・再開（313）、公判手続の停止（314）等については、たとえ公判期日に行われるものでも、裁判所の権限として留保されている。

2　当事者主義との関係

▼　最判昭 33.2.13・百選 A27 事件

　職権審理義務の有無について「わが刑事訴訟法上裁判所は、原則として、職権で証拠調をしなければならない義務又は検察官に対して立証を促さなければならない義務があるものということはできない。しかし、……検察官の不注意によって……証拠として提出することを遺脱したことが明白なような場合には、裁判所は少くとも検察官に対しその提出を促がす義務あるものと解する」と判示した。

▼　最判平 21.10.16・百選〔第9版〕60 事件

　「刑事裁判においては、関係者、とりわけ被告人の権利保護を全うしつつ、事案の真相を解明することが求められるが」、「合理的期間内に充実した審理を終えることもこれまで以上に強く求められている」。そして、「審理の在り方としては、合理的な期間内に充実した審理を行って事案の真相を解明することができるよう、具体的な事件ごとに、争点、その解決に必要な事実の認定、そのための証拠の採否を考える必要がある」。このようなことを踏まえ、「当事者主義（当事者追行主義）を前提とする以上、当事者が争点とし、あるいは主張、立証しようとする内容を踏まえて、事案の真相の解明に必要な立証が的確になされるようにする必要がある」。

3　訴訟指揮に対する異議申立て
(1)　訴訟指揮が証拠調べに関するものである場合

　　裁判所の処分であれ裁判長の処分であれ、法令違反だけでなく、不相当を理由としても異議を申し立てることができる（309Ⅰ、規205Ⅰ）。もっとも、「証拠調に関する決定」に対する異議は、法令違反に限られる（規205Ⅰただし書）〈予〉。

(2)　それ以外の訴訟指揮に関する裁判長の処分の場合

　　法令違反を理由としてのみ、異議を申し立てることができる（309Ⅱ、規205Ⅱ）〈予〉。

(3)　異議申立てにつき決定（309Ⅲ）があった場合

　　その事項については、重ねて異議を申し立てることはできない（規206）〈予〉。

(4) 訴訟指揮を理由とする忌避

▼ **最決昭 48.10.8・百選 A24 事件**

　　裁判長の訴訟指揮権・法廷警察権の行使に対する不服を理由とする忌避申立の可否が争われた事案で、「訴訟手続内における審理の方法、態度に対する不服を理由とする忌避申立は、しょせん受け容れられる可能性は全くないものであって、……訴訟遅延のみを目的とするものとして、24条により却下すべきものである」と判示し、否定した。

二　法廷警察権

1　はじめに

　　法廷警察権とは、訴訟に対する妨害を排除し、法廷の秩序を維持する裁判所の権限をいう。退延命令・在延命令・発言禁止命令・説諭・警告等が典型例である（裁判所71Ⅱ）。公判廷における写真撮影の制限や、傍聴人のメモの許否もこの権限にかかわる。法廷警察権も適切な審判を実現するためのものであり、広義の訴訟指揮権に含まれるので、本来裁判所に属するが、具体的には裁判長が行使する（288Ⅱ、裁判所71Ⅰ）。もっとも、狭義の訴訟指揮権が訴訟関係人（当事者）にしか及ばないのに対し、法廷警察権は在延者すべてに及ぶ点で異なる。

　　そして、法廷警察権の及ぶ範囲は、原則として開延中の法廷内であるが、法廷の秩序維持に必要な限り、これに接着する前後の時間・周辺の場所にも及びうる（最判昭 31.7.17）。

2　法廷警察権の行使に対する異議申立て

　　法廷警察権も広義の訴訟指揮権の一態様であるので、訴訟当事者は、裁判長の法廷警察権の行使に対し、309条2項により異議申立てができると解されている。

第295条　〔弁論等の制限〕

Ⅰ　裁判長は、訴訟関係人のする尋問又は陳述が既にした尋問若しくは陳述と重複するとき、又は事件に関係のない事項にわたるときその他相当でないときは、訴訟関係人の本質的な権利を害しない限り、これを制限することができる。訴訟関係人の被告人に対する供述を求める行為についても同様である。

Ⅱ　裁判長は、証人、鑑定人、通訳人又は翻訳人を尋問する場合において、証人、鑑定人、通訳人若しくは翻訳人若しくはこれらの親族の身体若しくは財産に害を加え又はこれらの者を畏怖させ若しくは困惑させる行為がなされるおそれがあり、これらの者の住居、勤務先その他の通常所在する場所が特定される事項が明らかにされたならば証人、鑑定人、通訳人又は翻訳人が十分な供述をすることができないと認めるときは、当該事項についての尋問を制限することができる。ただし、検察官のする尋問を制限することにより犯罪の証明に重大な支障を生ずるおそれがあると

公判

き、又は被告人若しくは弁護人のする尋問を制限することにより被告人の防御に実質的な不利益を生ずるおそれがあるときは、この限りでない。

Ⅲ　裁判長は、第290条の2第1項又は第3項＜公開の法廷での被害者特定事項の秘匿＞の決定があつた場合において、訴訟関係人のする尋問又は陳述が被害者特定事項にわたるときは、これを制限することにより、犯罪の証明に重大な支障を生ずるおそれがある場合又は被告人の防御に実質的な不利益を生ずるおそれがある場合を除き、当該尋問又は陳述を制限することができる〈⦿〉。訴訟関係人の被告人に対する供述を求める行為についても、同様とする。

Ⅳ　第290条の3第1項の決定があつた場合における訴訟関係人のする尋問若しくは陳述又は訴訟関係人の被告人に対する供述を求める行為についても、前項と同様とする。この場合において、同項中「被害者特定事項」とあるのは、「証人等特定事項」とする。

Ⅴ　裁判所は、前各項の規定による命令を受けた検察官又は弁護士である弁護人がこれに従わなかつた場合には、検察官については当該検察官を指揮監督する権限を有する者に、弁護士である弁護人については当該弁護士の所属する弁護士会又は日本弁護士連合会に通知し、適当な処置をとるべきことを請求することができる。

Ⅵ　前項の規定による請求を受けた者は、そのとつた処置を裁判所に通知しなければならない。

[趣旨]本条は、裁判長の訴訟指揮権（294）を具体化したものである。

《注　釈》

一　不相当な尋問の制限

　　裁判長は、訴訟関係人の本質的な権利を制限しない限り、①重複質問・陳述、②関連性のない質問・陳述、③その他相当でない尋問・陳述を制限することができる。被告人質問（311）についても同様である。

　　「その他相当でない尋問」の例として、誘導尋問（規199の3Ⅴ）、威嚇的・侮辱的尋問（規199の13Ⅱ①）、他人の名誉を毀損するような尋問・陳述等が挙げられる。

▼　最決平27.5.25・百選56事件〈同H28〉

　　事案：　被告人は、公判前整理手続において公判でする予定主張（316の17Ⅰ）として犯人性を否認し、「公訴事実記載の日時には犯行場所にはおらず、自宅ないしその付近にいた」旨のアリバイを主張したが、それ以上に具体的な主張を明示しなかった。ところが、公判手続では被告人はより詳細で具体的な供述を始め、弁護人が更に詳しい供述を求めようとしたのに対し、検察官が公判前整理手続における主張以外のことであり、立証事項とは関連性がないとの異議を申し立てた。

[第296条]

決旨： 「公判前整理手続終了後の新たな主張を制限する規定はなく、公判期日
で新たな主張に沿った被告人の供述を当然に制限できるとは解し得な
い」。「公判前整理手続における被告人又は弁護人の予定主張の明示状況
（裁判所の求釈明に対する釈明の状況を含む。）、新たな主張がされるに至
った経緯、新たな主張の内容等の諸般の事情を総合的に考慮し、前記主
張明示義務に違反したものと認められ、かつ、公判前整理手続で明示さ
れなかった主張に関して被告人の供述を求める行為（質問）やこれに応
じた被告人の供述を許すことが、公判前整理手続を行った意味を失わせ
るものと認められる場合には、新たな主張に係る事項の重要性等も踏ま
えた上で、公判期日でその具体的内容に関する質問や被告人の供述が、
刑訴法295条1項により制限されることがあり得る」。

二　訴訟関係人の権利の保護

訴訟関係人の「相当でない」尋問又は陳述の制限は、その本質的な権利を害し
てはならない。ここでの「本質的な権利」とは、たとえば、被告人にとっては証
人審問権（憲37Ⅱ）のような権利である。

第296条　〔検察官の冒頭陳述〕

証拠調のはじめに、検察官は、証拠により証明すべき事実を明らかにしなければな
らない。但し、証拠とすることができず、又は証拠としてその取調を請求する意思の
ない資料に基いて、裁判所に事件について偏見又は予断を生ぜしめる虞のある事項を
述べることはできない。

[趣旨] 冒頭手続が終わると証拠調べに入るが（292）、起訴状一本主義の下、裁判
所は事件について白紙の状態である。本条は、証拠調べの冒頭に検察官が事件の概
要と立証方針を明らかにする趣旨である。

《注　釈》
- 検察官は、証拠調べの始めに、証拠により証明しようとする事実を明らかにしな
ければならない（296本文）。これを冒頭陳述という。
- 冒頭陳述は、検察官が、直接的な要証事実だけでなく、間接事実や必要ならば犯
罪の動機や犯行までの経緯等までも明らかにして、立証方針の大綱を示し、もっ
て、裁判所の訴訟指揮を容易にし、被告人側には防御の用意をさせるために行わ
れる手続である。裁判所は検察官の冒頭陳述後、被告人側にも冒頭陳述を許すこ
とができる（規198）。

公判

第297条　〔証拠調べの範囲・順序・方法の決定とその変更〕

Ⅰ　裁判所は、検察官及び被告人又は弁護人の意見を聴き、証拠調の範囲、順序及び方法を定めることができる。

Ⅱ　前項の手続は、合議体の構成員にこれをさせることができる。

Ⅲ　裁判所は、適当と認めるときは、何時でも、検察官及び被告人又は弁護人の意見を聴き、第1項の規定により定めた証拠調の範囲、順序又は方法を変更することができる。

第298条　〔証拠調べの請求・職権証拠調べ〕

Ⅰ　検察官、被告人又は弁護人は、証拠調を請求することができる〈司〉。

Ⅱ　裁判所は、必要と認めるときは、職権で証拠調をすることができる〈司〉。

［趣旨］現行法は起訴状一本主義の下、当事者主義的訴訟構造を基調としているため、証拠調べは当事者請求によることを原則とし、裁判所の職権による証拠調べは補充的になされるにすぎない（298）。

公
判

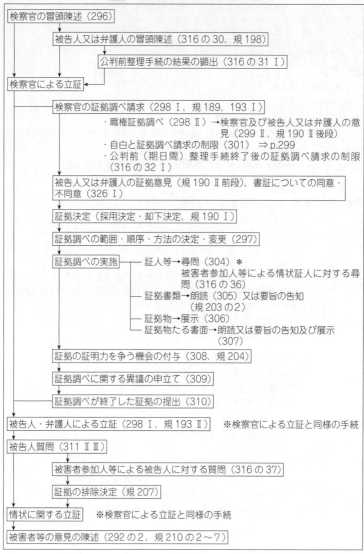

＜証拠調べ手続の流れ＞〈予〉

検察官の冒頭陳述（296）

被告人又は弁護人の冒頭陳述（316の30、規198）

公判前整理手続の結果の顕出（316の31 I）

検察官による立証

検察官の証拠調べ請求（298 I、規189、193 I）

・職権証拠調べ（298 II）→検察官及び被告人又は弁護人の意見（299 II、規190 II後段）
・自白と証拠調べ請求の制限（301）⇒ p.299
・公判前（期日間）整理手続終了後の証拠調べ請求の制限（316の32 I）

被告人又は弁護人の証拠意見（規190 II前段）、書証についての同意・不同意（326 I）

証拠決定（採用決定・却下決定、規190 I）

証拠調べの範囲・順序・方法の決定・変更（297）

証拠調べの実施 ── 証人等→尋問（304）＊
　　　　　　　　　　　被害者参加人等による情状証人に対する尋問（316の36）
　　　　　　　　 ── 証拠書類→朗読（305）又は要旨の告知（規203の2）
　　　　　　　　 ── 証拠物→展示（306）
　　　　　　　　 ── 証拠物たる書面→朗読又は要旨の告知及び展示（307）

証拠の証明力を争う機会の付与（308、規204）

証拠調べに関する異議の申立て（309）

証拠調べが終了した証拠の提出（310）

被告人・弁護人による立証（298 I、規193 II）　　※検察官による立証と同様の手続

被告人質問（311 II III）

被害者参加人等による被告人に対する質問（316の37）

証拠の排除決定（規207）

情状に関する立証　　※検察官による立証と同様の手続

被害者等の意見の陳述（292の2、規210の2〜7）

＊　証人尋問（⇒ p.308）における証人等の配慮・保護措置としては、①証人への付添い（157の2）、②遮へい措置（157の3）、③ビデオリンク方式による証人尋問（157の4）、④被告人・傍聴人の退廷（304の2、規202）、⑤住居等についての尋問の制限（295Ⅱ。なお、同Ⅳ参照）がある。
　　→なお、証人尋問以外の場面においても、証人等の配慮・保護措置がとられることがある（公判手続における措置として、290の3・291Ⅲ・305Ⅳ参照。また、証拠開示における措置として、299の2～5参照）

《注　釈》

一　証拠調べの請求

1　当事者による請求の原則
　(1)　原則：当事者の請求（298Ⅰ）
　(2)　趣旨：当事者主義の下では、証拠を提出する責任は第一次的に当事者にある
　(3)　例外：「必要と認めるとき」補充的に裁判所の職権（298Ⅱ）
　　(a)　検察側の立証を補充する場合

▼　最判昭33.2.13・百選A27事件

　　「わが刑事訴訟法上裁判所は、原則として職権で証拠調べをしなければならない義務又は検察官に対して立証を促さなければならない義務があるものということはできない。しかし……本件のように被告事件と被告人の共犯者又は必要的共犯の関係に立つ他の共同被告人に対する事件とがしばしば併合又は分離されながら同一裁判所の審理を受けた上、他の事件につき有罪の判決を言い渡され、その有罪判決の証拠となった判示多数の供述調書が他の被告事件の証拠として提出されたが、検察官の不注意によって被告事件に対してはこれを証拠として提出することを遺脱したことが明白なような場合には、裁判所は少なくとも検察官に対しその提出を促す義務あるものと解するのを相当とする。」

　　(b)　被告人側の立証が不十分な場合
　　　　→職権証拠調べが義務となる場合あり
　　　　∵　実質的当事者対等の理念
　　　　ex.　被告人に有利な証拠があることが明らかなのに、被告人がそれに気づかずこれを提出しようとしないとき、裁判所は後見的立場からこれを取り調べる必要がある
2　検察官の証拠調べ請求義務
　　当事者主義の下、証拠調べの請求をするかどうかの判断は当事者に委ねられるのが原則である（298Ⅰ）。もっとも、次の書面等は、事案の真相の解明及び被告人の防御の観点から、検察官に証拠調べの請求が義務付けられている。
　　①　321条1項2号後段の規定により証拠とすることができる検察官面前調書（300）

② 取調べ等の録音・録画が義務付けられる事件について、逮捕・勾留中の被疑者取調べ等に際して作成された供述調書等の任意性を争う旨の主張がなされた場合における、録音・録画に基づき作成された記録媒体（301の2Ⅰ柱書本文）

③ 被告人との間でした証拠収集等への協力及び訴追に関する合意（350の2Ⅰ）がある場合における、合意内容書面（350の7Ⅰ、350の8、350の9）

3　請求の時期・順序

(1) 請求の時期

請求はいつでも可（公判期日外でも可、規188本文）。

ただし、予断を排除するため、第1回公判期日前は不可（規188ただし書）。

(2) 請求の順序

(a) 最初に検察官が事件の審判に必要と求める証拠の取調べを請求（規193Ⅰ）

趣旨：検察官が公訴事実について立証責任を負うという建前とともに、被告人の防御の利益にも資する

→もっとも、法301条との関係上、乙号証（被告人の供述調書、身上関係書類及び前科関係書類）の取調べ請求は、甲号証（上記以外の証拠書類及び証拠物）の取調べ終了後に行われるべきである（実務では、全部自白事件において、甲号証・乙号証について一括した取調べ請求が行われている）。

(b) 次に被告人又は弁護人が請求（規193Ⅱ）

4　請求の方式

(1) 証拠の特定

請求に当たっては証拠の特定が必要である（規188の2、規189Ⅱ参照）。

なお、証拠書類（321ないし323、326によるもの）が捜査記録の一部であるときは、検察官はできる限り他の部分と分離して取調べを請求しなければならない（302）。

(2) 立証趣旨

(a) 意義

証拠調べ請求に際しては、証拠と証明すべき事実との関係を具体的に明示する必要がある（規189Ⅰ）。すなわち、証拠調べ請求の方式として、証拠方法と究極的要証事実との関連性を明示することが要求されるのである。この関連性のことを立証趣旨という。

これは、その証拠によっていかなる事実を立証するかを明らかにし、裁判所の証拠調べの採否の決定の参考にし、また相手の防御に不利益を与え

公
判

ることのないようにしたものである。

　(b)　裁判所の事実認定は、自由心証主義（318）から、立証趣旨に拘束されないとするのが通説である。

▼　**東京高判昭27.11.15**

　「ある証拠を請求した者は、その証拠が立証趣旨に従つて自己の側に有利に判断されることある反面、いやしくもこれが採用された限り自己の不利益にも使用されることのあるのを予期すべき」として、当該書面を犯罪事実認定に使用することを認めた。

▼　**福岡高判昭27.6.4**

　情状立証のために提出された326条の同意を得て取り調べられた証拠を犯罪事実の認定に供することができるかどうかについて、これを否定した。

　(3)　相手方への通知

　　証拠調べ請求に先立って、相手方に証人等の氏名・住居を知る機会と証拠書類等を閲覧する機会を与えなければならない（299Ⅰ）。

二　証拠決定

　1　意義

　　証拠調べの請求に対して、裁判所は決定をもってその採否を決めなければならない（規190Ⅰ）。これを証拠決定という。

　　→決定をするには、相手方又はその弁護人の意見を聴かなければならない（規190Ⅱ）〈司〉

　　→必要があると認めるときは、訴訟関係人に証拠書類と証拠物の提示を命ずることができる（提示命令、規192）

　　趣旨：証拠能力の有無を判断するために認められた制度

　2　証拠決定に関する裁判所の自由裁量〈予〉

　　判例（最大判昭23.6.23）は、「裁判所がその必要を認めて訊問を許可した証人」だけ喚問できるとしている。

　　→裁判所は、被告人が自身の弁護のために必要だと主張している証人全員の尋問を採用しなければならないわけではない

　　裁判所は、証拠調べ請求の手続が法令に違反している場合や、証拠請求された証拠に法定の証拠能力がない場合は、その証拠請求を却下しなければならない。

　　また、法定の証拠能力がある証拠についての適式な証拠請求であっても、証拠調べの必要性（広義）が認められなければ、裁量によりその証拠請求を却下することができる。

　　→一般に、証拠調べの必要性（広義）の有無は、狭義の証拠調べの必要性

（当該証拠が要証事実の立証に役立つ見込み（証拠の実質的価値）の程度）と、証拠調べの相当性（当該証拠に関する審理を行うことにより生じうる、誤った事実認定をもたらす危険その他の弊害の程度）を衡量して、裁判所の裁量判断により決定されるものと解されている

第299条 〔同前と当事者の権利〕

Ⅰ　検察官、被告人又は弁護人が証人、鑑定人、通訳人又は翻訳人の尋問を請求するについては、あらかじめ、相手方に対し、その氏名及び住居を知る機会を与えなければならない。証拠書類又は証拠物の取調を請求するについては、あらかじめ、相手方にこれを閲覧する機会を与えなければならない。但し、相手方に異議のないときは、この限りでない〈[判]〉。

Ⅱ　裁判所が職権で証拠調の決定をするについては、検察官及び被告人又は弁護人の意見を聴かなければならない。

第299条の2 〔証人等の身体・財産への加害行為等の防止のための配慮〕

　検察官又は弁護人は、前条第1項の規定により証人、鑑定人、通訳人若しくは翻訳人の氏名及び住居を知る機会を与え又は証拠書類若しくは証拠物を閲覧する機会を与えるに当たり、証人、鑑定人、通訳人若しくは翻訳人若しくは証拠書類若しくは証拠物にその氏名が記載され若しくは記録されている者若しくはこれらの親族の身体若しくは財産に害を加え又はこれらの者を畏怖させ若しくは困惑させる行為がなされるおそれがあると認めるときは、相手方に対し、その旨を告げ、これらの者の住居、勤務先その他その通常所在する場所が特定される事項が、犯罪の証明若しくは犯罪の捜査又は被告人の防御に関し必要がある場合を除き、関係者（被告人を含む。）に知られないようにすることその他これらの者の安全が脅かされることがないように配慮することを求めることができる。

第299条の3 〔証拠開示の際の被害者特定事項の秘匿要請〕〈[判]〉

　検察官は、第299条第1項の規定により証人の氏名及び住居を知る機会を与え又は証拠書類若しくは証拠物を閲覧する機会を与えるに当たり、被害者特定事項が明らかにされることにより、被害者等の名誉若しくは社会生活の平穏が著しく害されるおそれがあると認めるとき、又は被害者若しくはその親族の身体若しくは財産に害を加え若しくはこれらの者を畏怖させ若しくは困惑させる行為がなされるおそれがあると認めるときは、弁護人に対し、その旨を告げ、被害者特定事項が、被告人の防御に関し必要がある場合を除き、被告人その他の者に知られないようにすることを求めることができる。ただし、第271条の2第2項の規定により起訴状抄本等を提出した場合を除き被告人に知られないようにすることを求めることについては、被害者特定事項のうち起訴状に記載された事項以外のものに限る。

第299条の4 〔証人等の氏名・住居の開示に係る措置〕

Ⅰ　検察官は、第299条第1項の規定により証人、鑑定人、通訳人又は翻訳人の氏

名及び住居を知る機会を与えるべき場合において、その者若しくはその親族の身体若しくは財産に害を加え又はこれらの者を畏怖させ若しくは困惑させる行為がなされるおそれがあると認めるときは、弁護人に対し、当該氏名及び住居を知る機会を与えた上で、当該氏名又は住居を被告人に知らせてはならない旨の条件を付し、又は被告人に知らせる時期若しくは方法を指定することができる。ただし、その証人、鑑定人、通訳人又は翻訳人の供述の証明力の判断に資するような被告人その他の関係者との利害関係の有無を確かめることができなくなるときその他の被告人の防御に実質的な不利益を生ずるおそれがあるときは、この限りでない。

Ⅱ　第299条第1項の規定により証人の氏名及び住居を知る機会を与えるべき場合において、第271条の2第2項の規定により起訴状抄本等を提出した場合又は第312条の2第2項の規定により訴因変更等請求書面抄本等（同項に規定する訴因変更等請求書面抄本等をいう。以下この条及び次条第2項第1号において同じ。）を提出した場合（第312条第1項の請求を却下する決定があつた場合を除く。第7項において同じ。）であつて、当該氏名又は住居が起訴状に記載された個人特定事項のうち起訴状抄本等に記載がないもの又は訴因変更等請求書面（第312条第4項に規定する訴因変更等請求書面をいう。以下この条及び同号において同じ。）に記載された個人特定事項のうち訴因変更等請求書面抄本等に記載がないもの（いずれも第271条の5第1項（第312条の2第4項において読み替えて準用する場合を含む。）の決定により通知することとされたものを除く。第7項及び同号において同じ。）に該当し、かつ、第271条の2第1項第1号又は第2号に掲げる者のものに該当すると認めるときも、前項と同様とする。この場合において、同項ただし書中「証人、鑑定人、通訳人又は翻訳人」とあるのは、「証人」とする。

Ⅲ　検察官は、第1項本文の場合において、同項本文の規定による措置によつては同項本文に規定する行為を防止できないおそれがあると認めるとき（被告人に弁護人がないときを含む。）は、その証人、鑑定人、通訳人又は翻訳人の供述の証明力の判断に資するような被告人その他の関係者との利害関係の有無を確かめることができなくなる場合その他の被告人の防御に実質的な不利益を生ずるおそれがある場合を除き、被告人及び弁護人に対し、その証人、鑑定人、通訳人又は翻訳人の氏名又は住居を知る機会を与えないことができる。この場合において、被告人又は弁護人に対し、氏名にあつてはこれに代わる呼称を、住居にあつてはこれに代わる連絡先を知る機会を与えなければならない。

Ⅳ　第299条第1項の規定により証人の氏名及び住居を知る機会を与えるべき場合において、第271条の3第3項又は第271条の4第4項（これらの規定を第312条の2第4項において準用する場合を含む。第9項において同じ。）の規定により起訴状抄本等又は訴因変更等請求書面抄本等を提出した場合（第312条第1項の請求を却下する決定があつた場合を除く。第9項において同じ。）であつて、当該氏名又は住居が起訴状に記載された個人特定事項のうち起訴状抄本等に記載がないもの又は訴因変更等請求書面に記載された個人特定事項のうち訴因変更等請求書面抄本等に記載がないもの（いずれも第271条の5第1項又は第2項（これらの規定を第312条の2第4項において準用する場合を含む。）の決定により通知

することとされたものを除く。第9項において同じ。）に該当し、かつ、第271条の2第1項第1号又は第2号に掲げる者のものに該当すると認めるときも、前項と同様とする。この場合において、同項中「証人、鑑定人、通訳人又は翻訳人の供述」とあるのは「証人の供述」と、「その証人、鑑定人、通訳人又は翻訳人の氏名」とあるのは「当該氏名」とする。

V　第2項前段に規定する場合において、被告人に弁護人がないときも、第3項と同様とする。この場合において、同項中「証人、鑑定人、通訳人又は翻訳人の供述」とあるのは「証人の供述」と、「その証人、鑑定人、通訳人又は翻訳人の氏名」とあるのは「当該氏名」とする。

VI　検察官は、第299条第1項の規定により証拠書類又は証拠物を閲覧する機会を与えるべき場合において、証拠書類若しくは証拠物に氏名若しくは住居が記載され若しくは記録されている者であつて検察官が証人、鑑定人、通訳人若しくは翻訳人として尋問を請求するもの若しくは供述録取書等の供述者（以下この項及び第8項において「検察官請求証人等」という。）若しくは検察官請求証人等の親族の身体若しくは財産に害を加え又はこれらの者を畏怖させ若しくは困惑させる行為がなされるおそれがあると認めるときは、弁護人に対し、証拠書類又は証拠物を閲覧する機会を与えた上で、その検察官請求証人等の氏名又は住居を被告人に知らせてはならない旨の条件を付し、又は被告人に知らせる時期若しくは方法を指定することができる。ただし、その検察官請求証人等の供述の証明力の判断に資するような被告人その他の関係者との利害関係の有無を確かめることができなくなるときその他の被告人の防御に実質的な不利益を生ずるおそれがあるときは、この限りでない。

VII　第299条第1項の規定により証拠書類又は証拠物を閲覧する機会を与えるべき場合において、第271条の2第2項の規定により起訴状抄本等を提出した場合又は第312条の2第2項の規定により訴因変更等請求書面抄本等を提出した場合であつて、起訴状に記載された個人特定事項のうち起訴状抄本等に記載がないもの又は訴因変更等請求書面に記載された個人特定事項のうち訴因変更等請求書面抄本等に記載がないものが第271条の2第1項第1号又は第2号に掲げる者のものに該当すると認めるときも、前項と同様とする。この場合において、同項中「その検察官請求証人等の氏名又は住居」とあるのは「これらに記載され又は記録されているこれらの個人特定事項」と、同項ただし書中「その検察官請求証人等」とあるのは「これらの個人特定事項に係る証人」とする。

VIII　検察官は、第6項本文の場合において、同項本文の規定による措置によつては同項本文に規定する行為を防止できないおそれがあると認めるとき（被告人に弁護人がないときを含む。）は、その検察官請求証人等の供述の証明力の判断に資するような被告人その他の関係者との利害関係の有無を確かめることができなくなる場合その他の被告人の防御に実質的な不利益を生ずるおそれがある場合を除き、被告人及び弁護人に対し、証拠書類又は証拠物のうちその検察官請求証人等の氏名又は住居が記載され又は記録されている部分について閲覧する機会を与えないことができる。この場合において、被告人又は弁護人に対し、氏名にあつてはこれに代わる呼称を、住居にあつてはこれに代わる連絡先を知る機会を与えなければならない。

公判

Ⅸ　第２９９条第１項の規定により証拠書類又は証拠物を閲覧する機会を与えるべき場合において、第２７１条の３第３項又は第２７１条の４第４項の規定により起訴状抄本等又は訴因変更等請求書面抄本等を提出した場合であつて、起訴状に記載された個人特定事項のうち起訴状抄本等に記載がないもの又は訴因変更等請求書面に記載された個人特定事項のうち訴因変更等請求書面抄本等に記載がないものが第２７１条の２第１項第１号又は第２号に掲げる者のものに該当すると認めるときも、前項と同様とする。この場合において、同項中「その検察官請求証人等の供述」とあるのは「これらの個人特定事項に係る証人の供述」と、「その検察官請求証人等の氏名又は住居」とあるのは「これらの個人特定事項」とする。

Ⅹ　第７項前段に規定する場合において、被告人に弁護人がないときも、第８項と同様とする。この場合において、同項中「その検察官請求証人等の供述」とあるのは「これらの個人特定事項に係る証人の供述」と、「その検察官請求証人等の氏名又は住居」とあるのは「これらの個人特定事項」とする。

Ⅺ　検察官は、前各項の規定による措置をとつたときは、速やかに、裁判所にその旨を通知しなければならない。

第２９９条の５　〔裁判所による裁定〕

Ⅰ　裁判所は、検察官が前条第１項、第３項、第６項又は第８項の規定による措置をとつた場合において、次の各号のいずれかに該当すると認めるときは、被告人又は弁護人の請求により、決定で、当該措置の全部又は一部を取り消さなければならない。

①　当該措置に係る者若しくはその親族の身体若しくは財産に害を加え又はこれらの者を畏怖させ若しくは困惑させる行為がなされるおそれがないとき。

②　当該措置により、当該措置に係る者の供述の証明力の判断に資するような被告人その他の関係者との利害関係の有無を確かめることができなくなるときその他の被告人の防御に実質的な不利益を生ずるおそれがあるとき。

③　検察官のとつた措置が前条第３項又は第８項の規定によるものである場合において、同条第１項本文又は第６項本文の規定による措置によつて第１号に規定する行為を防止できるとき。

Ⅱ　検察官が前条第２項、第４項、第５項、第７項、第９項又は第１０項の規定による措置をとつた場合において、次の各号のいずれかに該当すると認めるときも、前項と同様とする。

①　当該措置に係る氏名若しくは住居又は個人特定事項が起訴状に記載された個人特定事項のうち起訴状抄本等に記載がないもの又は訴因変更等請求書面に記載された個人特定事項のうち訴因変更等請求書面抄本等に記載がないもの（第３１２条第１項の請求を却下する決定があつた場合における当該請求に係るものを除く。）に該当しないとき。

②　イ又はロに掲げる個人特定事項の区分に応じ、当該イ又はロに定める場合であるとき。

ロ　被害者の個人特定事項　当該措置に係る事件に係る罪が第271条の2第1項第1号イ及びロに規定するものに該当せず、かつ、当該措置に係る事件が同号ハに掲げるものに該当しないとき。

ロ　被害者以外の者の個人特定事項　当該措置に係る者が第271条の2第1項第2号に掲げる者に該当しないとき。

③　検察官のとつた措置が前条第4項、第5項、第9項又は第10項の規定によるものである場合において、当該措置に係る個人特定事項が第271条の5第2項（第312条の2第4項において準用する場合を含む。）の決定により通知することとされたものに該当するとき。

④　当該措置により、当該措置に係る者の供述の証明力の判断に資するような被告人その他の関係者との利害関係の有無を確かめることができなくなるときその他の被告人の防御に実質的な不利益を生ずるおそれがあるとき。

⑤　検察官のとつた措置が前条第4項、第5項、第9項又は第10項の規定によるものである場合において、同条第2項又は第7項の規定による措置によつて第271条の2第1項第1号ハ(1)及び第2号イに規定する名誉又は社会生活の平穏が著しく害されること並びに同項第1号ハ(2)及び第2号ロに規定する行為を防止できるとき。

Ⅲ　裁判所は、第1項第2号又は第3号に該当すると認めて検察官がとつた措置の全部又は一部を取り消す場合において、同項第1号に規定する行為がなされるおそれがあると認めるときは、弁護人に対し、当該措置に係る者の氏名又は住居を被告人に知らせてはならない旨の条件を付し、又は被告人に知らせる時期若しくは方法を指定することができる。ただし、当該条件を付し、又は当該時期若しくは方法の指定をすることにより、当該措置に係る者の供述の証明力の判断に資するような被告人その他の関係者との利害関係の有無を確かめることができなくなるときその他の被告人の防御に実質的な不利益を生ずるおそれがあるときは、この限りでない。

Ⅳ　第2項第3号から第5号までに該当すると認めて検察官がとつた措置の全部又は一部を取り消す場合において、第271条の2第1項第1号ハ(1)若しくは第2号イに規定する名誉若しくは社会生活の平穏が著しく害されるおそれ又は同項第1号ハ(2)若しくは第2号ロに規定する行為がなされるおそれがあると認めるときも、前項と同様とする。この場合において、同条中「者の氏名又は住居」とあるのは、「個人特定事項」とする。

Ⅴ　裁判所は、第1項又は第2項の請求について決定をするときは、検察官の意見を聴かなければならない。

Ⅵ　第1項又は第2項の請求についてした決定（第3項又は第4項の規定により条件を付し、又は時期若しくは方法を指定する裁判を含む。）に対しては、即時抗告をすることができる。

第299条の6　〔書類・証拠物、公判調書の閲覧等の制限〕

Ⅰ　裁判所は、検察官がとつた第299条の4第1項若しくは第6項の規定による措置に係る者若しくは裁判所がとつた前条第3項の規定による措置に係る者若しくは

これらの親族の身体若しくは財産に害を加え又はこれらの者を畏怖させ若しくは困惑させる行為がなされるおそれがあると認める場合において、検察官及び弁護人の意見を聴き、相当と認めるときは、弁護人が第40条第1項の規定により訴訟に関する書類又は証拠物を閲覧し又は謄写するに当たり、これらに記載され又は記録されている当該措置に係る者の氏名又は住居を被告人に知らせてはならない旨の条件を付し、又は被告人に知らせる時期若しくは方法を指定することができる。ただし、当該措置に係る者の供述の証明力の判断に資するような被告人その他の関係者との利害関係の有無を確かめることができなくなるときその他の被告人の防御に実質的な不利益を生ずるおそれがあるときは、この限りでない。

Ⅱ　裁判所は、検察官がとつた第299条の4第3項若しくは第8項の規定による措置に係る者若しくはその親族の身体若しくは財産に害を加え又はこれらの者を畏怖させ若しくは困惑させる行為がなされるおそれがあると認める場合において、検察官及び弁護人の意見を聴き、相当と認めるときは、弁護人が第40条第1項の規定により訴訟に関する書類又は証拠物を閲覧し又は謄写するについて、これらのうち当該措置に係る者の氏名若しくは住居が記載され若しくは記録されている部分の閲覧若しくは謄写を禁じ、又は当該氏名若しくは住居を被告人に知らせてはならない旨の条件を付し、若しくは被告人に知らせる時期若しくは方法を指定することができる。ただし、当該措置に係る者の供述の証明力の判断に資するような被告人その他の関係者との利害関係の有無を確かめることができなくなるときその他の被告人の防御に実質的な不利益を生ずるおそれがあるときは、この限りでない。

Ⅲ　裁判所は、検察官がとつた第299条の4第1項若しくは第6項の規定による措置に係る者若しくは裁判所がとつた前条第3項の規定による措置に係る者若しくはこれらの親族の身体若しくは財産に害を加え又はこれらの者を畏怖させ若しくは困惑させる行為がなされるおそれがあると認める場合において、弁護人から第46条の規定による請求があつた場合であつて、検察官及び弁護人の意見を聴き、相当と認めるときは、弁護人に裁判書又は裁判を記載した調書の謄本又は抄本を交付するに当たり、これらに記載されている当該措置に係る者の氏名又は住居を被告人に知らせてはならない旨の条件を付し、又は被告人に知らせる時期若しくは方法を指定することができる。ただし、当該措置に係る者の供述の証明力の判断に資するような被告人その他の関係者との利害関係の有無を確かめることができなくなるときその他の被告人の防御に実質的な不利益を生ずるおそれがあるときは、この限りでない。

Ⅳ　裁判所は、検察官がとつた第299条の4第3項若しくは第8項の規定による措置に係る者若しくはその親族の身体若しくは財産に害を加え又はこれらの者を畏怖させ若しくは困惑させる行為がなされるおそれがあると認める場合において、弁護人から第46条の規定による請求があつた場合であつて、検察官及び弁護人の意見を聴き、相当と認めるときは、裁判書若しくは裁判を記載した調書の抄本であつて当該措置に係る者の氏名若しくは住居の記載がないものを交付し、又は弁護人に裁判書若しくは裁判を記載した調書の謄本若しくは抄本を交付するに当たり、当該氏

公判

名若しくは住居を被告人に知らせてはならない旨の条件を付し、若しくは被告人に知らせる時期若しくは方法を指定することができる。ただし、当該措置に係る者の供述の証明力の判断に資するような被告人その他の関係者との利害関係の有無を確かめることができなくなるときその他の被告人の防御に実質的な不利益を生ずるおそれがあるときは、この限りでない。

Ⅴ 裁判所は、検察官がとつた第299条の4第1項、第3項、第6項若しくは第8項の規定による措置に係る者若しくは裁判所がとつた前条第3項の規定による措置に係る者若しくはこれらの親族の身体若しくは財産に害を加え又はこれらの者を畏怖させ若しくは困惑させる行為がなされるおそれがあると認める場合において、被告人その他訴訟関係人（検察官及び弁護人を除く。）から第46条の規定による請求があつた場合であつて、検察官及び当該請求をした被告人その他訴訟関係人の意見を聴き、相当と認めるときは、裁判書又は裁判を記載した調書の抄本であつて当該措置に係る者の氏名又は住居の記載がないものを交付することができる。ただし、当該措置に係る者の供述の証明力の判断に資するような被告人その他の関係者との利害関係の有無を確かめることができなくなるときその他の被告人の防御に実質的な不利益を生ずるおそれがあるときは、この限りでない。

Ⅵ 裁判所は、検察官がとつた第299条の4第1項、第3項、第6項若しくは第8項の規定による措置に係る者若しくは裁判所がとつた前条第3項の規定による措置に係る者若しくはこれらの親族の身体若しくは財産に害を加え又はこれらの者を畏怖させ若しくは困惑させる行為がなされるおそれがあると認める場合において、検察官及び被告人の意見を聴き、相当と認めるときは、被告人が第49条の規定により公判調書を閲覧し又はその朗読を求めるについて、このうち当該措置に係る者の氏名若しくは住居が記載され若しくは記録されている部分の閲覧を禁じ、又は当該部分の朗読の求めを拒むことができる。ただし、当該措置に係る者の供述の証明力の判断に資するような被告人その他の関係者との利害関係の有無を確かめることができなくなるときその他の被告人の防御に実質的な不利益を生ずるおそれがあるときは、この限りでない。

第299条の7 〔弁護人の違反行為に対する処置〕

Ⅰ 検察官は、第299条の4第1項、第2項、第6項若しくは第7項の規定により付した条件に弁護人が違反したとき、又はこれらの規定による時期若しくは方法の指定に弁護人が従わなかつたときは、弁護士である弁護人については当該弁護士の所属する弁護士会又は日本弁護士連合会に通知し、適当な処置をとるべきことを請求することができる。

Ⅱ 裁判所は、第299条の5第3項若しくは第4項若しくは前条第1項から第4項までの規定により付した条件に弁護人が違反したとき、又はこれらの規定による時期若しくは方法の指定に弁護人が従わなかつたときは、弁護士である弁護人については当該弁護士の所属する弁護士会又は日本弁護士連合会に通知し、適当な処置をとるべきことを請求することができる。

公判

Ⅲ　前２項の規定による請求を受けた者は、そのとつた処置をその請求をした検察官
又は裁判所に通知しなければならない。

第３００条　〔証拠調べの請求の義務〕

　第３２１条第１項第２号後段＜検面調書＞の規定により証拠とすることができる書
面については、検察官は、必ずその取調を請求しなければならない。

[趣旨] 299条１項は、取調べ請求しようとする証拠方法について、あらかじめ相手
方の知悉可能な状態におくことによって、相手方に防御の準備の機会を与え、もっ
て不意打ちを防止し、公正な審理を確保しようとするものである。300条は、真実
発見と被告人の保護を目的として、321条１項２号後段の規定により証拠とするこ
とができる証拠について検察官に取調請求義務を課したものである。

《注　釈》
一　証拠開示

1　はじめに
（1）意義
　　証拠開示とは、当事者が手持ちの証拠について相手方にその内容を明らか
　にすること（閲覧、謄写、証人の氏名、住居等を知らせる等）をいう。
　　この点、当事者主義を形式的に解すれば、証拠は当事者各自が収集すべき
　であるが、実質的当事者主義を実現するためには、検察官に比べて自力で証
　拠を収集する能力が低い被告人に十分な防御の機会を与える必要がある。
　　そこで、被告人・弁護人に検察官手持ち証拠を閲覧させるという証拠開示
　が問題となる。なお、公判前整理手続（316の２Ⅰ）においても証拠開示
　（316の14以下）についての規定がある。
（2）現行法の規定
　①　40条：裁判所保管の証拠の閲覧権を規定
　②　99条３項：裁判所が被告人・弁護人の示唆に基づいて提出命令を出
　　　しうることを規定
　③　299条：証拠調べ請求する場合にあらかじめ相手方に閲覧の機会を与
　　　えなければならない。
　④　300条：証言に自己矛盾があったときは検察官は必ず同人の調書の取
　　　調べを請求しなければならないと規定
2　証拠開示の可否
　A　開示否定説
　　∵①　現行法の規定以外に明文規定がない
　　　②　当事者主義からは、当事者は自らの努力で証拠を収集すべきである
　　　③　証拠開示は、被告人による証人威迫・証拠隠滅等の弊害を伴う

B　全面開示説

∵①　被告人に十分な防御の機会を保障して、実質的当事者対等を実現すべきである

②　被告人に有利な証拠が裁判所に提出されないまま秘匿又は埋もれ去る危険がある

③　検察官は、公益の代表者として真実発見に協力すべき職責（客観義務）を負っている

C　個別具体的開示説（最決昭 44.4.25・百選 A25 事件）

∵①　B 説の理由①

②　冒頭手続にも入らない段階では、明文がない以上、全面開示を命ずることはできない

③　検察官には、取調請求の義務がない証拠、又は、未だ取調べの請求を決定するに至っていない証拠について、あらかじめ進んでこれらを被告人側に開示する義務はない

④　安易に全面開示を容認すると、弁護活動の低調化を招く

⑤　全面開示は秘密保持の支障、証拠隠滅、証人威迫等の弊害を生じるおそれが大きい

▼　**最決昭 34.12.26**

「検察官が所持の証拠書類又は証拠物につき公判において取調を請求すると否とに拘わりなく予めこれを被告人もしくは弁護人に閲覧させるべきことを裁判所が検察官に命ずることを是認する規定は存在しない」として、冒頭手続前の全面開示命令は違法であると判示した。

▼　**大阪税務調査妨害事件（最決昭 44.4.25・百選 A25 事件）**

「裁判所は、その訴訟上の地位にかんがみ、法規の明文ないし訴訟の基本構造に違背しないかぎり適切な裁量により公正な訴訟指揮を行ない、訴訟の合目的的進行をはかるべき権限と職責を有するものであるから、……証拠調の段階に入った後、弁護人から、具体的必要性を示して、一定の証拠を弁護人に閲覧させるよう検察官に命ぜられたい旨の申出がなされた場合、事案の性質、審理の状況、閲覧を求める証拠の種類および内容、閲覧の時期、程度および方法、その他諸般の事情を勘案し、その閲覧が被告人の防禦のために特に重要であり、かつこれにより罪証隠滅、証人威迫等の弊害を招来するおそれがなく、相当と認められるときは、その訴訟指揮権に基づき、検察官に対し、その所持する証拠を弁護人に閲覧させるよう命ずることができる」として、裁判所の訴訟指揮権に基づく個別開示を認めた。

3　証拠開示命令違反の効果

証拠開示命令は、裁判所の意思表示として検察官を拘束し、証拠開示の義務

公判

を設定すると一般に解されている。そして、検察官がこれに従わない場合に、裁判所が採りうる措置として(1)〜(5)の方法が考えられる。

- (1)　公判を停止する（314Ⅲ類推）。
- (2)　事実上、検察官に不利益な心証形成を裁判所が行う。
- (3)　裁判所による差押・提出命令（99Ⅲ）を行う。
- (4)　裁判所が形式裁判（公訴棄却や免訴）により手続を打ち切る。
- (5)　関連証拠の排除

二　証拠開示における証人等の配慮・保護措置

1　はじめに

　　原則として、証人等（証人、鑑定人、通訳人又は翻訳人）の尋問を請求するには、あらかじめ、相手方に対し、その氏名・住居を知る機会を与えなければならない（299Ⅰ本文）。また、証拠書類・証拠物の取調べを請求するには、あらかじめ、相手方にこれを閲覧する機会を与えなければならない（299Ⅰ本文）。この趣旨は、相手方に防御の準備の機会を与え、もって不意打ちを防止し、公正な審理を確保する点にあり、より具体的には、証人等の氏名・住居を手掛かりに、証人等の供述の証明力に関わる事情を事前に把握・調査するなどして、効果的な反対尋問を行うことができるようにする点にある。

　　しかし、証人等の氏名・住居を知る機会を与えることによって、証人等やその親族に対する加害行為等のおそれが生じることもあるため、これを防止する制度として、①加害行為等の防止のための配慮（299の2）や、②証拠開示の際の被害者特定事項の秘匿要請（299の3）が設けられているが、これらは配慮や要請にとどまり実効性に乏しい。

　　そこで、より実効性のある措置として、③条件付与等措置（299の4Ⅰ）及び④代替開示措置（299の4Ⅲ）が設けられている。

2　条件付与等措置・代替開示措置

- (1)　検察官は、証人等やその親族に対する加害行為等のおそれがあるときには、弁護人にその証人等の氏名及び住居を知る機会を与えた上で、氏名又は住居を被告人に知らせてはならない旨の条件を付し、又は被告人に知らせる時期若しくは方法を指定する措置をとることができる（条件付与等措置、299の4Ⅰ本文）。

　　また、検察官は、条件付与等措置によっては加害行為等を防止できないおそれがあるときに限り、被告人のみならず弁護人に対しても、その証人等の氏名又は住居を知る機会を与えず、被告人又は弁護人に対し、証人等の氏名に代わる呼称、住居に代わる連絡先（当該検察官が所属する地方検察庁の連絡先など）を知る機会を与える措置をとることができる（代替開示措置、同Ⅲ）。

　　→証拠書類・証拠物に証人等（供述録取書等の供述者も含む）の氏名・住

居の記載があるときも、上記の各措置をとることができる（同Ⅵ、同Ⅷ参照）

上記の各措置は、「加害行為等を防止するとともに、証人等の安全を確保し、証人等が公判審理において供述する負担を軽減し、より充実した公判審理の実現を図るために設けられた措置」（最決平30.7.3・百選65事件）である。

(2)　上記の各措置も、その証人等の供述の証明力の判断に資するような被告人その他の関係者との利害関係の有無を確かめることができなくなる場合その他の被告人の防御に実質的な不利益を生ずるおそれがある場合は、とることができない（299の4Ⅰただし書、同Ⅲ前段、同Ⅵただし書、同Ⅷ前段）。

また、裁判所は、検察官が条件付与等措置や代替開示措置をとった場合において、①加害行為等のおそれがないとき（299の5Ⅰ①）、②被告人の防御に実質的な不利益を生ずるおそれがあるとき（同②）、又は③検察官が代替開示措置をとった場合において、条件付与等措置によって加害行為等を防止できるとき（同③）は、被告人又は弁護人の裁定請求により、決定で、検察官がとった措置の全部又は一部を取り消さなければならない（299の5Ⅰ）。

(3)　判例（最決平30.7.3・百選65事件）は、上記の各措置について定めた299条の4、及び不服がある被告人・弁護人が裁判所に裁定請求できるとする299条の5は、「被告人の証人審問権を侵害するものではなく、憲法37条2項前段に違反しない」としている。

第３０１条　〔自白と証拠調べの請求の制限〕

　第３２２条及び第３２４条第１項の規定により証拠とすることができる被告人の供述が自白である場合には、犯罪事実に関する他の証拠が取り調べられた後でなければ、その取調を請求することはできない。

[趣旨] 憲法38条3項の趣旨を踏まえ、公判廷外の自白を過重に評価し、予断をもって他の証拠を評価することを防止する点にある。

《注　釈》

一　「犯罪事実に関する他の証拠が取り調べられた後」

　「犯罪事実に関する他の証拠が取り調べられた後」とは、全ての補強証拠が取り調べられた後という意味ではなく、自白を補強しうる証拠が取り調べられた後であれば足りる（最決昭26.6.1）。

　なお、共同被告人の検察官に対する供述調書は、当該被告人との関係においては本条にいう「犯罪事実に関する他の証拠」に当たり、これを最初に取り調べても違法ではない（最決昭29.3.23）。

二　「取調を請求することはできない」

　本条は「取調を請求することはできない」と規定する一方、刑訴規則193条1項は「検察官は、まず、事件の審判に必要と認めるすべての証拠の取調を請求しなければならない」と規定しているため、本条との関連が問題となる。

　判例（最決昭26.5.31）は、他の証拠と同時に自白調書の取調請求がなされても、その取調べが他の証拠の取調べ後に行われれば、本条に反しないとしている。

第３０１条の２　〔取調べの録音・録画と記録媒体の取調べ〕

Ⅰ　次に掲げる事件については、検察官は、第３２２条第１項の規定により証拠とすることができる書面であつて、当該事件についての第１９８条第１項の規定による取調べ（逮捕又は勾留されている被疑者の取調べに限る。第３項において同じ。）又は第２０３条第１項、第２０４条第１項若しくは第２０５条第１項（第２１１条及び第２１６条においてこれらの規定を準用する場合を含む。第３項において同じ。）の弁解の機会に際して作成され、かつ、被告人に不利益な事実の承認を内容とするものの取調べを請求した場合において、被告人又は弁護人が、その取調べの請求に関し、その承認が任意にされたものでない疑いがあることを理由として異議を述べたときは、その承認が任意にされたものであることを証明するため、当該書面が作成された取調べ又は弁解の機会の開始から終了に至るまでの間における被告人の供述及びその状況を第４項の規定により記録した記録媒体の取調べを請求しなければならない。ただし、同項各号のいずれかに該当することにより同項の規定による記録が行われなかつたことその他やむを得ない事情によつて当該記録媒体が存在しないときは、この限りでない。

①　死刑又は無期の懲役若しくは禁錮に当たる罪に係る事件

②　短期１年以上の有期の懲役又は禁錮に当たる罪であつて故意の犯罪行為により被害者を死亡させたものに係る事件

③　司法警察員が送致し又は送付した事件以外の事件（前２号に掲げるものを除く。）

Ⅱ　検察官が前項の規定に違反して同項に規定する記録媒体の取調べを請求しないときは、裁判所は、決定で、同項に規定する書面の取調べの請求を却下しなければならない。

Ⅲ　前２項の規定は、第１項各号に掲げる事件について、第３２４条第１項において準用する第３２２条第１項の規定により証拠とすることができる被告人以外の者の供述であつて、当該事件についての第１９８条第１項の規定による取調べ又は第２０３条第１項、第２０４条第１項若しくは第２０５条第１項の弁解の機会に際してされた被告人の供述（被告人に不利益な事実の承認を内容とするものに限る。）をその内容とするものを証拠とすることに関し、被告人又は弁護人が、その承認が任意にされたものでない疑いがあることを理由として異議を述べた場合にこれを準用する。

Ⅳ　検察官又は検察事務官は、第１項各号に掲げる事件（同項第３号に掲げる事件の

うち、関連する事件が送致され又は送付されているものであつて、司法警察員が現に捜査していることその他の事情に照らして司法警察員が送致し又は送付することが見込まれるものを除く。）について、逮捕若しくは勾留されている被疑者を第198条第1項の規定により取り調べるとき又は被疑者に対し第204条第1項若しくは第205条第1項（第211条及び第216条においてこれらの規定を準用する場合を含む。）の規定により弁解の機会を与えるときは、次の各号のいずれかに該当する場合を除き🄭、被疑者の供述及びその状況を録音及び録画を同時に行う方法により記録媒体に記録しておかなければならない。司法警察職員が、第1項第1号又は第2号に掲げる事件について、逮捕若しくは勾留されている被疑者を第198条第1項の規定により取り調べるとき又は被疑者に対し第203条第1項（第211条及び第216条において準用する場合を含む。）の規定により弁解の機会を与えるときも、同様とする。

① 記録に必要な機器の故障その他のやむを得ない事情により、記録をすることができないとき。

② 被疑者が記録を拒んだことその他の被疑者の言動により、記録をしたならば被疑者が十分な供述をすることができないと認めるとき。

③ 当該事件が暴力団員による不当な行為の防止等に関する法律（平成3年法律第77号）第3条の規定により都道府県公安委員会の指定を受けた暴力団の構成員による犯罪に係るものであると認めるとき。

④ 前2号に掲げるもののほか、犯罪の性質、関係者の言動、被疑者がその構成員である団体の性格その他の事情に照らし、被疑者の供述及びその状況が明らかにされた場合には被疑者若しくはその親族の身体若しくは財産に害を加え又はこれらの者を畏怖させ若しくは困惑させる行為がなされるおそれがあることにより、記録をしたならば被疑者が十分な供述をすることができないと認めるとき。

［趣旨］従来、被疑者の供述調書（特に自白調書）は、犯人性を立証するための重要な証拠として過度に依存されており、そのために追及的な取調べがなされてきた。そこで、①適正な供述証拠及び客観的証拠をより広範囲に収集することが可能となるよう証拠収集手段を適正化・多様化し、②供述調書への過度の依存を改め、被害者・事件関係者を含む国民への負担にも配慮しつつ、真正な証拠が提出され、被告人側も必要かつ十分な防御活動ができる活発で充実した公判審理を実現する、という理念の下、取調べの可視化（録音・録画制度）の規定が設けられた。

《注　釈》
一　録音・録画制度の構造

録音・録画制度は、捜査段階における捜査機関の義務である「取調べの録音・録画義務」（301の2Ⅳ）と、公判段階における検察官の義務である取調べ等の録音・録画記録の「証拠調べ請求義務」（301の2Ⅰ）の2つの義務から構成される。

二 取調べの録音・録画義務

1 録音・録画義務の対象事件

　検察官及び検察事務官は、(1)裁判員制度対象事件（301の2Ⅰ①②）、又は(2)検察官独自捜査事件（301の2Ⅰ③。以下、(1)及び(2)を「対象事件」という。）について、逮捕・勾留されている被疑者の取調べ・弁解録取を行うときは、「被疑者の供述及びその状況」について、その全過程（「開始から終了に至るまでの間」、301の2Ⅰ柱書本文）を録音・録画しなければならない（301の2Ⅳ柱書前段）。司法警察職員が、(1)の事件で逮捕・勾留中の被疑者を取り調べるときも同様である（301の2Ⅳ柱書後段）。

　一方で、逮捕・勾留されていない被疑者の取調べ（いわゆる在宅取調べ）、参考人取調べ（223Ⅰ）、起訴後勾留中の被告人の取調べについては、録音・録画をする義務はない。

　対象事件でない事件で逮捕・勾留中の被疑者に対し、対象事件について余罪取調べをする場合（例えば、死体遺棄の事実で逮捕・勾留中の被疑者に殺人について取調べをする場合）においても録音・録画しなければならないかについては争いがある。この点について、立法担当者は、録音・録画義務の対象外であるとする一方、対象事件についての適切な取調べを確保するという趣旨からして、録音・録画の義務を肯定すべきであるとする立場もある。

2 例外事由

(1) 記録に必要な機器の故障その他やむを得ない事情により、記録をすることができないときは、録音・録画をする義務はない（301の2Ⅳ①）。

　　→代替的機器の利用が可能な場合はこれに該当しない

(2) 被疑者が記録を拒んだときなど、記録がされると被疑者が十分な供述をすることができないときは、録音・録画をする義務はない（301の2Ⅳ②）。

　　∵ この場合にまで録音・録画を義務付けてしまうと、捜査による事案解明に支障が生じる

(3) 対象事件が暴力団の構成員による犯罪に係るものと認められる場合も、録音・録画をする義務はない（301の2Ⅳ③）。

　　∵ 一律に例外事由とすることで、暴力団の構成員である被疑者が捜査協力をしたとの疑いをその所属する暴力団組織にもたれることがないようにし、報復を受けるのではないかといった被疑者の不安を解消する

(4) (2)(3)の他、犯罪の性質、関係者の言動、被疑者がその構成員である団体の性格その他の事情に照らし、被疑者の供述状況が明らかにされると被疑者やその親族に害を加えられるおそれがあることにより、記録をしたならば被疑者が十分な供述ができなくなると認められる場合も、録音・録画をする義務はない（301の2Ⅳ④）。

公
判

3 義務違反

例外事由に該当しないにもかかわらず、取調べ等の録音・録画をしないときは、録音・録画義務違反になるが、これにより直ちに供述調書・供述書の証拠能力が否定されるわけではない。後に述べるように、任意性が争われた場合に、録音・録画記録が欠け、証拠調べ請求義務を果たせなくなる結果、当該供述調書・供述書の証拠調べ請求が却下されることとなる（301の2Ⅱ）。

三 録音・録画記録の証拠調べ請求義務

1 証拠調べ請求義務

検察官は、起訴をした事件が「対象事件」であり、かつ、被告人に不利益な事実の承認を内容とする供述調書又は供述書が「対象事件」の取調べ等の際に作成されたものである場合において、その供述調書等の任意性を争う旨の主張がなされたときは、録音・録画記録の証拠調べ請求をしなければならない（証拠調べ請求義務、301の2Ⅰ柱書本文）。

→この義務は、裁判所が供述の任意性を検討するための証拠を確保する趣旨に出たものであり、検察官が証拠調べ請求をすれば供述の任意性が肯定されるわけではない

2 証拠調べ請求義務の対象と例外事由

証拠調べ請求をする対象は、任意性が争われた供述調書又は供述書が作成された取調べ等の開始から終了に至るまでの記録であり、供述調書が作成される以前に行われた記録は対象外である。

録音・録画義務の例外規定により記録がされていない場合その他やむを得ない事情によって記録が存在しないときは、証拠調べ請求の義務はない（301の2Ⅰ柱書ただし書）。

3 義務違反

検察官が義務に違反して録音・録画記録の証拠調べ請求をしないときは、裁判所は、決定で、供述調書・供述書の取調べの請求を却下する（301の2Ⅱ）。

四 録音・録画記録媒体の証拠利用

1 問題点

被疑者・被告人の取調べの録音・録画記録媒体が証拠として利用される場合としては、次の3つに大別される。

① 供述（自白）の任意性を立証するための補助証拠とする場合
② 供述（自白）の信用性を立証するための補助証拠とする場合
③ 犯罪事実を立証するための実質証拠とする場合

→③には、(1)被疑者の供述の内容となっている事実の存在を立証する場合（伝聞証拠としての利用）と、(2)取調べにおける被疑者の言動等の存在それ自体から直接犯人性や犯罪事実を立証する場合が含まれる

まず、上記①は301条の2が本来予定しているものである。問題となるのは

公判

上記②③の場合であり、いずれも現行の刑訴法上に明文の規定がない。そのため、取調べの録音・録画記録媒体を上記②③の場合に利用することが許されるか、仮に利用することができるとしても制限はないかが問題となる。

　なお、とりわけ問題となるのが上記③(1)の場合であり、この場合には上記②の場合でも利用されるのが通常とされている。そこで、以下では、取調べの録音・録画記録媒体が上記③(1)の場合（同時に上記②の場合）に利用されることを念頭に置いて説明する。

2　証拠能力を否定する見解

　これには、次の3つの見解があるが、いずれも少数説にとどまっている。

　A　301条の2の趣旨は、取調べの適正な実施を確保するとともに、被疑者の供述の任意性の的確な立証を担保する点にあり、法は取調べの録音・録画記録媒体を供述の任意性に関する証拠として使用することしか想定していない以上、実質証拠として利用することは許されないとする見解

　　　←供述録音・供述録画は証拠法上、供述調書に準じて取り扱うことが可能と解するのが通説であり、法が取調べの録音・録画記録媒体の実質証拠としての利用に関する規定を置かなかったのは、これを否定する趣旨ではなく、むしろ当然に認められるため、あえて規定を置く必要はないとの理由によるものであるとの批判がなされている

　B　録音・録画においては、署名・押印（198 V、322 I）やそれに代わる手続を欠く以上、実質証拠としての証拠能力が一律に否定されるとする見解

　　　←供述録取書への供述者の署名・押印は、供述の録取過程の正確性を担保するために必要とされるが、供述の録音・録画は機械的に行われるため、その正確性担保のための署名・押印やそれに代わる手続は不要である（最決平17.9.27・百選82事件参照　⇒383頁）との批判がなされている

　C　取調べの録音・録画記録は、事実認定者に過度のインパクトを与え、事実認定を定型的に誤らせるという心証形成上の危険性があるから、前科証拠などと同様に法律的関連性を欠き、実質証拠としての証拠能力が一律に否定されるとする見解

　　　←このような危険性があるかは事案によるため、一般化することはできないし、法が本来予定している上記①の場合（任意性の立証のために利用する場合）でもこうした危険はあるはずであるから、C説によれば上記①の場合も許されなくなってしまい、刑訴法の規定に反するとの批判がなされている

3　証拠調べの必要性の検討

　上記2のいずれの見解も採用できないとした上で、取調べの録音・録画記録

媒体は供述録取書と機能的に同価値であり、322条1項に基づき実質証拠としての証拠能力が認められると解する場合、次にこれを実質証拠として取り調べる必要性の有無を個別の事案ごとに検討することになる。

　→証拠調べの必要性（広義）の有無は、狭義の証拠調べの必要性（当該証拠が要証事実の立証に役立つ見込み（証拠の実質的価値）の程度）と、証拠調べの相当性（当該証拠に関する審理を行うことにより生じうる、誤った事実認定をもたらす危険その他の弊害の程度）を衡量して、裁判所の裁量判断により決定される

(1) 証拠調べの必要性が認められない場合

　(a) まず、直接主義・公判中心主義の観点から、通常、被告人質問が先行する運用となっているところ、その際、被告人の公判供述が録音・録画された従前の供述と同様のものである場合には、もはや取調べの録音・録画記録媒体はその証拠調べの必要性を欠くものとされる。

　(b) 次に、被告人の公判供述が録音・録画された従前の供述と異なるものであった場合でも、被告人質問の中で、取調べの録音・録画記録媒体に記録された供述（自白）の内容が明らかにされたとき（後述する東京高判平28.8.10・百選74事件の事案参照）は、改めて取調べの録音・録画記録媒体を取り調べる必要性はないものとされる。

　　→なお、捜査段階での自らの供述を内容とする被告人の公判供述は、324条1項の準用と322条1項により、捜査段階での供述の内容である事実を証明するための実質証拠となる

(2) 証拠調べの必要性が認められる場合

　一方、被告人の公判供述が録音・録画された供述と異なるものであり、かつ、被告人の供述調書が作成されていないか、又は作成されたものの被告人が署名・押印を拒否したため、これを証拠として利用できない場合には、取調べの録音・録画記録媒体の実質証拠としての証拠調べの必要性が認められる（ただし、322条1項の要件を満たす必要がある）。

(3) 証拠調べの必要性を認めるべきかが問題となる場合

　では、被告人の公判供述が録音・録画された供述と異なるものであり、かつ、被告人の署名・押印のある供述調書が存在し、そこに取調べの録音・録画記録媒体に記録されているものと同じ内容の供述が録取されている場合はどうか。被告人の捜査段階（取調べ）の供述を実質証拠として公判に顕出すること自体は必要であるとしても、供述調書と取調べの録音・録画記録媒体のいずれを利用すべきかが問題となる。

　まず、狭義の証拠調べの必要性について、学説上では、供述調書と異なり、取調べの録音・録画記録媒体には被疑者の供述のみならずその供述態度や取調べの状況など、取調べの全過程がそのまま記録されており、供述調書

公判

よりも多くの情報を含んでいるから、一般的には供述調書よりも証拠として
の実質的価値が高いものと解されている。

　他方、証拠調べの相当性について、裁判例（東京高判平28.8.10・百選74
事件）は、次のとおり判示している。

▼　東京高判平28.8.10・百選74事件

事案：　被告人は、自動車（本件車両）を盗むため、これに乗り込み、運転し
　　　て現場を離れようとした際、これを発見・阻止しようとした本件車両の
　　　所有者Vが前方に立ちふさがったため、本件車両をVに衝突させて同人
　　　を死亡させたという強盗殺人被告事件において、当初は黙秘を続けたも
　　　のの、起訴後に自ら申し出て検察官の任意取調べを受け、殺意を否認し
　　　つつも、自分が本件車両を運転していたことを認める供述（本件自白）
　　　をした。その際、被告人の供述やその状況は録音・録画された。その後、
　　　第一審の公判期日において、被告人は再び否認に転じ、本件自白は虚偽
　　　であったとの供述をした。
　　　　検察官は、322条1項に基づき、「被告人が供述した内容そのものを実
　　　質証拠として、かつ、その供述態度をみてもらうことにより、その供述
　　　の信用性を判断してもらうため」として、上記の録音・録画記録媒体の
　　　取調べを請求した。

判旨：1　供述態度をみてその供述の信用性を判断することについて
　　　　「供述態度の評価に重きを置いた信用性の判断は、直感的で主観的な
　　　ものとなる危険性があり、そのような判断は客観的な検証を困難とす
　　　るものといえるから、供述の信用性判断において、供述態度の評価が
　　　果たすべき役割は、他の信用性の判断指標に比べ、補充的な位置付け
　　　となると考えられる」。
　　　　「公判廷における被告人質問は、法廷という公開の場で、裁判体の面
　　　前において、弁護人も同席する中で、交互質問という手順を踏んで行
　　　われるもので、……被告人の供述態度を単に受け身で見るものではな
　　　く、必要に応じ、随時、自ら問いを発して答えを得ることもできる」。
　　　一方、「捜査機関の管理下において、弁護人の同席もない環境で行われ
　　　る被疑者等の取調べでは、以上のような条件は備わっていないのであ
　　　り、その際の供述態度を受動的に見ることにより、直観的で主観的な
　　　判断に陥る危険性は、公判供述の場合より大きなものがある」。

　　　2　取調べの録音・録画記録媒体を実質証拠として用いようとしたこと
　　　自体について
　　　　「取調べ状況の録音録画記録媒体を実質証拠として一般的に用いた場
　　　合には、取調べ中の供述態度を見て信用性評価を行うことの困難性や
　　　危険性の問題を別としても、我が国の被疑者の取調べ制度やその運用
　　　の実情を前提とする限り、公判審理手続が、捜査機関の管理下におい
　　　て行われた長時間にわたる被疑者の取調べを、記録媒体の再生により

　視聴し、その適否を審査する手続と化すという懸念があり、そのような、直接主義の原則から大きく逸脱し、捜査から独立した手続とはいい難い審理の仕組みを、適正な公判審理手続ということには疑問がある。また、取調べ中の被疑者の供述態度を見て信用性を判断するために、証拠調べ手続において、記録媒体の視聴に多大な時間と労力を費やすとすれば、客観的な証拠その他の本来重視されるべき証拠の取調べと対比して、審理の在り方が、量的、質的にバランスを失したものとなる可能性も否定できず、改正法の背景にある社会的な要請、すなわち取調べや供述調書に過度に依存した捜査・公判から脱却すべきであるとの要請にもそぐわないように思われる。
　したがって、被疑者の取調べ状況に関する録音録画記録媒体を実質証拠として用いることの許容性や仮にこれを許容するとした場合の条件等については、適正な公判審理手続の在り方を見据えながら、慎重に検討する必要がある」。

　学説上では、取調べの録音・録画記録媒体の実質証拠としての証拠利用について、証拠調べの必要性（広義）の有無という枠組みによるのであれば、一律に証拠調べの必要性を否定するのではなく（上記裁判例も一律に実質証拠としての利用を禁止しているわけではない）、個別事案ごとにその弊害が証拠の実質的価値を相当程度上回る場合に初めて取調べの録音・録画記録媒体の利用が否定されると解するのが正しい在り方であるとする立場がある。

4　供述（自白）の信用性の補助証拠としての証拠利用

　これまでに説明してきた場面と異なり、犯罪事実の立証は供述調書（自白調書）により行い、取調べの録音・録画記録媒体を実質証拠とすることなく供述（自白）の信用性の補助証拠に限定して利用する場合も考えられる。

　この点について、裁判例（東京高判平30.8.3・平30重判5事件）は、次のとおり判示した。

▼　東京高判平30.8.3・平30重判5事件

　「取調べの録音録画記録媒体を証拠として取り調べるということは、被告人が供述する内容そのものを、その供述する姿、音声と共に視聴するということにほかならない。そうすると、取調べの録音録画記録媒体について、これを実質証拠とせず、信用性の補助証拠に限定し、実体判断は供述調書によると法的に整理したとしても、実際の心証形成の過程や内容は、同記録媒体を実質証拠とした場合と実質的に異ならないものとなる可能性があると考えられる」。

　このように考えると、検察官が取調べの録音・録画記録媒体を供述（自白）の信用性の補助証拠に限定して利用しようとしても、実質証拠としての利用と区別することが困難である以上、裁判所としては、これまでに説明してきた場

面（取調べの録音・録画記録媒体を犯罪事実を立証するための実質証拠として用いようとする場面）と同じように証拠調べの必要性の有無を個別事案ごとに判断することになると考えられる。

→この場合、犯罪事実を立証するための実質証拠として既に供述調書（自白調書）を用いている以上、改めて取調べの録音・録画記録媒体を取り調べる必要性はないとの結論に至ると解される

第３０２条 〔捜査記録の一部についての証拠調べの請求〕

第３２１条乃至第３２３条又は第３２６条の規定により証拠とすることができる書面が捜査記録の一部であるときは、検察官は、できる限り他の部分と分離してその取調を請求しなければならない。

[趣旨] 証拠能力のない書類が裁判官の目に触れることを避ける趣旨である。

第３０３条 〔公判準備の結果と証拠調べ〕◁

公判準備においてした証人その他の者の尋問、検証、押収及び捜索の結果を記載した書面並びに押収した物については、裁判所は、公判期日において証拠書類又は証拠物としてこれを取り調べなければならない。

第３０４条 〔人的証拠の証拠調べの方式〕

Ⅰ 証人、鑑定人、通訳人又は翻訳人は、裁判長又は陪席の裁判官が、まず、これを尋問する。

Ⅱ 検察官、被告人又は弁護人は、前項の尋問が終つた後、裁判長に告げて、その証人、鑑定人、通訳人又は翻訳人を尋問することができる。この場合において、その証人、鑑定人、通訳人又は翻訳人の取調が、検察官、被告人又は弁護人の請求にかかるものであるときは、請求をした者が、先に尋問する。

Ⅲ 裁判所は、適当と認めるときは、検察官及び被告人又は弁護人の意見を聴き、前２項の尋問の順序を変更することができる。

《注 釈》

◆ 証人尋問

1 意義

証人とは、裁判所又は裁判官に対して、自分が過去に経験した事実を供述する第三者をいう。その供述を証言という。

証言事項は、①自己の経験に基づいて知りえた事実であるが、その中には、②特別の知識により知りえた過去の事実（これを鑑定証言といい、供述者は鑑定証人といわれる）（174）、③経験した事実から推測した事実（156Ⅰ）、及び④経験事実から特別の知識に基づいて推測した事実（156Ⅱ）、も含まれる。

2　証人適格

(1)　意義

　　証人適格とは、証人となりうる資格をいう。

(2)　原則：誰でも証人適格あり（143）

(3)　例外

　(a)　公務上の秘密の保護

　　ア　公務員又は公務員であった者が知りえた事実について、本人又は当該
　　　公務所から職務上の秘密に関するものであることを申し立てたときは、監
　　　督官庁の承諾がなければ、証人として尋問することはできない（144本
　　　文）。

　　イ　衆参両議員、内閣総理大臣その他の国務大臣又はこれらの職にあった
　　　者が、申立てをしたときは、議員の場合はその院の、大臣の場合は内閣
　　　の承諾がなければ証人となしえない（145Ⅰ）。

　(b)　当該事件の訴訟関係人

　　ア　裁判官・裁判所書記官

　　　→担当を離れれば一般原則により証人適格をもつが、いったん証人と
　　　　なれば、職務の執行から除斥される（20④）

　　イ　検察官・弁護人

　　　→特に規定はないが、裁判官と同様と解するべき

(4)　被告人

　　被告人には包括的黙秘権が保障されていることから（憲38Ⅰ、法311Ⅰ）
強制的に証人とすることはできない。そして、①被告人と証人の地位は両立
しない、②黙秘権侵害の疑いがある、③現行法は、被告人の証人尋問は予定
していない、との理由で、被告人に証人適格を認めることはできないとする
のが通説である。

　　→もっとも、共同被告人であっても弁論を分離（313Ⅰ）すれば、分離前
　　　の相被告人の事件について証人適格が認められる（最決昭29.6.3）〈予〉

3　証人尋問の方式

(1)　証人尋問の流れ

　　証人尋問するには、まず人定質問を行う（規115）。人定質問において、
証人の住所等を明らかにすることによって証人等に危害等が加えられるおそ
れがある場合、裁判長は、一定の要件の下に、証人の住所等についての尋問
を制限することができる（295Ⅱ）。そして、宣誓させ（154、規118）、偽証
罪の告知をし（規120）、そのうえで証人尋問の実施に移る。

　　現行法の規定上は、裁判長又は陪席の裁判官がまず尋問し、その後、当事
者が尋問するという方式（職権尋問制）になっている（304ⅠⅡ）。しかし、
実際にはこの順序を変えて（304Ⅲ）、まず当事者が尋問し（交互尋問）、そ

の後裁判官が補充的に尋問するのが通例である。なお、自白調書は他の証拠が取り調べられた後でなければ取り調べることはできないが（301）、証人尋問の実施についてはそのような制限はない㊀。

(2)　交互尋問

(a)　意義

　　主尋問→反対尋問→再主尋問というように、当事者が順次先行の証言を踏まえて交互に証人の尋問をして、おのずから真相を浮かび上がらせようとするものをいう（規199の2）。

(b)　内容

　①　主尋問：証人尋問を請求した者による尋問
　②　反対尋問：相手方の尋問
　③　再主尋問：再度の請求者の尋問

　　これに続けて再反対尋問（再度の相手方の尋問）をなすには、裁判長の許可が必要（規199の2Ⅱ）

＜交互尋問と誘導尋問等＞

	範　囲	誘導尋問	尋問に当たっての通則
主尋問	① 立証すべき事項及びこれに関連する事項（規199の3I） ② 証人の供述の証明力を争うために必要な事項（規199の3Ⅱ）	原則：不可（規199の3Ⅲ）〈同〉 例外： ① 証人の身分、経歴等で、実質的な尋問に入るに先立って明らかにする必要のある準備的な事項〈同〉 ② 当事者に争いのないことが明らかな事項〈同共予〉 ③ 証人の記憶が明らかでない事項についてその記憶を喚起する必要があるとき〈共〉 ④ 証人が主尋問者に対して敵意・反感を示すとき ⑤ 証人が証言を避けようとする事項 ⑥ 証人が前の供述と相反するか実質的に異なる供述をしたとき〈共〉 ⑦ その誘導尋問を必要とする特別の事情があるとき	●書面・物等の利用 　次に掲げる場合は書面・物等を証人に示すことができる。ただし、それが証拠調べを終わったものでないときは、原則としてあらかじめ相手に閲覧する機会を与える必要がある（規199の10Ⅱ、199の11Ⅲ、199の12Ⅱ）〈予〉 ① 書面・物に関しその成立、同一性その他これに準ずる事項について証人を尋問する場合において必要があるとき（規199の10I）〈同共予〉 ② 証人の記憶が明らかでない事項についてその記憶喚起のため必要があるとき（裁判長の許可必要）（規199の11I）〈同予〉 ③ 証人の供述を明確にするため必要があるとき（裁判長の許可必要）（規199の12I）〈予〉
反対尋問	① 主尋問に現れた事項及びこれに関連する事項（規199の4I） ② 証人の供述の証明力を争うために必要な事項（規199の4I） ③ 自己の主張を支持する新たな事項（裁判長の許可必要）（規199の5I）	必要があるときは誘導尋問をすることができる（規199の4Ⅲ） ただし、左記③の場合は主尋問とみなされるので（規199の5Ⅱ）、その例による	●尋問方法（規199の13） 　証人尋問はできるだけ個別・具体的な尋問によらなければならない 　次に掲げる尋問はしてはならない ① 威嚇的又は侮辱的な尋問 ② すでにした尋問と重複する尋問 ③ 意見を求め又は議論にわたる尋問 ④ 証人が直接経験しなかった事実についての尋問
再主尋問	① 反対尋問に現れた事項及びこれに関連する事項（規199の7I） ② 自己の主張を支持する新たな事項（裁判長の許可必要）（規199の7Ⅱ）	主尋問の例による	●再主尋問後の尋問（規199の2Ⅱ） 　再主尋問のあと、訴訟関係人は裁判長の許可を受けて、更に尋問することができる（再反対尋問など）

公判

第304条の2　〔被告人の退廷〕《同予》

　裁判所は、証人を尋問する場合において、証人が被告人の面前（第157条の5第1項に規定する措置を採る場合並びに第157条の6第1項及び第2項に規定する方法による場合を含む。）においては圧迫を受け充分な供述をすることができないと認めるときは、弁護人が出頭している場合に限り、検察官及び弁護人の意見を聴き、その証人の供述中被告人を退廷させることができる。この場合には、供述終了後被告人を入廷させ、これに証言の要旨を告知し、その証人を尋問する機会を与えなければならない。

[趣旨] 本条の趣旨は、証人尋問手続における証人の不安感、畏怖感等を軽減し、適正な証人尋問が行われるようにする点にある。

第305条　〔証拠書類等の証拠調べの方式〕

Ⅰ　検察官、被告人又は弁護人の請求により、証拠書類の取調べをするについては、裁判長は、その取調べを請求した者にこれを朗読させなければならない。ただし、裁判長は、自らこれを朗読し、又は陪席の裁判官若しくは裁判所書記官にこれを朗読させることができる。

Ⅱ　裁判所が職権で証拠書類の取調べをするについては、裁判長は、自らその書類を朗読し、又は陪席の裁判官若しくは裁判所書記官にこれを朗読させなければならない。

Ⅲ　第290条の2第1項又は第3項＜公開の法廷での被害者特定事項の秘匿＞の決定があつたときは、前2項の規定による証拠書類の朗読は、被害者特定事項を明らかにしない方法でこれを行うものとする。

Ⅳ　第290条の3第1項の決定があつた場合における第1項又は第2項の規定による証拠書類の朗読についても、前項と同様とする。この場合において、同項中「被害者特定事項」とあるのは、「証人等特定事項」とする。

Ⅴ　第157条の6第4項＜ビデオリンク方式による証人尋問＞の規定により記録媒体がその一部とされた調書の取調べについては、第1項又は第2項の規定による朗読に代えて、当該記録媒体を再生するものとする。ただし、裁判長は、検察官及び被告人又は弁護人の意見を聴き、相当と認めるときは、当該記録媒体の再生に代えて、当該調書の取調べを請求した者、陪席の裁判官若しくは裁判所書記官に当該調書に記録された供述の内容を告げさせ、又は自らこれを告げることができる。

Ⅵ　裁判所は、前項の規定により第157条の6第4項に規定する記録媒体を再生する場合において、必要と認めるときは、検察官及び被告人又は弁護人の意見を聴き、第157条の5に規定する措置を採ることができる。

第306条　〔証拠物の証拠調べの方式〕《同予》

Ⅰ　検察官、被告人又は弁護人の請求により、証拠物の取調をするについては、裁判長は、請求をした者をしてこれを示させなければならない。但し、裁判長は、自ら

これを示し、又は陪席の裁判官若しくは裁判所書記にこれを示させることができる。

Ⅱ　裁判所が職権で証拠物の取調をするについては、裁判長は、自らこれを訴訟関係人に示し、又は陪席の裁判官若しくは裁判所書記にこれを示させなければならない。

第307条　〔同前〕

証拠物中書面の意義が証拠となるものの取調をするについては、前条の規定による外、第305条の規定による。

《注　釈》

▪ 証拠書類の取調べをするについては、裁判長は、その取調べを請求した者にこれを朗読させなければならない（305Ⅰ）。もっとも、裁判長は、訴訟関係人の意見を聴き、相当と認めるときは、朗読に代えて、取調べの請求者、陪席裁判官若しくは裁判所書記官にその要旨を告げさせ、又は自らこれを告げることができる（要旨の告知、規203の2）◁⑦▷。

第307条の2　〔簡易公判手続における証拠調べの方式〕

第291条の2の決定があつた事件については、第296条、第297条、第300条乃至第302条及び第304条乃至前条＜検察官の冒頭陳述、証拠調べの範囲・順序・方法の予定とその変更、証拠調べの請求の義務、自白と証拠調べの請求の制限、捜査記録の一部についての証拠調べの請求、人的証拠の証拠調べの方式、被告人の退廷、証拠書類等の証拠調べの方式、証拠物の証拠調べの方式＞の規定は、これを適用せず、証拠調は、公判期日において、適当と認める方法でこれを行うことができる。

[趣旨] 簡易公判手続においては、証拠調べを簡略化することによって手続の簡易化を図るものである。

第308条　〔証明力を争う権利〕

裁判所は、検察官及び被告人又は弁護人に対し、証拠の証明力を争うために必要とする適当な機会を与えなければならない。

第309条　〔証拠調べ・裁判長の処分に対する異議申立て〕◁回▷

Ⅰ　検察官、被告人又は弁護人は、証拠調に関し異議を申し立てることができる。

Ⅱ　検察官、被告人又は弁護人は、前項に規定する場合の外、裁判長の処分に対して異議を申し立てることができる。

Ⅲ　裁判所は、前2項の申立について決定をしなければならない。

《注　釈》

▪「証拠調」に関する「異議」（309Ⅰ）は、法令違反があること又は相当でないこ

公判

とを理由として、証拠調べに関するすべての事項についてなすことができる（ただし、証拠調べに関する決定については、不相当であることを理由としてなすことはできない（規205Ⅰ但書））〈同〉〈予〉。

ex. 検察官の尋問に対する異議申立て〈同〉

▪「裁判長の処分」に関する「異議」（309Ⅱ）は、法令違反があることを理由として、訴訟指揮権及び法定秩序権に基づく裁判長の処分についてなすことができる〈同〉。

ex. 裁判長が釈明を求めなかったことについての異議申立て〈同〉

→証拠調べ・裁判長の処分に対する異議の申立て（309）は、個々の行為、処分又は決定ごとに、簡潔にその理由を示して、直ちにしなければならない（規205の2）

→「証拠調」に関する「裁判長の処分」については、あくまで「証拠調」に関する「異議」（309Ⅰ）の問題とするのが実務である

▪「異議」の主体は、検察官、被告人又は弁護人である。この点、共同被告人が他の被告人の訴訟行為又は他の被告人に対する裁判長の処分等につき異議を申し立て得るかについては、自己の利益を侵害されるときに限りこれを認めるべきと解されている〈予〉。

▪「決定」は、裁判所の行う裁判で、判決以外の裁判形式をいう（43Ⅱ）。そのため、合議体を構成する裁判体の場合、裁判長が一人で「決定」をすることはできず、裁判長は他の裁判官との合議を経る必要がある〈同〉〈予〉。

第310条 〔証拠調べの終わった証拠の提出〕〈予〉

　証拠調を終つた証拠書類又は証拠物は、遅滞なくこれを裁判所に提出しなければならない。但し、裁判所の許可を得たときは、原本に代え、その謄本を提出することができる。

第311条 〔被告人の黙秘権・供述拒否権・任意供述〕〈予〉

Ⅰ　被告人は、終始沈黙し、又は個々の質問に対し、供述を拒むことができる。

Ⅱ　被告人が任意に供述をする場合には、裁判長は、何時でも必要とする事項につき被告人の供述を求めることができる〈共〉。

Ⅲ　陪席の裁判官、検察官、弁護人、共同被告人又はその弁護人は、裁判長に告げて、前項の供述を求めることができる〈共〉。

　　憲法第38条 〔自己に不利益な供述〕
　　Ⅰ　何人も、自己に不利益な供述を強制されない。

《注 釈》

▪被告人質問は狭義の証拠調べではないから、これを行うについての取調請求の手続も証拠決定も要しない〈共〉〈予〉。

- 被告人質問は、黙秘権の告知後に行われるものであるから、個々の質問に先立って被告人に供述する意思の有無を確認する必要はない〈共〉。
- 被告人質問の順序については、弁護側の証人尋問に準じて、弁護人、検察官、裁判所の順で質問を行うのが通例であるが、必ずしもこの順番による必要はない〈共予〉。
- 当事者の質問終了後、裁判長が被告人に対し質問をしなかったとしても、訴訟手続の法令違反の問題は生じない〈共〉。

第３１２条〔起訴状の変更〕

Ⅰ　裁判所は、検察官の請求があるときは、公訴事実の同一性を害しない限度において、起訴状に記載された訴因又は罰条の追加、撤回又は変更を許さなければならない〈共予〉。

Ⅱ　裁判所は、審理の経過に鑑み適当と認めるときは、訴因又は罰条を追加又は変更すべきことを命ずることができる〈同予〉。

Ⅲ　第１項の請求は、書面を提出してしなければならない。

Ⅳ　検察官は、第１項の請求と同時に、被告人に送達するものとして、前項の書面（以下「訴因変更等請求書面」という。）の謄本を裁判所に提出しなければならない。

Ⅴ　裁判所は、前項の規定による訴因変更等請求書面の謄本の提出があつたときは、遅滞なくこれを被告人に送達しなければならない。

Ⅵ　第３項の規定にかかわらず、被告人が在廷する公判廷においては、第１項の請求は、口頭ですることができる。この場合においては、第４項の規定は、適用しない。

Ⅶ　裁判所は、訴因又は罰条の追加又は変更により被告人の防御に実質的な不利益を生ずるおそれがあると認めるときは、被告人又は弁護人の請求により、決定で、被告人に十分な防御の準備をさせるため必要な期間公判手続を停止しなければならない〈共〉。

［趣旨］312条は訴因変更制度を定めるものであり、訴訟の進展過程において当初の訴因と異なる犯罪事実が判明したときに、当初の訴因を変更することを認めるものである。訴因変更の主体は検察官であるが（同Ⅰ）、被告人が不当な無罪判決を受けるのを避けるべく、例外的に裁判所に訴因変更命令権が認められる（同Ⅱ）。

《注　釈》

一　訴因と公訴事実

1　審判の対象は訴因か公訴事実か

　A　公訴事実対象説

　　　審判の対象は訴因の背後にある生の犯罪事実つまり公訴事実であり、訴因は攻撃・防御の手段ないし指標にすぎない。

　B　訴因対象説（最決昭40.12.24等、通説）

　　　審判の対象は検察官が審判を求める特定化された具体的犯罪事実、すなわ

ち訴因であり、公訴事実は訴因変更の限界を画する機能的概念にすぎない〈ヲ〉。

∵① 刑事訴訟法の本質的構造は当事者主義にあるから、裁判所の審判範囲は訴因に拘束される

② 256条、312条の解釈として無理がない

③ 公訴事実が審判対象であるとすると、裁判所が訴因を超えて真理を探究するという職権主義的なものとなる

▼ **最大判平 15.4.23・百選 40 事件**

事案： 被告人は、法人Ａの責任役員であるが、Ａ所有の土地を権限なく売却したうえ、所有権移転登記手続きを了し横領した。もっとも、被告人は売却に先立ち、売却した土地について既に根抵当権、抵当権を設定していた。

判旨： 最高裁は、先行の抵当権設定行為があったとしても、後行の所有権移転行為について横領罪を成立させることができることを前提として、以下のように判断した。「所有権移転行為について横領罪が成立する以上、先行する抵当権設定行為について横領罪が成立する場合における同罪と後行の所有権移転による横領罪との罪数評価のいかんにかかわらず、検察官は、事案の軽重、立証の難易等諸般の事情を考慮し、先行の抵当権設定行為ではなく、後行の所有権移転行為をとらえて公訴を提起することができるものと解される。」「そのような公訴の提起を受けた裁判所は、所有権移転の点だけを審判の対象とすべきであり、犯罪の成否を決するに当たり、売却に先立って横領罪を構成する抵当権設定行為があったかどうかというような訴因外の事情に立ち入って審理判断すべきものではない。」

2　両説の解釈上の差異

＜公訴事実対象説と訴因対象説の比較＞

	公訴事実対象説	訴因対象説	
訴因の意義	法律構成説	事実記載説	
訴因変更の要否の基準	法律構成の変化	事実の変化	防御上の具体的不利益（具体的防御説）
			防御上の抽象的不利益（抽象的防御説）
訴因逸脱認定	訴訟手続の法令違反→相対的控訴理由（379）	絶対的控訴理由（378③）	
訴因変更命令の義務性	肯定	原則として否定	

公
判

	公訴事実対象説	訴因対象説
訴因変更命令の形成力	肯定	否定
訴因条件存否の判断基準	裁判所の認定内容	原則として訴因

二　訴因変更の手続

1　訴因変更

訴因と裁判所の認定すべき事実との間に食い違いが生じた場合、別の訴因については別個に公訴提起すべきであるとすれば、手続が煩雑になり、訴訟経済にも反するばかりか、被告人の利益も害するおそれもある。そこで、312条1項は、「公訴事実の同一性」がある限り同一訴訟内で検察官が訴因変更することを認めた。訴因変更を請求する時期については別段の制限はなく、第1回公判期日前でもすることができる（共）。

なお、訴因変更（広義）には、訴因の追加・撤回及び変更（狭義）が含まれる。訴因の追加とは、旧訴因に新訴因を付加することをいう（包括一罪や科刑上一罪の場合あるいは訴因の予備的・択一的記載の場合）。訴因の撤回とは、単一の公訴事実を構成する数個の訴因のうち一定の訴因を撤去することをいう。

2　追起訴

追起訴とは、ある事件が起訴されて第1審裁判所に係属中に、同一被告人の別事件を併合審理するため同一裁判所に追加起訴することをいう。

訴因の変更は公訴事実の同一性の範囲内でしか許されない。よって、起訴状記載の訴因と公訴事実の同一性の関係にない犯罪事実を審判の対象に加えるのは、追起訴の方法によらなければならない。また、併合罪関係にある数個の訴因のうち1つを取り下げるためには、公訴の取消しの方法（257）によらなければならない。

三　訴因変更の要否〈司H24 司H26 司R4 予H25 予H29〉

1　訴因の意義

→事実記載説（判例、通説）

訴因は犯罪事実そのものを記載したものであり、事実が変われば訴因変更手続が必要となる

∵①　訴因は検察官による具体的犯罪事実の主張と捉え、「事実」に食い違いが生じた場合には訴因変更が必要である

②　事実認定が間違っていれば法的評価が正しくても誤判が生じるおそれがある

③　被告人の防御の利益は事実の存否にあるため、十分に防御活動できるためには事実に変化が生じた場合には訴因変更すべきである

公判

▼ 最決昭 40.12.24

法律構成に変化がなくても事実関係に差異があれば訴因変更を要するとした。

2 事実の変更 同H26

(1) 判例の立場と学説

事実記載説に立ったとしても、わずかな事実の変化にも訴因変更手続を必要とすると、訴訟が煩雑になるだけではなく、迅速裁判の要請にも反することから、事実に重要な変化のある場合に訴因変更の手続が必要になるとする。では、事実に重要な変化のある場合とはいかなる場合か。

A 判例の立場（最決平 13.4.11・百選 46 事件）

① 審判対象画定のために必要な事項が変動する場合には、常に訴因変更が必要となる。

∵ 訴因の機能は、第 1 次的には裁判所が行う審判対象の画定にある

② 審判対象画定のために必要な事実ではなくとも、一般的に被告人の防御にとって重要な事項であれば、原則として訴因変更が必要となる。

∵ 訴因の第 2 次的な機能は、被告人に対して防御の対象を明確化することにある

③ 具体的な審理経過に照らし、被告人に不意打ちを与えるものではないと認められ、かつ、判決で認定される事実が訴因に記載された事実と比べて被告人にとってより不利益ではない場合には、例外的に訴因変更は不要である。

B 具体的防御説

現実に不利益となるかどうかを個別的・具体的に判断する。

∵ 具体的な防御が被告人により展開されていれば、訴因の機能は害されない

C 抽象的防御説

抽象的・一般的に被告人の防御に不利益を及ぼすような食い違いがあるかどうかを判断する。

∵ あらかじめ基準を明確にすることができる

▼　**最決平 13.4.11・百選 46 事件**〈予〉〈司H24 司R 4　予H25 予H29〉

　　被告人を実行行為者として明示した訴因に対して、実行行為者を「X又は被告人あるいはその両名」と認定する場合に、「そもそも、殺人罪の共同正犯の訴因としては、その実行行為者が誰であるかが明示されていないからといって、それだけで直ちに訴因の記載として罪となるべき事実の特定に欠けるものとはいえないと考えられるから、訴因において実行行為者が明示された場合にそれと異なる認定をするとしても、審判対象の画定という見地からは、訴因変更が必要となるとはいえない……」「とはいえ、実行行為者がだれであるかは、一般的に、被告人の防御にとって重要な事項であるから、当該訴因の成否について争いがある場合等においては、争点の明確化などのため、検察官において実行行為者を明示するのが望ましいということができ、検察官が訴因においてその実行行為者の明示をした以上、判決においてそれと実質的に異なる認定をするには、原則として、訴因変更手続を要するものと解するのが相当である。」「しかしながら、実行行為者の明示は……訴因の記載として不可欠な事項ではないから、少なくとも、被告人の防御の具体的な状況等の審理の経過に照らし、被告人に不意打ちを与えるものではないと認められ、かつ、判決で認定される事実が訴因に記載された事実と比べて被告人にとってより不利益であるとはいえない場合には、例外的に、訴因変更手続を経ることなく訴因と異なる実行行為者を認定することも違法ではない」とした。

▼　**最判昭 36.6.13**〈司予〉

　　収賄の共同正犯の訴因に対して贈賄の共同正犯であると認定する場合、基本的事実は同一の関係にあるが収賄と贈賄は全く異なる犯罪であるから、訴因変更を経ずに他方を認定することは、被告人に不当な不意打ちを与え、質的に不利益を与える虞れがあるので訴因変更手続を要するとした。

（2）　事実の変化により訴因変更が必要となるかが問題となる具体例
　　（a）　犯罪行為の態様又は結果が変化する場合（判例上訴因変更が必要とされている場合）
　　　　①　不同意わいせつの訴因で公然わいせつを認定（最判昭 29.8.20 参照）〈司〉
　　　　②　法人税逋脱罪における逋脱額が増加した事案（最決昭 40.12.24）
　　　　③　幇助の訴因に対して共同正犯を認定（最大判昭 40.4.28・百選 A20 事件）〈司予〉
　　（b）　犯罪の日時・場所が変化する場合（判例上訴因変更が不要とされている場合）
　　　　①　詐欺罪における欺罔行為の日時・態様・騙取金額の変更（最決昭 35.2.11）

* なお、騙取金額は、犯罪の成否や被告人の防御に直接かかわらない場合であった。

② 威力業務妨害罪における業務内容の変更（最決昭28.3.5）

(c) 過失の態様が変化する場合

▼ **最判昭 46.6.22・百選 A16 事件**〈同予〉

発進の際クラッチペダルから足を踏みはずした過失という訴因に対し、他車に接近する際ブレーキをかけるのが遅れたという過失を認定するには、「両者は明らかに過失の態様を異にしており、このように、起訴状に訴因として明示された態様の過失を認めず、それとは別の態様の過失を認定するには、被告人に防御の機会を与えるため訴因の変更手続を要する」と判示している。

▼ **最決平 15.2.20・平 15 重判 2 事件**

自動車による業務上過失致死傷（現・過失運転致死傷）事件における過失の認定について、最高裁は、「原判決の認定した過失は、被告人が『進路前方を注視せず、ハンドルを右方向に転把して進行した』というものであるが、これは、被告人が『進路前方を注視せず、進路の安全を確認しなかった』という検察官の当初の訴因における過失の態様を補充訂正したにとどまるものであって、これを認定するためには、必ずしも訴因変更の手続を経ることを要するものではない」とした。

(d) 縮小認定が問題となる場合〈共〉

訴因の中に包含された犯罪事実を認定するには訴因変更を要しないとするのが判例・通説である（縮小認定の理論）。縮小認定をする場合に訴因変更の手続を要しないのは、縮小された認定事実が訴因において黙示的・予備的に示されているため、訴因の記載と異なる事実を認定するものではなく、被告人に不意打ちを与えるものでもないからである。

判例上、以下の場合に、認定することが認められている。

① 強盗を恐喝に（最判昭26.6.15）〈予〉

cf. 「Aを脅迫して現金を強取した」という強盗の訴因で起訴された甲について、「Aに暴行を加えて現金を交付させた」という恐喝の事実を認定するには、訴因変更を要する〈予〉

∵ 「Aに暴行を加えて現金を交付させた」という恐喝の事実は、「Aを脅迫して現金を強取した」という強盗の訴因において黙示的・予備的に示されているとはいえず、また、被告人に不意打ちを与えるものである

② 殺人を同意殺に（最決昭28.9.30）

③ 殺人未遂を傷害に（最決昭28.11.20）

320

④　強盗致死を傷害致死に（最判昭 29.12.17）

⑤　傷害の共同正犯を暴行の単独犯に（最判昭 30.10.19）〈司〉

▼　最決昭 55.3.4・百選〔第 10 版〕A19 事件

①　酒酔い運転と酒気帯び運転とは、いずれも道路交通法 65 条 1 項違反の行為であって、構成要件が共通し、前者に対する被告人の防御は通常の場合は後者のそれを包含し、法定刑も後者は前者より軽い。

②　本件においては、運転当時の身体内のアルコール保有量の点につき被告人の防御は尽くされている。という点を理由に、酒酔い運転の罪の訴因について、訴因変更の手続を経ることなく、酒気帯び運転を認定するのを肯定した。

3　罰条の変更

罰条の記載の誤りは、被告人の防御に実質的な不利益を生ずるおそれがない限り、起訴状を無効とするものではない（256Ⅳただし書）。では、訴因と罰条が食い違った場合、罰条変更の手続をとる必要はないのか。

判例は、罰条の記載の意義が二次的なものであることから、被告人の防御に実質的な不利益を生ずるおそれのない限り、罰条変更の手続をとることなく、起訴状記載の罰条と異なる罰条を適用することができるとする（最決昭 53.2.16・百選 A17 事件）〈共〉。

4　争点の変更

(1)　総説

争点とは、訴訟において当事者が争う主要な論点をいい、事実問題のみならず法律問題も争点となりうる。

(2)　争点の意義

訴因は審判の対象であり、かつ被告人の防御の対象である。しかし、訴因事実のすべてについて常に争いがあるとは限らない。そこで、①訴訟経済及び②被告人の防御権の保障を実質化し、被告人の争う権利を保障する趣旨から、事前準備において検察官及び弁護人により事件の争点として明確化することが要求されている（規 178 の 6 Ⅲ①）。

(3)　争点逸脱認定〈司R4〉

当事者間における具体的な攻撃防御方法において争点からはずされた事実の認定（争点逸脱認定）は、当事者にとってはいわば不意打ち認定であり、とりわけ被告人の争う権利を侵害する。

そこで、争点が変化する場合にはその変化を手続に反映させる必要がある。その方法としては、①争点整理を経て争点の顕在化をするか、②訴因変更を行うことになる。

▼ 最判昭 33.6.24 〈同〉

　外形的事実に変化はなく、被告人の防御を害することもない場合に、強盗殺人の共同正犯の訴因に対し殺人幇助と認めるのには訴因の変更を必要としないとした。

▼ 東京高判平 10.7.1・平 10 重判 5 事件

事案：　XとYは共謀共同正犯として起訴された。裁判所は、Xについて「Yと共謀の上」との公訴事実につき、訴因変更の手続を経ずに、判決において「氏名不詳者と共謀の上」と認定した。そこで、訴因変更の手続を経ることなく、「氏名不詳者との共謀」を認定することは許されるか争われた。

判旨：　「原審裁判所が、訴因変更手続をとることなく、判決中で、突然これと異なる『Xと氏名不詳者との共謀』を認定した訴訟手続には、判決に影響を及ぼすことの明らかな法令違反があ」る。

▼ 最決平 24.2.29 〈同R4〉

　最決平 13.4.11・百選 46 事件（⇒ p.319）の具体的な事例として、本判決は、「第 1 審及び原審において、検察官は、上記ガスに引火、爆発した原因が本件ガスコンロの点火スイッチの作動による点火にあるとした上で、被告人が同スイッチを作動させて点火し、上記ガスに引火、爆発させたと主張し、これに対して被告人は、故意に同スイッチを作動させて点火したことはなく、また、上記ガスに引火、爆発した原因は、上記場所に置かれていた冷蔵庫の部品から出る火花その他の火源にある可能性があると主張していた。そして、検察官は、上記ガスに引火、爆発した原因が同スイッチを作動させた行為以外の行為であるとした場合の被告人の刑事責任に関する予備的な主張は行っておらず、裁判所も、そのような行為の具体的可能性やその場合の被告人の刑事責任の有無、内容に関し、求釈明や証拠調べにおける発問等はしていなかったものである。このような審理の経過に照らせば、原判決が、同スイッチを作動させた行為以外の行為により引火、爆発させた具体的可能性等について何ら審理することなく『何らかの方法により』引火、爆発させたと認定したことは、引火、爆発させた行為についての本件審理における攻防の範囲を越えて無限定な認定をした点において被告人に不意打ちを与えるものといわざるを得ない。そうすると、原判決が訴因変更手続を経ずに上記認定をしたことには違法があるものといわざるを得ない」とした。

▼　**最判昭 58.12.13・百選 A26 事件** 予 司R4 予H29

　　共謀共同正犯における謀議の日時を、公判で専ら争点となった日ではなく公判では争点とならなかったその前日と認定した事案について、争点外の事実を認定するのであれば「争点として顕在化されたうえで十分の審理を遂げる必要」があり、これをしないのは「被告人に対し不意打ちを与え、その防御権を不当に侵害するものであって違法である」とした。

▼　**最判平 26.4.22・平 26 重判 3 事件**

　　「被告人は、被害者の拉致を断念し、被害者を殺害しようと向けていたけん銃の引き金を 2 回引いた。ところが事前の操作を誤っていたため弾が発射され」なかったという事実（以下「本件未発射事実」という。）について、「第 1 審の公判前整理手続において、本件未発射事実については、その客観的事実について争いはなく、けん銃の引き金を引いた時点の確定的殺意の有無に関する主張が対立点として議論されたのであるから、その手続を終了するに当たり確認した争点の項目に、上記経過に関するものに止まるこの主張上の対立点が明示的に掲げられなかったからといって、公判前整理手続において争点とされなかったと解すべき理由はない。加えて、第 1 審の公判手続の経過は、検察官が本件未発射事実の存在を主張したのに対し、特段これに対する異議が出されず、証拠調べでは、被告人質問において上記確定的殺意を否認する供述がなされ、被告人の供述調書抄本の取調べ請求に対し『不同意』等の意見が述べられ、第 1 審判決中に検察官の主張に沿って本件判示部分が認定されたというものであるから、この主張上の対立点について、主張立証のいずれの面からも実質的な攻撃防御を経ており、公判において争点とされなかったと解すべき理由もない。そうすると、第 1 審判決が本件判示部分を認定するに当たり、この主張上の対立点を争点として提示する措置をとらなかったことに違法があったとは認められない」とした。

四　訴因変更の可否 司H26 司R元

1　公訴事実の同一性

　　前述（三2(1)）のように、事実に重要な変化のある場合には訴因変更の手続が必要となる。しかし、無制約に変更できるわけではなく、訴因変更は「公訴事実の同一性を害しない限度において」なされることを要する（312 Ⅰ）。公訴事実の同一性という概念は、このように、①訴因変更の限界を画する機能を有するのみならず、②二重起訴禁止の範囲（338 ③）、③一事不再理効の範囲（337 ①）、④公訴時効停止の範囲（254）を画する機能を有する。

2　公訴事実の単一性と公訴事実の同一性（狭義）

　　公訴事実の同一性（広義）は、公訴事実の単一性と公訴事実の同一性（狭義）とに分けて考える。

公
判

　単一性とは、訴訟のある時点で公訴事実が1個であるか、すなわち公訴事実の横の広がり（事実の「はば」）の問題である。たとえば、窃盗とその手段である住居侵入の事実がともに起訴された場合に、これを1個の起訴とみてよいかどうかが単一性の問題である。この場合、両者が科刑上一罪であれば、単一性が肯定される。

　これに対して、狭義の同一性とは、異なる時点で比べてみて同じ事実といえるか（事実変化という「ずれ」）の問題である。たとえば、はじめ窃盗で起訴したところ、審理の結果、盗品有償譲受けであると分かった場合、訴因を盗品有償譲受け罪に変更する必要があるが、窃盗の事実と盗品有償譲受けの事実は変化があっても手続上同一の事実といえるかが狭義の同一性の問題である。判例によれば、両者の基本的事実が同じなら同一性が肯定される。

　単一性の問題は、刑法上の罪数論を基準に考えれば足りることから、以下では狭義の公訴事実の同一性について述べる。

3　「公訴事実の同一性」の有無の判断基準

A　基本的事実関係同一説（判例）

　起訴状の訴因と訴因変更が問題となる訴因に示される両事実の基本的部分が同一であれば、公訴事実の同一性があるとする。すなわち、両訴因の間に、犯罪の日時・場所・行為態様・方法・相手方・被害の種類・程度等の基本的事実関係の同一性ないし近接性があれば、公訴事実の同一性が認められる。さらにその判断に当たり、一方の事実が認められれば他方は認められないという関係（択一関係、非両立性基準）を考慮する。

B　訴因共通説

　両訴因を比較し、その重要部分である行為又は結果が重なり合うときは公訴事実の同一性があるとする。

　∵　事実（訴因）と事実（訴因）の比較の問題である。そして、犯罪を構成する主要な要素は行為と結果であるから、行為又は結果のいずれかが共通であれば足りる

C　刑罰関心同一説

　両訴因の間に一方が成立すれば他方は成立しないという刑罰関心の択一関係（非両立性）があれば、公訴事実の同一性があるとする。

　∵　公訴事実の同一性の問題の根底に、1回の訴訟で解決するのが相当であるという観念がある以上、国家の刑罰関心の一個性という表現が適切である

▼ 最判昭 28.5.29 〈回〉

信用組合の事務員が誤って手渡した払戻金を誤信に乗じて騙取したという詐欺の訴因を、受領して帰宅後財布の内容を尋ねられながら返還を拒んで着服したという占有離脱物横領の訴因に変更した事案において、「犯罪の日時、場所において近接し、しかも同一財物、同一被害者に対するいずれも領得罪であって、その基本事実関係において異なるところがない」と判示した。

▼ 最判昭 45.7.10 〈回〉

賭博罪と賭博開張図利幇助罪は「併合罪の関係にあるものであるから、事件の同一性を欠くものと解すべきである」と判示した。

4 公訴事実の同一性が問題となる具体例
　(1) 窃盗罪と盗品等有償処分あっせん罪（同一性が肯定された例）

▼ 最判昭 29.5.14

10月14日頃静岡県内のAホテルで甲所有の背広等を窃取したという窃盗の訴因に対して、10月19日頃盗品であることを知りながら甲から頼まれて東京都内のB質店で入質したという盗品等有償処分あっせん罪の訴因が追加されたという事案において、「本件においては事柄の性質上両者間において犯罪の日時場所等について相異の生ずべきことは免れない」が、「その日時の先後及び場所の地理的関係とその双方の近接性に鑑みれば、一方の犯罪が認められるときは他方の犯罪の成立を認め得ない関係にある」から、「両訴因は基本的事実関係を同じく」し、「公訴事実の同一性の範囲内に属する」と判示した。

　(2) 業務上横領と詐欺（同一性が肯定された例）

▼ 最判昭 31.11.9 〈回〉

被告人は日中貿易促進議員連盟事務局の外務員として同連盟賛助会員の募集や賛助金集金等の業務に従事中、集金した現金を着服横領したとの業務上横領の訴因と、被告人が解雇された後になお右事務局員であるが如く装って25名から賛助金名義で現金を騙取したとの詐欺の訴因とは、その基本的事実関係において同一性を失わない。

(3) 業務上横領罪と窃盗罪（同一性が肯定された例）

▼ **最判昭 34.12.11**

「前者が馬の売却代金の着服横領であるのに対し、後者は馬そのものの窃盗である点並びに犯行の場所や行為の態様において多少の差異はあるけれども、いずれも同一被害者に対する一定の物とその換価代金を中心とする不法領得行為であつて、一方が有罪となれば他方がその不可罰行為として不処罰となる関係にあり、その間基本的事実関係の同一を肯認することができるから、両者は公訴事実の同一性を有するものと解す」る。

(4) 詐欺罪と寄附募集に関する条例違反（同一性が肯定された例）

▼ **最決昭 47.7.25**

本件起訴状記載の詐欺の各事実と、予備的訴因たる金沢市金銭物品等の寄附募集に関する条例違反または小松市寄附金品取締条例違反の各事実は、「構成要件罪質を異にしている」が、「両者は犯罪の日時、場所が同一であり、被告人が受領した金銭の額、交付者、直接右金銭を受領した被告人の外交員及び右外交員が右金銭の交付を受けるために交付者に働きかけた言動も全く同一であり、従つて両者は基本たる事実関係において同一であ」り、公訴事実の同一性があるとの原審の判断は正当である。

(5) 窃盗幇助罪と盗品等有償譲受け罪（同一性が否定された例）

▼ **最判昭 33.2.21** 〈同予〉

窃盗の幇助をした者が、正犯の盗取した財物を、その臓物たるの情を知りながら買受けた場合においては、窃盗幇助罪の外臓物故買罪が別個に成立し、両者は併合罪の関係にあるものと解すべきであるから、右窃盗幇助と臓物故買の各事実はその間に公訴事実の同一性を欠くものといわなければならない。

(6) 加重収賄罪と贈賄罪（同一性が肯定された例）

▼ **最決昭 53.3.6・百選 47 事件** 〈百〉

両訴因は、「収受したとされる賄賂と供与したとされる賄賂との間に事実上の共通性がある場合には、両立しない関係にあり、かつ、一連の同一事象に対する法的評価を異にするにすぎないものであって、基本的事実関係においては同一である」として、公訴事実の同一性を肯定した。

(7) 中間訴因が介在する場合
　A　肯定説
　　∵　流動的な審理の過程でこのような事態が生じるのはやむを得ず、訴因の変更があれば新訴因を基準として次の訴因と比較し公訴事実の同

一性を判断すべきである

　B　否定説

　　∵①　被告人の地位の安定ないし訴因のもつ告知的機能を考慮すれば、
　　　　直接的に許されないものが間接的な方法がとられれば許されるとす
　　　　るのは妥当ではない

　　　②　中間訴因を介在させることで訴因変更の範囲が際限なく広がるお
　　　　それがある

(8)　覚醒剤自己使用罪

　　　覚醒剤自己使用罪は使用行為ごとに1個の罪が成立する。そして、日時・
　　場所が違えば別個の使用行為が可能となるので、数個の使用行為は併合罪の
　　関係にある。とすると、覚醒剤自己使用罪において、当初の起訴状記載の日
　　時と異なる日時に変更することは訴因変更の手続では許されないはずである。

　　　ところが、検尿結果から使用行為の存在は確実であるが、使用日時等が明
　　らかではない場合には、実務上、「最終使用行為1回」を起訴したとの釈明
　　がなされる（規208）。この場合において、例えば、4月1日の行為と4月
　　3日の行為の両者が検尿から推測される期間内に入っているときは、非両立
　　の関係に立ち、公訴事実の同一性が認められるものとして運用される。

> ▼　**大阪高判平元 .3.7**
>
> 　「8月下旬ころには、喫茶店での被告人からAに対する……覚せい剤の譲渡の
> 事実は、複数存在する可能性があったのであり、しかもそれら事実は併合罪の
> 関係にある別個の事実を成すものであったのであるから、当初の8月29日こ
> ろの喫茶店での覚せい剤の譲渡の事実を、8月下旬ころの喫茶店での覚せい剤
> の（譲渡の）事実に訴因を変更することは、その変更後の訴因が複数存在する
> 可能性のある譲渡の事実のいずれを指すのか特定を欠くのみならず、当初の訴
> 因とは併合罪の関係にある公訴事実の同一性を欠いた事実をも含む訴因に変更
> することとなるので、それは許されない」と判示した。

> ▼　**最決昭 63.10.25・百選〔第 10 版〕46 ②事件**
>
> 　「両訴因は、その間に覚せい剤の使用時間、場所、方法において多少の差異があ
> るものの、いずれも被告人の尿中から検出された同一覚せい剤の使用行為に関す
> るものであって、事実上の共通性があり、両立しない関係にあると認められるか
> ら、基本的事実関係において同一である」として、公訴事実の同一性を肯定した。

五　訴因変更の許否

　1　時期的限界

　　ex.　重い訴因が維持できなくなり、結審直前に、通常なら起訴しないよう
　　　　なその事件に含まれた軽い犯罪に訴因変更する場合

A 時期的限界否定説

∵① 訴因変更には刑訴法上別段の時期的制約がない

② 当事者主義の要請

B 時期的限界肯定説（通説）

∵① 被告人の防御にとって著しく不利益が生じる

② 検察官が不意打ち的に訴因変更を請求することは、権利濫用的な訴訟活動であって誠実な権利行使とはいえず、あるいは禁反言に反する訴訟活動として許されない

▼ **沖縄ゼネスト事件（福岡高那覇支判昭 51.4.5・百選 A18 事件）**

　2年6月にわたる攻防で訴因の証明が困難となった結審段階で、検察官が訴因から除外した事実を復活させようとした事案について、①このような訴因変更請求は被告人に対する不意打ちであり、②誠実な訴訟上の権利行使（規1Ⅱ）といえず、③これにより被告人は新たな防御活動を要請され、④訴訟はなお相当期間継続することとなり迅速裁判の趣旨に反し、⑤結局、被告人の防御に実質的に著しい不利益を生ぜしめ、公平な裁判の保障を損なうおそれが顕著である、として訴因変更を不許可とした。

▼ **大阪地判平 7.2.13**

　「裁判所は、検察官から訴因変更の請求があったときは、公訴事実の同一性を害しない限り訴因変更を許さなければならない……しかしながら、迅速かつ公正な裁判の要請という観点から、訴訟の経過に鑑み検察官の訴因変更請求が誠実な権利行使とは認められず、権利の濫用にあたる場合には、刑事訴訟規則1条に基づき、訴因変更は許されない……。

　そして、権利濫用にあたるか否かは、訴因変更が訴訟のどのような段階でなされたかとの点や、審理期間の長短のほか、訴因変更がされることによって被告人側が根本的に立証活動を立て直すことを余儀なくされるなど被告人の防御に実質的に不利益を及ぼすか否かとの点や、審理が遅延することにより迅速な裁判の要請が害されるかなどの点を総合考慮して、事案に即して実質的に判断すべきものと考える。」

---

2 有罪判決の見込みのある場合

(1) 変更請求のあった新訴因でも有罪判決が見込まれる場合

▼ **最判昭42.8.31・百選A19事件**

　起訴状の訴因について有罪の見込みがあるのに、検察官が有罪の見込みのある軽い別の訴因への変更を請求した事案において、「刑訴法312条1項は、……と規定しており、また、わが刑訴法が起訴便宜主義を採用し（刑訴法248条）、検察官に公訴の取消しを認めている（同257条）ことにかんがみれば、仮に起訴状記載の訴因について有罪の判決が得られる場合であっても、第1審において検察官から、訴因、罰条の追加、撤回または変更の請求があれば、公訴事実の同一性を害しない限り、これを許可しなければならない」。

(2)　変更請求のあった新訴因では無罪になる場合

▼ **大阪高判昭56.11.24**

　業務上過失傷害事件で、注意義務の内容を変えると無罪になる事案において、「変更後の訴因では無罪となるような場合には、これを単純に許可すべきではない」とし、原訴因維持を促したり、あるいは訴因維持を命じないで訴因変更を許可し無罪の判決をしたのは、審理不尽の違法があるとした。

六　訴因変更命令

1　意義

　当事者主義を採用する現行法においては、審判対象たる訴因の設定・変更権限は検察官にある。このような訴因制度の下では、審理の結果、たとえ裁判所の心証と訴因との間に食い違いが生じた場合（ある犯罪事実については有罪であるとの心証を抱いているが、原訴因のままでは無罪になるような場合）であっても、訴因を変更しない限り、裁判所としては無罪判決を言い渡すほかないが、これは真実発見の要請に反する不当な結論といえる。そこで、このような不当な無罪判決を回避するため、裁判所は、審理の経過に鑑み適当と認めるときは、訴因変更等を命ずることができる旨規定されている（訴因変更命令、312Ⅱ）。

　もっとも、訴因変更命令は、検察官の訴因の設定・変更権限に職権で介入するだけでなく、職権証拠調べ（298Ⅱ）と異なり、被告人側にとって利益な制度でもないため、積極的に活用するのは適切ではない。そこで、裁判所としては、裁判長の求釈明（規208）という形で検察官の自発的な訴因変更を促し、それでもなお検察官が応じない場合にはじめて訴因変更命令をするかどうかを検討するのが適切であるとされる。

2　訴因変更命令の義務

　その一方で、裁判所が、訴追された事実について検察官との間に判断の不一致があることを認識しながら漫然とこれを放置し、訴因変更を促し又はこれを命ずることなく被告人に無罪判決を言い渡すことは、審理不尽として違法とな

るのではないかが問題となる。

▼　**最決昭 43.11.26** 〈判〉

決旨：　「裁判所は、原則として、自らすすんで検察官に対し、訴因変更手続を促しまたはこれを命ずべき義務はないのである……が、本件のように、起訴状に記載された殺人の訴因についてはその犯意に関する証明が充分でないため無罪とするほかなくても、審理の経過にかんがみ、これを重過失致死の訴因に変更すれば有罪であることが証拠上明らかであり、しかも、その罪が重過失によって人命を奪うという相当重大なものであるような場合には、例外的に、検察官に対し、訴因変更手続を促しまたはこれを命ずべき義務がある」。

評釈：　「証拠上明らか」であること（証拠の明白性）は、訴因変更命令の当然の前提であるとされる。また、「その罪が重過失によって人命を奪うという相当重大なものであるような場合」（犯罪の重大性）は、当該罪の法定刑ではなく、「人命を奪う」という法益侵害の質を勘案したものとされる。そのため、重過失致死罪よりも法定刑が重い財産犯であっても、それだけで同様の帰結にはならないものと解されている。

このように、上記判例は、証拠の明白性及び犯罪の重大性が認められる場合には、例外的に、裁判所に訴因変更を促し又はこれを命ずべき訴訟法上の義務があるとしている。

もっとも、以下の判例は、裁判所としては、求釈明によって事実上訴因変更を促したことによりその訴訟法上の義務を尽くしたものというべきであり、更に進んで、訴因変更を命じ又はこれを積極的に促すなどの措置に出るまでの義務を有するものではないとしている。

▼　**最判昭 58.9.6・百選〔第 10 版〕47 事件**

傷害致死事件に関する現場共謀の訴因を事前共謀の訴因に変更することにより被告人らに対する共謀共同正犯としての罪責を問い得る余地がある場合について、①検察官は約8年半に及ぶ審理の全過程を通じて一貫して現場共謀であると主張し、②審理の最終段階における裁判長の求釈明に対しても従前の主張を変更する意思はない旨を明確かつ断定的に釈明して、③第一審の被告人の防御活動もこれを前提としていた事案において、「第一審裁判所としては、検察官に対し前記のような求釈明によって事実上訴因変更を促したことによりその訴訟法上の義務を尽くしたものというべきであり、さらに進んで、検察官に対し、訴因変更を命じ又はこれを積極的に促すなどの措置に出るまでの義務を有するものではない」とした。

▼ 最判平 30.3.19・百選 48 事件

　　保護責任者遺棄致死事件の公判前整理手続において、検察官が公判審理の進行によっては予備的訴因として過失致死又は重過失致死を追加する可能性がある旨釈明していた場合について、証拠調べ終了後の公判期日に裁判長から「念のため確認しますが、特に訴因について何か手当をする予定はないということでよろしいんですか。」との求釈明に対し、検察官が「今のところございません。」と回答し、第1審裁判所が保護責任者遺棄致死罪について無罪を言い渡したという事案において、「以上のような訴訟経緯、本件事案の性質・内容等……に照らしてみると、第1審裁判所としては、検察官に対して、上記のような求釈明によって事実上訴因変更を促したことによりその訴訟法上の義務を尽くしたものというべきであり、更に進んで、検察官に対し、訴因変更を命じ又はこれを積極的に促すなどの措置に出るまでの義務を有するものではない」とした。

3　訴因変更命令の形成力

▼ 最大判昭 40.4.28・百選 A20 事件 ⚡

　　「検察官が裁判所の訴因変更命令に従わないのに、裁判所の訴因変更命令により訴因が変更されたものとすることは、裁判所に直接訴因を動かす権限を認めることになり、かくては、訴因の変更を検察官の権限としている刑訴法の基本的構造に反するから、訴因変更命令に右のような効力を認めることは」できないとして、形成力否定説を採用した。

4　罰条の変更

　　罰条の変更が必要であるにもかかわらず、検察官が変更しようとしなければ、裁判所は罰条変更命令を発することができる。そして、これは同時に裁判所の義務でもあり、その変更命令には形成力があると解するのが一般である。なぜなら、認定された事実に対して法令を正しく適用するのは裁判所の職責だからである。

七　罪数の変化と訴因

1　はじめに

　　数個の犯罪事実（併合罪）を一度に起訴する場合、公訴事実を「第1」「第2」と分け、各犯罪事実を書き分ける必要がある。数個の犯罪事実が1個の訴因に記載されていると審判の対象が不明確となり被告人の防御の利益を害するおそれがあるからである。よって、一訴因は一罪からなるという一罪一訴因の原則が要請される。そうすると、罪数の変化により起訴状記載の訴因が有効ではなくなる場合も生ずる。罪数変化の問題には、以下の場合がある。

　　①　一罪が数罪となる場合→事実に変化のない場合と事実に変化のある場合
　　②　数罪が一罪となる場合→事実に変化のない場合と事実に変化のある場合

2　一罪が数罪となる場合
　⑴　事実に変化がない場合（罪数判断のみ異なる場合）
　　A　訴因変更の問題とする説
　　　∵　不利益な法律構成への変更に準じる意味をもつときは訴因変更を要する
　　B　訴因の補正の問題とする説
　　　∵　訴因変更は、訴因として有効に成立している場合の変容の問題であり、訴因の記載自体が不適法として訴因の補正の問題と解すべきである

▼　**最判昭 29.3.2**

　　数か月にわたる物品税逋脱行為（包括一罪）を、訴因変更手続を経ないで各月分ごとに1個の物品税逋脱罪を認めても違法ではないとした。

　⑵　事実に変化がある場合
　　A　訴因変更の問題とする説
　　　∵　訴因として主張されている事実からすると一罪と判断される限り、当該訴因はその記載について何等の瑕疵もなく完全に有効であるから、補正の問題とはなりえない
　　B　訴因の補正の問題とする説
　　　∵　一罪一訴因の原則の下では、事実の変化により訴因の適法性は失われるから、有効な訴因を前提とする訴因変更の問題ではなく、訴因の補正の問題と解すべきである

▼　**最判昭 32.10.8**

　　被告人はA・B・Cと共謀のうえ、倉庫から落綿11俵を窃取したとの一罪の訴因に対して、裁判所が、①A・Bと共謀のうえ同倉庫から落綿6俵を窃取し、②Cと共謀のうえ同じく落綿5俵を窃取したとして、訴因変更手続を経ることなく併合罪（二罪）とした事案において、起訴状の訴因事実と認定事実との間に公訴事実の同一性があるので、訴因変更を要しないと判示した。

▼　**和歌山ワルサー32口径事件（東京高判昭 52.12.20・百選 A22 事件）**

　　被告人は、複数の拳銃と実包の所持の事実につき包括一罪として起訴され、第1審が訴因変更手続を経ずに、右2つの所持を併合罪として処断した。これに対し、本判決は、「原裁判所は……検察官に釈明を求め……訴因変更手続をうながすなどして、もつて被告人・弁護人にそれに対応する防御の機会を与えるべき訴訟法上の義務があるものというべきである。」と判示して、第1審判決を破棄した。

3　数罪が一罪となる場合

　　この場合も事実に変化のない場合と事実に変化のある場合とがあるが、基本的に、一罪が数罪となる場合と同様に考えてよい。したがって、原則として訴因の補正が必要となる。ただし、検察官は数罪であると考えているので、もともとは異なる裁判所に起訴されていて、後に関連事件として併合審理がなされた結果、一罪であると判明した場合が考えられ、この場合は公訴提起が2つあるので、2つの判決が必要になる。

▼　**最決昭35.11.15**

　　凶器準備集合罪の訴因に同結集罪の訴因が追起訴されたが、裁判所は同結集罪一罪を構成するとした事案で、訴因変更の手続を不要とした。

(1)　事実変化がない場合

　　この場合も罪数評価は裁判所の専権であるから、数罪の訴因事実を一罪と解釈可能なのであれば、そのまま一罪の判決を言い渡せば足りる（訂正の問題）。

　　一罪と解釈できない場合には補正させることが必要である。別罪として別裁判所に起訴され、関連事件として併合審理がなされた結果、一罪と判明した場合には補正さえできないので、一方の訴因を他方の事実も含むよう変更して一罪として判決し、認定されなかった方は二重起訴となるので公訴棄却の判決（338③）をなすべきである。

(2)　事実変化がある場合

　　補正が可能な事実変化であれば、一罪が数罪となる場合と同様に、変更を伴う補正の問題である。しかし、もともと別罪として別裁判所に起訴されていた場合は補正が不可能であるので、一方の訴因を他方の事実（変更後）も含むよう変更して訴因変更をなし、他方については公訴棄却の判決（338③）又は無罪判決（336）をなすべきである。

八　訴因と訴訟条件

*　平成29年刑法改正により、「強姦罪」は「強制性交等罪」（令和5年改正により「不同意性交等罪」）となり、親告罪から非親告罪へと変更されたが、学習の便宜上、改正前の親告罪である強姦罪を念頭に置いて、以下説明する。

1　訴訟条件存否の判断基準

　　訴訟条件の判断基準は訴因なのか裁判所の心証なのか。

　①　訴因基準説（通説）：検察官の事実の主張である訴因を基準にする。

　②　心証基準説：裁判官の心証を基準にする。

　ex.1　地方裁判所において、地方裁判所に事物管轄がある傷害致死罪を審理中、簡易裁判所に事物管轄がある過失致死罪と判明した場合

　　　①　訴因基準説：訴因変更がされた場合　→管轄違いの判決をする

　　　　　　　　　訴因変更がされない場合→無罪の判決をする
　　② 心証基準説：管轄違いの判決をする。
　ex.2 強姦致傷の訴因につき審理中、致傷の事実が立証されないことが明らかになったときで、強姦についての告訴がない場合
　　① 訴因基準説：訴因変更がされた場合　→公訴棄却をする
　　　　　　　　　訴因変更がされない場合→無罪の判決をする　（ただし、下記2「縮小認定の可否」によっては公訴棄却もなしうる）
　　② 心証基準説：公訴棄却の判決をする。
2　縮小認定の可否
　ex.　強姦致傷の訴因につき、強姦と判明して告訴がない場合、強姦致傷の訴因に強姦の事実が包含されているので縮小認定の考え方を適用し、強姦を縮小認定して公訴棄却してよいか

＜訴訟条件の存否と縮小認定に関する学説の整理＞

学　説	内容・理由
肯定説	裁判所の認定事実が訴因事実にすっかり包含されている場合には、裁判所の認定事実を基準として訴訟条件の存否を判断してよい →強姦致傷の訴因が維持されている場合でも、強姦につき公訴棄却できることになる ∵① 訴因変更制度はもともとその手続で有罪判決を可能にするために認められたものであり、形式裁判のための訴因変更を認めることは本来の立法趣旨を超えている 　② 縮小認定しうる場合にも、たとえば致傷の事実がないというだけで直ちに無罪とすることは妥当でない
否定説	縮小認定は訴訟条件の存否の判断の場合には適用できない →強姦致傷の訴因が維持された場合は無罪、強姦への訴因変更があった場合に初めて公訴棄却とすることになる ∵　厳格な訴因基準説からの結論
検察官の訴追意思を基準として縮小認定を認める説	訴訟条件の存否の判断の場面で縮小認定を肯定しつつも、検察官の訴追意思を基準とし、予備的・黙示的主張があったといえる場合には訴因変更なしに公訴棄却をすることも許される →その場合には、強姦の訴因が予備的・黙示的に主張されているとみて、強姦の心証を基準に、強姦致傷の訴因のままで公訴棄却しうることになる ∵① 縮小訴因を検察官が予備的に主張していると認められる限り、訴因変更がなくても、縮小訴因を基準として訴訟条件を判断してよい 　② 検察官が縮小訴因への訴因変更をせずあくまで現訴因についての判断を求めている場合にも、縮小認定をして形式裁判を言い渡すのは検察官の意思に反することにもなる

▼　最判昭 31.4.12

名誉毀損の訴因について審理した結果、起訴当時公訴時効が完成していた侮辱罪が認定できるにすぎない事案に関し、訴因変更の手続をとることなく免訴判決を言い渡した。

▼　最判平 2.12.7

業務上横領の訴因について、時効の完成した単純横領を認定した事案に関し、訴因変更の手続をとることなく免訴判決を言い渡した。

3　不適法訴因への変更の可否

＜不適法訴因への訴因変更の可否に関する学説の整理＞

学　説	内容・理由
否定説	→上記の強姦の事案について告訴を得ない限り訴因変更は許されないが、裁判所は当初訴因の一部を認定することによって強姦罪の成立が肯定できるときは公訴棄却し、それ以外は無罪判決を言い渡すことになる ∵　訴因変更の制度は、もともとその手続で有罪判決を可能にするために認められたものであり、形式裁判による手続の打切りのために利用するのは本来の立法趣旨を超えている
肯定説	→前述の強姦の事案について告訴がない場合でも強姦罪へ訴因変更して公訴棄却判決を得ることができることになる ∵①　訴因の設定・変更の権限は検察官にある 　②　訴因変更制度は、訴訟対象の設定変更を訴追機関に許容する制度であり、変更の結果実体審理ができるかどうかは別問題である 　③　検察官が不適法訴因への変更を請求するのは形式裁判のためというよりも将来の実体裁判のためなのであるから、訴因変更制度の趣旨に反しない

4　不適法訴因の適法訴因への変更の可否

たとえば、親告罪たる強姦罪について告訴を欠いたまま起訴した後、事実が非親告罪たる強姦致傷であることが判明した場合、強姦致傷に訴因変更することで無効な起訴を補正・追完できるかというような場合に問題となる。

⇒ p.210

→訴因変更肯定説（判例）

∵　訴因変更制度（312）がある以上、訴因変更による追完に限っては法が許容している

▼　最決昭 29.9.8

「本来公訴にかかる窃盗の事実が、刑法 244 条 1 項後段（現 2 項）の親告罪であるか否かは、最終的には、裁判所により事実審理の結果をまって、判定さるべきものであり、必ずしも起訴状記載の訴因に拘束されるものではない」か

公判

ら訴因につき適法な告訴がないからといって「起訴手続を直ちに無効であると断定すべきではない。」

第312条の2

Ⅰ　検察官は、訴因変更等請求書面に記載された第271条の2第1項第1号又は第2号に掲げる者の個人特定事項について、必要と認めるときは、裁判所に対し、前条第5項の規定による訴因変更等請求書面の謄本の送達により当該個人特定事項が被告人に知られないようにするための措置をとることを求めることができる。

Ⅱ　前項の規定による求めは、裁判所に対し、訴因変更等請求書面とともに、被告人に送達するものとして、当該求めに係る個人特定事項の記載がない訴因変更等請求書面の抄本その他の訴因変更等請求書面の謄本に代わるもの（以下この条において「訴因変更等請求書面抄本等」という。）を提出して行わなければならない。

Ⅲ　裁判所は、前項の規定による訴因変更等請求書面抄本等の提出があつたときは、前条第5項の規定にかかわらず、遅滞なく訴因変更等請求書面抄本等を被告人に送達しなければならない。

Ⅳ　第271条の3から第271条の8までの規定は、第2項の規定による訴因変更等請求書面抄本等の提出がある場合について準用する。この場合において、第271条の3第3項中「前条第1項第1号ハ(1)」とあるのは「第271条の2第1項第1号ハ(1)」と、第271条の5第1項中「第271条の2第4項」とあるのは「第312条の2第3項」と、第271条の6第5項及び第271条の8第1項中「同条第1項第1号」とあるのは「第271条の2第1項第1号」と読み替えるものとする。

第313条　〔弁論の分離・併合・再開〕

Ⅰ　裁判所は、適当と認めるときは、検察官、被告人若しくは弁護人の請求により又は職権で、決定を以て、弁論を分離若しくは併合し、又は終結した弁論を再開することができる⦿。

Ⅱ　裁判所は、被告人の権利を保護するため必要があるときは、裁判所の規則の定めるところにより、決定を以て弁論を分離しなければならない。

《注　釈》

◆　弁論の分離・併合・再開

＊　ここでの弁論とは、広く公判審理手続の全体を指す。

1　弁論の分離・併合

　　公判手続は1人の被告人に対して1つの手続、1個の公訴事実に対して1つの手続が原則だが、裁判所は適当と認めるときに、当事者の請求又は職権で、弁論を分離・併合できる（313Ⅰ）。

(1) 弁論の併合

　　数個の事件が裁判所に係属している場合にこれを1個の手続に併合して同時に審理することをいう。

　　ex.1　1人の被告人につき併合罪関係にある複数の公訴事実がある場合

　　ex.2　被告人を異にする数個の事件が全部又は一部において公訴事実を共通にする場合（特に共犯関係にある場合）

　　数人の被告人について弁論が併合されると、各被告人は共同被告人となる。

▼　首相官邸侵入事件（最決昭50.9.11）

事案：　首相官邸侵入事件で起訴された被告人らが、いわゆる「10、11月闘争の過程で公訴提起された」他の事件との併合審理を要求したが、第1審がこれを認めず、いわゆるグループ別審理方式で審理したことが憲法31条、37条に反するか争われた。

決旨：　「これら多数の事件と本件被告事件とは法律上共犯関係にも立たないものであるから、第1審がその要求をいれなかったことは正当であり、刑訴法313条所定の裁量権を不当に行使したとはいえない」。

(2) 弁論の分離〈⚖〉

　　1個の公判手続で同時に併合審理されている複数の事件を、別個の公判手続で分けて審理することをいう。当事者の請求又は職権による。被告人間で防御が互いに相反するような場合には、被告人の権利を保護するために、必ず分離しなければならない（313Ⅱ、規210）。

　　もっとも、単に共同被告人の主張が相反するというだけでは必ずしも弁論を分離することが必要であるとはいえない（東京高判昭32.6.20）。

2　弁論の再開

　　いったん終結した弁論（公判審理）を再開することである（313Ⅰ）。新たな事実が発生したり（傷害の悪化、被害の弁償等）、新たに重要な証拠が発見された場合に、当事者の請求又は職権で裁判所の裁量によって行われる。

第313条の2　〔併合事件における弁護人選任の効力〕

Ⅰ　この法律の規定に基づいて裁判所若しくは裁判長又は裁判官が付した弁護人の選任は、弁論が併合された事件についてもその効力を有する。ただし、裁判所がこれと異なる決定をしたときは、この限りでない。

Ⅱ　前項ただし書の決定をするには、あらかじめ、検察官及び被告人又は弁護人の意見を聴かなければならない。

公判

第314条 〔公判手続の停止〕

Ⅰ　被告人が心神喪失の状態に在るときは、検察官及び弁護人の意見を聴き、決定で、その状態の続いている間公判手続を停止しなければならない。但し、無罪、免訴、刑の免除又は公訴棄却の裁判をすべきことが明らかな場合には、被告人の出頭を待たないで、直ちにその裁判をすることができる。

Ⅱ　被告人が病気のため出頭することができないときは、検察官及び弁護人の意見を聴き、決定で、出頭することができるまで公判手続を停止しなければならない。但し、第284条及び第285条の規定により代理人を出頭させた場合は、この限りでない。

Ⅲ　犯罪事実の存否の証明に欠くことのできない証人が病気のため公判期日に出頭することができないときは、公判期日外においてその取調をするのを適当と認める場合の外、決定で、出頭することができるまで公判手続を停止しなければならない。

Ⅳ　前3項の規定により公判手続を停止するには、医師の意見を聴かなければならない。

第315条 〔公判手続の更新〕

開廷後裁判官がかわつたときは、公判手続を更新しなければならない。但し、判決の宣告をする場合は、この限りでない。

第315条の2 〔簡易公判手続の決定の取消しと手続の更新〕

第291条の2の決定が取り消されたときは、公判手続を更新しなければならない。但し、検察官及び被告人又は弁護人に異議がないときは、この限りでない。

公判

《注　釈》

一　公判手続の停止

　　公判手続の進行を一時的に止めることをいう。そのまま手続を進行させると、被告人の防御権が守られず裁判の公正を破るおそれがある場合に停止される。

　　具体的には、被告人の心神喪失・病気、重要証人の病気（314）、訴因変更により被告人の防御に実質的な不利益を生ずるおそれがあるとき（312Ⅶ）等に行われる。

二　公判手続の更新

　　すでに行われた公判手続を白紙の状態に戻して、新しくやり直すことをいう。直接主義・口頭主義を害するような事情が生じたときに、実体形成の部分を整理・回復するのが目的である。具体的には、①開廷後裁判官が変わったとき（315）、②被告人の心神喪失により公判手続を停止したとき（規213Ⅰ）、③開廷後長期間にわたり開廷しなかったとき（規213Ⅱ）、④簡易公判手続によって審判する旨の決定が取り消されたとき（315の2）に行われる。

第３１６条 〔合議体審判と一人の裁判官の手続の効力〕

　地方裁判所において一人の裁判官のした訴訟手続は、被告事件が合議体で審判すべきものであつた場合にも、その効力を失わない。

・第２章・【争点及び証拠の整理手続】

第１節　公判前整理手続

第１款　通則

第３１６条の２ 〔公判前整理手続の決定と方法〕〈司予〉

Ⅰ　裁判所は、充実した公判の審理を継続的、計画的かつ迅速に行うため必要があると認めるときは、検察官、被告人若しくは弁護人の請求により又は職権で、第１回公判期日前に、決定で、事件の争点及び証拠を整理するための公判準備として、事件を公判前整理手続に付することができる〈予〉。

Ⅱ　前項の決定又は同項の請求を却下する決定をするには、裁判所の規則の定めるところにより、あらかじめ、検察官及び被告人又は弁護人の意見を聴かなければならない。

Ⅲ　公判前整理手続は、この款に定めるところにより、訴訟関係人を出頭させて陳述させ、又は訴訟関係人に書面を提出させる方法により、行うものとする。

第３１６条の３ 〔公判前整理手続の目的〕

Ⅰ　裁判所は、充実した公判の審理を継続的、計画的かつ迅速に行うことができるよう、公判前整理手続において、十分な準備が行われるようにするとともに、できる限り早期にこれを終結させるように努めなければならない。

Ⅱ　訴訟関係人は、充実した公判の審理を継続的、計画的かつ迅速に行うことができるよう、公判前整理手続において、相互に協力するとともに、その実施に関し、裁判所に進んで協力しなければならない。

第３１６条の４ 〔必要的弁護〕〈司共〉

Ⅰ　公判前整理手続においては、被告人に弁護人がなければその手続を行うことができない。

Ⅱ　公判前整理手続において被告人に弁護人がないときは、裁判長は、職権で弁護人を付さなければならない。

第３１６条の５ 〔公判前整理手続の内容〕〈司共〉

　公判前整理手続においては、次に掲げる事項を行うことができる。

① 訴因又は罰条を明確にさせること。
② 訴因又は罰条の追加、撤回又は変更を許すこと。

公
判

③　第271条の5第1項又は第2項（これらの規定を第312条の2第4項において準用する場合を含む。）の請求について決定をすること。

④　公判期日においてすることを予定している主張を明らかにさせて事件の争点を整理すること。

⑤　証拠調べの請求をさせること。

⑥　前号の請求に係る証拠について、その立証趣旨、尋問事項等を明らかにさせること。

⑦　証拠調べの請求に関する意見（証拠書類について第326条の同意をするかどうかの意見を含む。）を確かめること。

⑧　証拠調べをする決定又は証拠調べの請求を却下する決定をすること〈予〉。

⑨　証拠調べをする決定をした証拠について、その取調べの順序及び方法を定めること。

⑩　証拠調べに関する異議の申立てに対して決定をすること。

⑪　第3目＜本書における第3款＞の定めるところにより証拠開示に関する裁定をすること。

⑫　第316条の33第1項＜被告事件の手続への被害者等の参加＞の規定による被告事件の手続への参加の申出に対する決定又は当該決定を取り消す決定をすること。

⑬　公判期日を定め、又は変更することその他公判手続の進行上必要な事項を定めること。

第316条の6　〔公判前整理手続期日の決定と変更〕

Ⅰ　裁判長は、訴訟関係人を出頭させて公判前整理手続をするときは、公判前整理手続期日を定めなければならない。

Ⅱ　公判前整理手続期日は、これを検察官、被告人及び弁護人に通知しなければならない。

Ⅲ　裁判長は、検察官、被告人若しくは弁護人の請求により又は職権で、公判前整理手続期日を変更することができる。この場合においては、裁判所の規則の定めるところにより、あらかじめ、検察官及び被告人又は弁護人の意見を聴かなければならない。

第316条の7　〔公判前整理手続の出席者〕

公判前整理手続期日に検察官又は弁護人が出頭しないときは、その期日の手続を行うことができない。

第316条の8　〔弁護人の選任〕

Ⅰ　弁護人が公判前整理手続期日に出頭しないとき、又は在席しなくなつたときは、裁判長は、職権で弁護人を付さなければならない。

Ⅱ　弁護人が公判前整理手続期日に出頭しないおそれがあるときは、裁判所は、職権で弁護人を付することができる。

第３１６条の９　〔被告人の出席〕〈回〉

Ⅰ　被告人は、公判前整理手続期日に出頭することができる〈択予〉。

Ⅱ　裁判所は、必要と認めるときは、被告人に対し、公判前整理手続期日に出頭することを求めることができる〈予〉。

Ⅲ　裁判長は、被告人を出頭させて公判前整理手続をする場合には、被告人が出頭する最初の公判前整理手続期日において、まず、被告人に対し、終始沈黙し、又は個々の質問に対し陳述を拒むことができる旨を告知しなければならない〈回〉。

第３１６条の１０　〔被告人の意思確認〕

裁判所は、弁護人の陳述又は弁護人が提出する書面について被告人の意思を確かめる必要があると認めるときは、公判前整理手続期日において被告人に対し質問を発し、及び弁護人に対し被告人と連署した書面の提出を求めることができる。

第３１６条の１１　〔受命裁判官〕

裁判所は、合議体の構成員に命じ、公判前整理手続（第３１６条の５第２号、第３号、第８号及び第１０号から第１２号までの決定を除く。）をさせることができる。この場合において、受命裁判官は、裁判所又は裁判長と同一の権限を有する。

第３１６条の１２　〔公判前整理手続調書の作成〕

Ⅰ　公判前整理手続期日には、裁判所書記官を立ち会わせなければならない。

Ⅱ　公判前整理手続期日における手続については、裁判所の規則の定めるところにより、公判前整理手続調書を作成しなければならない。

第２款　争点及び証拠の整理

第３１６条の１３　〔検察官による証明予定事実の提示と証拠調べ請求〕〈回共〉

Ⅰ　検察官は、事件が公判前整理手続に付されたときは、その証明予定事実（公判期日において証拠により証明しようとする事実をいう。以下同じ。）を記載した書面を、裁判所に提出し、及び被告人又は弁護人に送付しなければならない。この場合においては、当該書面には、証拠とすることができず、又は証拠としてその取調べを請求する意思のない資料に基づいて、裁判所に事件について偏見又は予断を生じさせるおそれのある事項を記載することができない。

Ⅱ　検察官は、前項の証明予定事実を証明するために用いる証拠の取調べを請求しなければならない。

Ⅲ　前項の規定により証拠の取調べを請求するについては、第２９９条第１項＜証拠調べの請求と当事者の権利＞の規定は適用しない。

Ⅳ　裁判所は、検察官及び被告人又は弁護人の意見を聴いた上で、第１項の書面の提出及び送付並びに第２項の請求の期限を定めるものとする。

第３１６条の１４　〔検察官請求証拠の開示〕◁圓

Ⅰ　検察官は、前条第２項の規定により取調べを請求した証拠（以下「検察官請求証拠」という。）については、速やかに、被告人又は弁護人に対し、次の各号に掲げる証拠の区分に応じ、当該各号に定める方法による開示をしなければならない。

①　証拠書類又は証拠物　当該証拠書類又は証拠物を閲覧する機会（弁護人に対しては、閲覧し、かつ、謄写する機会）を与えること。

②　証人、鑑定人、通訳人又は翻訳人　その氏名及び住居を知る機会を与え、かつ、その者の供述録取書等のうち、その者が公判期日において供述すると思料する内容が明らかになるもの（当該供述録取書等が存在しないとき、又はこれを閲覧させることが相当でないと認めるときにあつては、その者が公判期日において供述すると思料する内容の要旨を記載した書面）を閲覧する機会（弁護人に対しては、閲覧し、かつ、謄写する機会）を与えること。

Ⅱ　検察官は、前項の規定による証拠の開示をした後、被告人又は弁護人から請求があつたときは、速やかに、被告人又は弁護人に対し、検察官が保管する証拠の一覧表の交付をしなければならない⚑。

Ⅲ　前項の一覧表には、次の各号に掲げる証拠の区分に応じ、証拠ごとに、当該各号に定める事項を記載しなければならない。

①　証拠物　品名及び数量

②　供述を録取した書面で供述者の署名又は押印のあるもの　当該書面の標目、作成の年月日及び供述者の氏名

③　証拠書類（前号に掲げるものを除く。）　当該証拠書類の標目、作成の年月日及び作成者の氏名

Ⅳ　前項の規定にかかわらず、検察官は、同項の規定により第２項の一覧表に記載すべき事項であつて、これを記載することにより次に掲げるおそれがあると認めるものは、同項の一覧表に記載しないことができる。

①　人の身体若しくは財産に害を加え又は人を畏怖させ若しくは困惑させる行為がなされるおそれ

②　人の名誉又は社会生活の平穏が著しく害されるおそれ

③　犯罪の証明又は犯罪の捜査に支障を生ずるおそれ

Ⅴ　検察官は、第２項の規定により一覧表の交付をした後、証拠を新たに保管するに至つたときは、速やかに、被告人又は弁護人に対し、当該新たに保管するに至つた証拠の一覧表の交付をしなければならない。この場合においては、前２項の規定を準用する。

第３１６条の１５　〔検察官請求証拠以外の証拠の開示〕

Ⅰ　検察官は、前条第１項の規定による開示をした証拠以外の証拠であつて、次の各号に掲げる証拠の類型のいずれかに該当し、かつ、特定の検察官請求証拠の証明力を判断するために重要であると認められるものについて、被告人又は弁護人から開示の請求があつた場合において、その重要性の程度その他の被告人の防御の準備

のために当該開示をすることの必要性の程度並びに当該開示によつて生じるおそれのある弊害の内容及び程度を考慮し、相当と認めるときは、速やかに、同項第1号に定める方法による開示をしなければならない。この場合において、検察官は、必要と認めるときは、開示の時期若しくは方法を指定し、又は条件を付することができる。

① 証拠物

② 第321条第2項に規定する裁判所又は裁判官の検証の結果を記載した書面

③ 第321条第3項＜検察官、検察事務官又は司法警察職員の検証の結果を記載した書面＞に規定する書面又はこれに準ずる書面

④ 第321条第4項＜鑑定の経過及び結果を記載した書面で鑑定人の作成したもの＞に規定する書面又はこれに準ずる書面

⑤ 次に掲げる者の供述録取書等

　イ 検察官が証人として尋問を請求した者

　ロ 検察官が取調べを請求した供述録取書等の供述者であつて、当該供述録取書等が第326条の同意がされない場合には、検察官が証人として尋問を請求することを予定しているもの

⑥ 前号に掲げるもののほか、被告人以外の者の供述録取書等であつて、検察官が特定の検察官請求証拠により直接証明しようとする事実の有無に関する供述を内容とするもの〈囲〉

⑦ 被告人の供述録取書等

⑧ 取調べ状況の記録に関する準則に基づき、検察官、検察事務官又は司法警察職員が職務上作成することを義務付けられている書面であつて、身体の拘束を受けている者の取調べに関し、その年月日、時間、場所その他の取調べの状況を記録したもの（被告人又はその共犯として身体を拘束され若しくは公訴を提起された者であつて第5号イ若しくはロに掲げるものに係るものに限る。）

⑨ 検察官請求証拠である証拠物の押収手続記録書面（押収手続の記録に関する準則に基づき、検察官、検察事務官又は司法警察職員が職務上作成することを義務付けられている書面であつて、証拠物の押収に関し、その押収者、押収の年月日、押収場所その他の押収の状況を記録したものをいう。次項及び第3項第2号イにおいて同じ。）

Ⅱ 前項の規定による開示をすべき証拠物の押収手続記録書面（前条第1項又は前項の規定による開示をしたものを除く。）について、被告人又は弁護人から開示の請求があつた場合において、当該証拠物により特定の検察官請求証拠の証明力を判断するために当該開示をすることの必要性の程度並びに当該開示によつて生じるおそれのある弊害の内容及び程度を考慮し、相当と認めるときも、同項と同様とする。

Ⅲ 被告人又は弁護人は、前2項の開示の請求をするときは、次の各号に掲げる開示の請求の区分に応じ、当該各号に定める事項を明らかにしなければならない。

① 第1項の開示の請求　次に掲げる事項

　　イ　第１項各号に掲げる証拠の類型及び開示の請求に係る証拠を識別するに足りる事項

　　ロ　事案の内容、特定の検察官請求証拠に対応する証明予定事実、開示の請求に係る証拠と当該検察官請求証拠との関係その他の事情に照らし、当該開示の請求に係る証拠が当該検察官請求証拠の証明力を判断するために重要であることその他の被告人の防御の準備のために当該開示が必要である理由

　②　前項の開示の請求　次に掲げる事項

　　イ　開示の請求に係る押収手続記録書面を識別するに足りる事項

　　ロ　第１項の規定による開示をすべき証拠物と特定の検察官請求証拠との関係その他の事情に照らし、当該証拠物により当該検察官請求証拠の証明力を判断するために当該開示が必要である理由

第３１６条の１６　〔検察官請求証拠に対する被告人・弁護人の意見表明〕

Ⅰ　被告人又は弁護人は、第３１６条の１３第１項＜検察官による証明予定事実＞の書面の送付を受け、かつ、第３１６条の１４第１項並びに前条第１項及び第２項の規定による開示をすべき証拠＜検察官請求証拠及び類型証拠＞の開示を受けたときは、検察官請求証拠について、第３２６条の同意をするかどうか又はその取調べの請求に関し異議がないかどうかの意見を明らかにしなければならない＜判＞。

Ⅱ　裁判所は、検察官及び被告人又は弁護人の意見を聴いた上で、前項の意見を明らかにすべき期限を定めることができる。

《注　釈》

一　はじめに

　　公判前整理手続とは、第１回公判期日前に争点及び証拠の整理を徹底して行う新たな準備手続であり、平成16年の刑事訴訟法改正により導入され、平成17年11月１日より施行されている。具体的には、第１回公判期日前に、受訴裁判所の主宰の下で、当事者双方が、公判において主張する予定の事実を明らかにし、その証明に用いる証拠の取調べを請求することを通じて、事件の争点を明らかにし、公判で取り調べるべき証拠を決定した上、その取調べの順序・方法等を定め、公判期日を指定するなどして明確な審理計画を策定するというものである。刑事裁判の充実・迅速化を実現するためには、あらかじめ事件の争点・証拠を十分に整理し、明確な審理計画を立てる公判前整理手続を行うことが重要となる。

二　公判前整理手続の内容

1　手続の開始

　　裁判所は、充実した公判の審理を継続的、計画的かつ迅速に行うため必要があると認めるときは、検察官及び被告人又は弁護人の意見を聴いて、第１回公判期日前に、決定で、事件の争点及び証拠を整理するための公判準備として、事件を公判前整理手続に付することができる（316の２）。その際に同意を得る必要はない＜回＞。裁判員制度の対象となる事件については必ず公判前整理手

続に付さなければならない（裁判員49）⟨回⟩。

　なお、公判前整理手続を公開するか否かについては法定されていないので、公開の要否は解釈の問題となる⟨回⟩。

2　手続の関与者

　公判前整理手続は受訴裁判所が主宰して行う（316の2）⟨回⟩。公判前整理手続には裁判所書記官を立ち合わせ、公判前整理手続調書を作成させなければならない（316の12、規217の14〜217の17）。公判前整理手続は被告人に弁護人がいなければ行うことができず（必要的弁護制度、316の4、規217の4）、その手続期日には検察官と弁護人の出頭が必要的である（316の7）。弁護人が出頭しない又は出頭しないおそれがあるとき等は、職権で弁護人を付す（国選弁護制度の拡充、316の8）。被告人の出頭は必要的ではないが、出頭する権利が認められており、裁判所が被告人の出頭を求めることもできる（316の9）。

　公判前整理手続において、裁判所には、十分な準備が行われるようにするとともに、できる限り早期にこれを終結させるよう努めることが求められており（316の3Ⅰ）、訴訟関係人には、この手続の目的が達成できるように協力することが求められている（316の3Ⅱ、規217の2）。

3　予断排除の原則との関係

　公判前整理手続においては、手続の主宰者は受訴裁判所とされている（316の2）⟨回⟩。そこで、受訴裁判所が、当事者の主張内容や証拠に接することが予断排除の原則（⇒p.241）に抵触しないか。

　　→受訴裁判所が公判前整理手続を主宰することは予断排除の原則に反するとまではいえない

　　∵①　公判前整理手続における争点整理や証拠整理はあくまで審理計画の策定を目的として行われるものである

　　　②　当事者双方が対等に手続に関与するので、一方当事者の主張のみに基づいて裁判所が心証を形成する事態が生じるとは考えにくい

4　手続の内容

　公判前整理手続の内容（316の5）は、⑴争点整理に関する事項、⑵証拠整理に関する事項、⑶証拠開示に関する事項、⑷審理計画の策定に関する事項に分類できる。

⑴　争点整理に関する事項

　　①　訴因又は罰条を明確にさせること

　　②　訴因又は罰条の追加、撤回又は変更を許すこと

　　③　271条の5第1項・2項（これらの規定を312条の2第4項において準用する場合を含む）の請求について決定をすること

　　④　公判期日ですることを予定している主張を明らかにさせて事件の争点を整理すること

(2) 証拠整理に関する事項

　⑤　証拠調べの請求をさせること

　⑥　前号の請求に係る証拠について、その立証趣旨、尋問事項等を明らかにさせること

　⑦　証拠調べの請求に関する意見を確かめること

　⑧　証拠調べをする決定又は証拠調べの請求を却下する決定をすること

　　→証拠決定（316の5⑧）には、いわゆる決定の留保も含まれる〈予〉

　　　∵　実際の公判期日における証拠調べの結果をみなければ、証拠調べ請求された証拠の取調べの必要性が判断できないこともあるため

　⑨　証拠調べをする決定をした証拠について、その取調べの順序及び方法を定めること

　⑩　証拠調べに関する異議の申立てに対して決定をすること

(3) 証拠開示に関する事項

　⑪　証拠開示に関する裁定をすること

(4) 審理計画の策定に関する事項

　⑫　被害者の被告事件手続への参加の申出に対する決定又は当該決定の取消決定をすること

　⑬　公判期日を定め、又は変更することその他公判手続の進行上必要な事項を定めること

5　公判前整理手続後の訴因変更の可否

▼　**東京高判平 20.11.18・百選 55 事件**〈司R元〉

　「公判前整理手続は……充実した公判の審理を継続的、計画的かつ迅速に行うことができるようにするための制度である。……このような公判前整理手続の制度趣旨に照らすと、公判前整理手続を経た後の公判においては、充実した争点整理や審理計画の策定がされた趣旨を没却するような訴因変更請求は許されないものと解される。」

三　手続の流れ～争点整理・証拠整理・証拠開示

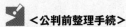

＜公判前整理手続＞

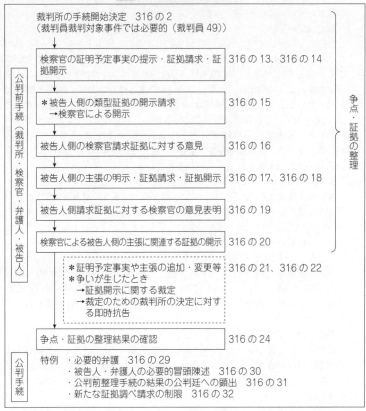

＊は必要に応じて行う手続。

1　検察官による証明予定事実の提示・証拠請求・証拠開示

　　事件が公判前整理手続に付されたとき（316の2）は、まず検察官が、証明予定事実を記載した書面を裁判所に提出し、かつ、被告人又は弁護人に送付することにより、主張・立証の全体像を明らかにする（316の13Ⅰ）。その際、書面には事件の争点及び証拠の整理に必要な事項を具体的かつ簡潔に記載しなければならない（規217の19、217の20）が、裁判所に事件について偏見・

予断を生じさせるおそれのある事項を記載することはできない（316の13Ⅰ）。

　また、検察官は、証明予定事実を証明するために用いる証拠の取調べを請求し（316の13Ⅱ）、その証拠について速やかに被告人又は弁護人に開示しなければならない（316の14）。

2　類型証拠の開示

　被告人又は弁護人は、特定の検察官請求証拠の証明力を判断するのに重要で、かつ一定の類型に該当する検察官の手持ち証拠の開示を請求することができる。そして検察官は、その重要性の程度等被告人の防御の準備のために当該開示をすることの必要性の程度、当該開示による弊害の内容・程度を考慮し、相当と認めるときは、速やかにこれを開示しなければならない（類型証拠の開示、316の15）。この場合において、検察官は、必要と認めるときは、開示の時期や方法を指定し、又は条件を付することができる（316の15）。開示の対象となる証拠は、被告人の防御に有用で、証拠隠滅の弊害が少ないと思われる類型の証拠が316条の15各号に列挙されている。

3　被告人又は弁護人による主張の明示・証拠の請求・証拠開示

　被告人又は弁護人は、検察官による1の証明予定事実の提示及び類型証拠の開示を受けたときは、検察官請求証拠について、同意するかどうか又はその取調べ請求に異議がないかどうかの意見を明らかにし（316の16）、被告人側が公判期日において証明しようとする証明予定事実その他の事実上・法律上の主張があるときはこれを明示するとともに、これを証明するために用いる証拠の取調べを請求し（316の17）、かつ、当該証拠を検察官に開示しなければならない（316の18）。そして、検察官は、被告人側の請求証拠の開示を受けたときは、これに対し同意するかどうか等の意見を明らかにしなければならない（316の19）。

4　被告人側の主張に関連する証拠の開示

　被告人又は弁護人は、自らが明らかにした主張・争点に関連する検察官手持ち証拠の開示を請求することができ、検察官は、その関連性の程度、防御にとっての必要性の程度、弊害の内容程度を考慮し、相当と認めるときは、速やかに証拠開示をしなければならない（316の20）。

5　証明予定事実や主張の追加・変更等

　検察官又は被告人・弁護人は、公判前整理手続を進める過程において、当初明らかにした証明予定事実や主張に追加・変更すべき事項が生じたときは、その追加・変更を行うことができる（316の21、316の22）。

6　争点・証拠の整理結果の確認

　裁判所は、公判前整理手続を終了するに当たっては、検察官と被告人又は弁護人との間で、事件の争点及び証拠の整理の結果を確認しなければならない（316の24）。それによって関係者の認識を共通のものとし、手続の実効性を確

保しようとするものである。

7　証拠開示に関する裁定

当事者間で証拠開示の要否等に関して争いが生じた場合には裁判所が裁定をする。

裁定には、①証拠開示の時期・方法・開示の条件に関する裁定（316の25）、②証拠開示命令（316の26）、③以上の裁定にとって必要な場合における証拠提示命令（316の27Ⅰ）及び証拠の標目を記載した一覧表の提示命令（同Ⅱ）の3種類がある。①②については、即時抗告が可能である（316の25Ⅲ、316の26Ⅲ）〈固〉。

8　開示証拠の目的外使用の禁止

弁護人は開示された証拠は適正に管理しみだりにその管理を他人に委ねてはならず（281の3）、被告人・弁護人は開示された証拠を開示目的以外の目的で使用することは許されない（281の4Ⅰ）。

▼　**最決平19.12.25・平20重判2①事件**

「公判前整理手続及び期日間整理手続における証拠開示制度は、争点整理と証拠調べを有効かつ効率的に行うためのものであり、このような証拠開示制度の趣旨にかんがみれば、刑訴法316条の26第1項の証拠開示命令の対象となる証拠は、必ずしも検察官が現に保管している証拠に限られず、当該事件の捜査の過程で作成され、又は入手した書面であって、公務員が職務上現に保管し、かつ、検察官において入手が容易なものを含むと解するのが相当である。」

取調警察官が、犯罪捜査規範13条に「基づき作成した備忘録であって、取調べの過程その他参考となるべき事項が記録され、捜査機関において保管されている書面は、個人的メモの域を超え、捜査関係の公文書ということができる。これに該当する備忘録については、当該事件の公判審理において、当該取調べ状況に関する証拠調べが行われる場合には、証拠開示の対象となりうるものと解するのが相当である」。

▼　**最決平20.6.25・平20重判2②事件**

「本件保護情況ないし採尿情況に関する記録のある警察官A作成のメモ」が証拠開示の対象となるかが争われた事案において、犯罪捜査に当たった警察官が犯罪捜査規範13条に基づき作成した備忘録であって、捜査の過程その他参考となるべき事項が記録され、捜査機関において保管されている書面は、当該事件の公判審理において、当該捜査状況に関する証拠調べが行われる場合、証拠開示の対象になり得るものと解するのが相当である。

そして、警察官が捜査の過程で作成し保管するメモが証拠開示命令の対象となるものであるか否かの判断は、裁判所が行うべきものであるから、裁判所は、その判断をするために必要があると認めるときは、検察官に対し、同メモの提

公判

示を命ずることができるというべきである。

　検察官が、捜査の過程その他参考となるべき事項が記録され、捜査機関において保管されるメモの提示命令に応じなかった場合に、本件メモの開示を命じたことは違法ということはできない。

第316条の17　〔被告人・弁護人による主張の明示と証拠調べの請求〕

Ⅰ　被告人又は弁護人は、第316条の13第1項の書面の送付を受け、かつ、第316条の14第1項並びに第316条の15第1項及び第2項の規定による開示をすべき証拠の開示を受けた場合において、その証明予定事実その他の公判期日においてすることを予定している事実上及び法律上の主張があるときは、裁判所及び検察官に対し、これを明らかにしなければならない【予】。この場合においては、第316条の13第1項後段の規定を準用する。

Ⅱ　被告人又は弁護人は、前項の証明予定事実があるときは、これを証明するために用いる証拠の取調べを請求しなければならない。この場合においては、第316条の13第3項の規定を準用する【回】。

Ⅲ　裁判所は、検察官及び被告人又は弁護人の意見を聴いた上で、第1項の主張を明らかにすべき期限及び前項の請求の期限を定めることができる。

▼　最決平25.3.18・百選A23事件【予】

　316条の17は、被告人又は弁護人において、公判期日においてする予定の主張がある場合に限り、公判期日に先立って、その主張を公判前整理手続で明らかにするとともに、証拠の取調べを請求するよう義務付けるものであって、被告人に対し自己が刑事上の責任を問われるおそれのある事項について認めるように義務付けるものではない。また、公判期日において主張をするかどうかも被告人の判断に委ねられているのであって、主張をすること自体を強要するものでもない。そうすると、316条の17は、自己に不利益な供述を強要するものとはいえないから、憲法38条1項に違反しない。

第316条の18　〔被告人・弁護人請求証拠の開示〕【基】

被告人又は弁護人は、前条第2項の規定により取調べを請求した証拠については、速やかに、検察官に対し、次の各号に掲げる証拠の区分に応じ、当該各号に定める方法による開示をしなければならない。

①　証拠書類又は証拠物　当該証拠書類又は証拠物を閲覧し、かつ、謄写する機会を与えること。

②　証人、鑑定人、通訳人又は翻訳人　その氏名及び住居を知る機会を与え、かつ、その者の供述録取書等のうち、その者が公判期日において供述すると思料する内容が明らかになるもの（当該供述録取書等が存在しないとき、又はこれを閲覧させることが相当でないと認めるときにあつては、その者が公判期日において

供述すると思料する内容の要旨を記載した書面）を閲覧し、かつ、謄写する機会
を与えること。

第３１６条の１９〔被告人・弁護人請求証拠に対する検察官の意見表明〕

Ⅰ　検察官は、前条の規定による開示をすべき証拠の開示を受けたときは、第３１６
条の１７第２項の規定により被告人又は弁護人が取調べを請求した証拠について、
第３２６条の同意をするかどうか又はその取調べの請求に関し異議がないかどうか
の意見を明らかにしなければならない。

Ⅱ　裁判所は、検察官及び被告人又は弁護人の意見を聴いた上で、前項の意見を明ら
かにすべき期限を定めることができる。

第３１６条の２０〔争点に関連する証拠の開示〕

Ⅰ　検察官は、第３１６条の１４第１項並びに第３１６条の１５第１項及び第２項に
よる開示をした証拠以外の証拠であつて、第３１６条の１７第１項の主張に関連す
ると認められるものについて、被告人又は弁護人から開示の請求があつた場合にお
いて、その関連性の程度その他の被告人の防御の準備のために当該開示をすること
の必要性の程度並びに当該開示によつて生じるおそれのある弊害の内容及び程度を
考慮し、相当と認めるときは、速やかに、第３１６条の１４第１項第１号に定める
方法による開示をしなければならない。この場合において、検察官は、必要と認め
るときは、開示の時期若しくは方法を指定し、又は条件を付することができる。

Ⅱ　被告人又は弁護人は、前項の開示の請求をするときは、次に掲げる事項を明らか
にしなければならない。

①　開示の請求に係る証拠を識別するに足りる事項

②　第３１６条の１７第１項の主張と開示の請求に係る証拠との関連性その他の被
告人の防御の準備のために当該開示が必要である理由

▼　最決平 20.9.30・百選 54 事件

警察官が、公判で証人となることが予定されていた者を取調べていた際、自
費で購入したノートの中にその者の供述を記載したメモにつき、警察官として
の職務を執行する際に職務執行のため作成されたものであるから、証拠開示命
令の対象になるとした。また、証人の供述の信用性判断について、従前の取調
べで証人がどのように述べていたかは問題とされるから、主張関連証拠開示の
要件（刑訴法 316 条の 20）をみたすとした。

公
判

第３１６条の２１ 〔検察官による証明予定事実の追加・変更〕

Ⅰ 検察官は、第３１６条の１３から前条まで（第３１６条の１４第５項を除く。）に規定する手続が終わつた後、その証明予定事実を追加し又は変更する必要があると認めるときは、速やかに、その追加し又は変更すべき証明予定事実を記載した書面を、裁判所に提出し、及び被告人又は弁護人に送付しなければならない。この場合においては、第３１６条の１３第１項後段の規定を準用する〈判〉。

Ⅱ 検察官は、その証明予定事実を証明するために用いる証拠の取調べの請求を追加する必要があると認めるときは、速やかに、その追加すべき証拠の取調べを請求しなければならない。この場合においては、第３１６条の１３第３項の規定を準用する。

Ⅲ 裁判所は、検察官及び被告人又は弁護人の意見を聴いた上で、第１項の書面の提出及び送付並びに前項の請求の期限を定めることができる。

Ⅳ 第３１６条の１４第１項、第３１６条の１５及び第３１６条の１６の規定は、第２項の規定により検察官が取調べを請求した証拠についてこれを準用する。

第３１６条の２２ 〔被告人・弁護人による主張の追加・変更〕

Ⅰ 被告人又は弁護人は、第３１６条の１３から第３１６条の２０まで（第３１６条の１４第５項を除く。）に規定する手続が終わつた後、第３１６条の１７第１項の主張を追加し又は変更する必要があると認めるときは、速やかに、裁判所及び検察官に対し、その追加し又は変更すべき主張を明らかにしなければならない。この場合においては、第３１６条の１３第１項後段の規定を準用する。

Ⅱ 被告人又は弁護人は、その証明予定事実を証明するために用いる証拠の取調べの請求を追加する必要があると認めるときは、速やかに、その追加すべき証拠の取調べを請求しなければならない。この場合においては、第３１６条の１３第３項の規定を準用する。

Ⅲ 裁判所は、検察官及び被告人又は弁護人の意見を聴いた上で、第１項の主張を明らかにすべき期限及び前項の請求の期限を定めることができる。

Ⅳ 第３１６条の１８及び第３１６条の１９の規定は、第２項の規定により被告人又は弁護人が取調べを請求した証拠についてこれを準用する。

Ⅴ 第３１６条の２０の規定は、第１項の追加し又は変更すべき主張に関連すると認められる証拠についてこれを準用する。

公
判

第３１６条の２３　〔証人等の保護のための配慮〕

Ⅰ　第２９９条の２及び第２９９条の３＜証人等の身体・財産への加害行為等の防止のための配慮、証拠開示の際の被害者特定事項の秘匿要請＞の規定は、検察官又は弁護人がこの目＜本書における第２款＞の規定による証拠の開示をする場合についてこれを準用する。

Ⅱ　第２９９条の４の規定は、検察官が第３１６条の１４第１項（第３１６条の２１第４項において準用する場合を含む。）の規定による証拠の開示をすべき場合についてこれを準用する。

Ⅲ　第２９９条の５から第２９９条の７までの規定は、検察官が前項において準用する第２９９条の４第１項から第１０項までの規定による措置をとつた場合についてこれを準用する。

第３１６条の２４　〔争点及び証拠の整理結果の確認〕

　裁判所は、公判前整理手続を終了するに当たり、検察官及び被告人又は弁護人との間で、事件の争点及び証拠の整理の結果を確認しなければならない。

第３款　証拠開示に関する裁定⟨囲⟩

第３１６条の２５　〔開示方法等の指定〕

Ⅰ　裁判所は、証拠の開示の必要性の程度並びに証拠の開示によつて生じるおそれのある弊害の内容及び程度その他の事情を考慮して、必要と認めるときは、第３１６条の１４第１項（第３１６条の２１第４項において準用する場合を含む。）の規定による開示をすべき証拠については検察官の請求により、第３１６条の１８（第３１６条の２２第４項において準用する場合を含む。）の規定による開示をすべき証拠については被告人又は弁護人の請求により、決定で、当該証拠の開示の時期若しくは方法を指定し、又は条件を付することができる。

Ⅱ　裁判所は、前項の請求について決定をするときは、相手方の意見を聴かなければならない。

Ⅲ　第１項の請求についてした決定に対しては、即時抗告をすることができる。

第３１６条の２６　〔開示命令〕

Ⅰ　裁判所は、検察官が第３１６条の１４第１項若しくは第３１６条の１５第１項若しくは第２項（第３１６条の２１第４項においてこれらの規定を準用する場合を含む。）若しくは第３１６条の２０第１項（第３１６条の２２第５項において準用する場合を含む。）の規定による開示をすべき証拠を開示していないと認めるとき、又は被告人若しくは弁護人が第３１６条の１８（第３１６条の２２第４項において準用する場合を含む。）の規定による開示をすべき証拠を開示していないと認めるときは、相手方の請求により、決定で、当該証拠の開示を命じなければならな

公判

い。この場合において、裁判所は、開示の時期若しくは方法を指定し、又は条件を付することができる。

Ⅱ　裁判所は、前項の請求について決定をするときは、相手方の意見を聴かなければならない。

Ⅲ　第1項の請求についてした決定に対しては、即時抗告をすることができる〈予〉。

第316条の27　〔証拠及び証拠標目一覧の提示命令〕

Ⅰ　裁判所は、第316条の25第1項又は前条第1項の請求について決定をするに当たり、必要があると認めるときは、検察官、被告人又は弁護人に対し、当該請求に係る証拠の提示を命ずることができる〈予〉。この場合においては、裁判所は、何人にも、当該証拠の閲覧又は謄写をさせることができない〈予〉。

Ⅱ　裁判所は、被告人又は弁護人がする前条第1項の請求について決定をするに当たり、必要があると認めるときは、検察官に対し、その保管する証拠であって、裁判所の指定する範囲に属するものの標目を記載した一覧表の提示を命ずることができる。この場合においては、裁判所は、何人にも、当該一覧表の閲覧又は謄写をさせることができない。

Ⅲ　第1項の規定は第316条の25第3項又は前条第3項の即時抗告が係属する抗告裁判所について、前項の規定は同条第3項の即時抗告が係属する抗告裁判所について、それぞれ準用する。

第2節　期日間整理手続

第316条の28　〔期日間整理手続の決定と進行〕〈予〉

Ⅰ　裁判所は、審理の経過に鑑み必要と認めるときは、検察官、被告人若しくは弁護人の請求により又は職権で、第1回公判期日後に、決定で、事件の争点及び証拠を整理するための公判準備として、事件を期日間整理手続に付することができる。

Ⅱ　期日間整理手続については、前款（第316条の2第1項及び第316条の9第3項を除く。）の規定を準用する。この場合において、検察官、被告人又は弁護人が前項の決定前に取調べを請求している証拠については、期日間整理手続において取調べを請求した証拠とみなし、第316条の6から第316条の10まで及び第316条の12中「公判前整理手続期日」とあるのは「期日間整理手続期日」と、同条第2項中「公判前整理手続調書」とあるのは「期日間整理手続調書」と読み替えるものとする。

《注　釈》

◆　期日間整理手続

　　期日間整理手続とは、裁判所が審理の経過に鑑み必要と認めるときに、検察官及び被告人又は弁護人の意見を聴いて、第1回公判期日後に、決定で、事件の争点及び証拠を整理するための公判準備として付される手続をいう（316の28）。期

日間整理手続については、公判前整理手続の規定が準用されている（316の28Ⅱ）。

第3節　公判手続の特例

第316条の29　〔必要的弁護〕〈予〉

公判前整理手続又は期日間整理手続に付された事件を審理する場合には、第289条第1項＜必要的弁護＞に規定する事件に該当しないときであつても、弁護人がなければ開廷することはできない。

第316条の30　〔被告人・弁護人による冒頭陳述〕〈同〉〈予〉

公判前整理手続に付された事件については、被告人又は弁護人は、証拠により証明すべき事実その他の事実上及び法律上の主張があるときは、第296条＜検察官の冒頭陳述＞の手続に引き続き、これを明らかにしなければならない。この場合においては、同条ただし書の規定を準用する。

第316条の31　〔整理手続の結果の顕出〕〈予〉

Ⅰ　公判前整理手続に付された事件については、裁判所は、裁判所の規則の定めるところにより、前条の手続が終わつた後、公判期日において、当該公判前整理手続の結果を明らかにしなければならない。

Ⅱ　期日間整理手続に付された事件については、裁判所は、裁判所の規則の定めるところにより、その手続が終わつた後、公判期日において、当該期日間整理手続の結果を明らかにしなければならない。

第316条の32　〔整理手続終了後の証拠調べ請求の制限〕〈同〉

Ⅰ　公判前整理手続又は期日間整理手続に付された事件については、検察官及び被告人又は弁護人は、第298条第1項の規定にかかわらず、やむを得ない事由によつて公判前整理手続又は期日間整理手続において請求することができなかつたものを除き、当該公判前整理手続又は期日間整理手続が終わつた後には、証拠調べを請求することができない〈予〉。

Ⅱ　前項の規定は、裁判所が、必要と認めるときに、職権で証拠調べをすることを妨げるものではない〈予〉。

《注　釈》

一　公判手続の特例

1　必要的弁護

公判前整理手続が必要的弁護とされたことから（316の4、規217の4）、その延長線上の公判手続においても、弁護人がなければ開廷することができない（316の29）。

2　被告人・弁護人の必要的冒頭陳述

公判前整理手続において、被告人又は弁護人が争点を設定したときは、被告

人又は弁護人は、公判手続において、検察官に引き続いて冒頭陳述を行う必要がある（316の30）。

cf.　公判前整理手続に付されていない事件について、検察官が冒頭陳述をした後、被告人又は弁護人が冒頭陳述をする場合には、裁判所の許可を得る必要がある（規198Ⅰ）〈予〉

3　公判前整理手続の結果の顕出

公判前整理手続に付された事件については、裁判所は、当事者の冒頭陳述の後、公判前整理手続の結果を明らかにしなければならない（316の31）。

4　公判前整理手続終了後の証拠調べ請求の制限

公判前整理手続に付された事件については、検察官及び被告人又は弁護人は、やむを得ない事由によって公判前整理手続において請求することができなかったものを除き、手続が終わった後になって証拠調べを請求することはできない（316の32）。公判前整理手続における証拠整理の実効性を担保するための制限である。

ここにいう「やむを得ない事由」としては、①証拠は存在していたが、その存在を知らなかったことがやむを得なかったといえる場合〈予〉、②証拠の存在は知っていたが、物理的にその証拠調べ請求が不可能であった場合（証人の所在不明など）、③証拠の存在は知っており、証拠調べ請求も可能であったが、公判前整理手続等における相手方の主張や証拠関係等から証拠調べ請求をする必要がないと考え、そのように判断したことについて十分な理由があったと考えられる場合などが挙げられる。なお、④弾劾証拠（328）として使用することを予定している証拠は、常に「やむを得ない事由」により証拠調べ請求をすることができなかったものに当たると解されている（名古屋高金沢支判平20.6.5・百選57事件）。

> **▼　名古屋高金沢支判平20.6.5・百選57事件**
>
> 　刑訴法316条の32第1項の「やむを得ない事由」があるといえるかについて、「同法328条による弾劾証拠は、条文上『公判準備又は公判期日における被告人、証人その他の者の供述の証明力を争うため』のものとされているから、証人尋問が終了しておらず、弾劾の対象となる公判供述が存在しない段階においては、同条の要件該当性を判断することはできないのであって、証人尋問終了以前の取調請求を当事者に要求することは相当ではない」として、「やむを得ない事由」の存在を肯定した。また、取調の必要性の点については、公判前整理手続を経たことの特殊性から、厳格な吟味が必要とした。

二　裁判員の参加する刑事裁判手続（裁判員制度）

1　裁判員裁判対象事件〈予〉

裁判員裁判の対象となる事件は国民的関心の高い重大事件であり、以下のも

のがある（裁判員2Ⅰ①②）。

① 死刑・無期懲役・無期禁錮に当たる罪にかかる事件
② 裁判所法26条2項2号の定めるいわゆる法定合議事件のうち、故意の犯罪行為により被害者を死亡させた事件

ただし、上記に該当する事件でも、裁判員やその親族等に危害が加えられるおそれがあって、裁判員の職務の遂行ができないような事情がある場合（裁判員3Ⅰ）〈択〉又は公判前整理手続を経て、審判期間が著しく長期にわたること等を回避することができないような事情がある場合（裁判員3の2Ⅰ）は、裁判所の決定により対象事件から除外される。なお、裁判員裁判の対象事件の被告人が裁判官のみの合議体による審理を受けることを申し立てたとしても、裁判官のみの合議体で取り扱う旨の決定をする義務を定めた規定はない〈択〉。

2　合議体の種類・構成〈択〉

裁判員の参加する合議体は、原則として裁判官3人（構成裁判官と呼ぶ）、裁判員6人で構成される（裁判員2Ⅱ）。ただし、公判前整理手続を主宰した裁判所は、公判前整理手続による争点・証拠の整理において公訴事実に争いがないと認められ、当事者に異議がなく、かつ事件の内容等を考慮して相当と認めるときは、事件を裁判官1人・裁判員4人の簡易な合議体で取り扱うこととすることができる（裁判員2Ⅱ）〈択〉。裁判所は、必要と認めるときは、補充裁判員を置くことができ、補充裁判員は審理に立ち会い、裁判員の人数に不足が生じた場合に裁判員に選任される（裁判員10）。

3　裁判員の権限・義務

裁判官と裁判員の合議による対象は事実の認定、法令の適用、刑の量定であり、法令の解釈に係る判断は構成裁判官の合議による（裁判員6ⅠⅡ）〈予〉。

裁判員・補充裁判員は、公判期日・公判準備において裁判所がする証人その他の者の尋問及び検証の日時・場所に出頭しなければならない（裁判員52）。裁判員は、公平・誠実にその職務を行わなければならず、裁判の公正さに対する信頼を損なうおそれのある行為や品位を害するような行為をしてはならない（裁判員9）。

評議の経過と、それぞれの裁判官・裁判員の意見・その多少の数については、評議の秘密として、守秘義務が課されている（裁判員9Ⅱ、70、108）。

4　手続

(1)　公判前整理手続
→裁判員裁判対象事件では必要的（裁判員49）〈予〉

(2)　公判手続の特例

(a)　冒頭陳述
冒頭陳述においては、その主体（検察官、被告人・弁護人）を問わず、公判前整理手続における争点・証拠の整理の結果に基づき、証拠との関係を具体的に明示しなければならない（裁判員55）。

(b)　証拠調べ

　　刑事訴訟規則では、適正・迅速な証拠調べを実現するため、証拠調べの請求に当たっては、必要な証拠を厳選しなければならないこと（規189の2）、争いのない事実については、訴訟関係人は、誘導尋問、同意書面、合意書面を活用するなどして、合理的な証拠調べが行われるように努めなければならないこと（規198の2）、犯罪事実に関しないことが明らかな情状に関する証拠の取調べは、できる限り犯罪事実に関する証拠調べと区別して行うよう努めなければならないこと（規198の3）【予】、検察官は、被告人又は被告人以外の者の供述に関して取調べの状況を立証しようとするときは、取調べ情況記録書面等の資料を用いるなどして、迅速かつ的確な立証に努めなければならないこと（規198の4）などが規定された。

　　また、平成19年の裁判員法の改正により、充実した評議等を可能にするため、証人尋問等を記録媒体に記録（ex. ビデオ録画）することができることとなった（裁判員65）。

　　なお、裁判員事件についても当然に自由心証主義が妥当する（裁判員62）【共】。

(c)　公判手続の更新

　　公判手続が開始された後に、裁判員に不足が生じ、補充裁判員が新たに裁判員として合議体に加わった場合には、公判手続を更新する必要がある（裁判員61Ⅰ）。その手続は、新たに加わった裁判員が、争点及び取調べ済みの証拠を過重な負担なく理解できるようなものとしなければならない（同Ⅱ）。

(3)　区分審理制度

　　1人の被告人に対する裁判員対象事件を含む複数の事件の弁論が併合された場合、審理が複雑・長期にわたるおそれがある。そこで、裁判員の負担が過重なものにならないよう配慮する必要がある。他方、量刑について適正に判断するためには、併合された事件全てを考慮する必要もある。

　　そこで、裁判員裁判の対象事件を含む併合事件については、一部の事件を区分し、順次、この区分した事件（区分事件）ごとに審理する旨の区分審理決定をすることができる（裁判員71Ⅰ）。この決定をした場合、区分事件ごとに審理を担当する裁判員を選任して審理し、「部分判決」を行う（区分事件審判）。その後、最後の事件を審判する合議体（新たに選任された裁判員が加わった合議体）は、区分事件以外の残りの事件を審理し、部分判決を踏まえたうえで、併合した事件全体について、刑の言渡しを含めた終局判決を行う（併合事件審判、裁判員86Ⅰ）。

▼　**区分審理制度の合憲性（最判平27.3.10・平27重判4事件）**

区分審理制度は、「区分事件審判及び併合事件審判のそれぞれにおいて、身分保障の下、独立して職権を行使することが保障された裁判官と、公平性、中立性を確保できるよう配慮された手続の下に選任された裁判員とによって裁判体が構成されていることや、裁判官が裁判の基本的な担い手とされていること等は、区分審理決定がされていない裁判員裁判の場合と何ら変わるところはない」。また、「区分事件審判を担当する裁判体と併合事件審判を担当する裁判体とは、裁判員が新たに選任されてその構成は異なるものの、事件を併合して審判する訴訟法上の裁判所における裁判体の構成の一部変更とみることができ、先行の区分事件審判の裁判体の示した判断を前提に後行の裁判体が裁判所としての終局判決をすることは、制度的に妨げられるものではない」。そして、「区分事件の審理手続や部分判決に重大な瑕疵がある場合等には、当該部分判決によらずに（同法86条2項、3項）、区分事件の審理をしなければならない」。

「以上によれば、区分審理制度においては、区分事件審判及び併合事件審判の全体として公平な裁判所による法と証拠に基づく適正な裁判が行われることが制度的に十分保障されているといえる。したがって、区分審理制度は憲法37条1項に違反」しない。

(4)　評議・判決

(a)　評議〈:共:〉

裁判員の関与する判断のための評議は、構成裁判官と裁判員によって行われる（裁判員66Ⅰ）。裁判員は、評議に出席し、意見を述べなければならない（裁判員66Ⅱ）。評決は、通常の場合の過半数原則（裁判所77参照）が修正され、構成裁判官及び裁判員の双方の意見を含む合議体の員数の過半数の賛成が要求されている（裁判員67Ⅰ）。よって、裁判官・裁判員のそれぞれ1人以上の賛成がなければ有罪とできない〈:共:〉。

なお、刑の量定について意見が分かれ、その説が各々、上記の特別過半数に達しないときは、構成裁判官及び裁判員の双方の意見を含む合議体の員数の過半数の意見になるまで、被告人に最も不利な意見を順次利益な意見の数に加え、その中で最も利益な意見による（裁判員67Ⅱ）。

▼　**裁判員裁判における量刑に関する審理・評議（最判平26.7.24・百選92事件）**

事案：　被告人ら夫婦が娘に対して共謀して暴行を加えて死亡させたという傷害致死事件につき、第1審（裁判員裁判）は、被告人に各懲役15年を言い渡し、原判決もこれを是認した（検察官の求刑は各懲役10年）。

判旨：　「量刑が裁判の判断として是認されるためには、量刑要素が客観的に適切に評価され、結果が公平性を損なわないものであることが求められるが、これまでの量刑傾向を視野に入れて判断がされることは、当該量刑判断のプロセスが適切なものであったことを担保する重要な要素になると考えられる」。この点は、裁判員裁判においても等しく妥当するところであり、「裁判員裁判といえども、他の裁判の結果との公平性が保持された適正なものでなければならないことはいうまでもなく、評議に当たっては、これまでのおおまかな量刑の傾向を裁判体の共通認識とした上で、これを出発点として当該事案にふさわしい評議を深めていくことが求められている」。

たしかに、裁判員裁判においては、「これまでの傾向を変容させる意図を持って量刑を行うことも、裁判員裁判の役割として直ちに否定されるものではない。しかし、そうした量刑判断が公平性の観点からも是認できるものであるためには、従来の量刑の傾向を前提とすべきではない事情の存在について、裁判体の判断が具体的、説得的に判示されるべきである」。

以上のように判示した上で、検察官の求刑を大幅に超える15年という量刑をすることについて、具体的、説得的な根拠が示されているとはいい難く、甚だしく不当であるとして、夫を懲役10年、妻を懲役8年に処した。

(b)　判決

裁判員は、有罪無罪の判決等、自らその判断に関与した裁判を宣告する公判期日に出頭する義務を負うが、裁判員の出頭がなくても、判決等の宣告を妨げるものではない（裁判員63Ⅰただし書）。

裁判員・補充裁判員の任務は、終局裁判を告知したとき又は事件が裁判官のみによる裁判で取り扱うこととなったときに終了する（裁判員48）。

なお、裁判所に同一被告人に対する複数の事件が係属した場合に（いわゆる客観的併合）、審理期間等の点で裁判員の負担が過重なものとなることを防止することを理由として、平成19年の裁判員法の改正により、部分判決制度が創設された（裁判員71以下）。これは、一部の事件を区分し、区分した事件ごとに審理を担当する裁判員を選任して審理し（区分審理）、有罪・無罪を判断する部分判決をした上（同71、77）、これを踏まえて、新たに選任した裁判員が合議体を構成して全体の事件について終局の判決をすることができるという制度である（同86）。

<裁判員の参加する刑事裁判手続>

裁判員の選任手続	地方裁判所：翌年に必要な裁判員候補者の員数算定（裁判員20、同規11） ↓　管轄下の市町村に割り当て・通知（裁判員20、同規11） 市町村：選挙人名簿からくじで選任〔裁判員候補者予定者〕（裁判員21、22） ↓ 地方裁判所：〔裁判員候補者予定者名簿〕調製（裁判員23、同規12） 　→候補者に通知（裁判員25）・調査票の送付（同規15） ↓ 公判前整理手続（裁判員49、法316の2以下） 〜第1回公判期日前の鑑定（裁判員50） ↓ 対象事件：第1回公判期日決定 ↓ 地方裁判所：呼び出すべき裁判員候補者の員数決定（裁判員26Ⅱ） 　　　　　当該事件の裁判員候補者をくじで選定（裁判員26Ⅲ） 　　　　　選定録の作成（同規16） 　　　　　→呼出状（裁判員27Ⅱ、同規17〜20）・質問票（裁判員30、 　　　　　　同規22）の送付 　　　　　→呼出し（裁判員27Ⅰ） ↓ 地方裁判所：裁判員等選任手続（裁判員34〜36、同規24〜32） 　・候補者への質問・不選任決定、理由なしの忌避・不選任決定 ↓ 裁判員・補充裁判員の選任決定（裁判員37、同規35） ↓
公判手続の特則	冒頭陳述に関する特則：検察官、被告人・弁護人による証拠と証明すべき 　　　　　　　　　　事実との関係の具体的明示の義務（裁判員55） ↓ 証拠調べ・：・裁判員による尋問・質問権（裁判員56〜59） 　　　　　　・証拠の厳選等（規189の2、198の2〜198の4） 　　　　　　・証人尋問等の記録媒体への記録が可能（裁判員65Ⅳ） ※公判手続の更新に関する特則：裁判員61 ＊裁判員法51：「裁判官、検察官及び弁護人は、裁判員の負担が過重なもの とならないようにしつつ、裁判員がその職責を十分に果たすことができるよう、 審理を迅速で分かりやすいものとすることに努めなければならない。」
評議	評議　｛・裁判員の出席：意見陳述義務（裁判員66Ⅱ） 　　　　｛・裁判長の裁判員に対する説明・配慮義務（裁判員66Ⅴ、同規50） ↓ 評決：決議要件「構成裁判官及び裁判員の双方の意見を含む合議体の員数の 　　　　過半数の意見による」（裁判員67） 裁判官のみによる合議：裁判員68
判決	告知により裁判員の任期満了（裁判員48Ⅰ）

公
判

第4節 被害者参加

第316条の33 〔被告事件の手続への被害者等の参加〕 〈同〉

I 裁判所は、次に掲げる罪に係る被告事件の被害者等若しくは当該被害者の法定代理人又はこれらの者から委託を受けた弁護士から、被告事件の手続への参加の申出があるときは、被告人又は弁護人の意見を聴き、犯罪の性質、被告人との関係その他の事情を考慮し、相当と認めるときは、決定で、当該被害者等又は当該被害者の法定代理人の被告事件の手続への参加を許すものとする。

① 故意の犯罪行為により人を死傷させた罪

② 刑法第176条、<u>第177条、第179条</u>、第211条、第220条又は第224条から第227条までの罪＜不同意わいせつ、不同意性交等、監護者わいせつ及び監護者性交等、業務上過失致死傷、逮捕監禁、略取誘拐等、人身売買、被略取者等所在国外移送、被略取者引渡し等＞〈同〉

③ 前号に掲げる罪のほか、その犯罪行為にこれらの罪の犯罪行為を含む罪（第1号に掲げる罪を除く。）

④ 自動車の運転により人を死傷させる行為等の処罰に関する法律（平成25年法律第86号）第4条、第5条又は第6条第3項若しくは第4項の罪

⑤ 第1号から第3号までに掲げる罪の未遂罪

II 前項の申出は、あらかじめ、検察官にしなければならない。この場合において、検察官は、意見を付して、これを裁判所に通知するものとする。

III 裁判所は、第1項の規定により被告事件の手続への参加を許された者（以下「被害者参加人」という。）が当該被告事件の被害者等若しくは当該被害者の法定代理人に該当せず若しくは該当しなくなつたことが明らかになつたとき、又は第312条の規定により罰条が撤回若しくは変更されたため当該被告事件が同項各号に掲げる罪に係るものに該当しなくなつたときは、決定で、同項の決定を取り消さなければならない。犯罪の性質、被告人との関係その他の事情を考慮して被告事件の手続への参加を認めることが相当でないと認めるに至つたときも、同様とする。

第316条の34 〔被害者参加人等の公判期日への参加〕

I 被害者参加人又はその委託を受けた弁護士は、公判期日に出席することができる〈司予〉。

II 公判期日は、これを被害者参加人に通知しなければならない。

III 裁判所は、被害者参加人又はその委託を受けた弁護士が多数である場合において、必要があると認めるときは、これらの者の全員又はその一部に対し、その中から、公判期日に出席する代表者を選定するよう求めることができる。

IV 裁判所は、審理の状況、被害者参加人又はその委託を受けた弁護士の数その他の事情を考慮して、相当でないと認めるときは、公判期日の全部又は一部への出席を許さないことができる〈同〉。

V 前各項の規定は、公判準備において証人の尋問又は検証が行われる場合について準用する。

公判

第３１６条の３５ 〔被害者参加人等の意見に対する検察官の説明義務〕 ^予

　被害者参加人又はその委託を受けた弁護士は、検察官に対し、当該被告事件についてのこの法律の規定による検察官の権限の行使に関し、意見を述べることができる。この場合において、検察官は、当該権限を行使し又は行使しないこととしたときは、必要に応じ、当該意見を述べた者に対し、その理由を説明しなければならない。

第３１６条の３６ 〔被害者参加人等による証人尋問〕

Ⅰ　裁判所は、証人を尋問する場合において、被害者参加人又はその委託を受けた弁護士から、その者がその証人を尋問することの申出があるときは、被告人又は弁護人の意見を聴き、審理の状況、申出に係る尋問事項の内容、申出をした者の数その他の事情を考慮し、相当と認めるときは、情状に関する事項（犯罪事実に関するものを除く。）についてのその証人の供述の証明力を争うために必要な事項について、申出をした者がその証人を尋問することを許すものとする<同予>。

Ⅱ　前項の申出は、検察官の尋問が終わつた後（検察官の尋問がないときは、被告人又は弁護人の尋問が終わつた後）直ちに、尋問事項を明らかにして、検察官にしなければならない。この場合において、検察官は、当該事項について自ら尋問する場合を除き、意見を付して、これを裁判所に通知するものとする<同予>。

Ⅲ　裁判長は、第２９５条第１項から第４項までに規定する場合のほか、被害者参加人又はその委託を受けた弁護士のする尋問が第１項に規定する事項以外の事項にわたるときは、これを制限することができる。

第３１６条の３７ 〔被害者参加人等による被告人に対する質問〕

Ⅰ　裁判所は、被害者参加人又はその委託を受けた弁護士から、その者が被告人に対して第３１１条第２項の供述を求めるための質問を発することの申出があるときは、被告人又は弁護人の意見を聴き、被害者参加人又はその委託を受けた弁護士がこの法律の規定による意見の陳述をするために必要があると認める場合であつて、審理の状況、申出に係る質問をする事項の内容、申出をした者の数その他の事情を考慮し、相当と認めるときは、申出をした者が被告人に対してその質問を発することを許すものとする<同予>。

Ⅱ　前項の申出は、あらかじめ、質問をする事項を明らかにして、検察官にしなければならない。この場合において、検察官は、当該事項について自ら供述を求める場合を除き、意見を付して、これを裁判所に通知するものとする。

Ⅲ　裁判長は、第２９５条第１項、第３項及び第４項に規定する場合のほか、被害者参加人又はその委託を受けた弁護士のする質問が第１項に規定する意見の陳述をするために必要がある事項に関係のない事項にわたるときは、これを制限することができる<予>。

第３１６条の３８ 〔被害者参加人等による意見陳述〕

Ⅰ　裁判所は、被害者参加人又はその委託を受けた弁護士から、事実又は法律の適用

公判

について意見を陳述することの申出がある場合において、審理の状況、申出をした者の数その他の事情を考慮し、相当と認めるときは、公判期日において、第293条第1項の規定による検察官の意見の陳述の後に、訴因として特定された事実の範囲内で、申出をした者がその意見を陳述することを許すものとする〈同予〉。

Ⅱ　前項の申出は、あらかじめ、陳述する意見の要旨を明らかにして、検察官にしなければならない。この場合において、検察官は、意見を付して、これを裁判所に通知するものとする。

Ⅲ　裁判長は、第295条第1項、第3項及び第4項に規定する場合のほか、被害者参加人又はその委託を受けた弁護士の意見の陳述が第1項に規定する範囲を超えるときは、これを制限することができる。

Ⅳ　第1項の規定による陳述は、証拠とはならないものとする〈同予〉。

第316条の39　〔被害者参加人への付添い、遮へい措置〕

Ⅰ　裁判所は、被害者参加人が第316条の34第1項（同条第5項において準用する場合を含む。第4項において同じ。）の規定により公判期日又は公判準備に出席する場合において、被害者参加人の年齢、心身の状態その他の事情を考慮し、被害者参加人が著しく不安又は緊張を覚えるおそれがあると認めるときは、検察官及び被告人又は弁護人の意見を聴き、その不安又は緊張を緩和するのに適当であり、かつ、裁判官若しくは訴訟関係人の尋問若しくは被告人に対する供述を求める行為若しくは訴訟関係人がする陳述を妨げ、又はその陳述の内容に不当な影響を与えるおそれがないと認める者を、被害者参加人に付き添わせることができる〈予〉。

Ⅱ　前項の規定により被害者参加人に付き添うこととされた者は、裁判官若しくは訴訟関係人の尋問若しくは被告人に対する供述を求める行為若しくは訴訟関係人がする陳述を妨げ、又はその陳述の内容に不当な影響を与えるような言動をしてはならない。

Ⅲ　裁判所は、第1項の規定により被害者参加人に付き添うこととされた者が、裁判官若しくは訴訟関係人の尋問若しくは被告人に対する供述を求める行為若しくは訴訟関係人がする陳述を妨げ、又はその陳述の内容に不当な影響を与えるおそれがあると認めるに至つたときその他その者を被害者参加人に付き添わせることが相当でないと認めるに至つたときは、決定で、同項の決定を取り消すことができる。

Ⅳ　裁判所は、被害者参加人が第316条の34第1項の規定により公判期日又は公判準備に出席する場合において、犯罪の性質、被害者参加人の年齢、心身の状態、被告人との関係その他の事情により、被害者参加人が被告人の面前において在席、尋問、質問又は陳述をするときは圧迫を受け精神の平穏を著しく害されるおそれがあると認める場合であつて、相当と認めるときは、検察官及び被告人又は弁護人の意見を聴き、弁護人が出頭している場合に限り、被告人とその被害者参加人との間で、被告人から被害者参加人の状態を認識することができないようにするための措置を採ることができる。

Ⅴ　裁判所は、被害者参加人が第316条の34第1項の規定により公判期日に出席する場合において、犯罪の性質、被害者参加人の年齢、心身の状態、名誉に対する影響その他の事情を考慮し、相当と認めるときは、検察官及び被告人又は弁護人の意見を聴き、傍聴人とその被害者参加人との間で、相互に相手の状態を認識することができないようにするための措置を採ることができる。

《注　釈》

◆　被害者参加制度

1　意義

　　被害者参加制度とは、一定の犯罪の被害者等や当該被害者の法定代理人が、裁判所の許可を得て、被害者参加人として刑事裁判に参加し、検察官との間で密接なコミュニケーションを保ちつつ、一定の要件の下で、公判期日に出席するとともに証人尋問などの一定の訴訟活動を自ら直接行うものである。

2　対象事件

①　故意の犯罪行為により人を死傷させた罪（316の33Ⅰ①）

②　不同意わいせつ及び不同意性交等の罪、監護者わいせつ及び監護者性交等の罪、業務上過失致死等の罪、逮捕及び監禁の罪、略取誘拐及び人身売買等の罪（同②）

③　その犯罪行為に②の罪を含む罪（同③）

④　自動車運転死傷行為処罰法4条、5条又は6条3項若しくは4項の罪（同④）

⑤　①ないし③の罪の未遂罪（同⑤）

　　なお、④については、平成25年改正により新たに対象事件に含まれることとなった。

3　手続

　　裁判所は、対象事件の被害者等又はこれらの者から委託を受けた弁護士（「委託弁護士」）から、手続参加の申出がある場合において、相当と認めるときは、これらの者の参加を許すものとする（316の33Ⅰ）。参加の申出は、検察官を経由して裁判所に通知される（同Ⅱ）。

4　被害者参加人の権限📖

①　公判期日への出席（316の34）

②　検察官の権限行使に関する意見の申述（316の35）

③　証人尋問（316の36）

④　被告人に対する質問（316の37）

⑤　事実又は法律の適用についての意見の陳述（316の38）

⑥　被害者参加人の保護（付添い、遮へい）（316の39）

公判

第5編　証拠

《概　説》

一　はじめに

1　証拠の意義

裁判所は、過去の事実である犯罪事実を自ら直接に体験・見聞することはできない。そこで、犯罪事実が残した痕跡から、犯罪事実を逆に推認する他はない。この訴訟上確認すべき事実を推認（認定）する根拠となる資料を証拠という。

たとえば、証人の証言で事実を認定するとすれば、証言が証拠である。これを証拠資料という。さらに、そのような資料を法廷に持ち込む媒体（この例では、証拠資料としての証言が出てくる源である証人）を証拠ということがある。これを証拠方法という。

2　証拠の種類

証拠は、証拠資料ないし証拠方法の性質・性状及び分類基準の違いによっていくつかの分類が可能である。

<証拠の種類>

```
            ┌─証拠資料に関する分類
            │   ① 直接証拠と間接証拠  →証拠と証明すべき対象との距離による区別
            │
            │   ② 供述証拠と非供述証拠  →人間の供述であるかどうかの区別
            │
            │   ③ 実質証拠と補助証拠  →要証事実の存否の証明に向けられたもの
            │                          か、そのような証拠の証明力に影響を及
  証拠──┤                          ぼす事実（補助事実）の証明に向けられ
            │                          たものかの区別
            │
            │   ④ 本証と反証  →挙証責任を負う側が提出するものかその相手方が
            │                    提出するものかの分類
            │
            └─証拠方法に関する分類
                ① 人的証拠と物的証拠  →証拠方法の物理的性状による区別
                ② 人証・物証・書証  →証拠調べの方式による分類
```

3 証拠資料に関する分類〈司予〉
(1) 直接証拠と間接証拠
　(a) 直接証拠：主要事実（刑罰権の存否を基礎づける事実（犯罪事実）な
　　　　ど）を直接的に証明する証拠
　　　　ex.1 「XがYをピストルで射殺した」ことが主要事実であるとき「X
　　　　　　が拳銃をとり出し、Yを射殺したのを見た」との甲の供述
　　　　ex.2 自分がピストルでYを射殺したと認める被告人Xの自白
　(b) 間接証拠：間接事実（主要事実を推認させる事実）を証明する証拠（情
　　　　況証拠）
　　　　ex. 乙の「Yの死の直後、Xが拳銃をもっているのを見た」との供述
　　　　　　は、「XがYをピストルで射殺した」という主要事実を直接証明する
　　　　　　ものではなく、Yの死の直後のXによる拳銃所持（間接事実）から、
　　　　　　XのピストルによるYの射殺という事実（主要事実）が推認される
　　　　　　関係にある
　　　　cf. 直接証拠と間接証拠に証明力の差はなく、間接証拠のみで有罪を認
　　　　　　定することも可能である〈司〉
(2) 供述証拠と非供述証拠
　(a) 供述証拠：事実の痕跡が人の記憶に残り、それが言葉若しくは文書によ
　　　　り表現されたもの
　(b) 非供述証拠：事実の痕跡が物の形状として残ったもの
　＊ 供述証拠には誤りが生じやすいので、伝聞法則の適用が問題となる。
　　　⇒ p.436以下
(3) 実質証拠と補助証拠
　(a) 実質証拠：主要事実又はその間接事実を証明する証拠
　(b) 補助証拠：補助事実（実質証拠の信用性に関する事実）を証明する証拠
　　　　ex. 犯行目撃証言（直接証拠・実質証拠）の信用性に関する目撃者の
　　　　　　視力（補助事実）を証明する視力診断書（補助証拠）
(4) 本証と反証
　(a) 本証：挙証責任を負う側が提出する証拠
　(b) 反証：その相手方が提出する証拠
4 証拠方法に関する分類

＜人的証拠と物的証拠＞

	内容	取得する強制処分
人的証拠	証拠方法が自然人である場合	召喚・勾引
物的証拠	人的証拠以外	押収

証拠

＜人証・証拠物（物証）・証拠書類（書証）＞回

	内容	証拠調べの方式
人証	証人・鑑定人・翻訳人・被告人のように、口頭で提出する証拠方法	尋問（304）又は質問（311）
物証 **（＊）**	犯行に用いられた凶器や窃盗の被害品のように、その物の存在及び状態が証拠に用いられる物体（証拠物）	展示（裁判所及び訴訟関係人に示すこと）（306）
書証	その記載内容が証拠となる書面 書証は、さらに証拠書類と証拠物たる書面に分けられる 判例は、その書面の内容のみが証拠となる場合が証拠書類、書面そのものの存在や状態等が証拠となる場合が証拠物たる書面とすべきとする（最判昭 27.5.6）	証拠書類は朗読（305）により取り調べるが、証拠物たる書面は、書面の記載内容の他、その存在及び状態も証拠となるので、朗読と展示の両方必要（307）

＊ ある現場を物証に含める場合、証拠調べの方式として検証（128）も含まれることになる。

二　証拠能力と証明力

1　意義

(1) 証拠能力とは、一定の資料が証拠となりうる資格をいう。証拠能力のない証拠は、公判廷における適法な証拠調べの対象とすることはできない。その意味で、これを証拠の許容性ともいう。

(2) 証明力とは、証拠調べの対象となる証拠の、事実の存否を判断するのに有用な実質的価値をいう（証拠価値）。

これはさらに、①それが実質上どの程度要証事実の存否を推認させるかという狭義の証明力と、②要証事実とは別に、個々の証拠が信頼に足りるものであるかという信用性とに分かれる。証明力の評価はこれを裁判官の自由心証に委ねるのが原則である（318）。

2　現行法における証拠能力　⇒ p.379

3　証拠能力が否定された場合

証拠能力が否定されれば、証拠調べのために法廷に顕出することは許されず、取調べ請求は却下されなければならない。当事者は取調べ請求や証拠調べ決定に対して異議申立できる（309）。すでに取り調べられたものでも証拠能力欠缺が判明すれば職権で排除できる（規 205 の 6、207）。

証
拠

4 証拠能力と証明力の相違点

証拠能力と証明力とは以下のような相違点がある。

① 証拠能力は証拠の形式的な資格であるのに対し、証明力は証拠の実質的な価値である。

② 証拠能力は法律上決められるのが通常だが、証明力は裁判官の自由な心証に委ねられる。

③ 証拠能力は手続面の制度であるのに対し、証明力は実体面の制度である。

ex. 宣誓した目撃証人が虚偽の陳述をした場合、その証言は証拠能力はあるが証明力はない。また、拷問等強制を加えた結果、犯人が自白した場合、その自白は仮に証明力があっても証拠能力はない

三 証明と疎明

裁判官は、証拠によって事実の存否についての判断(心証)を形成する。このように事実の存否について裁判官が一定程度の心証を得ること、又は裁判官にこのような心証を得させることを広義の証明という。これには狭義の証明と疎明が含まれる。

・狭義の証明:裁判所に合理的な疑いを容れない程度の心証(確信)を抱かせること

・疎明:裁判所に一応確からしいという程度の心証(一応の推測)を生じさせること

→手続上の事実については、疎明で足りる場合がある(19Ⅲ、206Ⅰ、227Ⅱ等)

四 挙証責任と推定

1 実質的挙証責任(客観的挙証責任)

(1) 意義

実質的挙証責任(客観的挙証責任)とは、ある要証事実の存否が不明であるときに、これによって不利益な判断を受ける当事者の法的地位をいう。

(2) 「疑わしきは被告人の利益に」(利益原則)

(a) 検察官負担の原則

刑事訴訟では、「疑わしきは被告人の利益に」(in dubio pro reo)の原則(以下、利益原則)が妥当するので、犯罪事実については原則として検察官が実質的挙証責任(客観的挙証責任)を負う[予]。したがって、犯罪事実の存在が合理的な疑いを容れないまでに立証されない限り、被告人は無罪とされる。「無罪の推定」とはこのことをいう。

(b) 利益原則の根拠

利益原則は、今日では確固たる慣習法だといえる。わが国での実定法上では、デュー・プロセスの一部として憲法31条の保障に属する。また、刑訴法336条の文言からも推測される。

→刑事訴訟における挙証責任論は、利益原則ないし無罪の推定論の裏返し

(3) 実質的挙証責任についての個別的検討

(a) 犯罪事実及びこれに準ずる事実

検察官が挙証責任を負う。

∵ 「疑わしきは被告人の利益に」の原則は、犯罪事実及びこれに準ずる事項、つまり被告人の刑責の存否・範囲に直接影響するすべての実体法的事実に適用がある

(b) 訴訟条件

検察官が挙証責任を負う（通説）。

∵① 訴訟条件は、有罪に向けての1つの要素である

② いやしくも公訴が提起・遂行される以上それが適法でなければならないのは当然であり、その任に当たる検察官はその適法性について責任をもつべきである。よって、その適法性を基礎付けるべき訴訟条件たる事実の存在について検察官に挙証責任があるとするのが論理的であり、こう解しても検察官に不可能を強いることにもならない

(c) 任意性の挙証責任

自白の任意性については、検察官が挙証責任を負う（最判昭32.5.31）。

∵ 証拠能力を基礎付ける事実についての挙証責任は、その証拠の提出者にある

＊ もっとも、被告人側に争点形成の責任はあるから、被告人側は、自白の任意性を争うための一応の事実を提示する必要がある。

(d) その他の訴訟法的事実

これを主張する当事者に挙証責任がある。

ex. 証拠能力の有無はその証拠を提出する当事者に、自白の任意性は検察側に、上訴申立ての事由はこれを申し立てた者に、挙証責任がある

(4) 証明の程度 ⇒ p.407

2 形式的挙証責任（主観的挙証責任）〈司〉

(1) 意義

形式的挙証責任（主観的挙証責任）とは、不利益な判断を受けるおそれのある当事者が、これを免れるために行うべき立証行為の負担をいう。

ex. 検察官は、合理的疑いを超えるまでに被告人の犯罪を立証しなければ無罪に終わってしまうのでこれを避けるため有罪の証拠を出す必要がある

ここにいう「不利益な判断を受けるおそれのある当事者」とは、実質的挙

証
拠

証責任を負う者であるから、形式的挙証責任とは、実質的挙証責任を負う当
事者の手続面の負担を意味する。
(2) 形式的挙証責任（主観的挙証責任）の移転

　　実質的挙証責任を負う検察官が形式的挙証責任を負う。しかし、訴訟が進
行し、検察官の立証が奏功して、裁判所に検察官の立証が真実であるとの心
証を抱かせるまでになると、今度は逆に被告人は有罪判決の危険に直面する
ので、被告人側で反対立証をして裁判官の心証を崩さなければならない。こ
のように形式的挙証責任（主観的挙証責任）が被告人に移る場合がある。
3　被告人側への転換（挙証責任の転換）

＜被告人が挙証責任を負う明文規定＞

被告人に挙証責任がある現行法上の規定	被告人が証明すべき事由
刑法207条　同時傷害	傷害の軽重又は発生者
刑法230条の2　名誉毀損の事実証明	摘示事実の真実性
児童福祉法60条4項	児童の年齢の不知についての無過失
爆発物取締罰則6条	治安妨害目的の不存在
両罰規定	違反防止に必要な注意

4　推定
(1) 意義・種類

　　推定とは、ある事実（前提事実）から他の事実（推定事実）を推認するこ
とをいう。

　　ex.　事件の直後に盗品を持っていたこと（前提事実）から窃盗（推定事
　　　　実）を推認すること
(a) 事実上の推定と法律上の推定

　　事実上の推定：経験則に沿って行われるべき推認（合理的心証主義と同
　　　　　　　　　義　⇒p.407）

　　　　　　　　　ex.　間接事実から要証事実を推認

　　法律上の推定：推認のルールが法規化されたもの（本来の推定）
(b) 擬制と反証を許す推定

　　法律上の推定には、反証を許さない推定と反証を許す推定とがある。反
証を許さない推定は、擬制（いわゆる「みなす」規定）であって、実質的
には実体法要件の変更に他ならない。狭義の推定として問題となるのは、
反証を許す法律上の推定である。
(c) 義務的推定と許容的推定

　　反証を許す推定の中にも、反証のない限り当然に推定事実が認定される

義務的推定と、反証のないこと自体を証拠として推定事実を認定することができる許容的推定がある。

＜義務的推定と許容的推定＞

(2) 推定の効果

A　実質的挙証責任の転換説（通説）
→実質的挙証責任が被告人に転換される

B　証拠提出責任説→被告人には証拠提出責任が転換される

C　修正された証拠提出責任説
推定事実の存在に疑いを投げかけるだけの合理的な事実が示される必要がある。

∵　A説だと、挙証に失敗した場合、被告人は罪を犯したから処罰されるのではなく、訴訟のやり方がまずかったために有罪となってしまう。B説だと証拠提出責任が転換されるにすぎないとすれば、被告人はともかく何らかの証拠さえ提出すれば推定の効果を阻止しうることになって、推定規定を設けた意味が失われる

第317条　〔証拠裁判主義〕

事実の認定は、証拠による。

[趣旨] 317条は、証拠によらない事実認定を排除するという歴史的意義を有するだけでなく、犯罪事実を中核とする一定の事実は、適式な証拠調べ手続を経た、証拠能力のある証拠によって認定しなければならないという規範的意義を有する。

《注　釈》

一　はじめに

1　意義

「証拠」とは、証拠能力があり、適式な証拠調べを経た証拠をいう。そして、証拠能力があり、適式な証拠調べを経た証拠による証明方式を厳格な証明と呼ぶ。また、「事実」とは、罪を断ずるための事実、すなわち公訴犯罪事実を指す。以上より、「事実の認定は、証拠による」とは、刑罰権の存否及び範囲を定める事実について厳格な証明が必要であることを意味する。

歴史的には、317条は、自白裁判への決別を宣言した点に意義がある。

▼ **最決平 25.2.26・平 25 重判 3 事件**〈判〉

> 被告人質問の際、被告人 X に宛てて送信された本件電子メールが刑訴規則
> 199 条の 10 第 1 項及び 199 条の 11 第 1 項に基づいて X に示され、同規則 49
> 条に基づいて公判調書中の被告人供述調書に添付された場合、このような公判
> 調書への書面の添付は、証拠の取調べとして行われるものではなく、これと同
> 視することはできない。したがって、公判調書に添付されたのみで証拠として
> 取り調べられていない書面は、添付されたことをもって独立の証拠となり、あ
> るいは当然に証言又は供述の一部となるものではない。本件電子メールは、X
> の供述に引用された限度においてその内容が供述の一部となるにとどまる。

2 厳格な証明と自由な証明
 (1) 意義
  (a) 厳格な証明：証拠能力ある証拠によりかつ適式な証拠調べの手続を経た
          証明方式
  (b) 自由な証明：証拠能力も適法な証拠調べも必要としない証明方式（ただ
          し、自由な証明においても当事者に争う機会を保障すべき
          とされている）
   → 317 条の規定の解釈に関し、これら 2 つの証明方式を区別するのが通説
    的見解
 (2) 心証の程度と証明方法

＜心証の程度と証明方法との関係＞

```
【心証の程度】                    【証明方法】

① 合理的疑いを容れる余地のな  ◄── 厳格な証明
 い程度に真実であるとの心証
 （確信）

② 肯定証拠が否定証拠を上回る  ◄── 自由な証明：訴訟法上の事実に
 程度の心証（証拠の優越）        ついては、原則と
                      して証拠の優越で足
                      りる

③ 一応確からしいという心証   ◄── 疎明（19Ⅲ、206Ⅰ、227Ⅱ等）
 （推測）
```

 二 証明の対象

1 はじめに
  証明の対象となる事実は、実体法的事実と訴訟法的事実からなる。
  実体法的事実は、①犯罪事実（構成要件該当事実、違法性、有責性を基礎付
 ける事実）、②処罰条件の存在及び処罰阻却事由の不存在の事実、③法律上の

証
拠

刑の加重減免の理由となる事実、からなる。

　次に、訴訟法的事実は、①訴訟条件たる事実、②訴訟行為の要件事実、③証拠能力・証明力を証明する事実、④その他の訴訟法的事実からなる。

　以下、これらの事実につき、厳格な証明の対象となるのか、自由な証明の対象なのかを検討する。

2　厳格な証明か自由な証明か

(1)　犯罪事実（構成要件該当事実、違法性、有責性を基礎付ける事実）の存在・不存在〈予〉

　　　→厳格な証明の対象となる（略式手続についても同様）

　　　ex.　共謀共同正犯における共謀

▼　**練馬事件（最大判昭 33.5.28・百選 A44 事件）〈同予〉**

　『『共謀』または『謀議』は、共謀共同正犯における『罪となるべき事実』にほかならないから、これを認めるためには厳格な証明によらなければならない」とした。

(2)　処罰条件の存在及び処罰阻却事由の不存在の事実

　　　→厳格な証明が必要

　　　∵　犯罪事実に準ずる重要な事項といえる

　　　ex.　刑法 197 条 2 項の事前収賄罪における公務員又は仲裁人となること

(3)　法律上の刑の加重減免の理由となる事実

　(a)　加重事由

　　　→厳格な証明が必要

　　　∵　その存否によって処断刑の範囲が異なってくるので、犯罪事実に準じ、刑罰権の範囲を定める基礎となる事実といえる

　　　ex.　累犯前科（刑 56）〈同予〉

▼　**最大決昭 33.2.26・百選 A31 事件**

　「累犯加重の理由となる前科は、刑訴 335 条にいわゆる『罪となるべき事実』ではないが、かかる前科の事実は、刑の法定加重の理由となる事実であって、実質において犯罪構成事実に準ずるものであるから、これを認定するには、証拠によらなければならないことは勿論、これが証拠書類は刑訴 305 条の取調をなすことを要する」と判示した。この判例は、累犯加重の理由となる前科について厳格な証明が必要とする趣旨であるといえる。

　(b)　数個の犯罪事実が併合罪になることを妨げる確定判決の存在

　　　→厳格な証明が必要

　　　∵　別個に刑が科されることによって併合罪として 1 個の刑で処断されるよりも通常重くなるので、刑を加重する類型的な理由となる不利益

な事実である

(c)　減免事由

→厳格な証明が必要

∵　刑の減免の理由となる事実は、未遂（刑43）・従犯（刑62）のように犯罪事実に属するか、心神耗弱（刑39Ⅱ）、過剰防衛・過剰避難（刑36Ⅱ、37Ⅰただし書）のように、有責性又は違法性に関する事実であり、厳格な証明を必要とする。自首（刑42、80）は、犯罪事実そのものに関係はないが、その存否によって、処断刑の範囲（刑42）や刑を加えることの要否（刑80）が左右されるものであるから、厳格な証明を必要とする

(4)　間接事実・経験則・補助事実

(a)　間接事実

→厳格な証明が必要

(b)　経験則

主要事実を間接事実により推認する場合、経験則が用いられることが多い。

この場合、①　一般的な経験則であれば、証明の準則であって証明は不要であり、

②　特別の知識経験によって初めて認識できるようなものであれば（ex. 科学的経験法則）、鑑定等の方法によって明らかにされる必要がある。

(c)　補助事実

→厳格な証明が必要

∵　犯罪事実を認めるか否かは、証拠の証明力いかんにかかっている

(5)　訴訟法的事実

(a)　自由な証明の対象

訴訟法的事実は、実体法的事実と訴訟上その重要性に違いがあるので自由な証明で足りる。

ex.　①　逮捕、勾留、保釈など身柄問題に関する事実の証明は、公判外で行われ、その場合は厳格な証明の場を欠くので、自由な証明によらざるを得ない📝

②　起訴状謄本の送達、公判期日の指定、被告人の召喚・勾引など第1回公判期日前の手続につき認定を要する事実も同様である

③　公判で行われるものでも、たとえば、証拠の採否決定における証拠調べ請求の適否、証拠の関連性などの基礎となる事実も自由な証明の対象となる

もっとも、訴訟法的事実であっても、訴訟条件に関する事実、証拠能力

を基礎付ける事実については自由な証明で足りるかが問題とされる。

▼ **最決昭58.12.19**

　電報電話局長が作成した警察署長宛の回答書は、A方へかけられた電話についての逆探知資料は存在しないとの事実を立証するもので、逆探知資料の送付嘱託を行うことの当否または逆探知に関する証人申請の採否等を判断するための資料にすぎず、「右のような訴訟法的事実については、いわゆる自由な証明で足りる」とし、伝聞証拠を許容した。

▼ **東京高判平22.1.26・平22重判3事件**

事案：　被告人の犯人性を立証する最重要証拠である口腔内細胞の証拠能力が争われ、その採取に先行する現行犯逮捕の適法性が争点となった事案において、検察官の請求した現行犯人逮捕手続書、逮捕に至る状況の目撃者2名の各検察官調書、実況見分調書および写真撮影報告書につき、原審は「訴訟法上の事実であるから、伝聞法則の適用を受けない」として、弁護人不同意のまま採用して取り調べ、被告人を有罪とした。

判旨：　本判決は、被告人の口腔内細胞という証拠が違法収集証拠に当たるかどうかの点において、身柄拘束の違法の程度をも考慮すべきことを前提とした上で、次のように判示した。

　「現行犯人逮捕が違法と判断され、ひいては被告人の口腔内細胞の鑑定結果の証拠能力が否定されることにもなれば、……ほかの証拠によって被告人が本件の犯人であると認定するのは困難になる。……本件において現行犯人逮捕の適法性は訴訟の帰趨に直接影響を与える重要な争点の1つであるから、当事者に攻撃、防御を十分尽くさせるべきである。しかるに、……原審弁護人からの現行犯人逮捕に関与した警察官等の証人尋問請求をすべて却下した原審は、原審弁護人に攻撃、防御を十分尽くさせたとはいえない。……原審には判決に影響を及ぼすことが明らかな審理不尽の違法がある。」

(b) 訴訟条件たる事実
　　→自由な証明で足りる（通説）
　　∵ 訴訟条件がいかに重要だからといっても、その重要性について実体法的事実との差は否定できない

(c) 自白の任意性を基礎付ける事実

▼ **最判昭28.10.9**

　被告人が争った場合も必ず検察官にその供述の任意性につき立証させなければならないものではなく「裁判所が適当の方法によって」調査の結果任意性につき心証を得たのであれば証拠としてよいとする。

(6) 情状

(a) 意義

処断刑の範囲内で宣告刑を決定することを刑の量定（量刑）という。この量刑の基礎となる事実を情状という。これは、2類型に大別される（248参照）。

① 被告人と被害者との関係、犯行の動機・目的、犯行の方法・手段、態様、被害の大小・程度、犯行回数、共犯関係など

② (イ)被告人の生い立ち・経歴、性格、環境など被告人にかかわる事情、(ロ)被害回復・被害弁償・示談など犯行後の情況、(ハ)職業・家族など被告人の事情や身元引受けなど第三者の事情

このうち①は、直接又は間接に犯罪事実の内容に属するといえるから、その性質上厳格な証明が必要とされることに争いはない。これに対し、②は、単に情状として考慮される事実であり、いわゆる量刑上のみで問題となる（狭義の情状と呼ばれる）。

(b) 厳格な証明が必要か

示談、被害弁償など犯罪事実から独立して刑の量定の基礎となる事実（②の類型）について、厳格な証明が必要か、情状は刑罰権の内容そのものを直接限界付けるものではなく、犯罪事実等と比べると重要ではないといえるが、刑事訴訟では、量刑も重要であるので問題となる。

→自由な証明で足りる（判例、通説）

∵① 非類型的で厳格な証明に適さない

② 資料を制限すると、表面的な事情だけで量刑をすることになり妥当性を欠くし、実際上主として被告人側の資料が制限されることになり不利益をきたすおそれがある

▼ **最判昭24.2.22**

刑の執行を猶予すべき情状の有無と雖も必ず適法な証拠に基づいて判断することを要するが、「必ずしも刑事訴訟法に定められた一定の方式に従い証拠調べを経た証拠にのみよる必要はない」と判示した。判例は、自由な証明で足りるとする見解をとるといわれている。

三 証明の必要

1 証明を要しない事実

証明の対象とされる事項に属していても、例外的に証明を要しない場合として、①訴訟の構造に基づくもの、②事実の性質に基づくもの、及び③法律上推定された事実がある。

2 訴訟の構造に基づくもの

(1) 犯罪成立阻却事由・刑の減免事由

犯罪の成立を阻却する事実や刑の減免の事由である事実は、まずその存在

を疑わせる一応の証拠が提出された場合でなければ証明の必要がない（証拠提出責任）。

→証拠提出責任が肯定される限度で、被告人の主張・立証が証明の必要な範囲を左右する

(2) 法定の除外事由

法定の除外事由（ex. 覚醒剤取締法14条1項における覚醒剤研究者等）がある場合は極めて例外的なので、それが争点とならない以上、検察官は初めからその不存在を立証する必要はない。

3　事実の性質に基づくもの

(1) 公知の事実

公知の事実とは、歴史上の事実、大きな社会的事件、周知されているルールといった、世間一般の人が疑いをもたない程度に知れわたっている事実をいう。このような事実は、誰もが当然の前提と考えて行動しても少しも不都合はないものであり、強いて証拠で認定しなくても、裁判が恣意に流れ公正感を損なうような危険がないので証明を要しない。

▼　**最判昭31.5.17**

被告人が某日施行のA市長選に立候補して当選したことは、A市付近では公知の事実であるとした。

▼　**最決昭41.6.10**

都内の制限時速は毎時40キロであることは道路標識により公知であるとした。

(2) 明白の事実

公知とはいえなくても、確実な資料（暦、地図等）で容易に確かめることができる事実は、自由な証明が必要である。もっとも、公知の事実といえるためには一般人の認識が自覚的である必要はないので、この類型の事実の多くは公知の事実といえる。

(3) 裁判所に顕著な事実

裁判所がその職務上知りえた事実をいう。

ex.　当該裁判部が以前に下した判決等

▼　**最判昭30.9.13**

通称ヘロインが麻薬取締法の塩酸ジアセチルモルヒネを指すものであることについては、裁判所に顕著であって必ずしも証拠による認定を要しないとした。

証拠

▼ 東京高判昭62.1.28

「その余の事実（起訴された態様の暴行行為が存在したこと等の事実）は、いまだなんら証明を要しない程公知となっているものとは認め難いうえ、これが原裁判所に顕著であるとしてなんらの証明を要しないと解することは、被告人の防御や上訴審による審査に支障をきたすことに照らして、相当でなく、……刑訴法317条の法意に照らして許されない」と判示した。

4　法律上推定された事実　⇒ p.371

［証拠の要件］

一　総説

1　はじめに

　証拠の証拠能力は、いわゆる証拠の関連性と刑事手続の適正性という2つの側面から制約を受ける。すなわち、証拠能力は、証拠の関連性の側面として、①自然的関連性があり、②法律的関連性があり、かつ刑事手続の適正性の側面として③証拠禁止に当たらないときに肯定される。

＜証拠能力と証明力＞

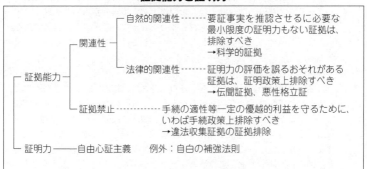

2　証拠の関連性〈予〉

(1)　意義

　関連性とは、証拠が要証事実の存否の証明に役立ちうる性質をいう。

　このような関連性のない証拠は、取り調べても無駄であるばかりか、不当な偏見を生み争点を混乱させる等のおそれもあり有害であるので、許容されない。

　刑事訴訟法及び刑事訴訟規則には「関連性」に直接言及した規定はない。しかし、関連性は、法より前に、本来的に一般生活に基づく論理則・経験則に基礎を置くものであり、誤りのない事実認定を確保するために、証拠を一

定の範囲に絞り適正な証拠調べを実施するうえで、刑事司法手続の運用上不可欠な概念であるといえる。また、法が「事件に関係のない事項にわたる」尋問又は陳述を制限することができるとしていること（295Ⅰ）、規則が証拠調べ請求に際して「証拠と証明すべき事実との関係」を具体的に明示すべきことを要求していること（規189Ⅰ）からも、この関連性概念が推測される。

　証拠の関連性については、①自然的関連性と、②法律的関連性との2種類に分けられる。

(2)　自然的関連性

　自然的関連性とは、証明しようとする事実に対する必要最小限度の証明力があることをいう。そうすると、証拠の性質上必要最小限度の証明力もない場合、証拠の自然的関連性がないということになる。このような自然的関連性がない証拠の証拠能力が否定されるのは、必要最小限度の証明力さえない証拠を調べることは無駄であるからである。

　自然的関連性は、証拠の①重要性と②狭義の関連性に分析できる。①重要性は、その証拠が証明しようとする主題が、当該訴訟において意義をもつことである。②狭義の関連性とは、重要性のある事実の存否の蓋然性を、申請された証拠が、より高め又は減ずる能力を備えているか否かの問題である。

　自然的関連性の有無が問題となるものとしては、写実的証拠と科学的証拠がある。

(3)　法律的関連性

　自然的関連性が認められても、さらに証拠は、信用性につき裁判所の心証形成に対して類型的に誤った影響をもたらす危険のないものでなければならない。これを証拠の法律的関連性という。法律的関連性を欠く証拠は、不当な偏見を生み争点を混乱させるなどのおそれがあり、有害であることから、証拠能力が否定される。法律的関連性の有無が問題となるものとしては、伝聞法則や自白法則の他、悪性格の立証などがある。

証拠

＜証拠能力の有無を判断する３つの観点＞

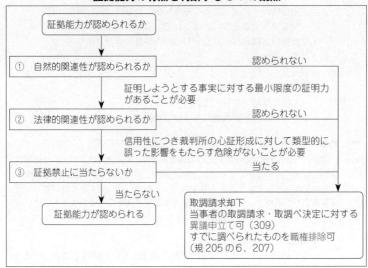

二 自然的関連性

1 写実的証拠

（1） はじめに

　　写真、録音テープあるいはビデオテープは、その撮影、録音あるいは録画、さらに編集の過程において、通常人為的な操作が加えられる。そこで、これらの「人為的な操作」をどのように評価するかが問題となる。

　　この点、「人為的な操作」も機械的な過程であると捉えれば、これらの証拠方法は「非供述証拠」と理解され、供述証拠に関する証拠法（伝聞法則）を適用する必要はない。この場合、犯罪事実との関連性さえ立証されれば証拠能力が認められる。

　　逆に、これらの操作の人為性を重視すれば「供述証拠」と理解することも可能となり、供述証拠に関する証拠法を適用する必要がある。

　　このように、供述証拠に関する証拠法の適用の有無に大きな違いが生じるので、写実的証拠が「供述証拠」か「非供述証拠」かを確定する必要がある。

（2） 写真

（a） 種類

　　① 犯行現場の状況などを撮影した写真が独立証拠として用いられる場

　　　　　合（現場写真）
　　②　犯行状況を再現したところを撮影した写真（犯行再現写真）
　　③　検証調書や鑑定書に添付されている写真（説明写真）
　　④　証拠物又は書証の写しとして利用される場合（複写）
　以下、順に述べる。
(b)　現場写真
　ア　現場写真の法的性格
　　→非供述証拠（判例、通説）
　　∵　写真は情景を機械的方法により極めて正確に写し出すものである

▼　**新宿騒乱事件（最決昭59.12.21・百選87事件）**

　「犯行の状況等を撮影したいわゆる現場写真は、非供述証拠に属し、当該写真自体又はその他の証拠により事件との関連性を認めうる限り証拠能力を具備するものであって、これを証拠として採用するためには、必ずしも撮影者らに現場写真の作成過程ないし事件との関連性を証言させることを要するものではない」と判示して、非供述証拠説を採用した。

　イ　関連性の立証方法
　　　写真自体あるいはその他の証拠で関連性を立証することができるか、それとも撮影者の証言まで必要か。
　　　この点、現場写真は非供述証拠なので、関連性立証のために必ずしも撮影者本人の証人尋問をする必要はない。もっとも、関連性立証の最良の方法は撮影者の状況説明であるから、通常は撮影者を調べることになる。

▼　**新宿騒乱事件（最決昭59.12.21・百選87事件）**

　　この決定の事案では、撮影者不明の写真について、騒擾の状況を目撃した警察官が、当該写真が何時、いかなる状況を撮影したものかを証言した結果、関連性が明らかになった。

(c)　犯行再現写真　司H25 司R5
　ア　犯行再現写真の法的性格
　　→供述証拠（判例、通説）
　　∵　供述を写真で録取したものといえる
　イ　供述者の署名・押印の要否
　　→不要（判例、通説）
　　∵　録取が撮影・現像・焼付けという機械的操作でなされており、その正確性は担保されている

▼ 犯行再現状況（最決平17.9.27・百選82事件）〈司予〉〈同H25 司R5〉

本件実況見分調書及び写真撮影報告書は、「立証趣旨が『被害再現状況』、『犯行再現状況』とされていても、実質においては、再現されたとおりの犯罪事実の存在が要証事実になるものと解される。このような内容の実況見分調書や写真撮影報告書等の証拠能力については、刑訴法326条の同意が得られない場合には同法321条3項所定の要件を満たす必要があることはもとより、……写真については、再現者が被告人以外の者である場合には同法321条1項2号ないし3号所定の、被告人である場合には同法322条1項所定の要件を満たす必要があるというべきである。もっとも、……撮影、現像等の記録の過程が機械的操作によってなされることから前記各要件のうち再現者の署名押印は不要と解される」。

▼ 最決平27.2.2・平27重判5事件

事案： Xは、県の職員Vに対し、自動車の助手席側ドアの窓の隙間から手を差し入れ、Vの胸倉を掴む暴行を加えたことにより、公務執行妨害罪で逮捕・起訴された。捜査段階において、警察官は、被害現場でV及び目撃者が被害発生時に乗車していた自動車を用いつつ、両名に被害状況及び目撃状況を再現させて、その様子を撮影し、その写真を撮影状況や指示内容に関する説明とともに添付した捜査状況報告書2通を作成した。検察官は、本件各書証の立証趣旨をそれぞれ「被害者指示説明に基づく被害再現状況等」「目撃者指示説明に基づく犯行目撃状況等」として証拠取調べ請求し、公判では、321条3項のみによって証拠採用された。

　　　　原審は、「本件各書証……は被害状況及び目撃状況それ自体を立証する趣旨のものではなく、それらの状況自体は別途証人尋問において立証を求め、それらの状況が立証された際にその状況をより理解しやすくするための資料として……採用されたものと認められる」と判示し、321条1項3号の要件を満たす必要はない旨判断した。

決旨： 本件捜査状況報告書は、「警察官が被害者及び目撃者に被害状況あるいは目撃状況を動作等を交えて再現させた結果を記録したものと認められ、実質においては、被害者や目撃者が再現したとおりの犯罪事実の存在が要証事実になるものであって、原判決が、刑訴法321条1項3号所定の要件を満たさないのに同法321条3項のみにより採用して取り調べた第1審の措置を是認した点は、違法である」。

評釈： 本件各書証のような再現状況報告書には、実況見分としての側面と被害者・目撃者による供述としての側面が併存しており、立証できる事項も様々であるところ、再現状況報告書を用いて、再現された位置・姿勢・態様で犯行を行う物理的可能性や犯行を視認する物理的可能性を立証する場合には、321条3項のみによって証拠採用することができると

解されている。

(d) 説明写真 ⟨予H27⟩

検証調書や鑑定書に添付されている写真は、その写真が独立の証拠としての意味を持たない場合には、当該書面と一体のものとされる。そこで、当該写真の証拠能力の有無は、当該書面の証拠能力の有無に従うこととなる。

(e) 複写

証拠物を写した写真は、証拠物同様の証拠能力を有する。供述書面を写した写真は、その供述内容を証拠にしようとする限り、その供述書面と同じく伝聞法則に服する。ただし、写しを利用できるためには、原物を利用することが不可能又は著しく困難であることが必要である。

(3) 録音テープ・ビデオテープ ⟨共⟩

(a) 総説

録音テープ・ビデオテープについては、①現場録音・録画テープと、②供述録音・録画テープとの区別が重要である。

① 現場録音・録画テープ：犯行現場の音声・映像などを録音・録画したテープ

② 供述録音・録画テープ：被告人や証人の供述を書面に録取する代わりに録音・録画した録音テープ・ビデオテープ

(b) 現場録音・録画

ア 現場録音・録画の法的性質

① 現場録音テープ

→写真と録音テープとは視覚か聴覚かの違いしかないので、音声それ自体を立証しようとするときは非供述証拠と解すべき

② 現場ビデオテープ・フィルム

→写真と録音テープの複合物であり、映像部分については、時間的に連続するか否かの差でしかなく、現場写真と同様に扱ってよい。音声部分については録音テープと違いがないので、これと同じ規律に服すると解すべき

▼ **東京地決昭 55.3.26**

テレビの録画ビデオテープの証拠能力について、光学的、科学的原理を応用して機械的、科学的に作成され、供述の要素を含まないので、立証事項との関連性が明らかになれば、証拠として採用できるとした。

　　イ　関連性の立証方法

　　　現場録音テープを非供述証拠と解すると、録音者の尋問その他の証拠で、テープの編集状況を確かめて関連性が肯定できれば、証拠としてよいことになる。

　　　犯行現場を撮影したビデオテープ・フィルムについては、非供述証拠と解したとしても、写真より一段と証明力が高く、また、撮影に当たっての望遠レンズの使用、編集に当たってのフィルムの都合の悪い部分の抹消等により誤った印象を生み出すおそれがあるので、関連性の立証はさらに慎重に行う必要がある。そこで、関連性の立証のためには、原則として撮影者本人の証人尋問を要すると解するべきである。

　(c)　供述録音・録画の場合〈予H26〉

　　ア　伝聞法則との関係

　　　供述録音・録画は、供述の意味内容が問題となっているのであり、この場合には供述証拠として伝聞法則を適用すべきである。したがって、被告人の供述録音・録画は322条に準じ、それ以外の者の供述録音・録画は321条1項に準じて扱われることになる。

　　イ　供述者の署名・押印の要否

　　　録音・録画及び再生は、その性質上機械的に行われるものであることから、その再生供述が原供述者によるものであることが収録された音声や録音者の証言などで立証されれば足りる。よって、供述者の署名・押印は不要であると考えられる。

　　ウ　犯行再現ビデオの扱い

　　　犯行再現ビデオとは、自白した被疑者に警察署内又は犯行現場で自白通りの動作をさせ、その様子をビデオテープに撮影・収録したものをいう。

　　　犯行を自白した被疑者にそれを動作で再現させることは、根拠条文がなく、また、人間の尊厳を害するおそれのある捜査方法であると考えられる。そこで、必要不可欠な場合に真摯な同意を前提に行うべきである。

　　　犯行再現ビデオは、実況見分における指示説明であると同時に自白の性質をもつ。したがって、321条3項と322条1項の準用がある。

(4)　写し

　(a)　コピーの種類

　　　コピーには、①謄本、②抄本、③写し等がある。

　　ア　謄本とは、文書の原本の内容全部を原本と同一の文字・記号で完全に転写したもので、その内容が原本と同一である旨の認証・証明を付した文書をいう。

　　イ　抄本とは、文書の原本の内容の一部を原本と同一の文字・記号で転写したもので、その内容が原本の一部と同一である旨の認証・証明を付し

証拠

た文書をいう。

ウ　写しとは、文書の原本の内容の全部又は一部を原本と同一の文字・記号で転写したもので、認証・証明を欠く文書をいう。

(b)　コピーが許容されるための要件🅐

コピーが許容されるためには、①証拠能力のある原本が存在し又は存在したこと（原本の存在）、②原本の提出が不能又は困難なこと（必要性）、③内容が原本と一致していること（正確性）、の3要件を備えることが必要である（通説）。

> ### ▼ 東京高判昭58.7.13・百選A42事件
>
> 「写し一般を許容すべき基準としては、(a) 原本が存在すること……、(b) 写しが原本を忠実に再現したものであること……、(c) 写しによっては再現し得ない原本の性状（たとえば、材質、凹凸、透かし模様の有無、重量など）が立証事項とされていないことを挙げることができる。以上に反し、(d) 原本の提出が不可能又は著しく困難であることを、写しの許容性の基準に数える必要はない。蓋し、それは、最良証拠の法則ないしは写し提出の必要性の問題であるに過ぎないからである」。

2　科学的証拠

(1)　基本的要件

科学的方法で導き出された情報の自然的関連性は、その基礎となる事実の確かさに依存している。そこで、科学的証拠に自然的関連性が認められるためには、情報の信頼性担保のため、次のような基本的要件が満たされなければならない。

①　基礎にある科学的原理が確かなものであること

②　用いられた技術がこの原理にかなったその応用であること

③　この技術に用いられた器械のいずれもが、検査の時点で正しく作動していたこと

④　その検査に関して、正しい手続がとられたこと

⑤　検査を行った者又はその結果を分析した者が必要な資格を備えていたこと

(2)　科学的証拠の具体例

①声紋鑑定、②筆跡鑑定、③警察犬による臭気選別、④毛髪鑑定、⑤ポリグラフ検査、⑥DNA型鑑定等がある。以下、順に検討する。

＊　なお、法律的関連性（伝聞法則）との関係で、これらの科学的証拠による結果が記載された鑑定書に証拠能力が認められるためには、321条4項の要件も満たす必要がある。　⇒p.456

(3) 声紋鑑定

　(a) 意義

　　声紋鑑定とは、人の音声の周波数分布を分析装置にかけて模様化し、画像として示したもの（声紋）を比較検討することをいう。

　(b) 自然的関連性が認められるための要件

▼　検事総長にせ電話事件（東京高判昭55.2.1・百選〔第9版〕68事件）

　「音声を高周波分析や解析装置によって紋様化し画像にしてその個人識別を行う声紋による識別方法は、その結果の確実性について未だ科学的に承認されたとまではいえないから、これに証拠能力を認めることは、慎重でなければならないが、……一概にその証拠能力を否定し去るのも相当でなく、その検査の実施者が必要な技術と経験を有する適格者であり、使用した器具の性能、作動も正確でその検定結果は信頼性のあるものと認められるときは、その検査の経過及び結果についての忠実な報告にはその証明力の程度は別として、証拠能力を認めることは妨げない」。

(4) 筆跡鑑定

　(a) 意義

　　筆跡鑑定とは、筆者不明の筆跡（鑑定資料）と筆者既知の筆跡（対照資料）とを比較対照することによって筆者の異同を判断することをいう。

　(b) 自然的関連性が認められるための要件

▼　札幌脅迫葉書事件（最決昭41.2.21・百選〔第10版〕64事件）

　「いわゆる伝統的筆跡鑑定方法は、多分に鑑定人の経験と感〔勘〕に頼るところがあり、ことの性質上、その証明力には自ら限界があるとしても、そのことから直ちに、この鑑定方法が非科学的で、不合理であるということはできないのであって、筆跡鑑定におけるこれまでの経験の集積と、その経験によって裏付けられた判断は、鑑定人の単なる主観にすぎないもの、といえないことはもちろんである。したがって、事実審裁判所の自由心証によって、これを罪証に供すると否とは、その専権に属することがらであるといわなければならない」と判示し、筆跡鑑定の証拠能力を肯定した。

(5) 毛髪鑑定

　(a) 意義

　　毛髪鑑定とは、人の毛髪を形態学的に検査することによって個人識別を行うことをいう。

　(b) 自然的関連性が認められるための要件

　　下級審の中に、毛髪鑑定の科学性は肯認できず本件鑑定には信用性がないとの控訴理由を排斥し、①「検査項目が多岐にわたる入念なものである

証拠

こと」、②「鑑定人は……毛髪の鑑定を専門にしてきた者であること」、③鑑定結果は信頼性のあるものと認められることを理由に、本件鑑定に疑問を挟む余地はないとした原審判決を支持したものがある（東京高判昭54.5.8）。

(6) 臭気選別

(a) 意義

臭気選別とは、犯行現場に遺留された物から犯人の体臭を採取し、指導手がこれを警察犬にかがせ、一定距離離れた台の上に置いてある複数物件の中から、被告人の体臭の付着している物件を選別し持って来させるという方法により、被告人と犯人の同一性を立証しようとすることをいう。

(b) 自然的関連性が認められるための要件

▼ **カール号事件（最決昭62.3.3・百選62事件）**

「記録によると、右の各臭気選別は、右選別につき専門的な知識と経験を有する指導手が、臭気選別能力が優れ、選別時において体調等も良好でその能力がよく保持されている警察犬を使用して実施したものであるとともに、臭気の採取、保管の過程や臭気選別の方法に不適切な点のないことが認められるから、本件各臭気選別の結果を有罪認定の用に供しうるとした原判断は正当である」と判示した。

▼ **京都地判平10.10.22・平11重判4事件**

「犬の嗅覚能力が経験的にすぐれたものとして一般に承認されている上、本件選別に従事した指導手は自他共に認める臭気選別の第一人者であり、マルコ及びペッツオは、一応臭気選別の専門的持続的な訓練を経て必要な検査にも合格していること、当時両犬とも体調は良好であったこと、……証拠として最小限度の証明力を有し、……本件臭気選別結果に証拠能力を認めるのが相当である。しかし、……選別結果に高度の信用性を付与することはできない」と判示した。

(7) ポリグラフ検査

(a) 意義

ポリグラフ検査とは、一定の質問に対する被疑者の応答に伴う脈拍、呼吸、発汗という生理的変化を記録して、被疑者の「うそ」を発見しようとする検査をいう。

(b) 自然的関連性が認められるための要件

▼ **小平郵便貯金証書窃盗事件（最決昭43.2.8）**

事案： ポリグラフ検査結果回答書の証拠能力が争われた原審において、「各書面はいずれも①検査者が自ら実施した各ポリグラフ検査の経過及び結果を忠実に記載して作成したものであること、②検査者は検査に必要な技術と経験とを有する適格者であったこと、③各検査に使用された器具の性能及び操作技術から見て、その検査結果は信頼性のあるものであることが窺われ……ので、同法第326条第1項所定の書面として証拠能力があ」ると判示した。これに対して弁護人が上告。

決旨： 「ポリグラフの検査結果を、被検査者の供述の信用性の有無の判断資料に供することは慎重な考慮を要するけれども、原審が、刑訴法326条1項の同意のあった……書面（検査結果回答書）について、その作成されたときの情況等を考慮したうえ、相当と認めて、証拠能力を肯定したのは正当である」。

(c) 黙秘権との関係 ⇒ p.122

(8) DNA型鑑定

(a) 意義

DNA型鑑定とは、人の細胞内に存在するDNAを形成している塩基配列の多型性に着目し、これを鑑定対象として分析することによって個人識別を行うことをいう。

(b) 自然的関連性が認められるための要件

▼ **足利幼女殺害事件（最決平12.7.17・百選61事件）**

「本件で証拠の一つとして採用されたいわゆるMCT118DNA型鑑定は、その科学的原理が理論的正確性を有し、具体的な実施の方法も、その技術を習得した者により、科学的に信頼される方法で行われたと認められる。したがって、右鑑定の証拠価値については、その後の科学技術の発展により新たに解明された事項等も加味して慎重に検討されるべきであるが、なお、これを証拠として用いることが許されるとした原判断は相当である」として、DNA型鑑定の証拠能力を認めた。

三 法律的関連性

1 悪性格の立証 〈司H19 司R2〉

(1) 悪性格立証の原則禁止

悪性格立証の原則禁止とは、被告人の悪性格を、犯罪事実の立証には原則として用いてはならないという建前をいう。

被告人の悪性格等は自然的関連性は存在するが、裁判所に対して不当な予

証拠

断偏見を与え、誤った心証を抱かせる危険があり、また訴訟の争点が拡散・混乱してしまう危険が大きいので、法律的関連性を欠くものとして、証拠能力が否定される《回》。

被告人の同種前科、起訴されていない犯罪（余罪）、非行歴など類似事実を犯罪事実の立証に用いることも同じく許されない。

(2) 悪性格立証に法律的関連性が認められる場合

悪性格立証が禁止される理由は前述のようなものであるから、その目的に反しない合理的な場合には、例外的に証拠能力が認められる。証拠能力が認められうる例として、以下のものが考えられる。

(a) 被告人の善良な性格の立証に対する反証

被告人側が、被告人の善良な性格を進んで立証した場合、検察側は、反証として被告人の悪性格を立証することができる。ただし、起訴事実と関連性がなければならないので、暴力犯罪における不正直や、窃盗事件における忠誠心の欠如は許されない。

(b) 前科・常習性が構成要件の一部となっている場合

この場合には、同種前科（余罪）との関連性を肯定することができる。これらは、被告人の悪性格を介在させずに認定する場合であるから、当然といえる《回》。

(c) 犯行手口などの態様にきわだった特徴がある場合等《回》

被告人の犯人性を証明するために、被告人の過去の類似前科を立証することは、被告人の犯罪傾向という実証的根拠の乏しい人格評価を介在して犯人性を推認するという過程をたどるため、誤判のおそれがあり、原則として許されない。

もっとも、犯行手口が特殊であって細部まで一致しており、第三者が同様の方法で犯行に及ぶとは考えにくい場合には、悪性格を介在させずに犯人性を推認でき、誤判のおそれが小さいことから、情況証拠として用いることが許される。たとえば、前科に係る犯罪事実に①顕著な特徴があり、②それが起訴にかかる犯罪事実と相当程度類似することから、③前科証拠それ自体で両者の犯人の同一性を合理的に推認させる場合や、これに当たらない場合でも、被告人の同種前科等と起訴事実の日時・場所等が近接していて同一人の仕業であると推認できる場合などである。

ex. 被害者がいずれも同じペット販売業者の取引先であり、しかも右業者の死体処理の方法が切りきざんでドラム缶で焼却するといった特殊な手口である場合

▼ 最判平 24.9.7・百選 60 事件 〈予〉〈同R2 予H28〉

前科証拠は、「事実認定を誤らせるおそれがあり、また、……争点が拡散するおそれ」があるから、「自然的関連性があるかどうかのみによって証拠能力の有無が決せられるものではなく、前科証拠によって証明しようとする事実について、実証的根拠の乏しい人格評価によって誤った事実認定に至るおそれがないと認められるときに初めて証拠とすることが許される」。前科証拠を犯人の同一性の証明に用いる場合については、「前科に係る犯罪事実が顕著な特徴を有し、かつ、それが起訴に係る犯罪事実と相当程度類似することから、それ自体で両者の犯人が同一であることを合理的に推認させるようなものであって、初めて証拠として採用できる」。

▼ 最決平 25.2.20・平 25 重判 4 事件 〈同R2〉

（最判平 24.9.7・百選 60 事件の判旨を引用した上で）このことは、前科以外の被告人の他の犯罪事実の証拠を被告人と犯人の同一性の証明に用いようとする場合にも同様に当てはまる。そうすると、前科に係る犯罪事実や被告人の他の犯罪事実を被告人と犯人の同一性の間接事実とすることは、これらの犯罪事実が顕著な特徴を有し、かつ、その特徴が証明対象の犯罪事実と相当程度類似していない限りは、被告人に対してこれらの犯罪事実と同種の犯罪を行う犯罪性向があるという実証的根拠に乏しい人格評価を加え、これをもとに犯人が被告人であるという合理性に乏しい推論をすることに等しく、許されない。

(d) 犯罪の客観的要素が立証されている場合の主観的要素の立証

他の証拠によって犯罪事実と被告人との結び付きまで立証されている場合には、真実発見を誤らせる危険性はほとんどないことから許容される。

▼ 洲本社会福祉募金詐欺事件（最決昭 41.11.22・百選〔第9版〕66 事件）

事案： 本件は、生活に窮した被告人が、社会福祉のための募金名下に寄付金を集めて生活費に充当しようと企て、202 回にわたり銀行等の金融機関において行員らに対し、「身寄りのない老人に対する福祉促進趣意書」と題する書面を提示し、「恵まれない人の援護をしておりますので寄付をお願い致します」と欺いて合計 20 万 1500 円を交付させたという詐欺事件である。弁護人は被告人に故意がないと主張したが、控訴審は、「被告人自身……本件と同様手段による詐欺事件に因り懲役刑に処せられ現在なおその執行猶予中の身であり、本件行為もその態様に照らし詐欺罪を構成するものであることの認識があったと思われる」として、この主張を排斥した。これに対し弁護人は、被告人の詐欺の故意の認定に被告人が行った他の類似犯罪を証拠として採用することは許されないと主張して上告した。

証拠

> 決旨： 「犯罪の客観的要素が他の証拠によって認められる本件事案の下におい
> て、被告人の詐欺の故意の如き犯罪の主観的要素を、被告人の同種前科
> の内容によって認定した原判決に所論の違法は認められない」と判示し
> た。

(e) ある行為（ex. 偽造通貨行使）が当該起訴行為（ex. 通貨偽造）と密接不
可分に結合している場合

ある行為が当該起訴行為と密接不可分であるならば、本来、結合犯・包
括一罪・科刑上一罪として一緒に起訴されてもおかしくない。したがっ
て、そのような行為が、証拠として許容されるのは当然であると考えられる。

2 余罪と量刑〈司〉

(1) はじめに

起訴されていない余罪は、犯罪事実の認定のために考慮することができな
いのが原則である。では、余罪を犯罪認定後の量刑資料として考慮すること
は可能であろうか。

判例（最大判昭42.7.5）は、余罪と量刑の問題を、①余罪を実質的に処罰
する趣旨の場合（第1類型）、②余罪を量刑のための情状として考慮する場
合（第2類型）に分けて考察する。そこで、以下、各類型ごとに検討する。

(2) 余罪を実質的に処罰する趣旨の場合（第1類型）

余罪を実質的に処罰する趣旨で、量刑資料として考慮することは許されな
いとすることについてはほぼ異論はない。

∵① 不告不理の原則に反する

② 適正手続の原理（憲31）に反する

③ 証拠裁判主義（317）に反する

④ 自白の補強法則（憲38Ⅲ、法319ⅡⅢ）に反する

⑤ 二重処罰禁止の原則（憲39）に反する

▼ **最大判昭42.7.5**

「刑事裁判において、起訴された犯罪事実のほかに、起訴されていない犯罪事
実をいわゆる余罪として認定し、実質上これを処罰する趣旨で量刑の資料に考
慮し、これがため被告人を重く処罰すること」は、「不告不理の原則に反し、憲
法31条に違反するのみならず、自白に補強法則を必要とする憲法38条3項の
制約を免れることとなるおそれがあって、許されない」と判示した。

(3) 余罪を量刑のための情状として考慮する場合（第2類型）

(a) 余罪を量刑の一資料とすることの可否

ア 肯定説の根拠〈共〉

① 量刑に当たっては、犯情に加え、更生の可能性などを基礎付ける

情状事実も考慮されるところ、余罪は被告人が犯した別の犯罪であるから、情状事実（被告人の年齢・性格・経歴・環境等）である悪性格（犯罪傾向）の有力な間接事実となる。

② 犯罪に至らないものですら情状として考慮されるのであれば、犯罪に至っている余罪についてはなおさら一般情状に含めて考慮しないと均衡を害する。

イ　否定説の根拠📖

① 余罪を実質的に処罰する趣旨で量刑に反映させることと、単に起訴された犯罪の量刑を決めるための一資料とすることとの区別は、実際には困難な場合がある。

② 刑事裁判手続において犯罪事実の認定手続と量刑手続とは区分されていないため、量刑資料である余罪が犯罪事実の認定に不当な影響を及ぼすおそれがある。

③ 余罪も犯罪事実であるため、その認定に当たっては、起訴された犯罪事実に準じた手続保障を求めるべきであるが、量刑のための一情状だとすると厳格な証明を要しないことになってしまう。

▼ **最大判昭41.7.13** 📖

「刑事裁判における量刑は、被告人の性格、経歴および犯罪の動機、目的、方法等すべての事情を考慮して、裁判所が法定刑の範囲内において、適当に決定すべきものであるから、その量刑のための一情状として、いわゆる余罪をも考慮することは、必ずしも禁ぜられるところでない」と判示した。

▼ **東京高判平3.10.29**

「起訴されていない犯罪事実をいわゆる余罪として認定し、実質上これを処罰する趣旨で量刑の資料として考慮することは許されないけれども、単に被告人の性格、経歴及び犯罪の動機、目的、方法等の情状を推知するための資料としてこれを考慮することは適法であると解される」。

(b)　手続的保障

(a)で肯定説に立つ場合、第2類型の余罪考慮という形で第1類型の余罪考慮がなされる危険を避けるために、手続的に担保していく必要がある。そのような手続的担保としては、①立証趣旨の明確化、②事実認定手続と量刑手続の峻別、③補強証拠の要求、④余罪にも一事不再理効を及ぼす、⑤余罪が重大事犯の場合、余罪が極めて多数の場合、余罪につき被告人が否認しているような場合には、第1類型の余罪考慮と推定する、等が考えられる。

証拠

3 起訴されていない類似事実の立証

▼ **大阪高判平 17.6.28・平 18 重判 4 事件**

「起訴されていない被告人の犯罪事実を立証することは、裁判所に不当な偏見を与えるとともに、争点の混乱を引き起こすおそれもあるから、安易に許されるべきではないが、一切許容されないものではなく、特殊な手段、方法による犯罪について、同一ないし類似する態様の他の犯罪事実の立証を通じて被告人の犯人性を立証する場合など、その立証の必要性や合理性が認められ、かつ、事案の性質、審理の状況、被告人の受ける不利益の程度等に照らし相当と認められる場合には、許容されると解するのが相当である」と判示した。

4 伝聞証拠 ⇒ p.436
5 不任意自白 ⇒ p.417

四 証拠禁止

1 違法収集証拠排除法則〈司H18 司H27 司R2 予H30〉

（1）意義

　違法収集証拠排除法則とは、違法な捜査手続によって収集・獲得された証拠の証拠能力を否定する法準則をいう。

　　→これにより証拠能力が否定されると、317 条の「証拠」に該当しなくなり、当該証拠を事実認定に供することができなくなる

　現行法上、違法収集証拠排除法則を明記した規定はなく、最高裁判所の法解釈に基づく政策的な訴訟手続上の証拠法則と解されている。なお、違法収集証拠排除法則が「証拠禁止」の一類型とされているのは、正確な事実認定に資するという他の証拠法則（自白法則（319Ⅰ）、伝聞法則（320Ⅰ）など）の目的とは無関係に証拠能力を否定する証拠法則だからである。

（2）根拠・要件

▼ **大阪天王寺覚醒剤事件（最判昭 53.9.7・百選 88 事件）**〈予 司R2〉

　「違法に収集された証拠物の証拠能力については、憲法及び刑訴法になんらの規定もおかれていないので、この問題は、刑訴法の解釈に委ねられているものと解するのが相当である」。

　「証拠物は押収手続が違法であっても、物それ自体の性質・形状に変異をきたすことはなく、その存在・形状等に関する価値に変りのないことなど証拠物の証拠としての性格にかんがみると、その押収手続に違法があるとして直ちにその証拠能力を否定することは、事案の真相の究明に資するゆえんではなく、相当でない」。しかし、「他面において、事案の真相の究明も、個人の基本的人権の保障を全うしつつ、適正な手続のもとでされなければならないものであり」、「証拠物の押収等の手続に、憲法 35 条及びこれを受けた刑訴法 218 条 1 項等の所期する令状主義の精神を没却するような重大な違法があり、これを証拠とし

て許容することが、将来における違法な捜査の抑制の見地からして相当でないと認められる場合においては、その証拠能力は否定されるものと解すべきである」。

　上記の昭和53年判決が、違法収集証拠排除法則に関するリーディング・ケースである。これによれば、「令状主義の精神を没却するような重大な違法があり」（違法の重大性）、「これを証拠として許容することが、将来における違法な捜査の抑制の見地からして相当でないと認められる場合」（排除相当性）には、証拠能力が否定される。

(a)　違法収集証拠排除法則の根拠⟨予⟩
　　学説上では、主に次の3つが挙げられる。
　　① 司法の廉潔性（無瑕性）
　　　　裁判所が違法に収集された証拠を許容することは、捜査機関による違法な収集行為を是認ないし加担するに等しいものであり、正義を実現し廉潔であるべき司法に対する国民の信頼が損なわれるから、そのような証拠は排除すべきであるとの考え方
　　② 将来の違法捜査抑制の見地
　　　　捜査機関が違法な捜査手続により収集・獲得した証拠を排除することが将来の違法捜査を抑制する最善の方法であるとの考え方
　　③ 憲法上の適正手続の保障
　　　　捜査機関が違法な捜査手続により収集・獲得した証拠を用いて処罰することは、それ自体手続的正義に反するものであり、適正手続の保障を害するとの考え方
　　　　←もっとも、昭和53年判決は「この問題は、刑訴法の解釈に委ねられている」と判示しているので、違法収集証拠排除法則を、③の内容としてではなく、政策的な証拠法則として理解しているものと解される

　　これらの根拠は相互に排斥し合うものではないと考えられている。多くの学説は、昭和53年判決が明示する②に加えて、①も根拠の1つと解している。

(b)　違法収集証拠排除法則の要件⟨予⟩
　　上記のとおり、違法収集証拠排除法則の要件は、違法の重大性と排除相当性である。そして、違法の重大性の要件は「司法の廉潔性」と結びつき、排除相当性の要件は「将来の違法捜査抑制の見地」と結びつくものと解される。

　　これらの要件の関係については、昭和53年判決に即して、双方の要件を満たさなければ証拠排除をすべきではないと解されている（重畳説）。

(c) 違法の重大性の判断基準（要素）

違法の重大性（違法性の程度）の判断基準（要素）は、おおむね、客観的要素としての「法規からの逸脱の程度」（手続違反の程度、手続違反がなされた際の状況等）と、主観的要素としての「捜査機関の令状主義潜脱の意図の有無」（手続違反の有意性）に分類される。

→これらの基準・要素は、排除相当性の要件をも基礎付けるものであるため、これらにより違法の重大性が認められれば、通常、排除相当性も認められる（排除相当性を積極的に認定する必要はない）と解されている

なお、「捜査機関の令状主義潜脱の意図」については、文字どおりの「潜脱」の意図だけでなく、法律や令状主義を軽視する警察官の態度・姿勢も考慮される。

(d) 排除相当性の判断基準（要素）

排除相当性の判断基準（要素）は、上記(c)で挙げたもののほか、手続違反の頻発性、違法行為と証拠との間の因果性、証拠の重要性、事件の重大性が挙げられる。

これらのうち、特に重要な基準・要素とされるのが、「違法行為と証拠との間の因果性」である。排除相当性の要件は「将来の違法捜査抑制の見地」と結びつくものと解されるところ、違法行為によって当該証拠を獲得できたという因果性がなければ、たとえ当該証拠を排除しても、将来の違法捜査の抑制という効果は期待できないからである。

「証拠の重要性」については、当該証拠が重要であればあるほど、証拠排除による事案の真相の究明に対する弊害が大きくなるといえる。また、「事件の重大性」については、当該事件が重大であればあるほど、先の弊害を回避する必要性が高くなるといえる。

→もっとも、違法の重大性を前提にすると、単に「証拠の重要性」や「事件の重大性」が認められることを理由に証拠能力を認めるのは妥当でないので、これらはあくまで排除相当性の一要素にとどまるものと解される

(3) 違法行為と証拠との間の因果性

繰り返しになるが、排除相当性の要件は「将来の違法捜査抑制の見地」と結びつくものと解されるところ、違法行為によって当該証拠を獲得できたという因果性がなければ、たとえ当該証拠を排除しても、将来の違法捜査の抑制という効果は期待できない（証拠能力は否定されない）。

(a) 違法性の承継論と毒樹の果実論 司H27

かつては、「派生証拠」（違法収集証拠である第1次証拠から派生して得

られた第2次証拠（及びそれ以降の証拠））の証拠能力の判断枠組みとして、次の2つの考え方が挙げられていた。

① 違法性の承継論

先行手続の違法の後行手続への承継という枠組みのもと、先行手続と後行手続との間に「同一目的」「直接利用」といった一定の関係が認められる場合には、先行手続の違法の有無・程度を考慮して後行手続の適法・違法を判断するという考え方（最判昭61.4.25・百選89事件、最決昭63.9.16等）

→先行手続の違法が後行手続に順次承継されているかを逐一確認し、最終的に当該証拠を獲得した手続に承継された違法性が重大かどうかを検討して、当該証拠の証拠能力の有無を判断する

▼ **最判昭61.4.25・百選89事件**

「被告人宅への立ち入り、同所からの任意同行及び警察署への留め置きの一連の手続と採尿手続は、被告人に対する覚せい剤事犯の捜査という同一目的に向けられたものであるうえ、採尿手続は右一連の手続によりもたらされた状態を直接利用してなされていることにかんがみると、右採尿手続の適法違法については、採尿手続前の右一連の手続における違法の有無、程度をも十分考慮してこれを判断するのが相当である」とした上で、警察官が被告人宅寝室まで承諾なく立ち入り、明確な承諾のないまま警察署に任意同行し、退去の申出に応ぜず同署に留め置くなど、任意捜査の域を逸脱した違法な点のある一連の手続に引き続いて行われた採尿手続も違法性を帯びるとした。

しかし、任意同行に何ら有形力は行使されておらず、警察署に留まることを強要するような警察官の言動はなく、採尿手続自体は何等の強制も加えられることなく、自由な意思での応諾に基づいて行われていることなどから、その違法の程度はいまだ重大であるとはいえないとして、尿鑑定書の証拠能力を肯定した。

② 毒樹の果実論

違法性の承継というステップを踏むことなく（先行手続の違法が後行手続に順次承継されているかを逐一確認することなく）、先行手続の違法の内容・程度と、先行手続と証拠との因果性（関連性）の有無・程度とを総合して判断するという考え方（後掲最判平15.2.14・百選90事件参照。「毒樹」は違法な先行手続そのものを指し、「果実」は第1次証拠及びその派生証拠を指す）

→先行手続の違法の重大性を認定した上で、先行手続と証拠との間の因果性の有無・程度を判定して、当該証拠の証拠能力の有無を判断する

証拠

＊ なお、毒樹の果実論について、上記と異なる理解を示す学説も
あるが、割愛する。

(b) 近時の考え方

しかし、近時では、第1次証拠かそれ以降の派生証拠かを問わず、端的
に「違法行為と証拠との間の因果性」の問題（判例は「密接」な「関連
性」という用語を用いている。後掲最判平 15.2.14・百選 90 事件）と捉え
れば足りると解されている。

∵① 「違法行為と証拠との間の因果性」は、「派生証拠」に限らず第1
次証拠でも問題となり得る

② 違法性の承継論・毒樹の果実論のいずれも、違法な手続と証拠能
力が問題となる当該証拠との間の関係を論じている点で共通してお
り、両者は単に説明の仕方の違いにすぎない

そうすると、派生証拠の証拠能力を検討するに当たっては、第1次証拠
の証拠能力を検討するのと同様に、端的に違法の重大性・排除相当性の判
断基準・要素をそのまま適用すればよいことになる。

→違法性の承継論で用いられる「同一目的」「直接利用」という要素は、
因果性（密接関連性）の有無・程度を判断する事情の1つにすぎない

(c) 因果性が否定され得る類型

違法行為と証拠との間の因果性を検討するに当たっては、その因果性が
否定され得る事情の検討が重要である。一般に、因果性が否定され得る類
型として、次に3つの類型（法理）が挙げられる。

① 希釈法理

違法な手続が行われた後、適法な手続が介在した結果、先行する違
法行為と証拠との間の因果性が希釈された場合には、排除法則は適用
されないという法理

ex. 違法に収集された証拠を疎明資料として捜索差押許可状の請求
をしたが、他に適法に得られた疎明資料も提供されて司法審査が
行われた結果、同許可状が発付された場合（前掲最判平 15.2.14・
百選 90 事件、最決平 21.9.28・百選 30 事件参照）

▼ **最決平 21.9.28・百選 30 事件**

事案： ⇒ p.107 参照

決旨： 荷送人や荷受人の承諾を得ることなく行われた宅配便荷物のエックス
線検査は、「荷送人や荷受人の内容物に対するプライバシー等を大きく侵
害するものであるから、検証としての性質を有する強制処分に当たる」
とし、「検証許可状によることなくこれを行った本件エックス線検査は、
違法である」とした上で、次のとおり判示した。

　本件覚醒剤等は、各捜索差押許可状に基づいて実施された捜索において、宅配便荷物の中などから発見されたものであるが、「これらの許可状は、……本件エックス線検査の射影の写真等を一資料として発付されたものとうかがわれ、本件覚せい剤等は、違法な本件エックス線検査と関連性を有する証拠であるということができる」。

　「しかしながら、本件エックス線検査が行われた当時、……宅配便を利用した覚せい剤譲受け事犯の嫌疑が高まっており、更に事案を解明するためには本件エックス線検査を行う実質的必要性があったこと、警察官らは、荷物そのものを現実に占有し管理している宅配便業者の承諾を得た上で本件エックス線検査を実施し、その際、検査の対象を限定する配慮もしていたのであって、令状主義に関する諸規定を潜脱する意図があったとはいえないこと、本件覚せい剤等は、司法審査を経て発付された各捜索差押許可状に基づく捜索において発見されたものであり、その発付に当たっては、本件エックス線検査の結果以外の証拠も資料として提供されたものとうかがわれることなどの諸事情にかんがみれば、本件覚せい剤等は、本件エックス線検査と上記の関連性を有するとしても、その証拠収集過程に重大な違法があるとまではいえず、その他、これらの証拠の重要性等諸般の事情を総合すると、その証拠能力を肯定することができる」。

② 独立源の法理

　違法な手続とは無関係に、別の独立した適法な手続によって証拠を発見・収集できたと認められる場合には、排除法則は適用されないという法理

　　ex. 違法な捜索・差押えによって得た書類に記載されていた情報が、既に任意提出済みの別の書類から明らかになっていた場合

③ 不可避的発見の法理

　当該事件では実際に違法な手続によって証拠が発見・収集されたものの、いずれは適法かつ当然に当該証拠が発見・収集される運命にあったと認められる場合には、排除法則は適用されないという法理

　　ex. ある警察官が被疑者宅において違法な無令状の捜索・差押えを行い、覚醒剤を発見・収集したが、いずれは別の警察官が適法に被疑者宅を捜索場所とする捜索差押許可状の発付を受け、当該覚醒剤を発見・収集していたはずであるという場合

　　→②独立源の法理と異なり、非現実の仮定を根拠とする以上、因果性を否定するためには、適法な手続で証拠を得られた蓋然性が現実的かつ高度なものである必要があると解される

(d)「善意の例外」の法理について

「善意の例外」の法理を上記(b)の1つとして挙げる学説もある。「善意の

例外」の法理とは、捜査機関が発付された捜索差押許可状の適法性を信頼してこれに基づき証拠を発見・収集した場合には、事後的に令状発付の判断に瑕疵があるとして令状自体が違法と認められたとしても、排除法則は適用されないという法理である。

∵ 捜査機関にはおよそ令状主義を潜脱する意図はなく、裁判官の令状発付の判断に瑕疵があった結果として捜査が違法となったのであるから、この場合に当該証拠を排除しても、将来の違法捜査の抑制という効果は期待できない

もっとも、令状発付の違法性と違法収集証拠排除法則の適用が問題となった事案において、判例（最判令4.4.28・令4重判6事件）は、捜査官の「善意」は違法の重大性（及び排除相当性）の判断要素（主観的要素としての「捜査機関の令状主義潜脱の意図の有無」）の1つとして考慮すれば足りるとの立場に立つものと解されている。

∵ 違法収集証拠排除法則により証拠能力が否定されるためには違法の重大性の要件を満たす必要があり（重畳説）、専ら将来の違法捜査の抑止効があるかという観点のみから排除法則の適用範囲を考える必要はない

(e) 証拠収集後の違法行為

繰り返しになるが、違法収集証拠排除法則とは、違法な捜査手続によって収集・獲得された証拠の証拠能力を否定する法準則であり、排除相当性の要件（特に違法行為と証拠との間の因果性）を満たす必要がある。

したがって、捜査官による違法行為（暴行など）が行われたとしても、それが適法な証拠収集後である場合には、違法収集証拠排除法則は適用されない。

▼ **最決平8.10.29・百選A43事件**

「警察官が捜索の過程において関係者に暴力を振るうことは許されないことであって、本件における右警察官らの行為は違法なものというほかはない。しかしながら、前記捜索の経緯に照らし本件覚せい剤の証拠能力について考えてみると、右警察官の違法行為は捜索の現場においてなされているが、その暴行の時点は証拠物発見の後であり、被告人の発言に触発されて行われたものであって、証拠物発見を目的とし捜索に利用するために行われたものとは認められないから、右証拠物を警察官の違法行為の結果収集された証拠として、証拠能力を否定することはできない」。

なお、後に詳しく説明する判例（最判平15.2.14・百選90事件）は、違法な逮捕手続の後に行われた警察官による手続的違法を糊塗する行為（逮捕状の虚偽記入や公判廷における虚偽証言など）を重視して逮捕手続の違

法の重大性を認定しているが、警察官による糊塗行為によって尿の鑑定書を獲得できたという因果性はないにもかかわらず、事後的な糊塗行為が考慮されたのはどのような理由によるものかが問題となる。

　この点については、上記判例が「本件の経緯全体を通して表れたこのような警察官の態度を総合的に考慮すれば」と判示していることに照らすと、警察官による事後的な糊塗行為から、逮捕状の執行当時における「捜査機関の令状主義潜脱の意図」を推認することができるからであると説明されている。

(4)　判例

(a)　職務質問に伴う違法な所持品検査により押収された覚醒剤の証拠能力

予H30

▼　**大阪天王寺覚醒剤事件（最判昭53.9.7・百選88事件）**

事案：　警察官であるK巡査らは、Xに対して職務質問したところ、その落ち着きのない態度及び青白い顔色などから、覚醒剤使用の嫌疑が濃厚に認められたため、Xの承諾がないのに、その上衣左側内ポケットに手を差し入れて、所持品である覚醒剤等を取り出した。K巡査らは、Xを覚醒剤不法所持の現行犯人として逮捕し、本件覚醒剤を差し押さえた。

判旨：　「Xの承諾なくその上衣左側内ポケットから本件証拠物を取り出したK巡査の行為は、職務質問の要件が存在し、かつ、所持品検査の必要性と緊急性が認められる状況のもとで、必ずしも諾否の態度が明白ではなかったXに対し、所持品検査として許容される限度をわずかに超えて行われたに過ぎないのであって、もとより同巡査において令状主義に関する諸規定を潜脱しようとの意図があったものではなく、また、他に右所持品検査に際し強制等のされた事跡も認められないので、本件証拠物の押収手続の違法は必ずしも重大であるとはいえないのであり、これをXの罪証に供することが、違法な捜査の抑制の見地に立ってみても相当でないとは認めがたいから、本件証拠物の証拠能力はこれを肯定すべきである」。

(b)　強制採尿令状の発付自体が違法な場合における尿の鑑定書等の証拠能力

▼　**最判令4.4.28・令4重判6事件**

事案：　⇒p.166参照

判旨：　本件強制採尿「令状は、Xに対して強制採尿を実施することが『犯罪の捜査上真にやむを得ない』場合とは認められないのに発付されたものであって、その発付は違法であり、警察官らが同令状に基づいてXに対する強制採尿を実施した行為も違法といわざるを得ない」とした上で、次のとおり判示した。

証拠

　　「警察官らは、本件犯罪事実の嫌疑がありXに対する強制採尿の実施が必要不可欠であると判断した根拠等についてありのままを記載した疎明資料を提出して本件強制採尿令状を請求し、令状担当裁判官の審査を経て発付された適式の同令状に基づき、Xに対する強制採尿を実施したものであり、同令状の執行手続自体に違法な点はない」。

　　また、「同令状発付の時点において、嫌疑の存在や適当な代替手段の不存在等の事情に照らし、Xに対する強制採尿を実施することが『犯罪の捜査上真にやむを得ない』場合であるとは認められないとはいえ、この点について、疎明資料において、合理的根拠が欠如していることが客観的に明らかであったというものではない」。

　　さらに、「警察官らは、……Xに対して、直ちに同令状を執行して強制採尿を実施することなく、尿を任意に提出するよう繰り返し促すなどしており、被告人の身体の安全や人格の保護に対する一定の配慮をしていたものといえる」。そして、「以上のような状況に照らすと、警察官らに令状主義に関する諸規定を潜脱する意図があったともいえない」。

　　「これらの事情を総合すると、本件強制採尿手続の違法の程度はいまだ令状主義の精神を没却するような重大なものとはいえず、本件鑑定書等を証拠として許容することが、違法捜査抑制の見地から相当でないとも認められないから、本件鑑定書等の証拠能力は、これを肯定することができる」。

評釈：　仮に、疎明資料において、「合理的根拠が欠如していることが客観的に明らかであった」にもかかわらず、令状担当裁判官がこれを看過して強制採尿令状を発付し、これに基づき強制採尿が実施された場合には、当該尿の鑑定書の証拠能力を否定すべきであると解する見解がある。この見解は、このような場合にも尿の鑑定書の証拠能力を肯定すると、司法に対する国民の信頼（司法の廉潔性）が損なわれるから、違法の重大性が認められること、将来の違法な令状発付を抑制することは、将来の違法な捜査（令状執行）を抑制することにも繋がるから、排除相当性も認められることを理由とする。

(c)　法の執行方法の選択ないし捜査の手順を誤ったにすぎない場合

　　捜査機関が違法な手続を実行したものの、事後的にみれば適法な手続を実行し得る実体的要件が認められ、捜査機関がそれに即した適法な手続を履践しなかったにすぎないという場合、判例は、このような事情を、現に実行された違法な手続の違法性の程度を軽減する要素として位置付けているものとみられている。

▼ **最決昭63.9.16**

事案： 警察官がXに対して職務質問をしようとしたところ、Xが逃走したため、Xをパトカーで警察署に同行した。Xがパトカーに乗車する際、Xは路上に紙包みを落としたため、警察官がこれを見分したところ、覚醒剤様のものを発見したため、これを保管した。その後、警察官がXの承諾を得ずに所持品検査を行ったところ、覚醒剤を発見し、次いで任意採尿を実施した。

決旨： Xの「同行について承諾があったものとは認められない」。次に、所持品検査について、「Xがその意思に反して警察署に連行されたことなどを考えれば、黙示の承諾があったものとは認められない。本件所持品検査は、Xの承諾なく、かつ、違法な連行の影響下でそれを直接利用してなされたものであり、……違法な所持品検査といわざるを得ない」。「採尿手続自体は、Xの承諾があったと認められるが、前記一連の違法な手続によりもたらされた状態を直接利用して、これに引き続いて行われたものであるから、違法性を帯びる」。

しかし、警察官は、「その捜査経験からXが落とした紙包みの中味が覚せい剤であると判断したのであり、Xのそれまでの行動、態度等の具体的な状況からすれば、実質的には、この時点でXを右覚せい剤所持の現行犯人として逮捕するか、少なくとも緊急逮捕することが許されたといえるのであるから、警察官において、法の執行方法の選択ないし捜査の手順を誤ったものにすぎず、法規からの逸脱の程度が実質的に大きいとはいえない」。そのほかにも、「警察官らの有形力の行使には暴力的な点がなく、Xの抵抗を排するためにやむを得ずとられた措置であること、警察官において令状主義に関する諸規定を潜脱する意図があったとはいえないこと、採尿手続自体は、何らの強制も加えられることなく、Xの自由な意思での応諾に基づいて行われていることなどの事情……に徴すると、本件所持品検査及び採尿手続の違法は、未だ重大であるとはいえず、右手続により得られた証拠をXの罪証に供することが、違法捜査抑制の見地から相当でないと認められない」。

もっとも、次の判例は、逮捕時に逮捕状が呈示されなかったものの、逮捕状の緊急執行（201Ⅱ・73Ⅲ）が可能であり、警察官はこの手続を履践せずに身体拘束したという手続的な違法が認められる事案において、上記の判例と同様に、「警察官において、法の執行方法の選択ないし捜査の手順を誤ったものにすぎず、法規からの逸脱の程度が実質的に大きいとはいえない」と評価する余地があったにもかかわらず、次のとおり判示し、違法の重大性を認定して証拠能力を否定した（なお、最高裁判所が証拠能力を否定したこれまで唯一の判例が、次の平成15年判決である）。

証拠

▼ 最判平 15.2.14・百選 90 事件 予 司H27

事案：　警察官らは、かねて窃盗を被疑事実とする逮捕状が発付されていたXの動向視察のため、本件逮捕状を携行せずにX方に赴いたところ、Xが突然逃走するなどしたため、Xを逮捕した。その際、警察官らは逮捕現場においてXに逮捕状を呈示しなかったにもかかわらず、本件逮捕状には同逮捕状を呈示して逮捕した旨の記載があった。その後、Xには任意採尿が実施され、尿の鑑定書が作成された。

　　　　　後日、尿の鑑定書を疎明資料として覚醒剤使用を被疑事実とする捜索差押許可状が発付され、既に発付されていた窃盗事件についての捜索差押許可状と併せてX方の捜索が実施された結果、本件覚醒剤が押収され、その鑑定書等も作成された。

　　　　　Xの公判において、逮捕手続の違法性が争点となり、警察官らは証人として出廷した際、本件逮捕状を逮捕現場でXに示すとともに被疑事実の要旨を読み聞かせた旨の証言をした。

判旨：　1　尿の鑑定書の証拠能力について［各見出しはLEC注］

　　　　　「本件逮捕には、逮捕時に逮捕状の呈示がなく、逮捕状の緊急執行もされていない……という手続的な違法があるが、それにとどまらず、警察官は、その手続的な違法を糊塗するため、……逮捕状へ虚偽事項を記入し、内容虚偽の捜査報告書を作成し、更には、公判廷において事実と反する証言をしているのであって、本件の経緯全体を通して表れたこのような警察官の態度を総合的に考慮すれば、本件逮捕手続の違法の程度は、令状主義の精神を潜脱し、没却するような重大なものであると評価されてもやむを得ないものといわざるを得ない。そして、このような違法な逮捕に密接に関連する証拠を許容することは、将来における違法捜査抑制の見地からも相当でないと認められるから、その証拠能力を否定すべきである」。

　　　　　「本件採尿は、本件逮捕の当日にされたものであり、その尿は、上記のとおり重大な違法があると評価される本件逮捕と密接な関連を有する証拠であるというべきである。また、その鑑定書も、同様な評価を与えられるべきものである」。

　　　　　2　覚醒剤等の証拠能力について

　　　　　「本件覚せい剤は、Xの覚せい剤使用を被疑事実とし、X方を捜索すべき場所として発付された捜索差押許可状に基づいて行われた捜索により発見されて差し押さえられたものである」が、上記捜索差押許可状はXの尿の「鑑定書を疎明資料として発付されたものであるから、証拠能力のない証拠と関連性を有する証拠というべきである」。

　　　　　「しかし、本件覚せい剤の差押えは、司法審査を経て発付された捜索差押許可状によってされたものであること、逮捕前に適法に発付されていたXに対する窃盗事件についての捜索差押許可状の執行と併せて

行われたものであることなど、本件の諸事情にかんがみると、本件覚せい剤の差押え」とＸの尿の「鑑定書との関連性は密接なものではないというべきである。したがって、本件覚せい剤及びこれに関する鑑定書については、その収集手続に重大な違法があるとまではいえず、その他、これらの証拠の重要性等諸般の事情を総合すると、その証拠能力を否定することはできない」。

評釈： 第１次証拠（尿の鑑定書）の証拠能力に関して、違法の重大性が認定されて証拠能力が否定されたのは、逮捕後に行われた警察官の手続的な違法を糊塗する行為からうかがわれる捜査機関の令状主義潜脱ないし軽視の意図や一貫した法無視の態度が、決定的に重要な要素になったためであると評されている。　⇒p.400 参照（証拠収集後の違法行為）

なお、第２次証拠（覚醒剤等）の証拠能力が肯定された理由の１つとして、第１次証拠（尿の鑑定書）との「関連性は密接なものではない」ことが挙げられており、その根拠として、①「本件覚せい剤の差押えは、司法審査を経て発付された捜索差押許可状によってされたものであること」、②「逮捕前に適法に発付されていたＸに対する窃盗事件についての捜索差押許可状の執行と併せて行われたものであること」が指摘されているが、①は希釈法理に基づくものであり、②は不可避的発見の法理に類似するものであると分析されている。　⇒p.398 参照

2　違法収集証拠排除法則をめぐるその他の問題

(1)　違法収集証拠に対する同意

違法収集証拠排除法則が採用される以前のものであるが、判例（最大判昭36.6.7・百選Ａ６事件）は、「被告人及び弁護人がこれを証拠とすることに同意し、異議なく適法な証拠調を経たものである……から、右各書面は、捜索、差押手続の違法であったかどうかにかかわらず証拠能力を有する」としていた。

しかし、違法収集証拠排除法則の根拠である司法の廉潔性及び将来の違法捜査抑制の見地に照らし、政策的に証拠能力を否定すべきであると解される場合には、たとえ被告人・弁護人が同意（326）したときであっても、裁判所と証拠排除すべきであると解する見解が有力である。

(2)　違法収集証拠排除の申立適格

違法な捜査が行われたものの、これにより権利侵害を受けた者が被告人以外の第三者であった場合、被告人は違法行為を理由とする証拠排除を申し立てることができるかが問題となる。

この点について判示した最高裁判所の判例は見当たらない。学説上では、申立適格は違法な捜査によって権利侵害を受けた者のみに限られず、上記の被告人にも申立適格が認められると解する見解が有力である。

証拠

∵　広く申立適格を認める方が司法の廉潔性の維持及び将来の違法捜査の抑制に資する

(3)　私人による違法収集証拠

　　私人が違法な手段を用いて証拠を収集し、これを捜査機関が入手して利用する場合、当該証拠を違法収集証拠排除法則により証拠排除できるか。

　　まず、捜査機関が私人に証拠収集を依頼した場合（おとり捜査において、私人が捜査機関の指示に従い対象者に犯行の働きかけを行ったような場合）、実質的に当該私人の行為は捜査機関の行為とみなすことができるので、証拠排除できる。

　　問題は、私人が捜査機関の依頼によることなく独自に証拠を収集した場合（私人が対象者の家屋に無断で侵入し、小型ビデオカメラを設置して録音・録画したような場合）である。

　　この点について判示した最高裁判所の判例は見当たらない。学説上では、この場合における証拠排除は困難であると解する見解が有力である。

∵①　国家機関たる捜査機関が違法に収集した証拠を裁判所が許容する場合と比較すると、司法の廉潔性を損なう程度は大きくない
　②　抑制されるべき捜査機関の違法捜査は存在しないし、証拠排除しても将来の私人の違法行為が抑制されるものではない
→もっとも、私人の行為の違法性の程度・態様が著しい場合には、そのようにして収集された証拠を司法過程で用いること自体、司法に対する信頼を失わせるとして、例外的に証拠排除される可能性があると解されている

第３１８条　（自由心証主義）

　証拠の証明力は、裁判官の自由な判断に委ねる。

《注　釈》

一　証明力の評価

1　意義・根拠

(1)　自由心証主義とは、証拠の証明力は裁判官の自由な判断に委ねるとする原則をいう。

(2)　証明は、証拠たる痕跡による過去の事実の再現であるから、まず証拠が必要なのは当然である。これと同時に、証拠価値の判定・評価によって行われる「再現」のプロセスの問題も重要である。この証拠の価値の判断に外的な拘束を加えないで裁判官の理性を信頼することにしているのである。

　　自由心証主義の根拠として、①法定証拠主義では、裁判官の個人差を消去して法的安定性に資するが、規定が画一化して具体的妥当性を逸する危険が

あること、②法定証拠主義にいう証拠の多くが自白だったので、自白中心＝拷問裁判に結び付いたこと、③人間の理性に信頼を置く人間主義（合理主義）などが挙げられる。

2　証明力の自由な評価

証明力は、①それが実質上どの程度要証事実の存否を推認させるかという狭義の証明力と、②要証事実とは別に、個々の証拠が信頼に足りるものであるかという信用性とからなる。そして、自由心証主義からは、そのいずれも裁判官の自由な評価に委ねられる。

したがって、証拠の取捨選択は裁判官の自由であり、矛盾する証拠のどれをとってもよいし、具体的証拠にどの程度信用を置くかも任される。たとえば、宣誓した証人よりも宣誓しない証人の証言を採用し、複数の証言をしりぞけて被告人の供述を信用し、直接証拠があるのに間接証拠を優先させてもかまわない。証人の公判廷での供述態度を考慮することもできる〈共予〉。

もっとも、自由心証主義は、裁判官の恣意を許すものではなく、経験則や論理法則に沿った合理的心証形成でなければならない（合理的心証主義）〈共〉。

二　心証の程度

証拠の自由な評価といっても、形成すべき心証がどの程度のものであってもよいというわけではなく、犯罪事実の認定には、「合理的な疑いを差し挟む余地のない程度の確信」（合理的疑いを超える証明）が必要である。

民事訴訟では、財産等の権利義務が問題なので、一般に「証拠の優越」の程度の心証でよいとされるが、刑事訴訟では、刑罰を科すという人権にかかわる重大問題であるので、高度の心証が要求されるのである。

▼　**最決平 19.10.16・百選 58 事件**〈司予〉

事案：　被告人は、離婚訴訟中であった妻の実母Ａらを殺害する目的で、過酸化アセトン（TATP）に起爆装置を設置してこれを定形外郵便封筒内に収納するなどして、封筒から内容物を引き出すことにより起爆装置が作動してTATPが爆発する爆発物を製造し、定形外郵便物としてＡあてに投函し、配達されたＡをして内容物を引き出させてこれを爆発させ、Ａらに重軽傷を負わせたとして、爆発物取締罰則違反・殺人未遂の事実で起訴された。被告人は、一貫して事実を否認し、公判でも無罪を主張した。そこで、検察官は専ら間接事実を積み重ねて事実を立証しようとした。

決旨：　刑事裁判において有罪の認定に当たっては、合理的な疑いを差し挟む余地のない程度の立証が必要であるが、ここに合理的な疑いを差し挟む余地がないというのは、反対事実が存在する疑いを全く残さない場合をいうものではなく、抽象的な可能性としては反対事実が存在するとの疑いをいれる余地があっても、健全な社会常識に照らして、その疑いに合理性がないと一般的に判断される場合には、有罪認定を可能とする趣旨

である。そして、このことは、直接証拠によって事実認定すべき場合と、情況証拠によって事実認定すべき場合とで、何ら異なることはない。

▼ **最判平 22.4.27・百選 59 事件**

「刑事裁判における有罪の認定に当たっては、合理的な疑いを差し挟む余地のない程度の立証が必要であるところ、情況証拠によって事実認定をすべき場合であっても、直接証拠によって事実認定をする場合と比べて立証の程度に差があるわけではない」が、「直接証拠がないのであるから、情況証拠によって認められる間接事実中に、被告人が犯人でないとしたならば合理的に説明することができない（あるいは、少なくとも説明が極めて困難である）事実関係が含まれていることを要する」。

三 自由心証主義の制約

1 はじめに

現行法は、自由心証主義を採用しているが（318）、裁判官の自由な判断に委ねられるのは、証拠の証明力であって、対象たる証拠の範囲は、証拠能力による制約を受ける。また、自由心証主義にも例外がある。

さらに、自由心証主義といっても裁判官の恣意を許すものではなく、裁判官は、論理則や経験則に則って、合理的に証明力を評価・判断しなければならない。そこで、心証形成の合理性を担保する制度も現行法上置かれている。

2 自由心証主義の例外

(1) 法律上の例外

(a) 自白の補強証拠の要求

自白偏重を防止する趣旨から、自白が唯一の証拠である場合は有罪とならず（憲38Ⅲ、法319ⅡⅢ）、補強証拠が要求されている。 ⇒p.425

(b) 公判調書の証明力

公判期日における訴訟手続がどのように行われたかが問題となったときは、公判調書に記載されたものは、その記載のみによって証明することができる（52）。

その趣旨は、上訴審に無用の負担をかけ手続が遅延しないようにすることにある。

(2) 解釈上の例外

(a) 供述拒否権行使の場合の不利益判断禁止

被告人らの供述拒否権の行使を、その不利益に判断（不利益推認）してはならない。

(b) 民事判決の確定力の効力

刑事裁判では、民事判決の確定力の効力は原則として受けないが、それ

が形成判決の場合には、その法律要件的効力が及び、裁判の基礎とする必要がある。

3　自由心証主義の合理性の担保

(1)　自由心証主義を外的に担保する制度

(a)　除斥・忌避・回避　⇒ p.14

(b)　重大事件での合議制

(c)　証拠能力制度

証拠能力のない証拠を判断対象から除外することで、自由心証の合理性を間接的に担保する。

(d)　当事者主義の諸制度

起訴状一本主義（256Ⅵ）により裁判官の予断を排除する。

(e)　有罪判決の理由の記載

判決には理由を付し（44）、有罪判決には罪となるべき事実を認定する基礎となった証拠の標目を示さなければならない（335Ⅰ）。

(f)　事実認定の事後審査制度

ア　第1審の判決において、摘示証拠から判決の結論を導くのが合理的でなければ、理由不備ないし齟齬となり、絶対的控訴理由となる（378④）。

イ　経験則違反は訴訟手続違反として、相対的控訴理由（379）となる（通説）。

ウ　事実誤認が控訴理由とされ（382）、上告審も重大な事実誤認を職権破棄理由としている（411③）。

エ　再審は事実誤認を救済することで自由心証の合理性を担保することになる（435⑥）。

(2)　心証形成の方法

(a)　科学的法則による拘束・科学的法則の活用

ア　意義

自由心証主義とはいっても、論理則や経験則の枠をはみ出しえないので、一般に承認された科学的法則には拘束される。

ex.　血液型鑑定の結果父性が否定されれば、これを承認せざるを得ない

また、心証形成は経験則・論理則に従ったものであるために、科学的知識を十分に生かすべきである。

ex.　自白や目撃証言等の供述証拠の証明力判断についての基準の類型化や心理学の活用

証拠

証
拠

▼ **最判平 20.4.25・平 20 重判〔刑法〕4 事件** ⚖

事案： 被告人は、統合失調症により、幻視・幻聴や、頭の中で考えていることを他人に知られていると感じるなどの症状が現れるようになり、元雇用主であった被害者が自分をばかにしているという幻視・幻聴が数回現れるようになったため、被害者を殴って脅かしてやろうと考え、被害者の顔面を数回殴るなどし、被害者は、頭部を路面等に打ち付けた結果、死亡した。第1審判決は、裁判所から鑑定を命じられた医師Sの鑑定に依拠し、被告人は、本件行為当時心神喪失の状態にあったとして（刑39Ⅰ）被告人に無罪を言い渡した。これに対して、検察官が控訴した。

判旨： 被告人の精神状態が刑法39条にいう心神喪失又は心神耗弱に該当するかどうかは法律判断であって専ら裁判所にゆだねられるべき問題であることはもとより、その前提となる生物学的、心理学的要素についても、上記法律判断との関係で究極的には裁判所の評価にゆだねられるべき問題である（最決昭58.9.13）。しかしながら、生物学的要素である精神障害の有無及び程度並びにこれが心理学的要素に与えた影響の有無及び程度については、その診断が臨床精神医学の本分であることにかんがみれば、専門家たる精神医学者の意見が鑑定等として証拠となっている場合には、鑑定人の公正さや能力に疑いが生じたり、鑑定の前提条件に問題があったりするなど、これを採用し得ない合理的な事情が認められるのでない限り、その意見を十分に尊重して認定すべきものというべきである。……そうすると基本的に信用するに足りるS鑑定とF鑑定を採用できないものとした原判決の証拠評価は、相当なものとはいえない。……被告人が犯行当時統合失調症にり患していたからといって、そのことだけで直ちに被告人が心神喪失状態にあったとされるものではなく、その責任能力の有無・程度は、被告人の犯行当時の病状、犯行前の生活状態、犯行の動機・態様等を総合して判断すべきである（最決昭59.7.3）。……そうすると、本件行為について……心神耗弱にとどまっていたと認めるのは困難であるとし、原判決を破棄し、原裁判所に差し戻した。

イ 疫学的証明

疫学とは、疾病を集団現象として観察することにより、発病に作用する要因を発見して予防に役立てるための学問である。この疫学の手法による科学的証明を疫学的証明という。疫学的証明は、科学的証明の1つとして、民事事件では公害訴訟・薬害訴訟等で採用され定着している。

判例は、千葉大チフス事件（最決昭57.5.25・百選〔第9版〕65事件）で、原判決は、「『疫学的証明ないし因果関係が、刑事裁判上の種々の客観的事実ないし証拠又は状況証拠によって裏付けられ、経験則に照らし合理的であると認むべき場合においては、刑事裁判上の証明があったも

のとして法的因果関係が成立する。』と判示し、本件各事実の因果関係の成立の認定に当たっても、右立場を貫き、疫学的な証明の他に病理学的な証明などを用いることによって合理的な疑いをこえる確実なものとして事実を認定していることが認められるので、事実認定の方法に誤りはない」と判示した。

(b) 当事者主義的な心証形成

裁判官の心証形成は、当事者追行主義的な証拠調べ手続（ex. 298 I、308）を前提としてなされる。したがって、証拠評価は裁判官の自由に委ねられているが、当事者の意見を前提とした証拠評価でなくてはならない。

ex. 当事者に証明力を争う機会（308）を十分に与える等

▼ **大阪地判平16.4.9・百選〔第9版〕73事件**

事案： 被害者が被告人から多数回殴打され傷害を負った事案において、被告人の犯人性を裏付ける主要な証拠は被害者の供述しかないという状況で、被害者の供述の信用性が争われた。

判旨： 観察条件・記憶保持情況の点については、被害者が犯人とは初対面であり、被害者の視力が弱い上、当時酔っていたこと及び犯人識別手続までに4か月経っていたことを重視した。また、犯人識別手続において、判例・実務において避けるべきとされる単独面通しが行われたことを重視し、犯人識別の確信が時間が経つにつれ増していったことが不自然であるとして、被害者供述の信用性を否定した。

第319条 〔自白の証拠能力・証明力〕

Ⅰ 強制、拷問又は脅迫による自白、不当に長く抑留又は拘禁された後の自白その他任意にされたものでない疑のある自白は、これを証拠とすることができない。

Ⅱ 被告人は、公判廷における自白であると否とを問わず、その自白が自己に不利益な唯一の証拠である場合には、有罪とされない。

Ⅲ 前2項の自白には、起訴された犯罪について有罪であることを自認する場合を含む。

　憲法第38条 〔自白の証拠能力〕

　　Ⅱ 強制、拷問若しくは脅迫による自白又は不当に長く抑留若しくは拘禁された後の自白は、これを証拠とすることができない。

　　Ⅲ 何人も自己に不利益な唯一の証拠が本人の自白である場合には、有罪とされ、又は刑罰を科せられない。

[趣旨] 319条1項は、憲法38条2項を受けて、自白の証拠能力につき自白法則を規定するものである。319条2項3項は、憲法38条3項を受けて、自白の証明力につき補強法則を規定するものである。

証拠

《注 釈》
一 自白総説
1 意義
自白とは、自己の犯罪事実の全部又はその重要部分を認める被告人の供述をいう。よって、犯罪構成事実を認めながら違法性阻却事由や責任阻却事由の存在を主張しても「自白」に当たる。

2 自白と類似の概念
(1) 不利益な事実の承認

犯罪事実の一部分を認める供述は、単なる「不利益な事実の承認」である。

ex. 殺人事件において被害者殺害の事実を否認しながら、凶器とされた拳銃と同型の拳銃を所持している事実を認めるような場合

(2) 有罪である旨の自認

英米法のアレインメント手続における「有罪の答弁」と同義であるが、わが刑事訴訟法上は単に1個の自白として扱うこととしている（319Ⅲ）。

もっとも、有罪の自認には簡易公判手続によることができるという効果が与えられる場合もあり、この場合には「有罪である旨の陳述」（291の2）と呼ばれる。

3 自白の時期・相手方
(1) 自白の時期

被告人の供述である限り、その供述のなされた時期のいかんを問わない。

→被疑者、証人、参考人としての地位に基づいてなした供述でもよい

(2) 自白の相手方

誰に対してなされたものでもよい。

→公判廷で裁判所に対してなされたもの（裁判上の自白）でも、それ以外の自白（裁判外の自白）でもよい。裁判外の自白には、捜査機関に対してなされた場合のみならず一般私人に対してなされた場合も含む。また、相手方のない場合でもよい（ex. 日記の記載）

二 自白の証拠能力（自白法則） 司R2 予H26
1 自白法則
憲法38条2項は、「強制、拷問若しくは脅迫による自白又は不当に長く抑留若しくは拘禁された後の自白は、これを証拠とすることができない」としている。そして、これを受けて刑事訴訟法319条1項は「強制、拷問又は脅迫による自白、不当に長く抑留又は拘禁された後の自白その他任意にされたものでない疑のある自白は、これを証拠とすることができない」と規定する。

憲法38条2項には「任意にされたものでない疑のある自白」（不任意自白）が文言上含まれていないが、判例（最大判昭45.11.25・百選69事件）は、不任意自白を「証拠に採用することは、刑訴法319条1項の規定に違反し、ひいて

証拠

は憲法38条2項にも違反する」としている《予》。

このような、任意性に疑いのある自白の証拠能力を否定する法則を一般に（狭義の）自白法則と呼ぶ。狭義の自白法則と補強法則を合わせて、広義の自白法則と呼ぶこともある。

2　排除の根拠

＜自白法則の根拠＞《同共予》

	内　容	批　判
虚偽排除説（＊）	不任意な自白は、その内容が虚偽のおそれがあるので排除される →自白の証拠能力＝自白の任意性と捉える →自白の任意性の判断は、自白が「虚偽の自白を誘発するおそれのあるような状況下でなされたかどうか」が基準となる	①　拷問、脅迫による自白でも虚偽でないことが判明すれば証拠能力が認められる余地があるが、これは憲法38条2項の明文に反する ②　自白の証拠能力に関する自白法則と自白の信用性の区別の意味がなくなる
人権擁護説（＊）	憲法38条2項を主として同条1項の担保規定と解し、黙秘権を中心とする被告人の人権保障のため、強制自白などが排除される →自白の証拠能力＝自白の任意性と考えるが、虚偽排除説と異なり自白の証拠能力を自白の信用性から切り離して捉えている →自白の任意性の判断基準は、「供述の自由を侵害するが如き、不法、不当な圧迫がなかったかどうか」が基準となる	①　黙秘権と自白法則の混同である ②　被告人の心理に関する事実認定の困難性のゆえに、現実に機能しえない ③　強制等の違法行為が行われても、意思決定の自由に影響を及ぼさなければ排除されないとするのは明文規定に反する
併用説（＊）	虚偽排除説及び人権擁護説 ∵　虚偽排除説又は人権擁護説のいずれかに割り切ることは相当でないので、双方を理由とすべきである	供述者の主観的な心理状態を基準とするので任意でないという認定が困難になる

証拠

413

	内　容	批　判
違法排除説	自白の排除は、主として自白採取過程における手続の適正・合法を担保するために必要との考えに基づき、強制などの行為が違法とされること自体から、その成果たる自白の排除が要求されるとする →自白法則は、自白採取過程における適正手続（デュー・プロセス）を担保する1つの手段 →自白の証拠能力の判断は、「自白採取過程に違法があるかどうか」が基準となる ∵① 「強制」とか「不当に長い抑留・拘禁」など手段を列記する法文の解釈として最も素直である ② 取り調べる側の行為に着目するため、証拠能力の判断基準が客観化して機能しやすくなる	319条1項の不任意を違法行為の一例（被告人の自由意思を侵す意味で）と解しているが、そのような解釈は通常の用語例からずれ、無理がある
総合説	違法排除説、人権擁護説、虚偽排除説を総合して自白排除を考える ∵ 自白排除には、違法収集証拠排除法則と同様の根拠をもつ場合の他に、証拠法則としての面（任意性の原則）や黙秘権侵害を根拠とする場合があり、これらを統一的に説明する法則を立てることは不可能である	——

＊　虚偽排除説・人権擁護説・併用説は、違法排除説と異なり、取調べによる供述者の心理への影響を問題とするため、任意性説と総称される。

3　自白法則と違法収集証拠排除法則の関係〈司R2〉

<自白法則と違法収集証拠排除法則の関係>

	内　容	批　判
違法排除一元説	違法収集証拠排除法則は一般的な法則であり、自白法則はいわば違法収集証拠排除法則の特別規定だとする見解 →自白の証拠能力の規制原理は違法排除のみということになる ∵ 両法則は共通する原理に基づくもの（自白法則を、自白の任意性でなく、専ら違法排除の観点から捉える）である	① 法が特に自白法則を定めた意味を実質的に失わせかねない ② 319条1項の規定する「任意」の文言に沿わない

証拠

	内　容	批　判
任意性一元説	自白の証拠能力は専ら任意性の観点から判断され、自白には違法収集証拠排除法則は適用されないとする見解	自白についても証拠物と同じく、その獲得手段の違法・不当を理由に証拠能力を否定すべき場合がある
二元説（裁判実務の大勢）（＊）	供述の任意性の観点とは別に違法収集証拠排除法則を自白にも適用することができるとする見解 ∵　違法収集証拠排除法則の根拠（⇒p.395）は証拠物のみならず自白にも妥当するため、自白に同法則を採用できない理由はない	——

＊　二元説における両法則の適用の先後関係につき、下記判例（東京高判平 14.9.4・百選 71 事件）は自白法則よりも違法収集証拠排除法則の適用判断を先行させるべきだとするが、明文規定のある自白法則を先行させる見解が有力である。一方、いずれかを優先的に判断すべき合理的理由はないとして先後関係は問わないとする見解もある。

▼　ロザール事件控訴審判決（東京高判平 14.9.4・百選 71 事件）

　任意捜査としての限界を超えた違法な取調べから得られた、あるいはこれに由来する自白につき、「自白を内容とする供述証拠についても、証拠物の場合と同様、違法収集証拠排除法則を採用できない理由はないから、手続の違法が重大であり、これを証拠とすることが違法捜査抑制の見地から相当でない場合には、証拠能力を否定すべきである」。

　「また、本件においては、……自白法則の適用の問題（任意性の判断）もあるが、本件のように手続過程の違法が問題とされる場合には、強制、拷問の有無等の取調方法自体における違法の有無、程度等を個別、具体的に判断（相当な困難を伴う）するのに先行して、違法収集証拠排除法則の適用の可否を検討し、違法の有無・程度、排除の是非を考える方が、判断基準として明確で妥当である」。

　なお、違法排除一元説ないし二元説により、自白に違法収集証拠排除法則を適用する場合、一般に取調べは令状主義との関係がないとされることから、証拠物に関する判例（大阪天王寺覚醒剤事件判決、最判昭 53.9.7・百選 88 事件）のいう「証拠物の押収等の手続に……令状主義の精神を没却するような重大な違法」という基準を、「自白収集の手続に憲法や刑訴法の所期する基本原則を没却するような重大な違法」と読み替える立場が有力である。

証拠

4　自白法則が問題となる具体例

＜自白法則が問題となる具体例＞

自白法則が問題となる
具体例
- (1)　明文によって排除される場合
  - (a)　強制・拷問・脅迫による自白
  - (b)　不当に長い抑留・拘禁後の自白
  - (c)　不任意自白
    - ア　約束による自白
    - イ　偽計による自白
    - ウ　手錠をかけたままの取調べに基づく自白
- (2)　違法な手続による自白
- (3)　違法な取調べによる自白
  - (a)　黙秘権が告知されずに取り調べられた場合の自白
  - (b)　違法な連日連夜の取調べによる自白

(1)　明文によって排除される場合

(a)　強制・拷問・脅迫による自白（憲38Ⅱ、法319Ⅰ）

任意性説：自白の任意性が欠如することから証拠排除

違法排除説：強制・拷問・脅迫という違法手段が用いられたために証拠
排除

▼　**八丈島事件（最判昭32.7.19）**

①警察署における暴力による肉体的苦痛を伴う取調べの結果なされた自白には任意性がなく、②その後予審判事及び検事に対する自白も、その直前まで継続していた警察の不法留置とその間の自白の強要から何等の影響も受けずになされた任意の自白であると断定することは到底できないとして自白の証拠能力を否定した。

(b)　不当に長い抑留・拘禁後の自白

任意性説：自白の任意性を失わせるような長さの抑留・拘禁かが問題

違法排除説：「不当に」長い抑留・拘禁かが問題

▼　**最判昭23.2.6**

被告人が警察署に同行引致され、それ以降保釈による釈放まで6カ月16日拘禁された後、右釈放の日に第2審公判廷で行った自白が問題となったが、被告人は捜査段階から終始一貫自白しているうえ、被告人のほかに数名の共犯者があり、その取調べに日時を要し、職員に欠員が多かったため審理に日時を要したという事案において、不当に長い抑留・拘禁に当たらないとした。

▼ **最大判昭 23.7.19**

　　起訴前勾留と起訴後勾留とを合わせて 109 日間拘禁した後の自白で、被告人に逃亡のおそれがなかった事案につき、憲法 38 条 2 項の不当に長く抑留・拘禁した後の自白に当たるとした。

▼ **最判昭 24.11.2**

　　被告人が逮捕以来 6 か月 10 日にわたって引き続き拘禁された後、第 2 審公判廷において初めて自白するに至った。しかし、事件が単純な 2 回の窃盗であり、しかも被告人は拘禁後 1 カ月余にして食道部の通過障害等のため拘置所内の病舎に収容され、当該自白も病舎から出頭したうえでなされ、病気療養のため身柄の解放を訴えていた。かかる事案につき、不当に長い抑留・拘禁後の自白に当たるとした。

▼ **最判昭 25.8.9**

　　被告人の自白は同人が拘禁されてから 160 日及び 173 日後になされたが、事件が多数の者が敵味方に別れ闘争したいわゆる博徒の喧嘩の事案で、被告人が 5 名で、関係人も多数存在し、かつ、被告人らが当初犯行を秘匿しようと努めていたという事情がある場合に、不当に長い抑留・拘禁に当たらないとした。

▼ **最判昭 27.5.14**

　　満 16 歳に満たない少年を、勾留の必要のない簡単な恐喝事件について 7 か月余勾留し、その間に別罪である放火罪について取調べを続けて自白を得たという事案について、不当に長い抑留・拘禁後の自白に当たるとした。

(c) 不任意自白〈予H26〉
　ア　約束による自白〈司〉
　　　　任意性説：虚偽の自白を誘発しかねないものであり、また被疑者の供述するか否かの自由で合理的な選択権を約束により狂わせたという点で人権保障に反するため排除
　　　　　　→ただし、約束による自白ならば必ず不任意自白に当たるわけではない。自白が排除されるのは、それによって被疑者が心理的な影響を受けた結果、類型的に虚偽の自白を誘発するおそれがあると評価できる場合である
　　　　違法排除説：不起訴の約束をして起訴したという場合、約束を守らなかった点に違法があることから排除

証拠

▼ **児島税務署収賄事件（最判昭41.7.1・百選68事件）** 〈司H27〉

「被疑者が、起訴・不起訴の決定権をもつ検察官の、自白をすれば起訴猶予にする旨のことばを信じ、起訴猶予になることを期待してした自白は任意性に疑いがあるものとして、証拠能力を欠くものと解するのが相当である」とした。

  イ 偽計による自白
    任意性説：偽計によって被疑者が心理的強制を受け、その結果虚偽の
        自白が誘発されるおそれがある場合にはその自白は任意性
        に疑いがあることから排除
        →約束による自白と同様、偽計による自白ならば必ず不任
         意自白に当たるというわけではない
    違法排除説：捜査におけるデュー・プロセスに反する自白採取である
        ことから排除

▼ **東京地判昭62.12.16・百選〔第9版〕75事件**

「……強い心理的強制を与える性質の分泌物検出云々のあざとい虚言を述べて自白を引き出した点のみですでに許されざる偽計を用いたものとして、その影響下になされた被告の自白調書等はすべてその任意性を肯定できない」とした。

▼ **旧軍用拳銃不法所持事件（最大判昭45.11.25・百選69事件）** 〈予〉

「捜査官が被疑者を取り調べるにあたり偽計を用いて被疑者を錯誤に陥れ自白を獲得するような尋問方法を厳に避けるべきであることはいうまでもないところであるが、もしも偽計によって被疑者が心理的強制を受け、その結果虚偽の自白が誘発されるおそれのある場合には、右の自白はその任意性に疑いがあるものとして、証拠能力を否定すべきであり、このような自白を証拠に採用することは、刑訴法319条1項の規定に違反し、ひいては憲法38条2項にも違反するものといわなければならない」とした。

  ウ 手錠をかけたままの取調べに基づく自白
    任意性説：手錠を施したままの取調べでは、任意の供述は期待できな
        いものと推定されることから証拠排除
    違法排除説：被疑者が暴力をふるい又は逃亡するおそれがないのに手
        錠を施すことは違法（287Ⅰ類推適用）であることから
        証拠排除

▼ **最判昭38.9.13・百選A32事件**

「すでに勾留されている被疑者が、捜査官から取り調べられるさいに、さらに手錠を施されたままであるときは、その心身になんらかの圧迫を受け、任意の供述は期待できないものと推定せられ、反証のない限りその供述の任意性につき一応の疑いをさしはさむべきである」とした。

証拠

(2) 違法な手続による自白
　　任意性説：供述の任意性が問題となるが、拘禁が不法であること等の手続の違法から直ちに自白の任意性を否定するものではなく、その自白の任意性を疑わせる一資料となる
　　違法排除説：自白採取過程における適正手続違反となるので証拠排除

▼　**大阪高判昭 35.5.26**

　逮捕後の取調べに当たり、捜査機関が被疑者の弁護人選任の申し出を弁護人に通告することを怠った違法があり、かつ、右逮捕は被告人の自白を得ることを唯一の目的としてなされたものであると認め、被告人の捜査機関に対する自白の任意性を否定した。

▼　**最決平元.1.23・百選 72 事件**

　「右自白は、B弁護人が接見した直後になされたものであるうえ、同日以前には弁護人4名が相前後して同被告人と接見し、C弁護人も前日に接見していたのであるから、接見交通権の制限を含めて検討しても、右自白の任意性に疑いがないとした原判断は相当と認められる」とした。

(3) 違法な取調べによる自白
　(a) 黙秘権が告知されずに取り調べられた場合の自白◁回
　　任意性説：黙秘権告知を欠くがゆえに自白が常に任意性なしとはされず、自白内容に虚偽の介入する余地がある場合には証拠排除
　　違法排除説：手続の違法のみならず、供述の自由も侵害されていると考えるべきであることから、原則として証拠排除

▼　**いわき市覚醒剤譲受け事件（浦和地判平 3.3.25・百選 70 事件）**

　「警察官による黙秘権告知が、取調べ期間中一度もされなかったと疑われる事案においては、右の黙秘権不告知の事実は、取調べにあたる警察官に、被疑者の黙秘権を尊重しようとする基本的態度がなかったことを象徴するものとして、また、黙秘権告知を受けることによる被疑者の心理的圧迫の解放がなかったことを推認させる事情として、供述の任意性判断に重大な影響を及ぼすものと言わなければなら」ないとした。

▼　**最判昭 25.11.21**

　黙秘権を告知しなかったからといって、直ちに供述が任意性を失うことにはならないとした。

　(b) 違法な連日連夜の取調べによる自白
　　任意性説：取調べが徹夜あるいは夜間継続的に行われたからといって、

　　　　　　そのことだけでその結果の供述が証拠能力なしとされ、又は
　　　　　　任意性がないと即断することはできず、他に、被疑者の人権
　　　　　　侵害となる要因の有無及び供述内容に虚偽の介入する蓋然性
　　　　　　の有無を考慮すべき
　　違法排除説：適正手続違反といえるような場合には、証拠排除

▼ 日石・土田邸事件（東京高判昭60.12.13）

　①黙秘権の侵害があり、②連日連夜に及ぶ相当長時間の厳しい取調べを受けて肉体的にも精神的にも相当疲労していたと認められ、③弁護人の助言を得る機会もなかったことから、虚偽の供述を誘発するおそれを持つものといわざるを得ず、④検察官に対する自白も、その前日まで司法警察職員によってなされた自白とともに、人権擁護及び虚偽排除の観点から、その任意性に疑いがあるものとして証拠能力を否定すべきとした。

▼ ロザール事件控訴審判決（東京高判平14.9.4・百選71事件）⇒ p.415

事案：　警察は殺人事件において、被害者と同棲していた被告人を、警察署に任意同行し、10日間取調べを行った。そして、10日目、被告人は本件を自白し、通常逮捕された。被告人の取調べは朝晩連日行われ、夜は警察の用意した施設に宿泊したが、被告人はこれに対し明確に反対の意向を示していなかった。また、警察は自殺も懸念し、部屋の近くで被告人の動静を監視し、トイレも監視者が同行し、電話は許さず、警察車両で警察署への送迎を行った。昼夜の食事は取調室で提供され、食事の時間以外は取調べが行われた。なお、ホテル・食事の費用は警察が負担した。

判旨：　被告人は、「任意同行されて以来、警察の影響下から一度も解放されることなく連続して9泊もの宿泊を余儀なくされた上、10日間にもわたり警察官から厳重に監視され、ほぼ外界と隔絶された状態で1日の休みもなく連日長時間の取調べに応じざるを得ない状況に置かれたのであって、事実上の身柄拘束に近い状況にあったこと、そのため被告人は、心身に多大の苦痛を受けたこと」、予想外に長期間の宿泊に伴う取調べであり、捜査に協力する気も薄れ、少なくとも3日目以降の宿泊については自ら望んだものではないこと、また、宿泊場所について、被告人の友人宅等の「真摯な検討を怠り、警察側の用意した宿泊先を指示した事情があること」、自殺のおそれがあっても、「任意捜査における取調べにおいて本件の程度まで徹底して自由を制約する必要性があるかは疑問であること」等の事情から、事件の重大性、取調べの必要性、被告人の帰宅困難性、要通訳事件で取調べに時間を要することを考慮しても、本件捜査は「任意捜査として許容される限界を越えた違法なものである」。

　そして、本件「違法は重大であり、違法捜査抑制の見地からしても」自白の証拠能力を付与するのは相当ではない。

(4) 私人の脅迫による自白

たとえば、暴力団員に「自白しなければ妻子に危害を加えるぞ」と脅迫され、取調官に対して自白をした場合、その証拠能力は否定されるか。

任意性説：自白が捜査機関の働きかけによるものか、私人の働きかけによるものかでは区別しない。ただ、取調官が被疑者・被告人の人権侵害の意図をもっていたか、取調べ態様が私人の働きかけを利用するようなものであったかが重視される

違法排除説：捜査機関の取調べ方法が適正手続に反するかを問題にする。それゆえ、私人の働きかけについては、取調官がこれを利用する場合、取調べ自体が違法となり、それによって得られた自白の証拠能力も否定される

▼　**大阪高判平 3.11.19**

暴力団に属するとのうわさのある共犯者から、犯行態様について同人に不利な供述をすると妻子に危害が及ぶと脅迫されていた被告人が、取調べの際、同人からの手紙を見せられ自白したという事案につき、取調官が「手紙を利用して被告人に不当に自白を強要しようとした意図は認められない」として任意性を肯定した。ただし、信用性には疑問の余地があるとした。

▼　**大阪高判昭 61.1.30**

強姦殺人の被害者の夫が被告人を刃物で脅し殴打する等したうえで自白させたという事案につき、夫の公判での証言中被告人の自白に関する部分は強要によるもので任意になされたものでない疑いを容れる余地があるとした。

5　任意性の挙証責任

(1) 任意性の挙証責任の所在

319条1項は、自白の任意性について検察官に実質的挙証責任があることを明文をもって確認したもの（最判昭32.5.31）。

(2) 任意性の立証の程度

自白の任意性の立証は自由な証明で足りると解されているが、被告人が具体的事実を指摘して任意性を争うような場合には、厳格な証明によるべきである。

6　自白法則をめぐる諸問題

(1) 科学的尋問方法と自白の任意性

(a) ポリグラフ検査

任意性説：被疑者に対してポリグラフ検査結果が黒と出た旨を告げて取り調べ、自白を得た際に、「虚偽の供述をするおそれがある状況」があった場合、又は、「一般に許容される程度を越え

　　　　　て黙秘権を侵害し、若しくは、供述の自由を侵害」した場合
　　　　　には、自白の任意性が失われ証拠排除
　　　違法排除説：自白採取過程に違法があった場合には、証拠排除
　　　　　　　　　→一般に証拠排除される範囲は、任意性説による場合より
　　　　　　　　　　も広くなる
　　　　　　　　　→自白の採取過程に違法があった場合には、その違法を防
　　　　　　　　　　圧する手段として他に有効な方法がないという事情につ
　　　　　　　　　　いても考慮することが必要
　(b)　麻酔分析の方法
　　　任意性説：麻酔分析の場合には、薬物の影響によって被検者の意思的抑
　　　　　　　　制力が失われる結果、被検者は自己の意思によって供述を拒
　　　　　　　　む自由を奪われて供述するものであるから、黙秘権若しくは
　　　　　　　　意思決定の自由を侵害する。また、麻酔分析はまだ十分な科
　　　　　　　　学的承認を得ているとはいえないし、特に麻酔分析による供
　　　　　　　　述には虚偽が含まれる危険が少なくないこと、空想がまじり
　　　　　　　　やすいこと、及び尋問者の暗示に影響されやすいことなどか
　　　　　　　　ら、証拠排除される
　　　違法排除説：自白採取手段として麻酔分析を施用することは、手続の公
　　　　　　　　　正と被検者の人格の尊厳を保障するという意味で、法律上
　　　　　　　　　許されない
　　　　　　　　　→麻酔分析によって得られた証拠は違法な証拠として排除
　(2)　証拠能力のない自白に基づいて得られた証拠
　(a)　不任意自白に由来する派生証拠 司H27
　　　任意性説：直ちに結論を導くことはできない。すなわち、虚偽排除説か
　　　　　　　　らは、当該派生証拠そのものに虚偽のおそれが全くない以
　　　　　　　　上、当該派生証拠を排除することはできないと考えられる
　　　　　　　　（もっとも、派生証拠の収集過程に重大な違法があるときは、
　　　　　　　　自白法則とは別に、違法収集証拠排除法則の適用の余地があ
　　　　　　　　る）。他方、人権擁護説からは、黙秘権等の人権保障のため、
　　　　　　　　派生証拠まで排除しないとその目的を完遂できないとの理由
　　　　　　　　により、当該派生証拠を排除することが可能となる
　　　違法排除説：違法行為と証拠との間の因果性の問題として、派生証拠の
　　　　　　　　　排除が可能となる　⇒ p.396

証拠

▼ 杉本町派出所爆破事件（大阪高判昭52.6.28・百選73事件）

「自白採取の違法が当該自白を証拠排除させるだけでなく、派生的第二次証拠をも証拠排除へ導くほどの重大なものか否かが問われなければならない。……自白獲得手段が、拷問、暴行、脅迫等乱暴で人権侵害の程度が大きければ大きいほど、その違法性は大きく、それに基づいて得られた自白が排除されるべき要請は強く働くし、その結果その趣旨を徹底させる必要性から不任意自白のみならずそれに由来する派生的第二次証拠も排除されねばならない。これに対して、自白獲得手段の違法性が直接的人権侵害を伴うなどの乱暴な方法によるものではなく、虚偽自白を招来するおそれがある手段や、適正手続の保障に違反する手段によって自白が採取された場合には、それにより得られた自白が排除されれば、これらの違法な自白獲得手段を抑止しようという要求は一応満たされると解され、それ以上派生的第二次証拠までもあらゆる他の社会的利益を犠牲にしてまでもすべて排除効を及ぼさせるべきかは問題である。……派生的第二次証拠については、犯罪事実の解明という公共の利益と比較衡量のうえ、排除効を及ぼさせる範囲を定めるのが相当と考えられ、派生的第二次証拠が重大な法益を侵害するような重大な犯罪行為の解明にとって必要不可欠な証拠である場合には、これに対しては証拠排除の波及効は及ばないと解するのが相当である」とした上で、「不任意自白という毒樹をソースとして得られた派生的第二次証拠に証拠の排除効が及ぶ場合にあっても、その後、これとは別個に任意自白という適法なソースと右派生的第二次証拠との間に新たなパイプが通じた場合には右派生的第二次証拠は犯罪事実認定の証拠としうる状態を回復する」とした。

▼ 東京高判平25.7.23・平26重判4事件

事案： 覚醒剤使用の被疑事実で逮捕された被告人の取調べにおいて、被告人が、警部補らによる覚醒剤所持では逮捕も家宅捜索もしない等の発言を信じて、覚醒剤の隠し場所を告白した（以下、「被告人供述」という。）ところ、その被告人供述に基づいて捜索して覚醒剤（以下、「本件覚せい剤」という。）を発見し、覚醒剤所持を被疑事実とする逮捕がなされたので、本件覚せい剤及びそれに関する鑑定書等の証拠能力が争われた。

判旨：1　自白の任意性

「被告人から問題の被告人供述を引き出した警部補らの一連の発言は、利益誘導的であり、しかも、少なくとも結果的には虚偽の約束であって、発言をした際の警部補らの取調べ自体、被告人の黙秘権を侵害する違法なものといわざるを得ず、問題の被告人供述が任意性を欠いている」。

2　第二次証拠（派生証拠）の証拠能力

本件覚せい剤は、「被告人供述を枢要な疎明資料として発付された捜

証拠

索差押許可状に基づき、いわば狙い撃ち的に差し押さえられている」。さらに、鑑定書等は、いずれも本件覚せい剤に関する鑑定結果等の証拠であり、「被告人供述と密接不可分な関連性を有する」。しかも、「虚偽約束による供述が問題となる本件においては、その供述を得られた取調べ時間の長さや暴行、脅迫の有無を検討要素とする意味はなく、捜査官が利益誘導的かつ虚偽の約束をしたこと自体、放置できない重大な違法である」。確かに、「警部補らが、当初から虚偽約束による自白を獲得しようと計画していたとまでは認められないが、少なくとも、被告人との本件覚せい剤のありかを巡るやり取りの最中には、自分たちの発言が利益誘導に当たり、結果的には虚偽になる可能性が高いことは、捜査官として十分認識できたはずである」。そうすると、警部補らの違法な取調べにより直接得られた、第一次的証拠である被告人供述のみならず、それと密接不可分の関連性を有する、第二次的証拠である本件覚せい剤、鑑定書等をも違法収集証拠として排除しなければ、令状主義の精神が没却され、将来における違法捜査抑制の見地からも相当ではない。

(b) 反復自白

反復自白とは、違法に得られた自白に引き続いてなされた（第1の自白と同一趣旨の）第2自白をいう。このような反復自白においては、第1自白獲得時に官憲に違法行為があったが（したがって証拠能力は否定される）、それと同一内容の第2自白の獲得時にはそのような違法行為がないため、第2自白の証拠能力が問題となる。

▼ **最判昭58.7.12**

「勾留質問は、捜査官とは別個独立の機関である裁判官によって行われ、しかも、右手続は、勾留の理由及び必要の有無の審査に慎重を期する目的で、被疑者に対し被疑事件を告げこれに対する自由な弁解の機会を与え、もって被疑者の権利保護に資するものであるから、……勾留請求に先立つ捜査手続に違法のある場合でも、被疑者に対する勾留質問を違法とすべき理由はなく、他に特段の事情のない限り、右質問に対する被疑者の陳述を録取した調書の証拠能力を否定すべきではない」とした。

三　自白の証明力

1　自白の信用性判断の重要性

自白の証明力は一般に高く評価され、古くから「自白は証拠の女王」といわれてきた。しかし、虚偽の自白がなされることもあり、その結果多くのえん罪事件が生じてきた。そこで、自白についてはその信用性判断がことのほか重要となるのである。

2 自白の信用性判断の基準

▼ **最判平 12.2.7・百選 75 事件**

　　自白の「信用性の判断は、自白を裏付ける客観的証拠があるかどうか、自白と客観的証拠との間に整合性があるかどうかを精査し、さらには、自白がどのような経過でされたか、その過程に捜査官による誤導の介在やその他虚偽供述が混入する事情がないかどうか、自白の内容自体に不自然、不合理とすべき点はないかどうかなどを吟味し、これらを総合考慮して行うべきである」。

四　補強法則〈司予〉

1 はじめに

(1) 意義

　　憲法 38 条 3 項・法 319 条 2 項の規定から、被告人の自白以外に不利益な証拠がない場合には、たとえその自白が信用できるものであっても、自白だけで被告人を有罪とすることはできない（自由心証主義の例外）。このように、被告人について、有罪を認定するために必要とされる自白以外の証拠を補強証拠といい、有罪を認定するために補強証拠を必要とするという証拠法則を補強法則という。

(2) 公判廷の自白は憲法 38 条 3 項の自白に含まれるか

▼ **最大判昭 23.7.29・百選 A33 事件**〈予〉

　　「公判廷の自白は、……裁判所はその心証が得られるまで種々の面と観点から被告人を根堀り葉堀り十分訊問することもできるのである。……従つて、公判廷における被告人の自白が、裁判所の自由心証によつて真実に合するものと認められる場合には、公判廷外における被告人の自白とは異なり、更に他の補強証拠を要せずして犯罪事実の認定ができると解するのが相当であ [り]、憲法 38 条 3 項の自白には公判廷における自白を含まない」とする。

(3) 補強法則の趣旨

　　① 自白強制の弊害を防止する（最大判昭 23.7.29・百選 A33 事件）。

　　② 自白偏重の傾向を是正し、自白の証明力の過大視からくる誤判を防止する。

2 補強証拠の内容

(1) 補強の範囲

＜補強の範囲＞ 司共

	内容	理由
形式説（罪体説、通説）	罪体、すなわち犯罪事実の客観的側面の全部又は重要な部分について補強証拠が必要である→形式的な基準によって範囲を限定	① 自白の偏重を防止するためには、自白に関わる犯罪事実が虚構のものでないことを他の証拠によって明らかにする必要がある ② 301条では、「他の証拠」（補強証拠）は自白と独立して判断されることが予定されているから、形式的基準によって判断するアプローチに親しむ
実質説（判例）	どの範囲の事実であるかは重要ではなく、自白の真実性を担保する証拠があればよい→自白に関わる事実の存在を合理的に推認させる程度という実質的基準を用いる	自白の補強証拠だから、自白の又は自白にかかる事実の真実性を保障するに足る補強証拠があるかを問題とすれば足りる

▼ **最判昭 23.10.30** 刑

補強証拠は、「必ずしも自白にかかる犯罪組成事実の全部に亘って、もれなく、これを裏付けするものでなければならぬことはなく、自白にかかる事実の真実性を保障し得るものであれば足る」と判示することから、**実質説**を採用していると評価されている。

(a) 罪体の内容

補強の必要な範囲につき罪体説を採った場合、犯罪事実の客観的部分のどの範囲について補強が必要かが問題となる。

A 客観的な被害の発生 ex. 死体

B 何人かの犯罪行為による被害の発生（通説） ex. 他殺死体

∵ 被告人と犯人の同一性にまで補強証拠を要求すると、あまりにも有罪が困難となり、有罪としうるかが偶然に左右される弊害を生ずることになる

C 被告人の行為に由来する被害の発生

ex. 被告人の殺人行為による死体

∵ 自白の危険性は、架空の犯罪で処罰される危険というよりは、むしろ犯人が被告人でない危険の方にある。したがって、被告人と犯人との同一性こそ補強されるべきである

▼ 最判昭 24.4.7 🎓

「自白以外の補強証拠によって、すでに犯罪の客観的事実が認められ得る場合においては、なかんずく犯意とか知情とかいう犯罪の主観的側面については、自白が唯一の証拠であっても差し支えない」。

▼ 最判昭 24.7.19 🎓

「いわゆる自白の補強証拠というものは、被告人の自白した犯罪が架空のものではなく、現実に行われたものであることを証するものであれば足りるのであって、その犯罪が被告人によって行われたという犯罪と被告人の結びつきまでをも証するものであることを要するものではない」。

▼ 最大判昭 30.6.22・百選 A51 事件

「自白以外の証拠によっては、本件電車の発進が同被告人の作為に出たものであるという点につき、これを直接証拠だてるもののないことは所論のとおりである。……被告人が犯罪の実行者であると推断するに足る直接の補強証拠が欠けていても、その他の点について補強証拠が備わり、それと被告人の自白とを綜合して本件犯罪事実を認定するに足る以上、憲法 38 条 3 項の違反があるものということはできない」。

▼ 東京高判昭 56.6.29

「犯罪の成立阻却事由にすぎない事実の存否について補強証拠を必要とすると解することのできないことは明らかである」。

(b) 具体的検討

　ア　盗品等有償譲受け罪

　　　犯罪の客観的側面：①　物を買ったこと

　　　　　　　　　　　　②　その物が盗品であること

　　・形式説（罪体説）：盗難被害届の他に、①物を買ったことについて補強証拠が必要

　　・実質説：被告人の自白と被害者の盗難届があれば、①物を買ったことについて補強証拠がなくてもよい

▼ 最決昭 29.5.4 🎓

盗品等有償譲受けの自白（ただし公判廷自白）を盗難届で補強することを認めた。

　イ　強盗傷人罪

　　　犯罪の客観的側面：①　被害者の反抗を抑圧するに足りる暴行・脅迫

　　　　　　　　　　　　を加えたこと
　　　　　　　　　　② 被害者から財物を奪取したこと
　　　　　　　　　　③ 傷害の結果を発生させたこと
　　・形式説（罪体説）：②についても補強証拠が必要
　　・実質説：②について補強証拠がなくても有罪を認定することができる

▼ **最判昭 24.4.30** 〈回〉

　強盗傷人の自白を傷害の被害者供述で補強することを認めた。

　　ウ　無免許運転罪
　　　　犯罪の客観的側面：① 車両を運転したこと
　　　　　　　　　　　　　② 免許を受けていなかったこと
　　　・形式説・実質説：①②について補強証拠が必要

▼ **最判昭 42.12.21・百選 76 事件**〈同予〉

　「無免許運転の罪においては、運転行為のみならず、運転免許を受けていなかったという事実についても、被告人の自白のほかに、補強証拠の存在することを要するものといわなければならない」とした。

　(2)　補強の程度〈予〉
　　A　相対説（判例）
　　　　自白と相まって、犯罪事実を証明できる程度であれば足りるとする。
　　　　∵　自白に補強証拠を必要とする理由が、誤判防止のため自白の偏重をさけ、自白のみでは被告人を有罪としないという点にあることから、その補強証拠は、自白の真実性を保障するに足りるものであればよい
　　B　絶対説（多数説）
　　　　補強証拠だけで一応の心証を抱かせる程度の証明力を要求する。
　　　　∵　個々の自白の証明力いかんとはかかわりなく要求される補強証拠の本質及び 301 条の趣旨から、自白を離れて一応の心証を抱かせる程度の証明力は必要である
　(3)　補強証拠適格
　　(a)　補強証拠としての適格
　　　　まず、①証拠能力は必要である。さらに、自白強制の弊害を防止し、自白偏重による誤判を防止するという補強法則の趣旨を考慮して、②自白から独立したものであることも必要である。

(b) 具体的検討

ア 被告人の供述

(i) 自白 → （他の）自白の補強証拠とはならない

∵ 信用性に疑いがある証拠をいくら重ねても信用性への疑いは晴れない

(ii) 単なる承認 →補強証拠とはならない

∵ 自白（の源）からの独立性がないことは自白と同一

▼ **最判昭25.7.12**

被告人の自白は（他の）自白の補強証拠とはならないとした。

イ 実質的には被告人の自白の繰り返しにすぎない供述〈同〉

(i) 原則

たとえ形式的には、自白とは別個の供述のようにみえても、やはり自白と同様に補強証拠とはならない。

ex. 窃盗事件で被告人が自白していると聞いたので、被害者が数量等も警察のいうまま記載した盗難届（東京高判昭31.5.29）、盗難の事実を知らなかった被害者が警察から注意を受け、被告人の言うとおり盗まれたものと認めて提出した始末書（東京高判昭26.1.30）

(ii) 例外

嫌疑を受ける前に捜査とは無関係に作成されたものは例外的に補強証拠となりうる。

ex. 被告人の日記帳、備忘録、メモ

∵ 犯罪発覚前に犯罪捜査と関係なく取引の都度記入されているため、自白強要の危険はなく、高度の信用性があり、誤判防止の観点からも問題が少ない

▼ **最決昭32.11.2・百選A34事件**

食糧管理法に違反して、法定の除外事由がないのに、米を買い受け売り渡したという事案につき、被告人が犯罪の嫌疑を受ける前にこれと関係なくみずから備忘のためその都度記載した販売未収金控帳を補強証拠となし得るとした。

ウ 被告人の「行為」

被告人の供述と同視すべき場合を除き、補強証拠となりうる。

ex. 逃走、証拠の破壊、身体検査の拒否

エ 共犯者の自白 ⇒p.434

［共同被告人の供述］

一　はじめに

1　共同被告人の意義

共同被告人とは、同一の訴訟手続において同時に審判される2人以上の被告人のことをいう。

刑事裁判が被告人の個人責任を問う刑事実体法の適用の場であることを考慮すると、1人の被告人のみを審理することが原則といえる。しかし、複数の被告人につき同時に審理すれば、①事実認定の食い違い・証拠調べの重複を避けることができ、合一的確定も容易で、事件の公平な処理が期待できる、②量刑の均衡が図りやすくなる、③訴訟関係人の訴訟活動の重複を避け、迅速な裁判・訴訟経済の原則にも適合する、等のメリットがある。

2　共同被告人の起訴

共同被告人が生じる場合には、

① 1通の起訴状に数名の被告人が記載されている場合（いわゆる併合起訴）

② 複数の事件が数通の起訴状で別々に起訴されたが、起訴状を受理した裁判所が同一である場合の弁論の併合（313Ⅰ）

③ 複数の事件が数通の起訴状で、数個の裁判所に分けて別々に起訴されたが、それらが関連事件であると認められた場合（9）の、決定による審判の併合（5、8）

という3つのケースがある。

3　共犯者と共同被告人の概念

(1) 共犯者

→本来実体法上の概念（刑60以下参照）だが、刑事訴訟法上も使用されている（148、182、238、253Ⅱ、254Ⅱ）

→共犯者の概念には、共同正犯、教唆犯、従犯はもちろん、必要的共犯も含まれる

(2) 共同被告人

→手続上の概念（148、311Ⅲ、313等参照）

→弁論の併合（313）により同一手続において同時に審理されている複数の被告人をいう

(3) 共犯者と共同被告人との間には、①共犯者である共同被告人、②共犯者でない共同被告人、③併合審理を受けていない共犯者、という3つのカテゴリーが存在する。

＜共犯者・共同被告人の概念＞

	共犯者	共犯者以外
共同被告人	① 共犯者である共同被告人	② 共犯者でない共同被告人
共同被告人以外	③ 併合審理を受けていない共犯者	無関係

二 共同被告人の供述の証拠能力

1 共同被告人の公判廷における供述の証拠能力

共犯者である共同被告人が黙秘権を行使した場合に、共犯者の供述に証拠能力を認めることができるであろうか。被告人の反対尋問権の保障と共同被告人の黙秘権との調和をいかに図るべきかが問題となる。たとえば、共同被告人XYにおいて、Xの公判廷供述に対してYが反対質問したところ、Xが黙秘権を行使した場合、Xの公判廷供述をYに対する証拠として用いることができるかという形で争われる。

＜共同被告人の供述の証拠能力＞

	内 容	理 由	批 判
否定説	証拠とするためには手続を分離して証人尋問すべき	被告人が反対尋問権を行使できない以上は証拠能力を否定すべきである	① 反対尋問権の行使を厳格に考えすぎている ② 共同被告人の証人適格を前提としている点は疑問である
肯定説（最判昭28.10.27）	証拠とすることができる	被告人は反対質問（311Ⅲ）により共同被告人に任意の供述を求めうるから反対尋問権は確保されているといえる	共同被告人には黙秘権が保障されているので、被告人の反対尋問の可能性だけで証拠能力を認めることは妥当ではない
限定的肯定説（通説）	被告人の反対質問が十分に行われたときに限り、証拠能力を認める →反対質問に対して黙秘権が行使された場合にはその供述は証拠排除（規207）される	被告人の反対質問権の保障と共同被告人の黙秘権の保障との適切な調和	反対質問が十分に行われたかどうかの基準が不明確

2 共同被告人の証人適格

(1) 共同被告人のままで証人適格を有するか

共犯者である共同被告人が公判廷で供述し、被告人の反対質問に対して黙

証拠

秘権を行使した場合に、共犯者である共同被告人を証人尋問することができるか。手続を分離しない共同被告人のままで、証人適格を有するかが問題となる。

＜共同被告人の証人適格＞

学　説	理　由
肯定説	①　被告人の証人適格を認める立場からは、被告人であることと証人であることとの間には何らの矛盾もない ②　被告人に証人適格を認めないとしても、被告人の証人適格が否定されるのは供述の義務を負わない地位と負う地位とが両立しないからであり、これは自己に関する事実についての問題であるから、もっぱら他人に関する事実についてはこの理論は妥当しない
否定説 （大阪高判昭 27.7.18、通説）	①　共同被告人も黙秘権を保障された「被告人」であり、供述義務がない以上、証人適格を認めることは強制的に供述義務を負わせることになり妥当でない ②　およそ供述を拒否しうる地位にある被告人に、同じ手続で供述義務のある証人としての地位を与えるのは、被告人の心理に混乱を引き起こすおそれがある

(2)　手続を分離した場合、証人適格を有するか

＜手続を分離した場合の共同被告人の証人適格＞

学　説	内容・理由
手続を分離すれば よいとする説 （最判昭 35.9.9、 通説）	①　手続を分離（313Ⅰ）した以上は、「訴外」第三者である ②　喚問されても自己に不利益な事実については証言を拒否できるから（146）、喚問すること自体は差し支えない
真の分離が必要とする説	①　同上 ②　形式的な手続の分離によって共同被告人を証人とし強制的に供述を獲得したうえ、再び手続を併合してその供述を共同被告人自身に対する不利益な証拠として使用することを認めることは不当であるから、便宜的な分離でなく、裁判官を異にする永続的な分離（真の分離）が必要である
手続を分離すれば よいとしつつ証人 拒否権を認める見 解	手続を分離した場合でも、起訴事実又はこれに関連する事実については、その被告人の申出がない限り、強制的に証人として喚問することはできない ∵　被告人が真に無罪を主張して争っているのであるなら、証人として喚問されたとき無罪の事実を証言するのが当然であって、有罪判決を受けるおそれがあるという理由で証言を拒否するのは、自己の罪を認めるに等しい。しかし、拒否をしないで証言すれば、偽証の罪の制裁の下に、反対尋問によって自白が強制されることになり、進退両難の地位に置かれる

3　共同被告人の公判廷外における供述調書の証拠能力

　　共同被告人の公判廷外での供述調書が、被告人に対する関係で証拠になりうるか。

＜共同被告人の公判廷外における供述調書の証拠能力＞

	理　由	批　判
322 条説	①　共犯者たる共同被告人は他の共同被告人に対して純粋に第三者の立場にあるものではなく、その供述書・供述録取書は共犯者として自己の犯罪とともに他の共同被告人の犯罪についても不可分に供述したものを記載した書面であるから、その被告人の犯罪に直接関与していない第三者の供述録取書とは異なる性質を有する ②　共同被告人の供述は被告人としての供述であるから任意性の点を厳格に解する必要がある ③　共同被告人は黙秘権を有するからこれに対する他の被告人の反対尋問権をそれほど重くみる必要はない	共同被告人も被告人にとっては第三者であり、それに対して被告人の反対尋問権の行使の必要性があり、その効果もある程度は期待できるのに、その点を考慮せず「自己に対する反対尋問はあり得ない」との考え方に基づき伝聞法則の例外を認めた 322 条のみを適用するもので妥当でない
321 条 1 項説 （最決昭 27.12.11 など、通説）	①　共同被告人は被告人からみれば第三者であり、被告人の反対尋問権の行使を確保するために 321 条 1 項の要件を充足することが必要である ②　自白その他の不利益な事実の承認の場合の任意性の点は、322 条の適用又は準用をまつまでもなく、319 条の適用又は準用によって十分にまかなわれる	共同「被告人」たる地位にあることを考えるとき、被告人の供述書・供述録取書について規定している 322 条を全く考慮しないのは妥当でない
321 条 1 項・ **322 条競合説**	共犯者である共同被告人は被告人に対しては第三者であり、被告人の反対尋問権の行使を確保するために 321 条 1 項の要件を充足することが必要である。また、共同被告人も被告人であることから、その供述書等には任意性が要求されるべきであり、322 条の要件をみたす必要もある	この見解においても、供述の任意性は 319 条 1 項によることになるので、322 条を援用する実益は少ない

4　共同被告人と弁論の分離・併合

　　別個に公訴提起がなされた数人の被告人の弁論が併合されると、以後、各事件の被告人は共同被告人となる。

　　併合前の手続はあくまで別個の審理手続である以上、併合前に一方の被告人との関係で取り調べた証拠が、併合により当然に他方の共同被告人との関係で証拠となるわけではない。

証拠

　また、弁論併合後であっても、各被告人に対する訴訟法律関係は被告人ごとに別個である。そこで、検察官は各被告人に共通の証拠調べを請求することもできるし、各被告人ごとに異なる証拠調べを請求することもできる。

　検察官が各被告人に共通する書証を申請した場合でも、各被告人はそれぞれ同意・不同意の意見を述べることができ、当該書証は同意した被告人に対する関係でのみ証拠とすることができる。不同意の意見を述べた被告人との関係で、検察官は書証に代えて証人を申請することができるが、その場合、必ずしも弁論を分離する必要はなく、併合審理のまま証拠調べを続けることもできる。

三　共犯者の供述（自白）の証明力

1　共犯者の自白と補強証拠の要否

＜共犯者の自白と補強証拠の要否＞〈司共〉

学　説	理　由
必要説	①　自白偏重防止の観点からは本人の自白と共犯者の自白を区別する理由はない〈予〉 ②　他の共犯者への責任転嫁の危険や、細部にわたり真実と虚偽を織り交ぜることが可能な点を考慮すると、共犯者の自白の方が誤判の危険が大きいといえる ③　補強証拠を不要とすると、共犯の１人が自白しもう１人が否認した場合には他に補強証拠がない限り、自白した者は無罪、否認した者は有罪となる非常識な結果となり、共犯の合一的確定の要請に反する〈予〉
不要説 （判例）	①　自白に補強証拠を必要とする趣旨は、自白が反対尋問を経ないにもかかわらず証拠能力が認められるからであり、共犯者に対しては被告人は反対尋問を行いうるのであるから、これを同一視することはできない〈予〉 ②　自白した方が無罪、否認した方が有罪となるのも、自白が反対尋問を経た供述より証明力が弱い以上当然である〈予〉 ③　319条２項の規定は、自由心証主義の例外であるから限定的に解すべきである〈予〉 ④　共犯者の供述の危険性は、共犯でない者を巻き込む点にあるが、共犯者の自白を本人の自白だとしても、補強証拠の範囲を罪体だけに限定したのでは、その危険を防止できず意味がない ⑤　証明力が高いと一般に考えられているがゆえに裁判所による「過信」のおそれが強い本人自白と異なり、共犯者供述の場合は、責任転嫁や巻き込みの動機による虚偽供述のおそれがあるという危険性（信用性の低さ）が一般に認識されている
公判廷外の自白についてのみ補強証拠を要するとする説	わが国において共犯者の供述として問題となるのは、多くは公判廷外での供述である。そして、公判廷外での共犯者の供述は、普通の自白と同様に、「被疑者の取調べ」の成果であるし、他の被告人に関する供述も自白と一体化しているので補強を要求する理由も同様にあてはまり、実態は自白に近いといえる

証拠

▼ **練馬事件（最大判昭 33.5.28・百選 A44 事件）** 同予

「共犯者の自白をいわゆる『本人の自白』と同一視しまたはこれに準じるものとすることはできない。けだし共同審理を受けていない単なる共犯者は勿論、共同審理を受けている共犯者（共同被告人）であっても、被告人本人との関係においては、被告人以外の者であって、被害者その他の純然たる証人とその本質を異にするものではないからである」とし、補強証拠不要説に立つことを判示した。

2 共犯者の自白の補強証拠適格 同予
(1) 被告人の自白の補強証拠たりうるか
→肯定説（最大判昭 33.5.28・百選 A44 事件、多数説）
∵① （共犯者の自白に補強証拠不要説から）共犯者の自白は「本人の自白」に当たらない以上、共犯者の供述を被告人の自白の補強証拠とすることはできる
② （共犯者の自白に補強証拠必要説から）共犯者の自白は犯人の自白と全く同じものとはいえないので、共犯者の自白に補強証拠が必要であると解しても、共犯者の自白を本人の自白から独立したものとして、補強証拠となしうる
③ 被告人が自白している場合には、その内容に矛盾がなければ巻き込みや責任転嫁による誤判の危険は解消されるので、そうした被告人本人の自白から独立した共犯者の自白が補強証拠となりえないとまで解する必要はない
(2) 共犯者2名以上の供述を相互に補強証拠として被告人を有罪としうるか
→肯定説
∵① （共犯者の自白に補強証拠不要説から）共犯者の自白に補強証拠を必要としない以上は、当然相互に補強証拠としうる（判例）
② （共犯者の自白に補強証拠必要説から）2人以上の独立の主体による自白の相互補強で誤判の危険が薄らぐ点を重視すれば、やはり被告人を有罪とできるとすべきである
③ 捜査官の暗示に迎合して他の者を渦中に巻き込む危険がないとはいえないが、それは自由心証の問題であり、共犯者の自白が相互に補強証拠にならないとまではいえない

▼ **最判昭 51.10.28・百選 77 事件**

「当裁判所大法廷判決の趣旨に徴すると、共犯者二名以上の自白によって被告人を有罪と認定しても憲法 38 条 3 項に違反しないことが明らかであるから、共犯者三名の自白によって本件の被告人を有罪と認定したことは、違憲ではな

い。のみならず、原判決がその基礎とした第1審判決の証拠の標目によると、共犯者らの自白のみによって被告人の犯罪事実を認定したものでないことも、明らかである」と判示した。

第320条 〔伝聞証拠と証拠能力の制限〕

Ⅰ 第321条乃至第328条に規定する場合を除いては、公判期日における供述に代えて書面を証拠とし、又は公判期日外における他の者の供述を内容とする供述を証拠とすることはできない。

Ⅱ 第291条の2の決定＜簡易公判手続の決定＞があつた事件の証拠については、前項の規定は、これを適用しない。但し、検察官、被告人又は弁護人が証拠とすることに異議を述べたものについては、この限りでない。

[趣旨] 320条は、1項で伝聞法則を採用し伝聞証拠の証拠能力を原則として否定するとともに、2項で簡易公判手続では被告人側に異議がない限り伝聞法則の適用がない旨を規定するものである。伝聞法則の趣旨は、反対尋問等による供述内容の真実性の担保にあり、憲法37条2項は、特に被告人の証人審問権を保障している。それゆえ、伝聞法則は、被告人に関する限り、憲法の保障を具体化したものということができる。

《注　釈》

一　はじめに

1　意義・根拠

伝聞法則とは、伝聞証拠の証拠能力を原則として否定する法理をいう（320Ⅰ）。

供述証拠は、知覚→記憶→表現・叙述という過程をたどるところ、その各過程に誤りが入りやすい。それゆえ、供述により事実認定する場合には、①供述者が正確に事実を知覚したか、知覚する能力と機会は十分か、②記憶に誤りはないか、他人の経験を自分のそれと思い違いしていないか、③記憶通りに正確に述べているか、④供述が供述者の言おうとしていることを正しく言い表しているか、等を吟味する必要がある。ところが、伝聞証拠の場合には、宣誓、反対尋問、裁判官による供述態度の観察によって、証拠を吟味することができない。そこで、証拠の真実性を確保するために、伝聞証拠の証拠能力は原則として否定される。

2　伝聞法則の対象

①　「公判期日における供述」に代わる「書面」（供述代用書面）

ex.　XがAをピストルで撃ち殺すのを目撃した甲（原供述者）が、自分で「XがAをピストルで撃ち殺すのを目撃した」と書き記した書面（供述書）

② 「公判期日外における他の者の供述を内容とする供述」（伝聞証言）

二　伝聞証拠の定義〈共〉

1　定義

伝聞法則で証拠能力を否定される「伝聞証拠」とは何か。

A　実質的に定義する説

伝聞証拠とは、事実認定をなす裁判所の面前で、主尋問後に反対尋問によるテストを経ていない供述証拠をいう。

∵　供述証拠は、知覚→記憶→表現・叙述という過程をたどる。この各過程には誤りの入るおそれがあるから、反対尋問により吟味する必要がある。そこで、憲法37条2項前段は、被告人の反対尋問権を保障した。そして、法320条は、この憲法の規定を受けた規定である。よって、伝聞証拠とは、反対尋問によるテストを経ない供述証拠をいうと解すべきである

B　形式的に定義する説

伝聞証拠とは、公判廷外の供述を内容とする証拠で、供述内容の真実性を立証するためのものをいう。

∵①　伝聞法則の根拠は、反対尋問権の保障につきるものではなく、宣誓の欠如や裁判官が供述者の供述態度を観察できないことにもある。よって、反対尋問の保障のないことを直ちに伝聞証拠の定義に組み込むべきではない

②　320条の文言

2　議論の実益

伝聞証拠の定義に関する争いは、以下の問題に一定の影響を与える。

(1)　主尋問に答えた証人が反対尋問に答えない場合の主尋問に対する証人の供述

→　A説によると、反対尋問を経ていない以上、伝聞証拠となる

→これに対し、B説によると、宣誓や裁判官による供述態度の観察は認められ、ただ反対尋問がないにすぎないから、伝聞証拠には当たらない（もっとも、検察側証人が主尋問後反対尋問に不当に答えない場合には、憲法37条2項前段の被告人の反対尋問権を侵害するから、証拠能力を否定すべきであるとする見解もある）

(2)　共同被告人の公判廷供述　⇒ p.431

三　伝聞と非伝聞の区別〈司 共 予〉〈司H18 司H22 司H23 司H25 司H27 司H28 司H30 司R3 司R5〉

1　非伝聞

(1)　意義

非伝聞とは、一見伝聞のようにみえるが、その証拠の客観的性質上、伝聞法則が問題とならない場合をいう。

(2) 判断基準

　伝聞法則は、供述内容の真実性について反対尋問を経ない証拠を排除するものである。よって、内容の真偽が問題とならない場合にはその適用はない。言い換えれば、ある証拠が「伝聞」か「非伝聞」かは、要証事実（その証拠により証明しようとする事項）との関連で相対的に決まるものといえる。

(3) 立証趣旨との関係

　立証趣旨とは、当該証拠の取調べを請求する当事者がその証拠によって立証しようとする事実をいう（規189Ⅰ、316の5⑥）。裁判所は、証拠決定（規190Ⅰ）の権限を有するため、必ずしも当事者の主張には拘束されない。しかし、立証に関して当事者主義が採られていることからすれば、原則として、当事者が示す立証趣旨に沿って要証事実が決定されることになる。

　もっとも、立証趣旨に従うことが事案の争点との関係で周辺的というべき事項に関わる証拠調べの実施をもたらす場合や、具体的事案の争点を前提にすると、当事者が設定した立証趣旨をそのまま要証事実とするとおよそ証拠としては無意味になるような場合（最決平17.9.27・百選82事件参照）には、例外的に、裁判所は、独自に要証事実を設定することができる。

2　非伝聞とされている類型

(1) ことばが要証事実〈共〉

　たとえば、「甲が（公衆の面前で）『Xは泥棒だ』と言っていた」という乙の証言を、Xの窃盗行為を証明するために用いる場合（Xの窃盗行為が要証事実の場合）は、乙の証言内容の真実性（本当にXが窃盗を行ったのか）が問題となり、甲への反対尋問が必要である（本当にXが窃盗を行ったのかを甲自身に聞き、そこで嘘をついていないかを反対尋問でチェックする）。よって、乙の供述は伝聞証拠となる。

　これに対し、甲による名誉毀損を立証するために用いる場合（甲のXに対する名誉毀損行為が要証事実の場合）は、甲の発言を直接聞いた乙への反対尋問が可能であるから、乙の供述は伝聞ではない。すなわち、原供述の存在そのものが証明の対象である場合は、原供述の内容の真実性の立証が問題となるのではなく、原供述者がそのことばを言ったかどうかが問題となる（名誉毀損の例でいえば、「本当にXが泥棒か」を問題としているのではなく、「本当に甲が公衆の面前で『Xは泥棒だ』と言ったのか」が問題となる）。そして、この場合は証人が直接に体験しているため、この者に対する証人尋問によりその正確性を吟味することができる（本当に甲が公衆の面前で「Xは泥棒だ」と言ったかどうかは乙に聞けば分かり、そこで乙が嘘をついていないかどうかは乙に対する反対尋問でチェックできる）。よって、伝聞法則を適用して証拠を排除する必要はない。

(2) 行為の言語的部分

行為の言語的部分とは、行為に随伴してこれに法的意味を付与することば
をいう。行為の言語的部分は、行為の一部をなしているといってもよいの
で、非伝聞とされる。

たとえば、金銭を手渡す行為はそれだけでは贈与なのか貸与なのか債務の
弁済なのか不明であるが、その行為とともに発せられた「長い間ありがと
う」ということばにより、債務の弁済という意味付けが与えられる。この場
合、「長い間ありがとう」と聞いた人の証言を、伝聞という必要はなく、債
務弁済行為についての目撃証言の一部と考えてよい。

もっとも、性質上「供述」には違いはないので、①争点として重要性があ
り、②行為自体としては曖昧で、そのためことばが有用性をもつ場合であ
り、③その行為とことばが通常随伴的であることを要件とすべきである。

さらに、たとえば、殴られて「あ、痛い」と叫ぶとか、事故の現場で犯人
の名前を呼ぶ場合など、ほとんど行為同然といえる場合も非伝聞となる。

(3) 情況証拠であることば

供述の存在自体を他の事実を推認すべき間接事実（情況証拠）として立証
する場合は非伝聞となる。(1)の一類型といえるが、推認されるべき事実が要
証事実であるかのごとき外観を呈するので注意が必要である。

たとえば、AとBの会話の存在自体からABの面識関係を推認する場合、
あるいは、「私は神様だ」という供述から精神異常を推認する場合である。

3 精神状態の供述

(1) 供述当時の精神状態の供述

伝聞証拠の証拠能力が原則として否定されるのは、供述証拠が、①知覚→
②記憶→③表現→④叙述という過程を経ており、誤りが介在する危険が高い
ためである。この点、供述当時の精神状態の供述は、①知覚、②記憶の過程
を欠くことから、かかる供述が伝聞か非伝聞かが問題となる。

→非伝聞説（通説）

∵① 精神状態の供述には、知覚・記憶の過程が欠けており、伝聞ゆえ
の危険が小さい

② 真摯性は原供述者を反対尋問しなくても供述時の態度や周囲の状
況についての第三者の供述によっても検討しうる

③ 非伝聞としても真摯性を関連性一般の問題として要求すれば、精
神状態の供述が無条件に証拠能力をもつことにはならない

▼ **米子強姦致死事件（最判昭30.12.9・百選78事件）**

「A（被害者）は『あの人すかんわ、いやらしいことばかりするんだ』といっておりました」という証人Bの公判廷における証言について、「第1審判決は、被告人は『かねてAと情を通じたいとの野心を持っていた』ことを本件犯行の動機として掲げ、その証拠として証人Bの証言を対応させていることは明らかである。そして、原判決は、同証言は『Aが、同女に対する被告人の野心にもとづく異常な言動に対し、嫌悪の感情を有する旨告白した事実に関するものであり、これを目して伝聞証拠であるとするのは当たらない』と説示するけれども、同証言が右要証事実（犯行自体の間接事実たる動機の認定）との関係において伝聞証拠であることは明らかである」。

▼ **白鳥事件（最判昭38.10.17）**

「被告人Xが……幹部教育の席上『白鳥はもう殺してもいいやつだな』と言った旨のAの検察官に対する供述調書における供述記載……は、被告人Xが右のような内容の発言をしたこと自体を要証事実としているものと解せられるが、被告人Xが右のような内容の発言をしたことは、Aの自ら直接知覚したところであり、伝聞供述であるとは言えず、同証拠は刑訴法321条1項2号によつて証拠能力がある旨の原判示は是認できる。

次に、……『白鳥課長に対する攻撃は拳銃をもつてやるが、相手が警察官であるだけに慎重に計画をし、まず白鳥課長の行動を出勤退庁の時間とか乗物だとかを調査し慎重に計画を立ててチヤンスをねらう』と言った旨の証人Bの……供述……、『共産党を名乗つて堂々と白鳥を襲撃しようか』と述べた旨の証人Cの……供述……等は、いずれも被告人Xが右のような内容の発言をしたこと自体を要証事実としているものと解せられるが、被告人Xが右のような内容の発言をしたことは、各供述者の直接知覚したところであり伝聞供述に当たらないとした原判示も是認できる」。

(2) **犯行計画メモの証拠能力** 司H18 司H27 司R3

(a) 被告人が過去に共犯者と打ち合わせた犯行計画を知覚・記憶し、後にその内容を記載したメモについて、その内容たる「犯行計画（事前謀議）の存在・内容」を要証事実とする場合には、当該メモが真実であることを前提とするため、伝聞証拠（被告人の供述書）となる。

(b) 「作成者の犯行の計画・意図・動機等」を要証事実とする場合には、当該メモは作成者のメモ作成時点における精神状態の供述といえるため、非伝聞となる。

→犯行計画メモが謀議者間で回覧・確認された場合には、実質的には謀議に参加した者全員の供述であって、「謀議参加者全員の犯行の計画・意図・動機等」が要証事実となり、上記と同様に非伝聞となる

(別途、回覧・確認の事実の証明が必要となる)

(c) 「犯行計画メモが存在すること」自体を要証事実とすることに意味がある場合には、内容の真偽が問題となることはないため、非伝聞となる。

> ex. 現実に発生した犯行態様と当該メモの記載内容がほぼ一致し、それが偶然の一致とは考えにくい場合において、当該メモを所持していた被告人が犯人であることを推認するとき

▼ **東京飯場経営者恐喝事件（東京高判昭58.1.27・百選〔第10版〕79事件）**

「人の意思、計画を記載したメモについては、その意思、計画を立証するためには、伝聞禁止の法則の適用はないと解することが可能である。それは、知覚、記憶、表現、叙述を前提とする供述証拠と異なり、知覚、記憶を欠落するのであるから、その作成が真摯になされたことが証明されれば、必ずしも原述者を証人として尋問し、反対尋問によりその信用性をテストする必要はないと解されるからである。そして、この点は個人の単独犯行についてはもとより、数人共謀の共犯事案についても、その共謀に関する犯行計画を記載したメモについては同様に考えることができる」。

「数人共謀の共犯事案において、その共謀にかかる犯行計画を記載したメモは、それが真摯に作成されたと認められる限り、伝聞禁止の法則の適用されない場合として証拠能力を認める余地があるといえよう。ただ、この場合においてはその犯行計画を記載したメモについては、それが最終的に共謀者全員の共謀の意思の合致するところとして確認されたものであることが前提とならなければならない」。

第321条 〔被告人以外の者の供述書・供述録取書の証拠能力〕

I 被告人以外の者が作成した供述書又はその者の供述を録取した書面で供述者の署名若しくは押印のあるものは、次に掲げる場合に限り、これを証拠とすることができる。

① 裁判官の面前（第157条の6第1項及び第2項に規定する方法による場合を含む。）における供述を録取した書面については、その供述者が死亡、精神若しくは身体の故障、所在不明若しくは国外にいるため公判準備若しくは公判期日において供述することができないとき、又は供述者が公判準備若しくは公判期日において前の供述と異なった供述をしたとき。

② 検察官の面前における供述を録取した書面については、その供述者が死亡、精神若しくは身体の故障、所在不明若しくは国外にいるため公判準備若しくは公判期日において供述することができないとき、又は公判準備若しくは公判期日において前の供述と相反するか若しくは実質的に異なった供述をしたとき。ただし、公判準備又は公判期日における供述よりも前の供述を信用すべき特別の情況の存するときに限る。

証拠

③　前2号に掲げる書面以外の書面については、供述者が死亡、精神若しくは身体の故障、所在不明又は国外にいるため公判準備又は公判期日において供述することができず、かつ、その供述が犯罪事実の存否の証明に欠くことができないものであるとき。ただし、その供述が特に信用すべき情況の下にされたものであるときに限る。

Ⅱ　被告人以外の者の公判準備若しくは公判期日における供述を録取した書面又は裁判所若しくは裁判官の検証の結果を記載した書面は、前項の規定にかかわらず、これを証拠とすることができる。

Ⅲ　検察官、検察事務官又は司法警察職員の検証の結果を記載した書面は、その供述者が公判期日において証人として尋問を受け、その真正に作成されたものであることを供述したときは、第1項の規定にかかわらず、これを証拠とすることができる。

Ⅳ　鑑定の経過及び結果を記載した書面で鑑定人の作成したものについても、前項と同様である⊡。

［趣旨］本条は、被告人以外の者の伝聞供述のうち、書面について、伝聞法則の例外として証拠能力が認められる場合の要件について定めるものである。

《注　釈》
一　伝聞法則の例外

　　伝聞証拠ではあっても、その証拠を用いる「必要性」が高く、反対尋問に代わるほどの「信用性の情況的保障」がある場合がある。そこで、この「必要性」と「信用性の情況的保障」とが認められる場合には、伝聞法則の例外として証拠能力が認められている（321以下）。

　　「必要性」とは、犯罪立証に当たり、原供述者からそれ以外の証拠を得られないので、原供述を用いる必要がある場合をいう。

　　「信用性の情況的保障」とは、その供述がなされた外部的状況から判断して、反対尋問等によって供述過程を吟味しなくてもよいほどその供述の信用性が肯定される場合をいう。

＜伝聞例外の規定の一覧＞

伝聞例外	伝聞例外許容要件	具　体　例
321 Ⅰ①	前段：供述不能 後段：相反供述	・226、227、228、179による裁判官の証人尋問調書 ・他事件の証人尋問調書、公判調書 ・民事事件の証人尋問調書 ・少年の保護事件における証人尋問調書
321 Ⅰ②	前段：供述不能（＋特信情況） 後段：相反供述又は実質的不一致供述・相対的特信情況	・検面調書 ・検察官事務取扱検察事務官の面前調書

伝聞例外	伝聞例外許容要件	具体例
321 I ③	・供述不能 ・必要不可欠性 ・絶対的特信情況	・員面調書、被害届・始末書・上申書、捜査報告書、捜索差押調書、酒酔い鑑識カード （被疑者との問答記載欄）
321 II	無条件	前段：158、281等による当該事件の公判準備における裁判所の証人尋問調書 後段：裁判所（裁判官）作成の検証調書
321 III	真正作成証言	・捜査機関作成の検証調書 ・捜査機関作成の実況見分調書（判例、通説） ・酒酔い鑑識カード（化学判定欄） ・臭気選別検査結果書（司法警察職員作成の報告書）
321 IV	真正作成証言	・鑑定書 ・鑑定受託者の鑑定書（判例、通説） ・診断書（判例、通説） ・臭気選別検査結果書（訓練士作成）
321の2	無条件 →ただし、証拠調べ後の証人尋問の機会を付与しなければならない（321の2 I 後段）	・先に起訴された共犯者の公判において実施されたビデオリンク方式による証人尋問の記録媒体がその一部とされた調書
321の3	措置要件 相当性要件 →ただし、証拠調べ後の証人尋問の機会を付与しなければならない（321の3 I 柱書後段）	・不同意わいせつ罪（刑176）の被害者である児童に対して司法面接を実施し、それにより得られた聴取結果を記録した録音・録画記録媒体
322 I	前段：不利益事実の承認 　　　任意性 後段：絶対的特信情況	・被告人作成の備忘録、日記帳、始末書 ・員面調書 ・勾留質問調書 ・検面調書
322 II	任意性	・公判準備における被告人の供述を録取した書面
323	無条件	1号：戸籍謄本、公正証書、前科調書 2号：商業帳簿、裏帳簿、カルテ 3号：民事事件の判決書
324 I	322を準用	・証人の被告人の供述を内容とする証言
324 II	321 I ③を準用	・証人の第三者の供述を内容とする証言

証拠

伝聞例外	伝聞例外許容要件	具　体　例
326（327）	相当性（327は無条件）	・同意書面（合意書面）
328	・証明力の弾劾 ・自己矛盾供述（通説）	・証人の公判証言と矛盾する同人の員面調書

二　被告人以外の者の供述代用書面

1　総説

(1)　321条

被告人以外の供述代用書面について、321条は、①１号書面（裁判官面前調書）、②２号書面（検察官面前調書）、③３号書面（司法警察職員面前調書等）、④２項書面（証人尋問調書・検証調書等）、⑤３項書面（捜査機関の検証調書等）、⑥４項書面（鑑定書）、という６種類の書面について規定している。以下、順に説明する。

(2)　321条１項

(a)　同条１項は、被告人以外の者が作成した供述書（供述者が自ら作成した書面）、又はその者の供述を録取した書面（供述録取書）で供述者の署名若しくは押印のあるものにつき証拠能力が認められる要件を定めている。

供述録取書は、供述者及び供述を録取した者がともに公判廷において反対尋問を受けないという点において二重の伝聞証拠たる性質を有する。そこで、供述者の話した内容が供述録取者により正確に録取されたことを、供述者自身に承認させるという意味で、供述者の署名押印を要求している。これにより、その点の伝聞過程に、反対尋問に代替しうる程度の信用性が認められるのである□。

▼　**最決平18.12.8・平19重判6事件**

事案：　本件は、被害者のうち１名（A）が脳梗塞の後遺症により証人として出頭することができなかったため、321条１項２号前段によりAの検察官調書が証拠として採用されたが、本件調書は、Aを供述者とするものであるが、末尾には立会人である供述者の次男であるBをして代書させた旨の記載があり、供述者署名欄にはBが代書した署名と同人がAの印を押捺した印影があり、そのあとの立会人の欄にBの署名・押印があった。

決旨：　供述録取書についての刑訴法321条１項にいう「署名」には、刑訴規則61条の適用があり、代書の場合には、代書した者が代書の理由を記載する必要がある。しかし、本件検察官調書末尾を見れば、代書の理由がわかり、また、代書した者は、そのような調書上の記載を見た上で、自己の署名押印をしたものと認められるから、本件検察官調書は、実質上、

> 刑訴規則61条の代署方式を履践したのに等しいということができる。した
> がって、本件の代署をもって、刑訴法321条1項にいう供述者の「署
> 名」があるのと同視することができる。

(b) 供述書はすべて321条1項3号で証拠能力の有無が判断されるが、供述
録取書は、供述が誰の面前でなされたかにより証拠能力を認める要件が異
なる。

2 1号書面（裁判官面前調書）〈司〉

(1) 意義

1号書面には、捜査における証人尋問調書（226、227、228）、証拠保全の
証人尋問調書（179）等がある〈司予〉。

(2) 要件〈予〉

(a) 321Ⅰ①前段

その供述者が死亡、精神若しくは身体の故障、所在不明若しくは国外に
いるため公判準備若しくは公判期日において供述することができないとき
（供述不能）

(b) 321Ⅰ①後段

供述者が、公判準備若しくは公判期日に前の供述と異なった供述をした
とき（相反供述）

(c) 2号・3号との比較

このように緩やかな要件で伝聞例外が認められるのは、裁判官は性質上
公平な立場にあり、証人尋問では原則として宣誓もなされ、当事者の立会
いがないときでも裁判官が代わって反対尋問を行うことが期待できるの
で、信用性の情況的保障が認められるからである。

(3) 他事件の調書でもよいか

→肯定説（判例）〈司予〉

∵ 1号書面の場合、被告人の立会いがなくても裁判官が代わって被告人
に有利な事項についても尋問することが期待できる

▼ **最決昭29.11.11**

他事件の公判調書中の証人の供述部分について1号書面に含まれるとした。

▼ **最決昭57.12.17・百選A36事件**

「刑訴法321条1項1号の『裁判官の面前における供述を録取した書面』に
は、被告人以外の者に対する事件の公判調書中同人の被告人としての供述を録
取した部分を含むと解するのが相当である」として、他事件の公判における被
告人としての供述を録取した書面も1号書面に含まれることを明らかにした。

証拠

3 2号書面（検察官面前調書）

(1) 意義

検察官の面前における供述を録取した書面を検察官面前調書（検面調書、2号書面）という。

(2) 要件〈予〉

(a) 321 I ②前段・前段書面

その供述者が死亡、精神若しくは身体の故障、所在不明若しくは国外にいるため公判準備若しくは公判期日において供述することができないとき（供述不能）

(b) 321 I ②後段・後段書面〈共予〉

供述者が公判準備若しくは公判期日において前の供述と相反するか若しくは実質的に異なった供述をしたときで、公判準備又は公判期日における供述よりも前の供述を信用すべき特別の情況の存するとき（相反供述又は実質的不一致供述・相対的特信情況）

(c) 3号との比較

同じ捜査機関による書面でありながら、2号書面が3号書面よりも要件が緩和されているのは、検察官が法律の専門家であるうえに、公益の代表者として法の正当な適用を要求する客観的立場にあるため、信用性の情況的保障があるからである。

(3) 前段書面

(a) 特信情況の要否（321条1項2号前段の合憲性）

A 必要説（多数説）

∵① 尋問段階（223）での宣誓がなく、また、被告人の立会いも認められていない

② 検察官は被告人の反対当事者であって裁判官のような第三者的立場にはないから、被告人に有利な点についてまで聞き出すことを期待することはできない

③ 捜査段階で必要な場合には裁判官に証人尋問を請求することができるから（226、227 I）、証拠能力を認める必要性も絶対的ではない

B 不要説（判例）

∵ これを要求する明文がない

▼ 最判昭 36.3.9

「証人が外国旅行中であって、これに対する反対尋問の機会を被告人に与えることができない場合であっても、その証人の検察官に対する供述録取書を証拠として採用することは、憲法第37条第2項の規定に違反しない」と判示して、特信情況を要求せず合憲とした。

(b) 前段の列挙事由は制限列挙か例示列挙か。
　→例示列挙説（判例、通説）
　∵　各号の列挙事由は、供述を再現することが不可能であって、伝聞証拠であっても証拠として許容する必要性の高い場合を規定しているから、これを特に法の列挙した場合だけに限定すべき理由は乏しい

▼ 最大判昭 27.4.9（証言拒否権の行使による供述不能・2号書面について）同 同R3

321条1項2号の規定に「『供述者が……供述することができないとき』としてその事由を掲記しているのは、もとよりその供述者を裁判所において証人として尋問することを妨ぐべき障碍事由を示したものに外ならないのであるから、これと同様又はそれ以上の事由の存する場合において同条所定の書面に証拠能力を認めることを妨ぐるものではない」。

さらに、判例は、証人が公判廷で証言を拒否したときは、後にその決意を翻して任意に証言する場合が絶無とはいい得ない点で、供述者の死亡の場合とは必ずしも事情は同じではないが、現に証言を拒絶している限りにおいては、被告人に反対尋問の機会を与え得ないことは死亡の場合と全く同じであり、むしろいわゆる供述者の国外にある場合に比すれば一層強い意味において供述を得ることができないから、刑事訴訟法321条1項2号前段に当たるとした。

▼ 東京高判昭 63.11.10・百選〔第9版〕84事件（証言拒否による供述不能・2号書面について）

証人が公判準備において宣誓及び証言を拒否した事案について、「事実上の証言拒否にあっても、その供述拒否の決意が堅く、翻意して尋問に応ずることはないものと判断される場合には、当該の供述拒否が立証者側の証人との通謀或は証人に対する教唆等により作為的に行われたことを疑わせる事情がない以上、証拠能力を付与するに妨げないというべきである」と判示し、証言拒否による供述不能の場合の2号書面の証拠能力を肯定した。

証拠

▼ **東京高判平 22.5.27・百選 79 事件（証言拒否による供述不能・2 号書面について）**

　　刑訴法 321 条 1 項 2 号前段の供述不能の要件は、証人尋問が不可能又は困難なため例外的に伝聞証拠を用いる必要性を基礎付けるものであるから、一時的な供述不能では足りず、その状態が相当程度継続して存続しなければならない。

▼ **最決昭 29.7.29（記憶喪失を理由とする供述不能・3 号書面について）**

　　麻薬中毒による記憶喪失のため供述できない場合につき、「証人が記憶喪失を理由として証言を拒む場合が、刑訴 321 条 1 項 3 号の場合に該当することは、当裁判所の判例の趣旨とするところである」と判示して、麻薬取締官に対する供述調書に証拠能力を認めた。

(c) 国外にいる場合

　　外国人供述者が国外に退去強制させられたため供述できない場合も、321 条 1 項各号前段の「国外にいる」に当たるか。

▼ **タイ人女性管理売春事件（最判平 7.6.20・百選 80 事件）** 同共予

　　「検察官において当該外国人がいずれ国外に退去させられ公判準備又は公判期日に供述することができなくなることを認識しながら殊更そのような事態を利用しようとした場合はもちろん、裁判官又は裁判所が当該外国人について証人尋問の決定をしているにもかかわらず強制送還が行われた場合など、当該外国人の検察官面前調書を証拠請求することが手続的正義の観点から公正を欠くと認められるときは、これを事実認定の証拠とすることが許容されないこともあり得るといわなければならない」としつつも、本件では、手続的正義の観点から公正を欠くとは認められないとして、結論として 321 条 1 項 2 号前段書面として証拠能力を肯定した。

※　近時、証人尋問決定後に退去強制処分を受けた外国人の供述調書について、上記判例と同じ趣旨から 321 条 1 項 2 号の適用を認めた裁判例がある（東京高判平 20.10.16・平 21 重判 5 事件）。

▼ **東京高判平 21.12.1・平成 22 重判 4 事件**

事案：　被告人は X らと共謀の上、営利目的で覚醒剤約 3 kg をマレーシアから航空機を利用して持ち込み、密輸入した。これに対し、弁護人は X および同行者 Y の証人尋問調書および検察官調書の証拠能力は最判平 7.6.20・百選 80 事件の趣旨に照らして否定されるべきだと主張した。

判旨：　平成 7 年の判例「の趣旨は、同法（刑訴法）227 条 1 項に基づく検察官からの請求により証人尋問が行われ、その証人尋問調書が同法 321 条 1 項 1 号前段書面として証拠請求されたときにも当てはまるものと解される」。

証拠

(4) 後段書面
(a) 自己矛盾供述
・「相反する」 →立証事項について供述自体が正反対の結論を導く場合
・「実質的に異なった」 →他の証拠又は他の立証事項と相まって、異なる
認定を導くようになる場合
＊ なお、321条1項2号後段により検面調書に証拠能力が認められる場合であっても、「公判準備若しくは公判期日における供述」の証拠能力が否定されるわけではない〖回〗。
(b) 特信情況の判断方法
→外部的付随事情（時の経過、供述者と被告人の関係、取調べの状況等）のほかに、この事情を推認する資料とする限度で供述内容を斟酌してよいとする見解（通説）
∵① 証拠能力の判断は証明力の判断以前に行われなければならないから、供述の証拠能力を判断する前提として供述内容まで立ち入るのは問題がある。もっとも、321条1項2号後段は「相反するか実質的に異なった」ものであることを要件としていることから、その判断のためにはある程度供述内容に立ち入る必要がある
② 公判廷の供述内容があまりにも不自然であるとか、しどろもどろであるとかいう事情があり、それらが供述の情況・態度等と相まって逆に前の供述についてその特信情況を推知させることもありうる

▼ 最判昭30.1.11・百選A37事件〖回〗
「必ずしも外部的な特別の事情でなくても、その供述の内容自体によってそれが信用性のある情況の存在を推知せしめる事由となる」と判示した。

(c) 合憲性
判例は、後段を合憲と解している。

▼ 最判昭30.11.29・百選A35事件
「憲法37条2項が、刑事被告人は、すべての証人に対して審問する機会を充分に与えられると規定しているのは、裁判所の職権により又は当事者の請求により喚問した証人につき、反対尋問の機会を充分に与えなければならないという趣旨であって、被告人に反対尋問の機会を与えない証人その他の者の供述を録取した書類を絶対に証拠とすることを許さない意味をふくむものではな」いから、「これらの書類はその供述者を公判期日において尋問する機会を被告人に与えれば、これを証拠とすることができる旨を規定したからといって、憲法37条2項に反するものではない」と判示した。

証拠

(d)　前の供述

　321条1項2号後段は、検面調書の供述が「前の供述」であること、すなわち証人尋問前の供述であることを要求している。よって、証人尋問後に作成された検面調書は、「前の供述」に当たらず、321条1項2号後段により証拠能力を認めることはできない。

　では、一度証人として公判証言（「被告人は犯人ではない」と証言）した後、検面調書（「被告人が犯人だ」と供述）が作成され、再喚問して証人尋問したところ、検面調書と異なる供述（「被告人は犯人ではない」と証言）をした場合、321条1項2号後段により検面調書に証拠能力を認めることはできるか。

A　肯定説

　∵　時間的先後関係としては、321条1項2号後段の要件を満たしている

B　否定説

　∵①　自己の申請した証人の供述を不当と思うのであれば、公判で再主尋問・再々主尋問を通して、自己側証人にその点を問いただせばよく、公判終了後公判延外で同証人を検察官が取り調べるのは、公判中心主義に反する

　②　肯定すると検面調書作成過程に作為や強制が入りやすい

▼　**最決昭58.6.30**〈回〉

　証人尋問が行われた後に検察官が同証人を同じ事実につき取調べて供述調書を作成し、後の公判期日において再び同証人を尋問したところ、検察官に対する供述調書の記載と異なる供述をしたという事案において、「すでに公判期日において証人として尋問された者を、捜査機関が、その作成する供述調書をのちの公判期日に提出することを予定して、同一事項につき取調べを行うことは、現行刑訴法の趣旨とする公判中心主義の見地から好ましいことではなく、できるだけ避けるべきではあるが、右証人が、供述調書の作成されたのち、公判準備若しくは公判期日においてあらためて尋問を受け、供述調書の内容と相反するか実質的に異った供述をした以上、同人が右供述調書の作成される以前に同一事項について証言したことがあるからといって、右供述調書が刑訴法321条1項2号後段にいう『前の供述』の要件を欠くことになるものではないと解するのが相当である」と判示した。

▼ **東京高判平5.10.21・平6重判4事件**

　　公判期日における証人尋問において被告人に有利な証言をした証人Oを検察官が後日取調べ、公判期日での証言が虚偽である旨の検面調書を作成し、次いでOを再度証人喚問しようとしたところ、Oが自殺してしまったという事案において、「右の各検察官調書は、Oの原審第2回公判期日における証言との関係では、同証言よりも後にした供述を内容とするものであるから、刑訴法321条1項2号後段を適用することはできない。しかし、原審第7回公判期日に行う予定であった証人尋問との関係では、前に一度公判期日に証人として供述しているとはいえ、原審第7回公判期日にはこれと異なる内容の供述すなわち新たな内容の供述を行うことが予定されていたのであるから（この点につき、本判決は、『検察官が原審第6回公判期日に再度のOの証人尋問を請求したのは、Oの前回の証言内容を変更させ、右検察官調書と同一の内容の供述を得ようとしたものであったことも、当然に窺われる』と述べている）、供述者が死亡したため公判期日において供述することができないときに当たるものということができ、したがって、右各検察官調書に同号前段を適用することができるものと解される」。

4　3号書面（司法警察員面前調書等）

(1)　意義

　　前2号に掲げる書面以外の書面は、すべて3号書面に含まれる。代表的には、司法警察員面前調書（員面調書）がこれに当たるが、それ以外にも被害届、始末書、上申書等がある。

(2)　要件（321Ⅰ③）〈司H20 司H22 司H23 司H27 司H30 司R3〉

　　3号書面は伝聞例外の原則型であって、最も厳格な例外要件となっている。以下の3つの要件を満たすときに、証拠能力が認められる。

　①　その供述者が死亡、精神若しくは身体の故障、所在不明若しくは国外にいるため公判準備若しくは公判期日において供述することができない（供述不能）

　②　その供述は犯罪事実の存否の証明に欠くことができないものであるとき（不可欠性）

　③　その供述が特に信用すべき情況の下にされたものであるとき（絶対的特信情況）

証拠

＜321条1項各号書面の要件の整理＞

裁判官面前調書（321 I ①） 供述不能（①前段） 又は　相反供述（①後段） 検察官面前調書（321 I ②） 供述不能（②本文前段） 又は 相反供述・実質的不一致供述（②本文後段）＋相対的特信情況（②ただし書） その他の供述書・供述録取書（321 I ③） 供述不能（③本文前段）＋必要不可欠性（③本文後段） ＋絶対的特信情況（③ただし書）	供述録取書の場合 ＋署名・押印

(3)　外国の裁判所等が作成した調書

　　外国の裁判所や捜査機関が作成した調書の証拠能力に関する明文はない。この点、321条にいう裁判所・裁判官・検察官は、日本の法制度を前提にしているため、外国の裁判所等が作成した調書は、3号書面としてその証拠能力が判断される。

　　判例（最判平23.10.20・百選81事件）は、国際捜査共助の要請に基づいて、制度上被疑者の黙秘権を保障しない中国において作成された供述調書であっても、日本の捜査機関から中国の捜査機関に対し取調べの方法等に関する要請があり、取調べに際して黙秘権が実質的に告知され、肉体的・精神的強制が加えられた形跡はないなどの事実関係を前提とすれば、321条1項3号により証拠能力が認められるとする。また、国際捜査共助の要請に基づいて、アメリカ合衆国の捜査機関の取調べを経て、公証人の面前において、偽証罪の制裁の下で、記載された供述内容が真実であることを言明する旨を記載して署名した宣誓供述書も、321条1項3号により証拠能力が認められる（最決平12.10.31）。

　　他方、いわゆるロッキード事件において、判例（最大判平7.2.22・百選63事件）は、刑事免責を付与して得られた供述を録取した嘱託証人尋問調書について、我が国の「刑訴法は、この制度に関する規定を置いていない」として、「刑事免責を付与して得られた供述を事実認定の証拠とすることは、許容されない」としている。もっとも、平成28年法改正により、日本においても刑事免責制度が導入されたため、以後、上記判例はその前提を欠くこととなったと評されている。

5　公判準備・公判期日の供述録取書（321Ⅱ前段）

(1)　意義

被告人以外の者の公判準備又は公判期日における供述を録取した書面とは、公判期日外の証人尋問調書（158、281 参照）や当該事件の公判手続更新前の被告人以外の者の公判調書等をいう。

(2)　要件（321Ⅱ前段）

これらの書面は、無条件で証拠能力が認められる。これは、各供述録取書が作成された際に当事者に立会権が認められており、反対尋問権行使の機会も保障されていることから、信用性の情況的保障が特に高いという理由に基づいている。

(3)　他事件の公判調書

他事件の公判調書は、反対尋問の機会を与えられていないので、321 条 2 項前段により証拠能力を認めることはできない。この場合は、321 条 1 項 1 号の書面として扱われる。

6　検証調書

(1)　裁判所・裁判官の検証調書（321Ⅱ後段）

(a)　意義

裁判所若しくは裁判官の検証の結果を記載した書面とは、裁判所（官）の検証調書のことである。

(b)　要件（321Ⅱ後段）

これらの書面は、裁判所等の一種の供述書であるが、無条件で証拠能力が認められている。これは、これらの書面が、①検証の性質に照らし事実を正確に報告していること、②裁判所等が行う場合には原則として当事者に立会権があるので（142、113）、その吟味・点検による正確性の保障もあることから、信用性の情況的保障が高いためである。

(c)　他事件の検証調書

他事件の検証調書の場合、321 条 2 項後段により証拠能力を認めることができるか。

→肯定説（通説）

∵　被告人に反対尋問権行使の機会が保障されていることから無条件に証拠能力が認められる公判準備又は公判期日における供述を録取した書面とは異なり、検証調書は、それ自体の性質から無条件に証拠能力が認められるのであるから、事件との関連を考慮する必要はない

(2)　捜査機関の検証調書（321Ⅲ）

(a)　意義

検察官、検察事務官又は司法警察職員の検証の結果を記載した書面と

は、捜査機関が令状により（218）、又は令状なしに（220 I ②）行った検証の結果を記載した書面をいう《予》。

(b) 要件《同予》

その供述者が公判期日において証人として尋問を受け、その真正に作成されたものであることを供述した場合に証拠とすることができる（証人の真正作成供述）。

確かに信用性の情況的保障と必要性は認められうるが、捜査機関の検証は、裁判所の検証とは異なり、主体が捜査官であり、また、被告人側に検証に立ち会う権利が保障されていない。それゆえ、検証調書の正確性が問題になる余地がないわけではない。

そこで、捜査機関の検証調書は、検証者が公判廷で宣誓のうえ、証人として尋問を受け、それが真正に作成されたものであることを供述した場合に初めて、法はこれに証拠能力を認めることとした。

ここで「真正に作成されたものであることを供述」とは、単に作成名義が真正であることを供述するにとどまらず、その内容の真実性についても実質的な尋問を受けることをいう。

(c) 実況見分調書《予》《同H21 司H22 司H23 司H25 司R5 予H27》

実況見分調書とは、捜査機関が任意処分として行う検証の結果を記載した書面をいう。

実況見分調書の証拠能力につき明文の例外規定はない。そこで、321 条3 項により実況見分調書の証拠能力を認めることができないか。

→肯定説（判例、通説）

∵① 実況見分と検証との差は強制処分であるか任意処分であるかだけで、検証活動の性質に相違はない

② 公判廷で調書の内容にわたって反対尋問できる

③ 検証は裁判官の令状によって行われるが、それは強制処分として関係者の意思に反して行わなければならないためであって、これによって内容の真正が格段に保障されるわけではない

▼ **最判昭 35.9.8・百選 A38 事件**《同予》

「刑訴 321 条3 項所定の書面には捜査機関が任意処分として行う検証の結果を記載したいわゆる実況見分調書も包含するものと解する」と判示して、肯定説を採用した。

(d) 現場指示・現場供述《同》《同H21 司H25 予H27》

ア 現場指示（検証又は実況見分の対象を確定する必要からなされるもの）

ex. 交通事故現場の検証の場合、目撃者たる立会人が「被疑者運転

の車が被害者をはねたのはこの地点（P）です」と述べた旨、検証調書に記載されている場合

▼ 最判昭 36.5.26

「立会人の指示、説明を実況見分調書に記載するのは結局実況見分の結果を記載するに外ならず、被疑者及び被疑者以外の者の供述としてこれを録取するのとは異なる……。従って、立会人の指示説明として被疑者及び被疑者以外の者の供述を聴きこれを記載した実況見分調書には右供述をした立会人の署名押印を必要としない……。右供述部分をも含めて証拠に引用する場合においても、右は該指示説明に基く見分の結果を記載した実況見分調書を刑訴 321 条 3 項所定の書面として採証するに外ならず、立会人たる被疑者又は被疑者以外の者の供述記載自体を採証するわけではないから、更めてこれらの立会人を証人として公判期日に喚問し、被告人に尋問の機会を与えることを必要としない」。

 イ 現場供述（現場を利用してなされた供述、現場指示を超えた供述）
  ex. 立会人から「ここでブレーキかけました」という指示説明があり、実況見分者がその地点にブレーキ痕を認め、計測の結果それが基点から 10 メートルの地点であることを確定した旨を記載したという場合、この立会人の指示説明から直ちに「ここで」「ブレーキをかけた」という事実を認定する場合

▼ 最決平 17.9.27・百選 82 事件 〈司予〉〈司H25 司R5〉

本件実況見分調書及び写真撮影報告書は、「立証趣旨が『被害再現状況』、『犯行再現状況』とされていても、実質においては、再現されたとおりの犯罪事実の存在が要証事実になるものと解される。このような内容の実況見分調書や写真撮影報告書等の証拠能力については、刑訴法 326 条の同意が得られない場合には、同法 321 条 3 項所定の要件を満たす必要があることはもとより、再現者の供述の録取部分……については、再現者が被告人以外の者である場合には同法 321 条 1 項 2 号ないし 3 号所定の、被告人である場合には同法 322 条 1 項所定の要件を満たす必要があるというべきである」。

▼ 最決平 23.9.14・百選 66 事件

伝聞例外要件をみたさない被害再現写真について、被害者の証人尋問において当該写真を示しながら尋問を行い、その後、裁判所が当該写真の写しを被害者証人尋問調書の末尾に添付する措置は、証人尋問において引用された限度において当該写真の内容は証言の一部となっていると認められるから、当該写真を独立した供述証拠として取り扱うものではなく、伝聞証拠に関する刑訴法の規定を潜脱するものではない。

証拠

(e) 酒酔い鑑識カード〈共予〉

　　酒酔い状態の検査・観察を報告する酒酔い鑑識カードの証拠能力について、検証調書とするか争いがある。

　　この点、判例（最判昭 47.6.2）は、化学判定欄及び被疑者の言語、動作、酒臭、外貌、態度等の外部的状態に関する記載のある欄の記載は、321 条 3 項の「司法警察職員の検証の結果を記載した書面」（検証調書）に当たり、被疑者との問答の記載のある欄並びに「事件事故の場合」の題下の「飲酒日時」及び「飲酒動機」の両欄の各記載は、いずれも 321 条 1 項 3 号の書面（員面調書）に当たるとしている。

(f) 私人作成の実験結果報告書〈予〉

　　私人が作成した実験結果の報告書に 321 条 3 項を準用して証拠能力を認めることができるか。判例（最決平 20.8.27・百選 83 事件）は、321 条 3 項の文言及び趣旨から準用を否定している。

▼ **最決平 20.8.27・百選 83 事件**〈予〉

　　刑訴法 321 条 3 項所定の作成主体は「検察官、検察事務官又は司法警察職員」であり、同規定の文言及びその趣旨に照らすと、本件のような私人作成の書面に同項を準用することはできない。しかし、火災原因の調査、判定に関して特別の学識経験を有する作成者が実験結果を報告したものであり、かつ作成の真正についても立証されているから、同法 321 条 4 項の書面に準ずるものとして証拠能力を有する。

7　鑑定書（321 Ⅳ）〈司〉

(1) 意義

　　鑑定書とは、裁判所又は裁判官の命じた鑑定人の作成した鑑定（165、179 等以下）の経過及び結果を記載した書面をいう。

(2) 要件

　　鑑定書は、321 条 3 項と同様に、その供述者が公判期日において証人として尋問を受け、その真正に作成されたものであることを供述した場合に証拠とすることができる（鑑定人の真正作成供述）。

　　鑑定書については、まず、①鑑定内容は複雑で専門的であるから、鑑定人の口頭の供述よりも、書面による方がかえって正確であり理解しやすいため、これを証拠とする必要がある。次に、②鑑定人は人選が公正で、宣誓のうえ鑑定し（166）、虚偽鑑定に対する制裁もあり（刑 171）、しかも、③鑑定は専門的知識に基づき客観的になされ、さらに、④不十分ながら事後に反対尋問の機会が与えられているので、信用性の情況的保障がある。そこで、321 条 4 項は、上述の要件の下で証拠能力を認めた。

証拠

(3) 捜査機関の嘱託に基づく鑑定書（鑑定受託者の鑑定書）

鑑定受託者の作成した鑑定書に321条4項を準用して証拠能力を認めることができるか。

→肯定説（判例、通説）

∵① 鑑定内容が複雑かつ専門的で、口頭によるよりも書面による方が正確を期しうるという点及び鑑定は専門的知識に基づき客観的になされる点で、鑑定人の鑑定の場合と異ならない

② 被告人側は179条により証拠保全として裁判官に鑑定請求できるのに対し、訴追側にはこのような手段がないから、鑑定嘱託によらざるを得ない

▼ **最判昭 28.10.15・百選 A39 事件**〈予〉

「捜査機関の嘱託に基づく鑑定書（刑訴223条）には、裁判所が命じた鑑定人の作成した書面に関する刑訴321条4項を準用すべきものである」。

(4) 私人の嘱託による鑑定書・医師の診断書〈予〉

私人（たとえば弁護人）の嘱託による鑑定書は、179条を利用できるので、321条4項の準用を否定すべきとの見解が有力であったが、判例は私人作成の報告書の証拠能力について321条4項の準用を肯定した（最決平20.8.27・百選83事件）。 ⇒ p.456

医師の診断書については、判例（最判昭32.7.25）は321条4項を準用している。しかし、①一般に診断書は、診断の結果を簡単に記載しただけの書面で、鑑定書に記載される「鑑定の経過」に相当する部分は含まれていない。また、②作成の実態も比較的手軽に記載し交付されることが多い。そこで、多数説は321条4項の準用を否定している。

証拠

＜321条1項3号書面・2項書面・3項書面・4項書面の整理＞◀

	要　件	理　由
3号書面	① 供述不能 ② 不可欠性 ③ 絶対的特信情況	———
公判準備・公判期日の供述録取書（321Ⅱ前段）	無条件	各供述録取書が作成された際に、当事者に立会権が認められており、反対尋問権行使の機会も保障されているので、信用性の情況的保障が特に高いため
裁判所・裁判官の検証調書（321Ⅱ後段）	無条件	① 検証の性質に照らし事実を正確に報告していること ② 当事者に立会権があり、その吟味・点検により正確性の保障もあるので信用性の情況的保障が高いため
捜査機関の検証調書（321Ⅲ）	真正作成証言	裁判所の検証とは異なり、主体が捜査官であり、また、被告人側に立会権が保障されていない
鑑定書（321Ⅳ）	真正作成証言	① 鑑定内容は複雑・専門的であるから、書面である方が正確であり理解しやすい（必要性） ② 人選の公平性が保たれ、宣誓の上鑑定 ③ 鑑定は専門的知識に基づき客観的になされる ④ 不十分ながら反対尋問の機会あり（許容性）

第321条の2 〔ビデオリンク方式による証人尋問調書の証拠能力〕

Ⅰ　被告事件の公判準備若しくは公判期日における手続以外の刑事手続又は他の事件の刑事手続において第157条の6第1項又は第2項に規定する方法によりされた証人の尋問及び供述並びにその状況を記録した記録媒体がその一部とされた調書は、前条第1項の規定にかかわらず、証拠とすることができる。この場合において、裁判所は、その調書を取り調べた後、訴訟関係人に対し、その供述者を証人として尋問する機会を与えなければならない。

Ⅱ　前項の規定により調書を取り調べる場合においては、第305条第5項ただし書の規定は、適用しない。

Ⅲ　第1項の規定により取り調べられた調書に記録された証人の供述は、第295条第1項前段並びに前条第1項第1号及び第2号の適用については、被告事件の公判期日においてされたものとみなす。

証拠

[趣旨] 本条は、次条（321 の 3）と同じく、ビデオに録音・録画された供述を公判期日における証人の主尋問の代わりに用いることを許容する伝聞例外であり、その趣旨は、証人尋問の繰り返しによる証人の負担を軽減する点にある。

《注　釈》

一　本条の位置付け

本条は、321 条 1 項 1 号に対する特則と位置付けられている。

∵　他事件の刑事手続等において実施されたビデオリンク方式による証人尋問の記録媒体を対象とするものであるため

本条の適用対象となる調書は、同一被告事件の公判において作成されたものではない以上、伝聞証拠に当たるものの、証拠調べ後の証人尋問の機会の付与（下記四参照）のみを条件として証拠能力が認められている。これは、同調書に記録された証人尋問が、裁判官の面前で、かつ、宣誓の上で実施されており、しかも前の証言時の裁判官が見聞きしたのと同じ内容がその記録媒体に記録されていることが考慮されたものと解されている。

二　適用対象

本条の適用対象となる調書は、ビデオリンク方式による証人尋問（157 の 6 Ⅰ Ⅱ）が実施され、その供述等を記録した記録媒体がその一部とされた調書（157 の 6 Ⅲ Ⅳ）である。

→証拠能力が認められるのは、当該記録媒体のみならず、これが添付された調書全体である

もっとも、本条は、上記の調書が、①「被告事件の公判準備若しくは公判期日における手続以外の刑事手続」（同一被告事件の第一回公判期日前の証人尋問（226、227）や、証拠保全手続による尋問（179）が行われた場合）や、又は②「他の事件の刑事手続」（共犯者に対する他事件での証人尋問が行われた場合）において作成された場合に限り、適用される。

→同一被告事件の公判準備・公判期日における証人尋問の調書については、321 条 2 項が適用される

三　取調べの方法

本条の適用対象となる調書は、供述不能等の要件（321 Ⅰ①参照）を満たさなくても、証拠能力が認められる。そして、同調書の取調べについては、当該記録媒体を再生する方法により行われる（305 Ⅴ本文）。

→この場合において、裁判長は、当該記録媒体の再生に代えて、当該調書に記録された供述の内容を告知する方法を採ることができない

∵　当該記録媒体上の証人の供述を公判期日における証人の主尋問の代わりに用いるという伝聞例外の趣旨に照らし、305 条 5 項ただし書の規定は適用されない（321 の 2 Ⅱ）

証拠

459

四　調書取調べ後の証人尋問の機会の付与

　本条の適用対象となる調書を取り調べた後、裁判所は、訴訟関係人に対し、その供述者を証人として尋問する機会を与えなければならない（321の2Ⅰ後段）。これにより、尋問の機会が保障され、当該証人尋問調書における供述の信用性を吟味することが可能となる。

　→証人尋問の機会を与えることができない場合、本則に戻り、321条1項1号所定の要件を満たさない限り、同調書の証拠能力は認められないものと解される

五　調書取調べの効果

　上記四のとおり、同調書が取り調べられた後、その供述者を証人とする証人尋問が行われる（321の2Ⅰ後段）が、再生された当該記録媒体上の証人の供述と重複する尋問を制限なく許容すると、証人尋問の繰り返しによる証人の負担を軽減するという本条の趣旨に反することとなる。

　そこで、無用な尋問が繰り返されることを回避するため、本条1項により取り調べられた調書に記録された証人の供述は、①295条1項前段、及び②321条1項1号・同2号の適用については、被告事件の公判期日においてされたものとみなされる（321の2Ⅲ）。

　→①証拠調べ後の証人尋問においては、取り調べられた調書に記録された証人の供述と重複する尋問が制限され（321の2Ⅲ・295Ⅰ前段）、②再生された供述内容と異なる同一人の供述を録取した書面は、321条1項1号後段又は321条1項2号後段により、伝聞例外として証拠能力が認められる可能性がある

第321条の3　〔被害者等の供述及びその状況を記録した録音・録画記録媒体の証拠能力の特則〕

Ⅰ　第1号に掲げる者の供述及びその状況を録音及び録画を同時に行う方法により記録した記録媒体（その供述がされた聴取の開始から終了に至るまでの間における供述及びその状況を記録したものに限る。）は、その供述が第2号に掲げる措置が特に採られた情況の下にされたものであると認める場合であつて、聴取に至るまでの情況その他の事情を考慮し相当と認めるときは、第321条第1項の規定にかかわらず、証拠とすることができる。この場合において、裁判所は、その記録媒体を取り調べた後、訴訟関係人に対し、その供述者を証人として尋問する機会を与えなければならない。

①　次に掲げる者
　イ　刑法第176条、第177条、第179条、第181条若しくは第182条の罪、同法第225条若しくは第226条の2第3項の罪（わいせつ又は結婚の目的に係る部分に限る。以下このイにおいて同じ。）、同法第227条第1項（同法第225条又は第226条の2第3項の罪を犯した者を幇助する目的に

係る部分に限る。）若しくは第3項（わいせつの目的に係る部分に限る。）の罪若しくは同法第241条第1項若しくは第3項の罪又はこれらの罪の未遂罪の被害者

ロ　児童福祉法第60条第1項の罪若しくは同法第34条第1項第9号に係る同法第60条第2項の罪、児童買春、児童ポルノに係る行為等の規制及び処罰並びに児童の保護等に関する法律第4条から第8条までの罪又は性的な姿態を撮影する行為等の処罰及び押収物に記録された性的な姿態の影像に係る電磁的記録の消去等に関する法律第2条から第6条までの罪の被害者

ハ　イ及びロに掲げる者のほか、犯罪の性質、供述者の年齢、心身の状態、被告人との関係その他の事情により、更に公判準備又は公判期日において供述するときは精神の平穏を著しく害されるおそれがあると認められる者

②　次に掲げる措置

イ　供述者の年齢、心身の状態その他の特性に応じ、供述者の不安又は緊張を緩和することその他の供述者が十分な供述をするために必要な措置

ロ　供述者の年齢、心身の状態その他の特性に応じ、誘導をできる限り避けることその他の供述の内容に不当な影響を与えないようにするために必要な措置

Ⅱ　前項の規定により取り調べられた記録媒体に記録された供述者の供述は、第295条第1項前段の規定の適用については、被告事件の公判期日においてされたものとみなす。

［趣旨］本条は、前条（321の2）と同じく、ビデオに録音・録画された供述を公判期日における証人の主尋問の代わりに用いることを許容する伝聞例外であり、その趣旨は、被害状況等を繰り返し供述することによる証人の心理的・精神的負担を軽減する点にある。

　改正前刑事訴訟法の下では、捜査段階においていわゆる司法面接（児童が犯罪の被害者・目撃者である場合に、関係機関が協同して、児童の不安・緊張を緩和しつつ、誘導をできる限り避ける方法により聴き取りを行い、その聴取の状況を録音・録画して記録するもの）が実施された場合に、その録音・録画記録媒体を証拠として用いようとしても、被告人・弁護人が同意（326）しない限り、伝聞証拠として証拠能力が認められないのが原則である。したがって、供述不能等の厳格な要件（321Ⅰ②③参照）を満たさない限り、証人尋問で被害者等に逐一詳細な証言を求めざるを得ず、特に性犯罪の被害者等の心理的・精神的負担の軽減を図る上で必ずしも十分でないと指摘されていた。

　そこで、司法面接により得られた聴取の記録（録音・録画された供述）を公判に顕出するための新たな伝聞例外として、本条が新設された。

《注　釈》

一　本条の位置付け

　本条は、321条1項3号に対する特則と位置付けられている。

証
拠

∵ 公判外において実施された司法面接の記録媒体を対象とするものであるため

二 適用対象

本条の適用対象となるものは、「第1号に掲げる者」の供述等を記録した記録媒体であり、かつ、「その供述がされた聴取の開始から終了に至るまでの間における供述及びその状況を記録したもの」である（321の3Ⅰ柱書前段かっこ書。なお、301の2Ⅰ柱書本文参照）。

本条の対象者（「第1号に掲げる者」）としては、まず、性犯罪等の被害者（321の3Ⅰ①イロ）が挙げられる。また、性犯罪等の被害者以外でも、「犯罪の性質、供述者の年齢、心身の状態、被告人との関係その他の事情により、更に公判準備又は公判期日において供述するときは精神の平穏を著しく害されるおそれがあると認められる者」（同ハ）であれば、犯罪の目撃者なども本条の対象者に当たる。

これらの者は、被害状況等を繰り返し供述することによる証人の心理的・精神的負担を軽減するという本条の趣旨に照らすと、心理的・精神的負担を負うことを回避すべき要請が大きい者といえる。

三 要件

1 はじめに

(1) 本条の適用対象となる記録媒体について、その証拠能力が本条により認められるためには、次の2つの要件を満たす必要がある。

① 当該記録媒体上の供述が、321条の3第1項2号所定の措置が「特に採られた情況の下にされたものであると認める場合」であること（措置要件）

② 「聴取に至るまでの情況その他の事情を考慮し相当と認めるとき」であること（相当性要件）

(2) さらに、同記録媒体を取り調べた後、裁判所は、訴訟関係人に対し、その供述者を証人として尋問する機会を与えなければならない（321の3Ⅰ柱書後段）。これにより、尋問の機会が保障され、当該証人尋問調書における供述の信用性を吟味することが可能となる。

→証人尋問の機会を与えることができない場合、本則に戻り、321条1項3号所定の要件を満たさない限り、同調書の証拠能力は認められないものと解される

証拠調べ後の証人尋問の機会の付与は、前条と同じ要件（321の2Ⅰ後段参照）でもある。これは、本条が前条とともに、ビデオに録音・録画された供述を公判期日における証人の主尋問の代わりに用いることを許容する伝聞例外であることに由来するものと考えられる。

証拠

2 措置要件

司法面接の中核的な要素は、供述者の不安・緊張を緩和して十分な供述をさせることと、誘導をできる限り避けるなどして供述内容に不当な影響を与えないことである。これらに対応するものが321条の3第1項2号イロである。

→例えば、司法面接を行う専用の部屋を整え、児童などの供述者が話しやすい環境作りに配慮したり（321の3Ⅰ②イ）、事実関係の聴取に際しては、答えを先取りした質問をできる限り避け、そのまま事実を聴き取ることを優先する（同ロ）など

そして、本条の適用対象となる記録媒体の証拠能力が本条により認められるためには、これらの措置が「特に採られた情況の下にされたものであると認める場合」でなければならない。

∵ これらの措置自体は、司法面接に限らず、被害者・参考人の取調べにおいても一般的に採られるものであるため、そうした通常の配慮を超えて、個々の供述者の各々の特性に応じた特段の配慮を求める趣旨

3 相当性要件

供述者が321条の3第1項2号所定の措置が特に採られた情況の下で供述した場合には、一般的に信用性の情況的保障が担保されているといえる。しかし、司法面接が行われる前（録音・録画する前）の不用意な問いかけにより、児童などの供述者の記憶が大幅に変容してしまったような場合には、当該記録媒体を再生して供述やその状況を確認しても供述者の事前の記憶の変容が判明せず、信用性の判断を誤らせる危険がある以上、本条を適用して証拠能力を認めるべきではない。

そこで、本条の適用対象となる記録媒体の証拠能力が本条により認められるためには、「聴取に至るまでの情況その他の事情を考慮し相当と認めるとき」でなければならないとされている。

四 聴取主体について

本条においては、聴取主体が321条1項各号のように限定されていない。

∵ 司法面接による聴取の結果を記録した録音・録画記録媒体の証拠能力の要件としては、聴取主体が誰であれ、司法面接において求められる措置が特に採られたことこそが重要である

五 記録媒体取調べの効果

上記三のとおり、同記録媒体が取り調べられた後、その供述者を証人とする証人尋問が行われる（321の3Ⅰ柱書後段）が、再生された当該記録媒体上の供述者の供述と重複する尋問を制限なく許容すると、被害状況等を繰り返し供述することによる証人の心理的・精神的負担を軽減するという本条の趣旨に反することとなる。

そこで、無用な尋問が繰り返されることを回避するため、本条1項により取り

証拠

調べられた記録媒体に記録された供述者の供述は、295条1項前段の適用については、被告事件の公判期日においてされたものとみなされる（321の3Ⅱ）。
　　→証拠調べ後の証人尋問においては、取り調べられた記録媒体に記録された供述者の供述と重複する尋問が制限される（321の3Ⅱ・295Ⅰ前段）
＊　なお、321条の2第3項と異なり、取り調べられた記録媒体に記録された供述者の供述は、321条1項1号・同2号の適用について、被告事件の公判期日においてされたものとみなされることはない（たとえ司法面接での供述と異なる同一人の供述を録取した書面があったとしても、321条1項2号後段は適用されない）
　　∵　司法面接の対象となった者について、検察官が更に通常の取調べを行って供述調書を作成することは避けるべきであるとの配慮

第３２２条　〔被告人の供述書・供述録取書の証拠能力〕

Ⅰ　被告人が作成した供述書又は被告人の供述を録取した書面で被告人の署名若しくは押印のあるものは、その供述が被告人に不利益な事実の承認を内容とするものであるとき、又は特に信用すべき情況の下にされたものであるときに限り、これを証拠とすることができる予。但し、被告人に不利益な事実の承認を内容とする書面は、その承認が自白でない場合においても、第３１９条の規定に準じ、任意にされたものでない疑があると認めるときは、これを証拠とすることができない予。
Ⅱ　被告人の公判準備又は公判期日における供述を録取した書面は、その供述が任意にされたものであると認めるときに限り、これを証拠とすることができる。

［趣旨］本条は、被告人自身の供述の場合には、被告人による反対尋問は無意味であることから、伝聞法則の適用はないものとした。

《注　釈》

◆　**被告人の供述代用書面**

　1　要件
　(1)　322条1項 司予 同H30
　　　　被告人が作成した供述書（日記帳等）、又は被告人の供述を録取した書面でその署名・押印のあるもの（検面調書等）については、供述の相手方が誰であるかに関係なく（相手方がなくても、相手方が私人・捜査官であっても）、以下のいずれかの要件をみたせば、証拠とすることができる。
　　　①　その供述が被告人に不利益な事実を承認（「不利益な事実の承認」とは、犯罪事実の承認（自白）に限らず、犯罪事実の認定の基礎となる間接事実を認める供述をも含む予。）するものであるとき（322Ⅰ前段）
　　　②　特に信用すべき情況の下にされたものであるとき（322Ⅰ後段）
　　　ただし、①の場合は、その承認が自白でないときも、319条の規定に準

じ、任意にされたものでない疑いがあると認めるときは、証拠とすることができない（任意性の要件、322Ⅰただし書）。

①が伝聞例外として証拠能力が認められる理由は、人は嘘をついてまで不利益な事実を暴露しないという経験則から、通常、信用性が高いと認められるからである。

これに対し、②の場合には、特信性が要求されるので、検察官の反対尋問に代わりうる要件が求められているからである。

⑵　322条2項

被告人の公判準備又は公判期日における供述を録取した書面は、①②の区別なく、任意性がある限り、無条件に証拠能力が認められる（322Ⅱ）。

2　共同被告人の供述　⇒ p.430

第323条 〔その他の書面の証拠能力〕

第321条から前条までに掲げる書面以外の書面は、次に掲げるものに限り、これを証拠とすることができる。

①　戸籍謄本、公正証書謄本その他公務員（外国の公務員を含む。）がその職務上証明することができる事実についてその公務員の作成した書面

②　商業帳簿、航海日誌その他業務の通常の過程において作成された書面〈予〉

③　前2号に掲げるもののほか特に信用すべき情況の下に作成された書面

[趣旨] 本条は、書面の客観的性格において類型的に信用性の情況的保障の高度なものについて、無条件で証拠能力を付与した規定である。

《注　釈》

◆　特信文書

1　要件（323）

323条各号の書面は、類型的に高度の信用性の情況的保障と必要性があるので、無条件に証拠能力が認められている〈予〉。

2　公務文書（323①）

戸籍謄本、公正証書謄本その他公務員（外国の公務員を含む。）がその職務上証明することができる事実についてその公務員の作成した書面をいう。

3　業務文書（323②）

商業帳簿、航海日誌その他業務の通常の過程において作成された書面をいう。

▼　北海いかつり漁業事件（最決昭61.3.3）〈予〉

323条2号にいう「業務の通常の過程において作成された書面」に当たるか否かを判断するについては、当該書面自体の形状、内容だけでなく、その作成者の証言等も資料とすることができる。漁船団の取決めに基づき船団所属の各

証
拠

> 漁船乗組員から定時に発せられる操業位置等についての無線通信を、船団所属の一漁船の通信業務担当者がその都度機械的に記録した書面は、前記各漁船の操業位置等を認定するための証拠として、刑事訴訟法323条2号にいう「業務の通常の過程において作成された書面」に当たると判示した。

4　その他の特信文書（323③）

　2・3の書面のほか、特に信用すべき情況の下に作成された書面をいう。公務文書、業務文書と同様に信用性の高い書面を意味する。

　判例上、前科調回答の電信訳文（最決昭25.9.30）、服役中の者とその妻の間の一定の手紙（最判昭29.12.2）がこの書面に当たるとされている。

第324条 〔伝聞の供述〕

Ⅰ　被告人以外の者の公判準備又は公判期日における供述で被告人の供述をその内容とするものについては、第322条の規定を準用する。
Ⅱ　被告人以外の者の公判準備又は公判期日における供述で被告人以外の者の供述をその内容とするものについては、第321条第1項第3号の規定を準用する。

［趣旨］324条は被告人以外の者の伝聞証言についての例外規定であり、1項は原供述者が被告人である場合、2項は被告人以外の者である場合である。

《注　釈》

一　はじめに

　事実を体験した人（甲）が直接証人として公判廷に出頭せずに、他人（乙）に自己の体験を話し、これを聞いた乙が甲の代わりに証人として証言することがある。この場合の乙が伝聞証人であり、その証言（甲が見たという事実についての供述）が伝聞供述である。

　以下、この伝聞供述の証拠能力を認める要件、さらに、伝聞がもう1つ重なる再伝聞について検討する。

二　伝聞供述

　被告人以外の者の公判準備又は公判期日における供述で、被告人の供述を内容とするものは、322条の規定が準用される（324Ⅰ）。

　被告人以外の者の公判準備又は公判期日における供述で、被告人以外の者の供述を内容とするものは、321条1項3号の規定が準用される（324Ⅱ）。書面と違って、聞いた人が誰であるかを区別せず、一律に原則型である321条1項3号の要件で証拠能力が判断される。

三　再伝聞 司H20 司H23

1　意義

　伝聞証拠の中に伝聞供述が含まれているとき、これを再伝聞という。

　ex.1　事実を体験した人（甲）が、他人（乙）に自己の体験を話し、さらにこれを聞いた乙が丙に話をし、丙が証人として事実を証言する場合

ex.2 「XがAをピストルで撃ち殺した」という甲の話を聞いた乙の供述が録取された書面（供述録取書）を、XのAに対する殺人の事実の証明に用いる場合（正確には、供述録取書自体が再伝聞であるので、再々伝聞であるが、乙の署名・押印により再伝聞と同視できる）

2 証拠能力

再伝聞の証拠能力を認める明文は存しないが、再伝聞を証拠とすることができるか。

→肯定説（判例、通説）

判例（最判昭32.1.22・百選86事件）は、再伝聞について、伝聞例外の規定によって証拠能力が認められた書面は、「公判期日における供述に代えて」これを証拠とすることができ（320Ⅰ）、その書面中の伝聞供述部分（再伝聞部分）には、公判供述中の伝聞供述に関する324条が類推適用され、原供述者が被告人であれば322条が、被告人以外の者であれば321条1項3号が準用されるとした〈予〉。

第325条 （供述の任意性の調査）

　裁判所は、第321条から前条までの規定により証拠とすることができる書面又は供述であつても、あらかじめ、その書面に記載された供述又は公判準備若しくは公判期日における供述の内容となつた他の者の供述が任意にされたものかどうかを調査した後でなければ、これを証拠とすることができない。

［趣旨］本条は、任意性の程度が低いため証明力が乏しいか、若しくは任意性がないため証拠能力あるいは証明力を欠く書面又は供述を証拠として取り調べて、不当な心証形成することをできる限り防止しようとする趣旨である。

《注 釈》

◆ 任意性の調査

1 意義

321条ないし324条により証拠とすることができる書面又は供述であっても、あらかじめ、その書面に記載された供述又は公判準備若しくは公判期日における供述の内容となった他の者の供述が任意になされたものかどうかを調査した後でなければ、証拠とすることができない（325）。

これは、原供述がそれを用いる裁判所以外のところでなされたものであるから、供述時の情況を知る必要があるため、任意性の有無という限度で調査義務を課したものである。

2 任意性の調査時期

別に任意性が証拠能力の要件とされている場合（322、324Ⅰ）や、特信情況の要求によって事実上同様に証拠能力の要件となっていると考えられる場合（321Ⅰ②ただし書、321Ⅰ③ただし書、322Ⅰ、323③、324）は別として、その

証拠

他の場合は必ずしも証拠能力の要件ではないので、証拠調べ後証明力を評価するに当たって調査しても「あらかじめ」の要件をみたしたものとして適法と解すべきである。

▼ 新潟衆議院議員選挙事件（最決昭 54.10.16・百選 A40 事件）

「刑訴法 325 条の規定は、……同法 321 ないし 324 条の規定により証拠能力の認められる書面又は供述についても、……任意性の程度が低いため証明力が乏しいか若しくは任意性がないため証拠能力あるいは証明力を欠く書面又は供述を証拠として取り調べて不当な心証を形成することをできる限り防止しようとする趣旨のものと解される。したがって、……任意性の調査は、任意性が証拠能力にも関係することがあるところから、通常当該書面又は供述の証拠調べに先立って同法 321 条ないし 324 条による証拠能力の要件を調査するに際しあわせて行われることが多いと考えられるが、必ずしも右の場合のようにその証拠調べの前にされなければならないわけのものではなく、裁判所が右書面又は供述の証拠調後にその証明力を評価するにあたってその調査をしたとしても差し支えない」。

第３２６条〔当事者の同意と書面・供述の証拠能力〕

I 　検察官及び被告人が証拠とすることに同意した書面又は供述は、その書面が作成され又は供述のされたときの情況を考慮し相当と認めるときに限り、第３２１条乃至前条の規定にかかわらず、これを証拠とすることができる。

II 　被告人が出頭しないでも証拠調を行うことができる場合において、被告人が出頭しないときは、前項の同意があつたものとみなす。但し、代理人又は弁護人が出頭したときは、この限りでない。

【趣旨】本条は、伝聞法則が、当事者に対し反対尋問権を保証する趣旨のものであるから、当事者がその権利を放棄した場合には、伝聞法則の例外として書面又は伝聞証言を証拠とすることができるとするものである。

《注 釈》

◆ 証拠とすることの同意（同意書面）

1 　意義

検察官及び被告人が証拠とすることに同意した書面又は供述は、その書面が作成され又は供述のされたときの情況を考慮し、相当と認めるときに限り、321 条ないし 325 条の規定にかかわらず、証拠とすることができる（326 I）。

ここでは、①同意の法的性格、②同意の時期・方式、③同意の効果、④擬制同意が問題となる。

2 　同意の法的性格

当事者の同意があれば伝聞証拠を証拠とすることができる（326 I）とされ

る。ではなぜ、当事者の同意があれば伝聞証拠を証拠とすることができるのか。同意の法的性格が問題となる。

A　反対尋問権放棄説（多数説）
∵　伝聞法則は、反対尋問を経ない供述証拠を排斥し、321条〜325条の要件の下でのみ例外的に証拠能力を認めたものである。しかし、反対尋問権は、当事者の意思で放棄できるから、当事者がこれを放棄したときは伝聞証拠でもこれを証拠としてよいはずである。よって、326条は、形式的には証拠とすることの同意であるが、実質的には反対尋問権の放棄と考えるべきである

B　証拠能力付与説（実務）
∵　当事者主義からすれば、当事者には訴訟行為を処分する権限がある。そうだとすれば、伝聞証拠に対する同意は、伝聞証拠の証拠能力の欠如に対する責問権の放棄という処分権の行使とみることができる。したがって、同意は当事者の手続処分権に基づく証拠能力の付与行為とみるべきである

3　同意の時期・方式
(1)　同意の時期
　　同意は重要な行為であるから、その意思が証拠調べの前に示される必要がある。もっとも、これは証拠調べ前に証拠能力のないことがわかっている場合のことであるから、証拠調べの途中又は証拠調べが終わってから証拠能力がないことが判明した場合には、事後の同意も認められる。

(2)　同意の方式
　　同意は、原則としてその意思が明確に示されていることが必要である。ただ、「異議がない」と述べただけでも、諸般の事情から明確な意思表示を含んでいると解される場合は、同意を推認できる場合がある（最決昭30.1.25）。
　　また、書面又は供述が意味内容において分割可能な場合には、その一部についてのみ同意することもできる〈同〉。

(3)　同意の撤回の可否
　　当該証拠の証拠調べが終了した後は、相手方の立証計画を崩すことにもなるので、同意の撤回を認めることはできない〈同〉。
　　しかし、証拠調べ施行前であれば、同意の撤回を認めてよい。

(4)　弁護人の同意
　　326条が同意の主体として明文で規定しているのは、検察官と被告人のみであるが、弁護人もその包括的代理権に基づき同意することができる。ただし、弁護人の同意は被告人の代理人として行うものであるから、被告人の意思に反することはできない（41参照）〈同予〉。

▼ **大阪高判平 8.11.27・百選 A41 事件**

「被告人が公訴事実を否認している場合には、検察官請求証拠につき弁護人が関係証拠に同意しても、被告人の否認の陳述の趣旨を無意味に帰せしめるような内容の証拠については、弁護人の同意の意見のみにより被告人がこれら証拠に同意したことになるものではないと解される。本件の場合、被告人は原判示第二の覚せい剤所持の事実につき、覚せい剤であることの認識はなかった旨具体的に争っており、前記の弁解内容に照らし、被告人の否認の陳述の趣旨を無意味に帰せしめるような内容の証拠、すなわち、公訴事実第二の覚せい剤所持の事実に関する証拠の中、被告人に覚せい剤であるとの認識があった旨の立証に資する司法巡査作成の現行犯人逮捕手続書、被告人を現行犯逮捕した警察官であるA及びBの各検察官調書については、右弁護人の同意の意見によって被告人の同意があったとすることはできず、従って、被告人の意思に沿うものか否か確認することなく、直ちにこれら証拠を同意書証として取調べ事実認定の資料とした原判決には、刑訴法 326 条 1 項の適用を誤った違法があるものというべきである」。

4　同意の効果

同意があると、その証拠は 321 条以下の要件を備えているかどうかを問わず証拠能力が認められる。同意は手続形成行為であることから、一度なされた同意がその後の手続の進行により覆されることはない。上訴された場合でも、同意の効力は消滅しない◀圖▶。

5　擬制同意

(1)　意義

被告人が出頭しないでも証拠調べを行うことができる場合において、被告人が出頭しないときは、同意があったものとみなされる。訴訟進行が阻害されることを防止する必要があり、また、出頭しないことで同意の意思を表示したものと認めてよいからである。

ただし、代理人・弁護人が出頭したときは、これらの者に同意の有無を確かめることができるので、同意があったと擬制することはできない (326Ⅱ)。

「被告人が出頭しないでも証拠調べを行うことができる場合」について、283 条ないし 285 条の場合が当たることは疑いない。これらの場合は、事件の軽微性等により、被告人が権利を放棄し、その審理を裁判所に委ねても被告人に格別の不利益をきたさないとして出頭が免除されているのである。したがって、被告人が出頭しない場合にその反対尋問権を放棄したと推定して差し支えない。

(2)　退廷命令 (341) の場合

被告人が退廷を命じられた場合にも 326 条 2 項は適用されるか。

▼ **東大事件（最決昭53.6.28・百選〔第9版〕A38事件）**

　「刑訴法326条2項は、必ずしも被告人の同条1項の同意の意思が推定されることを根拠にこれを擬制しようというのではなく、被告人が出頭しないでも証拠調を行うことができる場合において被告人及び弁護人又は代理人も出頭しないときは、裁判所は、その同意の有無を確かめるに由なく、訴訟の進行が著しく阻害されるので、これを防止するため、被告人の真意いかんにかかわらず、特にその同意があったものとみなす趣旨」である。「同法341条が、被告人において秩序維持のため退廷させられたときには、被告人自らの責において反対尋問権を喪失し、この場合、被告人不在のまま当然判決の前提となるべき証拠調を含む審理を追行することができるとして、公判手続の円滑な進行を図ろうとしている法意を勘案すると、同法326条2項は、被告人が秩序維持のため退廷を命ぜられ同法341条により審理を進める場合においても適用されると解すべきである」。

第327条　〔合意による書面の証拠能力〕

　裁判所は、検察官及び被告人又は弁護人が合意の上、文書の内容又は公判期日に出頭すれば供述することが予想されるその供述の内容を書面に記載して提出したときは、その文書又は供述すべき者を取り調べないでも、その書面を証拠とすることができる。この場合においても、その書面の証明力を争うことを妨げない。

《**注　釈**》

◆　合意書面

　裁判所は、検察官及び被告人又は弁護人が合意のうえ、文書の内容又は公判期日に出頭すれば供述することが予想されるその供述の内容を書面に記載して提出したときは、その文書又は供述すべき者を取り調べないでも、その書面を証拠とすることができる。この場合も、この書面の証明力を争うことは妨げない（327）。これを合意書面という。これは文書の提出や証人の召喚と尋問に要する時間と手続を省略する便宜のためのものである。

第328条　〔証明力を争うための証拠〕

　第321条乃至第324条の規定により証拠とすることができない書面又は供述であっても、公判準備又は公判期日における被告人、証人その他の者の供述の証明力を争うためには、これを証拠とすることができる。

《**注　釈**》

◆　証明力を争う証拠

🔖　1　意義

　321条ないし324条の規定により証拠とすることができない書面又は供述で

あっても、公判準備又は公判期日における被告人、証人、その他の者の供述の証明力を争うためには、証拠とすることができる（328）。いわゆる弾劾証拠として利用される場合である。

ex. 証人Aが法廷で「犯人はXだ」と証言し、同じ証人Aが法廷外で「犯人はXではない」と供述している場合、法廷証言（「犯人はXだ」）には、証拠能力があるが、法廷外供述（「犯人はXではない」）を法廷証言の証明力を争うために用いるのであれば弾劾証拠として許容してよい

2 「証拠」の範囲

(1) 自己矛盾供述（同一人の不一致供述）に限るか

▼ 最判平18.11.7・百選85事件 〈弁〉〈同H29〉

事案： 被告人は内妻の子Aを殺害し保険金を詐取しようと企て、内妻と共謀して、Aを焼死させて殺害した後、保険金の支払を請求し、交付させようとしたが、その目的を遂げなかった。第1審において、証人Bの証言の後、弁護人は、消防指令補CがBから火災発見時の情況について聞取りして作成した「聞込み情況書」の証拠請求したが、検察官の不同意意見を受けたため、刑訴法328条による証拠採用を求めたが、裁判所は同条の書面に当たらないとして請求を却下した。

判旨： 「刑訴法328条は、公判準備又は公判期日における被告人、証人その他の者の供述が、別の機会にしたその者の供述と矛盾する場合に、矛盾する供述をしたこと自体の立証を許すことにより、公判準備又は公判期日におけるその者の供述の信用性の減殺を図ることを許容する趣旨のものであり、別の機会に矛盾する供述をしたという事実の立証については、刑訴法が定める厳格な証明を要する趣旨であると解するのが相当である」。

「そうすると、刑訴法328条により許容される証拠は、信用性を争う供述をした者のそれと矛盾する内容の供述が、同人の供述書、供述を録取した書面（刑訴法が定める要件を満たすものに限る。）、同人の供述を聞いたとする者の公判期日の供述又はこれらと同視し得る証拠の中に現れている部分に限られるというべきである」。

本件証書は、Bの供述を録取した書面であるが、同書面にはBの署名押印がないから上記の供述を録取した書面に当たらず、これと同視し得る事情もないから、刑訴法328条が許容する証拠には当たらない。

評釈： このように、判例は、自己矛盾供述に限るとしている。また、弾劾証拠の範囲に供述者の署名押印を欠くものも含まれるかという問題について、判例は、「（刑訴法が定める要件を満たすものに限る。）」としており、供述者の署名押印を欠くものは含まれない旨判示している。供述者の署名押印を欠く供述録取書では、自己矛盾供述が真に存在したか否かが曖昧となるためである。

⑵　任意性のない自白は弾劾証拠になるか

　任意性のない自白調書によって、被告人の法廷供述を弾劾することができるか。この点、328条が「321条乃至324条の規定により証拠とすることができない書面又は供述であっても」と規定しているので、任意性がないため322条1項（又は324条1項）の要件を欠き証拠能力がない自白調書も、弾劾証拠としてならば使用できるとも思える。

　しかし、自白法則は、自白の用い方いかんを問わず、任意性のない自白を立証過程から排除することに意義がある。したがって、任意性のない自白調書は、弾劾のためであっても用いることはできないと解すべきである。

3　「証明力を争う」の意義 〈司H29〉

　弾劾証拠のみならず、増強証拠（証拠の証明力を高める証拠）や回復証拠（弾劾された証拠の証明力を回復する証拠）も「証明力を争う」証拠に含まれるかについて、多数説は、増強証拠は「証明力を争う」証拠に含まれず弾劾証拠として提出することはできないが、回復証拠は「証明力を争う」証拠に含まれ、弾劾証拠として提出することができると解している。

　∵　増強証拠の使用は内容の真実性を前提とした伝聞的使用であるのに対し、回復証拠の使用は減殺された証明力を元に戻す意味しかなく非伝聞的使用であるため

▼　東京高判昭54.2.7

　「刑訴法328条の弾劾証拠とは、供述証拠の証明力を減殺するためのもののみでなく、弾劾証拠により減殺された供述証拠の証明力を回復するためのものをも含むものと解するのが相当である。けだし、同法328条には、『……証明力を争うためには、これを証拠とすることができる。』とあり、規定の文言上証明力回復のための証拠を除外すべき根拠に乏しいばかりでなく、右のように解することがすなわち攻撃防禦に関する当事者対等・公平という刑訴法の原則、さらに真実の究明という同法の理念にもよく適合するからである」。

4　証明力を争う証拠の作成時期

　328条で提出できる証拠は、それにより弾劾される公判準備又は公判期日における供述よりも以前に作成されたものであることを要するか。

　→供述以前に限定しない説（判例）

　∵　321条1項1号、2号とは異なり、328条は「前の」という文言を用いていない

▼　八海事件（最判昭43.10.25・百選A52事件）

　「公判準備期日における証人Aの尋問終了後に作成された同人の検察官調書を、右証人の証言の証明力を争う証拠として採証した原判決の説示は、必ずしも刑訴328条に違反するものではない」。

第6編　公判の裁判

《概　説》

一　裁判の意義　⇒ p.35

二　裁判の確定の意義・効果

1　意義

　　裁判が不動のものとなった状態を裁判の確定といい、裁判の確定によって生じる裁判の本来的効力を確定力という。

2　裁判の確定の時期

　　裁判の確定の時期は裁判の種類によって異なるが、不服申立ての許されない裁判は告知と同時に、不服申立ての許される裁判は上訴期間の徒過、上訴の放棄・取下げ、上訴を棄却する裁判の確定によって確定する。

3　裁判の確定による効力

　　裁判の確定によって、①不服申立てが不能となる、②裁判の意思表示内容が確定する、③刑言渡し判決であれば執行力が生ずる（471）、④裁判の判断内容が後訴を拘束する、⑤同一事件について再訴ができなくなる等の効力が生じる。

三　確定力の理論

　前述の裁判の確定により生じる諸効力の理論的根拠とその限界をめぐって、いわゆる確定力の理論が展開されている。

　　①　形式的確定力：確定裁判の当該手続における効力

　　　　　　　　　　→上訴審で、取消し・変更ができなくなる

　　②　実質的確定力：確定裁判の当該手続外における効力＝既判力

　　　　　　　　　　→別訴を提起しても、取消し・変更ができなくなる

　　③　一事不再理効：同一事件について後の訴追ないし審理を遮断する効力

四　形式的確定力

　裁判が確定すると、通常の不服申立て方法によって、裁判を取り消したり変更したりできなくなることをいう。当該訴訟手続内における不可変更力ともいう。

　形式的確定力は、実体裁判についても形式裁判についても発生する。裁判が形式的確定力をもつに至ったときは、裁判の意思表示内容が確定し、もはや動かし難いものとなる。これを内容的確定力というが、その意義については争いがある。

五　既判力と一事不再理効の関係

　実体裁判に形式的確定力が生じると同時に、その裁判の本来的効力として、同一事件について後の訴追ないし審理を遮断する効力（一事不再理効）が生じる。この一事不再理効の根拠について、既判力との関係に関連して問題となる。

＜既判力と一事不再理効に関する学説の整理＞

	A説	B説	C説
既判力と一事不再理効は同じか	同一（どちらも、実体裁判のみに生ずる）	同一（実体裁判、免訴判決に生ずる）	異なる（既判力は終局裁判一般に、一事不再理効は実体裁判に生ずる）
既判力とは	実体判決の内容的効力	実体判決の存在的効力の対外的効果	実質的確定力。終局裁判一般の後訴への不可変更力の意味
既判力の範囲	公訴事実の同一の範囲	公訴事実の同一の範囲	訴因の同一の範囲
一事不再理効とは	・公訴権を使い切ったことを根拠とする遮断効 ・既判力の外部的効力	既判力と同じ	二重の危険禁止を根拠とする訴訟手続上のもの
一事不再理効の範囲	公訴事実の同一の範囲	公訴事実の同一の範囲	公訴事実の同一の範囲

六 既判力

1 はじめに

　　一事不再理効を二重の危険の禁止の現れと考える立場からは、既判力とは実質的確定力すなわち終局裁判の形式的確定によって生じる後訴への不可変更的効力をいうことになる。すなわち、純粋に訴訟法的な効力といえる。

　　確定裁判にこのような効果が認められるのは、裁判が繰り返されることによって、被告人の地位が不安定になることを防ぐためである。

2 実体裁判の既判力

　　実体裁判の場合には一事不再理の効力が生じるので、同一被告人の同一事件に関する後訴は初めから遮断される。では、同一被告人の別事件に対する拘束力を認めるべきであろうか。

　　たとえば、被告人が放火で無罪となった後、保険金を請求したところ、実は放火したのだとして詐欺罪で起訴された場合にも、放火事件に関する既判力が別事件である詐欺事件にまで及び、起訴が違法となるのかが問題となる。

　　　→否定説（通説）

　　　∵　万一誤判の場合には、その効果を別事件にまで波及させるべきではないという要請から、刑事訴訟では、既判力は同一事件に限り、別事件にまでは広げないのが妥当である

3　形式裁判の既判力

　形式裁判には一事不再理効が生じないとするのが通説である。したがって、既判力が重要な意義を有する。

(1)　形式裁判の理由中のいかなる範囲の判断事項に既判力が生じるか

▼　**最決昭 56.7.14**

　「確定判決の理由中本件の受訴裁判所を拘束するのは、旧起訴は実体審理を継続するのに十分な程度に訴因が特定されていないという判断のみであり、右判断を導くための根拠の一つとして挙げられた、旧起訴状の公訴事実によっては併合罪関係に立つ建物の表示登記と保存登記に関する各公正証書原本不実記載・同行使罪のいずれについて起訴がなされたのか一見明らかでない、という趣旨に解しうる部分は、本件の受訴裁判所を拘束しないと解すべきである」。

(2)　形式裁判の理由中に含まれる実体的判断に既判力が生じるか（＊）

　　＊　平成 29 年刑法改正により、「強姦罪」は「強制性交等罪」（令和 5 年改正により「不同意性交等罪」）となり、親告罪から非親告罪へと変更されたが、学習の便宜上、改正前の親告罪である強姦罪を念頭に置いて、以下説明する。

　　たとえば、強姦致傷の訴因につき審理した結果、単純強姦と判明し、告訴がないため公訴棄却された場合、強姦致傷でないとの判断に既判力が発生するかが問題となる。

　　A　肯定説

　　　∵　強姦につき公訴棄却の裁判が確定すれば、致傷の事実がなかったという強姦致傷の訴因に対する判断は、当該公訴棄却判決の不可欠の前提をなす実体判断として確定力を有する

　　B　否定説

　　　∵　形式裁判はあくまで手続事項を判断するものである

(3)　被告人が形式裁判を得るについて偽装工作を用いた場合にも既判力が生じるか〈団〉

　　A　既判力肯定説

　　　∵①　どのような新証拠の登場があっても、現行法上、不利益再審は否定されている

　　　　②　公訴棄却は被告人の申立てによるものではないので、既判力により前訴に拘束される

　　B　既判力否定説

　　　∵　既判力は、もともと検察官の禁反言たる性質のものであるから、被告人には既判力の要求資格がなければならない。したがって、被告人に重大な偽装工作がある場合には、この要求資格が欠けており、検察

官は前訴裁判の拘束力を受けることなく再訴が可能となる

七　一事不再理効

1　はじめに

憲法 39 条は、「何人も、……既に無罪とされた行為については、刑事上の責任を問はれない」と規定し、また「同一の犯罪について、重ねて刑事上の責任を問はれない」と規定している。ここにいう「既に無罪とされた行為」とは、無罪判決が確定した場合をいうとされ、また「刑事上の責任を問はれない」には、処罰されないという意味のみならず、そもそも訴追されないという意味も含むものと解されている。このように、判決の確定に伴い生じる、同一の事件に対する再度の公訴提起や審理を許さないという効力を、一事不再理効という。

そして、一事不再理効の根拠を「二重の危険の禁止」（被告人の負担という観点から、1 つの犯罪について刑罰を科すために被告人を裁判にかけるという危険にさらすのは 1 回きりであり、この危険を 2 回以上繰り返すことを禁止するという考え方）に求めるのが通説である。

2　実体裁判の一事不再理効

確定した実体裁判に一事不再理効が生じることはいうまでもない。「危険」とは、有罪の危険、つまり実体審理の危険を意味するからである。

略式命令の場合は問題となるが、書面審理とはいえ、「審理」を経て有罪裁判に到達した場合であり、通常の裁判への移行可能性も認められているので（463）、470 条の明文に反してまで、一事不再理効を制限的に解するのは妥当でない（通説）。

3　形式裁判の一事不再理効

形式裁判（訴訟条件が欠ける場合に訴訟手続を打ち切る裁判）は、被告人を有罪の危険にさらすものではないので、一事不再理効は生じないと一般に解されている（免訴判決については後述する。　⇒ p.486）。

したがって、検察官は、不適法な訴訟条件を補正し、再度、同事件の被告人を同一事実で起訴することができる。

ex.　管轄違いの判決後、管轄権のある裁判所へ起訴すれば受理される。親告罪について有効な告訴がないとして公訴棄却判決があっても、後で告訴がとりつけられれば再起訴は許される

4 　一事不再理の効力の及ぶ範囲〈司〉
(1)　客観的範囲〈予R2〉
　(a)　一事不再理効の及ぶ客観的範囲
　　　→公訴事実の同一性の範囲（通説）
　　　∵　公訴事実の同一性があれば検察官はいつでも訴因の変更をすること
　　　　ができるので、公訴事実の同一性の範囲で被告人は危険にさらされて
　　　　いたといえる
　(b)　併合罪関係の数罪
　　　併合罪関係の数罪にも一事不再理効は生じるか。
　　　ex.　業務上過失致死傷罪と道交法違反、強盗と銃砲等の不法所持など、
　　　　併合罪関係にある数罪を分割訴追することができるか
　　　→一事不再理効は二重の危険に由来する。そして、訴因変更が可能な範
　　　　囲、すなわち公訴事実の同一性の範囲で被告人は危険にさらされてい
　　　　たといえる。したがって、公訴事実の同一性がある場合には無条件に
　　　　危険は及び、一事不再理効が生じる
　　　　　また、併合罪関係にある数罪でも、相互に密接であって、社会観察
　　　　上は１個の事象とみられ、同時捜査・同時立証が可能な場合には、被
　　　　告人はやはり抽象的な危険にさらされたといえ、一事不再理効を及ば
　　　　せる必要がある。したがって、この場合にも一事不再理効が生じると
　　　　解すべきである
　(c)　公訴事実の同一性の判断基準〈司〉〈予R2〉
　　　→後訴裁判所は、後訴訴因と前訴訴因とに公訴事実の同一性を認めた場
　　　　合には拘束力の制約を受ける
　　　ex.　５つの窃盗が常習累犯窃盗として起訴されたところ、第一行為と
　　　　第二行為の中間に単純窃盗の確定判決があり、それと第一行為とが
　　　　常習累犯窃盗の関係にあるという場合、確定判決前の犯行について
　　　　は、公訴事実の同一性が認められるので、一事不再理効が及ぶ（最
　　　　判昭 43.3.29）
　　　→では、実体的には常習累犯窃盗を構成するとみられる数個の窃盗行為
　　　　が、前訴においても単純窃盗として判決を受け、後訴においても単純
　　　　窃盗として起訴された場合はどうか
　　　　　この点、第一次的には訴因が審判の対象であると解されることに鑑
　　　　みると、前訴の訴因と後訴の訴因との間の公訴事実の単一性について
　　　　の判断は、基本的には、前訴及び後訴の各訴因のみを基準としてこれ
　　　　らを比較対照することにより行うのが相当である。とすれば、常習累
　　　　犯窃盗による一罪という観点を持ち込むことは相当でない。よって、
　　　　別個の機会に犯された単純窃盗罪にかかる両訴因が公訴事実の単一性

を欠くことは明らかであるから、前訴の確定判決による一事不再理効は、後訴には及ばない（最判平 15.10.7・百選 95 事件）<同予>

→次に、実体的には常習累犯窃盗を構成するとみられる数個の窃盗行為が、前訴においては単純窃盗として判決を受け、後訴においては常習窃盗として起訴された場合はどうか

　　この場合は、両訴因の記載の比較のみからでも、両訴因の単純窃盗罪と常習窃盗罪が実体的には常習窃盗罪の一罪ではないかと強くうかがわれるのであるから、訴因自体において一方の罪が他方の罪と実体的に一罪を構成するかどうかにつき検討すべき契機が存在するとして、実体に立ち入って付随的に心証形成をし、両訴因間における公訴事実の単一性の有無を判断すべきである（最判平 15.10.7・百選 95 事件）

(2) 主観的範囲<予>

　　一事不再理効は、訴追ないし判決を受けた被告人に対してのみ生じ、共犯者等の事件には及ばない。

　　∵　有罪の危険にさらされたのは訴追ないし判決を受けた被告人のみである

(3) 時間的範囲

　　前訴の確定判決の一事不再理効が後訴の公訴事実にも及ぶ場合、後訴裁判所は判決で免訴（337 ①）を言い渡す。この点について、どの時点で発生した犯罪事実にまで前訴の確定判決の一事不再理効が及ぶのかが問題となる。

　　学説上、第 1 審判決宣告時までに発生した犯罪事実について一事不再理効が及ぶ一方、この時点以降に発生した犯罪事実については一事不再理効が及ばないものと一般的に解されている。

　　∵　一事不再理効の根拠である二重の危険禁止の観点からすると、実体審判の危険が及ぶのは事実審理の法律上可能な最後の時点まで、すなわち第 1 審判決宣告時までである

　　判例（最決令 3.6.28・百選 96 事件）も、「前訴で住居侵入、窃盗の訴因につき有罪の第 1 審判決が確定した場合において、後訴の訴因である常習特殊窃盗を構成する住居侵入、窃盗の各行為が前訴の第 1 審判決後にされたものであるときは、前訴の訴因が常習性の発露として行われたか否かについて検討するまでもなく、前訴の確定判決による一事不再理効は、後訴に及ばない」としており、通説と同様の立場に立っている。

5　余罪と一事不再理効

　　裁判所が暴行罪の有罪判決をなすに当たり、起訴されていない A の窃盗余罪を量刑に際して考慮したところ、後日 A が右窃盗罪で起訴された場合、裁判所はいかなる措置を採るべきか。一事不再理効が余罪事実に及ぶかが問題となる。

A　起訴されていない余罪についても、実質上処罰する趣旨で利用されたときは一事不再理効が及ぶとする見解

∵ そのような場合であれば、被告人はすでに前の裁判において余罪についても処罰の危険にさらされたと考えられる

B 余罪を実質的に処罰する趣旨で利用するときのみならず、量刑の一資料として利用する場合にも、一事不再理効が及ぶとする見解

∵ 相互に関連する犯罪で同時捜査・同時立証が通常である犯罪については併合罪であっても同時訴追義務を認め、二重危険禁止効が及ぶとの観点から、再訴遮断効がかかる余罪にも及ぶと考えるべきである

第329条 〔管轄違いの判決〕

被告事件が裁判所の管轄に属しないときは、判決で管轄違の言渡をしなければならない。但し、第266条第2号の規定により地方裁判所の審判に付された事件については、管轄違の言渡をすることはできない。

第330条 〔管轄違い言渡しの制限〕

高等裁判所は、その特別権限に属する事件として公訴の提起があつた場合において、その事件が下級の裁判所の管轄に属するものと認めるときは、前条の規定にかかわらず、決定で管轄裁判所にこれを移送しなければならない。

第331条 〔同前〕《回》

Ⅰ 裁判所は、被告人の申立がなければ、土地管轄について、管轄違の言渡をすることができない。

Ⅱ 管轄違の申立は、被告事件につき証拠調を開始した後は、これをすることができない。

第332条 〔移送の決定〕

簡易裁判所は、地方裁判所において審判するのを相当と認めるときは、決定で管轄地方裁判所にこれを移送しなければならない。

第333条 〔刑の言渡しの判決、刑の執行猶予の言渡し〕

Ⅰ 被告事件について犯罪の証明があつたときは、第334条の場合を除いては、判決で刑の言渡をしなければならない《拱》。

Ⅱ 刑の執行猶予は、刑の言渡と同時に、判決でその言渡をしなければならない。猶予の期間中保護観察に付する場合も、同様とする。

第334条 〔刑の免除の判決〕

被告事件について刑を免除するときは、判決でその旨の言渡をしなければならない。

《注 釈》

一 有罪判決の内容

1 事実認定

(1) 「犯罪の証明があつたとき」

有罪判決の内容は事実認定と刑の量定からなるが、有罪判決は「犯罪の証明があつたとき」（333Ⅰ）になされる。「犯罪の証明があつたとき」とは、①訴因について「合理的な疑いを容れない」程度の証明がなされ、これに基づいて事実認定がされ、②刑罰法令が適用され、犯罪の成立が認められたときをいう。

→「合理的な疑い」が残るときは、「疑わしきは被告人の利益に」の原則から有罪とすることは不可

(2) 訴因の一部認定（大は小を兼ねる）

(a) 原則

訴因変更手続を経ずに、訴因の一部認定も許される（判例、通説）。

被告人の防御は、通常、大なる訴因全般に及んでいると考えられるので、被告人の防御にとって不利益はない。

ex. 窃盗の被害額の一部のみの認定、強盗訴因につき恐喝を認定、殺人未遂につき傷害を認定

(b) 例外

縮小事実であればあえて訴追しないというのが検察官の意思であれば、検察官の訴追意思を確認したうえで、現訴因につき無罪を言い渡すべきである。

ex. ビラ貼り行為を内容とする建造物損壊（刑260）の訴因につき軽犯罪法違反の事実を認定

2 択一的認定

<択一的認定の種類>

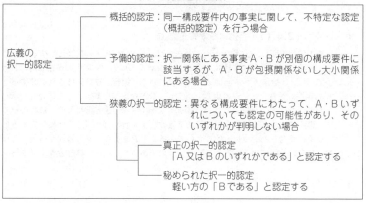

	概括的認定：同一構成要件内の事実に関して、不特定な認定（概括的認定）を行う場合
広義の択一的認定	予備的認定：択一関係にある事実 A・B が別個の構成要件に該当するが、A・B が包摂関係ないし大小関係にある場合
	狭義の択一的認定：異なる構成要件にわたって、A・B いずれについても認定の可能性があり、そのいずれかが判明しない場合
	真正の択一的認定 「A 又は B のいずれかである」と認定する
	秘められた択一的認定 軽い方の「B である」と認定する

(1) 概括的認定

同一構成要件内の択一関係にある事実について、概括的認定をすることは許されるか。

▼ 最判昭58.5.6・百選A45事件

被害者を屋上から落下させた手段・方法として「被害者の身体を、有形力を行使して」と判示しても（つまり有形力行使の具体的態様につき概括的認定をしても）、罪となるべき事実中の犯罪行為の判示として不十分とはいえないとした。

(2) 予備的認定

択一関係にある事実が別個の構成要件に該当するが、包摂関係ないし大小関係にある場合に、小なる事実を認定することは許されるか。

ex. 既遂か未遂か不明の場合に未遂を認定すること、業務性の有無が疑問で業務上横領罪と単純横領罪のいずれかが確定できない場合に単純横領罪を認定すること

→このような予備的認定も許される

∵ 少なくとも小なる事実の限度では、「合理的な疑いを容れない」証明がなされている

(3) 単独犯と共同正犯の択一的認定の可否

▼ 東京高判平4.10.14・平5重判7事件

「強盗の共同正犯と単独正犯を択一的に認定した上、犯情が軽く被告人に利益な共同正犯の事実を基礎に量刑を行うものとすることが……十分支持され得る」とした。その理由として、「両者は、互いに両立し得ない択一関係にあり……被告人が実行行為を全て単独で行ったことに変わりはなく、単に、被告人が右犯行についてYと共謀を遂げていたかどうかに違いがあるにすぎないのである。そして、法的評価の上でも、両者は、基本形式か修正形式かの違いはあるにせよ、同一の犯罪構成要件に該当する」。

▼ 最決平13.4.11・百選46事件 司予 予H25

第1審裁判所が、審理の結果、「被告人は、Aと共謀の上、前同日午後8時ころから翌25日未明までの間に、青森市内又はその周辺に停車中の自動車内において、A又は被告人あるいはその両名において、扼殺、絞殺又はこれに類する方法でBを殺害した」旨の事実を認定し、罪となるべき事実としてその旨判示した点について、最高裁は、以下のように判示した。「上記判示は、殺害の日時・場所・方法が概括的なものであるほか、実行行為者が『A又は被告人あるいはその両名』という択一的なものであるにとどまるが、その事件が被告人とAの2名の共謀による犯行であるというのであるから、この程度の判示であっ

ても、殺人罪の構成要件に該当すべき具体的事実を、それが構成要件に該当するかどうかを判定するに足りる程度に具体的に明らかにしているものというべきであって、罪となるべき事実の判示として不十分とはいえない」。

(4) 狭義の択一的認定〈予〉

別個の構成要件にわたる事実が択一関係にある場合であって、どちらかであることは確実であるが、そのいずれかが不明の場合に、その一方を認定すること（狭義の択一的認定）は許されるであろうか。

たとえば、①保護責任者遺棄罪か死体遺棄罪のいずれかであることは確実であるが、そのいずれかが不明の場合（論理的択一関係の場合）に「保護責任者遺棄罪か死体遺棄罪である」と認定し、あるいは軽い死体遺棄罪を認定することが許されるか。

また、②窃盗罪か盗品等有償譲受け罪かのいずれかであることが確実であるが、そのいずれかが不明の場合（論理的択一関係にない場合）にそのいずれかと認定し、あるいは軽い盗品等有償譲受け罪と認定することは許されるかという形で争われる。

(a) 真正の択一的認定の可否

「A罪又はB罪」と認定することが許されないことは争いがない。

∵① 合成的構成要件を設定したことになり罪刑法定主義に反する

② 起訴状の訴因・罰条の記載については択一的記載が許容されているのに対して（256Ⅴ）、有罪判決で示さなければならない「罪となるべき事実」と「法令の適用」についてはそのような許容規定がない

(b) 秘められた択一的認定の可否

→否定説（通説）

∵① 狭義の択一的認定を認めると、「疑わしきは被告人の利益に」の原則に反する

② 嫌疑刑を科すことになる

③ 合成的構成要件を設定したのと同様の結果となり罪刑法定主義に反する

▼ **札幌高判昭61.3.24・百選91事件**〈予〉

保護責任者遺棄か死体遺棄かのいずれかではあるが、いずれか不明である事案において、「本件では、被害者は生きていたか死んでいたかのいずれか以外にはないところ、重い罪にあたる生存事実が確定できないのであるから、軽い罪である死体遺棄罪の成否を判断するに際し死亡事実が存在するものとみることも合理的な事実認定として許されてよい」とし、死体遺棄罪の成立を認めた。

公判の裁判

　過失の態様が問題となった自動車運転過失致死事件において、第1審が過失の態様を択一的に認定・判示したところ、東京高裁は、「過失を択一的に認定することは、過失の内容が特定されていないということにほかならず、罪となるべき事実の記載として不十分といわざるを得ない。これをより実質的に考慮すると、過失犯の構成要件はいわゆる開かれた構成要件であり、その適用に当たっては、注意義務の前提となる具体的事実関係、その事実関係における具体的注意義務、その注意義務に違反した不作為を補充すべきものであるから、具体的な注意義務違反の内容が異なり、犯情的にも違いがあるのに、罪となるべき事実として、証拠調べを経てもなお確信に達しなかった犯情の重い過失を認定するのは『疑わしきは被告人の利益に』の原則に照らして許されないと解される」とした。

3　刑の量定（量刑）
　(1)　意義
　　(a)　広義：法定刑から処断刑を導き、宣告刑を決定し、さらに執行猶予・保護観察の許否を決定する手続
　　(b)　狭義：処断刑から宣告刑を決定する手続
　　　量刑の基準につき独立の条文はなく、起訴猶予の基準（248）が類推されているが、実務上蓄積されたいわゆる量刑相場と検察官の求刑（293Ⅰ）によって運用上は安定がもたらされている。
　(2)　余罪と量刑　⇒p.392

二　「刑の一部執行猶予」制度新設に伴う刑事訴訟法の改正
　　平成25年6月の刑法改正により、「刑の一部執行猶予」の制度が導入された（刑27の2以下）。これに伴い、刑事訴訟法においても、関連条文（333Ⅱ、345、349Ⅱ、349の2Ⅱ、350の29）の改正が行われた。

第335条　〔有罪判決に示すべき理由〕
Ⅰ　有罪の言渡をするには、罪となるべき事実、証拠の標目及び法令の適用を示さなければならない〔供〕。
Ⅱ　法律上犯罪の成立を妨げる理由又は刑の加重減免の理由となる事実が主張されたときは、これに対する判断を示さなければならない〔同〕。

[趣旨] 本条は、有罪判決についてその重要性に鑑みて、その付すべき理由の最小限度の内容・範囲を特に明記したものである。

《注　釈》
・有罪判決の言渡しをするには、罪となるべき事実、証拠の標目、法令の適用を示す他（335Ⅰ）、法律上犯罪の成立を妨げる理由又は刑の加重減免の理由となる事

実が主張されたときには、これに対する判断をも示さなければならない（335Ⅱ）。

1　罪となるべき事実

　公訴事実に対応する訴因の範囲内で裁判所の認定した犯罪事実を指し、刑罰法規の構成要件該当事実、違法性・有責性の事実、処罰条件を充足することを示す事実をいう。また、未遂・予備・共犯等の修正形式、さらに犯罪の日時・場所・方法等も具体的に示すべきである。

▼　練馬事件（最大判昭 33.5.28・百選 A44 事件）

　「ここにいう『共謀』または『謀議』は、共謀共同正犯における『罪となるべき事実』に他ならないから、これを認めるためには厳格な証明によらなければならないことはいうまでもない。しかし、『共謀』の事実が厳格な証明によって認められ、その証拠が判決に挙されている以上、共謀の判示は、前示の趣旨において成立したことが明らかにされれば足り、さらに進んで、謀議の行われた日時、場所またはその内容の詳細、すなわち実行の方法、各人の行為の分担役割等についていちいち具体的に判示することを要するものではない」とした。

2　証拠の標目

　罪となるべき事実の認定を支える証拠の標題・種目をいう。裁判官の事実認定の合理性を保障し、当事者を納得させるため、証拠の標目が要求されている。

3　法令の適用

　罪となるべき事実に対する法令の適用を示すことをいう。罪刑法定主義を保障している。

4　特別の主張に対する判断

　法律上犯罪の成立を妨げる理由となる事実、又は刑の加重減免の事由が主張された場合には、これに対する判断を示さなければならない（335Ⅱ）。これは、当事者の主張を裁判所が無視しなかったことを明らかにするという当事者主義の精神に基づくものである。

　ex.　正当防衛・緊急避難などの違法性阻却事由たる事実、心神喪失・14 歳未満などの責任阻却事由たる事実

▼　最決昭 46.7.30

　「自救行為は、正当防衛、正当業務行為などとともに、犯罪の違法性を阻却する事由であるから、この主張は、刑訴法 335 条 2 項の主張にあたるものと解すべきである」。

第336条 〔無罪の判決〕《同共》

被告事件が罪とならないとき、又は被告事件について犯罪の証明がないときは、判決で無罪の言渡をしなければならない。

《注 釈》

一 無罪判決の内容

1 被告事件が罪とならないとき

たとえ訴因の事実が立証されたとしても、犯罪の構成要件に該当しないか、又は該当しても違法性阻却事由・責任阻却事由があるため犯罪として成立しない場合のことをいう。

2 被告事件について犯罪の証明がないとき

訴因記載の事実の存在について合理的疑いを超える程度の心証を裁判官が得るに至らなかった場合をいう。

二 補償

無罪判決を受けると、①裁判に要した費用に対する国の補償（費用補償、188の2〜188の7）がなされる。また、②国に対して抑留・拘禁に対する補償（刑事補償）を請求することができる。

第337条 〔免訴の判決〕《同予》

左の場合には、判決で免訴の言渡をしなければならない。

① 確定判決を経たとき。

② 犯罪後の法令により刑が廃止されたとき。

③ 大赦があつたとき。

④ 時効が完成したとき。

憲法第39条 〔一事不再理〕

何人も、実行の時に適法であった行為又は既に無罪とされた行為については、刑事上の責任を問はれない。又、同一の犯罪について、重ねて刑事上の責任を問はれない。

［趣旨］ 本条は、終局判決として、実体裁判、管轄違い・公訴棄却という形式裁判に加え、第3類型たる免訴判決というものを認めたものである。

《注 釈》

一 免訴判決

通説によれば免訴判決には一事不再理効があるとされている。免訴判決が実体裁判であれば一事不再理効が生じるのは当然であるが、形式裁判とすれば一事不再理効が生じないことになりそうである。

そこで、免訴判決の法的性質に関連して、一事不再理効の有無が問題となる。

二 免訴判決の性質

→形式裁判説（判例、通説）

免訴判決は、管轄違いや公訴棄却の裁判と同様に、事件の実体について判断することなく訴訟を打ち切る形式裁判である

∵① 免訴事由が存在するのに実体審理を続けることは、制度的に何の利益・必要もない

② 被告人を無益な訴訟に縛り付けることになり、人権上も妥当でない

▼ **プラカード事件（最大判昭23.5.26・百選A48事件）**〈司〉

①大赦があったときは、裁判所は単に免訴の判決をすべく、公訴事実の存否または犯罪の成否などについて実体上の審判を行うことはできず、②また、大赦を理由とする免訴の判決に対して当事者は無罪を主張して上訴することはできないとした。

三 免訴判決に一事不再理効が生じるか

→肯定説（通説）

∵ 免訴事由とされているものは、いずれも特定の犯罪行為についていったん発生すれば、後にその事由が消滅する可能性の認められないものである。とすれば、免訴判決を形式裁判としても、免訴とは一度このような事由が発生した以上、その訴因についてはおよそ訴訟遂行を許さない趣旨であるといえ、一事不再理効は生じることになる

第338条 〔公訴棄却の判決〕〈司〉

左の場合には、判決で公訴を棄却しなければならない。

① 被告人に対して裁判権を有しないとき。

② 第340条の規定に違反して公訴が提起されたとき。

③ 公訴の提起があつた事件について、更に同一裁判所に公訴が提起されたとき〈予〉。

④ 公訴提起の手続がその規定に違反したため無効であるとき。

［趣旨］公訴棄却判決は、1号ないし4号所定の事由があるとき、実体審理せず若しくは打ち切り、訴訟を終結させる終局的形式裁判である。

▼ **東京高判昭26.7.20、宇都宮地判平3.7.11**〈予〉

検察官は、少年の被疑事件について、犯罪の嫌疑があるものと思料するときは、家庭裁判所に送致しなければならず（家裁前置主義、少年法42Ⅰ）、送致を受けた家庭裁判所が、調査の結果、刑事処分を相当と認めて、検察官に事件を送致した場合に限り（同法20）、起訴することができる。この手続を経ずに起訴された場合、「公訴提起の手続がその規定に違反したため無効であるとき」（338④）に当たり、公訴棄却判決をすることになる。

公判の裁判

▼ 訴訟能力の欠如を理由とする公訴棄却判決（最判平28.12.19・百選51事件）

「訴訟手続の主宰者である裁判所において、被告人が心神喪失の状態にあると認めて刑訴法314条1項により公判手続を停止する旨決定した後、被告人に訴訟能力の回復の見込みがなく公判手続の再開の可能性がないと判断するに至った場合、事案の真相を解明して刑罰法令を適正迅速に適用実現するという刑訴法の目的（同法1条）に照らし、形式的に訴訟が係属しているにすぎない状態のまま公判手続の停止を続けることは同法の予定するところではなく、裁判所は、検察官が公訴を取り消すかどうかに関わりなく、訴訟手続を打ち切る裁判をすることができるものと解される。刑訴法はこうした場合における打切りの裁判の形式について規定を置いていないが、訴訟能力が後発的に失われてその回復可能性の判断が問題となっている場合であることに鑑み、判決による公訴棄却につき規定する同法338条4号と同様に、口頭弁論を経た判決によるのが相当である。

したがって、被告人に訴訟能力がないために公判手続が停止された後、訴訟能力の回復の見込みがなく公判手続の再開の可能性がないと判断される場合、裁判所は、刑訴法338条4号に準じて、判決で公訴を棄却することができる」。

第339条〔公訴棄却の決定〕

Ⅰ　左の場合には、決定で公訴を棄却しなければならない。
① 第271条第2項＜起訴状謄本の不送達と公訴提起の失効＞の規定により公訴の提起がその効力を失つたとき〈**判**〉。
② 起訴状に記載された事実が真実であつても、何らの罪となるべき事実を包含していないとき。
③ 公訴が取り消されたとき。
④ 被告人が死亡し、又は被告人たる法人が存続しなくなつたとき。
⑤ 第10条又は第11条＜同一事件と数個の訴訟係属＞の規定により審判してはならないとき。

Ⅱ　前項の決定に対しては、即時抗告をすることができる。

第340条〔公訴取消しによる公訴棄却と再起訴の要件〕〈**回**〉

公訴の取消による公訴棄却の決定が確定したときは、公訴の取消後犯罪事実につきあらたに重要な証拠を発見した場合に限り、同一事件について更に公訴を提起することができる。

第341条〔被告人の陳述を聴かない判決〕

被告人が陳述をせず、許可を受けないで退廷し、又は秩序維持のため裁判長から退廷を命ぜられたときは、その陳述を聴かないで判決をすることができる。

[趣旨]本条は、被告人が自ら審理に立ち会う権利を放棄し、又は自らの帰責性によって権利を放棄したときは、被告人の陳述を聴かないで審理を進め、判決に至ることができると規定するものである。

第342条 〔判決の宣告〕〈供〉

判決は、公判廷において、宣告によりこれを告知する。

第343条 〔禁錮以上の刑の宣告と保釈等の失効〕〈同〉

Ⅰ　禁錮以上の刑に処する判決の宣告があつたときは、保釈又は勾留の執行停止は、その効力を失う。

Ⅱ　前項の場合には、新たに保釈又は勾留の執行停止の決定がないときに限り、第98条及び第271条の8第5項（第312条の2第4項において準用する場合を含む。以下この項において同じ。）の規定を準用する。この場合において、第271条の8第5項中「第1項（」とあるのは、「第271条の8第1項（」と読み替えるものとする。

第343条の2

検察官は、禁錮以上の刑に処する判決の宣告により保釈又は勾留の執行停止がその効力を失つた場合において、被告人が刑事施設に収容されていないときは、被告人に対し、指定する日時及び場所に出頭することを命ずることができる。

第343条の3

前条の規定による命令を受けた被告人が、正当な理由がなく、指定された日時及び場所に出頭しないときは、2年以下の懲役に処する。

第344条 〔禁錮以上の刑の宣告後における勾留期間等〕〈同〉

Ⅰ　禁錮以上の刑に処する判決の宣告があつた後は、第60条第2項但書＜勾留更新の回数制限＞及び第89条＜必要的保釈＞の規定は、これを適用しない。

Ⅱ　禁錮以上の刑に処する判決の宣告があつた後は、第90条＜職権保釈＞の規定による保釈を許すには、同条に規定する不利益その他の不利益の程度が著しく高い場合でなければならない。ただし、保釈された場合に被告人が逃亡するおそれの程度が高くないと認めるに足りる相当な理由があるときは、この限りでない。

第345条 〔無罪等の宣告と勾留状の失効〕〈同予〉

無罪、免訴、刑の免除、刑の全部の執行猶予、公訴棄却（第338条第4号による場合を除く。）、罰金又は科料の裁判の告知があつたときは、勾留状は、その効力を失う。

第346条 〔没収の言渡しがない押収物〕

押収した物について、没収の言渡がないときは、押収を解く言渡があつたものとする。

公判の裁判

第347条 〔押収物還付の言渡し〕

Ⅰ　押収した贓物で被害者に還付すべき理由が明らかなものは、これを被害者に還付する言渡しをしなければならない。

Ⅱ　贓物の対価として得た物について、被害者から交付の請求があつたときは、前項の例による。

Ⅲ　仮に還付した物について、別段の言渡しがないときは、還付の言渡しがあつたものとする。

Ⅳ　前3項の規定は、民事訴訟の手続に従い、利害関係人がその権利を主張することを妨げない。

第348条 〔仮納付の判決〕

Ⅰ　裁判所は、罰金、科料又は追徴を言い渡す場合において、判決の確定を待つてはその執行をすることができず、又はその執行をするのに著しい困難を生ずる虞があると認めるときは、検察官の請求により又は職権で、被告人に対し、仮に罰金、科料又は追徴に相当する金額を納付すべきことを命ずることができる。

Ⅱ　仮納付の裁判は、刑の言渡しと同時に、判決でその言渡しをしなければならない。

Ⅲ　仮納付の裁判は、直ちにこれを執行することができる。

第349条 〔刑の執行猶予取消しの手続〕

Ⅰ　刑の執行猶予の言渡しを取り消すべき場合には、検察官は、刑の言渡しを受けた者の現在地又は最後の住所地を管轄する地方裁判所、家庭裁判所又は簡易裁判所に対しその請求をしなければならない。

Ⅱ　刑法第26条の2第2号又は第27条の5第2号の規定により刑の執行猶予の言渡しを取り消すべき場合には、前項の請求は、保護観察所の長の申出に基づいてこれをしなければならない。

第349条の2 〔同前〕

Ⅰ　前条の請求があつたときは、裁判所は、猶予の言渡しを受けた者又はその代理人の意見を聴いて決定をしなければならない。

Ⅱ　前項の場合において、その請求が刑法第26条の2第2号又は第27条の5第2号の規定による猶予の言渡しの取消しを求めるものであつて、猶予の言渡しを受けた者の請求があるときは、口頭弁論を経なければならない。

Ⅲ　第1項の決定をするについて口頭弁論を経る場合には、猶予の言渡しを受けた者は、弁護人を選任することができる。

Ⅳ　第1項の決定をするについて口頭弁論を経る場合には、検察官は、裁判所の許可を得て、保護観察官に意見を述べさせることができる。

Ⅴ　第1項の決定に対しては、即時抗告をすることができる。

第３５０条 〔併合罪中大赦を受けない罪の刑を定める手続〕

　刑法第５２条の規定により刑を定むべき場合には、検察官は、その犯罪事実について最終の判決をした裁判所にその請求をしなければならない。この場合には、前条第１項及び第５項の規定を準用する。

第7編　証拠収集等への協力及び訴追に関する合意

・第１章・【合意及び協議の手続】

第３５０条の２　〔合意の内容・対象犯罪〕

Ⅰ　検察官は、特定犯罪に係る事件の被疑者又は被告人が特定犯罪に係る他人の刑事事件（以下単に「他人の刑事事件」という。）について一又は二以上の第１号に掲げる行為をすることにより得られる証拠の重要性、関係する犯罪の軽重及び情状、当該関係する犯罪の関連性の程度その他の事情を考慮して、必要と認めるときは、被疑者又は被告人との間で、被疑者又は被告人が当該他人の刑事事件について一又は二以上の同号に掲げる行為をし、かつ、検察官が被疑者又は被告人の当該事件について一又は二以上の第２号に掲げる行為をすることを内容とする合意をすることができる。

① 次に掲げる行為

イ　第１９８条第１項又は第２２３条第１項の規定による検察官、検察事務官又は司法警察職員の取調べに際して真実の供述をすること。

ロ　証人として尋問を受ける場合において真実の供述をすること。

ハ　検察官、検察事務官又は司法警察職員による証拠の収集に関し、証拠の提出その他の必要な協力をすること（イ及びロに掲げるものを除く。）。

② 次に掲げる行為

イ　公訴を提起しないこと。

ロ　公訴を取り消すこと。

ハ　特定の訴因及び罰条により公訴を提起し、又はこれを維持すること。

ニ　特定の訴因若しくは罰条の追加若しくは撤回又は特定の訴因若しくは罰条への変更を請求すること。

ホ　第２９３条第１項の規定による意見の陳述において、被告人に特定の刑を科すべき旨の意見を陳述すること。

ヘ　即決裁判手続の申立てをすること。

ト　略式命令の請求をすること。

Ⅱ　前項に規定する「特定犯罪」とは、次に掲げる罪（死刑又は無期の懲役若しくは禁錮に当たるものを除く。）をいう。

① 刑法第96条から第96条の6まで若しくは第155条の罪、同条の例により処断すべき罪、同法第157条の罪、同法第158条の罪（同法第155条の罪、同条の例により処断すべき罪又は同法第157条第1項若しくは第2項の罪に係るものに限る。）又は同法第159条から第163条の5まで、第197条から第197条の4まで、第198条、第246条から第250条まで若しくは第252条から第254条までの罪

② 組織的な犯罪の処罰及び犯罪収益の規制等に関する法律（平成11年法律第136号。以下「組織的犯罪処罰法」という。）第3条第1項第1号から第4号まで、第13号若しくは第14号に掲げる罪に係る同条の罪、同項第13号若しくは第14号に掲げる罪に係る同条の罪の未遂罪又は組織的犯罪処罰法第10条若しくは第11条の罪

③ 前2号に掲げるもののほか、租税に関する法律、私的独占の禁止及び公正取引の確保に関する法律（昭和22年法律第54号）又は金融商品取引法（昭和23年法律第25号）の罪その他の財政経済関係犯罪として政令で定めるもの

④ 次に掲げる法律の罪
　イ　爆発物取締罰則（明治17年太政官布告第32号）
　ロ　大麻取締法（昭和23年法律第124号）
　ハ　覚醒剤取締法（昭和26年法律第252号）
　ニ　麻薬及び向精神薬取締法（昭和28年法律第14号）
　ホ　武器等製造法（昭和28年法律第145号）
　ヘ　あへん法（昭和29年法律第71号）
　ト　銃砲刀剣類所持等取締法（昭和33年法律第6号）
　チ　国際的な協力の下に規制薬物に係る不正行為を助長する行為等の防止を図るための麻薬及び向精神薬取締法等の特例等に関する法律（平成3年法律第94号）

⑤ 刑法第103条、第104条若しくは第105条の2の罪又は組織的犯罪処罰法第7条の罪（同条第1項第1号から第3号までに掲げる者に係るものに限る。）若しくは組織的犯罪処罰法第7条の2の罪（いずれも前各号に掲げる罪を本犯の罪とするものに限る。）

Ⅲ　第1項の合意には、被疑者若しくは被告人がする同項第1号に掲げる行為又は検察官がする同項第2号に掲げる行為に付随する事項その他の合意の目的を達するため必要な事項をその内容として含めることができる。

第350条の3　〔弁護人の関与、合意内容書面の作成〕

Ⅰ　前条第1項の合意をするには、弁護人の同意がなければならない。

Ⅱ　前条第1項の合意は、検察官、被疑者又は被告人及び弁護人が連署した書面により、その内容を明らかにしてするものとする。

第３５０条の４　〔協議の主体〕

　第３５０条の２第１項の合意をするため必要な協議は、検察官と被疑者又は被告人及び弁護人との間で行うものとする。ただし、被疑者又は被告人及び弁護人に異議がないときは、協議の一部を弁護人のみとの間で行うことができる。

第３５０条の５　〔協議における供述の聴取〕

Ⅰ　前条の協議において、検察官は、被疑者又は被告人に対し、他人の刑事事件について供述を求めることができる。この場合においては、第１９８条第２項の規定を準用する。

Ⅱ　被疑者又は被告人が前条の協議においてした供述は、第３５０条の２第１項の合意が成立しなかつたときは、これを証拠とすることができない。

Ⅲ　前項の規定は、被疑者又は被告人が当該協議においてした行為が刑法第１０３条、第１０４条若しくは第１７２条の罪又は組織的犯罪処罰法第７条第１項第１号若しくは第２号に掲げる者に係る同条の罪に当たる場合において、これらの罪に係る事件において用いるときは、これを適用しない。

第３５０条の６　〔司法警察員との関係〕

Ⅰ　検察官は、司法警察員が送致し若しくは送付した事件又は司法警察員が現に捜査していると認める事件について、その被疑者との間で第３５０条の４の協議を行おうとするときは、あらかじめ、司法警察員と協議しなければならない。

Ⅱ　検察官は、第３５０条の４の協議に係る他人の刑事事件について司法警察員が現に捜査していることその他の事情を考慮して、当該他人の刑事事件の捜査のため必要と認めるときは、前条第１項の規定により供述を求めることその他の当該協議における必要な行為を司法警察員にさせることができる。この場合において、司法警察員は、検察官の個別の授権の範囲内で、検察官が第３５０条の２第１項の合意の内容とすることを提案する同項第２号に掲げる行為の内容の提示をすることができる。

［趣旨］ これまでの捜査では、組織的犯罪等において首謀者の関与等を含めた事案の全貌を解明するには、組織の末端の実行者等から首謀者等の関与状況についての供述の獲得が必要不可欠な場合であっても、取調べによってかかる供述を得るしか方法がなかった。しかし、捜査を取り巻く様々な情勢の変化により、かかる供述の取調べによる獲得が困難となってきていることに鑑み、取調べ及び供述調書への過度の依存からの脱却を図りつつ、組織的犯罪等を含む事案の解明に資する供述等を得ることを可能にする新たな証拠収集方法として、合意制度が導入された。

《注　釈》

一　合意制度

　合意をした被疑者・被告人（以下、「被疑者等」という。）が共犯者等の他人の刑事事件の解明に資する供述をするなどの協力行為をすることに対し、検察官が

これを被疑者等に有利に考慮して処分の軽減等（不起訴や軽い罪名での起訴、軽い求刑等）をするものが、合意制度である。

二　合意の手続

1　合意の主体

検察官と被疑者等であるが、合意をするには弁護人の同意がなければならない（350の3Ⅰ）。合意は、その内容を明確にしておく必要があることから、要式行為とされており、合意の内容を明らかにする書面（合意内容書面）を作成し、検察官、被疑者等及び弁護人の三者が連署する必要がある（同Ⅱ）。

検察官は、被疑者等の協力行為により「得られる証拠の重要性、関係する犯罪の軽重及び情状、当該関係する犯罪の関連性の程度その他の事情を考慮して、必要と認めるとき」に、合意することができる（350の2Ⅰ柱書）。

2　合意制度の対象事件

合意制度の対象となる犯罪（被疑者等及び他人に係る刑事事件の双方）は、制度の対象とする必要性が高く、その利用にも適しており、さらに、被害者をはじめとする国民の理解を得られやすいようにするという配慮から、「特定犯罪」に限定されている。

「特定犯罪」とは、一定の財政経済犯罪や薬物銃器犯罪（350の2Ⅱ各号参照）であるが、死刑又は無期の懲役・禁錮に当たる罪は「特定犯罪」から除外されている（350の2Ⅱ柱書かっこ書）。

3　合意の内容

被疑者等が他人の刑事事件について、1又は2以上の協力行為（350の2Ⅰ①イロハ参照）をし、かつ、検察官が被疑者等の当該事件について1又は2以上の処分の軽減等（350の2Ⅰ②）をすることが合意の内容となる。

「他人」とは、合意の主体である被疑者等以外の者をいう。被疑者等の共犯者である場合が典型例として想定されているが、これに限られず、法人でもよい。

上記の協力行為とは、被疑者等が取調べ又は証人尋問において真実の供述（自己の記憶に従った供述）をすること、証拠の提出その他必要な協力をすることをいう。また、上記の処分の軽減等とは、公訴を提起しないこと（350の2Ⅰ②イ）、公訴を取り消すこと（同ロ）、特定の訴因・罰条により公訴提起等をすること（同ハ）、論告において被告人に特定の刑を科すべき旨の意見を陳述すること（同ホ）等をいう。

三　協議の手続

合意制度には、被疑者等が自己に対する処分の軽減を得るために、虚偽の供述をして第三者を事件に巻き込むおそれ（巻込みの危険）がある。そこで、上記のとおり、弁護人が合意について関与（350の3）するとともに、合意をするために必要な協議は、検察官と被疑者等及び弁護人の三者で行うものとされている

（350の4本文）。巻込みの危険を防止する趣旨から、たとえ被疑者等及び弁護人に異議がなくても、被疑者等のみとの間で協議を行うことはできない（協議の一部を弁護人のみとの間で行うことはできる（同ただし書））。

　合意をするために必要な協議において、検察官は、被疑者等に対し、他人の刑事事件について供述を求めることができる（350の5Ⅰ前段）。この供述は、合意が成立しなかった場合には、被疑者等及び他人の刑事事件の証拠とすることはできない（同Ⅱ）。もっとも、当該供述に基づいて得られた派生証拠は証拠能力の制限の対象とならず、また、協議における被疑者等の行為に対する犯人蔵匿罪等の事件において、当該供述を用いることは妨げられない（同Ⅲ）。

　協議は、検察官が行うのが原則であるが、司法警察員送致事件等の場合には、検察官はあらかじめ司法警察員と協議しなければならず（350の6Ⅰ）、また、検察官が他人の刑事事件の捜査のために必要と認めるときには、協議における必要な行為を司法警察員にさせることができる（同Ⅱ前段）。さらに、司法警察員は、検察官の個別の授権の範囲内で、検察官による処分の軽減等の内容の提示を行うことができる（同Ⅱ後段）。

・第2章・【公判手続の特例】

第350条の7　〔合意した被告人の事件における合意内容書面等の取調べ〕

Ⅰ　検察官は、被疑者との間でした第350条の2第1項の合意がある場合において、当該合意に係る被疑者の事件について公訴を提起したときは、第291条の手続が終わつた後（事件が公判前整理手続に付された場合にあつては、その時後）遅滞なく、証拠として第350条の3第2項の書面（以下「合意内容書面」という。）の取調べを請求しなければならない。被告事件について、公訴の提起後に被告人との間で第350条の2第1項の合意をしたときも、同様とする。

Ⅱ　前項の規定により合意内容書面の取調べを請求する場合において、当該合意の当事者が第350条の10第2項の規定により当該合意から離脱する旨の告知をしているときは、検察官は、あわせて、同項の書面の取調べを請求しなければならない。

Ⅲ　第1項の規定により合意内容書面の取調べを請求した後に、当該合意の当事者が第350条の10第2項の規定により当該合意から離脱する旨の告知をしたときは、検察官は、遅滞なく、同項の書面の取調べを請求しなければならない。

第350条の8　〔解明対象となる他人の事件における合意内容書面等の取調べ〕

　被告人以外の者の供述録取書等であつて、その者が第350条の2第1項の合意に基づいて作成したもの又は同項の合意に基づいてされた供述を録取し若しくは記録したものについて、検察官、被告人若しくは弁護人が取調べを請求し、又は裁判

証拠収集等への協力及び訴追に関する合意

所が職権でこれを取り調べることとしたときは、検察官は、遅滞なく、合意内容書面の取調べを請求しなければならない。この場合においては、前条第2項及び第3項の規定を準用する。

第350条の9　〔同前〕

　検察官、被告人若しくは弁護人が証人尋問を請求し、又は裁判所が職権で証人尋問を行うこととした場合において、その証人となるべき者との間で当該証人尋問についてした第350条の2第1項の合意があるときは、検察官は、遅滞なく、合意内容書面の取調べを請求しなければならない。この場合においては、第350条の7第3項の規定を準用する。

《注　釈》

一　合意した被告人の公判等における合意内容書面等の証拠調べ請求義務（350の7）

　合意をした被告人の公判においては、合意の存在と内容は訴訟の進行及び被告人の情状の双方に関係しうることから、裁判所がこれを十分に把握できるようにするため、検察官は、当該事件の冒頭手続の終了後、遅滞なく、合意内容書面の取調べを請求すべき義務を負う（350の7Ⅰ）。

　また、当該合意の当事者が合意内容書面の証拠調べ請求時までに当該合意から離脱する旨の告知をしたときは、検察官は、合意内容書面とあわせて、合意離脱書面の証拠調べ請求をしなければならない（同Ⅱ）。

　さらに、当該合意の当事者が合意内容書面の証拠調べ請求後に当該合意から離脱する旨の告知をしたときは、検察官は、遅滞なく、合意離脱書面の証拠調べ請求をしなければならない（同Ⅲ）。

　合意をした被告人について略式命令の請求をする場合にも、検察官は、請求と同時に合意内容書面を裁判所に差し出さなければならない（462の2Ⅰ）。

二　他人の公判における合意内容書面等の証拠調べ請求義務（350の8、350の9）

　他人の公判において、当該他人及びその弁護人並びに裁判所が合意の内容を把握して十分に防御活動をしたり、合意をした者の供述の信用性を吟味することができるようにし、もって巻込みの危険を防止する趣旨から、合意に基づく供述録取書等の証拠調べ請求がされたり、合意をした者の証人尋問請求がされた場合等には、検察官は、遅滞なく、合意内容書面の証拠調べ請求をしなければならない（350の8前段、350の9前段）。

　なお、合意に基づいて提出された証拠物については、他人の公判において証拠調べ請求等がされた場合であっても、検察官は合意内容書面の証拠調べ請求義務を負わない。

・第3章・【合意の終了】

第350条の10 〔合意からの離脱〕

Ⅰ 次の各号に掲げる事由があるときは、当該各号に定める者は、第350条の2第1項の合意から離脱することができる。

① 第350条の2第1項の合意の当事者が当該合意に違反したとき　その相手方

② 次に掲げる事由　被告人

イ　検察官が第350条の2第1項第2号ニに係る同項の合意に基づいて訴因又は罰条の追加、撤回又は変更を請求した場合において、裁判所がこれを許さなかつたとき。

ロ　検察官が第350条の2第1項第2号ホに係る同項の合意に基づいて第293条第1項の規定による意見の陳述において被告人に特定の刑を科すべき旨の意見を陳述した事件について、裁判所がその刑より重い刑の言渡しをしたとき。

ハ　検察官が第350条の2第1項第2号ヘに係る同項の合意に基づいて即決裁判手続の申立てをした事件について、裁判所がこれを却下する決定（第350条の22第3号又は第4号に掲げる場合に該当することを理由とするものに限る。）をし、又は第350条の25第1項第3号若しくは第4号に該当すること（同号については、被告人が起訴状に記載された訴因について有罪である旨の陳述と相反するか又は実質的に異なつた供述をしたことにより同号に該当する場合を除く。）となつたことを理由として第350条の22の決定を取り消したとき。

ニ　検察官が第350条の2第1項第2号トに係る同項の合意に基づいて略式命令の請求をした事件について、裁判所が第463条第1項若しくは第2項の規定により通常の規定に従い審判をすることとし、又は検察官が第465条第1項の規定により正式裁判の請求をしたとき。

③ 次に掲げる事由　検察官

イ　被疑者又は被告人が第350条の4の協議においてした他人の刑事事件についての供述の内容が真実でないことが明らかになつたとき。

ロ　第1号に掲げるもののほか、被疑者若しくは被告人が第350条の2第1項の合意に基づいてした供述の内容が真実でないこと又は被疑者若しくは被告人が同項の合意に基づいて提出した証拠が偽造若しくは変造されたものであることが明らかになつたとき。

Ⅱ 前項の規定による離脱は、その理由を記載した書面により、当該離脱に係る合意の相手方に対し、当該合意から離脱する旨の告知をして行うものとする。

第３５０条の１１ 〔合意の失効〕

検察官が第３５０条の２第１項第２号イに係る同項の合意に基づいて公訴を提起しない処分をした事件について、検察審査会法第３９条の５第１項第１号若しくは第２号の議決又は同法第４１条の６第１項の起訴議決があつたときは、当該合意は、その効力を失う。

第３５０条の１２ 〔合意の失効の場合の証拠能力の制限〕

Ⅰ 前条の場合には、当該議決に係る事件について公訴が提起されたときにおいても、被告人が第３５０条の４の協議においてした供述及び当該合意に基づいてした被告人の行為により得られた証拠並びにこれらに基づいて得られた証拠は、当該被告人の刑事事件において、これらを証拠とすることができない。

Ⅱ 前項の規定は、次に掲げる場合には、これを適用しない。

① 前条に規定する議決の前に被告人がした行為が、当該合意に違反するものであつたことが明らかになり、又は第３５０条の１０第１項第３号イ若しくはロに掲げる事由に該当することとなつたとき。

② 被告人が当該合意に基づくものとしてした行為又は当該協議においてした行為が第３５０条の１５第１項の罪、刑法第１０３条、第１０４条、第１６９条若しくは第１７２条の罪又は組織的犯罪処罰法第７条第１項第１号若しくは第２号に掲げる者に係る同条の罪に当たる場合において、これらの罪に係る事件において用いるとき。

③ 証拠とすることについて被告人に異議がないとき。

《注 釈》

一 合意からの離脱

当該合意の当事者が合意に違反したときは、その相手方は合意から離脱することができる他、被告人による離脱の事由（350の10Ⅰ②）と検察官による離脱の事由（同③）が定められている。なお、検察官による離脱について規定する350条の10第1項3号にいう「真実でないこと」とは、客観的に事実に反することを意味する。

離脱は、合意と同じく要式行為とされており、離脱の理由を記載した書面（合意離脱書面）により、当該離脱に係る合意の相手方に対し、当該合意から離脱する旨の告知をして行う（同Ⅱ）。離脱により、合意は将来に向かって解消され、当事者は合意に基づく履行義務を負わないことになるが、それ以前の訴訟行為の効力や収集済みの証拠の証拠能力には影響を及ぼさないとされている。

二 検察審査会との関係

検察官が被疑者との間で不起訴合意をし、不起訴処分とした事件について、検察審査会が審査を行う場合には、検察官は合意内容書面を検察審査会に提出する義務を負う（検審35の2Ⅰ）。

また、上記の事件において、検察審査会が起訴相当議決・不起訴不当議決又は起訴議決をしたときは、検察官は検察審査会による議決を尊重し、合意の履行義務を離れて公訴提起の可否を判断できるようにするという趣旨から、不起訴合意は将来に向かって失効する（350の11）。

さらに、検察審査会の議決後、検察官が当該議決事件について公訴提起をした場合には、被告人が協議においてした供述及び不起訴合意に基づいてした被告人の行為により得られた証拠並びにこれらに基づいて得られた派生証拠等は、当該被告人の刑事事件において、証拠として使用することができない（350の12Ⅰ）。もっとも、証拠とすることについて被告人に異議がないとき（同Ⅱ③）など、一定の場合にはこの限りでない（同Ⅱ各号参照）。

・第4章・【合意の履行の確保】

第350条の13 〔合意違反の場合の公訴棄却等〕

Ⅰ　検察官が第350条の2第1項第2号イからニまで、ヘ又はトに係る同項の合意（同号ハに係るものについては、特定の訴因及び罰条により公訴を提起する旨のものに限る。）に違反して、公訴を提起し、公訴を取り消さず、異なる訴因及び罰条により公訴を提起し、訴因若しくは罰条の追加、撤回若しくは変更を請求することなく若しくは異なる訴因若しくは罰条の追加若しくは撤回若しくは異なる訴因若しくは罰条への変更を請求して公訴を維持し、又は即決裁判手続の申立て若しくは略式命令の請求を同時にすることなく公訴を提起したときは、判決で当該公訴を棄却しなければならない。

Ⅱ　検察官が第350条の2第1項第2号ハに係る同項の合意（特定の訴因及び罰条により公訴を維持する旨のものに限る。）に違反して訴因又は罰条の追加又は変更を請求したときは、裁判所は、第312条第1項の規定にかかわらず、これを許してはならない。

第350条の14 〔合意違反の場合の証拠能力の制限〕

Ⅰ　検察官が第350条の2第1項の合意に違反したときは、被告人が第350条の4の協議においてした供述及び当該合意に基づいてした被告人の行為により得られた証拠は、これらを証拠とすることができない。

Ⅱ　前項の規定は、当該被告人の刑事事件の証拠とすることについて当該被告人に異議がない場合及び当該被告人以外の者の刑事事件の証拠とすることについてその者に異議がない場合には、これを適用しない。

第３５０条の１５　〔虚偽供述等の処罰等〕

Ⅰ　第３５０条の２第１項の合意に違反して、検察官、検察事務官又は司法警察職員に対し、虚偽の供述をし又は偽造若しくは変造の証拠を提出した者は、５年以下の懲役に処する。

Ⅱ　前項の罪を犯した者が、当該合意に係る他人の刑事事件の裁判が確定する前であつて、かつ、当該合意に係る自己の刑事事件の裁判が確定する前に自白したときは、その刑を減軽し、又は免除することができる。

《注　釈》

一　合意の履行の確保

　検察官による合意の履行を確保するという趣旨から、検察官が合意に違反して公訴提起等をした場合には、裁判所は公訴棄却の判決をしなければならない（350の13Ⅰ）。また、被告人が協議においてした供述及び当該合意に基づいてした被告人の行為により得られた証拠は、これらを証拠とすることができない（350の14Ⅰ）。もっとも、証拠とすることについて当該被告人等に異議がないときは、証拠能力は制限されない（同Ⅱ）。

二　虚偽供述に対する罰則

　350条の15は、同条所定の罰則の下で被疑者等に対して「真実の供述」をすることを求める一方（同Ⅰ）、被疑者等の虚偽の供述等について任意的な減免（350の15Ⅱ）を認めることにより、虚偽の供述等に基づく不当な刑事処分の防止を図るものである。

証拠収集等への協力
及び訴追に関する合意

第8編　即決裁判手続

・第1章・【即決裁判手続の申立て】

第350条の16　〔申立ての要件と手続〕

I　検察官は、公訴を提起しようとする事件について、事案が明白であり、かつ、軽微であること、証拠調べが速やかに終わると見込まれることその他の事情を考慮し、相当と認めるときは、公訴の提起と同時に、書面により即決裁判手続の申立てをすることができる。ただし、死刑又は無期若しくは短期1年以上の懲役若しくは禁錮に当たる事件については、この限りでない〈共予〉。

II　前項の申立ては、即決裁判手続によることについての被疑者の同意がなければ、これをすることができない〈同共〉。

III　検察官は、被疑者に対し、前項の同意をするかどうかの確認を求めるときは、これを書面でしなければならない。この場合において、検察官は、被疑者に対し、即決裁判手続を理解させるために必要な事項（被疑者に弁護人がないときは、次条の規定により弁護人を選任することができる旨を含む。）を説明し、通常の規定に従い審判を受けることができる旨を告げなければならない。

IV　被疑者に弁護人がある場合には、第1項の申立ては、被疑者が第2項の同意をするほか、弁護人が即決裁判手続によることについて同意をし又はその意見を留保しているときに限り、これをすることができる。

V　被疑者が第2項の同意をし、及び弁護人が前項の同意をし又はその意見を留保するときは、書面でその旨を明らかにしなければならない。

VI　第1項の書面には、前項の書面を添付しなければならない。

第350条の17　〔同意確認のための公的弁護人の選任〕

I　前条第3項の確認を求められた被疑者が即決裁判手続によることについて同意をするかどうかを明らかにしようとする場合において、被疑者が貧困その他の事由により弁護人を選任することができないときは、裁判官は、その請求により、被疑者のため弁護人を付さなければならない。ただし、被疑者以外の者が選任した弁護人がある場合は、この限りでない。

II　第37条の3＜選任請求の手続＞の規定は、前項の請求をする場合についてこれを準用する。

《注　釈》

▪即決裁判手続は、争いのない簡易明白な事件について、簡易かつ迅速に裁判を行うことができるようにすることにより、手続の合理化と効率化を図ることを目的

として導入された。

▪ 従来、簡易公判手続は利用するメリットに乏しかったことからほとんど利用されてこなかった。そこで、簡易公判手続の短所を取り除き、利用しやすい制度を目指して即決裁判手続が制度設計された。この即決裁判手続により、迅速な裁判が実現し、ひいては刑事司法が全体的に効率化することが期待されている。

▪ なお、証拠調べに関して証拠調べ手続に関する規定の適用もなく（350の24）、伝聞法則の適用もないが（350の27）、犯罪事実を認定する手続である以上、心証の程度は緩和されていない〈回〉。

・第2章・【公判準備及び公判手続の特例】

第350条の18 〔職権による公的弁護人の選任〕

　即決裁判手続の申立てがあつた場合において、被告人に弁護人がないときは、裁判長は、できる限り速やかに、職権で弁護人を付さなければならない。

第350条の19 〔検察官請求証拠の開示〕

　検察官は、即決裁判手続の申立てをした事件について、被告人又は弁護人に対し、第299条第1項の規定により証拠書類を閲覧する機会その他の同項に規定する機会を与えるべき場合には、できる限り速やかに、その機会を与えなければならない。

第350条の20 〔弁護人に対する同意の確認〕

Ⅰ　裁判所は、即決裁判手続の申立てがあつた事件について、弁護人が即決裁判手続によることについてその意見を留保しているとき、又は即決裁判手続の申立てがあつた後に弁護人が選任されたときは、弁護人に対し、できる限り速やかに、即決裁判手続によることについて同意をするかどうかの確認を求めなければならない。

Ⅱ　弁護人は、前項の同意をするときは、書面でその旨を明らかにしなければならない。

第350条の21 〔公判期日の指定〕

　裁判長は、即決裁判手続の申立てがあつたときは、検察官及び被告人又は弁護人の意見を聴いた上で、その申立て後（前条第1項に規定する場合においては、同項の同意があつた後）、できる限り早い時期の公判期日を定めなければならない。

第350条の22 〔即決裁判手続による審判の決定〕

　裁判所は、即決裁判手続の申立てがあつた事件について、第291条第5項＜罪状認否＞の手続に際し、被告人が起訴状に記載された訴因について有罪である旨の陳述をしたときは、次に掲げる場合を除き、即決裁判手続によつて審判をする旨の決定をしなければならない。

　① 第350条の16第2項又は第4項の同意が撤回されたとき。

　② 第350条の20第1項に規定する場合において、同項の同意がされなかつたとき、又はその同意が撤回されたとき。

③　前2号に掲げるもののほか、当該事件が即決裁判手続によることができないものであると認めるとき。

④　当該事件が即決裁判手続によることが相当でないものであると認めるとき。

第350条の23　〔必要的弁護〕

前条の手続を行う公判期日及び即決裁判手続による公判期日については、弁護人がないときは、これを開くことができない〈珠〉。

第350条の24　〔公判審理の方式〕

I　第350条の22の決定のための審理及び即決裁判手続による審判については、第284条、第285条、第296条、第297条、第300条から第302条まで及び第304条から第307条までの規定＜軽微事件の出頭義務免除・代理人の出頭、出頭義務とその免除、検察官の冒頭陳述、証拠調べの範囲・順序・方法の予定とその変更、証拠調べの請求の義務、自白と証拠調べの請求の制限、捜査記録の一部についての証拠調べの請求、人的証拠の証拠調べの方式、被告人の退廷、証拠書類等の証拠調べの方式、証拠物の証拠調べの方式＞は、これを適用しない。

II　即決裁判手続による証拠調べは、公判期日において、適当と認める方法でこれを行うことができる。

第350条の25　〔即決裁判手続による審判の決定の取消し〕

I　裁判所は、第350条の22の決定があつた事件について、次の各号のいずれかに該当することとなつた場合には、当該決定を取り消さなければならない。

①　判決の言渡し前に、被告人又は弁護人が即決裁判手続によることについての同意を撤回したとき。

②　判決の言渡し前に、被告人が起訴状に記載された訴因について有罪である旨の陳述を撤回したとき。

③　前2号に掲げるもののほか、当該事件が即決裁判手続によることができないものであると認めるとき。

④　当該事件が即決裁判手続によることが相当でないものであると認めるとき。

II　前項の規定により第350条の22の決定が取り消されたときは、公判手続を更新しなければならない。ただし、検察官及び被告人又は弁護人に異議がないときは、この限りでない。

即決裁判手続

504

第３５０条の２６ 〔公訴取消しによる公訴棄却と再起訴〕

即決裁判手続の申立てを却下する決定（第３５０条の２２第３号又は第４号に掲げる場合に該当することを理由とするものを除く。）があつた事件について、当該決定後、証拠調べが行われることなく公訴が取り消された場合において、公訴の取消しによる公訴棄却の決定が確定したときは、第３４０条の規定にかかわらず、同一事件について更に公訴を提起することができる。前条第１項第１号、第２号又は第４号のいずれかに該当すること（同号については、被告人が起訴状に記載された訴因について有罪である旨の陳述と相反するか又は実質的に異なつた供述をしたことにより同号に該当する場合に限る。）となつたことを理由として第３５０条の２２の決定が取り消された事件について、当該取消しの決定後、証拠調べが行われることなく公訴が取り消された場合において、公訴の取消しによる公訴棄却の決定が確定したときも、同様とする。

・第３章・【証拠の特例】

第３５０条の２７ 〔伝聞証拠排斥の適用除外〕

第３５０条の２２の決定があつた事件の証拠については、第３２０条第１項の規定は、これを適用しない。ただし、検察官、被告人又は弁護人が証拠とすることに異議を述べたものについては、この限りでない。

・第４章・【公判の裁判の特例】

第３５０条の２８ 〔即日判決の要請〕

裁判所は、第３５０条の２２の決定があつた事件については、できる限り、即日判決の言渡しをしなければならない。

第３５０条の２９ 〔懲役又は禁錮の言渡し〕

即決裁判手続において懲役又は禁錮の言渡しをする場合には、その刑の全部の執行猶予の言渡しをしなければならない供。

＜即決裁判手続・簡易公判手続・略式手続の比較＞

	即決裁判手続	簡易公判手続	略式手続
公判審理の有無	あり	あり	なし
伝聞法則（320Ⅰ）の適用	なし	なし	なし
起訴状一本主義（256Ⅵ）の適用	あり	あり	なし（規289）
請求時期	公訴提起と同時（350の16Ⅰ）	冒頭手続（291の2）	公訴提起と同時（462Ⅰ）
請求主体	検察官（350の16Ⅰ）	―（291の2）	検察官（461）
科刑～懲役・禁錮も可能か	可能（執行猶予が必要的、350の29）	可能（法定刑の範囲）	不可（罰金・科料のみ、461）
上訴制限の有無	あり（事実誤認に関して403の2、413の2）	なし	なし
要求される被疑者・被告人の対応	被疑者による同意（350の16Ⅱ）書面による必要（350の16Ⅴ）	被告人が有罪の陳述をなしたこと（291の2本文）	被疑者に異議がないこと（461の2Ⅰ）書面による必要（461の2Ⅱ）
弁護人	必要的（350の23）	任意的	任意的

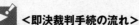

＜即決裁判手続の流れ＞

即決裁判手続によることについての被疑者の同意の確認（350の16Ⅱ）

　　＊　弁護人があるときは当該弁護人にも同意確認（350の16Ⅳ）

　　＊　弁護人がないときは国選弁護人選任を告知（350の17）

公訴提起・即決裁判手続の申立て（350の16Ⅰ）

・弁護人がないときは職権による国選弁護人の選任（350の18）
・検察官請求証拠の開示（350の19）
・弁護人の同意の確認（350の20）

公判期日を定める（350の21）

　　＊　必要的弁護（350の23）

冒頭手続（291の2）：被告人による有罪の陳述

即決裁判手続により審判する旨の決定（350の22）

簡易な方法による証拠調べ（350の24、350の27）

　　＊　簡易公判手続と同様

結　審

判決（原則として即日）（350の28）

　　＊　自由刑については執行猶予が必要的（350の29）

上　訴

＊　罪となるべき事実の誤認を理由とする上訴はできない（403の2、413の2）

即決裁判手続

▼　最判平21.7.14・百選〔第10版〕59事件

　　即決裁判手続における控訴制限については、審級制度が憲法81条に規定することを除いて、法律の定めるところにゆだねられていることから、合理的理由がある場合には控訴を制限することが許され、即決裁判手続の手続の合理化・効率化の要請には合理的理由があるから、憲法32条に違反するものではないとした。また、即決裁判手続は制度自体が虚偽の自白を誘発するものとはいえないので、憲法38条2項にも違反しないとした。

第9編　上訴

《概　説》

一　上訴の意義・機能

上訴とは、未確定の裁判に対して上級裁判所に是正を求める不服申立てをいう。

上訴には、①判決に対する控訴・上告と、②決定・命令に対する抗告がある。このうち、控訴は高等裁判所、上告は最高裁判所が管轄し、抗告（通常抗告と即時抗告）は高等裁判所、特別抗告は最高裁判所へ申し立てる。

刑事訴訟法第3編第1章通則における各規定（351～367）は、上訴に関する一般的規定を定めるものであり、控訴・上告・抗告のいずれにも適用される。

上訴の目的・機能は原裁判の誤りの是正にある。

二　破棄判決の拘束力

1　下級審に対する拘束力

上級審の裁判所の裁判における判断は、その事件について下級審の裁判所を拘束する（裁判所4）。

∴　事件が上級審と下級審の間を往復して、終結しなくなるおそれがある

2　上告審に対する拘束力

> **▼　最判昭32.10.9**
>
> 　差戻控訴審（第1次）判決に従って、「立候補しようとする特定人」をも、人事院規則で禁止される政治的行為の対象である「特定の候補者」に当たると判断した第2次第1審及び控訴審を破棄して、「最高裁判所は、差戻判決に示された下級裁判所の法律上の判断に拘束されないものと解すべきである」とした。

3　拘束力の範囲

> **▼　八海事件（最判昭43.10.25・百選A52事件）**
>
> 　「破棄の直接の理由、すなわち原判決に対する消極的否定的判断についてのみ生じ、これを裏づける積極的肯定的事由についての判断は、その縁由にすぎないので拘束力を生じない」。

> **▼　東京高判昭61.10.29**
>
> 　八海事件の判旨を引用し、次のような理由を示した。
>
> 　「このことは、上級審の裁判所の裁判における判断に拘束力を認める（裁判所法4条）趣旨が、上級審の裁判所と下級審の裁判所との間の判断の不一致によ

り事件が際限なく審級間を上下することによる遅延を防止することにあることから当然に導かれる帰結といえよう。けだし、右の目的を達するには、当該不一致の部分、すなわち、上級審の裁判所が下級審の裁判所の判断に否定的消極的判断を示した部分に限り、上級審の裁判所の判断に優越性を認めれば足りるからである」。

・第1章・【通則】

第351条 〔上訴権者〕

Ⅰ　検察官又は被告人は、上訴をすることができる。

Ⅱ　第266条第2号＜付審判の決定＞の規定により裁判所の審判に付された事件と他の事件とが併合して審判され、1個の裁判があつた場合には、第268条第2項の規定により検察官の職務を行う弁護士及び当該他の事件の検察官は、その裁判に対し各々独立して上訴をすることができる。

第352条 〔同前〕

検察官又は被告人以外の者で決定を受けたものは、抗告をすることができる。

第353条 〔同前〕

被告人の法定代理人又は保佐人は、被告人のため上訴をすることができる。

第354条 〔同前〕

勾留に対しては、勾留の理由の開示があつたときは、その開示の請求をした者も、被告人のため上訴をすることができる。その上訴を棄却する決定に対しても、同様である。

第355条 〔同前〕 同共予

原審における代理人又は弁護人は、被告人のため上訴をすることができる。

第356条 〔同前〕 同予

前3条の上訴は、被告人の明示した意思に反してこれをすることができない。

第357条 〔一部上訴〕

上訴は、裁判の一部に対してこれをすることができる。部分を限らないで上訴をしたときは、裁判の全部に対してしたものとみなす。

第358条 〔上訴提起期間〕

上訴の提起期間は、裁判が告知された日から進行する。

上訴

[趣旨] 357条は、一部上訴を規定しているが、これは主文が複数ある場合の一部上訴を認めるものであり、主文が単数の場合、すなわち一罪の一部について上訴することはできない（公訴不可分の原則）。

《注　釈》
一　上訴の要件
1　上訴の利益

　上訴が適法であるためには上訴の利益が必要である。ただし、上訴理由は限定されており、すべての不当・不利益に対する上訴を認めているわけではない（上訴理由制限主義、384、405、419）。

(1)　形式裁判に対する上訴の利益

　形式裁判に対して無罪を主張して上訴できるか。

　→上訴の利益否定（判例、通説）

　　∵　被告人は形式裁判により手続から解放され、起訴されなかったと同じ自由の身になるのだから、形式裁判は被告人に利益な裁判である

▼　**最決昭 53.10.31**

　「公訴棄却の決定に対しては、被告人・弁護人からその違法・不当を主張して上訴することはできないものと解すべきであるから、原決定に所論のような違法はない」とした。

(2)　上訴の利益がないのに上訴がなされた場合

　無罪判決等に対しては上訴の方式違反として（385Ⅰ、414）、また有罪判決等に対しては上訴理由に該当しないものとして（386Ⅰ③、414）、それぞれ上訴棄却される。

2　上訴権者

　上訴権者は、①検察官（351Ⅰ）、②被告人（351Ⅰ）、③被告人の法定代理人又は保佐人（353）、④原審の代理人又は弁護人（355）、⑤勾留理由の開示請求者（354）、⑥抗告をすることができる者（352）である。

　なお、検察官が上訴をすることについては、二重の危険の原則に反するとして否定する見解もあるが、「危険とは、同一事件においては、訴訟手続の開始から終末に至るまでの1つの継続的状態」であるから、1審の手続における危険も控訴審の手続・上告審の手続における危険も同じ事件においては、継続した1つの危険の各部分にすぎないとして、検察官上訴を肯定するのが判例（最大判昭 25.9.27・百選 A47 事件）、通説である。

3　上訴期間

　控訴・上告は 14 日（373、414）、即時抗告は 3 日（422）、特別抗告は 5 日（433Ⅱ）であり、裁判が告知された日から進行する（358）。通常抗告には期間

の定めはなく、実益のある限りで上訴が認められる。

二 上訴権の発生・消滅

上訴権は、裁判の告知によって発生する。

また、上訴権は、上訴提起期間の徒過、上訴の放棄・取下げにより消滅する。

上訴の放棄とは、事前に上訴しない旨を表明することであり、上訴の取下げとは、上訴申立後に撤回することである。そして、軽率な上訴の放棄・取下げを防止するため、厳重な要件が定められている（359以下）。

自己又は代理人の責めに帰することのできない事由によって期間内に上訴できなかったときは、上訴権回復請求の制度がある（362）。

三 上訴の申立てとその効果

1 上訴の申立ての手続

申立書を原裁判所に差し出す（374、414、423、434）。

2 上訴の申立ての効果

(1) 停止の効力と移審の効力

上訴の申立てにより、①裁判の確定・執行が停止され（停止の効力）、②事件の訴訟係属が上訴審に移る（移審の効力）。

(2) 上訴の効果の及ぶ範囲

上訴が原裁判の当否を問題とするものであることから、原則として原裁判の全部である。

もっとも、一部上訴が許される場合もある（357）。すなわち、主文が複数ある場合には、一部上訴が許される。これに対して、主文が1個の場合には一部上訴は許されない。

一部上訴がなされると、上訴がなかった他の部分は上訴審に移審せず、確定する。

第359条 〔上訴の放棄・取下げ〕同

検察官、被告人又は第352条に規定する者＜検察官又は被告人以外の者で決定を受けたもの＞は、上訴の放棄又は取下をすることができる。

第360条 〔同前〕

第353条又は第354条に規定する者＜被告人の法定代理人又は保佐人、勾留理由開示請求者＞は、書面による被告人の同意を得て、上訴の放棄又は取下をすることができる。

第360条の2 〔上訴放棄の制限〕

死刑又は無期の懲役若しくは禁錮に処する判決に対する上訴は、前2条の規定にかかわらず、これを放棄することができない。

上訴

第360条の3　〔上訴放棄の方式〕

上訴放棄の申立は、書面でこれをしなければならない。

第361条　〔上訴の放棄・取下げと再上訴〕

上訴の放棄又は取下をした者は、その事件について更に上訴をすることができない。上訴の放棄又は取下に同意をした被告人も、同様である。

第362条　〔上訴権回復の請求〕

第351条乃至第355条の規定により上訴をすることができる者は、自己又は代人の責に帰することができない事由によつて上訴の提起期間内に上訴をすることができなかつたときは、原裁判所に上訴権回復の請求をすることができる。

第363条　〔同前〕

Ⅰ　上訴権回復の請求は、事由が止んだ日から上訴の提起期間に相当する期間内にこれをしなければならない。

Ⅱ　上訴権回復の請求をする者は、その請求と同時に上訴の申立をしなければならない。

第364条　〔同前〕

上訴権回復の請求についてした決定に対しては、即時抗告をすることができる。

第365条　〔同前〕

上訴権回復の請求があつたときは、原裁判所は、前条の決定をするまで裁判の執行を停止する決定をすることができる。この場合には、被告人に対し勾留状を発することができる。

第366条　〔刑事施設にいる被告人に関する特則〕

Ⅰ　刑事施設にいる被告人が上訴の提起期間内に上訴の申立書を刑事施設の長又はその代理者に差し出したときは、上訴の提起期間内に上訴をしたものとみなす。

Ⅱ　被告人が自ら申立書を作ることができないときは、刑事施設の長又はその代理者は、これを代書し、又は所属の職員にこれをさせなければならない。

第367条　〔同前〕

前条の規定は、刑事施設にいる被告人が上訴の放棄若しくは取下げ又は上訴権回復の請求をする場合にこれを準用する。

第368条～第371条　削除

上訴

・第 2 章・【控訴】

《概 説》

一 控訴の意義

控訴とは、高等裁判所への不服申立てをいう。

控訴審においては、控訴審の審判対象は何かということと関連して、控訴審の構造論が問題となる。

二 控訴審の構造

1 控訴審の種類

控訴審の構造としては、考えうるものとして①覆審、②続審、③事後審がある。

① 覆審：前審の審判を御破算にして事件について全く新たに審判をやりなおす形態

② 続審：前審における判決前の審理手続を引き継ぎ、さらに新たな証拠資料を補充して事件につき審判を行う形態

③ 事後審：事件そのものではなく、原判決の当否を審判する形態

2 現行法における控訴審の構造🔲

現行法は、控訴申立人に控訴理由の主張を義務付け（376）、控訴審裁判所には原則としてそこで指摘された控訴理由のみを調査する義務がある（392 I）との構成をとっている。したがって、控訴審の構造は事後審であり、ただ原判決を破棄して自判する場合（400 但書）は続審となると考えられる（通説）。

3 控訴審の審判対象

当事者の公訴申立理由を審査対象とし、公訴理由の審査を通じて原判決の審査をなすのが妥当である。

三 控訴審の手続

控訴審の手続は、申立て→審理→裁判という順序で進行する。

1 申立て

控訴は、地方裁判所、家庭裁判所又は簡易裁判所がした第 1 審の判決に対してこれを行うことができる（372）🔲

申立書は第 1 審裁判所に差し出す（374）。

控訴については高等裁判所が裁判権を有する（裁判所 16 ①）🔲

2 審理手続

(1) 控訴審の審理手続

① 原則として第 1 審の公判に関する規定が準用される（404、規 250）。

② 控訴審では、被告人は原則として公判期日に出頭することは要しない（390 本文）。

③ 公判期日には、検察官及び弁護人は控訴趣意書に基づいて弁論しなければならない（389）。

(2) 控訴審における訴因変更の可否

　　→もともと原判決に瑕疵があって破棄の見込みが大きいときに、検察官が訴因変更を請求した場合、被告人の実質的利益を害さない限り、裁判所はこれを許すことができる（最決昭29.9.30、最判昭30.12.26）

四　控訴審の裁判

1　公訴棄却の決定（403Ⅰ）

　原裁判所が不法に公訴棄却の決定をしなかった場合

2　控訴棄却の決定（385Ⅰ、386Ⅰ各号）

(1) 控訴の申立てが法令上の方式に違反し、又は控訴権の消滅後にされたものであることが明らかな場合（385Ⅰ）

(2) 控訴趣意書が期間内に差し出されない等の手続違反がある場合（386Ⅰ各号）

3　控訴棄却の判決（395、396）

(1) 控訴の申立てが法令上の方式に違反し、又は控訴権の消滅後にされたものである場合（395）

(2) 377条ないし382条及び383条に規定する事由がない場合（396）

4　原判決破棄の判決（397、398、399、400）

(1) 377条ないし382条及び383条に規定する事由がある場合（397Ⅰ）は、判決で原判決を破棄しなければならない。

　　また、393条2項の規定による取調べの結果、原判決を破棄しなければ明らかに正義に反すると認めるときは、判決で原判決を破棄することができる（397Ⅱ）。

(2) 不法に管轄違いを言い渡し、又は公訴を棄却したことを理由として、原判決を破棄するときは、判決で事件を原裁判所に差し戻さなければならない（398）。

　　また、不法に管轄を認めたことを理由として原判決を破棄するときは、判決で事件を管轄第1審裁判所に移送しなければならない（399）。

　　さらに、上記の理由以外の理由によって原判決を破棄するときは、判決で事件を原裁判所に差し戻し、又は原裁判所と同等の他の裁判所に移送しなければならない。ただし、控訴裁判所は、訴訟記録並びに原裁判所及び控訴裁判所において取り調べた証拠によって、直ちに判決をすることができるものと認めるときは、被告事件についてさらに判決をすることができる（破棄自判、400）。

(3) 被告人の利益のために原判決を破棄する場合において、破棄の理由が控訴をした共同被告人に共通であるときは、その共同被告人のためにも原判決を破棄しなければならない（401）。

上訴

第372条 〔控訴のできる判決〕

控訴は、地方裁判所又は簡易裁判所がした第1審の判決に対してこれをすることができる。

第373条 〔控訴提起期間〕

控訴の提起期間は、14日とする〈予〉。

第374条 〔控訴提起の方式〕

控訴をするには、申立書を第1審裁判所に差し出さなければならない。

第375条 〔第1審裁判所による控訴棄却の決定〕

控訴の申立が明らかに控訴権の消滅後にされたものであるときは、第1審裁判所は、決定でこれを棄却しなければならない。この決定に対しては、即時抗告をすることができる。

第376条 〔控訴趣意書〕

Ⅰ　控訴申立人は、裁判所の規則で定める期間内に控訴趣意書を控訴裁判所に差し出さなければならない。

Ⅱ　控訴趣意書には、この法律又は裁判所の規則の定めるところにより、必要な疎明資料又は検察官若しくは弁護人の保証書を添附しなければならない。

第377条 〔控訴申立ての理由と控訴趣意書——絶対的控訴理由〕

左の事由があることを理由として控訴の申立をした場合には、控訴趣意書に、その事由があることの充分な証明をすることができる旨の検察官又は弁護人の保証書を添附しなければならない。

①　法律に従つて判決裁判所を構成しなかつたこと。

②　法令により判決に関与することができない裁判官が判決に関与したこと。

③　審判の公開に関する規定に違反したこと。

第378条 〔同前——絶対的控訴理由〕

左の事由があることを理由として控訴の申立をした場合には、控訴趣意書に、訴訟記録及び原裁判所において取り調べた証拠に現われている事実であつてその事由があることを信ずるに足りるものを援用しなければならない。

①　不法に管轄又は管轄違を認めたこと。

②　不法に、公訴を受理し、又はこれを棄却したこと。

③　審判の請求を受けた事件について判決をせず、又は審判の請求を受けない事件について判決をしたこと。

④　判決に理由を附せず、又は理由にくいちがいがあること〈予〉。

第３７９条 〔同前―訴訟手続の法令違反〕

前２条の場合を除いて、訴訟手続に法令の違反があつてその違反が判決に影響を及ぼすことが明らかであることを理由として控訴の申立をした場合には、控訴趣意書に、訴訟記録及び原裁判所において取り調べた証拠に現われている事実であつて明らかに判決に影響を及ぼすべき法令の違反があることを信ずるに足りるものを援用しなければならない。

第３８０条 〔同前―法令の適用の誤り〕

法令の適用に誤があつてその誤が判決に影響を及ぼすことが明らかであることを理由として控訴の申立をした場合には、控訴趣意書に、その誤及びその誤が明らかに判決に影響を及ぼすべきことを示さなければならない。

第３８１条 〔同前―刑の量定不当〕

刑の量定が不当であることを理由として控訴の申立をした場合には、控訴趣意書に、訴訟記録及び原裁判所において取り調べた証拠に現われている事実であつて刑の量定が不当であることを信ずるに足りるものを援用しなければならない。

第３８２条 〔同前―事実誤認〕

事実の誤認があつてその誤認が判決に影響を及ぼすことが明らかであることを理由として控訴の申立をした場合には、控訴趣意書に、訴訟記録及び原裁判所において取り調べた証拠に現われている事実であつて明らかに判決に影響を及ぼすべき誤認があることを信ずるに足りるものを援用しなければならない。

第３８２条の２ 〔同前―弁論終結後の事情〕

Ⅰ　やむを得ない事由によつて第１審の弁論終結前に取調を請求することができなかつた証拠によつて証明することのできる事実であつて前２条に規定する控訴申立の理由があることを信ずるに足りるものは、訴訟記録及び原裁判所において取り調べた証拠に現われている事実以外の事実であつても、控訴趣意書にこれを援用することができる。

Ⅱ　第１審の弁論終結後判決前に生じた事実であつて前２条に規定する控訴申立の理由があることを信ずるに足りるものについても、前項と同様である。

Ⅲ　前２項の場合には、控訴趣意書に、その事実を疎明する資料を添附しなければならない。第１項の場合には、やむを得ない事由によつてその証拠の取調を請求することができなかつた旨を疎明する資料をも添附しなければならない。

第３８３条 〔同前―再審事由その他〕

左の事由があることを理由として控訴の申立をした場合には、控訴趣意書に、その事由があることを疎明する資料を添附しなければならない。

①　再審の請求をすることができる場合にあたる事由があること。

②　判決があつた後に刑の廃止若しくは変更又は大赦があつたこと。

第384条 〔控訴理由〕

　控訴の申立は、第377条乃至第382条及び前条＜絶対的控訴理由、相対的控訴理由、法令適用の誤り、刑の量定不当、事実誤認、再審事由その他＞に規定する事由があることを理由とするときに限り、これをすることができる。

[趣旨] 377条から383条は控訴理由を列挙するもので、これらの列挙事由以外に基づいて控訴することはできない（384）。

《注　釈》

◆　控訴理由

　控訴理由とは、控訴趣意書に記載することのできる原判決の瑕疵のことである。しかし、現行法上はすべての瑕疵を主張できるわけでなく、原判決の瑕疵のうち特に重要なものに限られ、刑訴法に列挙されている。

　主な控訴理由としては、①訴訟手続の法令違反、②法令適用の誤り、③量刑不当、④事実誤認の4種類がある。

1　訴訟手続の法令違反〈司〉
(1)　絶対的控訴理由（377、378）

　　①　法律に従って判決裁判所を構成しなかったこと（377①）

　　②　法令により判決に関与することができない裁判官が判決に関与したこと（377②）

　　③　審判の公開に関する規定に違反したこと（377③）

　　④　不法に管轄又は管轄違いを認めたこと（378①）

　　⑤　不法に、公訴を受理し、又はこれを棄却したこと（378②）

　　⑥　審判の請求を受けた事件について判決をせず、又は審判の請求を受けない事件について判決したこと（378③）

　　⑦　判決に理由を付せず、又は理由に食い違いがあること（378④）

(2)　相対的控訴理由（379）

　訴訟手続に法令違反があり、その違反が判決に影響を及ぼすことが明らかであることを理由とする場合。

　「判決に影響を及ぼすことが明らか」であるとは、その法令違反がなかったならば現になされている判決とは異なる判決がなされたであろうという蓋然性がある場合をいう（最大判昭30.6.22・百選A51事件）。

(a)　審理不尽

　　実務では、審理が著しく緻密さに欠け、手続の適正を害したと認められる場合を「審理不尽」と呼び、法令違反の一態様として位置付けている。しかし、「審理不尽」は、裁判所の職権審理義務を前提にして、その義務懈怠を問題とする職権主義時代の観念であるから、法が明文で認めた典型的な場合である訴因変更命令義務（312Ⅱ）、職権証拠調べ義務（298Ⅱ）、

釈明義務（規208Ⅰ）等の違反以上に、一般的な審理不尽を認めるのは妥当でない（通説）。

　(b)　経験則・論理則違反

　　明文の法規には現れていないが、訴訟も合理的な社会的制度であることから、経験則・論理則違反も法令違反といえる。もっとも、事実認定のルールとして利用される場合は、自由心証主義の内在的約として、現行法上は事実誤認に含めてよいといえる。

2　法令適用の誤り（380）

　法令の適用に誤りがあって、その誤りが判決に影響を及ぼすことが明らかであることを理由とする場合。

3　量刑不当（381）

　刑の量定が不当であることを理由とする場合。

4　事実誤認（382）

　第1審判決の事実認定が論理則、経験則等に照らして不合理である場合。

▼ 最判平24.2.13・百選99事件

　　第1審において、直接主義・口頭主義の原則が採られ、争点に関する証人を直接調べ、その際の証言態度等も踏まえて供述の信用性が判断され、それらを総合して事実認定が行われることが予定されていることに鑑みると、控訴審における事実誤認の審査は、第1審判決が行った証拠の信用性評価や証拠の総合判断が論理則、経験則等に照らして不合理といえるかという観点から行うべきものであって、刑訴法382条の事実誤認とは、第1審判決の事実認定が論理則、経験則等に照らして不合理であることをいうものと解するのが相当である。このことは、裁判員制度の導入を契機として、第1審において直接主義・口頭主義が徹底された状況においては、より強く妥当する。

第385条 〔控訴棄却の決定〕

Ⅰ　控訴の申立が法令上の方式に違反し、又は控訴権の消滅後にされたものであることが明らかなときは、控訴裁判所は、決定でこれを棄却しなければならない。

Ⅱ　前項の決定に対しては、第428条第2項の異議の申立をすることができる。この場合には、即時抗告に関する規定をも準用する。

第386条 〔同前〕

Ⅰ　左の場合には、控訴裁判所は、決定で控訴を棄却しなければならない。

①　第376条第1項に定める期間内に控訴趣意書を差し出さないとき。

②　控訴趣意書がこの法律若しくは裁判所の規則で定める方式に違反しているとき、又は控訴趣意書にこの法律若しくは裁判所の規則の定めるところに従い必要な疎明資料若しくは保証書を添附しないとき。

③　控訴趣意書に記載された控訴の申立の理由が、明らかに第377条乃至第382
　　条及び第383条に規定する事由に該当しないとき。
Ⅱ　前条第2項の規定は、前項の決定についてこれを準用する。

第387条 〔弁護人の資格〕

　控訴審では、弁護士以外の者を弁護人に選任することはできない〈同〉。

第388条 〔弁論能力〕

　控訴審では、被告人のためにする弁論は、弁護人でなければ、これをすることができ
ない〈同共予〉。

第389条 〔弁論〕

　公判期日には、検察官及び弁護人は、控訴趣意書に基いて弁論をしなければならない
〈予〉。

第390条 〔被告人の出頭〕

　控訴審においては、被告人は、公判期日に出頭することを要しない〈予〉。ただし、
裁判所は、50万円（刑法、暴力行為等処罰に関する法律及び経済関係罰則の整備に
関する法律の罪以外の罪については、当分の間、5万円）以下の罰金又は科料に当た
る事件以外の事件について、被告人の出頭がその権利の保護のため重要であると認め
るときは、被告人の出頭を命ずることができる。

第390条の2

　前条の規定にかかわらず、控訴裁判所は、禁錮以上の刑に当たる罪で起訴されてい
る被告人であつて、保釈又は勾留の執行停止をされているものについては、判決を宣
告する公判期日への出頭を命じなければならない。ただし、重い疾病又は傷害その他
やむを得ない事由により被告人が当該公判期日に出頭することが困難であると認める
ときは、この限りでない。

第391条 〔弁護人の不出頭〕

　弁護人が出頭しないとき、又は弁護人の選任がないときは、この法律により弁護人
を要する場合又は決定で弁護人を附した場合を除いては、検察官の陳述を聴いて判決
をすることができる。

第392条 〔調査の範囲〕

Ⅰ　控訴裁判所は、控訴趣意書に包含された事項は、これを調査しなければならない。
Ⅱ　控訴裁判所は、控訴趣意書に包含されない事項であつても、第377条乃至第3
　82条及び第383条＜絶対的控訴理由、相対的控訴理由、法令適用の誤り、刑の
　量定不当、事実誤認、再審事由その他＞に規定する事由に関しては、職権で調査を
　することができる。

上
訴

《注　釈》

◆　控訴理由の調査

　　控訴裁判所は、控訴趣意書に包含された事項はこれを調査しなければならない（392 I）。

　　もっとも、それに包含されない事項であっても、377 条ないし 382 条及び 383 条に規定する事由に関しては、職権で調査することができる（392 II）。職権調査は主として、法律知識に乏しい被告人が不利益を受けないように後見的な観点から行うべきものとされている。

▼　**新島ミサイル事件（最大決昭 46.3.24）〈百選〉**

　　牽連犯または包括一罪として起訴された事実について、その一部を有罪として、その余については理由中で無罪の判断を示した第一審判決に対し、被告人だけが控訴を申し立てた場合、控訴審が、職権調査によって、原判決に事実誤認ありとしてこれを破棄自判して、起訴事実の全部につき有罪とすることは、被告人に不意打ちを与えることになるから、訴因制度をとり、検察官が公訴を提起するには公訴事実を記載した起訴状を裁判所に提出することとし、この訴因につき当事者の攻撃防御をなさしめるものとしている現行刑事訴訟の基本構造、すなわち、当事者主義を基本原則とし職権主義をその補充的・後見的なものとする構造、ことに第一審判決に対し事後的な審査を加える現行控訴審の性格にかんがみるときは、職権の発動として許される限度を超えるものであって違法なものである。

▼　**最決平 25.3.5・百選 98 事件**

　　第 1 審判決の理由中で、本位的訴因とされた賭博開帳図利の共同正犯は認定できないが、予備的訴因とされた賭博開帳図利の幇助犯は認定できるという判断が示されたにもかかわらず、同判決に対して検察官が控訴の申立てをしなかった場合には、検察官は、その時点で本位的訴因である共同正犯の訴因につき訴訟追行を断念したとみるべきであって、本位的訴因は、原審当時既に当事者間においては攻防の対象から外されていたものと解するのが相当である（最大決昭 46.3.24 参照）。そうすると、原審としては、本位的訴因については、これを排斥した第 1 審裁判所の判断を前提とするほかなく、職権により本位的訴因について調査を加えて有罪の自判をしたことは、職権の発動として許される限度を超えたものであり、違法というほかない。

第393条 〔事実の取調べ〕

Ⅰ 控訴裁判所は、前条の調査をするについて必要があるときは、検察官、被告人若しくは弁護人の請求により又は職権で事実の取調べをすることができる。但し、第382条の2＜弁論終結後の事情＞の疎明があつたものについては、刑の量定の不当又は判決に影響を及ぼすべき事実の誤認を証明するために欠くことのできない場合に限り、これを取り調べなければならない。

Ⅱ 控訴裁判所は、必要があると認めるときは、職権で、第1審判決後の刑の量定に影響を及ぼすべき情状につき取調をすることができる。

Ⅲ 前2項の取調は、合議体の構成員にこれをさせ、又は地方裁判所、家庭裁判所若しくは簡易裁判所の裁判官にこれを嘱託することができる。この場合には、受命裁判官及び受託裁判官は、裁判所又は裁判長と同一の権限を有する。

Ⅳ 第1項又は第2項の規定による取調をしたときは、検察官及び弁護人は、その結果に基いて弁論をすることができる。

第394条 〔証拠能力〕

第1審において証拠とすることができた証拠は、控訴審においても、これを証拠とすることができる。

《注 釈》

一 新証拠の取調べ

控訴理由の調査をするについて、必要があるときは当事者若しくは弁護人の請求により又は職権で、事実の取調べをすることができる（393Ⅰ本文）。

二 事実の取調べの可能な範囲

取調べの可能な事実の範囲は、393条2項の反対解釈から、明文のある383条2号を除いて原判決以前の事実に限られる。もっとも、事実の取調べの資料としうる証拠の範囲については争いがある。

1 事実の取調べの資料としうる証拠の範囲

▼ **最決昭59.9.20・百選A50事件**

「……右『やむを得ない事由』の疎明の有無は、控訴裁判所が同法393条1項但書により新たな証拠の取調を義務づけられるか否かにかかわる問題であり、同項本文は、第1審判決以前に存在した事実に関する限り、第1審で取調ないし取調請求されていない新たな証拠につき、右『やむを得ない事由』の疎明がないなど同項但書の要件を欠く場合であっても、控訴裁判所が第1審判決の当否を判断するにつき必要と認めるときは裁量によってその取調をすることができる……と解すべきである」とした。

2　393条2項の「情状」の意義

▼　**仙台高判昭39.2.7**

　　393条2項の、「いわゆる『刑の量定に影響を及ぼすべき情状』には、単に、被害の弁償、示談の成立などの情状ばかりでなく、本件のごとく、傷害被告事件において、第1審判決後に、被害者がその傷の結果死亡した場合における死亡の事実のように犯罪事実の変化を伴う情状も含まれ、控訴審としては、このような場合には、この死亡の結果をも含めて、原判決の量刑の当否を審査するため証拠の取調をなし、その結果は、同法397条2項の適用として破棄の理由となるものと解するのが正当である」と判示した。

第395条　〔控訴棄却の判決〕

　控訴の申立が法令上の方式に違反し、又は控訴権の消滅後にされたものであるときは、判決で控訴を棄却しなければならない。

第396条　〔同前〕

　第377条乃至第382条及び第383条＜絶対的控訴理由、相対的控訴理由、法令適用の誤り、刑の量定不当、事実誤認、再審事由その他＞に規定する事由がないときは、判決で控訴を棄却しなければならない。

第397条　〔破棄の判決〕

Ⅰ　第377条乃至第382条及び第383条に規定する事由があるときは、判決で原判決を破棄しなければならない。

Ⅱ　第393条第2項の規定による取調の結果、原判決を破棄しなければ明らかに正義に反すると認めるときは、判決で原判決を破棄することができる。

第398条　〔破棄差戻し〕

　不法に、管轄違を言い渡し、又は公訴を棄却したことを理由として原判決を破棄するときは、判決で事件を原裁判所に差し戻さなければならない。

第399条　〔破棄移送〕

　不法に管轄を認めたことを理由として原判決を破棄するときは、判決で事件を管轄第1審裁判所に移送しなければならない。但し、控訴裁判所は、その事件について第1審の管轄権を有するときは、第1審として審判をしなければならない。

第400条　〔破棄差戻し・移送・自判〕

　前2条に規定する理由以外の理由によつて原判決を破棄するときは、判決で、事件を原裁判所に差し戻し、又は原裁判所と同等の他の裁判所に移送しなければならない。但し、控訴裁判所は、訴訟記録並びに原裁判所及び控訴裁判所において取り調べた証拠によつて、直ちに判決をすることができるものと認めるときは、被告事件について更に判決をすることができる。

第４０１条 〔共同被告人のための破棄〕

被告人の利益のため原判決を破棄する場合において、破棄の理由が控訴をした共同被告人に共通であるときは、その共同被告人のためにも原判決を破棄しなければならない。

《注 釈》

◆ 破棄自判 (400但書)

控訴裁判所が原判決を破棄する場合には、原則として、判決で事件を原裁判所に差し戻すか、又は原裁判所と同等の他の裁判所に移送する必要がある (398、399本文、400本文)。

∵ 控訴審の構造は、事件そのものの審査ではなく、あくまでも原判決の当否を審査するという事後審である

もっとも、控訴裁判所は、「訴訟記録並びに原裁判所及び控訴裁判所において取り調べた証拠によって、直ちに判決をすることができるものと認めるとき」は、新たに判決(自判)することができる(破棄自判、400但書)。

→破棄自判する場合に限り、控訴審の構造は事後審ではなく続審(前審における判決前の審理手続を引き継ぎ、更に新たな証拠資料を補充して事件につき審判を行う形態)となる

破棄自判する場合において、400条但書による事実の取調べを行う必要があるかどうかは、場合によるとされる。例えば、有罪判決を破棄して無罪の自判をする場合は、必ずしも事実の取調べは必要ではないとされる。

一方、判例(最大判昭31.7.18・百選〔第10版〕A 52事件、最大判昭31.9.26。以下「昭和31年判決」という)は、第1審が被告人の犯罪事実の存在を認定できないとして無罪を言い渡したにもかかわらず、控訴裁判所が自ら何ら事実の取調べをすることなく、訴訟記録並びに第1審において取り調べた証拠のみによって、直ちに犯罪事実の存在を確定し、第1審の無罪判決を破棄して400条但書により有罪の判決をすることは、憲法31条・37条等の保障する被告人の権利を害し、直接主義・口頭主義の原則を害するから、許されないとしている。

→判例(最判令2.1.23・百選100事件)は、近年の刑訴法の制度及び運用の変化などを理由として昭和31年判決の正当性を疑問視し、判例変更を促した原審(東京高判平29.11.17)について、「原判決が挙げる刑訴法の制度及び運用の変化は、裁判員制度の導入等を契機として、より適正な刑事裁判を実現するため、殊に第1審において、犯罪事実の存否及び量刑を決する上で必要な範囲で充実した審理・判断を行い、公判中心主義の理念に基づき、刑事裁判の基本原則である直接主義・口頭主義を実質化しようとするものであって、同じく直接主義・口頭主義の理念から導かれる……判例〔昭和31年判決〕の正当性を失わせるものとはいえ」ず、「いまなおこれを変更すべきも

のとは認められない」とした

　これに対し、判例（最判昭35.11.18、最大判昭44.10.15、最決令5.6.20・令5重判5事件）は、控訴裁判所が第1審の無罪判決を破棄して400条但書により有罪の自判をする場合であっても、それが第1審による事実認定を前提とするものであり、第1審の法令の解釈適用の誤りを是正した結果、有罪の判決を言い渡すこととなったときは、事実の取調べをすることなく有罪の自判をしても400条但書に違反しない旨判示している。

第402条　〔不利益変更の禁止〕〈同予〉

　被告人が控訴をし、又は被告人のため控訴をした事件については、原判決の刑より重い刑を言い渡すことはできない。

[趣旨] 402条が規定する不利益変更禁止の原則は、刑が重く変更されることを恐れて被告人が控訴を控えることがないように採用された政策的制度であり、上告審においても同様の規定がある（414）。

《注　釈》

一　不利益変更の禁止

　法は不利益変更の禁止を規定しているが、その趣旨は①被告人が安心して上訴できるようにとの政策的配慮と、②不服申立ての限度で裁判するという当事者主義の原理及び被告人救済の理念に基づくものである。

二　不利益変更禁止の対象

1　不利益変更禁止の対象事件

　直接には、控訴審、上告審が破棄・自判する場合（402、414）であるが、破棄差戻し・移送を受けた裁判所に関しても不利益変更禁止の原則が妥当する（名古屋高金沢支判昭28.6.25）。

2　「被告人が控訴をし、又は被告人のため控訴をした事件」

　被告人が控訴をした（351Ⅰ）、又は被告人のために控訴をした（353、355）事件をいう。

　cf.　検察官による控訴は、たとえその申立ての理由が被告人に利益なものであるときでも本条の適用はない（最判昭53.7.7）

3　「より重い刑」

　「より重い刑」といえるかについては、言い渡された主文の刑を、刑名等の形式のみによらず、具体的に全体として総合的に観察し、控訴審の判決の刑が、第1審の判決の刑よりも実質上被告人に不利益か否かで決すべきである（最決昭39.5.7・百選A53事件）。

　＊　「刑」とは、主刑及び付加刑（刑9）に限られず、労役場留置（最判昭26.10.16）、追徴、未決勾留日数の算入、刑の執行猶予（最大判昭26.8.1）、保

上訴

護観察（大阪高判昭33.7.10）を含むが、訴訟費用の負担については含まない（最判昭26.3.8）。

* 　原判決の刑より重い刑を言い渡すものでなければ、原判決よりも重い罪を認定することは許される。そのため、控訴審が原判決の認定した事実に誤認があるとして、それより不利益な事実を認定することも同条に反せず許される場合がある〈判〉。

▼ **最決平18.2.27・平19重判9事件**

事案：　「被告人を懲役1年6月及び罰金7000円に処する。その罰金を完納することができないときは金7000円を1日に換算した期間被告人を労役場に留置する」とする第1審判決に対し被告人のみが控訴したところ、控訴審は、「原判決を破棄する。被告人を懲役1年2月及び罰金1万円に処する。その罰金を完納することができないときは、金5000円を1日に換算した期間、被告人を労役場に留置する」との判決を言い渡した。被告人・弁護人は、検察官が控訴していないのに第1審より重く変更されたと主張した。

決旨：　「第1審判決と原判決の自判部分は、いずれも懲役刑と罰金刑を刑法48条1項によって併科したものであるが、原判決が刑訴法402条にいう『原判決の刑より重い刑』を言い渡したものであるかどうかを判断する上では、各判決の主文を全体として総合的に考慮するのが相当である」とした上で、本件を総合的に考慮すれば、実質上被告人に不利益とはいえず、「原判決の刑より重い刑」に当たらないとした。

第402条の2

Ⅰ　控訴裁判所は、禁錮以上の刑に当たる罪で起訴されている被告人であつて、保釈又は勾留の執行停止をされているものが判決を宣告する公判期日に出頭しないときは、次に掲げる判決以外の判決を宣告することができない。ただし、第390条の2ただし書に規定する場合であつて、刑の執行のためその者を収容するのに困難を生ずるおそれがないと認めるときは、この限りでない。

①　無罪、免訴、刑の免除、公訴棄却又は管轄違いの言渡しをした原判決に対する控訴を棄却する判決

②　事件を原裁判所に差し戻し、又は管轄裁判所に移送する判決

③　無罪、免訴、刑の免除又は公訴棄却の言渡しをする判決

Ⅱ　禁錮以上の刑に当たる罪で起訴されている被告人であつて、保釈又は勾留の執行停止を取り消されたものが勾留されていないときも、前項本文と同様とする。ただし、被告人が逃亡していることにより勾留することが困難であると見込まれる場合において、次に掲げる判決について、速やかに宣告する必要があると認めるときは、この限りでない。

上訴

> ① 公職選挙法（昭和25年法律第100号）第253条の2第1項に規定する刑
> 事事件について、有罪の言渡し（刑の免除の言渡しを除く。以下この号において
> 同じ。）をする判決又は有罪の言渡しをした原判決に対する控訴を棄却する判決
> ② 組織的犯罪処罰法第13条第3項の規定による犯罪被害財産の没収若しくは組
> 織的犯罪処罰法第16条第2項の規定による犯罪被害財産の価額の追徴の言渡し
> をする判決又はこれらの言渡しをした原判決に対する控訴を棄却する判決

第403条 〔公訴棄却の決定〕

Ⅰ　原裁判所が不法に公訴棄却の決定をしなかつたときは、決定で公訴を棄却しなけ
ればならない。

Ⅱ　第385条第2項の規定は、前項の決定についてこれを準用する。

第403条の2 〔控訴の制限〕

Ⅰ　即決裁判手続においてされた判決に対する控訴の申立ては、第384条の規定に
かかわらず、当該判決の言渡しにおいて示された罪となるべき事実について第38
2条に規定する事由があることを理由としては、これをすることができない。

Ⅱ　原裁判所が即決裁判手続によつて判決をした事件については、第397条第1項
の規定にかかわらず、控訴裁判所は、当該判決の言渡しにおいて示された罪となる
べき事実について第382条に規定する事由があることを理由としては、原判決を
破棄することができない。

第404条 〔準用規定〕

第2編＜本書における第4編＞中公判に関する規定は、この法律に特別の定のあ
る場合を除いては、控訴の審判についてこれを準用する。

・第3章・【上告】

《概 説》

一 上告の意義

上告とは、判決に対する最高裁判所への上訴をいう。

上告審も事後審であり、控訴審とは不服申立理由が異なるだけである。したが
って、控訴に関する規定は、法律に特別の定めのある場合を除いて、すべて上告
審に準用される（414、規266）。

二 機能

1 違憲審査機能

最高裁判所は違憲審査権を行使する終審裁判所である（憲81）。そして、憲
法違反は必ず取り上げることとされているので、上告審は違憲審査機能を有す

る。

2　法令の解釈統一機能

　最高裁判所は全国に唯一の最終審判所であり、法令解釈の統一という使命をもつ。すなわち、法令の解釈統一機能を有する。

3　具体的救済機能

　上告も通常の上訴の一環には違いがなく、当事者の具体的救済という機能も有する。

三　上告理由

　上告理由は、①憲法違反と②判例違反である。控訴の場合のように判決に対する影響を要件とはしていないが、「影響を及ぼさないことが明らか」であれば、原判決は破棄されない（410Ⅰただし書）。

1　憲法違反の場合

　憲法違反は、①憲法の違反があること（憲法の違反）と②憲法解釈に誤りがあること（憲法解釈の誤り）である。

　最高裁判所は、違憲審査権を行使する終審裁判所であるから（憲81）、上告審として憲法違反は必ず取り上げる（405①）。

2　判例違反の場合

　判例違反とは、①最高裁判所の判例と相反する判断をしたこと（405②）、②最高裁判所の判例がない場合に、大審院若しくは上告裁判所たる高等裁判所の判例又はこの法律施行後の控訴裁判所たる高等裁判所の判例と相反する判断をしたこと（405③）である。

　これは、法令の解釈の統一のために、特に解釈の食い違っている場合を上告理由としたもので、判例に法としての効力を認めたわけではないとされている。

四　上告審の手続

　上告審の審判には、特別の規定がある場合を除いて、控訴審の規定が準用される（414）。法律審であるため上告理由は限定されているものの、調査に際して必要があれば事実の取調べも可能である（414・393）共予。なお、第1審公判の規定の準用もありうる（404）。

　上告は、高等裁判所がした第1審又は第2審の判決に対してこれをすることができる（405）。上告は最高裁判所が裁判権をもつ（裁判所7①）共。

　上告をなすには、申立書を原裁判所に差し出さなければならない。

五　上告審の裁判

　上告審の結論としては、①上告棄却の決定（414・385、386）、②弁論を経ない上告棄却判決（408）、③上告棄却判決（414・395、396）、④原判決破棄～差戻し・移送・自判（410～413）、⑤公訴棄却決定（414・403）がある。

　また、上告裁判所は、その判決の内容に誤りがあることを発見したときは、検察官、被告人又は弁護人の申立てにより訂正の判決をすることができる（415以下）。

上訴

第405条 〔上告を許す判決・上告申立ての理由〕〈共 予〉

　高等裁判所がした第1審又は第2審の判決に対しては、左の事由があることを理由として上告の申立をすることができる。

① 憲法の違反があること又は憲法の解釈に誤があること。

② 最高裁判所の判例と相反する判断をしたこと。

③ 最高裁判所の判例がない場合に、大審院若しくは上告裁判所たる高等裁判所の判例又はこの法律施行後の控訴裁判所たる高等裁判所の判例と相反する判断をしたこと。

第406条 〔同前の特則〕

　最高裁判所は、前条の規定により上告をすることができる場合以外の場合であつても、法令の解釈に関する重要な事項を含むものと認められる事件については、その判決確定前に限り、裁判所の規則の定めるところにより、自ら上告審としてその事件を受理することができる。

第407条 〔上告趣意書〕

　上告趣意書には、裁判所の規則の定めるところにより、上告の申立の理由を明示しなければならない。

第408条 〔弁論を経ない上告棄却の判決〕

　上告裁判所は、上告趣意書その他の書類によつて、上告の申立の理由がないことが明らかであると認めるときは、弁論を経ないで、判決で上告を棄却することができる。

第409条 〔被告人の召喚不要〕

　上告審においては、公判期日に被告人を召喚することを要しない。

第410条 〔破棄の判決〕

Ⅰ　上告裁判所は、第405条各号に規定する事由があるときは、判決で原判決を破棄しなければならない。但し、判決に影響を及ぼさないことが明らかな場合は、この限りでない。

Ⅱ　第405条第2号又は第3号に規定する事由のみがある場合において、上告裁判所がその判例を変更して原判決を維持するのを相当とするときは、前項の規定は、これを適用しない〈共〉。

第411条 〔同前〕〈同〉

　上告裁判所は、第405条各号に規定する事由がない場合であつても、左の事由があつて原判決を破棄しなければ著しく正義に反すると認めるときは、判決で原判決を破棄することができる。

① 判決に影響を及ぼすべき法令の違反があること〈共〉。

② 刑の量定が甚しく不当であること。

③　判決に影響を及ぼすべき重大な事実の誤認があること〈ः〉。
④　再審の請求をすることができる場合にあたる事由があること。
⑤　判決があつた後に刑の廃止若しくは変更又は大赦があつたこと。

第412条 〔破棄移送〕

不法に管轄を認めたことを理由として原判決を破棄するときは、判決で事件を管轄控訴裁判所又は管轄第1審裁判所に移送しなければならない。

第413条 〔破棄差戻し・移送・自判〕

前条に規定する理由以外の理由によつて原判決を破棄するときは、判決で、事件を原裁判所若しくは第1審裁判所に差し戻し、又はこれらと同等の他の裁判所に移送しなければならない。但し、上告裁判所は、訴訟記録並びに原裁判所及び第1審裁判所において取り調べた証拠によつて、直ちに判決をすることができるものと認めるときは、被告事件について更に判決をすることができる。

第413条の2 〔上告審における破棄事由の制限〕

第1審裁判所が即決裁判手続によつて判決をした事件については、第411条の規定にかかわらず、上告裁判所は、当該判決の言渡しにおいて示された罪となるべき事実について同条第3号に規定する事由があることを理由としては、原判決を破棄することができない。

第414条 〔準用規定〕

前章の規定は、この法律に特別の定のある場合を除いては、上告の審判についてこれを準用する。

第415条 〔訂正の判決〕

Ⅰ　上告裁判所は、その判決の内容に誤のあることを発見したときは、検察官、被告人又は弁護人の申立により、判決でこれを訂正することができる。
Ⅱ　前項の申立は、判決の宣告があつた日から10日以内にこれをしなければならない。
Ⅲ　上告裁判所は、適当と認めるときは、第1項に規定する者の申立により、前項の期間を延長することができる。

第416条 〔同前〕

訂正の判決は、弁論を経ないでもこれをすることができる。

第417条 〔同前〕

Ⅰ　上告裁判所は、訂正の判決をしないときは、速やかに決定で申立を棄却しなければならない。
Ⅱ　訂正の判決に対しては、第415条第1項の申立をすることはできない。

第418条　〔上告判決の確定〕

上告裁判所の判決は、宣告があつた日から第415条の期間を経過したとき、又はその期間内に同条第1項の申立があつた場合には訂正の判決若しくは申立を棄却する決定があつたときに、確定する。

[趣旨] 406条は、上告理由が3つに限定されていることから生じる弊害を回避し、法令解釈の統一を図るため最高裁の裁量による事件処理を認めるもので、①最高裁への事件移送、②跳躍上告、③事件受理の申立てが規則に規定されている（規257～264）。409条は、上告審が控訴審より、一層法律審としての色彩が強いことを考慮して、公判期日に被告人の出頭させる必要がないことを規定したものである。

▼　**刑の一部執行猶予に関する規定の新設と411条5号の「刑の変更」（最決平28.7.27・平28重判5事件）**

「刑の一部の執行猶予に関する各規定（刑法27条の2ないし27条の7）の新設は、被告人の再犯防止と改善更生を図るため、宣告刑の一部についてその執行を猶予するという新たな選択肢を裁判所に与える趣旨と解され、特定の犯罪に対して科される刑の種類又は量を変更するものではない。そうすると、刑の一部の執行猶予に関する前記各規定の新設は、刑訴法411条5号にいう『刑の変更』に当たらないというべきである」。

・第4章・【抗告】

《概　説》

刑訴法第3編第4章においては（419～434）、判決以外の裁判所の裁判及び検察官等のした一定の処分に対する不服申立て、すなわち①抗告、②抗告に代わる異議の申立て、③準抗告について規定する。

一　抗告の意義

抗告とは、裁判所のした決定に対する不服申立て（上訴）をいう。

この抗告には、①高等裁判所に対してする一般抗告と、②最高裁判所に対してする特別抗告とがある。また、裁判官の命令又は捜査機関の処分に対してする不服申立てとしては準抗告がある。

これらは形式的には上訴に分類されるが、実質的機能には差異がある。

▼　**最決平18.4.24・平18重判6事件**

抗告については、控訴に関する刑訴法375条に相応する規定がなく、即時抗告の申立てを受理した裁判所が、同条を類推適用してその申立てを自ら棄却することはできない。

二 一般抗告

一般抗告とは、裁判所の決定に対する不服申立方法である。一般抗告には通常抗告と即時抗告の2種類がある。

1 通常抗告

通常抗告は、裁判所のした決定に対してこれをすることができる。ただし、①法律に特別の定めがある場合（419ただし書）、②裁判所の管轄又は訴訟手続に関し判決前にした決定に対しては（420Ⅰ）、抗告をすることができない。

もっとも、勾留、保釈、押収又は押収物の還付に関する決定及び鑑定のためにする留置に関する決定については、抗告できる（420Ⅱ）。

一般抗告は、裁判の執行を停止する効力を有しない（424Ⅰ）。ただし、裁判所は決定で抗告の裁判があるまで、執行を停止することができる（424Ⅰただし書）。

抗告の申立書の提出先は原裁判所であるが（423Ⅰ）、管轄裁判所は高等裁判所となる（裁判所16②）〈国〉。

2 即時抗告

即時抗告は、裁判所の決定に対し、法律に特別の定めがある場合にすることができる（419）〈予〉。

即時抗告の提起期間内及びその申立てがあったときは、裁判の執行は停止される（425）。

抗告に理由があるときは、決定で原決定を取り消し、必要がある場合にはさらに裁判をしなければならない（426Ⅱ）。

三 抗告審の審査方法

判例（最決平26.11.18・百選A54事件）は、裁量保釈（90）の判断に対する抗告審の審査方法について、「抗告審は、原決定の当否を事後的に審査するものであり、被告人を保釈するかどうかの判断が現に審理を担当している裁判所の裁量に委ねられていること（刑訴法90条）に鑑みれば、抗告審としては、受訴裁判所の判断が、委ねられた裁量の範囲を逸脱していないかどうか、すなわち、不合理でないかどうかを審査すべきであり、受訴裁判所の判断を覆す場合には、その判断が不合理であることを具体的に示す必要がある」としている。

第419条 〔一般抗告を許す決定〕〈供〉

抗告は、特に即時抗告をすることができる旨の規定がある場合の外、裁判所のした決定に対してこれをすることができる。但し、この法律に特別の定のある場合は、この限りでない。

第420条 〔判決前の決定に対する抗告〕〈国〉

Ⅰ 裁判所の管轄又は訴訟手続に関し判決前にした決定に対しては、この法律に特に即時抗告をすることができる旨の規定がある場合を除いては、抗告をすることはできない〈国予〉。

Ⅱ　前項の規定は、勾留、保釈、押収又は押収物の還付に関する決定及び鑑定のために
する留置に関する決定については、これを適用しない〈同予〉。

Ⅲ　勾留に対しては、前項の規定にかかわらず、犯罪の嫌疑がないことを理由として
抗告をすることはできない〈同〉。

第421条 〔通常抗告の時期〕

抗告は、即時抗告を除いては、何時でもこれをすることができる。但し、原決定を
取り消しても実益がないようになつたときは、この限りでない。

第422条 〔即時抗告の提起期間〕

即時抗告の提起期間は、3日とする。

第423条 〔抗告の手続〕

Ⅰ　抗告をするには、申立書を原裁判所に差し出さなければならない。

Ⅱ　原裁判所は、抗告を理由があるものと認めるときは、決定を更正しなければなら
ない。抗告の全部又は一部を理由がないと認めるときは、申立書を受け取つた日か
ら3日以内に意見書を添えて、これを抗告裁判所に送付しなければならない。

第424条 〔通常抗告と執行停止〕

Ⅰ　抗告は、即時抗告を除いては、裁判の執行を停止する効力を有しない。但し、原
裁判所は、決定で、抗告の裁判があるまで執行を停止することができる。

Ⅱ　抗告裁判所は、決定で裁判の執行を停止することができる。

第425条 〔即時抗告の執行停止の効力〕

即時抗告の提起期間内及びその申立があつたときは、裁判の執行は、停止される。

第426条 〔抗告に対する決定〕

Ⅰ　抗告の手続がその規定に違反したとき、又は抗告が理由のないときは、決定で抗
告を棄却しなければならない。

Ⅱ　抗告が理由のあるときは、決定で原決定を取り消し、必要がある場合には、更に
裁判をしなければならない。

第427条 〔再抗告の禁止〕

抗告裁判所の決定に対しては、抗告をすることはできない。

第428条 〔高等裁判所の決定に対する抗告の禁止、抗告に代わる異議申立て〕

Ⅰ　高等裁判所の決定に対しては、抗告をすることはできない。

Ⅱ　即時抗告をすることができる旨の規定がある決定並びに第419条及び第420
条の規定により抗告をすることができる決定で高等裁判所がしたものに対しては、
その高等裁判所に異議の申立をすることができる。

Ⅲ　前項の異議の申立に関しては、抗告に関する規定を準用する。即時抗告をすることができる旨の規定がある決定に対する異議の申立に関しては、即時抗告に関する規定をも準用する。

《注　釈》

一　抗告に代わる異議

最高裁判所の負担軽減の観点より高等裁判所の決定に対する抗告が認められていないこと（428Ⅰ）から定められた、高等裁判所の決定に対する異議申立ての制度である（428Ⅱ）。

二　抗告に代わる異議の手続

抗告に代わる異議の制度は、上級裁判所による審査を認めない点を除けば一般抗告等と変わらないので、その手続については一般抗告の規定が準用される（428Ⅲ前段）。

また、本来即時抗告ができるような決定に対して抗告に代わる異議の申立てを行う場合には、即時抗告の規定が準用される（428Ⅲ後段）。

その他、明文で異議の申立てが認められる場合がある（188の5Ⅲ、385Ⅱ、386Ⅱ、403Ⅱ）。

三　最高裁判所に対する抗告に代わる異議申立ての可否

判例は、裁判官忌避申立却下決定について、抗告に代わる異議申立てを否定している（最大決昭30.12.23）。

これに対し、上告棄却決定については、抗告に代わる異議申立てを認める（最大決昭30.2.23）。

判例においてこのような違いがあるのは、上告棄却決定については386条2項の準用があるのに対して、裁判官忌避申立却下決定には異議申立てを許す規定がないことによる。

第429条　〔準抗告〕《同共予》

Ⅰ　裁判官が次に掲げる裁判をした場合において、不服がある者は、簡易裁判所の裁判官がした裁判に対しては管轄地方裁判所に、その他の裁判官がした裁判に対してはその裁判官所属の裁判所にその裁判の取消し又は変更を請求することができる。

① 　忌避の申立てを却下する裁判
② 　勾留、保釈、押収又は押収物の還付に関する裁判《予》
③ 　鑑定のため留置を命ずる裁判
④ 　証人、鑑定人、通訳人又は翻訳人に対して過料又は費用の賠償を命ずる裁判
⑤ 　身体の検査を受ける者に対して過料又は費用の賠償を命ずる裁判

Ⅱ　第420条第3項＜勾留に対する犯罪の嫌疑がないことを理由とする抗告の禁止＞の規定は、前項の請求についてこれを準用する。

Ⅲ　第２０７条の２第２項（第２２４条第３項において読み替えて準用する場合を含む。）の規定による措置に関する裁判に対しては、当該措置に係る者が第２０１条の２第１項第１号又は第２号に掲げる者に該当しないことを理由として第１項の請求をすることができない。

Ⅳ　第１項の請求を受けた地方裁判所又は家庭裁判所は、合議体で決定をしなければならない。

Ⅴ　第１項第４号又は第５号の裁判の取消し又は変更の請求は、その裁判のあつた日から３日以内にしなければならない。

Ⅵ　前項の請求期間内及びその請求があつたときは、裁判の執行は、停止される。

［趣旨］本条は、裁判官が独立でした裁判（命令）に対する不服申立制度を定めたものであり、この不服申立ては、一般に準抗告と呼ばれている。

《注　釈》

一　準抗告

準抗告とは、裁判（命令）・処分の取消し・変更を求める不服申立てをいい、その事項は法定されている（429、430）。

この中で裁判官の命令に対する不服申立てとしての準抗告が、上訴に準ずる性格を有する。

また、検察官等の処分に対する不服申立てとしての準抗告には、捜査の適正化確保という役割も期待されている。

準抗告の申立権者である「不服がある者」（429Ⅰ柱書）には、被疑者・被告人のほか、弁護人も含まれる（355参照）〈子〉。

二　準抗告の対象

1　裁判官の命令に対する不服申立てとしての準抗告（429）〈子〉

準抗告を申し立てることのできる裁判は、裁判官のした、①忌避の申立を却下する裁判、②勾留・保釈・押収・押収物の還付に関する裁判、③鑑定留置に関する裁判、④証人・鑑定人等に対し過料・費用賠償を命ずる裁判、⑤身体検査を受ける者に対し過料・費用賠償を命ずる裁判、である。

2　検察官、検察事務官、司法警察職員の処分に対する不服申立てとしての準抗告（430）

準抗告を申し立てることのできる裁判は、検察官・検察事務官・司法警察職員のした、①39条３項（接見指定）の弁護人と被疑者との接見等の日時・場所・時間の指定〈司子〉、②押収・押収物の還付に関する処分〈子〉、である。

第430条 〔同前〕

Ⅰ　検察官又は検察事務官のした第39条第3項の処分又は押収若しくは押収物の還付に関する処分に不服がある者は、その検察官又は検察事務官が所属する検察庁の対応する裁判所にその処分の取消又は変更を請求することができる◀57◀。

Ⅱ　司法警察職員のした前項の処分に不服がある者は、司法警察職員の職務執行地を管轄する地方裁判所又は簡易裁判所にその処分の取消又は変更を請求することができる。

Ⅲ　前2項の請求については、行政事件訴訟に関する法令の規定は、これを適用しない。

第431条 〔準抗告の手続〕

前2条の請求をするには、請求書を管轄裁判所に差し出さなければならない。

第432条 〔同前〕

第424条、第426条及び第427条＜通常抗告と執行停止、抗告に対する決定、再抗告の禁止＞の規定は、第429条及び第430条の請求があつた場合にこれを準用する。

第433条 〔特別抗告〕

Ⅰ　この法律により不服を申し立てることができない決定又は命令に対しては、第405条に規定する事由があることを理由とする場合に限り、最高裁判所に特に抗告をすることができる。

Ⅱ　前項の抗告の提起期間は、5日とする。

第434条 〔同前〕

第423条、第424条及び第426条＜抗告の手続、通常抗告と執行停止、抗告に対する決定＞の規定は、この法律に特別の定のある場合を除いては、前条第1項の抗告についてこれを準用する。

《注　釈》

一　特別抗告

法律上不服を申し立てることができない決定又は命令に対して、405条に規定する事由（憲法違反又は判例違反があること）を理由とする場合に限り最高裁判所に特に抗告することができる（433Ⅰ）。

二　特別抗告の手続

1　対象

(1)　特別抗告は、「法律により不服を申し立てることができない決定又は命令」が対象と規定されていることから、抗告又は抗告に代わる異議の申立ての対象とならない裁判官の命令、抗告裁判所又は準抗告裁判所の決定、抗告に代

わる異議申立ての決定、準抗告をなしえない決定等がその対象となる。

　なお、抗告期間を徒過し、もはや抗告ができなくなった場合にはこれに当たらない。

(2)　判決前にした決定（420）については、上訴で争うことができることから特別抗告の対象となるかが問題となるが、原則としてこれは否定される。しかし、判例では証拠受理に対する異議申立ての却下決定について（最決昭24.9.7）、証拠開示命令に対する異議申立ての棄却決定について（最決昭34.12.26）など、早急に重要問題を解決する必要性が高い場合に認められることがある。

(3)　勾留理由開示（82〜86）に対する特別抗告の申立ては不適法である（最決令5.5.8・令5重判6事件）。

　∵　勾留理由の開示は、公開の法廷で裁判官が勾留の理由を告げることであるから、433条1項にいう「決定又は命令」に当たらない

2　提起期間

　5日間（433Ⅱ）

3　その他の手続・効果

　通常抗告に関する規定が準用される（434）

　申立てにおける書面主義等（423）

　執行停止の効力なし（424Ⅰ）

 ＜抗告の種類＞

		抗告審	提訴期間	執行停止の効力
一般抗告	通常抗告	高裁	いつでも（421本文）	当然には執行停止されない（424）
	即時抗告	高裁	3日（422）	当然に執行停止（425）
	特別抗告	最高裁	5日（433Ⅱ）	当然には執行停止されない（434、424）
準抗告	裁判官がした裁判	当該裁判官所属の裁判所（簡裁裁判官の場合は管轄地裁）	いつでも 例外として3日（429Ⅴ）	当然には執行停止されない（432、424） 過料又は費用の賠償を命ずる裁判（429Ⅰ④⑤）の場合は当然に執行停止（429Ⅵ）
	捜査機関がした処分	管轄する地裁又は簡裁	いつでも	当然には執行停止されない（432、424）

第10編　非常手続

・第１章・【再審】

第435条 〔再審のできる判決・再審の理由〕◁圖

　再審の請求は、左の場合において、有罪の言渡をした確定判決に対して、その言渡を受けた者の利益のために、これをすることができる◁珂。

① 原判決の証拠となつた証拠書類又は証拠物が確定判決により偽造又は変造であつたことが証明されたとき。

② 原判決の証拠となつた証言、鑑定、通訳又は翻訳が確定判決により虚偽であつたことが証明されたとき。

③ 有罪の言渡を受けた者を誣告した罪が確定判決により証明されたとき。但し、誣告により有罪の言渡を受けたときに限る。

④ 原判決の証拠となつた裁判が確定裁判により変更されたとき。

⑤ 特許権、実用新案権、意匠権又は商標権を害した罪により有罪の言渡をした事件について、その権利の無効の審決が確定したとき、又は無効の判決があつたとき。

⑥ 有罪の言渡を受けた者に対して無罪若しくは免訴を言い渡し、刑の言渡を受けた者に対して刑の免除を言い渡し、又は原判決において認めた罪より軽い罪を認めるべき明らかな証拠をあらたに発見したとき。

⑦ 原判決に関与した裁判官、原判決の証拠となつた証拠書類の作成に関与した裁判官又は原判決の証拠となつた書面を作成し若しくは供述をした検察官、検察事務官若しくは司法警察職員が被告事件について職務に関する罪を犯したことが確定判決により証明されたとき。但し、原判決をする前に裁判官、検察官、検察事務官又は司法警察職員に対して公訴の提起があつた場合には、原判決をした裁判所がその事実を知らなかつたときに限る。

第436条 〔同前〕

Ⅰ 再審の請求は、左の場合において、控訴又は上告を棄却した確定判決に対して、その言渡を受けた者の利益のために、これをすることができる。

① 前条第１号又は第２号に規定する事由があるとき。

② 原判決又はその証拠となつた証拠書類の作成に関与した裁判官について前条第７号に規定する事由があるとき。

Ⅱ 第１審の確定判決に対して再審の請求をした事件について再審の判決があつた後は、控訴棄却の判決に対しては、再審の請求をすることはできない。

非常手続

Ⅲ　第1審又は第2審の確定判決に対して再審の請求をした事件について再審の判決があつた後は、上告棄却の判決に対しては、再審の請求をすることはできない。

［趣旨］再審は事実認定の誤りを是正する非常救済手続であり、冤罪者の救済のため有罪確定判決の効力を覆すものであって、未確定裁判の救済制度たる上訴とは性質を異にする。旧法では被告人に不利益な再審も認められていたが、現行法は、二重の危険（憲39後段）の趣旨に基づいて、被告人に利益な再審のみを許容している。

《注　釈》

一　はじめに

1　意義

　再審は、事実認定の不当を理由として確定判決に対してなす非常救済手続である。現行法は、憲法39条の精神から、被告人に利益な再審のみを認め、不利益再審は認めていない。

　再審は、2つの段階から構成されており、まず、再審請求の理由があるかどうかが審査され、理由があると判断されると再審開始決定がなされる（第1段階、再審請求手続）。次に、開始決定が確定すると、その審級に従って公判が開かれ、最終判断が下されることになる（第2段階、再審公判）。

2　請求権者

　再審の請求権者は、①検察官、②有罪の言渡しを受けた者、③有罪の言渡しを受けた者の法定代理人及び保佐人、④有罪の言渡しを受けた者が死亡し又は心神喪失の状態にある場合には、その配偶者、直系の親族及び兄弟姉妹である（439Ⅰ各号）。

二　再審理由

1　分類

　有罪言渡しをした確定判決に対する再審請求の理由には、大きく分けて3つある。

　①　原判決の証拠が偽造又は虚偽であった場合（435①〜⑤）

　②　関与裁判官等の職務犯罪があった場合（435⑦）

　③　新証拠を発見した場合（435⑥）

　再審理由中特に問題となるのは、無罪を言い渡すべき「明らかな証拠をあらたに発見したとき」の意義、すなわち、「証拠の新規性」と「証拠の明白性」である。

2　証拠の新規性

　判例（最決昭29.10.19）は、身代わり犯人からの再審請求を認めなかったため、証拠を「あらたに」発見したとき（435⑥）とは、請求人にとって「あらた」すなわち、判決確定後に発見したものであることを要するとする説を採用

したと解されている。

3　証拠の明白性

(1)　明白性の程度

→無罪を言い渡すべき明らかな証拠かどうかについても「疑わしきは被告人の利益に」の原則が適用される（判例、多数説）圖

∵　もともと裁判所は、犯罪の存在について合理的疑いが排除できなければ、無罪を言い渡さなければならない。したがって、「無罪を言い渡すべき証拠」とは、有罪認定に対して合理的疑いを生じさせる証拠という意味に解するのが自然である

(2)　明白性の判断方法

→総合評価説（判例、多数説）

新証拠と旧証拠とを総合的に評価して確定判決の事実認定の当否を判断すべきである

∵　そもそも証拠というものは相互に有機的に関連し合って事実認定を支えており、個別評価になじまない

▼　白鳥決定（最決昭50.5.20・百選A55事件）圖

「同法435条6号にいう『無罪を言い渡すべき明らかな証拠』とは、確定判決における事実認定につき合理的な疑いをいだかせ、その認定を覆すに足りる蓋然性のある証拠をいうものと解すべきであるが、右の明らかな証拠であるかどうかは、もし当の証拠が確定判決を下した裁判所の審理中に提出されていたとするならば、はたしてその確定判決においてなされたような事実認定に到達したであろうかどうかという観点から、当の証拠と他の全証拠とを総合的に評価して判断すべきであり、この判断に際しても、再審開始のためには確定判決における事実認定につき合理的な疑いを生ぜしめれば足りるという意味において、『疑わしいときは被告人の利益に』という刑事裁判における鉄則が適用されるものと解すべきである」とした。

▼　財田川事件（最決昭51.10.12・百選A56事件）

「疑わしいときは被告人の利益に」の原則を「具体的に適用するにあたっては、確定判決が認定した犯罪事実の不存在が確実であるとの心証を得ることを必要とするものではなく、確定判決における事実認定の正当性についての疑いが合理的な理由に基づくものであることを必要とし、かつ、これをもって足りる」。

▼　最判平 10.10.27・平 10 重判 8 事件

「確定判決において科刑上一罪と認定されたうちの一部の罪について無罪とすべき明らかな証拠を新たに発見した場合は、その罪が最も重い罪ではないときであっても、……刑訴法 435 条 6 号の再審事由にあたると解する」。

「放火の方法のような犯行の態様に関し、詳しく認定判示されたところの一部について新たな証拠等により事実誤認のあることが判明したとしても、そのことによりさらに進んで罪となるべき事実の存在そのものに合理的な疑いを生じさせるに至らない限り、刑訴法 435 条 6 号の再審事由に該当するということはできない」。刑訴法 435 条 6 号の再審事由の存否を判断するに際しては、「新証拠とその立証命題に関連する他の全証拠とを総合的に評価し」、「その総合的評価をするにあたって……確定判決が挙示しなかったとしても、その審理中に提出されていた証拠、さらには再審請求後の審理において新たに得られた他の証拠をその検討の対象にすることができる」。

(3)　新旧両証拠の総合評価の対象

→ 435 条 6 号による新旧両証拠の総合評価の対象は、実質証拠に限定され、補助証拠は対象外となる（札幌高決平 28.10.26・平 29 重判 5 事件）

▼　札幌高決平 28.10.26・平 29 重判 5 事件

事案：　　再審請求人（以下「請求人」という。）は拳銃加重所持罪で起訴され、有罪の確定判決が言い渡された。その後、請求人が請求した再審に関し、本件で警察官により違法なおとり捜査が行われたことが明らかとなった。原裁判所は、それらの捜査によって収集され、確定判決の依拠した関係証拠の証拠能力が否定されることとなるため、公訴事実について請求人のした自白を補強すべき証拠がなく、刑事訴訟法 319 条 2 項により犯罪の証明がないことになるとして、本件が刑事訴訟法 435 条 6 号に該当すると判断して再審を開始する旨を決定した。これに対し、検察官が即時抗告した。

決旨：　　「刑訴法 435 条 6 号の運用は、同条 1 号や 7 号等との権衡を考えて同条全体の総合的理解の上に立って行われるべきであ」り、6 号と「その余の再審事由に関する規定が内容的に大きく相違することなどに鑑みると、同条 6 号の再審事由は、確定判決の形式的又は手続的な瑕疵を問題とするその余の再審事由と異なり、確定判決における犯罪事実の認定自体の実体的な瑕疵が問題になる場合が想定されているものと解される。換言すると、本件のように、新証拠によって不公正な捜査が行われた疑念が生じ、その結果として、確定判決の犯罪事実の認定に供された証拠の証拠能力の判断に影響の生じることが判明するなど、訴訟法上の事実の認定の瑕疵につながる新証拠が、同号所定の証拠として想定されてい

ると解することは困難というべきである」として、435条6号に該当しないと判断した。

第437条 〔確定判決に代わる証明〕

前2条の規定に従い、確定判決により犯罪が証明されたことを再審の請求の理由とすべき場合において、その確定判決を得ることができないときは、その事実を証明して再審の請求をすることができる。但し、証拠がないという理由によつて確定判決を得ることができないときは、この限りでない。

第438条 〔管轄〕

再審の請求は、原判決をした裁判所がこれを管轄する。

第439条 〔再審請求権者〕

Ⅰ 再審の請求は、左の者がこれをすることができる。

① 検察官〈同予〉

② 有罪の言渡を受けた者

③ 有罪の言渡を受けた者の法定代理人及び保佐人

④ 有罪の言渡を受けた者が死亡し、又は心神喪失の状態に在る場合には、その配偶者、直系の親族及び兄弟姉妹〈予〉

Ⅱ 第435条第7号又は第436条第1項第2号に規定する事由による再審の請求は、有罪の言渡を受けた者がその罪を犯させた場合には、検察官でなければこれをすることができない。

第440条 〔弁護人選任〕

Ⅰ 検察官以外の者は、再審の請求をする場合には、弁護人を選任することができる〈予〉。

Ⅱ 前項の規定による弁護人の選任は、再審の判決があるまでその効力を有する。

第441条 〔再審請求の時期〕〈同〉

再審の請求は、刑の執行が終り、又はその執行を受けることがないようになつたときでも、これをすることができる。

第442条 〔執行停止の効力〕

再審の請求は、刑の執行を停止する効力を有しない。但し、管轄裁判所に対応する検察庁の検察官は、再審の請求についての裁判があるまで刑の執行を停止することができる。

第443条 〔再審請求の取下げ〕

Ⅰ 再審の請求は、これを取り下げることができる。

Ⅱ 再審の請求を取り下げた者は、同一の理由によつては、更に再審の請求をすることができない。

第444条 〔刑事施設にいる被告人に関する特則〕

第366条の規定は、再審の請求及びその取下についてこれを準用する。

第445条 〔事実の取調べ〕

再審の請求を受けた裁判所は、必要があるときは、合議体の構成員に再審の請求の理由について、事実の取調をさせ、又は地方裁判所、家庭裁判所若しくは簡易裁判所の裁判官にこれを嘱託することができる。この場合には、受命裁判官及び受託裁判官は、裁判所又は裁判長と同一の権限を有する。

第446条 〔請求棄却の決定〕

再審の請求が法令上の方式に違反し、又は請求権の消滅後にされたものであるときは、決定でこれを棄却しなければならない。

第447条 〔同前〕

Ⅰ 再審の請求が理由のないときは、決定でこれを棄却しなければならない。

Ⅱ 前項の決定があつたときは、何人も、同一の理由によつては、更に再審の請求をすることはできない。

第448条 〔再審開始の決定〕〈同予〉

Ⅰ 再審の請求が理由のあるときは、再審開始の決定をしなければならない。

Ⅱ 再審開始の決定をしたときは、決定で刑の執行を停止することができる。

第449条 〔請求の競合と請求棄却の決定〕

Ⅰ 控訴を棄却した確定判決とその判決によつて確定した第1審の判決とに対して再審の請求があつた場合において、第1審裁判所が再審の判決をしたときは、控訴裁判所は、決定で再審の請求を棄却しなければならない。

Ⅱ 第1審又は第2審の判決に対する上告を棄却した判決とその判決によつて確定した第1審又は第2審の判決とに対して再審の請求があつた場合において、第1審裁判所又は控訴裁判所が再審の判決をしたときは、上告裁判所は、決定で再審の請求を棄却しなければならない。

第450条 〔即時抗告〕

第446条、第447条第1項、第448条第1項又は前条第1項の決定に対しては、即時抗告をすることができる。

[趣旨] 全体としての再審手続は、①再審請求と②再審公判の2段階からなり、①は再審公判の前に再審理由の欠ける事件をふるい落とすことを目的とする手続であるが、これは再審請求によって当然に公判を再開したのでは、再審理由を限定した意味がなくなることに基づく。

《注　釈》

◆ 請求手続

1　はじめに

再審請求手続は、再審の第1段階として位置付けられており、再審を開始する理由があるか否かを判断するための手続である。そして、理由があると判断された場合に初めて再審開始の決定がなされる。

再審の請求をするためには、その趣意書に原判決の謄本、証拠書類及び証拠物を添えて、これを管轄裁判所（438）に差し出さなければならない（規283）。

2　再審請求の審理

再審請求を受けた裁判所は、差し出された資料の審査をするとともに、請求人と相手方の意見を聴いて裁判をする（規286）。その際、必要があるときには事実の取調べ（445）をすることができる。

以上のような手続に基づいて、再審請求を受けた裁判所は再審請求に理由があるか否か（435、436）を審査することとなる。

3　再審請求の効果

(1)　請求棄却の決定

再審請求が法令上の方式に違反し、又は請求権の消滅後になされた場合には、裁判所は決定で棄却する（446）。また、請求に理由がない場合にも、決定で棄却される（447Ⅰ）。理由がないことによる棄却決定に対しては、同一理由による再審請求はなしえない（447Ⅱ）。

＊　「同一の理由」とは、同一の証拠・資料に基づくことをいい、新たな証拠が発見されそれに基づく場合にはこれには当たらない。

(2)　再審開始の決定

再審の請求に理由がある場合には、裁判所は再審開始の決定をしなければならない（448Ⅰ）。この決定により、次の再審公判に移行する。

＊　再審決定をした場合、裁判所は決定で刑の執行停止をすることができる（448Ⅱ）。もっとも、裁判所が執行停止決定をしなければ刑の執行は停止されない以上、再審開始の決定が確定したとしても、なお再審の請求の対象となった確定判決の効力は失われないものと解されている予。

＜再審請求手続の全体像＞

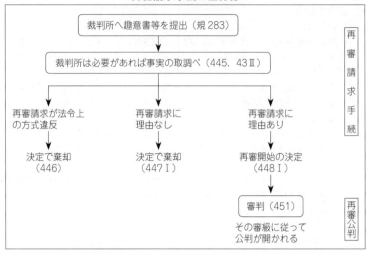

第451条　〔再審の審判〕

Ⅰ　裁判所は、再審開始の決定が確定した事件については、第449条の場合を除いては、その審級に従い、更に審判をしなければならない。

Ⅱ　左の場合には、第314条第1項本文＜心神喪失の場合の公判手続停止＞及び第339条第1項第4号＜被告人の死亡又は被告法人が存続しなくなったときの控訴棄却の決定＞の規定は、前項の審判にこれを適用しない。

①　死亡者又は回復の見込がない心神喪失者のために再審の請求がされたとき。

②　有罪の言渡を受けた者が、再審の判決がある前に、死亡し、又は心神喪失の状態に陥りその回復の見込がないとき。

Ⅲ　前項の場合には、被告人の出頭がなくても、審判をすることができる。但し、弁護人が出頭しなければ開廷することはできない。

Ⅳ　第2項の場合において、再審の請求をした者が弁護人を選任しないときは、裁判長は、職権で弁護人を附しなければならない。

第452条　〔不利益変更の禁止〕

再審においては、原判決の刑より重い刑を言い渡すことはできない。

第453条　〔無罪判決の公示〕

再審において無罪の言渡をしたときは、官報及び新聞紙に掲載して、その判決を公示しなければならない。

非常手続

【趣旨】451 条は再審公判に関する規定であり、再審開始決定があると、「その審級に従い、更に審判」、すなわち再審請求の対象が 1 審判決であれば第 1 審として、控訴審判決であれば控訴審として公判審理と裁判が行われる。

《注　釈》

一　はじめに

　　再審開始決定がなされた場合、その審級に従いさらに審判をすることになる（451Ⅰ）。これが再審の第 2 の手続である再審公判である。

二　再審公判の手続

　　「その審級に従い」（451Ⅰ）とは、再審の対象となった判決を言い渡した審級の手続によることを指す。原則として、通常の公判と同様の手続で行われ、再審に不服があれば上訴することもできる。免訴に関する規定の適用も排除されない（最判平 20.3.14・平 20 重判 6 事件）。もっとも、裁判官の予断排除のための起訴状一本主義の適用の余地がないなど、通常の公判手続とは異なるところがある。

▼　**最判平 20.3.14・平 20 重判 6 事件**

　　　再審開始決定が確定した後の事件の審判手続は、原則として通常の刑事事件における審判手続によるべきなので、免訴に関する規定の適用も排除されない。同様に、通常の手続と同じく、免訴判決に対し被告人が無罪を主張して上訴することもできない。

三　再審の裁判の確定の効果

　　再審の裁判の確定により当然に前審の判決は効力を失う。無罪判決が出た場合は、誤って有罪判決を受けた者の名誉回復のために、官報及び新聞紙に公示しなければならない（453）。さらに、その場合には刑事補償等の対象となる（刑補 1Ⅱ・2、法 188 の 2・188 の 6）。

・第 2 章・【非常上告】

第454条 〔非常上告理由〕

　　検事総長は、判決が確定した後その事件の審判が法令に違反したことを発見したときは、最高裁判所に非常上告をすることができる。

第455条 〔申立ての方式〕

　　非常上告をするには、その理由を記載した申立書を最高裁判所に差し出さなければならない。

第456条 〔公判期日〕

　　公判期日には、検察官は、申立書に基いて陳述をしなければならない。

第４５７条　〔棄却の判決〕

非常上告が理由のないときは、判決でこれを棄却しなければならない。

第４５８条　〔破棄の判決〕

非常上告が理由のあるときは、左の区別に従い、判決をしなければならない。

①　原判決が法令に違反したときは、その違反した部分を破棄する。但し、原判決が被告人のため不利益であるときは、これを破棄して、被告事件について更に判決をする。

②　訴訟手続が法令に違反したときは、その違反した手続を破棄する。

第４５９条　〔判決の効力〕

非常上告の判決は、前条第１号但書の規定によりされたものを除いては、その効力を被告人に及ぼさない。

第４６０条　〔調査範囲、事実の取調べ〕

Ⅰ　裁判所は、申立書に包含された事項に限り、調査をしなければならない。

Ⅱ　裁判所は、裁判所の管轄、公訴の受理及び訴訟手続に関しては、事実の取調をすることができる。この場合には、第３９３条第３項の規定を準用する。

《注　釈》

一　はじめに

　　非常上告とは、判決の確定後、その判決に法令違反があることが判明した場合に、法令違反を理由としてその確定判決又は訴訟手続の破棄を請求することをいう。

　　確定判決であれば有罪判決に限られない点や事実認定の誤りではなく法令違反を理由とする非常救済手続である点で、再審と異なる。

二　非常上告の意義と機能

　　非常上告は、もっぱら法令解釈適用の統一を目的としており（最大判昭25.11.8）、被告人の権利救済は付随的・反射的な効果として認められるにとどまる（458①ただし書参照）。もっとも、被告人の具体的権利救済もまた非常上告の重要な任務であるとする見解も有力である。かかる見解からは、非常上告理由を広く解することとなる。

三　非常上告手続

1　非常上告理由

　　「事件の審判が法令に違反したこと」が非常上告理由となる（454）。判決の法令違反（実体法適用の誤り）と訴訟手続の法令違反の双方を含む。もっとも、前提事実を誤認したために法令違反になった場合に、その法令違反が非常上告理由となるかについては争いがある。

　　この点、実体法的事実・訴訟法的事実双方につき、非常上告理由となりえな

いと解するのが判例のほぼ一貫した立場である（実体法的事実につき最大判昭25.11.8、最判昭26.7.6。訴訟法的事実につき最判昭25.11.30、最判昭28.7.18）。

▼　**最大判昭27.4.23**

　　「非常上告は、法令の適用の誤りを正し、もつて、法令の解釈適用の統一を目的とするものであつて、個々の事件における事実認定の誤りを是正して被告人を救済することを目的とするものではない。されば、実体法たると手続法たるとを問わず、その法令の解釈に誤りがあるというのでなく、単にその法令適用の前提事実の誤りのため当然法令違反の結果を来す場合のごときは、法令の解釈適用を統一する目的に少しも役立たないから、刑訴454条にいわゆる『事件の審判が法令に違反したこと』に当たらないと解するのを相当とする。」

▼　**最判平22.7.22・平22重判8①②事件**

事案：　被告人が略式命令確定後に①出国して非常上告申立て時に再入国していない場合、②死亡している場合において、公訴提起の手続に違反があることを看過してなされた略式命令に対して検事総長は最高裁判所に非常上告をすることができるかが争われた。

判旨：①　「被告人は、原略式命令確定後に本邦を出国し非常上告申立て時に再入国していない……が、非常上告制度の目的等に照らすと、このような場合においても、検事総長は最高裁判所に非常上告をすることができる。」

　　　②　「被告人は、原略式命令確定後……に死亡している……が、非常上告制度の目的等に照らすと、このような場合においても、検事総長は最高裁判所に非常上告をすることができる。」

　＊　両判決ともに本件非常上告には理由があるとし、458条1号により原略式命令を破棄し、338条4号により公訴棄却判決をしている。

▼　**最判平23.12.9・平24重判7事件**

　　最高裁が共犯者に対して法律上犯罪行為に該当しないことを理由に無罪判決を下したため、既に有罪の確定した別の共犯者が非常上告を行ったという事案において、共犯者の事件と証拠が共通で、認定できる事実も全く同一であり、法の適用に関し別個に評価され得るような事情はなく、共犯者の行為が法律上犯罪行為に該当しないとすれば、被告人にも犯罪が成立しない関係にあるとして、非常上告に理由があると判示した。

非常手続

2　申立てと審理

　再審と異なり、申立ては検事総長だけに委ねられ、管轄裁判所は最高裁判所である（454）。

　申立てには、時期の制限はない。したがって、刑の時効の完成後や原判決の執行が終わった後であっても許される。

　公判期日には、検察官は、申立書に基づいて陳述をしなければならない（456）。裁判所は、この申立書に包含された事項に限り調査をしなければならない（460Ⅰ）。その他の事実については職権調査をすることはできない。

3　裁判

(1)　非常上告に理由がないとき

　　→判決で棄却（457）

(2)　非常上告に理由があるとき

　　①　原判決が法令に違反

　　　→違反した部分を破棄、原判決が被告人のために不利益であるときは、破棄した上で自判（458①）

　　②　訴訟手続が法令に違反

　　　→違反した手続を破棄（458②）

(3)　判決の効力

　　非常上告の判決は、458条1項ただし書の場合を除いて、その効力を被告人に及ぼさない（459）。なぜなら、非常上告は、法令の解釈適用の統一を本来の目的とするものだからである。

非常手続

第11編　略式手続

第461条 〔略式命令〕

　簡易裁判所は、検察官の請求により、その管轄に属する事件について、公判前、略式命令で、100万円以下の罰金又は科料を科することができる。この場合には、刑の執行猶予をし、没収を科し、その他付随の処分をすることができる《同子》。

第461条の2 〔略式手続についての説明と異議〕

Ⅰ　検察官は、略式命令の請求に際し、被疑者に対し、あらかじめ、略式手続を理解させるために必要な事項を説明し、通常の規定に従い審判を受けることができる旨を告げた上、略式手続によることについて異議がないかどうかを確めなければならない《同共》。

Ⅱ　被疑者は、略式手続によることについて異議がないときは、書面でその旨を明らかにしなければならない《同》。

第462条 〔略式命令の請求〕

Ⅰ　略式命令の請求は、公訴の提起と同時に、書面でこれをしなければならない《同》。

Ⅱ　前項の書面には、前条第2項の書面を添附しなければならない。

第462条の2 〔合意内容書面等の提出〕

Ⅰ　検察官は、略式命令の請求をする場合において、その事件について被告人との間でした第350条の2第1項の合意があるときは、当該請求と同時に、合意内容書面を裁判所に差し出さなければならない。

Ⅱ　前項の規定により合意内容書面を裁判所に差し出した後、裁判所が略式命令をする前に、当該合意の当事者が第350条の10第2項の規定により当該合意から離脱する旨の告知をしたときは、検察官は、遅滞なく、同項の書面をその裁判所に差し出さなければならない。

第463条 〔略式命令と通常の審判〕

Ⅰ　第462条の請求があつた場合において、その事件が略式命令をすることができないものであり、又はこれをすることが相当でないものであると思料するときは、通常の規定に従い、審判をしなければならない《同》。

Ⅱ　検察官が、第461条の2に定める手続をせず、又は第462条第2項に違反して略式命令を請求したときも、前項と同様である。

Ⅲ　裁判所は、前2項の規定により通常の規定に従い審判をするときは、直ちに検察官にその旨を通知しなければならない。

略式手続

Ⅳ　検察官は、前項の規定による通知を受けたときは、速やかに、裁判所に対し、被告人に送達するものとして、起訴状の謄本を提出しなければならない。

Ⅴ　第1項及び第2項の場合には、第271条及び第271条の2の規定の適用があるものとする。この場合において、第271条第1項中「公訴の提起」とあるのは「第463条第4項の規定による起訴状の謄本の提出」と、同条第2項中「公訴の提起が」とあるのは「第463条第3項の規定による通知が」と、第271条の2第2項中「公訴の提起において、裁判所に対し、起訴状とともに」とあるのは「第463条第3項の規定による通知を受けた後速やかに、裁判所に対し」とする。

Ⅵ　前項において読み替えて適用する第271条の2第2項の規定による起訴状抄本等の提出は、第338条（第4号に係る部分に限る。）の規定の適用については、公訴の提起においてされたものとみなす。

第463条の2　〔公訴提起の失効〕

Ⅰ　前条の場合を除いて、略式命令の請求があつた日から4箇月以内に略式命令が被告人に告知されないときは、公訴の提起は、さかのぼつてその効力を失う。

Ⅱ　前項の場合には、裁判所は、決定で、公訴を棄却しなければならない。略式命令が既に検察官に告知されているときは、略式命令を取り消した上、その決定をしなければならない。

Ⅲ　前項の決定に対しては、即時抗告をすることができる。

第464条　〔略式命令の方式〕

略式命令には、罪となるべき事実、適用した法令、科すべき刑及び附随の処分並びに略式命令の告知があつた日から14日以内に正式裁判の請求をすることができる旨を示さなければならない。

第465条　〔正式裁判の請求〕

Ⅰ　略式命令を受けた者又は検察官は、その告知を受けた日から14日以内に正式裁判の請求をすることができる〔回〕。

Ⅱ　正式裁判の請求は、略式命令をした裁判所に、書面でこれをしなければならない。正式裁判の請求があつたときは、裁判所は、速やかにその旨を検察官又は略式命令を受けた者に通知しなければならない。

第466条　〔正式裁判の請求の取下げ〕

正式裁判の請求は、第1審の判決があるまでこれを取り下げることができる。

第467条　〔上訴規定の準用〕

第353条、第355条乃至第357条、第359条、第360条及び第361条乃至第365条の規定は、正式裁判の請求又はその取下について準用する。

第468条 〔正式裁判請求の棄却、通常の審判〕

Ⅰ 正式裁判の請求が法令上の方式に違反し、又は請求権の消滅後にされたものであるときは、決定でこれを棄却しなければならない。この決定に対しては、即時抗告をすることができる。

Ⅱ 正式裁判の請求を適法とするときは、通常の規定に従い、審判をしなければならない。

Ⅲ 前項の場合においては、略式命令に拘束されない。

Ⅳ 検察官は、第2項の規定により通常の規定に従い審判をすることとされた場合において、起訴状に記載された第271条の2第1項第1号又は第2号に掲げる者の個人特定事項について、必要と認めるときは、裁判所に対し、当該個人特定事項が被告人に知られないようにするための措置をとることを求めることができる。

Ⅴ 前項の規定による求めは、第271条の2第1項の規定による求めとみなして、同条第2項の規定を適用する。この場合において、同項中「公訴の提起において、裁判所に対し、起訴状とともに」とあるのは、「速やかに、裁判所に対し」とする。

Ⅵ 第463条第6項の規定は、前項において読み替えて適用する第271条の2第2項の規定による起訴状抄本等の提出について準用する。

第469条 〔略式命令の失効〕

正式裁判の請求により判決をしたときは、略式命令は、その効力を失う。

第470条 〔略式命令の効力〕

略式命令は、正式裁判の請求期間の経過又はその請求の取下により、確定判決と同一の効力を生ずる。正式裁判の請求を棄却する裁判が確定したときも、同様である。

《注 釈》

◆ 略式手続

1 意義

略式手続とは、簡易裁判所がその管轄に属する軽微な事件について、公判を開かずに（すなわち、非公開の書面審理だけで）、検察官の提出した資料に基づいて、比較的少額の財産刑（100万円以下の罰金又は科料）を科する制度をいう。

2 請求手続

① 検察官が、公訴の提起と同時に書面で行う（461、462）。

② その際、検察官は、被疑者に対して、略式手続を説明し、正式裁判を受ける権利を告知し、略式手続によることに異議がないことを確かめなければならない（461の2Ⅰ）。

③ 起訴状一本主義の適用がないので、略式命令の請求と同時に、書類及び証拠物を裁判所に差し出さなければならない（規289）〈同予〉。

3 略式命令

裁判所はその事件が略式命令をするに相当と認めるときは、100万円以下の

罰金・科料を科すことができる。略式命令には、罪となるべき事実、適用した法令、科すべき刑及び付随の処分並びに略式命令の告知があった日から14日以内に正式裁判の請求ができる旨が示される（464）。もっとも、証拠の標目は不要である。

4　正式裁判

　　裁判所が、その事件が略式命令をすることができないものであり又はこれをすることが相当でないと思料するときは、正式裁判に移行する（463Ⅰ）。この場合は、起訴状一本主義にもどり、書類・証拠物は検察官に返還される（規293）。なお、略式命令に関与した裁判官は忌避の対象になると解されている。略式命令を受けた者又は検察官が、一定期間内に正式裁判の請求をした場合も、正式裁判に移行する（465Ⅰ）。

5　他の手続との比較　⇒p.506

6　その他

　　書面審理による迅速な判断が要求される略式手続であっても、犯罪事実についての証明水準としては、合理的な疑いを超える証明が必要である〈共予〉。

第12編　裁判の執行

・第1章・【裁判の執行の手続】

第471条 〔裁判の確定と執行〕

　裁判は、この法律に特別の定のある場合を除いては、確定した後これを執行する。

第472条 〔裁判の執行指揮〕画

Ⅰ　裁判の執行は、その裁判をした裁判所に対応する検察庁の検察官がこれを指揮する。但し、第70条第1項但書の場合、第108条第1項但書の場合その他その性質上裁判所又は裁判官が指揮すべき場合は、この限りでない。

Ⅱ　上訴の裁判又は上訴の取下により下級の裁判所の裁判を執行する場合には、上訴裁判所に対応する検察庁の検察官がこれを指揮する。但し、訴訟記録が下級の裁判所又はその裁判所に対応する検察庁に在るときは、その裁判所に対応する検察庁の検察官が、これを指揮する。

第473条 〔執行指揮の方式〕

　裁判の執行の指揮は、書面でこれをし、これに裁判書又は裁判を記載した調書の謄本又は抄本を添えなければならない。但し、刑の執行を指揮する場合を除いては、裁判書の原本、謄本若しくは抄本又は裁判を記載した調書の謄本若しくは抄本に認印して、これをすることができる。

第474条 〔刑の執行の順序〕

　二以上の主刑の執行は、罰金及び科料を除いては、その重いものを先にする。但し、検察官は、重い刑の執行を停止して、他の刑の執行をさせることができる。

第475条 〔死刑の執行〕

Ⅰ　死刑の執行は、法務大臣の命令による。

Ⅱ　前項の命令は、判決確定の日から6箇月以内にこれをしなければならない。但し、上訴権回復若しくは再審の請求、非常上告又は恩赦の出願若しくは申出がされその手続が終了するまでの期間及び共同被告人であつた者に対する判決が確定するまでの期間は、これをその期間に算入しない。

第476条 〔同前〕

　法務大臣が死刑の執行を命じたときは、5日以内にその執行をしなければならない。

第477条 〔同前〕

Ⅰ　死刑は、検察官、検察事務官及び刑事施設の長又はその代理者の立会いの上、これを執行しなければならない。

Ⅱ　検察官又は刑事施設の長の許可を受けた者でなければ、刑場に入ることはできない。

第478条 〔同前〕

死刑の執行に立ち会つた検察事務官は、執行始末書を作り、検察官及び刑事施設の長又はその代理者とともに、これに署名押印しなければならない。

第479条 〔死刑執行の停止〕

Ⅰ　死刑の言渡を受けた者が心神喪失の状態に在るときは、法務大臣の命令によつて執行を停止する。

Ⅱ　死刑の言渡を受けた女子が懐胎しているときは、法務大臣の命令によつて執行を停止する。

Ⅲ　前2項の規定により死刑の執行を停止した場合には、心神喪失の状態が回復した後又は出産の後に法務大臣の命令がなければ、執行することはできない。

Ⅳ　第475条第2項の規定は、前項の命令についてこれを準用する。この場合において、判決確定の日とあるのは、心神喪失の状態が回復した日又は出産の日と読み替えるものとする。

第480条 〔自由刑の執行停止〕

懲役、禁錮又は拘留の言渡を受けた者が心神喪失の状態に在るときは、刑の言渡をした裁判所に対応する検察庁の検察官又は刑の言渡を受けた者の現在地を管轄する地方検察庁の検察官の指揮によつて、その状態が回復するまで執行を停止する。

第481条 〔同前〕

Ⅰ　前条の規定により刑の執行を停止した場合には、検察官は、刑の言渡を受けた者を監護義務者又は地方公共団体の長に引き渡し、病院その他の適当な場所に入れさせなければならない。

Ⅱ　刑の執行を停止された者は、前項の処分があるまでこれを刑事施設に留置し、その期間を刑期に算入する。

第482条 〔同前〕

懲役、禁錮又は拘留の言渡を受けた者について左の事由があるときは、刑の言渡をした裁判所に対応する検察庁の検察官又は刑の言渡を受けた者の現在地を管轄する地方検察庁の検察官の指揮によつて執行を停止することができる。

① 刑の執行によつて、著しく健康を害するとき、又は生命を保つことのできない虞があるとき。

② 年齢70年以上であるとき。

③ 受胎後１５０日以上であるとき。

④ 出産後６０日を経過しないとき。

⑤ 刑の執行によつて回復することのできない不利益を生ずる虞があるとき。

⑥ 祖父母又は父母が年齢７０年以上又は重病若しくは不具で、他にこれを保護する親族がないとき。

⑦ 子又は孫が幼年で、他にこれを保護する親族がないとき。

⑧ その他重大な事由があるとき。

第４８３条 〔訴訟費用負担の執行停止〕

第５００条に規定する申立の期間内及びその申立があつたときは、訴訟費用の負担を命ずる裁判の執行は、その申立についての裁判が確定するまで停止される。

第４８４条 〔刑執行のための呼出し〕

死刑、懲役、禁錮又は拘留の言渡しを受けた者が拘禁されていないときは、検察官は、執行のため、出頭すべき日時及び場所を指定してこれを呼び出さなければならない。呼出しに応じないときは、収容状を発しなければならない。

第４８４条の２

前条前段の規定による呼出しを受けた者が、正当な理由がなく、指定された日時及び場所に出頭しないときは、２年以下の懲役に処する。

第４８５条 〔収容状の発行〕

死刑、懲役、禁錮又は拘留の言渡しを受けた者が逃亡したとき、又は逃亡するおそれがあるときは、検察官は、直ちに収容状を発し、又は司法警察員にこれを発せしめることができる。

第４８６条 〔検事長に対する収容の請求〕

Ⅰ 死刑、懲役、禁錮又は拘留の言渡しを受けた者の現在地が分からないときは、検察官は、検事長にその者の刑事施設への収容を請求することができる。

Ⅱ 請求を受けた検事長は、その管内の検察官に収容状を発せしめなければならない。

第４８７条 〔収容状〕

収容状には、刑の言渡しを受けた者の氏名、住居、年齢、刑名、刑期その他収容に必要な事項を記載し、検察官又は司法警察員が、これに記名押印しなければならない。

第４８８条 〔収容状の効力〕

収容状は、勾引状と同一の効力を有する。

第４８９条 〔収容状の執行〕

収容状の執行については、勾引状の執行に関する規定を準用する。

第４９０条 〔財産刑等の執行〕

Ⅰ　罰金、科料、没収、追徴、過料、没取、訴訟費用、費用賠償又は仮納付の裁判は、検察官の命令によってこれを執行する。この命令は、執行力のある債務名義と同一の効力を有する。

Ⅱ　前項の裁判の執行は、民事執行法（昭和５４年法律第４号）その他強制執行の手続に関する法令の規定に従ってする。ただし、執行前に裁判の送達をすることを要しない。

第４９１条 〔相続財産に対する執行〕

　没収又は租税その他の公課若しくは専売に関する法令の規定により言い渡した罰金若しくは追徴は、刑の言渡を受けた者が判決の確定した後死亡した場合には、相続財産についてこれを執行することができる。

第４９２条 〔合併された法人に対する執行〕

　法人に対して罰金、科料、没収又は追徴を言い渡した場合に、その法人が判決の確定した後合併によって消滅したときは、合併の後存続する法人又は合併によって設立された法人に対して執行することができる。

第４９３条 〔仮納付の執行の調整〕

Ⅰ　第１審と第２審とにおいて、仮納付の裁判があった場合に、第１審の仮納付の裁判について既に執行があったときは、その執行は、これを第２審の仮納付の裁判で納付を命ぜられた金額の限度において、第２審の仮納付の裁判についての執行とみなす。

Ⅱ　前項の場合において、第１審の仮納付の裁判の執行によって得た金額が第２審の仮納付の裁判で納付を命ぜられた金額を超えるときは、その超過額は、これを還付しなければならない。

第４９４条 〔仮納付の執行と本刑の執行〕

Ⅰ　仮納付の裁判の執行があった後に、罰金、科料又は追徴の裁判が確定したときは、その金額の限度において刑の執行があったものとみなす。

Ⅱ　前項の場合において、仮納付の裁判の執行によって得た金額が罰金、科料又は追徴の金額を超えるときは、その超過額は、これを還付しなければならない。

第４９５条 〔勾留日数の法定通算〕

Ⅰ　上訴の提起期間中の未決勾留の日数は、上訴申立後の未決勾留の日数を除き、全部これを本刑に通算する。

Ⅱ　上訴申立後の未決勾留の日数は、左の場合には、全部これを本刑に通算する。

　①　検察官が上訴を申し立てたとき。

　②　検察官以外の者が上訴を申し立てた場合においてその上訴審において原判決が破棄されたとき。

Ⅲ 前2項の規定による通算については、未決勾留の1日を刑期の1日又は金額の4000円に折算する。

Ⅳ 上訴裁判所が原判決を破棄した後の未決勾留は、上訴中の未決勾留日数に準じて、これを通算する。

第496条 〔没収物の処分〕

没収物は、検察官がこれを処分しなければならない。

第497条 〔没収物の交付〕

Ⅰ 没収を執行した後3箇月以内に、権利を有する者が没収物の交付を請求したときは、検察官は、破壊し、又は廃棄すべき物を除いては、これを交付しなければならない。

Ⅱ 没収物を処分した後前項の請求があつた場合には、検察官は、公売によつて得た代価を交付しなければならない。

第498条 〔偽造・変造部分の表示〕

Ⅰ 偽造し、又は変造された物を返還する場合には、偽造又は変造の部分をその物に表示しなければならない。

Ⅱ 偽造し、又は変造された物が押収されていないときは、これを提出させて、前項に規定する手続をしなければならない。但し、その物が公務所に属するときは、偽造又は変造の部分を公務所に通知して相当な処分をさせなければならない。

第498条の2 〔不正に作られた電磁的記録の消去等〕

Ⅰ 不正に作られた電磁的記録又は没収された電磁的記録に係る記録媒体を返還し、又は交付する場合には、当該電磁的記録を消去し、又は当該電磁的記録が不正に利用されないようにする処分をしなければならない。

Ⅱ 不正に作られた電磁的記録に係る記録媒体が公務所に属する場合において、当該電磁的記録に係る記録媒体が押収されていないときは、不正に作られた部分を公務所に通知して相当な処分をさせなければならない。

第499条 〔押収物の還付〕

Ⅰ 押収物の還付を受けるべき者の所在が判らないため、またはその他の事由によつて、その物を還付することができない場合には、検察官は、その旨を政令で定める方法によつて公告しなければならない。

Ⅱ 第222条第1項において準用する第123条第1項若しくは第124条第1項の規定又は第220条第2項の規定により押収物を還付しようとするときも、前項と同様とする。この場合において、同項中「検察官」とあるのは、「検察官又は司法警察員」とする。

Ⅲ 前2項の規定による公告をした日から6箇月以内に還付の請求がないときは、その物は、国庫に帰属する。

Ⅳ　前項の期間内でも、価値のない物は、これを廃棄し、保管に不便な物は、これを公売してその代価を保管することができる。

第499条の2　〔電磁的記録に係る記録媒体の還付不能〕

Ⅰ　前条第1項の規定は第123条第3項の規定による交付又は複写について、前条第2項の規定は第220条第2項及び第222条第1項において準用する第123条第3項の規定による交付又は複写について、それぞれ準用する。

Ⅱ　前項において準用する前条第1項又は第2項の規定による公告をした日から6箇月以内に前項の交付又は複写の請求がないときは、その交付をし、又は複写をさせることを要しない。

第500条　〔訴訟費用執行免除の申立て〕

Ⅰ　訴訟費用の負担を命ぜられた者は、貧困のためこれを完納することができないときは、裁判所の規則の定めるところにより、訴訟費用の全部又は一部について、その裁判の執行の免除の申立をすることができる。

Ⅱ　前項の申立は、訴訟費用の負担を命ずる裁判が確定した後20日以内にこれをしなければならない。

第500条の2　〔訴訟費用の予納〕

被告人又は被疑者は、検察官に訴訟費用の概算額の予納をすることができる。

第500条の3　〔訴訟費用の裁判の執行〕

Ⅰ　検察官は、訴訟費用の裁判を執行する場合において、前条の規定による予納がされた金額があるときは、その予納がされた金額から当該訴訟費用の額に相当する金額を控除し、当該金額を当該訴訟費用の納付に充てる。

Ⅱ　前項の規定により予納がされた金額から訴訟費用の額に相当する金額を控除して残余があるときは、その残余の額は、その予納をした者の請求により返還する。

第500条の4　〔予納金の返還〕

次の各号のいずれかに該当する場合には、第500条の2の規定による予納がされた金額は、その予納をした者の請求により返還する。

①　第38条の2の規定により弁護人の選任が効力を失つたとき。

②　訴訟手続が終了する場合において、被告人に訴訟費用の負担を命ずる裁判がなされなかつたとき。

③　訴訟費用の負担を命ぜられた者が、訴訟費用の全部について、その裁判の執行の免除を受けたとき。

第501条　〔解釈の申立て〕

刑の言渡を受けた者は、裁判の解釈について疑があるときは、言渡をした裁判所に裁判の解釈を求める申立をすることができる。

第502条 〔異議の申立て〕

　裁判の執行を受ける者又はその法定代理人若しくは保佐人は、執行に関し検察官のした処分（次章の規定によるものを除く。）を不当とするときは、言渡しをした裁判所に異議の申立てをすることができる。

第503条 〔申立ての取下げ〕

Ⅰ　第500条及び前2条の申立ては、決定があるまでこれを取り下げることができる。

Ⅱ　第366条の規定は、第500条及び前2条の申立て及びその取下げについてこれを準用する。

第504条 〔即時抗告〕

　第500条、第501条及び第502条の申立てについてした決定に対しては、即時抗告をすることができる。

第505条 〔労役場留置の執行〕

　罰金又は科料を完納することができない場合における労役場留置の執行については、刑の執行に関する規定を準用する。

第506条 〔執行費用の負担〕

　第490条第1項の裁判の執行の費用は、執行を受ける者の負担とし、民事執行法その他強制執行の手続に関する法令の規定に従い、執行と同時にこれを取り立てなければならない。

・第2章・【裁判の執行に関する調査】

第507条

　検察官及び検察事務官は、裁判の執行に関する調査のため必要があるときは、管轄区域外で職務を行うことができる。

第508条

Ⅰ　検察官又は裁判所若しくは裁判官は、裁判の執行に関して、その目的を達するため必要な調査をすることができる。ただし、強制の処分は、この法律に特別の定めがある場合でなければ、これをすることができない。

Ⅱ　検察官又は裁判所若しくは裁判官は、裁判の執行に関しては、公務所又は公私の団体に照会して必要な事項の報告を求めることができる。

第509条

Ⅰ　検察官は、裁判の執行に関して必要があると認めるときは、裁判官の発する令状により、差押え、記録命令付差押え、捜索又は検証をすることができる。この場合において、身体の検査は、身体検査令状によらなければならない。

II　差し押さえるべき物が電子計算機であるときは、当該電子計算機に電気通信回線で接続している記録媒体であつて、当該電子計算機で作成若しくは変更をした電磁的記録又は当該電子計算機で変更若しくは消去をすることができることとされている電磁的記録を保管するために使用されていると認めるに足りる状況にあるものから、その電磁的記録を当該電子計算機又は他の記録媒体に複写した上、当該電子計算機又は当該他の記録媒体を差し押さえることができる。

III　第1項の令状は、検察官の請求により、これを発する。

IV　検察官は、第1項の身体検査令状の請求をするには、身体の検査を必要とする理由及び身体の検査を受ける者の性別、健康状態その他裁判所の規則で定める事項を示さなければならない。

V　裁判官は、身体の検査に関し、適当と認める条件を付することができる。

第510条

I　前条第1項の令状には、裁判の執行を受ける者の氏名、差し押さえるべき物、記録させ若しくは印刷させるべき電磁的記録及びこれを記録させ若しくは印刷させるべき者、捜索すべき場所、身体若しくは物、検証すべき場所若しくは物又は検査すべき身体及び身体の検査に関する条件、有効期間及びその期間経過後は差押え、記録命令付差押え、捜索又は検証に着手することができず令状はこれを返還しなければならない旨並びに発付の年月日その他裁判所の規則で定める事項を記載し、裁判官が、これに記名押印しなければならない。

II　前条第2項の場合には、同条第1項の令状に、前項に規定する事項のほか、差し押さえるべき電子計算機に電気通信回線で接続している記録媒体であつて、その電磁的記録を複写すべきものの範囲を記載しなければならない。

III　第64条第2項の規定は、前条第1項の令状について準用する。この場合において、第64条第2項中「被告人の」とあるのは「裁判の執行を受ける者の」と、「被告人を」とあるのは「その者を」と読み替えるものとする。

第511条

I　裁判所又は裁判官は、裁判の執行に関して必要があると認めるときは、令状を発して、差押え、記録命令付差押え、捜索又は検証をすることができる。この場合において、身体の検査は、身体検査令状によらなければならない。

II　差し押さえるべき物が電子計算機であるときは、当該電子計算機に電気通信回線で接続している記録媒体であつて、当該電子計算機で作成若しくは変更をした電磁的記録又は当該電子計算機で変更若しくは消去をすることができることとされている電磁的記録を保管するために使用されていると認めるに足りる状況にあるものから、その電磁的記録を当該電子計算機又は他の記録媒体に複写した上、当該電子計算機又は当該他の記録媒体を差し押さえることができる。

III　前条の規定は、第1項の令状について準用する。この場合において、同条第1項中「裁判官」とあるのは「裁判長又は裁判官」と、同条第2項中「前条第2項」とあるのは「次条第2項」と読み替えるものとする。

第５１２条

　検察官又は裁判所若しくは裁判官は、裁判の執行を受ける者その他の者が遺留した物又は所有者、所持者若しくは保管者が任意に提出した物は、これを領置することができる。

第５１３条

Ⅰ　第９９条第１項、第１００条、第１０２条から第１０５条まで、第１１０条、第１１０条の２前段、第１１１条第１項前段及び第２項、第１１１条の２前段、第１１２条、第１１４条、第１１５条、第１１８条から第１２０条まで、第１２１条第１項及び第２項、第１２３条第１項から第３項まで並びに第２２２条第６項の規定は、検察官が第５０９条及び前条の規定によつてする押収又は捜索について、第１１０条、第１１１条の２前段、第１１２条、第１１４条、第１１８条、第１２９条、第１３１条、第１３７条から第１４０条まで及び第２２２条第４項から第７項までの規定は、検察官が第５０９条の規定によつてする検証について、それぞれ準用する。この場合において、第９９条第１項中「証拠物又は没収すべき物」とあり、及び第１１９条中「証拠物又は没収すべきもの」とあるのは「裁判の執行を受ける者若しくは裁判の執行の対象となるものの所在若しくは状況に関する資料、裁判の執行を受ける者の資産に関する資料、裁判の執行の対象となるもの若しくは裁判の執行を受ける者の財産を管理するために使用されている物又は第４９０条第２項の規定によりその規定に従うこととされる民事執行法その他強制執行の手続に関する法令の規定により金銭の支払を目的とする債権についての強制執行の目的となる物若しくはそれ以外の物であつて当該強制執行の手続において執行官による取上げの対象となるべきもの」と、第１００条第１項、第１０２条、第１０５条ただし書及び第１３７条第１項中「被告人」とあり、並びに第２２２条第６項中「被疑者」とあるのは「裁判の執行を受ける者」と、第１００条第２項並びに第１２３条第１項及び第３項中「被告事件」とあり、並びに第１００条第３項ただし書中「審理」とあるのは「裁判の執行」と、第２２２条第７項中「第１項」とあるのは「第５１３条第１項において読み替えて準用する第１３７条第１項」と読み替えるものとする。

Ⅱ　第１１６条及び第１１７条の規定は、検察官が第５０９条の規定によつてする差押え、記録命令付差押え又は捜索について準用する。

Ⅲ　検察官は、第４９０条第２項の規定によりその規定に従うこととされる民事執行法その他強制執行の手続に関する法令の規定による手続において必要があると認めるときは、執行官に押収物を提出することができる。

Ⅳ　前項の規定による提出をしたときは、押収を解く処分があつたものとする。この場合において、当該押収物は、還付することを要しない。

Ⅴ　前２項の規定は、民事訴訟の手続に従い、利害関係人がその権利を主張することを妨げない。

裁判の執行

Ⅵ　第９９条第１項、第１００条、第１０２条から第１０５条まで、第１０８条第１項から第３項まで、第１０９条、第１１０条、第１１０条の２前段、第１１１条第１項前段及び第２項、第１１１条の２前段、第１１２条、第１１３条第３項、第１１４条、第１１５条、第１１８条から第１２１条まで、第１２３条第１項から第３項まで並びに第１２５条の規定は、裁判所又は裁判官が前２条の規定によつてする押収又は捜索について、第１０８条第１項から第３項まで、第１０９条、第１１０条、第１１１条の２前段、第１１２条、第１１３条第３項、第１１４条、第１１８条、第１２５条第１項から第３項まで及び第４項本文、第１２９条、第１３１条、第１３７条から第１４０条まで並びに第２２２条第４項及び第５項の規定は、裁判所又は裁判官が第５１１条の規定によつてする検証について、それぞれ準用する。この場合において、第９９条第１項中「証拠物又は没収すべき物」とあり、及び第１１９条中「証拠物又は没収すべきもの」とあるのは「裁判の執行を受ける者若しくは裁判の執行の対象となるものの所在若しくは状況に関する資料又は裁判の執行の対象となるものを管理するために使用されている物」と、第１００条第１項、第１０２条、第１０５条ただし書、第１０８条第１項ただし書、第１１３条第３項及び第１３７条第１項中「被告人」とあるのは「裁判の執行を受ける者」と、第１００条第２項並びに第１２３条第１項及び第３項中「被告事件」とあり、並びに第１００条第３項ただし書中「審理」とあるのは「裁判の執行」と、第１２５条第４項ただし書中「裁判所」とあるのは「裁判所又は第５１３条第６項において準用する第１項の規定による嘱託をした裁判官」と、第２２２条第４項中「検察官、検察事務官又は司法警察職員」とあるのは「検証状を執行する者」と読み替えるものとする。

Ⅶ　第１１６条及び第１１７条の規定は、裁判所又は裁判官が第５１１条の規定によつてする差押え、記録命令付差押え又は捜索について準用する。

Ⅷ　第７１条の規定は、第５１１条第１項の令状の執行について準用する。

Ⅸ　第４９９条第１項、第３項及び第４項の規定は、第１項及び第６項において読み替えて準用する第１２３条第１項の規定による押収物の還付について準用する。この場合において、第４９９条第３項中「前２項」とあるのは、「第５１３条第９項において準用する第１項」と読み替えるものとする。

Ⅹ　第４９９条第１項の規定は、第１項及び第６項において読み替えて準用する第１２３条第３項の規定による交付又は複写について準用する。

Ⅺ　前項において準用する第４９９条第１項の規定による公告をした日から６箇月以内に前項の交付又は複写の請求がないときは、その交付をし、又は複写をさせることを要しない。

第５１４条

　検察官又は裁判所若しくは裁判官は、裁判の執行に関して必要があると認めるときは、裁判の執行を受ける者その他の者の出頭を求め、質問をし、又は裁判の執行を受ける者以外の者に鑑定、通訳若しくは翻訳を嘱託することができる。

第515条

Ⅰ　前条の規定による鑑定の嘱託を受けた者は、裁判官の許可を受けて、第168条第1項に規定する処分をすることができる。

Ⅱ　検察官が前条の規定による鑑定の嘱託をした場合においては、前項の許可の請求は、検察官からこれをしなければならない。

Ⅲ　裁判官は、前項の請求を相当と認めるとき、又は裁判所若しくは裁判官が鑑定を嘱託した場合において第1項の許可をするときは、許可状を発しなければならない。

Ⅳ　第131条、第137条、第138条、第140条及び第168条第2項から第4項までの規定は、第1項の許可及び前項の許可状について準用する。この場合において、第137条第1項中「被告人」とあるのは「裁判の執行を受ける者」と、第168条第2項中「被告人の氏名、罪名」とあるのは「裁判の執行を受ける者の氏名」と読み替えるものとする。

第516条

　検察官は、検察事務官に第508条第1項本文の調査又は同条第2項、第509条、第512条若しくは第514条の処分をさせることができる。

— MEMO —

完全整理　択一六法

付　録

1　刑事訴訟規則
2　裁判員の参加する刑事裁判
　　に関する法律（抜粋）

刑事訴訟規則

第1編　総則

第1条〔この規則の解釈、運用〕

Ⅰ　この規則は、憲法の所期する裁判の迅速と公正とを図るようにこれを解釈し、運用しなければならない。

Ⅱ　訴訟上の権利は、誠実にこれを行使し、濫用してはならない。

第1章　裁判所の管轄

第2条〔管轄の指定、移転の請求の方式・法第15条等〕

管轄の指定又は移転の請求をするには、理由を附した請求書を管轄裁判所に差し出さなければならない。

第3条〔管轄の指定、移転の請求の通知・法第15条等〕

検察官は、裁判所に係属する事件について管轄の指定又は移転の請求をしたときは、速やかにその旨を裁判所に通知しなければならない。

第4条〔請求書の謄本の交付、意見書の差出・法第17条〕

Ⅰ　検察官は、裁判所に係属する事件について刑事訴訟法（昭和23年法律第131号。以下法という。）第17条第1項各号に規定する事由のため管轄移転の請求をした場合には、速やかに請求書の謄本を被告人に交付しなければならない。

Ⅱ　被告人は、謄本の交付を受けた日から3日以内に管轄裁判所に意見書を差し出すことができる。

第5条〔被告人の管轄移転の請求・法第17条〕

Ⅰ　被告人が管轄移転の請求書を差し出すには、事件の係属する裁判所を経由しなければならない。

Ⅱ　前項の裁判所は、請求書を受け取つたときは、速やかにこれをその裁判所に対応する検察庁の検察官に通知しなければならない。

第6条〔訴訟手続の停止・法第15条等〕

裁判所に係属する事件について管轄の指定又は移転の請求があつたときは、決定が

あるまで訴訟手続を停止しなければならない。但し、急速を要する場合は、この限りでない。

第7条〔移送の請求の方式・法第19条〕

法第19条の規定による移送の請求をするには、理由を附した請求書を裁判所に差し出さなければならない。

第8条〔意見の聴取・法第19条〕

I 法第19条の規定による移送の請求があつたときは、相手方又はその弁護人の意見を聴いて決定をしなければならない。

II 職権で法第19条の規定による移送の決定をするには、検察官及び被告人又は弁護人の意見を聴かなければならない。

第2章 裁判所職員の除斥、忌避及び回避

第9条〔忌避の申立て・法第21条〕

I 合議体の構成員である裁判官に対する忌避の申立ては、その裁判官所属の裁判所に、受命裁判官、地方裁判所の一人の裁判官又は家庭裁判所若しくは簡易裁判所の裁判官に対する忌避の申立ては、忌避すべき裁判官にこれをしなければならない。

II 忌避の申立てをするには、その原因を示さなければならない。

III 忌避の原因及び忌避の申立てをした者が事件について請求若しくは陳述をした際に忌避の原因があることを知らなかつたこと又は忌避の原因が事件について請求若しくは陳述をした後に生じたことは、申立てをした日から3日以内に書面でこれを疎明しなければならない。

第10条〔申立てに対する意見書・法第23条〕

忌避された裁判官は、次に掲げる場合を除いては、忌避の申立てに対し意見書を差し出さなければならない。

① 地方裁判所の一人の裁判官又は家庭裁判所若しくは簡易裁判所の裁判官が忌避の申立てを理由があるものとするとき。

② 忌避の申立てが訴訟を遅延させる目的のみでされたことが明らかであるとしてこれを却下するとき。

③ 忌避の申立てが法第22条の規定に違反し、又は前条第2項若しくは第3項に定める手続に違反してされたものとしてこれを却下するとき。

第11条〔訴訟手続の停止〕

忌避の申立があつたときは、前条第2号及び第3号の場合を除いては、訴訟手続を停止しなければならない。但し、急速を要する場合は、この限りでない。

第12条〔除斥の裁判・法第23条〕

I 忌避の申立について決定をすべき裁判所は、法第20条各号の1に該当する者が

あると認めるときは、職権で除斥の決定をしなければならない。

Ⅱ　前項の決定をするには、当該裁判官の意見を聴かなければならない。

Ⅲ　当該裁判官は、第1項の決定に関与することができない。

Ⅳ　裁判所が当該裁判官の退去により決定をすることができないときは、直近上級の裁判所が、決定をしなければならない。

第13条〔回避〕

Ⅰ　裁判官は、忌避されるべき原因があると思料するときは、回避しなければならない。

Ⅱ　回避の申立は、裁判官所属の裁判所に書面でこれをしなければならない。

Ⅲ　忌避の申立について決定をすべき裁判所は、回避の申立について決定をしなければならない。

Ⅳ　回避については、前条第3項及び第4項の規定を準用する。

第14条〔除斥、回避の裁判の送達〕

前2条の決定は、これを送達しない。

第15条〔準用規定〕

Ⅰ　裁判所書記官については、この章の規定を準用する。

Ⅱ　受命裁判官に附属する裁判所書記官に対する忌避の申立は、その附属する裁判官にこれをしなければならない。

第3章　訴訟能力

第16条〔被疑者の特別代理人選任の請求・法第29条〕

被疑者の特別代理人の選任の請求は、当該被疑事件を取り扱う検察官又は司法警察員の所属の官公署の所在地を管轄する地方裁判所又は簡易裁判所にこれをしなければならない。

第4章　弁護及び補佐

第17条〔被疑者の弁護人の選任・法第30条〕

公訴の提起前にした弁護人の選任は、弁護人と連署した書面を当該被疑事件を取り扱う検察官又は司法警察員に差し出した場合に限り、第1審においてもその効力を有する。

第18条〔被告人の弁護人の選任の方式・法第30条〕

公訴の提起後における弁護人の選任は、弁護人と連署した書面を差し出してこれをしなければならない。

第18条の2〔追起訴された事件の弁護人の選任・法第30条〕

法第30条に定める者が1の事件についてした弁護人の選任は、その事件の公訴の提起後同一裁判所に公訴が提起され且つこれと併合された他の事件についてもその効力を有する。但し、被告人又は弁護人がこれと異る申述をしたときは、この限りでない。

第18条の3〔被告人、被疑者に対する通知・法第31条の2〕

Ⅰ 刑事収容施設（刑事施設、留置施設及び海上保安留置施設をいう。以下同じ。）に収容され、又は留置されている被告人又は被疑者に対する法第31条の2第3項の規定による通知は、刑事施設の長、留置業務管理者（刑事収容施設及び被収容者等の処遇に関する法律（平成17年法律第50号）第16条第1項に規定する留置業務管理者をいう。以下同じ。）又は海上保安留置業務管理者（同法第26条第1項に規定する海上保安留置業務管理者をいう。以下同じ。）にする。

Ⅱ 刑事施設の長、留置業務管理者又は海上保安留置業務管理者は、前項の通知を受けたときは、直ちに当該被告人又は被疑者にその旨を告げなければならない。

第19条〔主任弁護人・法第33条〕

Ⅰ 被告人に数人の弁護人があるときは、その1人を主任弁護人とする。但し、地方裁判所においては、弁護士でない者を主任弁護人とすることはできない。

Ⅱ 主任弁護人は、被告人が単独で、又は全弁護人の合意でこれを指定する。

Ⅲ 主任弁護人を指定することができる者は、その指定を変更することができる。

Ⅳ 全弁護人のする主任弁護人の指定又はその変更は、被告人の明示した意思に反してこれをすることができない。

第20条〔主任弁護人の指定、変更の方式・法第33条〕

被告人又は全弁護人のする主任弁護人の指定又はその変更は、書面を裁判所に差し出してしなければならない。但し、公判期日において主任弁護人の指定を変更するには、その旨を口頭で申述すれば足りる。

第21条〔裁判長の指定する主任弁護人・法第33条〕

Ⅰ 被告人に数人の弁護人がある場合に主任弁護人がないときは、裁判長は、主任弁護人を指定しなければならない。

Ⅱ 裁判長は、前項の指定を変更することができる。

Ⅲ 前2項の主任弁護人は、第19条の主任弁護人ができるまで、その職務を行う。

第22条〔主任弁護人の指定、変更の通知・法第33条〕

主任弁護人の指定又はその変更については、被告人がこれをしたときは、直ちにその旨を検察官及び主任弁護人となつた者に、全弁護人又は裁判長がこれをしたときは、直ちにその旨を検察官及び被告人に通知しなければならない。

第23条〔副主任弁護人・法第33条〕

Ⅰ 裁判長は、主任弁護人に事故がある場合には、他の弁護人のうち1人を副主任

弁護人に指定することができる。

Ⅱ　主任弁護人があらかじめ裁判所に副主任弁護人となるべき者を届け出た場合には、その者を副主任弁護人に指定しなければならない。

Ⅲ　裁判長は、第1項の指定を取り消すことができる。

Ⅳ　副主任弁護人の指定又はその取消については、前条後段の規定を準用する。

第24条〔主任弁護人、副主任弁護人の辞任、解任・法第33条〕

Ⅰ　主任弁護人又は副主任弁護人の辞任又は解任については、第20条の規定を準用する。

Ⅱ　主任弁護人又は副主任弁護人の辞任又は解任があつたときは、直ちにこれを訴訟関係人に通知しなければならない。但し、被告人が解任をしたときは、被告人に対しては、通知することを要しない。

第25条〔主任弁護人、副主任弁護人の権限・法第34条〕

Ⅰ　主任弁護人又は副主任弁護人は、弁護人に対する通知又は書類の送達について他の弁護人を代表する。

Ⅱ　主任弁護人及び副主任弁護人以外の弁護人は、裁判長又は裁判官の許可及び主任弁護人又は副主任弁護人の同意がなければ、申立、請求、質問、尋問又は陳述をすることができない。但し、証拠物の謄写の許可の請求、裁判書又は裁判を記載した調書の謄本又は抄本の交付の請求及び公判期日において証拠調が終つた後にする意見の陳述については、この限りでない。

第26条〔被告人の弁護人の数の制限・法第35条〕

Ⅰ　裁判所は、特別の事情があるときは、弁護人の数を各被告人について3人までに制限することができる。

Ⅱ　前項の制限の決定は、被告人にこれを告知することによつてその効力を生ずる。

Ⅲ　被告人の弁護人の数を制限した場合において制限した数を超える弁護人があるときは、直ちにその旨を各弁護人及びこれらの弁護人を選任した者に通知しなければならない。この場合には、制限の決定は、前項の規定にかかわらず、その告知のあつた日から7日の期間を経過することによつてその効力を生ずる。

Ⅳ　前項の制限の決定が効力を生じた場合になお制限された数を超える弁護人があるときは、弁護人の選任は、その効力を失う。

第27条〔被疑者の弁護人の数の制限・法第35条〕

Ⅰ　被疑者の弁護人の数は、各被疑者について3人を超えることができない。但し、当該被疑事件を取り扱う検察官又は司法警察員の所属の官公署の所在地を管轄する地方裁判所又は簡易裁判所が特別の事情があるものと認めて許可をした場合は、この限りでない。

Ⅱ　前項但書の許可は、弁護人を選任することができる者又はその依頼により弁護人となろうとする者の請求により、これをする。

Ⅲ　第1項但書の許可は、許可すべき弁護人の数を指定してこれをしなければならない。

第28条〔国選弁護人選任の請求・法第36条等〕

　法第36条、第37条の2又は第350条の17第1項の請求をするには、その理由を示さなければならない。

第28条の2〔国選弁護人選任の請求先裁判官・法第37条の2〕

　法第37条の2の請求は、勾留の請求を受けた裁判官、その所属する裁判所の所在地を管轄する地方裁判所の裁判官又はその地方裁判所の所在地（その支部の所在地を含む。）に在る簡易裁判所の裁判官にこれをしなければならない。

第28条の3〔国選弁護人選任請求書等の提出・法第37条の2等〕

Ⅰ　刑事収容施設に収容され、又は留置されている被疑者が法第37条の2又は第350条の17第1項の請求をするには、裁判所書記官の面前で行う場合を除き、刑事施設の長、留置業務管理者若しくは海上保安留置業務管理者又はその代理者を経由して、請求書及び法第36条の2に規定する資力申告書を裁判官に提出しなければならない。

Ⅱ　前項の場合において、刑事施設の長、留置業務管理者若しくは海上保安留置業務管理者又はその代理者は、被疑者から同項の書面を受け取つたときは、直ちにこれを裁判官に送付しなければならない。ただし、法第350条の17第1項の請求をする場合を除き、勾留を請求されていない被疑者から前項の書面を受け取つた場合には、当該被疑者が勾留を請求された後直ちにこれを裁判官に送付しなければならない。

Ⅲ　前項の場合において、刑事施設の長、留置業務管理者若しくは海上保安留置業務管理者又はその代理者は、第1項の書面をファクシミリを利用して送信することにより裁判官に送付することができる。

Ⅳ　前項の規定による送付がされたときは、その時に、第1項の書面の提出があつたものとみなす。

Ⅴ　裁判官は、前項に規定する場合において、必要があると認めるときは、刑事施設の長、留置業務管理者又は海上保安留置業務管理者に対し、送信に使用した書面を提出させることができる。

第28条の4〔弁護人の選任に関する処分をすべき裁判官〕

　法第37条の4の規定による弁護人の選任に関する処分は、勾留の請求を受けた裁判官、その所属する裁判所の所在地を管轄する地方裁判所の裁判官又はその地方裁判所の所在地（その支部の所在地を含む。）に在る簡易裁判所の裁判官がこれをしなければならない。

第28条の5

　法第37条の2第1項又は第37条の4の規定により弁護人が付されている場合における法第37条の5の規定による弁護人の選任に関する処分は、最初の弁護人を付した裁判官、その所属する裁判所の所在地を管轄する地方裁判所の裁判官又はその地方裁判所の所在地（その支部の所在地を含む。）に在る簡易裁判所の裁判官がこれをしなければならない。

付録

第 29 条〔国選弁護人の選任・法第 38 条〕

Ⅰ 法の規定に基づいて裁判所又は裁判長が付すべき弁護人は、裁判所の所在地を管轄する地方裁判所の管轄区域内に在る弁護士会に所属する弁護士の中から裁判長がこれを選任しなければならない。ただし、その管轄区域内に選任すべき事件について弁護人としての活動をすることのできる弁護士がないときその他やむを得ない事情があるときは、これに隣接する他の地方裁判所の管轄区域内に在る弁護士会に所属する弁護士その他適当な弁護士の中からこれを選任することができる。

Ⅱ 前項の規定は、法の規定に基づいて裁判官が弁護人を付する場合について準用する。

Ⅲ 第 1 項の規定にかかわらず、控訴裁判所が弁護人を付する場合であつて、控訴審の審理のため特に必要があると認めるときは、裁判長は、原審における弁護人（法の規定に基づいて裁判所若しくは裁判長又は裁判官が付したものに限る。）であつた弁護士を弁護人に選任することができる。

Ⅳ 前項の規定は、上告裁判所が弁護人を付する場合について準用する。

Ⅴ 被告人又は被疑者の利害が相反しないときは、同一の弁護人に数人の弁護をさせることができる。

第 29 条の 2〔弁護人の解任に関する処分をすべき裁判官・法第 38 条の 3〕

法第 38 条の 3 第 4 項の規定による弁護人の解任に関する処分は、当該弁護人を付した裁判官、その所属する裁判所の所在地を管轄する地方裁判所の裁判官又はその地方裁判所の所在地（その支部の所在地を含む。）に在る簡易裁判所の裁判官がこれをしなければならない。

第 29 条の 3〔国選弁護人の選任等の通知・法第 38 条等〕

Ⅰ 法の規定に基づいて裁判長又は裁判官が弁護人を選任したときは、直ちにその旨を検察官及び被告人又は被疑者に通知しなければならない。この場合には、日本司法支援センターにも直ちにその旨を通知しなければならない。

Ⅱ 前項の規定は、法の規定に基づいて裁判所又は裁判官が弁護人を解任した場合について準用する。

第 30 条〔裁判所における接見等・法第 39 条〕

裁判所は、身体の拘束を受けている被告人又は被疑者が裁判所の構内にいる場合においてこれらの者の逃亡、罪証の隠滅又は戒護に支障のある物の授受を防ぐため必要があるときは、これらの者と弁護人又は弁護人を選任することができる者の依頼により弁護人となろうとする者との接見については、その日時、場所及び時間を指定し、又、書類若しくは物の授受については、これを禁止することができる。

第 31 条〔弁護人の書類の閲覧等・法第 40 条〕

弁護人は、裁判長の許可を受けて、自己の使用人その他の者に訴訟に関する書類及び証拠物を閲覧又は謄写させることができる。

第32条〔補佐人の届出の方式・法第42条〕

補佐人となるための届出は、書面でこれをしなければならない。

第5章　裁判

第33条〔決定、命令の手続・法第43条〕

Ⅰ　決定は、申立により公判廷でするとき、又は公判廷における申立によりするときは、訴訟関係人の陳述を聴かなければならない。その他の場合には、訴訟関係人の陳述を聴かないでこれをすることができる。但し、特別の定のある場合は、この限りでない。

Ⅱ　命令は、訴訟関係人の陳述を聴かないでこれをすることができる。

Ⅲ　決定又は命令をするについて事実の取調をする場合において必要があるときは、法及びこの規則の規定により、証人を尋問し、又は鑑定を命ずることができる。

Ⅳ　前項の場合において必要と認めるときは、検察官、被告人、被疑者又は弁護人を取調又は処分に立ち会わせることができる。

第34条〔裁判の告知〕

　裁判の告知は、公判廷においては、宣告によつてこれをし、その他の場合には、裁判書の謄本を送達してこれをしなければならない。但し、特別の定のある場合は、この限りでない。

第35条〔裁判の宣告〕

Ⅰ　裁判の宣告は、裁判長がこれを行う。

Ⅱ　判決の宣告をするには、主文及び理由を朗読し、又は主文の朗読と同時に理由の要旨を告げなければならない。

Ⅲ　法第290条の2第1項又は第3項の決定があつたときは、前項の規定による判決の宣告は、被害者特定事項を明らかにしない方法でこれを行うものとする。

Ⅳ　法第290条の3第1項の決定があつた場合における第2項の規定による判決の宣告についても、前項と同様とする。この場合において、同項中「被害者特定事項」とあるのは「証人等特定事項」とする。

第36条〔謄本、抄本の送付〕

Ⅰ　検察官の執行指揮を要する裁判をしたときは、速やかに裁判書又は裁判を記載した調書の謄本又は抄本を検察官に送付しなければならない。但し、特別の定のある場合は、この限りでない。

Ⅱ　前項の規定により送付した抄本が第57条第2項から第4項までの規定による判決書又は判決を記載した調書の抄本で懲役又は禁錮の刑の執行指揮に必要なものであるときは、すみやかに、その判決書又は判決を記載した調書の抄本で罪となるべき事実を記載したものを検察官に追送しなければならない。

第6章　書類及び送達

第37条〔訴訟書類の作成者〕

訴訟に関する書類は、特別の定のある場合を除いては、裁判所書記官がこれを作らなければならない。

第38条〔証人等の尋問調書〕

Ⅰ　証人、鑑定人、通訳人又は翻訳人の尋問については、調書を作らなければならない。

Ⅱ　調書には、次に掲げる事項を記載しなければならない。
　①　尋問に立ち会つた者の氏名
　②　証人が宣誓をしないときは、その事由
　③　証人、鑑定人、通訳人又は翻訳人の尋問及び供述並びにこれらの者を尋問する機会を尋問に立ち会つた者に与えたこと。
　④　法第157条の2第1項各号に掲げる条件により証人尋問を行つたこと。
　⑤　法第157条の4第1項に規定する措置を採つたこと並びに証人に付き添つた者の氏名及びその者と証人との関係
　⑥　法第157条の5に規定する措置を採つたこと。
　⑦　法第157条の6第1項又は第2項に規定する方法により証人尋問を行つたこと。
　⑧　法第157条の6第3項の規定により証人の同意を得てその尋問及び供述並びにその状況を記録媒体に記録したこと並びにその記録媒体の種類及び数量
　⑨　法第316条の39第1項に規定する措置を採つたこと並びに被害者参加人（法第316条の33第3項に規定する被害者参加人をいう。以下同じ。）に付き添つた者の氏名及びその者と被害者参加人との関係
　⑩　法第316条の39第4項に規定する措置を採つたこと。

Ⅲ　調書（法第157条の6第3項の規定により証人の尋問及び供述並びにその状況を記録した記録媒体を除く。次項及び第5項において同じ。）は、裁判所書記官をしてこれを供述者に読み聞かせ、又は供述者に閲覧させて、その記載が相違ないかどうかを問わなければならない。

Ⅳ　供述者が増減変更を申し立てたときは、その供述を調書に記載しなければならない。

Ⅴ　尋問に立ち会つた検察官、被告人、被疑者又は弁護人が調書の記載の正確性について異議を申し立てたときは、申立の要旨を調書に記載しなければならない。この場合には、裁判長又は尋問をした裁判官は、その申立についての意見を調書に記載させることができる。

Ⅵ　調書には、供述者に署名押印させなければならない。

Ⅶ　法第157条の6第4項の規定により記録媒体がその一部とされた調書については、その旨を調書上明らかにしておかなければならない。

第39条〔被告人、被疑者の陳述の調書〕

Ⅰ　被告人又は被疑者に対し、被告事件又は被疑事件を告げこれに関する陳述を聴く場合には、調書を作らなければならない。

Ⅱ 　前項の調書については、前条第2項第3号前段、第3項、第4項及び第6項の規定を準用する。

第40条〔速記、録音〕

証人、鑑定人、通訳人又は翻訳人の尋問及び供述並びに訴訟関係人の申立又は陳述については、裁判所速記官その他の速記者にこれを速記させ、又は録音装置を使用してこれを録取させることができる。

第41条〔検証、押収の調書〕

Ⅰ 　検証又は差押状若しくは記録命令付差押状を発しないでする押収については、調書を作らなければならない。

Ⅱ 　検証調書には、次に掲げる事項を記載しなければならない。

① 　検証に立ち会つた者の氏名

② 　法第316条の39第1項に規定する措置を採つたこと並びに被害者参加人に付き添つた者の氏名及びその者と被害者参加人との関係

③ 　法第316条の39第4項に規定する措置を採つたこと。

Ⅲ 　押収をしたときは、その品目を記載した目録を作り、これを調書に添附しなければならない。

第42条〔調書の記載要件〕

Ⅰ 　第38条、第39条及び前条の調書には、裁判所書記官が取調又は処分をした年月日及び場所を記載して署名押印し、その取調又は処分をした者が認印しなければならない。但し、裁判所が取調又は処分をしたときは、認印は裁判長がしなければならない。

Ⅱ 　前条の調書には、処分をした時をも記載しなければならない。

第43条〔差押状等の執行調書、捜索調書〕

Ⅰ 　差押状、記録命令付差押状若しくは捜索状の執行又は勾引状若しくは勾留状を執行する場合における被告人若しくは被疑者の捜索については、執行又は捜索をする者が、自ら調書を作らなければならない。

Ⅱ 　調書には、次に掲げる事項を記載しなければならない。

① 　執行又は捜索をした年月日時及び場所

② 　執行をすることができなかつたときは、その事由

Ⅲ 　第1項の調書については、第41条第2項第1号及び第3項の規定を準用する。

第44条〔公判調書の記載要件・法第48条〕

Ⅰ 　公判調書には、次に掲げる事項を記載しなければならない。

① 　被告事件名及び被告人の氏名

② 　公判をした裁判所及び年月日

③ 　裁判所法(昭和22年法律第59号)第69条第2項の規定により他の場所で法廷を開いたときは、その場所

④ 　裁判官及び裁判所書記官の官氏名

⑤　検察官の官氏名

⑥　出頭した被告人、弁護人、代理人及び補佐人の氏名

⑦　裁判長が第187条の4の規定による告知をしたこと。

⑧　出席した被害者参加人及びその委託を受けた弁護士の氏名

⑨　法第316条の39第1項に規定する措置を採つたこと並びに被害者参加人に付き添つた者の氏名及びその者と被害者参加人との関係

⑩　法第316条の39第4項又は第5項に規定する措置を採つたこと。

⑪　公開を禁じたこと及びその理由

⑫　裁判長が被告人を退廷させる等法廷における秩序維持のための処分をしたこと。

⑬　法第291条第4項の機会にした被告人及び弁護人の被告事件についての陳述

⑭　証拠調べの請求その他の申立て

⑮　証拠と証明すべき事実との関係（証拠の標目自体によつて明らかである場合を除く。）

⑯　取調べを請求する証拠が法第328条の証拠であるときはその旨

⑰　法第309条の異議の申立て及びその理由

⑱　主任弁護人の指定を変更する旨の申述

⑲　被告人に対する質問及びその供述

⑳　出頭した証人、鑑定人、通訳人及び翻訳人の氏名

㉑　証人に宣誓をさせなかつたこと及びその事由

㉒　証人、鑑定人、通訳人又は翻訳人の尋問及び供述

㉓　証人その他の者が宣誓、証言等を拒んだこと及びその事由

㉔　法第157条の2第1項各号に掲げる条件により証人尋問を行つたこと。

㉕　法第157条の4第1項に規定する措置を採つたこと並びに証人に付き添つた者の氏名及びその者と証人との関係

㉖　法第157条の5に規定する措置を採つたこと。

㉗　法第157条の6第1項又は第2項に規定する方法により証人尋問を行つたこと。

㉘　法第157条の6第3項の規定により証人の同意を得てその尋問及び供述並びにその状況を記録媒体に記録したこと並びにその記録媒体の種類及び数量

㉙　裁判長が第202条の処置をしたこと。

㉚　法第326条の同意

㉛　取り調べた証拠の標目及びその取調べの順序

㉜　公判廷においてした検証及び押収

㉝　法第316条の31の手続をしたこと。

㉞　法第335条第2項の主張

㉟　訴因又は罰条の追加、撤回又は変更に関する事項（起訴状の訂正に関する事項を含む。）

㊱　法第292条の2第1項の規定により意見を陳述した者の氏名

㊲　前号に規定する者が陳述した意見の要旨

㊳　法第292条の2第6項において準用する法第157条の4第1項に規定する措置を採つたこと並びに第36号に規定する者に付き添つた者の氏名及びその者と同号に規定する者との関係

㊴　法第292条の2第6項において準用する法第157条の5に規定する措置を採つたこと。

㊵　法第292条の2第6項において準用する法第157条の6第1項又は第2項に規定する方法により法第292条の2第1項の規定による意見の陳述をさせたこと。

㊶　法第292条の2第8項の規定による手続をしたこと。

㊷　証拠調べが終わつた後に陳述した検察官、被告人及び弁護人の意見の要旨

㊸　法第316条の38第1項の規定により陳述した被害者参加人又はその委託を受けた弁護士の意見の要旨

㊹　被告人又は弁護人の最終陳述の要旨

㊺　判決の宣告をしたこと。

㊻　法第299条の5第1項の規定による裁定に関する事項

㊼　決定及び命令。ただし、次に掲げるものを除く。

　イ　被告人又は弁護人の冒頭陳述の許可（第198条）

　ロ　証拠調べの範囲、順序及び方法を定め、又は変更する決定（法第157条の2第1項又は第157条の3第1項の請求に対する決定を除く。）（法第297条）

　ハ　被告人の退廷の許可（法第288条）

　ニ　主任弁護人及び副主任弁護人以外の弁護人の申立て、請求、質問等の許可（第25条）

　ホ　証拠決定についての提示命令（第192条）

　ヘ　速記、録音、撮影等の許可（第47条及び第215条）

　ト　証人の尋問及び供述並びにその状況を記録媒体に記録する旨の決定（法第157条の6第3項）

　チ　証拠書類又は証拠物の謄本の提出の許可（法第310条）

㊽　公判手続の更新をしたときは、その旨及び次に掲げる事項

　イ　被告事件について被告人及び弁護人が前と異なる陳述をしたときは、その陳述

　ロ　取り調べない旨の決定をした書面及び物

㊾　法第350条の22第1号若しくは第2号に該当すること又は法第291条第4項の手続に際し、被告人が起訴状に記載された訴因について有罪である旨の陳述をしなかつたことを理由として即決裁判手続の申立てを却下したときは、その旨

㊿　法第350条の25第1項第1号、第2号又は第4号に該当すること（同号については、被告人が起訴状に記載された訴因について有罪である旨の陳述と相反するか又は実質的に異なつた供述をしたことにより同号に該当する場合に限る。）となつたことを理由として法第350条の22の決定を取り消したときは、その旨

II　前項に掲げる事項以外の事項であつても、公判期日における訴訟手続中裁判長が訴訟関係人の請求により又は職権で記載を命じた事項は、これを公判調書に記載しなければならない。

第44条の2〔公判調書の供述の記載の簡易化・法第48条〕

　訴訟関係人が同意し、且つ裁判長が相当と認めるときは、公判調書には、被告人に対する質問及びその供述並びに証人、鑑定人、通訳人又は翻訳人の尋問及び供述の記載に代えて、これらの者の供述の要旨のみを記載することができる。この場合には、その公判調書に訴訟関係人が同意した旨を記載しなければならない。

第45条〔公判調書の作成の手続・法第48条〕

Ⅰ 公判調書については、第38条第3項、第4項及び第6項の規定による手続をすることを要しない。

Ⅱ 供述者の請求があるときは、裁判所書記官にその供述に関する部分を読み聞かさせなければならない。尋問された者が増減変更の申立をしたときは、その供述を記載させなければならない。

第46条〔公判調書の署名押印、認印・法第48条〕

Ⅰ 公判調書には、裁判所書記官が署名押印し、裁判長が認印しなければならない。

Ⅱ 裁判長に差し支えがあるときは、他の裁判官の1人が、その事由を付記して認印しなければならない。

Ⅲ 地方裁判所の1人の裁判官又は簡易裁判所の裁判官に差し支えがあるときは、裁判所書記官が、その事由を付記して署名押印しなければならない。

Ⅳ 裁判所書記官に差し支えがあるときは、裁判長が、その事由を付記して認印しなければならない。

第47条〔公判廷の速記、録音〕

Ⅰ 公判廷における証人、鑑定人、通訳人又は翻訳人の尋問及び供述、被告人に対する質問及び供述並びに訴訟関係人の申立又は陳述については、第40条の規定を準用する。

Ⅱ 検察官、被告人又は弁護人は、裁判長の許可を受けて、前項の規定による処置をとることができる。

第48条〔異議の申立の記載・法第50条等〕

公判期日における証人の供述の要旨の正確性又は公判調書の記載の正確性についての異議の申立があつたときは、申立の年月日及びその要旨を調書に記載しなければならない。この場合には、裁判所書記官がその申立についての裁判長の意見を調書に記載して署名押印し、裁判長が認印しなければならない。

第49条〔調書への引用〕

調書には、書面、写真その他裁判所又は裁判官が適当と認めるものを引用し、訴訟記録に添附して、これを調書の一部とすることができる。

第49条の2〔調書の記載事項別編てつ〕

調書は、記載事項により区分して訴訟記録に編てつすることができる。この場合には、調書が一体となるものであることを当該調書上明らかにしておかなければならない。

第50条〔被告人の公判調書の閲覧・法第49条〕

Ⅰ 弁護人のない被告人の公判調書の閲覧は、裁判所においてこれをしなければならない。

Ⅱ 前項の被告人が読むことができないとき又は目の見えないときにすべき公判調書の朗読は、裁判長の命により、裁判所書記官がこれをしなければならない。

第 51 条〔証人の供述の要旨等の告知・法第 50 条〕

　裁判所書記官が公判期日外において前回の公判期日における証人の供述の要旨又は審理に関する重要な事項を告げるときは、裁判長の面前でこれをしなければならない。

第 52 条　〔公判調書の整理・法第 48 条等〕

　法第 48 条第 3 項ただし書の規定により公判調書を整理した場合には、その公判調書の記載の正確性についての異議の申立期間との関係においては、その公判調書を整理すべき最終日にこれを整理したものとみなす。

第 52 条の 2〔公判準備における証人等の尋問調書〕

Ⅰ　公判準備において裁判所、受命裁判官又は受託裁判官が証人、鑑定人、通訳人又は翻訳人を尋問する場合の調書については、被告人又は弁護人が尋問に立ち会い、且つ立ち会つた訴訟関係人及び供述者が同意したときは、次の例によることができる。

①　証人その他の者の尋問及び供述の記載に代えて、これらの者の供述の要旨のみを記載すること。

②　第 38 条第 3 項から第 6 項までの規定による手続をしないこと。

Ⅱ　前項各号の例によつた場合には、その調書に訴訟関係人及び供述者が同意した旨を記載しなければならない。

Ⅲ　第 1 項第 2 号の例による調書が整理されていない場合において、検察官、被告人又は弁護人の請求があるときは、裁判所書記官は、裁判長、受命裁判官又は受託裁判官の面前で、証人その他の者の供述の要旨を告げなければならない。

Ⅳ　前項の場合において、検察官、被告人又は弁護人が供述の要旨の正確性について異議を申し立てたときは、申立の年月日及びその要旨を調書に記載しなければならない。この場合には、裁判所書記官がその申立についての裁判長、受命裁判官又は受託裁判官の意見を調書に記載して署名押印し、裁判長、受命裁判官又は受託裁判官が認印しなければならない。

Ⅴ　第 1 項第 2 号の例による調書を公判期日において取り調べた場合において、検察官、被告人又は弁護人が調書の記載の正確性について異議を申し立てたときは、前項の規定を準用する。

第 52 条の 3〔速記録の作成〕

　裁判所速記官は、速記をしたときは、すみやかに速記原本を反訳して速記録を作らなければならない。ただし、第 52 条の 4 ただし書又は第 52 条の 7 ただし書の規定により速記録の引用が相当でないとされる場合及び第 52 条の 8 の規定により速記原本が公判調書の一部とされる場合は、この限りでない。

第 52 条の 4〔証人の尋問調書等における速記録の引用〕

　証人、鑑定人、通訳人又は翻訳人の尋問及び供述並びに訴訟関係人の申立又は陳述を裁判所速記官に速記させた場合には、速記録を調書に引用し、訴訟記録に添附して調書の一部とするものとする。ただし、裁判所又は裁判官が、尋問又は手続に立ち会

付
録

つた検察官及び被告人、被疑者又は弁護人の意見を聴き、速記録の引用を相当でない
と認めるときは、この限りでない。

第52条の5〔速記録引用の場合の措置〕

Ⅰ 前条本文の規定により証人、鑑定人、通訳人又は翻訳人の尋問及び供述を速記し
た速記録を調書の一部とするについては、第38条第3項から第6項までの規定に
よる手続をしない。

Ⅱ 前項の場合には、次の例による。

① 裁判所速記官に速記原本を訳読させ、供述者にその速記が相違ないかどうかを
問うこと。

② 供述者が増減変更を申し立てたときは、その供述を速記させること。

③ 尋問に立ち会つた検察官、被告人、被疑者又は弁護人が速記原本の正確性につ
いて異議を申し立てたときは、その申立を速記させること。この場合には、裁判
長又は尋問をした裁判官は、その申立についての意見を速記させることができる
こと。

④ 裁判所書記官に第1号に定める手続をした旨を調書に記載させ、かつ、供述
者をしてその調書に署名押印させること。

Ⅲ 供述者が速記原本の訳読を必要としない旨を述べ、かつ、尋問に立ち会つた検察
官及び被告人、被疑者又は弁護人に異議がないときは、前項の手続をしない。この
場合には、裁判所書記官にその旨を調書に記載させ、かつ、供述者をしてその調書
に署名押印させなければならない。

Ⅳ 公判準備における証人、鑑定人、通訳人又は翻訳人の尋問及び供述を速記した速
記録を調書の一部とする場合には、前2項の規定を適用しない。ただし、供述者が
速記原本の訳読を請求したときは、第2項第1号及び第2号に定める手続をしなけ
ればならない。

第52条の6

Ⅰ 前条の例による調書が整理されていない場合において、その尋問に立ち会い又は
立ち会うことのできた検察官、被告人、被疑者又は弁護人の請求があるときは、裁
判所書記官は、裁判所速記官に求めて速記原本の訳読をさせなければならない。

Ⅱ 前項の場合において、その速記原本が公判準備における尋問及び供述を速記した
ものであるときは、検察官、被告人又は弁護人は、速記原本の正確性について異議
を申し立てることができる。

Ⅲ 前項の異議の申立があつたときは、裁判所書記官が申立の年月日及びその要旨を
調書に記載し、かつ、その申立についての裁判長、受命裁判官又は受託裁判官の意
見を調書に記載して署名押印し、裁判長、受命裁判官又は受託裁判官が認印しなけ
ればならない。

Ⅳ 前条の例により公判準備における尋問及び供述を速記した速記録をその一部とし
た調書を公判期日において取り調べた場合において、検察官、被告人又は弁護人が
調書の正確性について異議を申し立てたときは、前項の規定を準用する。

第52条の7〔公判調書における速記録の引用〕

公判廷における証人、鑑定人、通訳人又は翻訳人の尋問及び供述、被告人に対する

質問及び供述並びに訴訟関係人の申立又は陳述を裁判所速記官に速記させた場合には、速記録を公判調書に引用し、訴訟記録に添附して公判調書の一部とするものとする。ただし、裁判所が、検察官及び被告人又は弁護人の意見を聴き、速記録の引用を相当でないと認めるときは、この限りでない。

第52条の8〔公判調書における速記原本の引用〕

　前条の裁判所速記官による速記がされた場合において、裁判所が相当と認め、かつ、訴訟関係人が同意したときは、速記原本を公判調書に引用し、訴訟記録に添附して公判調書の一部とすることができる。この場合には、その公判調書に訴訟関係人が同意した旨を記載しなければならない。

第52条の9〔速記原本の訳読等〕

　第52条の7本文又は前条の規定により速記録又は速記原本が公判調書の一部とされる場合において、供述者の請求があるときは、裁判所速記官にその供述に関する部分の速記原本を訳読させなければならない。尋問された者が増減変更の申立をしたときは、その供述を速記させなければならない。

第52条の10

Ⅰ　第52条の7本文又は第52条の8の規定により速記録又は速記原本を公判調書の一部とする場合において、その公判調書が次回の公判期日までに整理されなかつたときは、裁判所書記官は、検察官、被告人又は弁護人の請求により、次回の公判期日において又はその期日までに、裁判所速記官に求めて前回の公判期日における証人の尋問及び供述を速記した速記原本の訳読をさせなければならない。この場合において、請求をした検察官、被告人又は弁護人が速記原本の正確性について異議を申し立てたときは、第48条の規定を準用する。

Ⅱ　法第50条第2項の規定により裁判所書記官が前回の公判期日における審理に関する重要な事項を告げる場合において、その事項が裁判所速記官により速記されたものであるときは、裁判所書記官は、裁判所速記官に求めてその速記原本の訳読をさせることができる。

第52条の11

Ⅰ　検察官又は弁護人の請求があるときは、裁判所書記官は、裁判所速記官に求めて第52条の8の規定により公判調書の一部とした速記原本の訳読をさせなければならない。弁護人のない被告人の請求があるときも、同様である。

Ⅱ　前項の場合において、速記原本の正確性についての異議の申立があつたときは、第48条の規定を準用する。

第52条の12〔速記原本の反訳等〕

Ⅰ　裁判所は、次の場合には、裁判所速記官に第52条の8の規定により公判調書の一部とされた速記原本をすみやかに反訳して速記録を作らせなければならない。

①　検察官、被告人又は弁護人の請求があるとき。

②　上訴の申立があつたとき。ただし、その申立が明らかに上訴権の消滅後にされたものであるときを除く。

③ その他必要があると認めるとき。

Ⅱ 裁判所書記官は、前項の速記録を訴訟記録に添附し、その旨を記録上明らかにし、かつ、訴訟関係人に通知しなければならない。

Ⅲ 前項の規定により訴訟記録に添附された速記録は、公判調書の一部とされた速記原本に代わるものとする。

第52条の13〔速記録添附の場合の異議申立期間・法第51条〕

前条第2項の規定による通知が最終の公判期日後にされたときは、公判調書の記載の正確性についての異議の申立ては、速記録の部分に関する限り、その通知のあつた日から14日以内にすることができる。ただし、法第48条第3項ただし書の規定により判決を宣告する公判期日後に整理された公判調書について、これを整理すべき最終日前に前条第2項の規定による通知がされたときは、その最終日から14日以内にすることができる。

第52条の14〔録音反訳による証人の尋問調書等〕

証人、鑑定人、通訳人又は翻訳人の尋問及び供述並びに訴訟関係人の申立て又は陳述を録音させた場合において、裁判所又は裁判官が相当と認めるときは、録音したもの(以下「録音体」という。)を反訳した調書を作成しなければならない。

第52条の15〔録音反訳の場合の措置〕

Ⅰ 前条の規定により証人、鑑定人、通訳人又は翻訳人の尋問及び供述を録音した録音体を反訳した調書を作成する場合においては、第38条第3項から第6項までの規定による手続をしない。

Ⅱ 前項に規定する場合には、次に掲げる手続による。

① 裁判所書記官に録音体を再生させ、供述者にその録音が相違ないかどうかを問うこと。

② 供述者が増減変更を申し立てたときは、その供述を録音させること。

③ 尋問に立ち会つた検察官、被告人、被疑者又は弁護人が録音体の正確性について異議を申し立てたときは、その申立てを録音させること。この場合には、裁判長又は尋問をした裁判官は、その申立てについての意見を録音させることができること。

④ 裁判所書記官に第1号の手続をした旨を調書に記載させ、かつ、供述者をしてその調書に署名押印させること。

Ⅲ 供述者が録音体の再生を必要としない旨を述べ、かつ、尋問に立ち会つた検察官及び被告人、被疑者又は弁護人に異議がないときは、前項の手続をしない。この場合には、裁判所書記官にその旨を調書に記載させ、かつ、供述者をしてその調書に署名押印させなければならない。

Ⅳ 公判準備における証人、鑑定人、通訳人又は翻訳人の尋問及び供述を録音した録音体を反訳した調書を作成する場合には、前2項の規定を適用しない。ただし、供述者が録音体の再生を請求したときは、第2項第1号及び第2号の手続をしなければならない。

第52条の16

Ⅰ　前条第1項に規定する調書が整理されていない場合において、その尋問に立ち会い又は立ち会うことのできた検察官、被告人、被疑者又は弁護人の請求があるときは、裁判所書記官は、録音体を再生しなければならない。

Ⅱ　前項に規定する場合において、その録音体が公判準備における尋問及び供述を録音したものであるときは、検察官、被告人又は弁護人は、録音体の正確性について異議を申し立てることができる。

Ⅲ　前項に規定する異議の申立てがあつたときは、裁判所書記官が、申立ての年月日及びその要旨を調書に記載し、かつ、その申立てについての裁判長、受命裁判官又は受託裁判官の意見を調書に記載して署名押印し、裁判長、受命裁判官又は受託裁判官が認印しなければならない。

Ⅳ　前条第4項に規定する調書を公判期日において取り調べた場合において、検察官、被告人又は弁護人が調書の正確性について異議を申し立てたときは、前項の規定を準用する。

第52条の17〔録音反訳による公判調書〕

公判廷における証人、鑑定人、通訳人又は翻訳人の尋問及び供述、被告人に対する質問及び供述並びに訴訟関係人の申立て又は陳述を録音させた場合において、裁判所が相当と認めるときは、録音体を反訳した公判調書を作成しなければならない。

第52条の18〔公判調書における録音反訳の場合の措置〕

前条の規定により公判調書を作成する場合において、供述者の請求があるときは、裁判所書記官にその供述に関する部分の録音体を再生させなければならない。この場合において、尋問された者が増減変更の申立てをしたときは、その供述を録音させなければならない。

第52条の19〔公判調書未整理の場合の録音体の再生等〕

Ⅰ　公判調書が次回の公判期日までに整理されなかつたときは、裁判所は、検察官、被告人又は弁護人の請求により、次回の公判期日において又はその期日までに、前回の公判期日における証人、鑑定人、通訳人又は翻訳人の尋問及び供述、被告人に対する質問及び供述並びに訴訟関係人の申立て又は陳述を録音した録音体又は法第157条の6第3項の規定により証人の尋問及び供述並びにその状況を記録した記録媒体について、再生する機会を与えなければならない。

Ⅱ　前項の規定により再生する機会を与えた場合には、これをもつて法第50条第1項の規定による要旨の告知に代えることができる。

Ⅲ　法第50条第2項の規定により裁判所書記官が前回の公判期日における審理に関する重要な事項を告げるときは、録音体を再生する方法によりこれを行うことができる。

第52条の20〔公判調書における録音体の引用〕

公判廷における証人、鑑定人、通訳人又は翻訳人の尋問及び供述、被告人に対する質問及び供述並びに訴訟関係人の申立て又は陳述を録音させた場合において、裁判所が相当と認め、かつ、検察官及び被告人又は弁護人が同意したときは、録音体を公判

調書に引用し、訴訟記録に添付して公判調書の一部とすることができる。

第52条の21 〔録音体の内容を記載した書面の作成〕

裁判所は、次の場合には、裁判所書記官に前条の規定により公判調書の一部とされた録音体の内容を記載した書面を速やかに作らせなければならない。

① 判決の確定前に、検察官、被告人又は弁護人の請求があるとき。
② 上訴の申立てがあったとき。ただし、その申立てが明らかに上訴権の消滅後にされたものであるときを除く。
③ その他必要があると認めるとき。

第53条〔裁判書の作成〕

裁判をするときは、裁判書を作らなければならない。但し、決定又は命令を宣告する場合には、裁判書を作らないで、これを調書に記載させることができる。

第54条〔裁判書の作成者〕

裁判書は、裁判官がこれを作らなければならない。

第55条〔裁判書の署名押印〕

裁判書には、裁判をした裁判官が、署名押印しなければならない。裁判長が署名押印することができないときは、他の裁判官の1人が、その事由を附記して署名押印し、他の裁判官が署名押印することができないときは、裁判長が、その事由を附記して署名押印しなければならない。

第56条〔裁判書の記載要件〕

Ⅰ 裁判書には、特別の定のある場合を除いては、裁判を受ける者の氏名、年齢、職業及び住居を記載しなければならない。裁判を受ける者が法人（法人でない社団、財団又は団体を含む。以下同じ。）であるときは、その名称及び事務所を記載しなければならない。

Ⅱ 判決書には、前項に規定する事項の外、公判期日に出席した検察官の官氏名を記載しなければならない。

第57条〔裁判書等の謄本、抄本〕

Ⅰ 裁判書又は裁判を記載した調書の謄本又は抄本は、原本又は謄本によりこれを作らなければならない。

Ⅱ 判決書又は判決を記載した調書の抄本は、裁判の執行をすべき場合において急速を要するときは、前項の規定にかかわらず、被告人の氏名、年齢、職業、住居及び本籍、罪名、主文、適用した罰条、宣告をした年月日、裁判所並びに裁判官の氏名を記載してこれを作ることができる。

Ⅲ 前項の抄本は、判決をした裁判官がその記載が相違ないことを証明する旨を附記して認印したものに限り、その効力を有する。

Ⅳ 前項の場合には、第55条後段の規定を準用する。ただし、署名押印に代えて認印することができる。

Ⅴ 判決書に起訴状その他の書面に記載された事実が引用された場合には、その判決

書の謄本又は抄本には、その起訴状その他の書面に記載された事実をも記載しなければならない。但し、抄本について当該部分を記載することを要しない場合は、この限りでない。

Ⅵ 判決書に公判調書に記載された証拠の標目が引用された場合において、訴訟関係人の請求があるときは、その判決書の謄本又は抄本には、その公判調書に記載された証拠の標目をも記載しなければならない。

第58条〔公務員の書類〕

Ⅰ 官吏その他の公務員が作るべき書類には、特別の定のある場合を除いては、年月日を記載して署名押印し、その所属の官公署を表示しなければならない。

Ⅱ 裁判官その他の裁判所職員が作成すべき裁判書、調書又はそれらの謄本若しくは抄本のうち、訴訟関係人その他の者に送達、送付又は交付（裁判所又は裁判官に対してする場合及び被告事件の終結その他これに類する事由による場合を除く。）をすべきものについては、毎葉に契印し、又は契印に代えて、これに準ずる措置をとらなければならない。

Ⅲ 検察官、検察事務官、司法警察職員その他の公務員（裁判官その他の裁判所職員を除く。）が作成すべき書類（裁判所又は裁判官に対する申立て、意見の陳述、通知その他これらに類する訴訟行為に関する書類を除く。）には、毎葉に契印しなければならない。ただし、その謄本又は抄本を作成する場合には、契印に代えて、これに準ずる措置をとることができる。

第59条〔公務員の書類の訂正〕

官吏その他の公務員が書類を作成するには、文字を改変してはならない。文字を加え、削り、又は欄外に記入したときは、その範囲を明らかにして、訂正した部分に認印しなければならない。ただし、削つた部分は、これを読むことができるように字体を残さなければならない。

第60条〔公務員以外の者の書類〕

官吏その他の公務員以外の者が作るべき書類には、年月日を記載して署名押印しなければならない。

第60条の2〔署名押印に代わる記名押印〕

Ⅰ 裁判官その他の裁判所職員が署名押印すべき場合には、署名押印に代えて記名押印することができる。ただし、判決書に署名押印すべき場合については、この限りでない。

Ⅱ 次に掲げる者が、裁判所若しくは裁判官に対する申立て、意見の陳述、通知、届出その他これらに類する訴訟行為に関する書類に署名押印すべき場合又は書類の謄本若しくは抄本に署名押印すべき場合も、前項と同様とする。

① 検察官、検察事務官、司法警察職員その他の公務員（前項に規定する者を除く。）

② 弁護人又は弁護人を選任することができる者の依頼により弁護人となろうとする者

③ 法第316条の33第1項に規定する弁護士又は被害者参加人の委託を受けて

付録

585

法第316条の34若しくは第316条の36から第316条の38までに規定する行為を行う弁護士

第61条〔署名押印に代わる代書又は指印〕

Ⅰ 官吏その他の公務員以外の者が署名押印すべき場合に、署名することができないとき（前条第2項により記名押印することができるときを除く。）は、他人に代書させ、押印することができないときは指印しなければならない。

Ⅱ 他人に代書させた場合には、代書した者が、その事由を記載して署名押印しなければならない。

第62条〔送達のための届出・法第54条〕

Ⅰ 被告人、代理人、弁護人又は補佐人は、書類の送達を受けるため、書面でその住居又は事務所を裁判所に届け出なければならない。裁判所の所在地に住居又は事務所を有しないときは、その所在地に住居又は事務所を有する者を送達受取人に選任し、その者と連署した書面でこれを届け出なければならない。

Ⅱ 前項の規定による届出は、同一の地に在る各審級の裁判所に対してその効力を有する。

Ⅲ 前2項の規定は、刑事施設に収容されている者には、これを適用しない。

Ⅳ 送達については、送達受取人は、これを本人とみなし、その住居又は事務所は、これを本人の住居とみなす。

第63条〔書留郵便等に付する送達・法第54条〕

Ⅰ 住居、事務所又は送達受取人を届け出なければならない者がその届出をしないときは、裁判所書記官は、書類を書留郵便又は一般信書便事業者若しくは特定信書便事業者の提供する信書便の役務のうち書留郵便に準ずるものとして別に最高裁判所規則で定めるもの（次項において「書留郵便等」という。）に付して、その送達をすることができる。ただし、起訴状及び略式命令の謄本の送達については、この限りでない。

Ⅱ 前項の送達は、書類を書留郵便等に付した時に、これをしたものとみなす。

第63条の2〔就業場所における送達の要件・法第54条〕

書類の送達は、これを受けるべき者に異議がないときに限り、その者が雇用、委任その他の法律上の行為に基づき就業する他人の住居又は事務所においてこれをすることができる。

第64条〔検察官に対する送達・法第54条〕

検察官に対する送達は、書類を検察庁に送付してこれをしなければならない。

第65条〔交付送達・法第54条〕

裁判所書記官が本人に送達すべき書類を交付したときは、その送達があつたものとみなす。

第7章　期間

第66条〔裁判所に対する訴訟行為をする者のための法定期間の延長・法第56条〕

Ⅰ　裁判所は、裁判所に対する訴訟行為をすべき者の住居又は事務所の所在地と裁判所の所在地との距離及び交通通信の便否を考慮し、法定の期間を延長するのを相当と認めるときは、決定で、延長する期間を定めなければならない。

Ⅱ　前項の規定は、宣告した裁判に対する上訴の提起期間には、これを適用しない。

第66条の2〔検察官に対する訴訟行為をする者のための法定期間の延長・法第56条〕

Ⅰ　検察官は、検察官に対する訴訟行為をすべき者の住居又は事務所の所在地と検察庁の所在地との距離及び交通通信の便否を考慮し、法定の期間を延長するのを相当と思料するときは、裁判官にその期間の延長を請求しなければならない。

Ⅱ　裁判官は、前項の請求を理由があると認めるときは、すみやかに延長する期間を定めなければならない。

Ⅲ　前項の裁判は、検察官に告知することによつてその効力を生ずる。

Ⅳ　検察官は、前項の裁判の告知を受けたときは、直ちにこれを当該訴訟行為をすべき者に通知しなければならない。

第8章　被告人の召喚、勾引及び勾留

第67条〔召喚の猶予期間・法第57条〕

Ⅰ　被告人に対する召喚状の送達と出頭との間には、少くとも12時間の猶予を置かなければならない。但し、特別の定のある場合は、この限りでない。

Ⅱ　被告人に異議がないときは、前項の猶予期間を置かないことができる。

第68条〔勾引、勾留についての身体、名誉の保全〕

被告人の勾引又は勾留については、その身体及び名誉を保全することに注意しなければならない。

第69条〔裁判所書記官の立会・法第61条〕

法第61条の規定により被告人に対し被告事件を告げこれに関する陳述を聴く場合には、裁判所書記官を立ち会わせなければならない。

第70条〔勾留状の記載要件・法第64条〕

勾留状には、法第64条に規定する事項の外、法第60条第1項各号に定める事由を記載しなければならない。

第71条〔裁判長の令状の記載要件・法第69条〕

裁判長は、法第69条の規定により召喚状、勾引状又は勾留状を発する場合には、

付録

その旨を令状に記載しなければならない。

第72条〔勾引状、勾留状の原本の送付・法第70条〕

検察官の指揮により勾引状又は勾留状を執行する場合には、これを発した裁判所又は裁判官は、その原本を検察官に送付しなければならない。

第73条〔勾引状の数通交付〕

勾引状は、数通を作り、これを検察事務官又は司法警察職員数人に交付することができる。

第74条〔勾引状、勾留状の謄本交付の請求〕

勾引状又は勾留状の執行を受けた被告人は、その謄本の交付を請求することができる。

第75条〔勾引状、勾留状執行後の処置〕

Ⅰ 勾引状又は勾留状を執行したときは、これに執行の場所及び年月日時を記載し、これを執行することができなかつたときは、その事由を記載して記名押印しなければならない。

Ⅱ 勾引状又は勾留状の執行に関する書類は、執行を指揮した検察官又は裁判官を経由して、勾引状又は勾留状を発した裁判所又は裁判官にこれを差し出さなければならない。

Ⅲ 勾引状の執行に関する書類を受け取つた裁判所又は裁判官は、裁判所書記官に被告人が引致された年月日時を勾引状に記載させなければならない。

第76条〔嘱託による勾引状・法第67条〕

Ⅰ 嘱託によつて勾引状を発した裁判官は、勾引状の執行に関する書類を受け取つたときは、裁判所書記官に被告人が引致された年月日時を勾引状に記載させなければならない。

Ⅱ 嘱託によつて勾引状を発した裁判官は、被告人を指定された裁判所に送致する場合には、勾引状に被告人が指定された裁判所に到着すべき期間を記載して記名押印しなければならない。

Ⅲ 勾引の嘱託をした裁判所又は裁判官は、勾引状の執行に関する書類を受け取つたときは、裁判所書記官に被告人が到着した年月日時を勾引状に記載させなければならない。

第77条〔裁判所書記官の立会・法第76条等〕

裁判所又は裁判官が法第76条又は第77条の処分をするときは、裁判所書記官を立ち会わせなければならない。

第78条〔調書の作成・法第76条等〕

法第76条又は第77条の処分については、調書を作らなければならない。

第 79 条〔勾留の通知・法第 79 条〕

被告人を勾留した場合において被告人に弁護人、法定代理人、保佐人、配偶者、直系の親族及び兄弟姉妹がないときは、被告人の申出により、その指定する者 1 人にその旨を通知しなければならない。

第 80 条〔被告人の移送〕

Ⅰ　検察官は、裁判長の同意を得て、勾留されている被告人を他の刑事施設に移すことができる。

Ⅱ　検察官は、被告人を他の刑事施設に移したときは、直ちにその旨及びその刑事施設を裁判所及び弁護人に通知しなければならない。被告人に弁護人がないときは、被告人の法定代理人、保佐人、配偶者、直系の親族及び兄弟姉妹のうち被告人の指定する者 1 人にその旨及びその刑事施設を通知しなければならない。

Ⅲ　前項の場合には、前条の規定を準用する。

第 81 条〔勾留の理由開示の請求の方式・法第 82 条〕

Ⅰ　勾留の理由の開示の請求は、請求をする者ごとに、各別の書面で、これをしなければならない。

Ⅱ　法第 82 条第 2 項に掲げる者が前項の請求をするには、被告人との関係を書面で具体的に明らかにしなければならない。

第 81 条の 2〔開示の請求の却下〕

前条の規定に違反してされた勾留の理由の開示の請求は、決定で、これを却下しなければならない。

第 82 条〔開示の手続・法第 83 条〕

Ⅰ　勾留の理由の開示の請求があつたときは、裁判長は、開示期日を定めなければならない。

Ⅱ　開示期日には、被告人を召喚しなければならない。

Ⅲ　開示期日は、検察官、弁護人及び補佐人並びに請求者にこれを通知しなければならない。

第 83 条〔公判期日における開示・法第 83 条〕

Ⅰ　勾留の理由の開示は、公判期日においても、これをすることができる。

Ⅱ　公判期日において勾留の理由の開示をするには、あらかじめ、その旨及び開示をすべき公判期日を検察官、被告人、弁護人及び補佐人並びに請求者に通知しなければならない。

第 84 条〔開示の請求と開示期日〕

勾留の理由の開示をすべき期日とその請求があつた日との間には、5 日以上を置くことはできない。但し、やむを得ない事情があるときは、この限りでない。

第 85 条〔開示期日の変更〕

裁判所は、やむを得ない事情があるときは、開示期日を変更することができる。

第85条の2〔被告人、弁護人の退廷中の開示・法第83条〕

　開示期日において被告人又は弁護人が許可を受けないで退廷し、又は秩序維持のため裁判長から退廷を命ぜられたときは、その者の在廷しないままで勾留の理由の開示をすることができる。

第85条の3〔開示期日における意見陳述の時間の制限等・法第84条〕

Ⅰ　法第84条第2項本文に掲げる者が開示期日において意見を述べる時間は、各10分を超えることができない。

Ⅱ　前項の者は、その意見の陳述に代え又はこれを補うため、書面を差し出すことができる。

第86条〔開示期日の調書〕

　開示期日における手続については、調書を作り、裁判所書記官が署名押印し、裁判長が認印しなければならない。

第86条の2〔開示の請求の却下決定の送達〕

　勾留の理由の開示の請求を却下する決定は、これを送達することを要しない。

第87条〔保釈の保証書の記載事項・法第94条〕

　保釈の保証書には、保証金額及び何時でもその保証金を納める旨を記載しなければならない。

第88条〔執行停止についての意見の聴取・法第95条〕

　勾留の執行を停止するには、検察官の意見を聴かなければならない。但し、急速を要する場合は、この限りでない。

第89条　削除

第90条〔委託による執行停止・法第95条〕

　勾留されている被告人を親族、保護団体その他の者に委託して勾留の執行を停止するには、これらの者から何時でも召喚に応じ被告人を出頭させる旨の書面を差し出させなければならない。

第91条〔保証金の還付・法第96条、第343条等〕

Ⅰ　次の場合には、没取されなかつた保証金は、これを還付しなければならない。

①　勾留が取り消され、又は勾留状が効力を失つたとき。

②　保釈が取り消され又は効力を失つたため被告人が刑事施設に収容されたとき。

③　保釈が取り消され又は効力を失つた場合において、被告人が刑事施設に収容される前に、新たに、保釈の決定があつて保証金が納付されたとき又は勾留の執行が停止されたとき。

Ⅱ　前項第3号の保釈の決定があつたときは、前に納付された保証金は、あらたな保証金の全部又は一部として納付されたものとみなす。

第92条〔上訴中の事件等の勾留に関する処分・法第97条〕

Ⅰ　上訴の提起期間内の事件でまだ上訴の提起がないものについて勾留の期間を更新すべき場合には、原裁判所が、その決定をしなければならない。

Ⅱ　上訴中の事件で訴訟記録が上訴裁判所に到達していないものについて、勾留の期間を更新し、勾留を取り消し、又は保釈若しくは勾留の執行停止をし、若しくはこれを取り消すべき場合にも、前項と同様である。

Ⅲ　勾留の理由の開示をすべき場合には、前項の規定を準用する。

Ⅳ　上訴裁判所は、被告人が勾留されている事件について訴訟記録を受け取つたときは、直ちにその旨を原裁判所に通知しなければならない。

第92条の2〔禁錮以上の刑に処せられた被告人の収容手続・法第98条〕

法第343条において準用する法第98条の規定により被告人を刑事施設に収容するには、言い渡した刑並びに判決の宣告をした年月日及び裁判所を記載し、かつ、裁判長又は裁判官が相違ないことを証明する旨付記して認印した勾留状の謄本を被告人に示せば足りる。

第9章　押収及び捜索

第93条〔押収、捜索についての秘密、名誉の保持〕

押収及び捜索については、秘密を保ち、且つ処分を受ける者の名誉を害しないように注意しなければならない。

第94条〔差押状等の記載事項・法第107条〕

差押状、記録命令付差押状又は捜索状には、必要があると認めるときは、差押え、記録命令付差押え又は捜索をすべき事由をも記載しなければならない。

第95条〔準用規定〕

差押状、記録命令付差押状又は捜索状については、第72条の規定を準用する。

第96条〔捜索証明書、押収品目録の作成者・法第119条等〕

法第119条又は第120条の証明書又は目録は、捜索、差押え又は記録命令付差押えが令状の執行によつて行われた場合には、その執行をした者がこれを作つて交付しなければならない。

第97条〔差押状等執行後の処置〕

差押状、記録命令付差押状又は捜索状の執行をした者は、速やかに執行に関する書類及び差し押さえた物を令状を発した裁判所に差し出さなければならない。検察官の指揮により執行をした場合には、検察官を経由しなければならない。

第98条〔押収物の処置〕

押収物については、喪失又は破損を防ぐため、相当の処置をしなければならない。

第 99 条〔差押状、記録命令付差押状の執行調書の記載〕

Ⅰ 差押状の執行をした者は、第 96 条若しくは前条又は法第 121 条第 1 項若しくは第 2 項の処分をしたときは、その旨を調書に記載しなければならない。

Ⅱ 記録命令付差押状の執行をした者が第 96 条又は前条の処分をしたときも、前項と同様とする。

第 100 条〔押収、捜索の立会い〕

Ⅰ 差押状又は記録命令付差押状を発しないで押収をするときは、裁判所書記官を立ち会わせなければならない。

Ⅱ 差押状、記録命令付差押状又は捜索状を執行するときは、それぞれ他の検察事務官、司法警察職員又は裁判所書記官を立ち合わせなければならない。

第 10 章　検証

第 101 条〔検証についての注意〕

検証をするについて、死体を解剖し、又は墳墓を発掘する場合には、礼を失わないように注意し、配偶者、直系の親族又は兄弟姉妹があるときは、これに通知しなければならない。

第 102 条〔被告人の身体検査の召喚状等の記載要件・法第 63 条等〕

被告人に対する身体の検査のための召喚状又は勾引状には、身体の検査のために召喚又は勾引する旨をも記載しなければならない。

第 103 条〔被告人以外の者の身体検査の召喚状等の記載要件・法第 136 条等〕

Ⅰ 被告人以外の者に対する身体の検査のための召喚状には、その氏名及び住居、被告人の氏名、罪名、出頭すべき年月日時及び場所、身体の検査のために召喚する旨並びに正当な理由がなく出頭しないときは過料又は刑罰に処せられ且つ勾引状を発することがある旨を記載し、裁判長が、これに記名押印しなければならない。

Ⅱ 被告人以外の者に対する身体の検査のための勾引状には、その氏名及び住居、被告人の氏名、罪名、引致すべき場所、身体の検査のために勾引する旨、有効期間及びその期間経過後は執行に着手することができず令状はこれを返還しなければならない旨並びに発付の年月日を記載し、裁判長が、これに記名押印しなければならない。

第 104 条〔準用規定〕

身体の検査のためにする被告人以外の者に対する勾引については、第 72 条から第 76 条までの規定を準用する。

第 105 条〔検証の立会〕

検証をするときは、裁判所書記官を立ち会わせなければならない。

第11章　証人尋問

第106条〔尋問事項書・法第304条等〕

Ⅰ　証人の尋問を請求した者は、裁判官の尋問の参考に供するため、速やかに尋問事項又は証人が証言すべき事項を記載した書面を差し出さなければならない。但し、公判期日において訴訟関係人にまず証人を尋問させる場合は、この限りでない。

Ⅱ　前項但書の場合においても、裁判所は、必要と認めるときは、証人の尋問を請求した者に対し、前項本文の書面を差し出すべきことを命ずることができる。

Ⅲ　前2項の書面に記載すべき事項は、証人の証言により立証しようとする事項のすべてにわたらなければならない。

Ⅳ　公判期日外において証人の尋問をする場合を除いて、裁判長は、相当と認めるときは、第1項の規定にかかわらず、同項の書面を差し出さないことを許すことができる。

Ⅴ　公判期日外において証人の尋問をする場合には、速やかに相手方及びその弁護人の数に応ずる第1項の書面の謄本を裁判所に差し出さなければならない。

第107条〔請求の却下〕

前条の規定に違反してされた証人尋問の請求は、これを却下することができる。

第107条の2〔決定の告知・法第157条の2等〕

Ⅰ　法第157条の2第1項及び第157条の3第1項の請求に対する決定、法第157条の4第1項に規定する措置を採る旨の決定、法第157条の5に規定する措置を採る旨の決定、法第157条の6第1項及び第2項に規定する方法により証人尋問を行う旨の決定並びに同条第3項の規定により証人の尋問及び供述並びにその状況を記録媒体に記録する旨の決定は、公判期日前にする場合においても、これを送達することを要しない。

Ⅱ　前項の場合には、速やかに、それぞれ決定の内容を訴訟関係人に通知しなければならない。

第107条の3〔映像等の送受信による通話の方法による尋問・法第157条の6〕

法第157条の6第2項の同一構内以外にある場所であつて裁判所の規則で定めるものは、同項に規定する方法による尋問に必要な装置の設置された他の裁判所の構内にある場所とする。

第108条〔尋問事項の告知等・法第158条〕

Ⅰ　裁判所は、公判期日外において検察官、被告人又は弁護人の請求にかかる証人を尋問する場合には、第106条第1項の書面を参考として尋問すべき事項を定め、相手方及びその弁護人に知らせなければならない。

Ⅱ　相手方又はその弁護人は、書面で、前項の尋問事項に附加して、必要な事項の尋問を請求することができる。

第109条〔職権による公判期日外の尋問・法第158条〕

Ⅰ　裁判所は、職権で公判期日外において証人を尋問する場合には、あらかじめ、検察官、被告人及び弁護人に尋問事項を知らせなければならない。

Ⅱ　検察官、被告人又は弁護人は、書面で、前項の尋問事項に附加して、必要な事項の尋問を請求することができる。

第110条〔召喚状、勾引状の記載要件・法第153条等〕

Ⅰ　証人に対する召喚状には、その氏名及び住居、被告人の氏名、罪名、出頭すべき年月日時及び場所並びに正当な理由がなく出頭しないときは過料又は刑罰に処せられ且つ勾引状を発することがある旨を記載し、裁判長が、これに記名押印しなければならない。

Ⅱ　証人に対する勾引状には、その氏名及び住居、被告人の氏名、罪名、引致すべき年月日時及び場所、有効期間及びその期間経過後は執行に着手することができず令状はこれを返還しなければならない旨並びに発付の年月日を記載し、裁判長が、これに記名押印しなければならない。

第111条〔召喚の猶予期間・法第143条の2〕

証人に対する召喚状の送達と出頭との間には、少なくとも24時間の猶予を置かなければならない。ただし、急速を要する場合は、この限りでない。

第112条〔準用規定〕

証人の勾引については、第72条から第76条までの規定を準用する。

第113条〔尋問上の注意、在廷証人〕

Ⅰ　召喚により出頭した証人は、速やかにこれを尋問しなければならない。

Ⅱ　証人が裁判所の構内（第107条の3に規定する他の裁判所の構内を含む。）にいるときは、召喚をしない場合でも、これを尋問することができる。

第114条〔尋問の立会〕

証人を尋問するときは、裁判所書記官を立ち会わせなければならない。

第115条〔人定尋問〕

証人に対しては、まず、その人違でないかどうかを取り調べなければならない。

第116条〔宣誓の趣旨の説明等・法第155条〕

証人が宣誓の趣旨を理解することができる者であるかどうかについて疑があるときは、宣誓前に、この点について尋問し、且つ、必要と認めるときは、宣誓の趣旨を説明しなければならない。

第117条〔宣誓の時期・法第154条〕

宣誓は、尋問前に、これをさせなければならない。

付録

第118条〔宣誓の方式・法第154条〕

Ⅰ　宣誓は、宣誓書によりこれをしなければならない。

Ⅱ　宣誓書には、良心に従つて、真実を述べ何事も隠さず、又何事も附け加えないことを誓う旨を記載しなければならない。

Ⅲ　裁判長は、証人に宣誓書を朗読させ、且つこれに署名押印させなければならない。証人が宣誓書を朗読することができないときは、裁判長は、裁判所書記官にこれを朗読させなければならない。

Ⅳ　宣誓は、起立して厳粛にこれを行わなければならない。

第119条〔個別宣誓・法第154条〕

証人の宣誓は、各別にこれをさせなければならない。

第120条〔偽証の警告・法第154条〕

宣誓をさせた証人には、尋問前に、偽証の罰を告げなければならない。

第121条〔証言拒絶権の告知等・法第146条等〕

Ⅰ　証人に対しては、尋問前に、自己又は法第147条に規定する者が刑事訴追を受け、又は有罪判決を受ける虞のある証言を拒むことができる旨を告げなければならない。

Ⅱ　裁判所は、法第157条の2第2項の決定をした場合には、前項の規定にかかわらず、証人に対し、尋問前に、当該決定の内容及び法第147条に規定する者が刑事訴追を受け、又は有罪判決を受けるおそれのある証言を拒むことができる旨を告げなければならない。

Ⅲ　裁判所は、法第157条の3第2項の決定をした場合には、証人に対し、それ以後の尋問前に、当該決定の内容及び法第147条に規定する者が刑事訴追を受け、又は有罪判決を受けるおそれのある証言を拒むことができる旨を告げなければならない。

Ⅳ　法第149条に規定する者に対しては、必要と認めるときは、同条の規定により証言を拒むことができる旨を告げなければならない。

第122条〔証言の拒絶・法第146条等〕

Ⅰ　証言を拒む者は、これを拒む事由を示さなければならない。

Ⅱ　証言を拒む者がこれを拒む事由を示さないときは、過料その他の制裁を受けることがある旨を告げて、証言を命じなければならない。

第123条〔個別尋問〕

Ⅰ　証人は、各別にこれを尋問しなければならない。

Ⅱ　後に尋問すべき証人が在廷するときは、退廷を命じなければならない。

第124条〔対質〕

必要があるときは、証人と他の証人又は被告人と対質させることができる。

第125条〔書面による尋問〕

証人が耳が聞えないときは、書面で問い、口がきけないときは、書面で答えさせる

ことができる。

第126条〔公判期日外の尋問調書の閲覧等・法第159条〕

I 裁判所は、検察官、被告人又は弁護人が公判期日外における証人尋問に立ち会わなかつた場合において証人尋問調書が整理されたとき、又はその送付を受けたときは、速やかにその旨を立ち会わなかつた者に通知しなければならない。

II 被告人は、前項の尋問調書を閲覧することができる。

III 被告人は、読むことができないとき、又は目の見えないときは、第1項の尋問調書の朗読を求めることができる。

IV 前2項の場合には、第50条の規定を準用する。

第127条〔受命、受託裁判官の尋問・法第163条〕

受命裁判官又は受託裁判官が証人を尋問する場合においても、第106条第1項から第3項まで及び第5項、第107条から第109条まで（第107条の3を除く。）並びに前条の手続は、裁判所がこれをしなければならない。

第12章　鑑定

第128条〔宣誓・法第166条〕

I 鑑定人の宣誓は、鑑定をする前に、これをさせなければならない〈共予〉。

II 宣誓は、宣誓書によりこれをしなければならない。

III 宣誓書には、良心に従つて誠実に鑑定をすることを誓う旨を記載しなければならない。

第129条〔鑑定の報告〕

I 鑑定の経過及び結果は、鑑定人に鑑定書により又は口頭でこれを報告させなければならない〈共予〉。

II 鑑定人が数人あるときは、共同して報告をさせることができる。

III 鑑定の経過及び結果を鑑定書により報告させる場合には、鑑定人に対し、鑑定書に記載した事項に関し公判期日において尋問を受けることがある旨を告げなければならない。

第130条〔裁判所外の鑑定〕

I 裁判所は、必要がある場合には、裁判所外で鑑定をさせることができる。

II 前項の場合には、鑑定に関する物を鑑定人に交付することができる。

第130条の2〔鑑定留置状の記載要件・法第167条〕

鑑定留置状には、被告人の氏名及び住居、罪名、公訴事実の要旨、留置すべき場所、留置の期間、鑑定の目的、有効期間及びその期間経過後は執行に着手することができず令状は返還しなければならない旨並びに発付の年月日を記載し、裁判長が記名押印しなければならない。

第 130 条の 3 〔看守の申出の方式・法第 167 条〕

法第 167 条第 3 項の規定による申出は、被告人の看守を必要とする事由を記載した書面を差し出してしなければならない。

第 130 条の 4 〔鑑定留置期間の延長、短縮・法第 167 条〕

鑑定のためにする被告人の留置の期間の延長又は短縮は、決定でしなければならない。

第 130 条の 5 〔収容費の支払・法第 167 条〕

Ⅰ 裁判所は、鑑定のため被告人を病院その他の場所に留置した場合には、その場所の管理者の請求により、入院料その他の収容に要した費用を支払うものとする。

Ⅱ 前項の規定により支払うべき費用の額は、裁判所の相当と認めるところによる。

第 131 条〔準用規定〕

鑑定のためにする被告人の留置については、この規則に特別の定のあるもののほか、勾留に関する規定を準用する。但し、保釈に関する規定は、この限りでない。

第 132 条〔準用規定〕

鑑定人が死体を解剖し、又は墳墓を発掘する場合には、第 101 条の規定を準用する。

第 133 条〔鑑定許可状の記載要件・法第 168 条〕

Ⅰ 法第 168 条の許可状には、有効期間及びその期間経過後は許可された処分に着手することができず令状はこれを返還しなければならない旨並びに発付の年月日をも記載し、裁判長が、これに記名押印しなければならない。

Ⅱ 鑑定人のすべき身体の検査に関し条件を附した場合には、これを前項の許可状に記載しなければならない。

第 134 条〔鑑定のための閲覧等〕

Ⅰ 鑑定人は、鑑定について必要がある場合には、裁判長の許可を受けて、書類及び証拠物を閲覧し、若しくは謄写し、又は被告人に対し質問する場合若しくは証人を尋問する場合にこれに立ち会うことができる。

Ⅱ 前項の規定にかかわらず、法第 157 条の 6 第 4 項に規定する記録媒体は、謄写することができない。

Ⅲ 鑑定人は、被告人に対する質問若しくは証人の尋問を求め、又は裁判長の許可を受けてこれらの者に対し直接に問を発することができる。

第 135 条〔準用規定〕

鑑定については、勾引に関する規定を除いて、前章の規定を準用する。

付録

第13章　通訳及び翻訳

第136条〔準用規定〕
　通訳及び翻訳については、前章の規定を準用する。

第14章　証拠保全

第137条〔処分をすべき裁判官・法第179条〕
Ⅰ　証拠保全の請求は、次に掲げる地を管轄する地方裁判所又は簡易裁判所の裁判官にこれをしなければならない。
　①　押収（記録命令付差押えを除く。）については、押収すべき物の所在地
　②　記録命令付差押えについては、電磁的記録を記録させ又は印刷させるべき者の現在地
　③　捜索又は検証については、捜索又は検証すべき場所、身体又は物の所在地
　④　証人の尋問については、証人の現在地
　⑤　鑑定については、鑑定の対象の所在地又は現在地
Ⅱ　鑑定の処分の請求をする場合において前項第5号の規定によることができないときは、その処分をするのに最も便宜であると思料する地方裁判所又は簡易裁判所の裁判官にその請求をすることができる。

第138条〔請求の方式・法第179条〕
Ⅰ　証拠保全の請求は、書面でこれをしなければならない。
Ⅱ　前項の書面には、次に掲げる事項を記載しなければならない。
　①　事件の概要
　②　証明すべき事実
　③　証拠及びその保全の方法
　④　証拠保全を必要とする事由
Ⅲ　証拠保全を必要とする事由は、これを疎明しなければならない。

第15章　訴訟費用

第138条の2〔請求先裁判所・法第187条の2〕
　法第187条の2の請求は、公訴を提起しない処分をした検察官が所属する検察庁の所在地を管轄する地方裁判所又は簡易裁判所にこれをしなければならない。

第138条の3〔請求の方式・法第187条の2〕
　法第187条の2の請求は、次に掲げる事項を記載した書面でこれをしなければならない。
　①　訴訟費用を負担すべき者の氏名、年齢、職業及び住居
　②　前号に規定する者が被疑者でないときは、被疑者の氏名及び年齢

付
録

③　罪名及び被疑事実の要旨
④　公訴を提起しない処分をしたこと。
⑤　訴訟費用を負担すべき理由
⑥　負担すべき訴訟費用

第 138 条の 4〔資料の提供・法第 187 条の 2〕

法第 187 条の 2 の請求をするには、次に掲げる資料を提供しなければならない。
①　訴訟費用を負担すべき理由が存在することを認めるべき資料
②　負担すべき訴訟費用の額の算定に必要な資料

第 138 条の 5〔請求書の謄本の差出し、送達・法第 187 条の 2〕

Ⅰ　法第 187 条の 2 の請求をするときは、検察官は、請求と同時に訴訟費用の負担を求められた者の数に応ずる請求書の謄本を裁判所に差し出さなければならない。
Ⅱ　裁判所は、前項の謄本を受け取つたときは、遅滞なく、これを訴訟費用の負担を求められた者に送達しなければならない。

第 138 条の 6〔意見の聴取・法第 187 条の 2〕

法第 187 条の 2 の請求について決定をする場合には、訴訟費用の負担を求められた者の意見を聴かなければならない。

第 138 条の 7〔請求の却下・法第 187 条の 2〕

法第 187 条の 2 の請求が法令上の方式に違反しているとき、又は訴訟費用を負担させないときは、決定で請求を却下しなければならない。

第 16 章　費用の補償

第 138 条の 8〔準用規定〕

書面による法第 188 条の 4 の補償の請求については、第 227 条及び第 228 条の規定を準用する。

第 138 条の 9〔裁判所書記官による計算・法第 188 条の 3 等〕

法第 188 条の 2 第 1 項又は第 188 条の 4 の補償の決定をする場合には、裁判所は、裁判所書記官に補償すべき費用の額の計算をさせることができる。

付録

第2編 第1審

第1章 捜査

第139条〔令状請求の方式〕

I 令状の請求は、書面でこれをしなければならない。

II 逮捕状の請求書には、謄本1通を添附しなければならない。

第140条〔令状請求の却下〕

裁判官が令状の請求を却下するには、請求書にその旨を記載し、記名押印してこれを請求者に交付すれば足りる。

第141条〔令状請求書の返還〕

裁判官は、令状を発し、又は令状の請求を却下したときは、前条の場合を除いて、速やかに令状の請求書を請求者に返還しなければならない。

第141条の2〔逮捕状請求権者の指定、変更の通知〕

国家公安委員会又は都道府県公安委員会は、法第199条第2項の規定により逮捕状を請求することができる司法警察員を指定したときは、国家公安委員会においては最高裁判所に、都道府県公安委員会においてはその所在地を管轄する地方裁判所にその旨を通知しなければならない。その通知の内容に変更を生じたときも、同様である。

第142条〔逮捕状請求書の記載要件〕

I 逮捕状の請求書には、次に掲げる事項その他逮捕状に記載することを要する事項及び逮捕状発付の要件たる事項を記載しなければならない。

① 被疑者の氏名、年齢、職業及び住居

② 罪名及び被疑事実の要旨

③ 被疑者の逮捕を必要とする事由

④ 請求者の官公職氏名

⑤ 請求者が警察官たる司法警察員であるときは、法第199条第2項の規定による指定を受けた者である旨

⑥ 7日を超える有効期間を必要とするときは、その旨及び事由

⑦ 逮捕状を数通必要とするときは、その旨及び事由

⑧ 同一の犯罪事実又は現に捜査中である他の犯罪事実についてその被疑者に対し前に逮捕状の請求又はその発付があつたときは、その旨及びその犯罪事実

II 被疑者の氏名が明らかでないときは、人相、体格その他被疑者を特定するに足りる事項でこれを指定しなければならない。

III 被疑者の年齢、職業又は住居が明らかでないときは、その旨を記載すれば足りる。

第143条〔資料の提供〕

　逮捕状を請求するには、逮捕の理由（逮捕の必要を除く逮捕状発付の要件をいう。以下同じ。）及び逮捕の必要があることを認めるべき資料を提供しなければならない。

第143条の2〔逮捕状請求者の陳述聴取等〕

　逮捕状の請求を受けた裁判官は、必要と認めるときは、逮捕状の請求をした者の出頭を求めてその陳述を聴き、又はその者に対し書類その他の物の提示を求めることができる。

第143条の3〔明らかに逮捕の必要がない場合〕

　逮捕状の請求を受けた裁判官は、逮捕の理由があると認める場合においても、被疑者の年齢及び境遇並びに犯罪の軽重及び態様その他諸般の事情に照らし、被疑者が逃亡する虞がなく、かつ、罪証を隠滅する虞がない等明らかに逮捕の必要がないと認めるときは、逮捕状の請求を却下しなければならない。

第144条〔逮捕状の記載要件〕

　逮捕状には、請求者の官公職氏名をも記載しなければならない。

第145条〔逮捕状の作成〕

　逮捕状は、逮捕状請求書及びその記載を利用してこれを作ることができる。

第146条〔数通の逮捕状〕

　逮捕状は、請求により、数通を発することができる。

第147条〔勾留請求書の記載要件・法第204条等〕

Ⅰ　被疑者の勾留の請求書には、次に掲げる事項を記載しなければならない。
① 　被疑者の氏名、年齢、職業及び住居
② 　罪名、被疑事実の要旨及び被疑者が現行犯人として逮捕された者であるときは、罪を犯したことを疑うに足りる相当な理由
③ 　法第60条第1項各号に定める事由
④ 　検察官又は司法警察員がやむを得ない事情によつて法に定める時間の制限に従うことができなかつたときは、その事由
⑤ 　被疑者に弁護人があるときは、その氏名
Ⅱ　被疑者の年齢、職業若しくは住居、罪名又は被疑事実の要旨の記載については、これらの事項が逮捕状請求書の記載と同一であるときは、前項の規定にかかわらず、その旨を請求書に記載すれば足りる。
Ⅲ　第1項の場合には、第142条第2項及び第3項の規定を準用する。

第148条〔資料の提供・法第204条等〕

Ⅰ　被疑者の勾留を請求するには、次に掲げる資料を提供しなければならない。
① 　その逮捕が逮捕状によるときは、逮捕状請求書並びに逮捕の年月日時及び場所、引致の年月日時、送致する手続をした年月日時及び送致を受けた年月日時が記載されそれぞれその記載についての記名押印のある逮捕状

② その逮捕が現行犯逮捕であるときは、前号に規定する事項を記載した調書その他の書類

③ 法に定める勾留の理由が存在することを認めるべき資料

Ⅱ 検察官又は司法警察員がやむを得ない事情によつて法に定める時間の制限に従うことができなかつたときは、これを認めるべき資料をも提供しなければならない。

第149条〔勾留状の記載要件・法第207条等〕

被疑者に対して発する勾留状には、勾留の請求の年月日をも記載しなければならない。

第150条〔書類の送付〕

裁判官は、被疑者を勾留したときは、速やかにこれに関する書類を検察官に送付しなければならない。

第150条の2〔被疑者の勾留期間の再延長・法第208条の2〕

法第208条の2の規定による期間の延長は、やむを得ない事由があるときに限り、することができる。

第151条〔期間の延長の請求・法第208条等〕

Ⅰ 法第208条第2項又は第208条の2の規定による期間の延長の請求は、書面でこれをしなければならない。

Ⅱ 前項の書面には、やむを得ない事由及び延長を求める期間を記載しなければならない。

第152条〔資料の提供等・法第208条等〕

前条第1項の請求をするには、勾留状を差し出し、且つやむを得ない事由があることを認めるべき資料を提供しなければならない。

第153条〔期間の延長の裁判・法第208条等〕

Ⅰ 裁判官は、第151条第1項の請求を理由があるものと認めるときは、勾留状に延長する期間及び理由を記載して記名押印し、且つ裁判所書記官をしてこれを検察官に交付させなければならない。

Ⅱ 前項の延長の裁判は、同項の交付をすることによつてその効力を生ずる。

Ⅲ 裁判所書記官は、勾留状を検察官に交付する場合には、勾留状に交付の年月日を記載して記名押印しなければならない。

Ⅳ 検察官は、勾留状の交付を受けたときは、直ちに刑事施設職員をしてこれを被疑者に示させなければならない。

Ⅴ 第151条第1項の請求については、第140条、第141条及び第150条の規定を準用する。

第154条〔謄本交付の請求・法第208条等〕

前条第1項の裁判があつたときは、被疑者は、その裁判の記載のある勾留状の謄本の交付を請求することができる。

第155条〔差押え等の令状請求書の記載要件・法第218条〕

Ⅰ 差押え、記録命令付差押え、捜索又は検証のための令状の請求書には、次に掲げる事項を記載しなければならない。

① 差し押さえるべき物、記録させ若しくは印刷させるべき電磁的記録及びこれを記録させ若しくは印刷させるべき者又は捜索し若しくは検証すべき場所、身体若しくは物

② 請求者の官公職氏名

③ 被疑者又は被告人の氏名（被疑者又は被告人が法人であるときは、その名称）

④ 罪名及び犯罪事実の要旨〈回

⑤ 7日を超える有効期間を必要とするときは、その旨及び事由

⑥ 法第218条第2項の場合には、差し押さえるべき電子計算機に電気通信回線で接続している記録媒体であつて、その電磁的記録を複写すべきものの範囲

⑦ 日出前又は日没後に差押え、記録命令付差押え、捜索又は検証をする必要があるときは、その旨及び事由

Ⅱ 身体検査令状の請求書には、前項に規定する事項のほか、法第218条第5項に規定する事項を記載しなければならない。

Ⅲ 被疑者又は被告人の氏名又は名称が明らかでないときは、その旨を記載すれば足りる。

第156条〔資料の提供・法第218条等〕

Ⅰ 前条第1項の請求をするには、被疑者又は被告人が罪を犯したと思料されるべき資料を提供しなければならない。

Ⅱ 郵便物、信書便物又は電信に関する書類で法令の規定に基づき通信事務を取り扱う者が保管し、又は所持するもの（被疑者若しくは被告人から発し、又は被疑者若しくは被告人に対して発したものを除く。）の差押えのための令状を請求するには、その物が被疑事件又は被告事件に関係があると認めるに足りる状況があることを認めるべき資料を提供しなければならない。

Ⅲ 被疑者又は被告人以外の者の身体、物又は住居その他の場所についての捜索のための令状を請求するには、差し押さえるべき物の存在を認めるに足りる状況があることを認めるべき資料を提供しなければならない。

第157条〔身体検査令状の記載要件・法第219条〕

身体検査令状には、正当な理由がなく身体の検査を拒んだときは過料又は刑罰に処せられることがある旨をも記載しなければならない。

第157条の2〔逮捕状等の返還に関する記載〕

逮捕状又は法第218条第1項の令状には、有効期間内であつても、その必要がなくなつたときは、直ちにこれを返還しなければならない旨をも記載しなければならない。

第158条〔処罰等の請求・法第222条〕

法第222条第7項の規定により身体の検査を拒んだ者を過料に処し又はこれに賠償を命ずべき旨の請求は、請求者の所属する官公署の所在地を管轄する地方裁判所又は

簡易裁判所にこれをしなければならない。

第158条の2〔鑑定留置請求書の記載要件・法第224条〕

Ⅰ　鑑定のためにする被疑者の留置の請求書には、次に掲げる事項を記載しなければならない。

① 被疑者の氏名、年齢、職業及び住居
② 罪名及び被疑事実の要旨
③ 請求者の官公職氏名
④ 留置の場所
⑤ 留置を必要とする期間
⑥ 鑑定の目的
⑦ 鑑定人の氏名及び職業
⑧ 被疑者に弁護人があるときは、その氏名

Ⅱ　前項の場合には、第142条第2項及び第3項の規定を準用する。

第159条〔鑑定処分許可請求書の記載要件・法第225条〕

Ⅰ　法第225条第1項の許可の請求書には、次に掲げる事項を記載しなければならない。

① 請求者の官公職氏名
② 被疑者又は被告人の氏名（被疑者又は被告人が法人であるときは、その名称）
③ 罪名及び犯罪事実の要旨
④ 鑑定人の氏名及び職業
⑤ 鑑定人が立ち入るべき住居、邸宅、建造物若しくは船舶、検査すべき身体、解剖すべき死体、発掘すべき墳墓又は破壊すべき物
⑥ 許可状が7日を超える有効期間を必要とするときは、その旨及び事由

Ⅱ　前項の場合には、第155条第3項の規定を準用する。

第160条〔証人尋問請求書の記載要件・法第226条等〕

Ⅰ　法第226条又は第227条の証人尋問の請求は、次に掲げる事項を記載した書面でこれをしなければならない。

① 証人の氏名、年齢、職業及び住居
② 被疑者又は被告人の氏名（被疑者又は被告人が法人であるときは、その名称）
③ 罪名及び犯罪事実の要旨
④ 証明すべき事実
⑤ 尋問事項又は証人が証言すべき事項
⑥ 法第226条又は第227条に規定する事由
⑦ 被疑者に弁護人があるときは、その氏名

Ⅱ　前項の場合には、第155条第3項の規定を準用する。

第161条〔資料の提供・法第226条〕

法第226条の証人尋問を請求するには、同条に規定する事由があることを認めるべき資料を提供しなければならない。

第 162 条〔証人尋問の立会・法第 228 条〕

法第 226 条又は第 227 条の証人尋問の請求を受けた裁判官は、捜査に支障を生ずる虞がないと認めるときは、被告人、被疑者又は弁護人をその尋問に立ち会わせることができる。

第 163 条〔書類の送付・法第 226 条等〕

裁判官は、法第 226 条又は第 227 条の請求により証人を尋問したときは、速やかにこれに関する書類を検察官に送付しなければならない。

第 2 章　公訴

第 164 条〔起訴状の記載要件・法第 256 条〕

Ⅰ　起訴状には、法第 256 条に規定する事項の外、次に掲げる事項を記載しなければならない［回］。

① 被告人の年齢、職業、住居及び本籍。但し、被告人が法人であるときは、事務所並びに代表者又は管理人の氏名及び住居

② 被告人が逮捕又は勾留されているときは、その旨

Ⅱ　前項第 1 号に掲げる事項が明らかでないときは、その旨を記載すれば足りる。

第 165 条〔起訴状の謄本等の差出し等・法第 271 条等〕

Ⅰ　検察官は、公訴の提起と同時に被告人の数に応ずる起訴状の謄本を裁判所に差し出さなければならない。但し、やむを得ない事情があるときは、公訴の提起後、速やかにこれを差し出さなければならない。

Ⅱ　検察官は、公訴の提起と同時に、検察官又は司法警察員に差し出された弁護人選任書を裁判所に差し出さなければならない。同時に差し出すことができないときは、起訴状にその旨を記載し、且つ公訴の提起後、速やかにこれを差し出さなければならない。

Ⅲ　検察官は、公訴の提起前に法の規定に基づいて裁判官が付した弁護人があるときは、公訴の提起と同時にその旨を裁判所に通知しなければならない。

Ⅳ　第 1 項の規定は、略式命令の請求をする場合には、適用しない。

第 166 条〔証明資料の差出・法第 255 条〕

公訴を提起するについて、犯人が国外にいたこと又は犯人が逃げ隠れていたため有効に起訴状若しくは略式命令の謄本の送達ができなかつたことを証明する必要があるときは、検察官は、公訴の提起後、速やかにこれを証明すべき資料を裁判所に差し出さなければならない。但し、裁判官に事件につき予断を生ぜしめる虞のある書類その他の物を差し出してはならない。

第 167 条〔逮捕状、勾留状の差出・法第 280 条〕

Ⅰ　検察官は、逮捕又は勾留されている被告人について公訴を提起したときは、速やかにその裁判所の裁判官に逮捕状又は逮捕状及び勾留状を差し出さなければならない［予］。逮捕又は勾留された後釈放された被告人について公訴を提起したときも、

同様である〔Ⅰ〕。

Ⅱ　裁判官は、第187条の規定により他の裁判所の裁判官が勾留に関する処分をすべき場合には、直ちに前項の逮捕状及び勾留状をその裁判官に送付しなければならない。

Ⅲ　裁判官は、第1回の公判期日が開かれたときは、速やかに逮捕状、勾留状及び勾留に関する処分の書類を裁判所に送付しなければならない。

第168条〔公訴取消の方式・法第257条〕

公訴の取消は、理由を記載した書面でこれをしなければならない。

第169条〔審判請求書の記載要件・法第262条〕

法第262条の請求書には、裁判所の審判に付せられるべき事件の犯罪事実及び証拠を記載しなければならない。

第170条〔請求の取下の方式・法第263条〕

法第262条の請求の取下は、書面でこれをしなければならない。

第171条〔書類等の送付〕

検察官は、法第262条の請求を理由がないものと認めるときは、請求書を受け取つた日から7日以内に意見書を添えて書類及び証拠物とともにこれを同条に規定する裁判所に送付しなければならない。意見書には、公訴を提起しない理由を記載しなければならない。

第172条〔請求等の通知〕

Ⅰ　前条の送付があつたときは、裁判所書記官は、速やかに法第262条の請求があつた旨を被疑者に通知しなければならない。

Ⅱ　法第262条の請求の取下があつたときは、裁判所書記官は、速やかにこれを検察官及び被疑者に通知しなければならない。

第173条〔被疑者の取調・法第265条〕

Ⅰ　法第262条の請求を受けた裁判所は、被疑者の取調をするときは、裁判所書記官を立ち会わせなければならない。

Ⅱ　前項の場合には、調書を作り、裁判所書記官が署名押印し、裁判長が認印しなければならない。

Ⅲ　前項の調書については、第38条第2項第3号前段、第3項、第4項及び第6項の規定を準用する。

第174条〔審判に付する決定・法第266条〕

Ⅰ　法第266条第2号の決定をするには、裁判書に起訴状に記載すべき事項を記載しなければならない。

Ⅱ　前項の決定の謄本は、検察官及び被疑者にもこれを送達しなければならない。

第 175 条〔審判に付する決定後の処分・法第 267 条〕

　裁判所は、法第 266 条第 2 号の決定をした場合には、速やかに次に掲げる処分をしなければならない。

①　事件をその裁判所の審判に付したときは、裁判書を除いて、書類及び証拠物を事件について公訴の維持にあたる弁護士に送付する。

②　事件を他の裁判所の審判に付したときは、裁判書をその裁判所に、書類及び証拠物を事件について公訴の維持にあたる弁護士に送付する。

第 3 章　公判

第 1 節　公判準備及び公判手続

第 176 条〔起訴状の謄本の送達等・法第 271 条〕

Ⅰ　裁判所は、起訴状の謄本を受け取つたときは、直ちにこれを被告人に送達しなければならない。

Ⅱ　裁判所は、起訴状の謄本の送達ができなかつたときは、直ちにその旨を検察官に通知しなければならない。

第 177 条〔弁護人選任に関する通知・法第 272 条等〕

　裁判所は、公訴の提起があつたときは、遅滞なく、被告人に対し、弁護人を選任することができる旨及び貧困その他の事由により弁護人を選任することができないときは弁護人の選任を請求することができる旨の外、死刑又は無期若しくは長期 3 年を超える懲役若しくは禁錮にあたる事件については、弁護人がなければ開廷することができない旨をも知らせなければならない。但し、被告人に弁護人があるときは、この限りでない。

第 178 条〔弁護人のない事件の処置・法第 289 条等〕

Ⅰ　裁判所は、公訴の提起があつた場合において被告人に弁護人がないときは、遅滞なく、被告人に対し、死刑又は無期若しくは長期 3 年を超える懲役若しくは禁錮にあたる事件については、弁護人を選任するかどうかを、その他の事件については、法第 36 条の規定による弁護人の選任を請求するかどうかを確めなければならない。

Ⅱ　裁判所は、前項の処置をするについては、被告人に対し、一定の期間を定めて回答を求めることができる。

Ⅲ　第 1 項前段の事件について、前項の期間内に回答がなく又は弁護人の選任がないときは、裁判長は、直ちに被告人のため弁護人を選任しなければならない。

第 178 条の 2〔第 1 回公判期日前における訴訟関係人の準備〕

　訴訟関係人は、第 1 回の公判期日前に、できる限り証拠の収集及び整理をし、審理が迅速に行われるように準備しなければならない。

第178条の3〔検察官、弁護人の氏名の告知等〕

裁判所は、検察官及び弁護人の訴訟の準備に関する相互の連絡が、公訴の提起後すみやかに行なわれるようにするため、必要があると認めるときは、裁判所書記官に命じて、検察官及び弁護人の氏名を相手方に知らせる等適当な措置をとらせなければならない。

第178条の4〔第1回公判期日の指定〕

第1回の公判期日を定めるについては、その期日前に訴訟関係人がなすべき訴訟の準備を考慮しなければならない。

第178条の5〔審理に充てることのできる見込み時間の告知〕

裁判所は、公判期日の審理が充実して行なわれるようにするため相当と認めるときは、あらかじめ、検察官又は弁護人に対し、その期日の審理に充てることのできる見込みの時間を知らせなければならない。

第178条の6〔第1回公判期日前における検察官、弁護人の準備の内容〕

Ⅰ 検察官は、第1回の公判期日前に、次のことを行なわなければならない。

① 法第299条第1項本文の規定により、被告人又は弁護人に対し、閲覧する機会を与えるべき証拠書類又は証拠物があるときは、公訴の提起後なるべくすみやかに、その機会を与えること。

② 第2項第3号の規定により弁護人が閲覧する機会を与えた証拠書類又は証拠物について、なるべくすみやかに、法第326条の同意をするかどうか又はその取調の請求に関し異議がないかどうかの見込みを弁護人に通知すること。

Ⅱ 弁護人は、第1回の公判期日前に、次のことを行なわなければならない。

① 被告人その他の関係者に面接する等適当な方法によつて、事実関係を確かめておくこと。

② 前項第1号の規定により検察官が閲覧する機会を与えた証拠書類又は証拠物について、なるべくすみやかに、法第326条の同意をするかどうか又はその取調の請求に関し異議がないかどうかの見込みを検察官に通知すること。

③ 法第299条第1項本文の規定により、検察官に対し、閲覧する機会を与えるべき証拠書類又は証拠物があるときは、なるべくすみやかに、これを提示してその機会を与えること。

Ⅲ 検察官及び弁護人は、第1回の公判期日前に、前2項に掲げることを行なうほか、相手方と連絡して、次のことを行なわなければならない。

① 起訴状に記載された訴因若しくは罰条を明確にし、又は事件の争点を明らかにするため、相互の間でできる限り打ち合わせておくこと。

② 証拠調その他の審理に要する見込みの時間等裁判所が開廷回数の見通しをたてるについて必要な事項を裁判所に申し出ること。

第178条の7〔証人等の氏名及び住居を知る機会を与える場合等〕

第1回の公判期日前に、法第299条第1項本文の規定により、訴訟関係人が、相手方に対し、証人、鑑定人、通訳人又は翻訳人の氏名及び住居を知る機会を与える場

合には、なるべく早い時期に、その機会を与えるようにしなければならない。法第
299 条の 4 第 2 項の規定により、被告人又は弁護人に対し、証人、鑑定人、通訳人
又は翻訳人の氏名又は住居を知る機会を与えないで、氏名に代わる呼称又は住居に代
わる連絡先を知る機会を与える場合も同様とする。

第 178 条の 8 〔証人等の氏名及び住居の開示に係る措置の通知・法第 299 条の 4〕

Ⅰ　法第 299 条の 4 第 5 項の規定による通知は、書面でしなければならない。

Ⅱ　前項の書面には、次に掲げる事項を記載しなければならない。

① 　検察官がとつた法第 299 条の 4 第 1 項から第 4 項までの規定による措置に係
る者の氏名又は住居

② 　検察官がとつた措置が法第 299 条の 4 第 1 項又は第 3 項の規定によるもので
あるときは、弁護人に対し付した条件又は指定した時期若しくは方法

③ 　検察官がとつた措置が法第 299 条の 4 第 2 項又は第 4 項の規定によるもので
あるときは、被告人又は弁護人に対し知る機会を与えた氏名に代わる呼称又は住
居に代わる連絡先

④ 　検察官が証拠書類又は証拠物について法第 299 条の 4 第 3 項又は第 4 項の規
定による措置をとつたときは、当該証拠書類又は証拠物を識別するに足りる事項

第 178 条の 9 〔証人等の氏名及び住居の開示に関する裁定の請求の方式・法第 299 条の 5〕

Ⅰ　法第 299 条の 5 第 1 項の規定による裁定の請求は、書面を差し出してこれをし
なければならない。

Ⅱ　被告人又は弁護人は、前項の請求をしたときは、速やかに、同項の書面の謄本を
検察官に送付しなければならない。

Ⅲ　裁判所は、第 1 項の規定にかかわらず、公判期日においては、同項の請求を口頭
ですることを許すことができる。

第 178 条の 10 〔証人等の呼称又は連絡先の通知・法第 299 条の 6〕

Ⅰ　裁判所は、法第 299 条の 6 第 2 項の規定により、検察官がとつた法第 299 条の
4 第 2 項若しくは第 4 項の規定による措置に係る者の氏名若しくは住居が記載され
若しくは記録されている部分の閲覧又は謄写を禁じた場合において、弁護人の請求
があるときは、弁護人に対し、氏名にあつてはこれに代わる呼称を、住居にあつて
はこれに代わる連絡先を知らせなければならない。

Ⅱ　裁判所は、法第 299 条の 6 第 3 項の規定により、検察官がとつた法第 299 条の
4 第 1 項から第 4 項までの規定による措置に係る者若しくは裁判所がとつた法第
299 条の 5 第 2 項の規定による措置に係る者の氏名若しくは住居が記載され若し
くは記録されている部分の閲覧を禁じ、又は当該部分の朗読の求めを拒んだ場合に
おいて、被告人の請求があるときは、被告人に対し、氏名にあつてはこれに代わる
呼称を、住居にあつてはこれに代わる連絡先を知らせなければならない。

第 178 条の 11 〔公判期日外の尋問調書の閲覧等の制限〕

Ⅰ　裁判所は、検察官がとつた法第 299 条の 4 第 1 項から第 4 項までの規定による

措置に係る者若しくは裁判所がとつた法第299条の5第2項の規定による措置に係る者若しくはこれらの親族の身体若しくは財産に害を加え又はこれらの者を畏怖させ若しくは困惑させる行為がなされるおそれがあると認める場合において、検察官及び被告人又は弁護人の意見を聴き、相当と認めるときは、被告人が第126条（第135条及び第136条において準用する場合を含む。以下この条において同じ。）第1項の尋問調書を第126条第2項の規定により閲覧し、又は同条第3項の規定により朗読を求めるについて、このうち当該措置に係る者の氏名若しくは住居が記載され若しくは記録されている部分の閲覧を禁じ、又は当該部分の朗読の求めを拒むことができる。ただし、当該措置に係る者の供述の証明力の判断に資するような被告人その他の関係者との利害関係の有無を確かめることができなくなるときその他の被告人の防御に実質的な不利益を生ずるおそれがあるときは、この限りでない。

II 裁判所は、前項の規定により、検察官がとつた法第299条の4第1項から第4項までの規定による措置に係る者若しくは裁判所がとつた法第299条の5第2項の規定による措置に係る者の氏名若しくは住居が記載され若しくは記録されている部分の閲覧を禁じ、又は当該部分の朗読の求めを拒んだ場合において、被告人又は弁護人の請求があるときは、被告人に対し、氏名にあつてはこれに代わる呼称を、住居にあつてはこれに代わる連絡先を知らせなければならない。

第178条の12〔証拠決定された証人等の氏名等の通知〕

I 裁判所は、法第299条の4第1項又は法第299条の5第2項の規定により氏名についての措置がとられた者について、証人、鑑定人、通訳人又は翻訳人として尋問する旨の決定を公判期日前にした場合には、第191条第2項の規定にかかわらず、その氏名を検察官及び弁護人に通知する。

II 裁判所は、法第299条の4第2項の規定により氏名についての措置がとられた者について、証人、鑑定人、通訳人又は翻訳人として尋問する旨の決定を公判期日前にした場合には、第191条第2項の規定にかかわらず、その氏名に代わる呼称を訴訟関係人に通知する。

第178条の13〔第1回公判期日における在廷証人〕

検察官及び弁護人は、証人として尋問を請求しようとする者で第1回の公判期日において取り調べられる見込みのあるものについて、これを在廷させるように努めなければならない。

第178条の14〔検察官、弁護人の準備の進行に関する問合せ等〕

裁判所は、裁判所書記官に命じて、検察官又は弁護人に訴訟の準備の進行に関し問い合わせ又はその準備を促す処置をとらせることができる。

第178条の15〔検察官、弁護人との事前の打合せ〕

I 裁判所は、適当と認めるときは、第一回の公判期日前に、検察官及び弁護人を出頭させた上、公判期日の指定その他訴訟の進行に関し必要な事項について打合せを行なうことができる。ただし、事件につき予断を生じさせるおそれのある事項にわたることはできない。

Ⅱ　前項の処置は、合議体の構成員にこれをさせることができる。

第178条の16〔還付等に関する規定の活用〕

　検察官は、公訴の提起後は、その事件に関し押収している物について、被告人及び弁護人が訴訟の準備をするに当たりなるべくその物を利用することができるようにするため、法第222条第1項の規定により準用される法第123条（押収物の還付等）の規定の活用を考慮しなければならない。

第179条〔第1回の公判期日・法第275条〕

Ⅰ　被告人に対する第1回の公判期日の召喚状の送達は、起訴状の謄本を送達する前には、これをすることができない。

Ⅱ　第1回の公判期日と被告人に対する召喚状の送達との間には、少くとも5日の猶予期間を置かなければならない。但し、簡易裁判所においては、3日の猶予期間を置けば足りる。

Ⅲ　被告人に異議がないときは、前項の猶予期間を置かないことができる。

第179条の2　削除

第179条の3〔公判期日に出頭しない者に対する処置〕

　公判期日に召喚を受けた被告人その他の者が正当な理由がなく出頭しない場合には、法第58条（被告人の勾引）、第96条（保釈の取消等）及び第150条から第153条まで（証人に対する制裁等）の規定等の活用を考慮しなければならない。

第179条の4〔公判期日の変更の請求・法第276条〕

Ⅰ　訴訟関係人は、公判期日の変更を必要とする事由が生じたときは、直ちに、裁判所に対し、その事由及びそれが継続する見込の期間を具体的に明らかにし、且つ、診断書その他の資料によりこれを疎明して、期日の変更を請求しなければならない。

Ⅱ　裁判所は、前項の事由をやむを得ないものと認める場合の外、同項の請求を却下しなければならない。

第179条の5〔私選弁護人差支の場合の処置・法第289条等〕

Ⅰ　法第30条に掲げる者が選任した弁護人は、公判期日の変更を必要とする事由が生じたときは、直ちに、前条第1項の手続をする外、その事由及びそれが継続する見込の期間を被告人及び被告人以外の選任者に知らせなければならない。

Ⅱ　裁判所は、前項の事由をやむを得ないものと認める場合において、その事由が長期にわたり審理の遅延を来たす虞があると思料するときは、同項に掲げる被告人及び被告人以外の選任者に対し、一定の期間を定めて、他の弁護人を選任するかどうかの回答を求めなければならない。

Ⅲ　前項の期間内に回答がなく又は他の弁護人の選任がないときは、次の例による。但し、著しく被告人の利益を害する虞があるときは、この限りでない。

①　弁護人がなければ開廷することができない事件については、法第289条第2項の規定により、被告人のため他の弁護人を選任して開廷することができる。

付
録

② 弁護人がなくても開廷することができる事件については、弁護人の出頭をまたないで開廷することができる。

第179条の6〔国選弁護人差支えの場合の処置・法第36条等〕

法の規定により裁判所若しくは裁判長又は裁判官が付した弁護人は、期日の変更を必要とする事由が生じたときは、直ちに、第179条の4第1項の手続をするほか、その事由及びそれが継続する見込みの期間を被告人に知らせなければならない。

第180条〔期日変更についての意見の聴取・法第276条〕

公判期日を変更するについては、あらかじめ、職権でこれをする場合には、検察官及び被告人又は弁護人の意見を、請求によりこれをする場合には、相手方又はその弁護人の意見を聴かなければならない。但し、急速を要する場合は、この限りでない。

第181条〔期日変更請求の却下決定の送達・法第276条〕

公判期日の変更に関する請求を却下する決定は、これを送達することを要しない。

第182条〔公判期日の不変更・法第277条〕

Ⅰ 裁判所は、やむを得ないと認める場合の外、公判期日を変更することができない。

Ⅱ 裁判所がその権限を濫用して公判期日を変更したときは、訴訟関係人は、書面で、裁判所法第80条の規定により当該裁判官に対して監督権を行う裁判所に不服の申立をすることができる。

第183条〔不出頭の場合の資料・法第278条〕

Ⅰ 被告人は、公判期日に召喚を受けた場合において精神又は身体の疾病その他の事由により出頭することができないと思料するときは、直ちにその事由を記載した書面及びその事由を明らかにすべき医師の診断書その他の資料を裁判所に差し出さなければならない。

Ⅱ 前項の規定により医師の診断書を差し出すべき場合において被告人が貧困のためこれを得ることができないときは、裁判所は、医師に被告人に対する診断書の作成を嘱託することができる。

Ⅲ 前2項の診断書には、病名及び病状の外、その精神又は身体の病状において、公判期日に出頭することができるかどうか、自ら又は弁護人と協力して適当に防禦権を行使することができるかどうか及び出頭し又は審理を受けることにより生命又は健康状態に著しい危険を招くかどうかの点に関する医師の具体的な意見が記載されていなければならない。

第184条〔診断書の不受理等・法第278条〕

Ⅰ 裁判所は、前条の規定による医師の診断書が同条に定める方式に違反しているときは、これを受理してはならない。

Ⅱ 裁判所は、前条の診断書が同条に定める方式に違反していない場合においても、その内容が疑わしいと認めるときは、診断書を作成した医師を召喚して医師としての適格性及び診断書の内容に関しこれを証人として尋問し、又は他の適格性のある

公平な医師に対し被告人の病状についての鑑定を命ずる等適当な措置を講じなければならない。

第185条〔不当な診断書・法第278条〕

裁判所は、医師が第183条の規定による診断書を作成するについて、故意に、虚偽の記載をし、同条に定める方式に違反し、又は内容を不明りようなものとしits他相当でない行為があつたものと認めるときは、厚生労働大臣若しくは医師をもつて組織する団体がその医師に対し適当と認める処置をとることができるようにするためにその旨をこれらの者に通知し、又は法令によつて認められている他の適当な処置をとることができる。

第186条〔準用規定〕

公判期日に召喚を受けた被告人以外の者及び公判期日の通知を受けた者については、前3条の規定を準用する。

第187条〔勾留に関する処分をすべき裁判官・法第280条〕

Ⅰ　公訴の提起があつた後第1回の公判期日までの勾留に関する処分は、公訴の提起を受けた裁判所の裁判官がこれをしなければならない。但し、事件の審判に関与すべき裁判官は、その処分をすることができない。

Ⅱ　前項の規定によるときは同項の処分をすることができない場合には、同項の裁判官は、同一の地に在る地方裁判所又は簡易裁判所の裁判官にその処分を請求しなければならない。但し、急速を要する場合又は同一の地にその処分を請求すべき他の裁判所の裁判官がない場合には、同項但書の規定にかかわらず、自らその処分をすることを妨げない。

Ⅲ　前項の請求を受けた裁判官は、第1項の処分をしなければならない。

Ⅳ　裁判官は、第1項の処分をするについては、検察官、被告人又は弁護人の出頭を命じてその陳述を聴くことができる。必要があるときは、これらの者に対し、書類その他の物の提出を命ずることができる。但し、事件の審判に関与すべき裁判官は、事件につき予断を生ぜしめる虞のある書類その他の物の提出を命ずることができない。

Ⅴ　地方裁判所の支部は、第1項及び第2項の規定の適用については、これを当該裁判所と別個の地方裁判所とみなす。

第187条の2〔出頭拒否の通知・法第286条の2〕

勾留されている被告人が召喚を受けた公判期日に出頭することを拒否し、刑事施設職員による引致を著しく困難にしたときは、刑事施設の長は、直ちにその旨を裁判所に通知しなければならない。

第187条の3〔出頭拒否についての取調べ・法第286条の2〕

Ⅰ　裁判所は、法第286条の2の規定により被告人の出頭をまたないで公判手続を行うには、あらかじめ、同条に定める事由が存在するかどうかを取り調べなければならない。

Ⅱ　裁判所は、前項の規定による取調べをするについて必要があると認めるときは、刑事施設職員その他の関係者の出頭を命じてその陳述を聴き、又はこれらの者に対し報告書の提出を命ずることができる。

Ⅲ　第1項の規定による取調は、合議体の構成員にさせることができる。

第187条の4〔不出頭のままで公判手続を行う旨の告知・法第286条の2〕

法第286条の2の規定により被告人の出頭をまたないで公判手続を行う場合には、裁判長は、公判廷でその旨を訴訟関係人に告げなければならない。

第188条〔証拠調べの請求の時期・法第298条〕

証拠調べの請求は、公判期日前にも、これをすることができる。ただし、公判前整理手続において行う場合を除き、第1回の公判期日前は、この限りでない。

第188条の2〔証拠調を請求する場合の書面の提出・法第298条〕

Ⅰ　証人、鑑定人、通訳人又は翻訳人の尋問を請求するときは、その氏名及び住居を記載した書面を差し出さなければならない。

Ⅱ　証拠書類その他の書面の取調を請求するときは、その標目を記載した書面を差し出さなければならない。

第188条の3〔証人尋問の時間の申出・法第298条〕

Ⅰ　証人の尋問を請求するときは、証人の尋問に要する見込みの時間を申し出なければならない。

Ⅱ　証人の尋問を請求した者の相手方は、証人を尋問する旨の決定があつたときは、その尋問に要する見込みの時間を申し出なければならない。

Ⅲ　職権により証人を尋問する旨の決定があつたときは、検察官及び被告人又は弁護人は、その尋問に要する見込みの時間を申し出なければならない。

第189条〔証拠調の請求の方式・法第298条〕

Ⅰ　証拠調の請求は、証拠と証明すべき事実との関係を具体的に明示して、これをしなければならない。

Ⅱ　証拠書類その他の書面の一部の取調を請求するには、特にその部分を明確にしなければならない。

Ⅲ　裁判所は、必要と認めるときは、証拠調の請求をする者に対し、前2項に定める事項を明らかにする書面の提出を命ずることができる。

Ⅳ　前各項の規定に違反してされた証拠調の請求は、これを却下することができる。

第189条の2〔証拠の厳選・法第298条〕

証拠調べの請求は、証明すべき事実の立証に必要な証拠を厳選して、これをしなければならない。

第190条〔証拠決定・法第298条等〕

Ⅰ　証拠調又は証拠調の請求の却下は、決定でこれをしなければならない。

Ⅱ　前項の決定をするについては、証拠調の請求に基く場合には、相手方又はその弁

護人の意見を、職権による場合には、検察官及び被告人又は弁護人の意見を聴かなければならない〈同共〉。

Ⅲ　被告人が出頭しないでも証拠調を行うことができる公判期日に被告人及び弁護人が出頭していないときは、前項の規定にかかわらず、これらの者の意見を聴かないで、第1項の決定をすることができる〈同〉。

第191条〔証拠決定の送達〕

Ⅰ　証人、鑑定人、通訳人又は翻訳人を尋問する旨の決定は、公判期日前にこれをする場合においても、これを送達することを要しない。

Ⅱ　前項の場合には、直ちにその氏名を訴訟関係人に通知しなければならない。

第191条の2〔証人等の出頭〕

証人、鑑定人、通訳人又は翻訳人を尋問する旨の決定があつたときは、その取調を請求した訴訟関係人は、これらの者を期日に出頭させるように努めなければならない。

第191条の3〔証人尋問の準備〕

証人の尋問を請求した検察官又は弁護人は、証人その他の関係者に事実を確かめる等の方法によつて、適切な尋問をすることができるように準備しなければならない。

第192条〔証拠決定についての提示命令〕

証拠調の決定をするについて必要があると認めるときは、訴訟関係人に証拠書類又は証拠物の提示を命ずることができる。

第193条〔証拠調の請求の順序・法第298条〕

Ⅰ　検察官は、まず、事件の審判に必要と認めるすべての証拠の取調を請求しなければならない〈同〉。

Ⅱ　被告人又は弁護人は、前項の請求が終つた後、事件の審判に必要と認める証拠の取調を請求することができる。

第194条及び第195条　削除

第196条〔人定質問〕〈同共〉

裁判長は、検察官の起訴状の朗読に先だち、被告人に対し、その人違でないことを確めるに足りる事項を問わなければならない。

第196条の2〔法第290条の2第1項の申出がされた旨の通知の方式〕

法第290条の2第2項後段の規定による通知は、書面でしなければならない。ただし、やむを得ない事情があるときは、この限りでない。

第196条の3〔公開の法廷で明らかにされる可能性があると思料する事項の告知・法第290条の2〕

検察官は、法第290条の2第1項又は第3項の決定があつた場合において、事件

付
録

の性質、審理の状況その他の事情を考慮して、被害者特定事項のうち被害者の氏名及び住所以外に公開の法廷で明らかにされる可能性があると思料する事項があるときは、裁判所及び被告人又は弁護人にこれを告げるものとする。

第196条の4〔呼称の定め・法第290条の2〕

裁判所は、法第290条の2第1項又は第3項の決定をした場合において、必要があると認めるときは、被害者の氏名その他の被害者特定事項に係る名称に代わる呼称を定めることができる。

第196条の5〔決定の告知・法第290条の2〕

Ⅰ　裁判所は、法第290条の2第1項若しくは第3項の決定又は同条第4項の規定によりこれらの決定を取り消す決定をしたときは、公判期日においてこれをした場合を除き、速やかに、その旨を訴訟関係人に通知しなければならない。同条第1項の決定をしないこととしたときも、同様とする。

Ⅱ　裁判所は、法第290条の2第1項の決定又は同条第4項の規定により当該決定を取り消す決定をしたときは、速やかに、その旨を同条第1項の申出をした者に通知しなければならない。同項の決定をしないこととしたときも、同様とする。

第196条の6〔公開の法廷で明らかにされる可能性があると思料する事項の告知・法第290条の3〕

検察官及び被告人又は弁護人は、法第290条の3第1項の決定があつた場合において、事件の性質、審理の状況その他の事情を考慮して、証人等特定事項のうち証人等の氏名及び住所以外に公開の法廷で明らかにされる可能性があると思料する事項があるときは、裁判所及び相手方又はその弁護人にこれを告げるものとする。

第196条の7〔呼称の定め・法第290条の3〕

裁判所は、法第290条の3第1項の決定をした場合において、必要があると認めるときは、証人等の氏名その他の証人等特定事項に係る名称に代わる呼称を定めることができる。

第196条の8〔決定の告知・法第290条の3〕

Ⅰ　裁判所は、法第290条の3第1項の決定又は同条第2項の規定により当該決定を取り消す決定をしたときは、公判期日においてこれをした場合を除き、速やかに、その旨を訴訟関係人に通知しなければならない。同条第1項の決定をしないこととしたときも、同様とする。

Ⅱ　裁判所は、法第290条の3第1項の決定又は同条第2項の規定により当該決定を取り消す決定をしたときは、速やかに、その旨を同条第1項の申出をした者に通知しなければならない。同項の決定をしないこととしたときも、同様とする。

第197条〔被告人の権利保護のための告知事項・法第291条〕

Ⅰ　裁判長は、起訴状の朗読が終つた後、被告人に対し、終始沈黙し又個々の質問に対し陳述を拒むことができる旨の外、陳述をすることもできる旨及び陳述をすれば

自己に不利益な証拠ともなり又利益な証拠ともなるべき旨を告げなければならない《共予》。

Ⅱ　裁判長は、必要と認めるときは、被告人に対し、前項に規定する事項の外、被告人が充分に理解していないと思料される被告人保護のための権利を説明しなければならない。

第197条の2〔簡易公判手続によるための処置・法第291条の2〕

被告人が法第291条第4項の機会に公訴事実を認める旨の陳述をした場合には、裁判長は、被告人に対し簡易公判手続の趣旨を説明し、被告人の陳述がその自由な意思に基づくかどうか及び法第291条の2に定める有罪の陳述に当たるかどうかを確めなければならない。ただし、裁判所が簡易公判手続によることができず又はこれによることが相当でないと認める事件については、この限りでない。

第198条〔弁護人等の陳述〕

Ⅰ　裁判所は、検察官が証拠調のはじめに証拠により証明すべき事実を明らかにした後、被告人又は弁護人にも、証拠により証明すべき事実を明らかにすることを許すことができる。

Ⅱ　前項の場合には、被告人又は弁護人は、証拠とすることができず、又は証拠としてその取調を請求する意思のない資料に基いて、裁判所に事件について偏見又は予断を生ぜしめる虞のある事項を述べることはできない。

第198条の2〔争いのない事実の証拠調べ〕

訴訟関係人は、争いのない事実については、誘導尋問、法第326条第1項の書面又は供述及び法第327条の書面の活用を検討するなどして、当該事実及び証拠の内容及び性質に応じた適切な証拠調べが行われるよう努めなければならない。

第198条の3〔犯罪事実に関しないことが明らかな情状に関する証拠の取調べ〕

犯罪事実に関しないことが明らかな情状に関する証拠の取調べは、できる限り、犯罪事実に関する証拠の取調べと区別して行うよう努めなければならない。

第198条の4〔取調べの状況に関する立証〕

検察官は、被告人又は被告人以外の者の供述に関し、その取調べの状況を立証しようとするときは、できる限り、取調べの状況を記録した書面その他の取調べ状況に関する資料を用いるなどして、迅速かつ的確な立証に努めなければならない。

第199条〔証拠調の順序〕

Ⅰ　証拠調については、まず、検察官が取調を請求した証拠で事件の審判に必要と認めるすべてのものを取り調べ《団》、これが終つた後、被告人又は弁護人が取調を請求した証拠で事件の審判に必要と認めるものを取り調べるものとする。但し、相当と認めるときは、随時必要とする証拠を取り調べることができる。

Ⅱ　前項の証拠調が終つた後においても、必要があるときは、更に証拠を取り調べることを妨げない。

第199条の2〔証人尋問の順序・法第304条〕

Ⅰ　訴訟関係人がまず証人を尋問するときは、次の順序による。
① 証人の尋問を請求した者の尋問（主尋問）
② 相手方の尋問（反対尋問）
③ 証人の尋問を請求した者の再度の尋問（再主尋問）
Ⅱ　訴訟関係人は、裁判長の許可を受けて、更に尋問することができる。

第199条の3〔主尋問・法第304条等〕

Ⅰ　主尋問は、立証すべき事項及びこれに関連する事項について行う。
Ⅱ　主尋問においては、証人の供述の証明力を争うために必要な事項についても尋問することができる。
Ⅲ　主尋問においては、誘導尋問をしてはならない。ただし、次の場合には、誘導尋問をすることができる。
① 証人の身分、経歴、交友関係等で、実質的な尋問に入るに先だつて明らかにする必要のある準備的な事項に関するとき。
② 訴訟関係人に争のないことが明らかな事項に関するとき。
③ 証人の記憶が明らかでない事項についてその記憶を喚起するため必要があるとき。
④ 証人が主尋問者に対して敵意又は反感を示すとき。
⑤ 証人が証言を避けようとする事項に関するとき。
⑥ 証人が前の供述と相反するか又は実質的に異なる供述をした場合において、その供述した事項に関するとき。
⑦ その他誘導尋問を必要とする特別の事情があるとき。
Ⅳ　誘導尋問をするについては、書面の朗読その他証人の供述に不当な影響を及ぼすおそれのある方法を避けるように注意しなければならない（注）。
Ⅴ　裁判長は、誘導尋問を相当でないと認めるときは、これを制限することができる。

第199条の4〔反対尋問・法第304条等〕

Ⅰ　反対尋問は、主尋問に現われた事項及びこれに関連する事項並びに証人の供述の証明力を争うために必要な事項について行う。
Ⅱ　反対尋問は、特段の事情のない限り、主尋問終了後直ちに行わなければならない。
Ⅲ　反対尋問においては、必要があるときは、誘導尋問をすることができる。
Ⅳ　裁判長は、誘導尋問を相当でないと認めるときは、これを制限することができる。

第199条の5〔反対尋問の機会における新たな事項の尋問・法第304条〕

Ⅰ　証人の尋問を請求した者の相手方は、裁判長の許可を受けたときは、反対尋問の機会に、自己の主張を支持する新たな事項についても尋問することができる。
Ⅱ　前項の規定による尋問は、同項の事項についての主尋問とみなす。

第199条の6〔供述の証明力を争うために必要な事項の尋問・法第304条〕

　証人の供述の証明力を争うために必要な事項の尋問は、証人の観察、記憶又は表現の正確性等証言の信用性に関する事項及び証人の利害関係、偏見、予断等証人の信用性に関する事項について行う。ただし、みだりに証人の名誉を害する事項に及んではならない。

第199条の7〔再主尋問・法第304条等〕

Ⅰ　再主尋問は、反対尋問に現われた事項及びこれに関連する事項について行う。
Ⅱ　再主尋問については、主尋問の例による。
Ⅲ　第199条の5の規定は、再主尋問の場合に準用する。

第199条の8〔補充尋問・法第304条〕

　裁判長又は陪席の裁判官がまず証人を尋問した後にする訴訟関係人の尋問については、証人の尋問を請求した者、相手方の区別に従い、前6条の規定を準用する。

第199条の9〔職権による証人の補充尋問・法第304条〕

　裁判所が職権で証人を取り調べる場合において、裁判長又は陪席の裁判官が尋問した後、訴訟関係人が尋問するときは、反対尋問の例による。

第199条の10〔書面又は物の提示・法第304条等〕

Ⅰ　訴訟関係人は、書面又は物に関しその成立、同一性その他これに準ずる事項について証人を尋問する場合において必要があるときは、その書面又は物を示すことができる。
Ⅱ　前項の書面又は物が証拠調を終つたものでないときは、あらかじめ、相手方にこれを閲覧する機会を与えなければならない。ただし、相手方に異議がないときは、この限りでない。

第199条の11〔記憶喚起のための書面等の提示・法第304条等〕

Ⅰ　訴訟関係人は、証人の記憶が明らかでない事項についてその記憶を喚起するため必要があるときは、裁判長の許可を受けて、書面（供述を録取した書面を除く。）又は物を示して尋問することができる。
Ⅱ　前項の規定による尋問については、書面の内容が証人の供述に不当な影響を及ぼすことのないように注意しなければならない。
Ⅲ　第1項の場合には、前条第2項の規定を準用する。

第199条の12〔図面等の利用・法第304条等〕

Ⅰ　訴訟関係人は、証人の供述を明確にするため必要があるときは、裁判長の許可を受けて、図面、写真、模型、装置等を利用して尋問することができる。
Ⅱ　前項の場合には、第199条の10第2項の規定を準用する。

第199条の13〔証人尋問の方法・法第304条等〕

Ⅰ　訴訟関係人は、証人を尋問するに当たつては、できる限り個別的かつ具体的で簡

付
録

潔な尋問によらなければならない。

Ⅱ　訴訟関係人は、次に掲げる尋問をしてはならない。ただし、第2号から第4号までの尋問については、正当な理由がある場合は、この限りでない。

①　威嚇的又は侮辱的な尋問

②　すでにした尋問と重複する尋問

③　意見を求め又は議論にわたる尋問

④　証人が直接経験しなかつた事実についての尋問

第199条の14〔関連性の明示・法第295条〕

Ⅰ　訴訟関係人は、立証すべき事項又は主尋問若しくは反対尋問に現れた事項に関連する事項について尋問する場合には、その関連性が明らかになるような尋問をすることその他の方法により、裁判所にその関連性を明らかにしなければならない。

Ⅱ　証人の観察、記憶若しくは表現の正確性その他の証言の信用性に関連する事項又は証人の利害関係、偏見、予断その他の証人の信用性に関連する事項について尋問する場合も、前項と同様とする。

第200条〔陪席裁判官の尋問・法第304条〕

陪席の裁判官は、証人、鑑定人、通訳人又は翻訳人を尋問するには、あらかじめ、その旨を裁判長に告げなければならない。

第201条〔裁判長の尋問・法第304条〕

Ⅰ　裁判長は、必要と認めるときは、何時でも訴訟関係人の証人、鑑定人、通訳人又は翻訳人に対する尋問を中止させ、自らその事項について尋問することができる。

Ⅱ　前項の規定は、訴訟関係人が法第295条の制限の下において証人その他前項に規定する者を充分に尋問することができる権利を否定するものと解釈してはならない。

第202条〔傍聴人の退廷〕

裁判長は、被告人、証人、鑑定人、通訳人又は翻訳人が特定の傍聴人の面前（証人については、法第157条の5第2項に規定する措置を採る場合並びに法第157条の6第1項及び第2項に規定する方法による場合を含む。）で充分な供述をすることができないと思料するときは、その供述をする間、その傍聴人を退廷させることができる。

第203条〔訴訟関係人の尋問の機会・法第304条〕

裁判長は、証人、鑑定人、通訳人又は翻訳人の尋問をする場合には、訴訟関係人に対し、これらの者を尋問する機会を与えなければならない。

第203条の2〔証拠書類等の取調の方法・法第305条等〕

Ⅰ　裁判長は、訴訟関係人の意見を聴き、相当と認めるときは、請求により証拠書類又は証拠物中書面の意義が証拠となるものの取調をするについての朗読に代えて、その取調を請求した者、陪席の裁判官若しくは裁判所書記官にその要旨を告げさせ、又は自らこれを告げることができる。

Ⅱ　裁判長は、訴訟関係人の意見を聴き、相当と認めるときは、職権で証拠書類又は証拠物中書面の意義が証拠となるものの取調をするについての朗読に代えて、自らその要旨を告げ、又は陪席の裁判官若しくは裁判所書記官にこれを告げさせることができる。

第203条の3〔簡易公判手続による場合の特例・法第307条の2〕

簡易公判手続によつて審判をする旨の決定があつた事件については、第198条、第199条及び前条の規定は、適用しない。

第204条〔証拠の証明力を争う機会・法第308条〕

裁判長は、裁判所が適当と認める機会に検察官及び被告人又は弁護人に対し、反証の取調の請求その他の方法により証拠の証明力を争うことができる旨を告げなければならない。

第205条〔異議申立の事由・法第309条〕

Ⅰ　法第309条第1項の異議の申立は、法令の違反があること又は相当でないことを理由としてこれをすることができる。但し、証拠調に関する決定に対しては、相当でないことを理由としてこれをすることはできない。
Ⅱ　法第309条第2項の異議の申立は、法令の違反があることを理由とする場合に限りこれをすることができる。

第205条の2〔異議申立の方式、時期・法第309条〕

異議の申立は、個々の行為、処分又は決定ごとに、簡潔にその理由を示して、直ちにしなければならない。

第205条の3〔異議申立に対する決定の時期・法第309条〕

異議の申立については、遅滞なく決定をしなければならない。

第205条の4〔異議申立が不適法な場合の決定・法第309条〕

時機に遅れてされた異議の申立、訴訟を遅延させる目的のみでされたことの明らかな異議の申立、その他不適法な異議の申立は、決定で却下しなければならない。但し、時機に遅れてされた異議の申立については、その申し立てた事項が重要であつてこれに対する判断を示すことが相当であると認めるときは、時機に遅れたことを理由としてこれを却下してはならない。

第205条の5〔異議申立が理由のない場合の決定・法第309条〕

異議の申立を理由がないと認めるときは、決定で棄却しなければならない。

第205条の6〔異議申立が理由のある場合の決定・法第309条〕

Ⅰ　異議の申立を理由があると認めるときは、異議を申し立てられた行為の中止、撤回、取消又は変更を命ずる等その申立に対応する決定をしなければならない。
Ⅱ　取り調べた証拠が証拠とすることができないものであることを理由とする異議の申立を理由があると認めるときは、その証拠の全部又は一部を排除する決定をしな

けれればならない。

第206条〔重ねて異議を申し立てることの禁止・法第309条〕

異議の申立について決定があつたときは、その決定で判断された事項については、重ねて異議を申し立てることはできない。

第207条〔職権による排除決定〕

裁判所は、取り調べた証拠が証拠とすることができないものであることが判明したときは、職権でその証拠の全部又は一部を排除する決定をすることができる。

第208条〔釈明等〕

Ⅰ 裁判長は、必要と認めるときは、訴訟関係人に対し、釈明を求め、又は立証を促すことができる。

Ⅱ 陪席の裁判官は、裁判長に告げて、前項に規定する処置をすることができる。

Ⅲ 訴訟関係人は、裁判長に対し、釈明のための発問を求めることができる。

第209条〔訴因、罰条の追加、撤回、変更・法第312条〕

Ⅰ 訴因又は罰条の追加、撤回又は変更は、書面を差し出してこれをしなければならない。

Ⅱ 前項の書面には、被告人の数に応ずる謄本を添附しなければならない。

Ⅲ 裁判所は、前項の謄本を受け取つたときは、直ちにこれを被告人に送達しなければならない。

Ⅳ 検察官は、前項の送達があつた後、遅滞なく公判期日において第1項の書面を朗読しなければならない。

Ⅴ 法第290条の2第1項又は第3項の決定があつたときは、前項の規定による書面の朗読は、被害者特定事項を明らかにしない方法でこれを行うものとする。この場合においては、検察官は、被告人に第1項の書面を示さなければならない。

Ⅵ 法第290条の3第1項の決定があつた場合における第4項の規定による書面の朗読についても、前項と同様とする。この場合において、同項中「被害者特定事項」とあるのは「証人等特定事項」とする。

Ⅶ 裁判所は、第1項の規定にかかわらず、被告人が在廷する公判廷においては、口頭による訴因又は罰条の追加、撤回又は変更を許すことができる。

第210条〔弁論の分離・法第313条〕

裁判所は、被告人の防禦が互に相反する等の事由があつて被告人の権利を保護するため必要があると認めるときは、検察官、被告人若しくは弁護人の請求により又は職権で、決定を以て、弁論を分離しなければならない。

第210条の2〔意見陳述の申出がされた旨の通知の方式・法第292条の2〕

法第292条の2第2項後段に規定する通知は、書面でしなければならない。ただし、やむを得ない事情があるときは、この限りでない。

第210条の3〔意見陳述が行われる公判期日の通知〕

Ⅰ 裁判所は、法第292条の2第1項の規定により意見の陳述をさせる公判期日を、その陳述の申出をした者に通知しなければならない。
Ⅱ 裁判所は、前項の通知をしたときは、当該公判期日において前項に規定する者に法第292条の2第1項の規定による意見の陳述をさせる旨を、訴訟関係人に通知しなければならない。

第210条の4〔意見陳述の時間〕

裁判長は、法第292条の2第1項の規定による意見の陳述に充てることのできる時間を定めることができる。

第210条の5〔意見の陳述に代わる措置等の決定の告知〕

法第292条の2第7項の決定は、公判期日前にする場合においても、送達することを要しない。この場合においては、速やかに、同項の決定の内容を、法第292条の2第1項の規定による意見の陳述の申出をした者及び訴訟関係人に通知しなければならない。

第210条の6〔意見を記載した書面が提出されたことの通知〕

裁判所は、法第292条の2第7項の規定により意見を記載した書面が提出されたときは、速やかに、その旨を検察官及び被告人又は弁護人に通知しなければならない。

第210条の7〔準用規定〕

Ⅰ 法第292条の2の規定による意見の陳述については、第115条及び第125条の規定を準用する。
Ⅱ 法第292条の2第6項において準用する法第157条の4に規定する措置を採る旨の決定については、第107条の2の規定を準用する。法第292条の2第6項において準用する法第157条の5に規定する措置を採る旨の決定並びに法第292条の2第6項において準用する法第157条の6第1項及び第2項に規定する方法により意見の陳述を行う旨の決定についても同様とする。
Ⅲ 法第292条の2第6項において準用する法第157条の6第2項に規定する方法による意見の陳述については、第107条の3の規定を準用する。

第211条〔最終陳述・法第293条〕回

被告人又は弁護人には、最終に陳述する機会を与えなければならない。

第211条の2〔弁論の時期〕

検察官、被告人又は弁護人は、証拠調べの後に意見を陳述するに当たつては、証拠調べ後できる限り速やかに、これを行わなければならない。

第211条の3〔弁論の方法〕

検察官、被告人又は弁護人は、証拠調べの後に意見を陳述するに当たり、争いのある事実については、その意見と証拠との関係を具体的に明示して行わなければならな

い。

第212条〔弁論時間の制限〕

裁判長は、必要と認めるときは、検察官、被告人又は弁護人の本質的な権利を害しない限り、これらの者が証拠調の後にする意見を陳述する時間を制限することができる。

第213条〔公判手続の更新〕

Ⅰ 開廷後被告人の心神喪失により公判手続を停止した場合には、公判手続を更新しなければならない。

Ⅱ 開廷後長期間にわたり開廷しなかつた場合において必要があると認めるときは、公判手続を更新することができる。

第213条の2〔更新の手続〕

公判手続を更新するには、次の例による。

① 裁判長は、まず、検察官に起訴状（起訴状訂正書又は訴因若しくは罰条を追加若しくは変更する書面を含む。）に基いて公訴事実の要旨を陳述させなければならない。但し、被告人及び弁護人に異議がないときは、その陳述の全部又は一部をさせないことができる。

② 裁判長は、前号の手続が終つた後、被告人及び弁護人に対し、被告事件について陳述する機会を与えなければならない。

③ 更新前の公判期日における被告人若しくは被告人以外の者の供述を録取した書面又は更新前の公判期日における裁判所の検証の結果を記載した書面並びに更新前の公判期日において取り調べた書面又は物については、職権で証拠書類又は証拠物として取り調べなければならない。但し、裁判所は、証拠とすることができないと認める書面又は物及び証拠とするのを相当でないと認め且つ訴訟関係人が取り調べないことに異議のない書面又は物については、これを取り調べない旨の決定をしなければならない。

④ 裁判長は、前号本文に掲げる書面又は物を取り調べる場合において訴訟関係人が同意したときは、その全部若しくは一部を朗読し又は示すことに代えて、相当と認める方法でこれを取り調べることができる。

⑤ 裁判長は、取り調べた各個の証拠について訴訟関係人の意見及び弁解を聴かなければならない。

第214条〔弁論の再開請求の却下決定の送達〕

終結した弁論の再開の請求を却下する決定は、これを送達することを要しない。

第215条〔公判廷の写真撮影等の制限〕

公判廷における写真の撮影、録音又は放送は、裁判所の許可を得なければ、これをすることができない。但し、特別の定のある場合は、この限りでない。

第216条〔判決宣告期日の告知・法第284条等〕

Ⅰ 法第284条又は第285条に掲げる事件について判決の宣告のみをすべき公判期

日の召喚状には、その公判期日に判決を宣告する旨をも記載しなければならない。

Ⅱ　前項の事件について、同項の公判期日を刑事施設職員に通知して召喚する場合には、その公判期日に判決の宣告をする旨をも通知しなければならない。この場合には、刑事施設職員は、被告人に対し、その旨をも通知しなければならない。

第217条〔破棄後の手続〕

事件が上訴裁判所から差し戻され、又は移送された場合には、次の例による。

① 第1回の公判期日までの勾留に関する処分は、裁判所がこれを行う。

② 第188条ただし書の規定は、これを適用しない。

③ 証拠保全の請求又は法第226条若しくは第227条の証人尋問の請求は、これをすることができない。

第2節　争点及び証拠の整理手続

第1款　公判前整理手続
第1目　通則

第217条の2〔審理予定の策定・法第316条の2等〕

Ⅰ　裁判所は、公判前整理手続においては、充実した公判の審理を継続的、計画的かつ迅速に行うことができるように公判の審理予定を定めなければならない。

Ⅱ　訴訟関係人は、法及びこの規則に定める義務を履行することにより、前項の審理予定の策定に協力しなければならない。

第217条の3〔公判前整理手続に付する旨の決定等についての意見の聴取・法第316条の2〕

法第316条の2第1項の決定又は同項の請求を却下する決定をするについては、あらかじめ、職権でこれをする場合には、検察官及び被告人又は弁護人の意見を、請求によりこれをする場合には、相手方又はその弁護人の意見を聴かなければならない。

第217条の4〔公判前整理手続に付する旨の決定の送達・法第316条の2〕

法第316条の2第1項の決定及び同項の請求を却下する決定は、これを送達することを要しない。

第217条の5〔弁護人を必要とする旨の通知・法第316条の4等〕

裁判所は、事件を公判前整理手続に付したときは、遅滞なく、被告人に対し、弁護人がなければ公判前整理手続を行うことができない旨のほか、当該事件が第177条に規定する事件以外の事件である場合には、弁護人がなければ開廷することができない旨をも知らせなければならない。ただし、被告人に弁護人があるときは、この限りでない。

第217条の6〔公判前整理手続期日の指定・法第316条の6〕

公判前整理手続期日を定めるについては、その期日前に訴訟関係人がすべき準備を

考慮しなければならない。

第217条の7〔公判前整理手続期日の変更の請求・法第316条の6〕

Ⅰ　訴訟関係人は、公判前整理手続期日の変更を必要とする事由が生じたときは、直ちに、裁判長に対し、その事由及びそれが継続する見込みの期間を具体的に明らかにして、期日の変更を請求しなければならない。

Ⅱ　裁判長は、前項の事由をやむを得ないものと認める場合のほか、同項の請求を却下しなければならない。

第217条の8〔公判前整理手続期日の変更についての意見の聴取・法第316条の6〕

公判前整理手続期日を変更するについては、あらかじめ、職権でこれをする場合には、検察官及び被告人又は弁護人の意見を、請求によりこれをする場合には、相手方又はその弁護人の意見を聴かなければならない。

第217条の9〔公判前整理手続期日の変更に関する命令の送達・法第316条の6〕

公判前整理手続期日の変更に関する命令は、これを送達することを要しない。

第217条の10〔公判前整理手続期日の不変更・法第316条の6〕

裁判長は、やむを得ないと認める場合のほか、公判前整理手続期日を変更することができない。

第217条の11〔被告人の公判前整理手続期日への出頭についての通知・法第316条の9〕

裁判所は、被告人に対し公判前整理手続期日に出頭することを求めたときは、速やかに、その旨を検察官及び弁護人に通知しなければならない。

第217条の12〔公判前整理手続を受命裁判官にさせる旨の決定の送達・法第316条の11〕

合議体の構成員に命じて公判前整理手続をさせる旨の決定は、これを送達することを要しない。

第217条の13〔公判前整理手続期日における決定等の告知〕

公判前整理手続期日においてした決定又は命令は、これに立ち会つた訴訟関係人には送達又は通知することを要しない。

第217条の14〔決定の告知・法第316条の5〕

公判前整理手続において法第316条の5第7号から第9号までの決定をした場合には、その旨を検察官及び被告人又は弁護人に通知しなければならない。

第217条の15〔公判前整理手続調書の記載要件・法第316条の12〕

Ⅰ　公判前整理手続調書には、次に掲げる事項を記載しなければならない。

　①　被告事件名及び被告人の氏名
　②　公判前整理手続をした裁判所又は受命裁判官、年月日及び場所
　③　裁判官及び裁判所書記官の官氏名
　④　出頭した検察官の官氏名
　⑤　出頭した被告人、弁護人、代理人及び補佐人の氏名
　⑥　出頭した通訳人の氏名
　⑦　通訳人の尋問及び供述
　⑧　証明予定事実その他の公判期日においてすることを予定している事実上及び法律上の主張
　⑨　証拠調べの請求その他の申立て
　⑩　証拠と証明すべき事実との関係（証拠の標目自体によつて明らかである場合を除く。）
　⑪　取調べを請求する証拠が法第328条の証拠であるときは、その旨
　⑫　法第309条の異議の申立て及びその理由
　⑬　法第326条の同意
　⑭　訴因又は罰条の追加、撤回又は変更に関する事項（起訴状の訂正に関する事項を含む。）
　⑮　証拠開示に関する裁定に関する事項
　⑯　法第316条の23第3項において準用する法第299条の5第1項の規定による裁定に関する事項
　⑰　決定及び命令。ただし、次に掲げるものを除く。
　　イ　証拠調べの順序及び方法を定める決定（法第157条の2第1項の請求に対する決定を除く。）（法第316条の5第8号）
　　ロ　主任弁護人及び副主任弁護人以外の弁護人の申立て、請求、質問等の許可（第25条）
　　ハ　証拠決定についての提示命令（第192条）
　⑱　事件の争点及び証拠の整理の結果を確認した旨並びにその内容
Ⅱ　前項に掲げる事項以外の事項であつても、公判前整理手続期日における手続中、裁判長又は受命裁判官が訴訟関係人の請求により又は職権で記載を命じた事項は、これを公判前整理手続調書に記載しなければならない。

第217条の16〔公判前整理手続調書の署名押印、認印・法第316条の12〕

Ⅰ　公判前整理手続調書には、裁判所書記官が署名押印し、裁判長又は受命裁判官が認印しなければならない。
Ⅱ　裁判長に差し支えがあるときは、他の裁判官の1人が、その事由を付記して認印しなければならない。
Ⅲ　地方裁判所の1人の裁判官、簡易裁判所の裁判官又は受命裁判官に差し支えがあるときは、裁判所書記官が、その事由を付記して署名押印しなければならない。
Ⅳ　裁判所書記官に差し支えがあるときは、裁判長又は受命裁判官が、その事由を付記して認印しなければならない。

第217条の17〔公判前整理手続調書の整理・法第316条の12〕

　公判前整理手続調書は、各公判前整理手続期日後速やかに、遅くとも第1回公判

期日までにこれを整理しなければならない。

第217条の18〔公判前整理手続調書の記載に対する異議申立て等・法第316条の12〕

公判前整理手続調書については、法第51条第1項及び第2項本文並びに第52条並びにこの規則第48条の規定を準用する。この場合において、法第52条中「公判期日における訴訟手続」とあるのは「公判前整理手続期日における手続」と、第48条中「裁判長」とあるのは「裁判長又は受命裁判官」と読み替えるものとする。

第217条の19〔公判前整理手続に付された場合の特例・法第316条の2〕

法第316条の2第1項の決定があつた事件については、第178条の6第1項並びに第2項第2号及び第3号、第178条の7、第178条の13並びに第193条の規定は、適用しない。

第2目 争点及び証拠の整理

第217条の20〔証明予定事実等の明示方法・法第316条の13等〕

Ⅰ 検察官は、法第316条の13第1項又は第316条の21第1項に規定する書面に証明予定事実を記載するについては、事件の争点及び証拠の整理に必要な事項を具体的かつ簡潔に明示しなければならない。

Ⅱ 被告人又は弁護人は、法第316条の17第1項又は第316条の22第1項の規定により証明予定事実その他の公判期日においてすることを予定している事実上及び法律上の主張を明らかにするについては、事件の争点及び証拠の整理に必要な事項を具体的かつ簡潔に明示しなければならない。

第217条の21〔証明予定事実の明示における留意事項・法第316条の13等〕

検察官及び被告人又は弁護人は、証明予定事実を明らかにするに当たつては、事実とこれを証明するために用いる主要な証拠との関係を具体的に明示することその他の適当な方法によつて、事件の争点及び証拠の整理が円滑に行われるように努めなければならない。

第217条の22〔期限の告知・法第316条の13等〕

公判前整理手続において、法第316条の13第4項、第316条の16第2項（法第316条の21第4項において準用する場合を含む。）、第316条の17第3項、第316条の19第2項（法第316条の22第4項において準用する場合を含む。）、第316条の21第3項又は第316条の22第3項に規定する期限を定めた場合には、これを検察官及び被告人又は弁護人に通知しなければならない。

第217条の23〔期限の厳守・法第316条の13等〕

訴訟関係人は、前条に規定する期限が定められた場合には、これを厳守し、事件の争点及び証拠の整理に支障を来さないようにしなければならない。

第217条の24〔期限を守らない場合の措置・法第316条の16等〕

　裁判所は、公判前整理手続において法第316条の16第2項（法第316条の21第4項において準用する場合を含む。）、第316条の17第3項、第316条の19第2項（法第316条の22第4項において準用する場合を含む。）、第316条の21第3項又は第316条の22第3項に規定する期限を定めた場合において、当該期限までに、意見若しくは主張が明らかにされず、又は証拠調べの請求がされない場合においても、公判の審理を開始するのを相当と認めるときは、公判前整理手続を終了することができる。

第217条の25〔証人等の氏名及び住居の開示に関する措置に係る準用規定・法第316条の23〕

　第178条の8から第178条の11までの規定は、検察官が法第316条の23第2項において準用する法第299条の4第1項から第4項までの規定による措置をとった場合について準用する。この場合において、第178条の9第3項中「公判期日」とあるのは「公判前整理手続期日」と読み替えるものとする。

第3目　証拠開示に関する裁定

第217条の26〔証拠不開示の理由の告知・法第316条の15等〕

　検察官は、法第316条の15第1項若しくは第2項（法第316条の21第4項において準用する場合を含む。）又は第316条の20第1項（法第316条の22第5項において準用する場合を含む。）の規定により被告人又は弁護人から開示の請求があった証拠について、これを開示しない場合には、被告人又は弁護人に対し、開示しない理由を告げなければならない。

第217条の27〔証拠開示に関する裁定の請求の方式・法第316条の25等〕

Ⅰ　法第316条の25第1項又は第316条の26第1項の規定による証拠開示に関する裁定の請求は、書面を差し出してこれをしなければならない。

Ⅱ　前項の請求をした者は、速やかに、同項の書面の謄本を相手方又はその弁護人に送付しなければならない。

Ⅲ　裁判所は、第1項の規定にかかわらず、公判前整理手続期日においては、同項の請求を口頭ですることを許すことができる。

第217条の28〔証拠標目一覧表の記載事項・法第316条の27〕

　法第316条の27第2項の一覧表には、証拠ごとに、その種類、供述者又は作成者及び作成年月日のほか、同条第1項の規定により証拠の提示を命ずるかどうかの判断のために必要と認める事項を記載しなければならない。

第2款　期日間整理手続

第217条の29〔準用規定〕

　期日間整理手続については、前款（第217条の19を除く。）の規定を準用する。この場合において、これらの規定（見出しを含む。）中「公判前整理手続期日」とあるのは「期日間整理手続期日」と、「公判前整理手続調書」とあるのは「期日間整理

手続調書」と読み替えるほか、第217条の2から第217条の12までの見出し、第217条の14（見出しを含む。）、第217条の15の見出し及び同条第1項第17号イ、第217条の16から第217条の18までの見出し、第217条の20（見出しを含む。）、第217条の21の見出し、第217条の22（見出しを含む。）、第217条の23の見出し、第217条の24及び第217条の26（これらの規定の見出しを含む。）、第217条の27の見出し及び同条第1項並びに前条（見出しを含む。）中「法」とあるのは「法第316条の28第2項において準用する法」と、第217条の25中「法第316条の23第2項」とあるのは「法第316条の28第2項において準用する法第316条の23」と、第217条の15第1項第17号イ中「法第157条の2第1項」とあるのは「法第157条の2第1項又は第157条の3第1項」と、第217条の17中「第1回公判期日」とあるのは「期日間整理手続終了後の最初の公判期日」と読み替えるものとする。

第3款　公判手続の特例

第217条の30〔審理予定に従つた公判の審理の進行〕

Ⅰ　裁判所は、公判前整理手続又は期日間整理手続に付された事件については、公判の審理を当該公判前整理手続又は期日間整理手続において定められた予定に従つて進行させるように努めなければならない。

Ⅱ　訴訟関係人は、公判の審理が公判前整理手続又は期日間整理手続において定められた予定に従つて進行するよう、裁判所に協力しなければならない。

第217条の31〔公判前整理手続等の結果を明らかにする手続・法第316条の31〕

Ⅰ　公判前整理手続又は期日間整理手続に付された事件について、当該公判前整理手続又は期日間整理手続の結果を明らかにするには、公判前整理手続調書若しくは期日間整理手続調書を朗読し、又はその要旨を告げなければならない。法第316条の2第3項（法第316条の28第2項において準用する場合を含む。）に規定する書面についても、同様とする。

Ⅱ　裁判所は、前項の規定により公判前整理手続又は期日間整理手続の結果を明らかにする場合には、裁判所書記官に命じて行わせることができる。

Ⅲ　法第290条の2第1項又は第3項の決定があつたときは、前2項の規定による公判前整理手続調書又は期日間整理手続調書の朗読又は要旨の告知は、被害者特定事項を明らかにしない方法でこれを行うものとする。法第316条の2第3項（法第316条の28第2項において準用する場合を含む。）に規定する書面についても、同様とする。

Ⅳ　法第290条の3第1項の決定があつた場合における第1項又は第2項の規定による公判前整理手続調書又は期日間整理手続調書の朗読又は要旨の告知は、証人等特定事項を明らかにしない方法でこれを行うものとする。法第316条の2第3項（法第316条の28第2項において準用する場合を含む。）に規定する書面についても、同様とする。

第217条の32〔やむを得ない事由の疎明・法第316条の32〕

　公判前整理手続又は期日間整理手続に付された事件について、公判前整理手続又は期日間整理手続において請求しなかつた証拠の取調べを請求するには、やむを得ない事由によつてその証拠の取調べを請求することができなかつたことを疎明しなければならない。

第217条の33〔やむを得ない事由により請求することができなかつた証拠の取調べの請求・法第316条の32〕

　公判前整理手続又は期日間整理手続に付された事件について、やむを得ない事由により公判前整理手続又は期日間整理手続において請求することができなかつた証拠の取調べを請求するときは、その事由がやんだ後、できる限り速やかに、これを行わなければならない。

第3節　被害者参加

第217条の34〔被害者参加の申出がされた旨の通知の方式・法第316条の33〕

　法第316条の33第2項後段の規定による通知は、書面でしなければならない。ただし、やむを得ない事情があるときは、この限りでない。

第217条の35〔委託の届出等・法第316条の34等〕

Ⅰ　法第316条の34及び第316条の36から第316条の38までに規定する行為を弁護士に委託した被害者参加人は、当該行為を当該弁護士に行わせるに当たり、あらかじめ、委託した旨を当該弁護士と連署した書面で裁判所に届け出なければならない。

Ⅱ　前項の規定による届出は、審級ごとにしなければならない。

Ⅲ　第1項の書面に委託した行為を特定する記載がないときは、法第316条の34及び第316条の36から第316条の38までに規定するすべての行為を委託したものとみなす。

Ⅳ　第1項の規定による届出は、弁論が併合された事件であつて、当該被害者参加人が手続への参加を許されたものについてもその効力を有する。ただし、当該被害者参加人が、手続への参加を許された事件のうち当該届出の効力を及ぼさない旨の申述をしたものについては、この限りでない。

Ⅴ　第1項の規定による届出をした被害者参加人が委託の全部又は一部を取り消したときは、その旨を書面で裁判所に届け出なければならない。

第217条の36〔代表者選定の求めの記録化・法第316条の34〕

　法第316条の34第3項（同条第5項において準用する場合を含む。次条において同じ。）の規定により公判期日又は公判準備に出席する代表者の選定を求めたときは、裁判所書記官は、これを記録上明らかにしなければならない。

第217条の37〔選定された代表者の通知・法第316条の34〕

　法第316条の34第3項の規定により公判期日又は公判準備に出席する代表者に

選定された者は、速やかに、その旨を裁判所に通知しなければならない。

第217条の38〔意見陳述の時期・法第316条の38〕

法第316条の38第1項の規定による意見の陳述は、法第293条第1項の規定による検察官の意見の陳述の後速やかに、これをしなければならない。

第217条の39〔意見陳述の時間・法第316条の38〕

裁判長は、法第316条の38第1項の規定による意見の陳述に充てることのできる時間を定めることができる。

第217条の40〔決定の告知・法第316条の33等〕

Ⅰ　裁判所は、法第316条の33第1項の申出に対する決定又は同項の決定を取り消す決定をしたときは、速やかに、その旨を同項の申出をした者に通知しなければならない。

Ⅱ　裁判所は、法第316条の34第4項（同条第5項において準用する場合を含む。第4項において同じ。）の規定により公判期日又は公判準備への出席を許さない旨の決定をしたときは、速やかに、その旨を出席を許さないこととされた者に通知しなければならない。

Ⅲ　裁判所は、法第316条の36第1項、第316条の37第1項又は第316条の38第1項の申出に対する決定をしたときは、速やかに、その旨を当該申出をした者に通知しなければならない。

Ⅳ　裁判所は、法第316条の33第1項の申出に対する決定若しくは同項の決定を取り消す決定、法第316条の34第4項の規定による公判期日又は公判準備への出席を許さない旨の決定、法第316条の36第1項、第316条の37第1項若しくは第316条の38第1項の申出に対する決定、法第316条の39第1項に規定する措置を採る旨の決定若しくは同項の決定を取り消す決定又は同条第4項若しくは第5項に規定する措置を採る旨の決定をしたときは、公判期日においてこれをした場合を除き、速やかに、その旨を訴訟関係人に通知しなければならない。

第4節　公判の裁判

第218条〔判決書への引用〕

地方裁判所又は簡易裁判所においては、判決書には、起訴状に記載された公訴事実又は訴因若しくは罰条を追加若しくは変更する書面に記載された事実を引用することができる。

第218条の2

地方裁判所又は簡易裁判所においては、簡易公判手続又は即決裁判手続によつて審理をした事件の判決書には、公判調書に記載された証拠の標目を特定して引用することができる。

第219条〔調書判決〕

Ⅰ　地方裁判所又は簡易裁判所においては、上訴の申立てがない場合には、裁判所書

付録

記官に判決主文並びに罪となるべき事実の要旨及び適用した罰条を判決の宣告をした公判期日の調書の末尾に記載させ、これをもって判決書に代えることができる。ただし、判決宣告の日から 14 日以内でかつ判決の確定前に判決書の謄本の請求があつたときは、この限りでない。

Ⅱ　前項の記載については、判決をした裁判官が、裁判所書記官とともに署名押印しなければならない。

Ⅲ　前項の場合には、第 46 条第 3 項及び第 4 項並びに第 55 条後段の規定を準用する。

第 219 条の 2〔公訴棄却の決定の送達の特例・法第 339 条〕

Ⅰ　法第 339 条第 1 項第 1 号の規定による公訴棄却の決定は、被告人に送達することを要しない。

Ⅱ　前項の決定をした場合において被告人に弁護人があるときは、弁護人にその旨を通知しなければならない。

第 220 条〔上訴期間等の告知〕回

有罪の判決の宣告をする場合には、被告人に対し、上訴期間及び上訴申立書を差し出すべき裁判所を告知しなければならない。

第 220 条の 2〔保護観察の趣旨等の説示・法第 333 条〕

保護観察に付する旨の判決の宣告をする場合には、裁判長は、被告人に対し、保護観察の趣旨その他必要と認める事項を説示しなければならない。

第 221 条〔判決宣告後の訓戒〕

裁判長は、判決の宣告をした後、被告人に対し、その将来について適当な訓戒をすることができる。

第 222 条〔判決の通知・法第 284 条〕回

法第 284 条に掲げる事件について被告人の不出頭のまま判決の宣告をした場合には、直ちにその旨及び判決主文を被告人に通知しなければならない。但し、代理人又は弁護人が判決の宣告をした公判期日に出頭した場合は、この限りでない。

第 222 条の 2〔刑法第 25 条の 2 第 1 項の規定による保護観察の判決の通知等〕

Ⅰ　裁判所は、刑法（明治 40 年法律第 45 号）第 25 条の 2 第 1 項の規定により保護観察に付する旨の判決の宣告をしたときは、速やかに、判決書の謄本若しくは抄本又は保護観察を受けるべき者の氏名、年齢、住居、罪名、判決の主文、犯罪事実の要旨及び宣告の年月日を記載した書面をその者の保護観察を担当すべき保護観察所の長に送付しなければならない。この場合において、裁判所は、その者が保護観察の期間中遵守すべき特別の事項に関する意見を記載した書面を添付しなければならない。

Ⅱ　前項前段の書面には、同項後段に規定する意見以外の裁判所の意見その他保護観察の資料となるべき事項を記載した書面を添付することができる。

第222条の3〔保護観察の成績の報告〕

保護観察に付する旨の判決をした裁判所は、保護観察の期間中、保護観察所の長に対し、保護観察を受けている者の成績について報告を求めることができる。

第222条の4〔執行猶予取消請求の方式・法第349条〕

刑の執行猶予の言渡の取消の請求は、取消の事由を具体的に記載した書面でしなければならない。

第222条の5〔資料の差出し・法第349条〕

刑の執行猶予の言渡しの取消しの請求をするには、取消しの事由があることを認めるべき資料を差し出さなければならない。その請求が刑法第26条の2第2号又は第27条の5第2号の規定による猶予の言渡しの取消しを求めるものであるときは、保護観察所の長の申出があつたことを認めるべき資料をも差し出さなければならない。

第222条の6〔請求書の謄本の差出し、送達・法第349条等〕

Ⅰ 刑法第26条の2第2号又は第27条の5第2号の規定による猶予の言渡しの取消しを請求するときは、検察官は、請求と同時に請求書の謄本を裁判所に差し出さなければならない。

Ⅱ 裁判所は、前項の謄本を受け取つたときは、遅滞なく、これを猶予の言渡を受けた者に送達しなければならない。

第222条の7〔口頭弁論請求権の通知等・法第349条の2〕

Ⅰ 裁判所は、刑法第26条の2第2号又は第27条の5第2号の規定による猶予の言渡しの取消しの請求を受けたときは、遅滞なく、猶予の言渡しを受けた者に対し、口頭弁論を請求することができる旨及びこれを請求する場合には弁護人を選任することができる旨を知らせ、かつ、口頭弁論を請求するかどうかを確かめなければならない。

Ⅱ 前項の規定により口頭弁論を請求するかどうかを確かめるについては、猶予の言渡を受けた者に対し、一定の期間を定めて回答を求めることができる。

第222条の8〔出頭命令・法第349条等〕

裁判所は、猶予の言渡の取消の請求を受けた場合において必要があると認めるときは、猶予の言渡を受けた者に出頭を命ずることができる。

第222条の9〔口頭弁論・法第349条の2〕

法第349条の2第2項の規定による口頭弁論については、次の例による。

① 裁判長は、口頭弁論期日を定めなければならない。
② 口頭弁論期日には、猶予の言渡を受けた者に出頭を命じなければならない。
③ 口頭弁論期日は、検察官及び弁護人に通知しなければならない。
④ 裁判所は、検察官、猶予の言渡を受けた者若しくは弁護人の請求により、又は職権で、口頭弁論期日を変更することができる。

⑤　口頭弁論は、公開の法廷で行う。
　　法廷は、裁判官及び裁判所書記官が列席し、かつ、検察官が出席して開く。
⑥　猶予の言渡を受けた者が期日に出頭しないときは、開廷することができない。
　但し、正当な理由がなく出頭しないときは、この限りでない。
⑦　猶予の言渡を受けた者の請求があるとき、又は公の秩序若しくは善良の風俗を
　害する虞があるときは、口頭弁論を公開しないことができる。
⑧　口頭弁論については、調書を作らなければならない。

第222条の10〔準用規定・法第350条〕

　法第350条の請求については、第222条の4、第222条の5前段及び第222条
の8の規定を準用する。

第4章　即決裁判手続

第1節　即決裁判手続の申立て

第222条の11〔書面の添付・法第350条の16〕

　即決裁判手続の申立書には、法第350条の16第3項に定める手続をしたことを
明らかにする書面を添付しなければならない。

第222条の12〔同意確認のための国選弁護人選任の請求・法第350条の17〕

　法第350条の17第1項の請求は、法第350条の16第3項の確認を求めた検察
官が所属する検察庁の所在地を管轄する地方裁判所若しくは簡易裁判所の裁判官又は
その地方裁判所の所在地（その支部の所在地を含む。）に在る簡易裁判所の裁判官に
これをしなければならない。

第222条の13〔同意確認のための私選弁護人選任の申出・法第350条の17〕

　その資力（法第36条の2に規定する資力をいう。第280条の3第1項において
同じ。）が基準額（法第36条の3第1項に規定する基準額をいう。第280条の3
第1項において同じ。）以上である被疑者が法第350条の17第1項の請求をする場
合においては、同条第2項において準用する法第37条の3第2項の規定により法
第31条の2第1項の申出をすべき弁護士会は法第350条の16第3項の確認を求
めた検察官が所属する検察庁の所在地を管轄する地方裁判所の管轄区域内に在る弁護
士会とし、当該弁護士会が法第350条の17第2項において準用する法第37条の3
第3項の規定により通知をすべき地方裁判所は当該検察庁の所在地を管轄する地方
裁判所とする。

第2節　公判準備及び公判手続の特例

第222条の14〔即決裁判手続の申立ての却下〕

Ⅰ　裁判所は、即決裁判手続の申立てがあつた事件について、法第350条の22各
　号のいずれかに該当する場合には、決定でその申立てを却下しなければならない。

法第291条第4項の手続に際し、被告人が起訴状に記載された訴因について有罪である旨の陳述をしなかつた場合も、同様とする。

Ⅱ　前項の決定は、これを送達することを要しない。

第222条の15〔即決裁判手続の申立てを却下する決定等をした場合の措置・法第350条の22等〕

Ⅰ　即決裁判手続の申立てを却下する裁判書には、その理由が法第350条の22第1号若しくは第2号に該当すること又は法第291条第4項の手続に際し、被告人が起訴状に記載された訴因について有罪である旨の陳述をしなかつたことであるときは、その旨を記載しなければならない。

Ⅱ　法第350条の22の決定を取り消す裁判書には、その理由が法第350条の25第1項第1号、第2号又は第4号に該当すること（同号については、被告人が起訴状に記載された訴因について有罪である旨の陳述と相反するか又は実質的に異なつた供述をしたことにより同号に該当する場合に限る。）となつたことであるときは、その旨を記載しなければならない。

第222条の16〔弁護人選任に関する通知・法第350条の23〕

裁判所は、死刑又は無期若しくは長期3年を超える懲役若しくは禁錮に当たる事件以外の事件について、即決裁判手続の申立てがあつたときは、第177条の規定にかかわらず、遅滞なく、被告人に対し、弁護人を選任することができる旨及び貧困その他の事由により弁護人を選任することができないときは弁護人の選任を請求することができる旨のほか、弁護人がなければ法第350条の22の手続を行う公判期日及び即決裁判手続による公判期日を開くことができない旨をも知らせなければならない。ただし、被告人に弁護人があるときは、この限りでない。

第222条の17〔弁護人のない事件の処置・法第350条の23〕

Ⅰ　裁判所は、即決裁判手続の申立てがあつた場合において、被告人に弁護人がないときは、第178条の規定にかかわらず、遅滞なく、被告人に対し、弁護人を選任するかどうかを確かめなければならない。

Ⅱ　裁判所は、前項の処置をするについては、被告人に対し、一定の期間を定めて回答を求めなければならない。

Ⅲ　前項の期間内に回答がなく又は弁護人の選任がないときは、裁判長は、直ちに被告人のため弁護人を選任しなければならない。

第222条の18〔公判期日の指定・法第350条の21〕

法第350条の21の公判期日は、できる限り、公訴が提起された日から14日以内の日を定めなければならない。

第222条の19〔即決裁判手続による場合の特例〕

即決裁判手続によつて審判をする旨の決定があつた事件については、第198条、第199条及び第203条の2の規定は、適用しない。

第222条の20

Ⅰ 即決裁判手続によつて審理し、即日判決の言渡しをした事件の公判調書については判決の言渡しをした公判期日から21日以内にこれを整理すれば足りる。

Ⅱ 前項の場合には、その公判調書の記載の正確性についての異議の申立期間との関係においては、その公判調書を整理すべき最終日にこれを整理したものとみなす。

第222条の21

Ⅰ 即決裁判手続によつて審理し、即日判決の言渡しをした事件について、裁判長の許可があるときは、裁判所書記官は、第44条第1項第19号及び第22号に掲げる記載事項の全部又は一部を省略することができる。ただし、控訴の申立てがあつた場合は、この限りでない。

Ⅱ 検察官及び弁護人は、裁判長が前項の許可をする際に、意見を述べることができる。

第3編　上訴

第1章　通則

第223条〔上訴放棄の申立裁判所・法第359条等〕

上訴放棄の申立は、原裁判所にしなければならない。

第223条の2〔上訴取下の申立裁判所・法第359条等〕

Ⅰ 上訴取下の申立は、上訴裁判所にこれをしなければならない。

Ⅱ 訴訟記録を上訴裁判所に送付する前に上訴の取下をする場合には、その申立書を原裁判所に差し出すことができる。

第224条〔上訴取下の申立の方式・法第359条等〕

上訴取下の申立は、書面でこれをしなければならない。但し、公判廷においては、口頭でこれをすることができる。この場合には、その申立を調書に記載しなければならない。

第224条の2〔同意書の差出・法第360条〕

法第353条又は第354条に規定する者は、上訴の放棄又は取下をするときは、同時に、被告人のこれに同意する旨の書面を差し出さなければならない。

第225条〔上訴権回復請求の方式・法第363条〕

上訴権回復の請求は、書面でこれをしなければならない。

第226条〔上訴権回復請求の理由の疎明・法第363条〕

　上訴権回復の理由となる事実は、これを疎明しなければならない。

第227条〔刑事施設に収容中の被告人の上訴・法第366条〕

Ⅰ　刑事施設に収容されている被告人が上訴をするには、刑事施設の長又はその代理者を経由して上訴の申立書を差し出さなければならない。

Ⅱ　刑事施設の長又はその代理者は、原裁判所に上訴の申立書を送付し、かつ、これを受け取つた年月日を通知しなければならない。

第228条

　刑事施設に収容されている被告人が上訴の提起期間内に上訴の申立書を刑事施設の長又はその代理者に差し出したときは、上訴の提起期間内に上訴をしたものとみなす。

第229条〔刑事施設に収容中の被告人の上訴放棄等・法第367条等〕

　刑事施設に収容されている被告人が上訴の放棄若しくは取下げ又は上訴権回復の請求をする場合には、前2条の規定を準用する。

第230条〔上訴等の通知〕

　上訴、上訴の放棄若しくは取下又は上訴権回復の請求があつたときは、裁判所書記官は、速やかにこれを相手方に通知しなければならない。

第231条から第234条まで　削除

第2章　控訴

第235条〔訴訟記録等の送付〕

　控訴の申立が明らかに控訴権の消滅後にされたものである場合を除いては、第1審裁判所は、公判調書の記載の正確性についての異議申立期間の経過後、速やかに訴訟記録及び証拠物を控訴裁判所に送付しなければならない。

第236条〔控訴趣意書の差出期間・法第376条〕

Ⅰ　控訴裁判所は、訴訟記録の送付を受けたときは、速やかに控訴趣意書を差し出すべき最終日を指定してこれを控訴申立人に通知しなければならない。控訴申立人に弁護人があるときは、その通知は、弁護人にもこれをしなければならない。

Ⅱ　前項の通知は、通知書を送達してこれをしなければならない。

Ⅲ　第1項の最終日は、控訴申立人に対する前項の送達があつた日の翌日から起算して21日目以後の日でなければならない。

Ⅳ　第2項の通知書の送達があつた場合において第1項の最終日の指定が前項の規定に違反しているときは、第1項の規定にかかわらず、控訴申立人に対する送達があつた日の翌日から起算して21日目の日を最終日とみなす。

第237条〔訴訟記録到達の通知〕

控訴裁判所は、前条の通知をする場合には、同時に訴訟記録の送付があつた旨を検察官又は被告人で控訴申立人でない者に通知しなければならない。被告人に弁護人があるときは、その通知は、弁護人にこれをしなければならない。

第238条〔期間経過後の控訴趣意書〕

控訴裁判所は、控訴趣意書を差し出すべき期間経過後に控訴趣意書を受け取つた場合においても、その遅延がやむを得ない事情に基くものと認めるときは、これを期間内に差し出されたものとして審判をすることができる。

第239条〔主任弁護人以外の弁護人の控訴趣意書・法第34条〕

控訴趣意書は、主任弁護人以外の弁護人もこれを差し出すことができる。

第240条〔控訴趣意書の記載〕

控訴趣意書には、控訴の理由を簡潔に明示しなければならない。

第241条〔控訴趣意書の謄本〕

控訴趣意書には、相手方の数に応ずる謄本を添附しなければならない。

第242条〔控訴趣意書の謄本の送達〕

控訴裁判所は、控訴趣意書を受け取つたときは、速やかにその謄本を相手方に送達しなければならない。

第243条〔答弁書〕

Ⅰ 控訴の相手方は、控訴趣意書の謄本の送達を受けた日から7日以内に答弁書を控訴裁判所に差し出すことができる。

Ⅱ 検察官が相手方であるときは、重要と認める控訴の理由について答弁書を差し出さなければならない。

Ⅲ 裁判所は、必要と認めるときは、控訴の相手方に対し一定の期間を定めて、答弁書を差し出すべきことを命ずることができる。

Ⅳ 答弁書には、相手方の数に応ずる謄本を添附しなければならない。

Ⅴ 控訴裁判所は、答弁書を受け取つたときは、速やかにその謄本を控訴申立人に送達しなければならない。

第244条〔被告人の移送〕

Ⅰ 被告人が刑事施設に収容されている場合において公判期日を指定すべきときは、控訴裁判所は、その旨を対応する検察庁の検察官に通知しなければならない。

Ⅱ 検察官は、前項の通知を受けたときは、速やかに被告人を控訴裁判所の所在地の刑事施設に移さなければならない。

Ⅲ 被告人が控訴裁判所の所在地の刑事施設に移されたときは、検察官は、速やかに被告人の移された刑事施設を控訴裁判所に通知しなければならない。

第245条〔受命裁判官の報告書〕

Ⅰ 裁判長は、合議体の構成員に控訴申立書、控訴趣意書及び答弁書を検閲して報告書を作らせることができる。

Ⅱ 公判期日には、受命裁判官は、弁論前に、報告書を朗読しなければならない。

第246条〔判決書の記載〕

判決書には、控訴の趣意及び重要な答弁について、その要旨を記載しなければならない。この場合において、適当と認めるときは、控訴趣意書又は答弁書に記載された事実を引用することができる。

第247条〔最高裁判所への移送・法第406条〕

控訴裁判所は、憲法の違反があること又は憲法の解釈に誤があることのみを理由として控訴の申立をした事件について、相当と認めるときは、訴訟関係人の意見を聴いて、決定でこれを最高裁判所に移送することができる。

第248条〔移送の許可の申請・法第406条〕

Ⅰ 前条の決定は、最高裁判所の許可を受けてこれをしなければならない。

Ⅱ 前項の許可は、書面でこれを求めなければならない。

Ⅲ 前項の書面には、原判決の謄本及び控訴趣意書の謄本を添附しなければならない。

第249条〔移送の決定の効力・法第406条〕

第247条の決定があつたときは、控訴の申立があつた時に控訴趣意書に記載された理由による上告の申立があつたものとみなす。

第250条〔準用規定〕

控訴の審判については、特別の定のある場合を除いては、第2編中公判に関する規定を準用する。

第3章　上告

第251条〔訴訟記録の送付〕

上告の申立が明らかに上告権の消滅後にされたものである場合を除いては、原裁判所は、公判調書の記載の正確性についての異議申立期間の経過後、速やかに訴訟記録を上告裁判所に送付しなければならない。

第252条〔上告趣意書の差出期間・法第414条等〕

Ⅰ 上告趣意書を差し出すべき最終日は、その指定の通知書が上告申立人に送達された日の翌日から起算して28日目以後の日でなければならない。

Ⅱ 前項の規定による最終日の通知書の送達があつた場合においてその指定が同項の規定に違反しているときは、その送達があつた日の翌日から起算した28日目の日

を最終日とみなす。

第 253 条〔判例の摘示〕

　判例と相反する判断をしたことを理由として上告の申立をした場合には、上告趣意書にその判例を具体的に示さなければならない。

第 254 条〔跳躍上告・法第 406 条〕

Ⅰ　地方裁判所又は簡易裁判所がした第 1 審判決に対しては、その判決において法律、命令、規則若しくは処分が憲法に違反するものとした判断又は地方公共団体の条例若しくは規則が法律に違反するものとした判断が不当であることを理由として、最高裁判所に上告をすることができる。

Ⅱ　検察官は、地方裁判所、家庭裁判所又は簡易裁判所がした第 1 審判決に対し、その判決において地方公共団体の条例又は規則が憲法又は法律に適合するものとした判断が不当であることを理由として、最高裁判所に上告をすることができる。

第 255 条〔跳躍上告と控訴・法第 406 条〕

　前条の上告は、控訴の申立があつたときは、その効力を失う。但し、控訴の取下又は控訴棄却の裁判があつたときは、この限りでない。

第 256 条〔違憲判断事件の優先審判〕

　最高裁判所は、原判決において法律、命令、規則又は処分が憲法に違反するものとした判断が不当であることを上告の理由とする事件については、原裁判において同種の判断をしていない他のすべての事件に優先して、これを審判しなければならない。

第 257 条〔上告審としての事件受理の申立・法第 406 条〕

　高等裁判所がした第 1 審又は第 2 審の判決に対しては、その事件が法令(裁判所の規則を含む。)の解釈に関する重要な事項を含むものと認めるときは、上訴権者は、その判決に対する上告の提起期間内に限り、最高裁判所に上告審として事件を受理すべきことを申し立てることができる。但し、法第 405 条に規定する事由をその理由とすることはできない。

第 258 条〔申立の方式・法第 406 条〕

　前条の申立をするには、申立書を原裁判所に差し出さなければならない。

第 258 条の 2〔原判決の謄本の交付・法第 406 条〕

Ⅰ　第 257 条の申立があつたときは、原裁判所に対して法第 46 条の規定による判決の謄本の交付の請求があつたものとみなす。但し、申立人が申立の前に判決の謄本の交付を受けているときは、この限りでない。

Ⅱ　前項本文の場合には、原裁判所は、遅滞なく判決の謄本を申立人に交付しなければならない。

Ⅲ　第 1 項但書又は前項の場合には、裁判所書記官は、判決の謄本を交付した日を記録上明らかにしておかなければならない。

第258条の3〔事件受理の申立理由書・法第406条〕

Ⅰ　申立人は、前条第2項の規定による謄本の交付を受けたときはその日から、前条第1項但書の場合には第257条の申立をした日から14日以内に理由書を原裁判所に差し出さなければならない。この場合には、理由書に相手方の数に応ずる謄本及び原判決の謄本を添附しなければならない。

Ⅱ　前項の理由書には、第1審判決の内容を摘記する等の方法により、申立の理由をできる限り具体的に記載しなければならない。

第259条〔原裁判所の棄却決定・法第406条〕

第257条の申立が明らかに申立権の消滅後にされたものであるとき、又は前条第1項の理由書が同項の期間内に差し出されないときは、原裁判所は、決定で申立を棄却しなければならない。

第260条〔申立書の送付等・法第406条〕

Ⅰ　原裁判所は、第258条の3第1項の理由書及び添附書類を受け取つたときは、前条の場合を除いて、速やかにこれを第258条の申立書とともに最高裁判所に送付しなければならない。

Ⅱ　最高裁判所は、前項の送付を受けたときは、速やかにその年月日を検察官に通知しなければならない。

第261条〔事件受理の決定・法第406条〕

Ⅰ　最高裁判所は、自ら上告審として事件を受理するのを相当と認めるときは、前条の送付を受けた日から14日以内にその旨の決定をしなければならない。この場合において申立の理由中に重要でないと認めるものがあるときは、これを排除することができる。

Ⅱ　最高裁判所は、前項の決定をしたときは、同項の期間内にこれを検察官に通知しなければならない。

第262条〔事件受理の決定の通知・法第406条〕

最高裁判所は、前条第1項の決定をしたときは、速やかにその旨を原裁判所に通知しなければならない。

第263条〔事件受理の決定の効力等・法第406条〕

Ⅰ　第261条第1項の決定があつたときは、第258条の3第1項の理由書は、その理由（第261条第1項後段の規定により排除された理由を除く。）を上告の理由とする上告趣意書とみなす。

Ⅱ　前項の理由書の謄本を相手方に送達する場合において、第261条第1項後段の規定により排除された理由があるときは、同時にその決定の謄本をも送達しなければならない。

第264条〔申立の効力・法第406条〕

第257条の申立は、原判決の確定を妨げる効力を有する。但し、申立を棄却する

決定があつたとき、又は第261条第1項の決定がされないで同項の期間が経過したときは、この限りでない。

第265条〔被告人の移送・法第409条〕

上告審においては、公判期日を指定すべき場合においても、被告人の移送は、これを必要としない。

第266条〔準用規定〕

上告の審判については、特別の定のある場合を除いては、前章の規定を準用する。

第267条〔判決訂正申立等の方式・法第415条〕

Ⅰ　判決を訂正する申立は、書面でこれをしなければならない。
Ⅱ　前項の書面には、申立の理由を簡潔に明示しなければならない。
Ⅲ　判決訂正の申立期間延長の申立については、前2項の規定を準用する。

第268条〔判決訂正申立の通知・法第415条〕

前条第1項の申立があつたときは、速やかにその旨を相手方に通知しなければならない。

第269条〔却下決定の送達・法第415条〕

判決訂正の申立期間延長の申立を却下する決定は、これを送達することを要しない。

第270条〔判決訂正申立についての裁判・法第416条等〕

Ⅰ　判決訂正の申立についての裁判は、原判決をした裁判所を構成した裁判官全員で構成される裁判所がこれをしなければならない。但し、その裁判官が死亡した場合その他やむを得ない事情がある場合は、この限りでない。
Ⅱ　前項但書の場合にも、原判決をするについて反対意見を表示した裁判官が多数となるように構成された裁判所においては、同項の裁判をすることができない。

第4章　抗告

第271条〔訴訟記録等の送付〕

Ⅰ　原裁判所は、必要と認めるときは、訴訟記録及び証拠物を抗告裁判所に送付しなければならない。
Ⅱ　抗告裁判所は、訴訟記録及び証拠物の送付を求めることができる。

第272条〔抗告裁判所の決定の通知〕

抗告裁判所の決定は、これを原裁判所に通知しなければならない。

第273条〔準用規定〕

法第429条及び第430条の請求があつた場合には、前2条の規定を準用する。

第274条〔特別抗告申立書の記載・法第433条〕

法第433条の抗告の申立書には、抗告の趣旨を簡潔に記載しなければならない。

第275条〔特別抗告についての調査の範囲・法第433条〕

最高裁判所は、法第433条の抗告については、申立書に記載された抗告の趣意についてのみ調査をするものとする。但し、法第405条に規定する事由については、職権で調査をすることができる。

第276条〔準用規定〕

法第433条の抗告の申立があつた場合には、第256条、第271条及び第272条の規定を準用する。

第4編　少年事件の特別手続

第277条〔審理の方針〕

少年事件の審理については、懇切を旨とし、且つ事案の真相を明らかにするため、家庭裁判所の取り調べた証拠は、つとめてこれを取り調べるようにしなければならない。

第278条〔少年鑑別所への送致令状の記載要件・少年法第44条〕

Ⅰ　少年法（昭和23年法律第168号）第44条第2項の規定により発する令状には、少年の氏名、年齢及び住居、罪名、被疑事実の要旨、法第60条第1項各号に定める事由、収容すべき少年鑑別所、有効期間及びその期間経過後は執行に着手することができず令状はこれを返還しなければならない旨並びに請求及び発付の年月日を記載し、裁判官が、これに記名押印しなければならない。

Ⅱ　前項の令状の執行は、法及びこの規則中勾留状の執行に関する規定に準じてこれをしなければならない。

第279条〔国選弁護人・法第37条等〕

少年の被告人に弁護人がないときは、裁判所は、なるべく、職権で弁護人を附さなければならない。

第280条〔家庭裁判所調査官の観護に付する決定の効力・少年法第45条〕

少年法第17条第1項第1号の措置は、事件を終局させる裁判の確定によりその効力を失う。

第280条の2〔観護の措置が勾留とみなされる場合の国選弁護人選任の請求等・少年法第45条等〕

Ⅰ　少年法第45条第7号（同法第45条の2において準用する場合を含む。次条第1項において同じ。）の規定により被疑者に勾留状が発せられているものとみなさ

れる場合における法第37条の2第1項の請求は、少年法第19条第2項（同法第23条第3項において準用する場合を含む。次項及び次条第1項において同じ。）、第20条第1項若しくは第62条第1項の決定をした家庭裁判所の裁判官、その所属する家庭裁判所の所在地を管轄する地方裁判所の裁判官又はその地方裁判所の所在地（その支部の所在地を含む。）に在る簡易裁判所の裁判官にこれをしなければならない。

II　前項に規定する場合における法第37条の4の規定による弁護人の選任に関する処分は、少年法第19条第2項若しくは第20条の決定をした家庭裁判所の裁判官、その所属する家庭裁判所の所在地を管轄する地方裁判所の裁判官又はその地方裁判所の所在地（その支部の所在地を含む。）に在る簡易裁判所の裁判官がこれをしなければならない。

III　第1項の被疑者が同項の地方裁判所の管轄区域外に在る刑事施設に収容されたときは、同項の規定にかかわらず、法第37条の2第1項の請求は、その刑事施設の所在地を管轄する地方裁判所の裁判官又はその地方裁判所の所在地（その支部の所在地を含む。）に在る簡易裁判所の裁判官にこれをしなければならない。

IV　前項に規定する場合における法第37条の4の規定による弁護人の選任に関する処分は、第2項の規定にかかわらず、前項の刑事施設の所在地を管轄する地方裁判所の裁判官又はその地方裁判所の所在地（その支部の所在地を含む。）に在る簡易裁判所の裁判官がこれをしなければならない。法第37条の5及び第38条の3第4項の規定による弁護人の選任に関する処分についても同様とする。

第280条の3〔観護の措置が勾留とみなされる場合の私選弁護人選任の申出・少年法第45条等〕

I　少年法第45条第7号の規定により勾留状が発せられているものとみなされた被疑者でその資力が基準額以上であるものが法第37条の2第1項の請求をする場合においては、法第37条の3第2項の規定により法第31条の2第1項の申出をすべき弁護士会は少年法第19条第2項、第20条第1項若しくは第62条第1項の決定をした家庭裁判所の所在地を管轄する地方裁判所の管轄区域内に在る弁護士会とし、当該弁護士会が法第37条の3第3項の規定により通知をすべき地方裁判所は当該家庭裁判所の所在地を管轄する地方裁判所とする。

II　前項の被疑者が同項の地方裁判所の管轄区域外に在る刑事施設に収容された場合において、法第37条の2第1項の請求をするときは、前項の規定にかかわらず、法第37条の3第2項の規定により法第31条の2第1項の申出をすべき弁護士会は当該刑事施設の所在地を管轄する地方裁判所の管轄区域内に在る弁護士会とし、当該弁護士会が法第37条の3第3項の規定により通知をすべき地方裁判所は当該刑事施設の所在地を管轄する地方裁判所とする。

第281条〔勾留に代わる措置の請求・少年法第43条〕

少年事件において、検察官が裁判官に対し勾留の請求に代え少年法第17条第1項の措置を請求する場合には、第147条から第150条までの規定を準用する。

第282条〔準用規定〕

被告人又は被疑者が少年鑑別所に収容又は拘禁されている場合には、この規則中刑

付録

事施設に関する規定を準用する。

第5編　再審

第283条〔請求の手続〕

　再審の請求をするには、その趣意書に原判決の謄本、証拠書類及び証拠物を添えてこれを管轄裁判所に差し出さなければならない。

第284条〔準用規定〕

　再審の請求又はその取下については、第224条、第227条、第228条及び第230条の規定を準用する。

第285条〔請求の競合〕

Ⅰ　第1審の確定判決と控訴を棄却した確定判決とに対して再審の請求があつたときは、控訴裁判所は、決定で第1審裁判所の訴訟手続が終了するに至るまで、訴訟手続を停止しなければならない。

Ⅱ　第1審又は第2審の確定判決と上告を棄却した確定判決とに対して再審の請求があつたときは、上告裁判所は、決定で第1審裁判所又は控訴裁判所の訴訟手続が終了するに至るまで、訴訟手続を停止しなければならない。

第286条〔意見の聴取〕

　再審の請求について決定をする場合には、請求をした者及びその相手方の意見を聴かなければならない。有罪の言渡を受けた者の法定代理人又は保佐人が請求をした場合には、有罪の言渡を受けた者の意見をも聴かなければならない。

第6編　略式手続

第287条　削除

第288条〔書面の添附・法第461条の2等〕

　略式命令の請求書には、法第461条の2第1項に定める手続をしたことを明らかにする書面を添附しなければならない。

第289条〔書類等の差出〕

Ⅰ　検察官は、略式命令の請求と同時に、略式命令をするために必要があると思料する書類及び証拠物を裁判所に差し出さなければならない。

Ⅱ　検察官は、前項の規定により被告人以外の者の供述録取書等（法第290条の3第1項に規定する供述録取書等をいう。）であつて、その者が法第350条の2第1項の合意に基づいて作成したもの又は同項の合意に基づいてされた供述を録取し若

しくは記録したものを裁判所に差し出すときは、その差出しと同時に、合意内容書面（法第350条の7第1項に規定する合意内容書面をいう。以下同じ。）を裁判所に差し出さなければならない。

Ⅲ　前項の規定により合意内容書面を裁判所に差し出す場合において、当該合意の当事者が法第350条の10第2項の規定により当該合意から離脱する旨の告知をしているときは、検察官は、あわせて、同項の書面を裁判所に差し出さなければならない。

Ⅳ　第2項の規定により合意内容書面を裁判所に差し出した後、裁判所が略式命令をする前に、当該合意の当事者が法第350条の10第2項の規定により当該合意から離脱する旨の告知をしたときは、検察官は、遅滞なく、同項の書面をその裁判所に差し出さなければならない。

第290条〔略式命令の時期等〕

Ⅰ　略式命令は、遅くともその請求のあつた日から14日以内にこれを発しなければならない。

Ⅱ　裁判所は、略式命令の謄本の送達ができなかつたときは、直ちにその旨を検察官に通知しなければならない。

第291条〔準用規定〕

法第463条の2第2項の決定については、第219条の2の規定を準用する。

第292条〔起訴状の謄本の差出等・法第463条〕

Ⅰ　検察官は、法第463条第3項の通知を受けたときは、速やかに被告人の数に応ずる起訴状の謄本を裁判所に差し出さなければならない。

Ⅱ　前項の場合には、第176条の規定の適用があるものとする。

第293条〔書類等の返還〕

裁判所は、法第463条第3項又は第465条第2項の通知をしたときは、直ちに第289条第1項の書類及び証拠物並びに合意内容書面及び法第350条の10第2項の書面を検察官に返還しなければならない。

第294条〔準用規定〕

正式裁判の請求、その取下又は正式裁判請求権回復の請求については、第224条から第228条まで及び第230条の規定を準用する。

第7編　裁判の執行

第295条〔訴訟費用免除の申立等・法第500条等〕

Ⅰ　訴訟費用の負担を命ずる裁判の執行免除の申立又は裁判の解釈を求める申立若しくは裁判の執行についての異議の申立は、書面でこれをしなければならない。申立

の取下についても、同様である。

Ⅱ 前項の申立又はその取下については、第 227 条及び第 228 条の規定を準用する。

第 295 条の 2〔免除の申立裁判所・法第 500 条〕

Ⅰ 訴訟費用の負担を命ずる裁判の執行免除の申立は、その裁判を言い渡した裁判所にしなければならない。但し、事件が上訴審において終結した場合には、全部の訴訟費用について、その上訴裁判所にしなければならない。

Ⅱ 前項の申立を受けた裁判所は、その申立について決定をしなければならない。但し、前項但書の規定による申立を受けた裁判所は、自ら決定をするのが適当でないと認めるときは、訴訟費用の負担を命ずる裁判を言い渡した下級の裁判所に決定をさせることができる。この場合には、その旨を記載し、かつ、裁判長が認印した送付書とともに申立書及び関係書類を送付するものとする。

Ⅲ 前項但書の規定による送付をしたときは、裁判所は、直ちにその旨を検察官に通知しなければならない。

第 295 条の 3〔申立書が申立裁判所以外の裁判所に差し出された場合・法第 500 条〕

前条第 1 項の規定により申立をすべき裁判所以外の裁判所（事件の係属した裁判所に限る。）に申立書が差し出されたときは、裁判所は、すみやかに申立書を申立をすべき裁判所に送付しなければならない。この場合において申立書が申立期間内に差し出されたときは、申立期間内に申立があつたものとみなす。

第 295 条の 4〔申立書の記載要件・法第 500 条〕

訴訟費用の負担を命ずる裁判の執行免除の申立書には、その裁判を言い渡した裁判所を表示し、かつ、訴訟費用を完納することができない事由を具体的に記載しなければならない。

第 295 条の 5〔検察官に対する通知・法第 500 条〕

訴訟費用の負担を命ずる裁判の執行免除の申立書が差し出されたときは、裁判所は、直ちにその旨を検察官に通知しなければならない。

第 8 編　補則

第 296 条〔申立その他の申述の方式〕

Ⅰ 裁判所又は裁判官に対する申立その他の申述は、書面又は口頭でこれをすることができる。但し、特別の定のある場合は、この限りでない。

Ⅱ 口頭による申述は、裁判所書記官の面前でこれをしなければならない。

Ⅲ 前項の場合には、裁判所書記官は、調書を作らなければならない。

第297条〔刑事収容施設に収容中又は留置中の被告人又は被疑者の申述〕

刑事施設の長、留置業務管理者若しくは海上保安留置業務管理者又はその代理者は、刑事収容施設に収容され、又は留置されている被告人又は被疑者が裁判所又は裁判官に対して申立てその他の申述をしようとするときは、努めてその便宜を図り、ことに、被告人又は被疑者が自ら申述書を作ることができないときは、これを代書し、又は所属の職員にこれを代書させなければならない。

第298条〔書類の発送・受理等〕

Ⅰ　書類の発送及び受理は、裁判所書記官がこれを取り扱う。

Ⅱ　訴訟関係人その他の者に対する通知は、裁判所書記官にこれをさせることができる。

Ⅲ　訴訟関係人その他の者に対し通知をした場合には、これを記録上明らかにしておかなければならない。

第299条〔裁判官に対する取調等の請求〕

Ⅰ　検察官、検察事務官又は司法警察職員の裁判官に対する取調、処分又は令状の請求は、当該事件の管轄にかかわらず、これらの者の所属の官公署の所在地を管轄する地方裁判所又は簡易裁判所の裁判官にこれをしなければならない。但し、やむを得ない事情があるときは、最寄の下級裁判所の裁判官にこれをすることができる。

Ⅱ　前項の請求は、少年事件については、同項本文の規定にかかわらず、同項に規定する者の所属の官公署の所在地を管轄する家庭裁判所の裁判官にもこれをすることができる。

第300条〔令状の有効期間〕

令状の有効期間は、令状発付の日から7日とする。但し、裁判所又は裁判官は、相当と認めるときは、7日を超える期間を定めることができる。

第301条〔書類・証拠物の閲覧等〕

Ⅰ　裁判長又は裁判官は、訴訟に関する書類及び証拠物の閲覧又は謄写について、日時、場所及び時間を指定することができる。

Ⅱ　裁判長又は裁判官は、訴訟に関する書類及び証拠物の閲覧又は謄写について、書類の破棄その他不法な行為を防ぐため必要があると認めるときは、裁判所書記官その他の裁判所職員をこれに立ち会わせ、又はその他の適当な措置を講じなければならない。

第302条〔裁判官の権限〕

Ⅰ　法において裁判所若しくは裁判長と同一の権限を有するものとされ、裁判所がする処分に関する規定の準用があるものとされ、又は裁判所若しくは裁判長に属する処分をすることができるものとされている受命裁判官、受託裁判官その他の裁判官は、その処分に関しては、この規則においても、同様である。

Ⅱ　法第224条又は第225条の請求を受けた裁判官は、その処分に関し、裁判所又は裁判長と同一の権限を有する。

付録

第303条〔検察官及び弁護人の訴訟遅延行為に対する処置〕

Ⅰ 裁判所は、検察官又は弁護士である弁護人が訴訟手続に関する法律又は裁判所の規則に違反し、審理又は公判前整理手続若しくは期日間整理手続の迅速な進行を妨げた場合には、その検察官又は弁護人に対し理由の説明を求めることができる。

Ⅱ 前項の場合において、裁判所は、特に必要があると認めるときは、検察官については、当該検察官に対して指揮監督の権を有する者に、弁護人については、当該弁護士の属する弁護士会又は日本弁護士連合会に通知し、適当の処置をとるべきことを請求しなければならない。

Ⅲ 前項の規定による請求を受けた者は、そのとつた処置を裁判所に通知しなければならない。

第304条〔被告事件終結後の訴訟記録の送付〕

Ⅰ 裁判所は、被告事件の終結後、速やかに訴訟記録を第1審裁判所に対応する検察庁の検察官に送付しなければならない。

Ⅱ 前項の送付は、被告事件が上訴審において終結した場合には、当該被告事件の係属した下級の裁判所を経由してしなければならない。

第305条〔代替収容の場合における規定の適用〕

刑事収容施設及び被収容者等の処遇に関する法律第15条第1項の規定により留置施設に留置される者については、留置施設を刑事施設と、留置業務管理者を刑事施設の長と、留置担当官（同法第16条第2項に規定する留置担当官をいう。）を刑事施設職員とみなして、第62条第3項、第80条第1項及び第2項、第91条第1項第2号及び第3号、第92条の2、第153条第4項、第187条の2、第187条の3第2項、第216条第2項、第227条（第138条の8、第229条、第284条、第294条及び第295条第2項において準用する場合を含む。）、第228条（第138条の8、第229条、第284条、第294条及び第295条第2項において準用する場合を含む。）、第229条、第244条、第280条の2第3項及び第4項並びに第280条の3第2項の規定を適用する。

裁判員の参加する刑事裁判に関する法律
（抜粋）

第1条（趣旨）

　この法律は、国民の中から選任された裁判員が裁判官と共に刑事訴訟手続に関与することが司法に対する国民の理解の増進とその信頼の向上に資することにかんがみ、裁判員の参加する刑事裁判に関し、裁判所法（昭和22年法律第59号）及び刑事訴訟法（昭和23年法律第131号）の特則その他の必要な事項を定めるものとする。

第2条（対象事件及び合議体の構成）改正

Ⅰ　地方裁判所は、次に掲げる事件については、次条又は第3条の2の決定があった場合を除き、この法律の定めるところにより裁判員の参加する合議体が構成された後は、裁判所法第26条の規定にかかわらず、裁判員の参加する合議体でこれを取り扱う。

①　死刑又は無期の懲役若しくは禁錮に当たる罪に係る事件

②　裁判所法第26条第2項第2号に掲げる事件であって、故意の犯罪行為により被害者を死亡させた罪に係るもの（前号に該当するものを除く。）

Ⅱ　前項の合議体の裁判官の員数は3人、裁判員の員数は6人とし、裁判官のうち1人を裁判長とする改正。ただし、次項の決定があったときは、裁判官の員数は1人、裁判員の員数は4人とし、裁判官を裁判長とする。

Ⅲ～Ⅶ　略

第3条（対象事件からの除外）

Ⅰ　地方裁判所は、前条第1項各号に掲げる事件について、被告人の言動、被告人がその構成員である団体の主張若しくは当該団体の他の構成員の言動又は現に裁判員候補者若しくは裁判員に対する加害若しくはその告知が行われたことその他の事情により、裁判員候補者、裁判員若しくは裁判員であった者若しくはその親族若しくはこれに準ずる者の生命、身体若しくは財産に危害が加えられるおそれ又はこれらの者の生活の平穏が著しく侵害されるおそれがあり、そのため裁判員候補者又は裁判員が畏怖し、裁判員候補者の出頭を確保することが困難な状況にあり又は裁判員の職務の遂行ができずこれに代わる裁判員の選任も困難であると認めるときは、検察官、被告人若しくは弁護人の請求により又は職権で、これを裁判官の合議体で取り扱う決定をしなければならない。

Ⅱ　前項の決定又は同項の請求を却下する決定は、合議体でしなければならない。ただし、当該前条第1項各号に掲げる事件の審判に関与している裁判官は、その決定に関与することはできない。

Ⅲ　第1項の決定又は同項の請求を却下する決定をするには、最高裁判所規則で定めるところにより、あらかじめ、検察官及び被告人又は弁護人の意見を聴かなければならない。

Ⅳ　前条第1項の合議体が構成された後は、職権で第1項の決定をするには、あらか

じめ、当該合議体の裁判長の意見を聴かなければならない。

V　刑事訴訟法第43条第3項及び第4項並びに第44条第1項の規定は、第1項の決定及び同項の請求を却下する決定について準用する。

VI　第1項の決定又は同項の請求を却下する決定に対しては、即時抗告をすることができる。この場合においては、即時抗告に関する刑事訴訟法の規定を準用する。

第3条の2

I　地方裁判所は、第2条第1項各号に掲げる事件について、次のいずれかに該当するときは、検察官、被告人若しくは弁護人の請求により又は職権で、これを裁判官の合議体で取り扱う決定をしなければならない。

① 公判前整理手続による当該事件の争点及び証拠の整理を経た場合であって、審判に要すると見込まれる期間が著しく長期にわたること又は裁判員が出頭しなければならないと見込まれる公判期日若しくは公判準備が著しく多数に上ることを回避することができないときにおいて、他の事件における裁判員の選任又は解任の状況、第27条第1項に規定する裁判員等選任手続の経過その他の事情を考慮し、裁判員の選任が困難であり又は審判に要すると見込まれる期間の終了に至るまで裁判員の職務の遂行を確保することが困難であると認めるとき。

② 第2条第1項の合議体を構成する裁判員の員数に不足が生じ、かつ、裁判員に選任すべき補充裁判員がない場合であって、その後の審判に要すると見込まれる期間が著しく長期にわたること又はその期間中に裁判員が出頭しなければならないと見込まれる公判期日若しくは公判準備が著しく多数に上ることを回避することができないときにおいて、他の事件における裁判員の選任又は解任の状況、第46条第2項及び同項において準用する第38条第1項後段の規定による裁判員及び補充裁判員の選任のための手続の経過その他の事情を考慮し、裁判員の選任が困難であり又は審判に要すると見込まれる期間の終了に至るまで裁判員の職務の遂行を確保することが困難であると認めるとき。

II　前条第2項、第3項、第5項及び第6項の規定は、前項の決定及び同項の請求を却下する決定について準用する。

III　第1項の決定又は同項の請求を却下する決定をするには、あらかじめ、当該第2条第1項各号に掲げる事件の係属する裁判所の裁判長の意見を聴かなければならない。

第6条（裁判官及び裁判員の権限）

I　第2条第1項の合議体で事件を取り扱う場合において、刑事訴訟法第333条の規定による刑の言渡しの判決、同法第334条の規定による刑の免除の判決若しくは同法第336条の規定による無罪の判決又は少年法（昭和23年法律第168号）第55条の規定による家庭裁判所への移送の決定に係る裁判所の判断（次項第1号及び第2号に掲げるものを除く。）のうち次に掲げるもの（以下「裁判員の関与する判断」という。）は、第2条第1項の合議体の構成員である裁判官（以下「構成裁判官」という。）及び裁判員の合議による。

① 事実の認定
② 法令の適用

③ 刑の量定

Ⅱ 前項に規定する場合において、次に掲げる裁判所の判断は、構成裁判官の合議による。

① 法令の解釈に係る判断〈子〉

② 訴訟手続に関する判断（少年法第55条の決定を除く。）

③ その他裁判員の関与する判断以外の判断

Ⅲ 裁判員の関与する判断をするための審理は構成裁判官及び裁判員で行い、それ以外の審理は構成裁判官のみで行う。

第10条（補充裁判員）

Ⅰ 裁判所は、審判の期間その他の事情を考慮して必要があると認めるときは、補充裁判員を置くことができる。ただし、補充裁判員の員数は、合議体を構成する裁判員の員数を超えることはできない。

Ⅱ 補充裁判員は、裁判員の関与する判断をするための審理に立ち会い、第2条第1項の合議体を構成する裁判員の員数に不足が生じた場合に、あらかじめ定める順序に従い、これに代わって、裁判員に選任される。

Ⅲ 補充裁判員は、訴訟に関する書類及び証拠物を閲覧することができる〈子〉。

Ⅳ 前条の規定は、補充裁判員について準用する。

第13条（裁判員の選任資格）

裁判員は、衆議院議員の選挙権を有する者の中から、この節の定めるところにより、選任するものとする。

第14条（欠格事由）

国家公務員法（昭和22年法律第120号）第38条の規定に該当する場合のほか、次の各号のいずれかに該当する者は、裁判員となることができない。

① 学校教育法（昭和22年法律第26号）に定める義務教育を終了しない者。ただし、義務教育を終了した者と同等以上の学識を有する者は、この限りでない。

② 禁錮以上の刑に処せられた者

③ 心身の故障のため裁判員の職務の遂行に著しい支障がある者

第15条（就職禁止事由）

Ⅰ 次の各号のいずれかに該当する者は、裁判員の職務に就くことができない。

① 国会議員

② 国務大臣

③ 次のいずれかに該当する国の行政機関の職員

　イ～ニ　略

④ 裁判官及び裁判官であった者

⑤ 検察官及び検察官であった者

⑥ 弁護士（外国法事務弁護士を含む。以下この項において同じ。）及び弁護士であった者

⑦ 弁理士

⑧　司法書士

⑨　公証人

⑩　司法警察職員としての職務を行う者

⑪　裁判所の職員（非常勤の者を除く。）

⑫　法務省の職員（非常勤の者を除く。）

⑬　国家公安委員会委員及び都道府県公安委員会委員並びに警察職員（非常勤の者を除く。）

⑭　判事、判事補、検事又は弁護士となる資格を有する者

⑮　学校教育法に定める大学の学部、専攻科又は大学院の法律学の教授又は准教授

⑯　司法修習生

⑰　都道府県知事及び市町村（特別区を含む。以下同じ。）の長

⑱　自衛官

Ⅱ　次のいずれかに該当する者も、前項と同様とする。

①　禁錮以上の刑に当たる罪につき起訴され、その被告事件の終結に至らない者

②　逮捕又は勾留されている者

第16条（辞退事由）

次の各号のいずれかに該当する者は、裁判員となることについて辞退の申立てをすることができる。

①　年齢70年以上の者

②　地方公共団体の議会の議員（会期中の者に限る。）

③　学校教育法第1条、第124条又は第134条の学校の学生又は生徒（常時通学を要する課程に在学する者に限る。）

④　過去5年以内に裁判員又は補充裁判員の職にあった者

⑤　過去3年以内に選任予定裁判員であった者

⑥　略

⑦　略

⑧　次に掲げる事由その他政令で定めるやむを得ない事由があり、裁判員の職務を行うこと又は裁判員候補者として第27条第1項に規定する裁判員等選任手続の期日に出頭することが困難な者

　　イ　重い疾病又は傷害により裁判所に出頭することが困難であること。

　　ロ　介護又は養育が行われなければ日常生活を営むのに支障がある同居の親族の介護又は養育を行う必要があること。

　　ハ　その従事する事業における重要な用務であって自らがこれを処理しなければ当該事業に著しい損害が生じるおそれがあるものがあること。

　　ニ　父母の葬式への出席その他の社会生活上の重要な用務であって他の期日に行うことができないものがあること。

　　ホ　重大な災害により生活基盤に著しい被害を受け、その生活の再建のための用務を行う必要があること。

第17条（事件に関連する不適格事由）

次の各号のいずれかに該当する者は、当該事件について裁判員となることができな

い。

① 被告人又は被害者

② 被告人又は被害者の親族又は親族であった者

③ 被告人又は被害者の法定代理人、後見監督人、保佐人、保佐監督人、補助人又は補助監督人

④ 被告人又は被害者の同居人又は被用者

⑤ 事件について告発又は請求をした者

⑥ 事件について証人又は鑑定人になった者

⑦ 事件について被告人の代理人、弁護人又は補佐人になった者

⑧ 事件について検察官又は司法警察職員として職務を行った者

⑨ 事件について検察審査員又は審査補助員として職務を行い、又は補充員として検察審査会議を傍聴した者

⑩ 事件について刑事訴訟法第266条第2号の決定、略式命令、同法第398条から第400条まで、第412条若しくは第413条の規定により差し戻し、若しくは移送された場合における原判決又はこれらの裁判の基礎となった取調べに関与した者。ただし、受託裁判官として関与した場合は、この限りでない。

第18条（その他の不適格事由）

前条のほか、裁判所がこの法律の定めるところにより不公平な裁判をするおそれがあると認めた者は、当該事件について裁判員となることができない。

第20条（裁判員候補者の員数の割当て及び通知）

Ⅰ　地方裁判所は、最高裁判所規則で定めるところにより、毎年9月1日までに、次年に必要な裁判員候補者の員数をその管轄区域内の市町村に割り当て、これを市町村の選挙管理委員会に通知しなければならない。

Ⅱ　前項の裁判員候補者の員数は、最高裁判所規則で定めるところにより、地方裁判所が対象事件の取扱状況その他の事項を勘案して算定した数とする。

第21条（裁判員候補者予定者名簿の調製）

Ⅰ　市町村の選挙管理委員会は、前条第1項の通知を受けたときは、選挙人名簿に登録されている者の中から裁判員候補者の予定者として当該通知に係る員数の者（公職選挙法（昭和25年法律第100号）第27条第1項の規定により選挙人名簿に同法第11条第1項若しくは第252条又は政治資金規正法（昭和23年法律第194号）第28条の規定により選挙権を有しなくなった旨の表示がなされている者を除く。）をくじで選定しなければならない。

Ⅱ　市町村の選挙管理委員会は、前項の規定により選定した者について、選挙人名簿に記載（公職選挙法第19条第3項の規定により磁気ディスクをもって調製する選挙人名簿にあっては、記録）をされている氏名、住所及び生年月日の記載（次項の規定により磁気ディスクをもって調製する裁判員候補者予定者名簿にあっては、記録）をした裁判員候補者予定者名簿を調製しなければならない。

Ⅲ　裁判員候補者予定者名簿は、磁気ディスク（これに準ずる方法により一定の事項を確実に記録しておくことができる物を含む。以下同じ。）をもって調製すること

ができる。

第22条（裁判員候補者予定者名簿の送付）

市町村の選挙管理委員会は、第20条第1項の通知を受けた年の10月15日までに裁判員候補者予定者名簿を当該通知をした地方裁判所に送付しなければならない。

第23条（裁判員候補者名簿の調製）

Ⅰ　地方裁判所は、前条の規定により裁判員候補者予定者名簿の送付を受けたときは、これに基づき、最高裁判所規則で定めるところにより、裁判員候補者の氏名、住所及び生年月日の記載（次項の規定により磁気ディスクをもって調製する裁判員候補者名簿にあっては、記録。第25条及び第26条第3項において同じ。）をした裁判員候補者名簿を調製しなければならない。

Ⅱ　裁判員候補者名簿は、磁気ディスクをもって調製することができる。

Ⅲ　地方裁判所は、裁判員候補者について、死亡したことを知ったとき、第13条に規定する者に該当しないと認めたとき、第14条の規定により裁判員となることができない者であると認めたとき又は第15条第1項各号に掲げる者に該当すると認めたときは、最高裁判所規則で定めるところにより、裁判員候補者名簿から消除しなければならない。

Ⅳ　市町村の選挙管理委員会は、第21条第1項の規定により選定した裁判員候補者の予定者について、死亡したこと又は衆議院議員の選挙権を有しなくなったことを知ったときは、前条の規定により裁判員候補者予定者名簿を送付した地方裁判所にその旨を通知しなければならない。ただし、当該裁判員候補者予定者名簿を送付した年の次年が経過したときは、この限りでない。

第25条（裁判員候補者への通知）

地方裁判所は、第23条第1項（前条第2項において読み替えて準用する場合を含む。）の規定による裁判員候補者名簿の調製をしたときは、当該裁判員候補者名簿に記載をされた者にその旨を通知しなければならない。

第33条（裁判員等選任手続の方式）

Ⅰ　裁判員等選任手続は、公開しない〔手〕。

Ⅱ　裁判員等選任手続の指揮は、裁判長が行う。

Ⅲ　略

Ⅳ　略

第33条の2（被害者特定事項の取扱い）

Ⅰ　裁判官、検察官、被告人及び弁護人は、刑事訴訟法第290条の2第1項又は第3項の決定があった事件の裁判員等選任手続においては、裁判員候補者に対し、正当な理由がなく、被害者特定事項（同条第1項に規定する被害者特定事項をいう。以下この条において同じ。）を明らかにしてはならない。

Ⅱ　裁判長は、前項に規定する裁判員等選任手続において裁判員候補者に対して被害者特定事項が明らかにされた場合には、当該裁判員候補者に対し、当該被害者特定

事項を公にしてはならない旨を告知するものとする。

Ⅲ　前項の規定による告知を受けた裁判員候補者又は当該裁判員候補者であった者は、裁判員等選任手続において知った被害者特定事項を公にしてはならない。

第36条（理由を示さない不選任の請求）

Ⅰ　検察官及び被告人は、裁判員候補者について、それぞれ、4人（第2条第3項の決定があった場合は、3人）を限度として理由を示さずに不選任の決定の請求（以下「理由を示さない不選任の請求」という。）をすることができる。

Ⅱ　前項の規定にかかわらず、補充裁判員を置くときは、検察官及び被告人が理由を示さない不選任の請求をすることができる員数は、それぞれ、同項の員数にその選任すべき補充裁判員の員数が1人又は2人のときは1人、3人又は4人のときは2人、5人又は6人のときは3人を加えた員数とする。

Ⅲ　理由を示さない不選任の請求があったときは、裁判所は、当該理由を示さない不選任の請求に係る裁判員候補者について不選任の決定をする。

Ⅳ　刑事訴訟法第21条第2項の規定は、理由を示さない不選任の請求について準用する。

第37条（選任決定）

Ⅰ　裁判所は、くじその他の作為が加わらない方法として最高裁判所規則で定める方法に従い、裁判員等選任手続の期日に出頭した裁判員候補者で不選任の決定がされなかったものから、第2条第2項に規定する員数（当該裁判員候補者の員数がこれに満たないときは、その員数）の裁判員を選任する決定をしなければならない。

Ⅱ　略

Ⅲ　裁判所は、前2項の規定により裁判員又は補充裁判員に選任された者以外の不選任の決定がされなかった裁判員候補者については、不選任の決定をするものとする。

第41条（請求による裁判員等の解任）

Ⅰ　検察官、被告人又は弁護人は、裁判所に対し、次の各号のいずれかに該当することを理由として裁判員又は補充裁判員の解任を請求することができる。ただし、第7号に該当することを理由とする請求は、当該裁判員又は補充裁判員についてその選任の決定がされた後に知り、又は生じた原因を理由とするものに限る。

①　裁判員又は補充裁判員が、第39条第2項の宣誓をしないとき。

②　裁判員が、第52条若しくは第63条第1項に定める出頭義務又は第66条第2項に定める評議に出席する義務に違反し、引き続きその職務を行わせることが適当でないとき。

③　補充裁判員が、第52条に定める出頭義務に違反し、引き続きその職務を行わせることが適当でないとき。

④　裁判員が、第9条、第66条第4項若しくは第70条第1項に定める義務又は第66条第2項に定める意見を述べる義務に違反し、引き続きその職務を行わせることが適当でないとき。

⑤　補充裁判員が、第10条第4項において準用する第9条に定める義務又は第

70条第1項に定める義務に違反し、引き続きその職務を行わせることが適当でないとき。

⑥　裁判員又は補充裁判員が、第13条（第19条において準用する場合を含む。）に規定する者に該当しないとき、第14条（第19条において準用する場合を含む。）の規定により裁判員若しくは補充裁判員となることができない者であるとき又は第15条第1項各号若しくは第2項各号若しくは第17条各号（これらの規定を第19条において準用する場合を含む。）に掲げる者に該当するとき。

⑦　裁判員又は補充裁判員が、不公平な裁判をするおそれがあるとき。

⑧　裁判員又は補充裁判員が、裁判員候補者であったときに、質問票に虚偽の記載をし、又は裁判員等選任手続における質問に対して正当な理由なく陳述を拒み、若しくは虚偽の陳述をしていたことが明らかとなり、引き続きその職務を行わせることが適当でないとき。

⑨　裁判員又は補充裁判員が、公判廷において、裁判長が命じた事項に従わず又は暴言その他の不穏当な言動をすることによって公判手続の進行を妨げたとき。

Ⅱ～Ⅶ　略

第43条（職権による裁判員等の解任）

Ⅰ　裁判所は、第41条第1項第1号から第3号まで、第6号又は第9号に該当すると認めるときは、職権で、裁判員又は補充裁判員を解任する決定をする。

Ⅱ　裁判所が、第41条第1項第4号、第5号、第7号又は第8号に該当すると疑うに足りる相当な理由があると思料するときは、裁判長は、その所属する地方裁判所に対し、理由を付してその旨を通知するものとする。

Ⅲ　前項の規定による通知を受けた地方裁判所は、第41条第1項第4号、第5号、第7号又は第8号に該当すると認めるときは、当該裁判員又は補充裁判員を解任する決定をする。

Ⅳ　前項の決定は合議体でしなければならない。ただし、第2項の裁判所の構成裁判官は、その決定に関与することはできない。

Ⅴ　第1項及び第3項の規定による決定については、第41条第5項及び第6項の規定を準用する。

第44条（裁判員等の申立てによる解任）

Ⅰ　裁判員又は補充裁判員は、裁判所に対し、その選任の決定がされた後に生じた第16条第8号に規定する事由により裁判員又は補充裁判員の職務を行うことが困難であることを理由として辞任の申立てをすることができる。

Ⅱ　裁判所は、前項の申立てを受けた場合において、その理由があると認めるときは、当該裁判員又は補充裁判員を解任する決定をしなければならない。

第48条（裁判員等の任務の終了）

裁判員及び補充裁判員の任務は、次のいずれかに該当するときに終了する。

①　終局裁判を告知したとき。

②　第3条第1項、第3条の2第1項又は第5条ただし書の決定により、第2条第1項の合議体が取り扱っている事件又は同項の合議体で取り扱うべき事件のすべ

てを一人の裁判官又は裁判官の合議体で取り扱うこととなったとき。

第49条（公判前整理手続）

　裁判所は、対象事件については、第1回の公判期日前に、これを公判前整理手続に付さなければならない予。

第50条（第1回の公判期日前の鑑定）

Ⅰ　裁判所は、第2条第1項の合議体で取り扱うべき事件につき、公判前整理手続において鑑定を行うことを決定した場合において、当該鑑定の結果の報告がなされるまでに相当の期間を要すると認めるときは、検察官、被告人若しくは弁護人の請求により又は職権で、公判前整理手続において鑑定の手続（鑑定の経過及び結果の報告を除く。）を行う旨の決定（以下この条において「鑑定手続実施決定」という。）をすることができる同予。

Ⅱ、Ⅲ　略

第100条（不利益取扱いの禁止）

　労働者が裁判員の職務を行うために休暇を取得したことその他裁判員、補充裁判員、選任予定裁判員若しくは裁判員候補者であること又はこれらの者であったことを理由として、解雇その他不利益な取扱いをしてはならない。

第101条（裁判員等を特定するに足りる情報の取扱い）

Ⅰ　何人も、裁判員、補充裁判員、選任予定裁判員又は裁判員候補者若しくはその予定者の氏名、住所その他の個人を特定するに足りる情報を公にしてはならない。これらであった者の氏名、住所その他の個人を特定するに足りる情報についても、本人がこれを公にすることに同意している場合を除き、同様とする。

Ⅱ　前項の規定の適用については、区分事件審判に係る職務を行う裁判員又は補充裁判員の職にあった者で第84条の規定によりその任務が終了したものは、すべての区分事件審判の後に行われる併合事件の全体についての裁判（以下「併合事件裁判」という。）がされるまでの間は、なお裁判員又は補充裁判員であるものとみなす。

第102条（裁判員等に対する接触の規制）

Ⅰ　何人も、被告事件に関し、当該被告事件を取り扱う裁判所に選任され、又は選定された裁判員若しくは補充裁判員又は選任予定裁判員に接触してはならない。

Ⅱ　何人も、裁判員又は補充裁判員が職務上知り得た秘密を知る目的で、裁判員又は補充裁判員の職にあった者に接触してはならない。

Ⅲ　前2項の規定の適用については、区分事件審判に係る職務を行う裁判員又は補充裁判員の職にあった者で第84条の規定によりその任務が終了したものは、併合事件裁判がされるまでの間は、なお裁判員又は補充裁判員であるものとみなす。

第108条（裁判員等による秘密漏示罪）

Ⅰ　裁判員又は補充裁判員が、評議の秘密その他の職務上知り得た秘密を漏らしたときは、6月以下の懲役又は50万円以下の罰金に処する。

Ⅱ　裁判員又は補充裁判員の職にあった者が次の各号のいずれかに該当するときも、前項と同様とする。

① 職務上知り得た秘密（評議の秘密を除く。）を漏らしたとき。

② 評議の秘密のうち構成裁判官及び裁判員が行う評議又は構成裁判官のみが行う評議であって裁判員の傍聴が許されたもののそれぞれの裁判官若しくは裁判員の意見又はその多少の数を漏らしたとき。

③ 財産上の利益その他の利益を得る目的で、評議の秘密（前号に規定するものを除く。）を漏らしたとき。

Ⅲ　前項第3号の場合を除き、裁判員又は補充裁判員の職にあった者が、評議の秘密（同項第2号に規定するものを除く。）を漏らしたときは、50万円以下の罰金に処する。

Ⅳ　前3項の規定の適用については、区分事件審判に係る職務を行う裁判員又は補充裁判員の職にあった者で第84条の規定によりその任務が終了したものは、併合事件裁判がされるまでの間は、なお裁判員又は補充裁判員であるものとみなす。

Ⅴ～Ⅶ　略

判例索引

昭和

大判昭 12.6.5 ・・・・・・・・・・・・・・・・・・・ 205
最判昭 23.2.6 ・・・・・・・・・・・・・・・・・・・ 416
最大判昭 23.5.5 ・・・・・・・・・・・・・・・・・・14
最大判昭 23.5.26（百選 A47 事件）・・・・ 487
最大判昭 23.6.23 ・・・・・・・・・・・・・・・・ 288
最大判昭 23.7.19（百選〔第八版〕A25 事件）・・・・・・・・・・・・・・・・・・・・・ 417
最大判昭 23.7.29（百選 A34 事件）・・・・ 425
最判昭 23.10.30 ・・・・・・・・・・・・・・・・・ 426
最大決昭 23.11.8 ・・・・・・・・・・・・・・・・ 267
最判昭 24.2.22 ・・・・・・・・・・・・・・・・・・ 377
最判昭 24.4.7 ・・・・・・・・・・・・・・・・・・・ 427
最判昭 24.4.30 ・・・・・・・・・・・・・・・・・・ 428
最判昭 24.7.19 ・・・・・・・・・・・・・・・・・・ 427
最決昭 24.9.7 ・・・・・・・・・・・・・・・・・・・ 536
最判昭 24.11.2 ・・・・・・・・・・・・・・・・・・ 417
最大判昭 25.4.12 ・・・・・・・・・・・・・・・・・14
最判昭 25.7.12 ・・・・・・・・・・・・・・・・・・ 429
最判昭 25.8.9 ・・・・・・・・・・・・・・・・・・・ 417
最大判昭 25.9.27（百選 A46 事件）・・・・ 510
最決昭 25.9.30 ・・・・・・・・・・・・・・・・・・ 466
最大判昭 25.11.8 ・・・・・・・・・・・ 546, 547
最判昭 25.11.21 ・・・・・・・・・・・・・ 123, 419
最判昭 25.11.30 ・・・・・・・・・・・・・・・・・ 547
東京高判昭 26.1.30 ・・・・・・・・・・・・・・ 429
最判昭 26.3.8 ・・・・・・・・・・・・・・・・・・・ 525
最決昭 26.5.31 ・・・・・・・・・・・・・・・・・・ 300
最判昭 26.6.1 ・・・・・・・・・・・・・・・・・・・ 299
最判昭 26.6.15 ・・・・・・・・・・・・・・・・・・ 320
最判昭 26.7.6 ・・・・・・・・・・・・・・・・・・・ 547
東京高判昭 26.7.20 ・・・・・・・・・・・・・・ 487
最大判昭 26.8.1 ・・・・・・・・・・・・・・・・・ 524
最大判昭 26.10.16 ・・・・・・・・・・・・・・・ 524
最大判昭 27.3.5 ・・・・・・・・・・・・・ 242, 243
最大判昭 27.4.9 ・・・・・・・・・・・・・・・・・ 447
最大判昭 27.4.23 ・・・・・・・・・・・・・・・・ 547
最判昭 27.5.6（百選〔第八版〕A24 事件）・・・・・・・・・・・・・・・・・・・・・ 368
最判昭 27.5.14 ・・・・・・・・・・・・・・・・・・ 417

福岡高判昭 27.6.4 ・・・・・・・・・・・・・・・ 288
大阪高判昭 27.7.18 ・・・・・・・・・・・・・・ 432
東京高判昭 27.11.15 ・・・・・・・・・・・・・ 288
最決昭 27.12.11 ・・・・・・・・・・・・・・・・・ 433
最決昭 28.3.5（おとり捜査）・・・・・・・・97
最決昭 28.3.5（訴因変更）・・・・・・・・・ 320
最判昭 28.4.25 ・・・・・・・・・・・・・・・・・・ 199
最判昭 28.5.29 ・・・・・・・・・・・・・・・・・・ 205
最判昭 28.5.29 ・・・・・・・・・・・・・・・・・・ 325
名古屋高金沢支判昭 28.6.25 ・・・・・・・ 524
最判昭 28.7.18 ・・・・・・・・・・・・・・・・・・ 547
最判昭 28.9.1 ・・・・・・・・・・・・・・・・・・・ 199
最判昭 28.9.1 ・・・・・・・・・・・・・・・・・・・68
最判昭 28.9.30 ・・・・・・・・・・・・・・・・・・ 320
最判昭 28.10.6 ・・・・・・・・・・・・・・・・・・15
最判昭 28.10.9 ・・・・・・・・・・・・・・・・・・ 376
最判昭 28.10.15（百選 A39 事件）・・・・ 457
最判昭 28.10.27 ・・・・・・・・・・・・・・・・・ 431
最判昭 28.11.20 ・・・・・・・・・・・・・・・・・ 320
最判昭 29.3.2 ・・・・・・・・・・・・・・・・・・・ 332
最判昭 29.3.23 ・・・・・・・・・・・・・・・・・・ 299
最判昭 29.5.4 ・・・・・・・・・・・・・・・・・・・ 427
最判昭 29.5.14 ・・・・・・・・・・・・・・・・・・ 325
最決昭 29.6.3 ・・・・・・・・・・・・・・・・・・・ 309
最決昭 29.7.14 ・・・・・・・・・・・・・・・・・・ 222
最決昭 29.7.15 ・・・・・・・・・・・・・・・・・・85
最判昭 29.7.16 ・・・・・・・・・・・・・・・・・・ 123
最決昭 29.7.29 ・・・・・・・・・・・・・・・・・・ 448
最決昭 29.8.5 ・・・・・・・・・・・・・・・・・・・ 149
最判昭 29.8.20 ・・・・・・・・・・・・・・・・・・ 319
最決昭 29.9.7 ・・・・・・・・・・・・・・・・・・・ 149
最決昭 29.9.8 ・・・・・・・・・・・・・・・・・・・ 335
最判昭 29.9.24 ・・・・・・・・・・・・・・・・・・ 256
最決昭 29.9.30 ・・・・・・・・・・・・・・・・・・ 514
最決昭 29.10.19 ・・・・・・・・・・・・・・・・・ 538
最決昭 29.11.11 ・・・・・・・・・・・・・・・・・ 445
最判昭 29.12.2 ・・・・・・・・・・・・・・・・・・ 466
最判昭 29.12.17 ・・・・・・・・・・・・・・・・・ 321
最判昭 30.1.11 ・・・・・・・・・・・・・・・・・・ 272
最判昭 30.1.11（百選 A37 事件）・・・・・・ 449
最決昭 30.1.25 ・・・・・・・・・・・・・・・・・・ 469

最判昭 30.2.15　・・・・・・・・・・・・・・・・・77
最大決昭 30.2.23　・・・・・・・・・・・・　533
最決昭 30.3.17　・・・・・・・・・・・・・・・272
最判昭 30.5.17　・・・・・・・・・・・・・・・・9
最大判昭 30.6.22（百選 A51 事件）
　・・・・・・・・・・・・・・・・・・・427, 517
最判昭 30.9.13　・・・・・・・・・・・・・・・378
最判昭 30.10.19　・・・・・・・・・・・・・・321
最決昭 30.11.22　・・・・・・・・・・・・・・172
最判昭 30.11.29（百選 A35 事件）・・・・・449
最判昭 30.12.9（百選 78 事件）・・・・・・・440
最大判昭 30.12.14（百選 A 3 事件）・・155
最大決昭 30.12.23　・・・・・・・・・・・・・533
最判昭 30.12.26　・・・・・・・・・・・・・・514
最判昭 31.4.12　・・・・・・・・・・・230, 335
最判昭 31.5.17　・・・・・・・・・・・・・・・378
東京高判昭 31.5.29　・・・・・・・・・・・・429
東京高判昭 31.7.10　・・・・・・・・・・・・242
最判昭 31.7.17　・・・・・・・・・・・・・・・281
最大判昭 31.7.18（百選〔第 10 版〕A52 事
　件）・・・・・・・・・・・・・・・・123, 523
最大判昭 31.9.26　・・・・・・・・・・・・・523
最判昭 31.10.25　・・・・・・・・・・・・・・158
最判昭 31.11.9　・・・・・・・・・・・・・・・325
最判昭 32.1.22（百選 86 事件）・・・・・・・467
最大判昭 32.2.20　・・・・・・・・・・120, 121
最判昭 32.5.31　・・・・・・・・・・・370, 421
東京高判昭 32.6.20　・・・・・・・・・・・・337
最判昭 32.7.19　・・・・・・・・・・・・・・・416
最判昭 32.7.25　・・・・・・・・・・・・・・・457
最決昭 32.9.26　・・・・・・・・・・・・・・・204
最判昭 32.10.8　・・・・・・・・・・・・・・・332
最判昭 32.10.9　・・・・・・・・・・・・・・・508
最決昭 32.11.2（百選 A34 事件）・・・・・429
最判昭 32.11.19（刑法百選 I 94 事件）
　・・・・・・・・・・・・・・・・・・・・・・222
東京高判昭 32.12.27　・・・・・・・・・・・239
最判昭 33.1.23　・・・・・・・・・240, 255, 275
最判昭 33.2.13（百選 A27 事件）・・280, 286
最判昭 33.2.21　・・・・・・・・・・・・・・・326
最大決昭 33.2.26（百選 A31 事件）・・・・374
最判昭 33.5.20　・・・・・・・・・・・・・・・242
最大判昭 33.5.28（百選 A44 事件）
　・・・・・・・・・・・・・・・374, 435, 485

最判昭 33.6.24　・・・・・・・・・・・・・・・322
大阪高判昭 33.7.10　・・・・・・・・・・・・525
最大判昭 33.7.29（百選 20 事件）・・・・・172
最決昭 34.2.6　・・・・・・・・・・・・・・・・201
最決昭 34.5.14　・・・・・・・・・・・・・・・204
最判昭 34.12.11　・・・・・・・・・・・・・・326
最決昭 34.12.26　・・・・・・・・・・・297, 536
最判昭 35.2.11　・・・・・・・・・・・・・・・319
大阪高判昭 35.5.26　・・・・・・・・・・・・419
最判昭 35.9.8（百選 A38 事件）・・・・・454
最判昭 35.9.9　・・・・・・・・・・・・・・・・432
最判昭 35.11.15　・・・・・・・・・・・・・・333
最判昭 35.11.18　・・・・・・・・・・・・・・524
最決昭 35.12.23　・・・・・・・・・・・・・・207
最判昭 36.2.23　・・・・・・・・・・・・・・・197
最判昭 36.3.9　・・・・・・・・・・・・・・・・447
最判昭 36.5.26　・・・・・・・・・・・・・・・455
最大判昭 36.6.7（百選 A6 事件）
　・・・・・・・・・・・・181, 182, 183, 405
最判昭 36.6.13　・・・・・・・・・・・・・・・319
最決昭 36.11.21（百選 A14 事件）・・・・118
最大判昭 37.5.2（百選 A 9 事件）・・・・123
最決昭 37.6.26　・・・・・・・・・・・・・・・205
最判昭 37.7.3　・・・・・・・・・・135, 137, 152
最判昭 37.9.18　・・・・・・・・・・・・・・・226
最大判昭 37.11.28（百選 A15 事件）
　・・・・・・・・・・・・・・・・・・・236, 238
大阪高判昭 38.9.6　・・・・・・・・・・・・・91
最判昭 38.9.13（百選 A32 事件）・・・・・418
最判昭 38.10.17　・・・・・・・・・・・・・・440
東京地判昭 38.11.28　・・・・・・・・・16, 17
東京地判昭 38.12.21　・・・・・・・・・・・216
仙台高判昭 39.2.7　・・・・・・・・・・・・・522
最決昭 39.5.7（百選 A53 事件）・・・・・524
東京地決昭 39.10.15　・・・・・・・・・・・139
最決昭 39.11.10　・・・・・・・・・・・・・・206
大森簡判昭 40.4.5　・・・・・・・・・・・・219
最大判昭 40.4.28（百選 A20 事件）
　・・・・・・・・・・・・・・・・・・・319, 331
最決昭 40.7.20　・・・・・・・・・・・・・・・19
大阪地決昭 40.8.14　・・・・・・・・・・・135
最決昭 40.12.24　・・・・・・・・315, 318, 319
東京高判昭 41.1.27　・・・・・・・・・・・・157

最決昭 41.2.21（百選〔第 10 版〕64 事件）
　　　‥‥‥‥‥‥‥‥‥‥‥‥‥‥‥ 387
最決昭 41.4.14 ‥‥‥‥‥‥‥‥‥ 158
最判昭 41.4.21 ‥‥‥‥‥‥‥‥‥ 225
最決昭 41.6.10 ‥‥‥‥‥‥‥‥‥ 378
東京高決昭 41.6.30 ‥‥‥‥‥‥‥ 122
最判昭 41.7.1（百選 68 事件）‥‥‥‥ 418
最大判昭 41.7.13 ‥‥‥‥‥‥‥‥ 393
最判昭 41.7.21（百選 A13 事件）‥‥‥ 219
最決昭 41.7.26 ‥‥‥‥‥‥‥‥‥‥32
最判昭 41.10.19 ‥‥‥‥‥‥‥‥‥‥41
佐賀地判昭 41.11.19 ‥‥‥‥‥‥‥ 172
最決昭 41.11.22（百選〔第 9 版〕66 事件）
　　　‥‥‥‥‥‥‥‥‥‥‥‥‥‥‥ 391
最決昭 42.5.19 ‥‥‥‥‥‥‥‥‥ 222
最大判昭 42.7.5 ‥‥‥‥‥‥‥‥‥ 392
最判昭 42.8.31（百選 A19 事件）‥‥‥ 329
最判昭 42.12.21（百選 76 事件）‥‥‥ 428
最決昭 43.2.8 ‥‥‥‥‥‥‥‥‥‥ 389
最判昭 43.3.29 ‥‥‥‥‥‥‥‥‥ 478
神戸地決昭 43.7.9 ‥‥‥‥‥‥‥‥ 139
最判昭 43.10.25（百選 A52 事件）
　　　‥‥‥‥‥‥‥‥‥‥‥‥ 473, 508
最決昭 43.11.26 ‥‥‥‥‥‥‥‥‥ 330
最決昭 44.3.18（百選 A 4 事件）‥‥ 171, 173
最決昭 44.4.25（百選 A25 事件）‥‥‥ 297
金沢地七尾支判昭 44.6.3 ‥‥‥‥‥ 145, 146
東京高判昭 44.6.20（百選 26 事件）‥‥‥ 183
最判昭 44.7.14（百選 A28 事件）‥‥‥‥50
最決昭 44.10.2 ‥‥‥‥‥‥‥‥‥ 242
最大判昭 44.10.15 ‥‥‥‥‥‥‥‥ 524
京都地決昭 44.11.5（百選 12 事件）‥‥‥ 158
最大判昭 44.12.24 ‥‥‥‥‥‥ 101, 102
最判昭 45.7.10 ‥‥‥‥‥‥‥‥‥ 325
最判昭 45.7.28 ‥‥‥‥‥‥‥‥‥ 124
最大判昭 45.11.25（百選 69 事件）
　　　‥‥‥‥‥‥‥‥‥‥‥‥ 412, 418
最大決昭 46.3.24 ‥‥‥‥‥‥‥‥‥ 520
最判昭 46.6.22（百選 A16 事件）‥‥‥ 322
最決昭 46.7.30 ‥‥‥‥‥‥‥‥‥ 485
仙台高判昭 47.1.25（百選 A7 事件）‥‥ 168
東京地決昭 47.4.4（百選 16 事件）‥‥‥ 143
最判昭 47.5.30 ‥‥‥‥‥‥‥‥‥ 226
最判昭 47.6.2 ‥‥‥‥‥‥‥‥‥‥ 456

最決昭 47.7.25 ‥‥‥‥‥‥‥‥‥ 326
最大判昭 47.11.22 ‥‥‥‥‥‥‥‥ 123
東京地決昭 47.12.1 ‥‥‥‥‥‥‥ 136
最大判昭 47.12.20（百選 A30 事件）‥ 6, 7
浦和地決昭 48.4.21 ‥‥‥‥‥‥‥ 144
最決昭 48.10.8（百選 A24 事件）‥‥ 14, 281
最決昭 49.3.13（百選〔第 9 版〕A12 事件）
　　　‥‥‥‥‥‥‥‥‥‥‥‥‥‥‥ 249
大阪地判昭 49.5.2（百選 97 事件）‥‥‥ 477
仙台地決昭 49.5.16（百選 17 事件）‥‥‥ 142
最決昭 49.7.18 ‥‥‥‥‥‥‥‥‥‥14
東京地決昭 49.12.9 ‥‥‥‥‥‥‥ 113
最判昭 50.4.3 ‥‥‥‥‥‥‥‥‥‥ 129
最決昭 50.5.20（百選 A55 事件）‥‥‥ 539
最決昭 50.5.30 ‥‥‥‥‥‥‥‥‥ 236
最決昭 50.9.11 ‥‥‥‥‥‥‥ 271, 337
大阪高判昭 50.12.2 ‥‥‥‥‥‥‥ 126
最決昭 51.3.16（百選 1 事件）‥‥‥ 95, 96
福岡高那覇支判昭 51.4.5（百選 A18 事件）
　　　‥‥‥‥‥‥‥‥‥‥‥‥‥‥‥ 328
最決昭 51.10.12（百選 A56 事件）‥‥‥ 539
最決昭 51.10.28（百選 77 事件）‥‥‥ 435
最決昭 51.11.18（百選 23 事件）‥‥ 177, 187
東京高判昭 51.11.24 ‥‥‥‥‥‥‥‥77
大阪高判昭 52.6.28（百選 73 事件）‥‥‥ 423
最決昭 52.8.9 ‥‥‥‥‥‥‥‥‥‥ 146
東京高判昭 52.12.20（百選 A22 事件）
　　　‥‥‥‥‥‥‥‥‥‥‥‥‥‥‥ 332
最決昭 53.2.16（百選 A17 事件）‥‥‥ 321
最決昭 53.3.6（百選 47 事件）‥‥‥‥ 326
最判昭 53.6.20（百選 4 事件）‥‥‥ 87, 88
最決昭 53.6.28（百選〔第 9 版〕A38 事件）
　　　‥‥‥‥‥‥‥‥‥‥‥‥‥‥‥ 471
最決昭 53.7.3 ‥‥‥‥‥‥‥‥‥‥ 119
最判昭 53.7.7 ‥‥‥‥‥‥‥‥‥‥ 524
最判昭 53.7.10 ‥‥‥‥‥‥‥‥ 28, 29
最判昭 53.9.7（百選 88 事件）
　　　‥‥‥‥‥‥‥ 89, 394, 401, 415
最決昭 53.9.22 ‥‥‥‥‥‥‥‥‥‥85
最判昭 53.10.20（百選 A11 事件）‥‥‥ 218
最決昭 53.10.31 ‥‥‥‥‥‥‥‥‥ 510
東京高判昭 53.11.15 ‥‥‥‥‥‥‥ 184
東京高判昭 54.2.7 ‥‥‥‥‥‥‥‥ 473
東京高決昭 54.5.2 ‥‥‥‥‥‥‥‥‥50

東京高判昭 54.5.8 ・・・・・・・・・・・・・・・・・ 388
大阪地判昭 54.5.29 ・・・・・・・・・・・ 194
最判昭 54.7.24（百選〔第 10 版〕A29 事件）
・・・・・・・・・・・・・・・・・・・・・・・・・・ 21, 22
富山地判昭 54.7.26（百選 5 事件）
・・・・・・・・・・・・・・・・・・・・・・・ 109, 139
東京高判昭 54.8.14（百選 15 事件）
・・・・・・・・・・・・・・・・・・・・・・・ 109, 139
最決昭 54.10.16（百選 A40 事件）・・・・ 468
函館地決昭 55.1.9 ・・・・・・・・・・・・・・・ 185
東京地判昭 55.1.11 ・・・・・・・・・・・・・・ 194
東京高判昭 55.2.1（百選〔第 9 版〕68 事
件）・・・・・・・・・・・・・・・・・・・・・・・・・・ 387
最決昭 55.3.4（百選〔第 10 版〕A19 事件）
・・・・・・・・・・・・・・・・・・・・・・・・・・・・ 321
東京地決昭 55.3.26 ・・・・・・・・・・・・・・ 384
最決昭 55.4.28（百選 36 事件）・・・・・・・・・32
最決昭 55.5.12（百選〔第 10 版〕A13 事
件）・・・・・・・・・・・・・・・・・・・・・・・・・・ 228
最決昭 55.9.22（百選 A 1 事件）・・・・・・・90
最決昭 55.10.23（百選 28 事件）
・・・・・・・・・・・・・・ 164, 165, 167, 168
最決昭 55.12.17（百選 39 事件）・・・・・ 219
最決昭 56.4.25（百選 44 事件）・・・・・・・ 239
東京高判昭 56.6.29 ・・・・・・・・・・・・・・ 427
最決昭 56.7.14 ・・・・・・・ 227, 228, 229, 476
大阪高判昭 56.11.24 ・・・・・・・・・・・・・・ 329
広島高判昭 56.11.26（百選〔第 10 版〕26
事件）・・・・・・・・・・・・・・・・・・・・・・・・ 187
最判昭 56.11.26 ・・・・・・・・・・・・・・・・・ 123
東京高判昭 57.3.8 ・・・・・・・・・・・・・・・・ 158
最決昭 57.5.25（百選〔第 9 版〕65 事件）
・・・・・・・・・・・・・・・・・・・・・・・・・・・・ 410
最決昭 57.8.27 ・・・・・・・・・・・・・・・・・・ 148
大阪高判昭 57.9.27（百選 41 事件）・・・・ 243
東京高判昭 57.10.15 ・・・・・・・・・・・・・・・98
最決昭 57.12.17（百選 A36 事件）・・・・ 445
東京高判昭 58.1.27（百選〔第 10 版〕79
事件）・・・・・・・・・・・・・・・・・・・・・・・・ 441
最判昭 58.5.6（百選 A45 事件）・・・・・・ 482
最大判昭 58.6.22 ・・・・・・・・・・・・・・・・・ 133
最決昭 58.6.30 ・・・・・・・・・・・・・・・・・・ 450
最判昭 58.7.12 ・・・・・・・・・・・・・・・・・・ 424
東京高判昭 58.7.13（百選 A42 事件）・・ 386

最判昭 58.9.6（百選〔第 10 版〕47 事件）
・・・・・・・・・・・・・・・・・・・・・・・・・・・・ 330
最決昭 58.9.13 ・・・・・・・・・・・・・・・・・・ 410
東京地判昭 58.9.30（百選 A21 事件）・・ 210
最決昭 58.12.13（百選 A26 事件）・・・・ 323
最決昭 58.12.19 ・・・・・・・・・・・・・・・・・ 376
札幌高判昭 58.12.26 ・・・・・・・・・・ 185, 188
最判昭 59.1.27 ・・・・・・・・・・・・・・・・・・ 215
最決昭 59.2.13 ・・・・・・・・・・・・・・・・・・・85
最決昭 59.2.29（百選 6 事件）
・・・・・・・・・・・・・・・・ 108, 109, 110
大阪高判昭 59.4.19 ・・・・・・・・・・・・・・ 116
最決昭 59.7.3 ・・・・・・・・・・・・・・・・・・ 410
最決昭 59.9.20（百選 A50 事件）・・・・・ 521
最決昭 59.12.21（百選 87 事件）・・・・・ 382
旭川地判昭 60.3.20 ・・・・・・・・・・・・・・ 119
最決昭 60.11.29（百選 50 事件）・・・・・ 234
東京高判昭 60.12.13 ・・・・・・・・・・・・・・ 420
大阪高判昭 60.12.18（百選 A 2 事件）
・・・・・・・・・・・・・・・・・・・・・・・・・・・・ 157
大阪高判昭 61.1.30 ・・・・・・・・・・・・・・ 421
最判昭 61.2.14 ・・・・・・・・・・・・・・・・・・ 101
最決昭 61.3.3 ・・・・・・・・・・・・・・・・・・ 465
札幌高判昭 61.3.24（百選 91 事件）・・・・ 483
最判昭 61.4.25（百選 89 事件）・・・・・・・ 397
福岡高判昭 61.4.28 ・・・・・・・・・・・・・・ 116
東京高判昭 61.10.29 ・・・・・・・・・・・・・・ 508
東京高判昭 62.1.28 ・・・・・・・・・・・・・・ 379
最決昭 62.3.3（百選 62 事件）・・・・・・・ 388
東京高判昭 62.4.16 ・・・・・・・・・・・・・・ 160
名古屋高判昭 62.9.7 ・・・・・・・・・・・・・・ 215
東京地判昭 62.12.16（百選〔第 9 版〕75
事件）・・・・・・・・・・・・・・・・・・・・・・・・ 418
東京高判昭 62.12.16 ・・・・・・・・・・・・・・・98
最大決昭 63.2.17 ・・・・・・・・・・・・・・・・・ 253
最決昭 63.2.29（百選 43 事件）・・・・ 224, 225
東京高判昭 63.4.1（百選〔第 9 版〕10 事
件）・・・・・・・・・・・・・・・・・・・・・・・・・・ 102
最決昭 63.9.16 ・・・・・・・・・・・・・ 397, 403
最決昭 63.10.25（百選 46 ②事件）・・・ 327
東京高判昭 63.11.10（百選〔第 9 版〕84
事件）・・・・・・・・・・・・・・・・・・・・・・・・ 447

平成

最決平元.1.23（百選 72 事件）・・・・・・・ 419
大阪高判平元.3.7 ・・・・・・・・・・・・・ 327
最大判平元.3.8 ・・・・・・・・・・・・・・ 251
最判平元.6.29 ・・・・・・・・・・・・・・ 218
最決平元.7.4（百選 7 事件）・・・・・・・・ 111
最決平元.9.26 ・・・・・・・・・・・・・・・85
最決平 2.6.27（百選 33 事件）・・・・ 101, 180
東京高判平 2.8.29 ・・・・・・・・・・・・ 167
浦和地判平 2.10.12（百選 18 事件）
　・・・・・・・・・・・・・ 115, 117, 147
最判平 2.12.7 ・・・・・・・・・・・・ 230, 335
浦和地判平 3.3.25（百選 70 事件）・・・ 419
千葉地判平 3.3.29（百選 10 事件）・・・ 104
東京地判平 3.4.26 ・・・・・・・・・・・・ 173
最判平 3.5.10 ・・・・・・・・・・ 28, 29, 33
最判平 3.5.31 ・・・・・・・・・・・・・・・33
宇都宮地判平 3.7.11 ・・・・・・・・・・・ 487
最判平 3.7.16 ・・・・・・・・・・・・・・ 166
東京高判平 3.10.29 ・・・・・・・・・・・ 393
大阪高判平 3.11.19 ・・・・・・・・・・・ 421
最判平 4.9.18 ・・・・・・・・・・・・・・ 207
東京高判平 4.10.14（平 5 重判 7 事件）
　・・・・・・・・・・・・・・・・・・・ 482
浦和地命平 4.11.10（百選〔第 9 版〕A 2
　事件）・・・・・・・・・・・・・・・・ 136
福岡高判平 5.3.8（百選〔第 10 版〕24 事
　件）・・・・・・・・・・・・ 185, 187, 188
東京高判平 5.9.24 ・・・・・・・・・・・・ 101
東京高判平 5.10.21（平 6 重判 4 事件）
　・・・・・・・・・・・・・・・・・・・ 451
大阪高判平 6.4.20 ・・・・・・・・・ 170, 174
東京高判平 6.5.11 ・・・・・・・・・・・・ 177
最決平 6.9.8（百選 21 事件）・・・・・・・ 176
最決平 6.9.16（百選 2 事件）・・・・・・・・86
最決平 6.9.16（百選 29 事件）・・・・ 165, 168
大阪地判平 7.2.13 ・・・・・・・・・・・・ 328
最大判平 7.2.22（百選 63 事件）・・ 121, 452
最決平 7.2.28（百選〔第 10 版〕51 事件）
　・・・・・・・・・・・・・・・・・・・ 254
最決平 7.3.27（百選 52 事件）・・・・・・ 272
最決平 7.4.12（平 7 重判 1 事件）・・・・ 136
最決平 7.5.30（平 7 重判 6 事件）・・・・・・89

最判平 7.6.20（百選 80 事件）・・・・・・・ 448
最決平 8.1.29（百選 13 事件）・・・・・・・ 159
最決平 8.1.29（百選 27 事件）・・・・・・・ 183
最決平 8.10.29（百選 A 43 事件）・・・・・ 400
大阪高判平 8.11.27（百選 A41 事件）・・ 470
京都地判平 8.11.28 ・・・・・・・・・・・・・ 6
最判平 9.1.30（百選 A 8 事件）・・・ 100, 122
最判平 10.3.12（平 10 重判 4 事件）・・・ 254
最判平 10.5.1（百選 24 事件）・・・・ 178, 180
東京高判平 10.7.1（平 10 重判 5 事件）
　・・・・・・・・・・・・・・・・・・・ 322
最判平 10.9.7 ・・・・・・・・・・・ 127, 133
京都地判平 10.10.22（平 11 重判 4 事件）
　・・・・・・・・・・・・・・・・・・・ 388
最決平 10.10.27（平 10 重判 8 事件）・・ 540
最大判平 11.3.24（百選 34 事件）
　・・・・・・・・・・・・・ 26, 30, 113
最決平 11.12.16（百選 32 事件）・・・・・ 196
最判平 12.2.7（百選 75 事件）・・・・・・ 425
最判平 12.6.13（百選 35 事件）・・・・・・・30
最決平 12.6.27 ・・・・・・・・・・・・・・・43
最決平 12.7.12 ・・・・・・・・・・・・・・ 104
最決平 12.7.17（百選 61 事件）・・・・・・ 389
最決平 12.10.31 ・・・・・・・・・・・・・ 452
最決平 13.2.7（平 13 重判 2 事件）・・・・・・32
最決平 13.4.11（百選 46 事件）
　・・・・・・・・・・・ 240, 318, 319, 482
最決平 14.7.18（平 14 重判 4 事件）・・・ 238
東京高判平 14.9.4（百選 71 事件）
　・・・・・・・・・・・・・・・ 415, 420
最決平 14.10.4（百選 A 5 事件）・・ 173, 174
最判平 15.2.14（百選 90 事件）
　・・・・・・・・・・ 397, 398, 400, 404
最決平 15.2.20（平 15 重判 2 事件）・・・ 320
最大判平 15.4.23（百選 40 事件）・・・・・ 316
最判平 15.5.26（百選 3 事件）・・・・・ 86, 89
最判平 15.10.7（百選 95 事件）・・・・・・ 479
大阪地判平 16.4.9（百選〔第 9 版〕73 事
　件）・・・・・・・・・・・・・・・・・ 411
最判平 16.4.13（平 16 重判 1 事件）・・・ 124
最決平 16.7.12（百選 11 事件）・・ 96, 98, 99
最判平 16.9.7 ・・・・・・・・・・・・・・・32
最判平 17.4.14（百選 64 事件）・・・・・・・73
最判平 17.4.19（百選 A10 事件）・・・・・・・31

東京地判平 17.6.2（平 18 重判 1 事件）
・・・・・・・・・・・・・・・・・・・・・・・・・・・・ 102

大阪高判平 17.6.28（平 18 重判 4 事件）
・・・・・・・・・・・・・・・・・・・・・・・・・・・・ 394

最決平 17.8.30（百選〔第 9 版〕52 事件）
・・・・・・・・・・・・・・・・・・・・・・・・・・・・・14

最決平 17.9.27（百選 82 事件）
・・・・・・・・・・・・・・ 304, 383, 438, 455

最決平 17.11.29（百選 53 事件）・・・・・・・・17

東京高判平 17.12.26（平 18 重判 2 事件）
・・・・・・・・・・・・・・・・・・・・・・・・・・・・ 215

最決平 18.2.27（平 19 重判 9 事件）・・・・ 525

最決平 18.4.24（平 18 重判 6 事件）・・・・ 530

最判平 18.11.7（百選 85 事件）・・・・・・・・ 472

最決平 18.11.20（百選 A12 事件）・・・・ 227

最決平 18.12.8（平 19 重判 6 事件）・・・・ 444

最決平 18.12.13（平 19 重判 2 事件）・・ 224

最決平 19.2.8（百選 22 事件）・・・ 175, 177

最決平 19.4.9（平 19 重判 4 事件）・・・・・・39

最決平 19.6.19（平 19 重判 8 事件）・・・・ 269

最決平 19.10.16（百選 58 事件）・・・・・・ 407

最決平 19.12.13（百選 94 事件）・・・・・・・・43

最決平 19.12.25（平 20 重判 2①事件）
・・・・・・・・・・・・・・・・・・・・・・・・・・・・ 349

最決平 20.3.5（百選 A29 事件）・・・・・・ 273

最判平 20.3.14（平 20 重判 6 事件）・・・・ 545

最決平 20.4.15（百選 9 事件）・・・ 103, 190

最判平 20.4.25（平 20 重判〔刑法〕4 事
件）・・・・・・・・・・・・・・・・・・・・・・・・・・ 410

名古屋高金沢支判平 20.6.5（百選 57 事
件）・・・・・・・・・・・・・・・・・・・・・・・・・・ 356

最決平 20.6.24（平 20 重判 7 事件）・・・・・・38

最決平 20.6.25（平 20 重判 2②事件）・・ 349

最決平 20.8.27（百選 83 事件）・・・ 456, 457

最決平 20.9.30（百選 54 事件）・・・・・・・・ 351

東京高判平 20.10.16（平 21 重判 5 事件）
・・・・・・・・・・・・・・・・・・・・・・・・・・・・ 448

東京高判平 20.11.18（百選 55 事件）・・ 346

最判平 21.7.14（百選〔第 10 版〕59 事件）
・・・・・・・・・・・・・・・・・・・・・・・・・・・・ 507

最決平 21.7.21（平 21 重判 6 事件）・・・・ 216

最決平 21.9.28（百選 30 事件）・・・・ 107, 398

最決平 21.10.16（百選〔第 9 版〕60 事件）
・・・・・・・・・・・・・・・・・・・・・・・・・・・・ 280

最決平 21.10.20（平 21 重判 2 事件）・・ 227

東京高判平 21.12.1（平成 22 重判 4 事件）
・・・・・・・・・・・・・・・・・・・・・・・・・・・・ 448

最決平 21.12.9（平 22 重判 6 事件）・・・・・54

東京地判平 21.12.21（平 22 重判 1 事件）
・・・・・・・・・・・・・・・・・・・・・・・・・・・・ 217

東京高判平 22.1.26（平 22 重判 3 事件）
・・・・・・・・・・・・・・・・・・・・・・・・・・・・ 376

最判平 22.4.27（百選 59 事件）・・・・・・・ 408

東京高判平 22.5.27（百選 79 事件）・・・ 448

最判平 22.7.22（平 22 重判 8①②事件）
・・・・・・・・・・・・・・・・・・・・・・・・・・・・ 547

東京高判平 22.11.1（平 24 重判 1 事件）
・・・・・・・・・・・・・・・・・・・・・・・・・・・・ 198

東京高判平 22.11.8（平 23 重判 1 事件）・・87

最決平 23.9.14（百選 66 事件）・・・・・・ 455

最判平 23.10.20（百選 81 事件）・・・・・ 452

最判平 23.12.9（平 24 重判 7 事件）・・・ 547

最判平 24.2.13（百選 99 事件）・・・・・・ 518

最決平 24.2.29・・・・・・・・・・・・・・・・・・ 322

最決平 24.5.10（平 24 重判 2 事件）・・・・20

名古屋高金沢支判平 24.7.3（平 24 重判
3 事件）・・・・・・・・・・・・・・・・・・・・ 204

最判平 24.9.7（百選 60 事件）・・・・・・・ 391

最判平 25.2.20（平 25 重判 4 事件）・・・ 391

最判平 25.2.26（平 25 重判 3 事件）・・・ 373

最決平 25.3.5（百選 98 事件）・・・・・・・ 520

最決平 25.3.18（百選 A23 事件）・・・・・・ 350

東京高判平 25.7.23（平 26 重判 4 事件）
・・・・・・・・・・・・・・・・・・・・・・・・・・・・ 423

最決平 26.1.21（平 26 重判 5 事件）・・・・ 149

最決平 26.3.17（百選 45 事件）・・・・・・ 238

最決平 26.4.22（平 26 重判 3 事件）・・・ 323

最決平 26.7.24（百選 92 事件）・・・・・・ 359

最決平 26.11.17（百選 14 事件）・・・・・・ 133

最決平 26.11.18（百選 A54 事件）・・・・ 531

最決平 27.2.2（平 27 重判 5 事件）・・・ 383

最判平 27.3.10（平 27 重判 4 事件）・・・ 359

最決平 27.5.25（百選 56 事件）・・・・・・ 282

最決平 27.10.22（平 27 重判 1②事件）
・・・・・・・・・・・・・・・・・・・・・・・・・・・・ 134

最判平 27.12.3（百選 42 事件）・・・・・・・ 223

最決平 28.7.27（平 28 重判 5 事件）・・・・ 530

東京高判平 28.8.10 (百選 74 事件)

・・・・・・・・・・・・・・・・・・・・・・・・・・・ 305, 306

東京高判平 28.8.23 ・・・・・・・・・・・・・・ 169

東京高判平 28.8.25 (平 29 重判 4 事件)

・・・・・・・・・・・・・・・・・・・・・・・・・・・ 484

札幌高決平 28.10.26 (平 29 重判 5 事件)

・・・・・・・・・・・・・・・・・・・・・・・・・ 540

最判平 28.12.19 (百選 51 事件事件) ・・ 488

最大判平 29.3.15 (百選 31 事件) ・・・・・・ 104

東京高判平 29.11.17 ・・・・・・・・・・・・・・ 523

最判平 30.3.19 (百選 48 事件) ・・・・・・・・ 331

最決平 30.7.3 (百選 65 事件) ・・・・・・・・ 299

東京高判平 30.8.3 (平 30 重判 5 事件)

・・・・・・・・・・・・・・・・・・・・・・・・・・・ 307

東京高判平 30.9.5 (百選 8 事件) ・・・・・・ 190

最決平 31.3.13 (令元重判 3 事件) ・・・・・・47

令和

最判令 2.1.23 (百選 100 事件) ・・・・・・・・ 523

最決令 3.2.1 (百選 25 事件) ・・・・・・ 179, 180

東京高判令 3.3.23 (令 4 重判 1 事件) ・・ 191

東京高判令 3.6.16 (百選 38 事件) ・・・・・27

最決令 3.6.28 (百選 96 事件) ・・・・・・・・ 479

最判令 4.4.28 (令 4 重判 6 事件)

・・・・・・・・・・・・・・・・・・・・・・・ 166, 400, 401

最判令 4.6.9 (令 4 重判 3 事件) ・・ 221, 222

最決令 5.5.8 (令 5 重判 6 事件) ・・・・・・ 536

最決令 5.6.20 (令 5 重判 5 事件) ・・・・・・ 524

事項索引

ア行

悪性格の立証・・・・・・・・・・・・・・・・・・・・・ 389
アレインメント制度・・・・・・・・・・・・・・ 277
異議申立て・・・・・・・・・・・・・ 280, 313, 533
一罪一逮捕一勾留の原則・・・・・・・ 140
一事不再理効・・・・・・・・・・・・・・・・・・・・・ 477
一部起訴・・・・・・・・・・・・・・・・・・・・・・・・・・ 214
一般抗告・・・・・・・・・・・・・・・・・・・・・・・・・・ 531
一般司法警察職員・・・・・・・・・・・・・・・・92
一般的指揮・・・・・・・・・・・・・・・・・・・・・・・・92
一般的指示・・・・・・・・・・・・・・・・・・・・・・・・92
違法行為と証拠との間の因果性・・・・・ 396
違法収集証拠排除法則・・・・・・・・・・・・ 394
違法性の承継論・・・・・・・・・・・・・・・・・・ 397
違法捜査に基づく起訴・・・・・・・・・・・ 219
違法逮捕に基づく勾留請求・・・・・・ 138
違法な取調べによる自白・・・・・・・・・ 419
違法排除一元説・・・・・・・・・・・・・・・・・・ 414
違法排除説・・・・・・・・・・・・・・・・・・・・・・・・ 414
遺留物・・・・・・・・・・・・・・・・・・・・・・・・・・・・ 189
疑わしきは被告人の利益に・・・・・・・・・ 369
写し・・・・・・・・・・・・・・・・・・・・・・・・・・・・・・ 385
疫学的証明・・・・・・・・・・・・・・・・・・・・・・・・ 410
エックス線検査・・・・・・・・・・・・・・・・・・ 106
押収・・・・・・・・・・・・・・・・・・・・・・・・・・・・・・ 195
おとり捜査・・・・・・・・・・・・・・・・・・・・・・・・96

カ行

概括的記載の可否・・・・・・・・・・・・・・・・ 172
概括的認定・・・・・・・・・・・・・・・・・・・・・・・・ 482
回避・・・・・・・・・・・・・・・・・・・・・・・・・・・・・・・15
回復証拠・・・・・・・・・・・・・・・・・・・・・・・・・・ 473
外部的付随事情・・・・・・・・・・・・・・・・・・ 449
科学的証拠・・・・・・・・・・・・・・・・ 380, 386
確定力・・・・・・・・・・・・・・・・・・・・・・・・・・・・ 474
簡易却下・・・・・・・・・・・・・・・・・・・・・・・・・・・15
簡易公判手続・・・・・・・・・・・・ 277, 506
管轄・・・・・・・・・・・・・・・・・・・・・・・・・・・・・・・・8
管轄違い・・・・・・・・・・・・・・・・・・・・・・・・・・ 480
間接事実・・・・・・・・・・・・・・・・・・ 367, 375
間接証拠・・・・・・・・・・・・・・・・・・・・・・・・・・ 367

鑑定・・・・・・・・・・・・・・・・・・ 74, 195, 198
鑑定受託者・・・・・・・・・・・・・・・・・・ 77, 198
鑑定書・・・・・・・・・・・・・・・・・・・・・・・・・・・・ 456
鑑定嘱託・・・・・・・・・・・・・・・・・・・・・・・・・・ 198
鑑定処分許可状・・・・・・・・・・・・・ 77, 167
鑑定人・・・・・・・・・・・・・・・・・・・・・・ 77, 264
鑑定留置・・・・・・・・・・・・・・・・・・・・ 77, 198
機会提供型・・・・・・・・・・・・・・・・・・・・・・・・96
偽計による自白・・・・・・・・・・・・・・・・・・ 418
期日間整理手続・・・・・・・・・・・・・・・・・・ 354
希釈法理・・・・・・・・・・・・・・・・・・・・・・・・・・ 398
擬制・・・・・・・・・・・・・・・・・・・・・・・・・・・・・・ 371
擬制同意・・・・・・・・・・・・・・・・・・・・・・・・・・ 470
起訴・・・・・・・・・・・・・・・・・・・・・・・・・・・・・・ 231
起訴議決・・・・・・・・・・・・・・・・・・・・・・・・・・ 246
起訴状・・・・・・・・・・・・・・・・・・・・・・・・・・・・ 231
起訴状一本主義・・・・・・・・・・・・・・・・・・ 241
起訴状抄本等・・・・・・・・・・・・・・・・・・・・ 257
起訴状謄本の送達・・・・・・・・・・・・・・・ 263
起訴状朗読・・・・・・・・・・・・・・・・・・・・・・・・ 275
起訴独占主義・・・・・・・・・・・・・・・・・・・・ 214
起訴便宜主義・・・・・・・・・・・・・ 214, 216
起訴変更主義・・・・・・・・・・・・・・・・・・・・ 244
起訴猶予・・・・・・・・・・・・・・・・・・・・・・・・・・ 216
既判力・・・・・・・・・・・・・・・・・・・・・・・・・・・・ 475
忌避・・・・・・・・・・・・・・・・・・・・・・・・・・・・・・・14
基本的事実関係同一説・・・・・・・・・・・ 324
義務の推定・・・・・・・・・・・・・・・・・・・・・・・・ 371
義務の保釈・・・・・・・・・・・・・・・・・・・・・・・・50
客観的挙証責任・・・・・・・・・・・・・・・・・・ 369
客観的不可分の原則・・・・・・・・・・・・・ 206
求刑・・・・・・・・・・・・・・・・・・・・・・・・・・・・・・ 276
求釈明・・・・・・・・・・・・・・・・・・・・・・・・・・・・ 275
糾問主義・・・・・・・・・・・・・・・・・・・・・・・・・・・5
狭義の情状・・・・・・・・・・・・・・・・・・・・・・・・ 377
供述書・・・・・・・・・・・・・・・・・・・・・・・・・・・・ 444
供述証拠・・・・・・・・・・・・・・・・・・・・・・・・・・ 367
供述代用書面・・・・・・・・・・・・ 436, 444, 464
供述不能・・・・・・・・・・・・・・・ 445, 446, 451
供述録音・録画・・・・・・・・・・・・・・・・・・ 385
供述録取書・・・・・・・・・・・・・・・・・・・・・・・・ 444

行政警察活動・・・・・・・・・・・・・・・・・・・84
行政検視・・・・・・・・・・・・・・・・・・・・200
強制採血・・・・・・・・・・・・・・・・・・・・168
強制採尿・・・・・・・・・・・・・・・・・・・・164
強制処分・・・・・・・・・・・・・・・・・・・・94
強制処分法定主義・・・・・・・・・・・・・・・94
強制捜査・・・・・・・・・・・・・・・・・・・・94
共同被告人・・・・・・・・・・・・・・・・・・430
共同被告人の供述・・・・・・・・・・・・・・430
共同被告人の公判廷外における供述調書
・・・・・・・・・・・・・・・・・・・・・433
共同被告人の公判廷における供述・・・431
共同被告人の証人適格・・・・・・・・・・・431
共犯者の自白と補強証拠の要否・・・・・434
共犯者の自白の補強証拠適格・・・・・・・435
共謀・・・・・・・・・・・・・・・・・・・・・・239
業務文書・・・・・・・・・・・・・・・・・・・465
虚偽排除説・・・・・・・・・・・・・・・・・・413
挙証責任・・・・・・・・・・・・・・・・・・・369
挙証責任の転換・・・・・・・・・・・・・・・371
許容的推定・・・・・・・・・・・・・・・・・・371
記録命令付差押え・・・・・・・・・57, 162
緊急執行・・・・・・・・・・・・・・・・・・・128
緊急処分説・・・・・・・・・・・・・・・・・・181
緊急搜索・差押え・・・・・・・・・・・・・・186
緊急逮捕・・・・・・・・・・・・・・155, 161
緊急配備検問・・・・・・・・・・・・・・・・・90
具体的防御説・・・・・・・・・・・・・・・・318
区分事件・・・・・・・・・・・・・・・・・・・358
区分審理制度・・・・・・・・・・・・・・・・358
警戒検問・・・・・・・・・・・・・・・・・・・・90
警察比例の原則・・・・・・・・・・・・・・・84
形式裁判・・・・・・・・・・・・・・・・・・・・36
形式説・・・・・・・・・・・・・・・426, 427
形式的確定力・・・・・・・・・・・・・・・・474
形式的挙証責任・・・・・・・・・・・・・・・370
刑事免責・・・・・・・・・・・・70, 121, 452
刑事和解・・・・・・・・・・・・・・・・・・・202
刑の一部執行猶予・・・・・・・・・・・・・484
刑の量定・・・・・・・・・・・・・・・・・・・484
血液の採取・・・・・・・・・・・・・・・・・・168
決定・・・・・・・・・・・・・・・・・・・・・・35
厳格な証明・・・・・・・・・・・・・・・・・・373
現行犯逮捕・・・・・・・・・・・・・156, 160

検察官処分主義・・・・・・・・・・・・・・・214
検察官面前調書・・・・・・・・・・・・・・・446
検察事務官・・・・・・・・・・・・・・・・・・161
検察審査会・・・・・・・・・・・・・245, 499
検視・・・・・・・・・・・・・・・・・・・・・・200
検証・・・・・・・・・・・・・・・64, 163, 195
検証許可状・・・・・・・・・・・・・・・・・・163
検証調書・・・・・・・・・・・・・・・・・・・453
検証としての身体検査・・・・・・・・・・163
現場供述・・・・・・・・・・・・・・・・・・・455
現場指示・・・・・・・・・・・・・・・・・・・454
現場写真・・・・・・・・・・・・・・・・・・・382
現場録音・録画・・・・・・・・・・・・・・・384
権利告知・・・・・・・・・・・・・・・・・・・275
権利保釈・・・・・・・・・・・・・・・・・・・・50
合意書面・・・・・・・・・・・・・・・・・・・471
合意制度・・・・・・・・・・・・・・・・・・・494
合意内容書面・・・・・・・・・・・・・・・・495
合意離脱書面・・・・・・・・・・・・・・・・499
勾引・・・・・・・・・・・・・・・・・・・・・・42
公開主義・・・・・・・・・・・・・・・・・・・251
抗告・・・・・・・・・・・・・・・・・・・・・・530
交互尋問・・・・・・・・・・・・・・・・・・・310
控訴・・・・・・・・・・・・・・・・・・・・・・513
控訴棄却・・・・・・・・・・・・・・・・・・・514
公訴権濫用論・・・・・・・・・・・・・・・・218
公訴時効・・・・・・・・・・・・・・・・・・・221
公訴時効の停止・・・・・・・・・・・・・・・226
公訴事実・・・・・・・・・・・・・・・・・・・232
公訴事実の単一性・・・・・・・・・・・・・323
公訴事実の同一性・・・・・・・・323, 478
公訴事実の同一性（狭義）・・・・・・・323
控訴趣意書・・・・・・・・・・・・・・・・・・515
控訴審・・・・・・・・・・・・・・・・・・・・513
控訴審の裁判・・・・・・・・・・・・・・・・514
控訴審の審理手続・・・・・・・・・・・・・513
公訴提起・・・・・・・・・・・・・・・・・・・231
公訴提起の効果・・・・・・・・・・・・・・・233
控訴理由・・・・・・・・・・・・・・・・・・・517
控訴理由の調査・・・・・・・・・・・・・・・520
公知の事実・・・・・・・・・・・・・・・・・・378
交通検問・・・・・・・・・・・・・・・・・・・・90
口頭主義・・・・・・・・・・・・・・・・・・・251
口頭弁論・・・・・・・・・・・・・・・・・・・251

公判期日・・・・・・・・・・・・・・・・・・269
公判期日外の証人尋問・・・・・・・・・267
公判準備・・・・・・・・・・・263, 264
公判請求・・・・・・・・・・・・・・・231
公判前整理手続・・・・・・・・・344, 347
公判中心主義・・・・・・・・・・・・250
公判調書・・・・・・・・・・・・・・・37
公判廷・・・・・・・・・・・・・・・268
公判手続・・・・・・・・・・・・・・・250
公判手続の更新・・・・・・・・・・・338
公判手続の停止・・・・・・・・・・・338
公判手続の特例・・・・・・・・・・・355
公平な裁判所・・・・・・・・・・・・14
公務上秘密・・・・・・・・・・・58, 67
合理的疑いを超える証明・・・・・・・407
合理的心証主義・・・・・・・・・・・407
勾留・・・・・・・・・・・・42, 133, 153
勾留期間・・・・・・・・・・・・42, 135
勾留質問・・・・・・・・・・・・41, 134
勾留の執行停止・・・・・・・・・・・51
勾留の取消し・・・・・・・・・・・・48
勾留の場所・・・・・・・・・・・・136
勾留の必要性・・・・・・・・・・・134
勾留の理由・・・・・・・・・・・・133
勾留理由開示請求・・・・・・・・34, 149
呼気の採取・・・・・・・・・100, 122
国選弁護・・・・・・・・・・・・・・20
告訴・・・・・・・・・・・・・201, 204
告訴期間・・・・・・・・・・・・・205
告訴権者・・・・・・・・・・・・・205
告訴不可分の原則・・・・・・・・・206
告発・・・・・・・・・・・・・204, 207
国家訴追主義・・・・・・・・・・・213
コントロールド・デリバリー・・・・・・・99

サ行

最終行為説・・・・・・・・・・・・238
最終弁論・・・・・・・・・・・・・276
再審・・・・・・・・・・・・・537, 538
再審開始の決定・・・・・・・・・・543
再審請求・・・・・・・・・・・542, 543
再審公判・・・・・・・・・・・・・545
再審理由・・・・・・・・・・・・・538
罪体説・・・・・・・・・・・・・・426

再逮捕・再勾留禁止の原則・・・・・140, 142
最低1回行為説・・・・・・・・・・238
裁定管轄・・・・・・・・・・・・・9
再伝聞・・・・・・・・・・・・・・466
採尿のための強制連行・・・・・・・167
裁判・・・・・・・・・・・・・・・34
裁判員裁判対象事件・・・・・・・・356
裁判員制度・・・・・・・・・・・・356
裁判員の権限・・・・・・・・・・・357
裁判員の参加する刑事裁判手続・・356, 361
裁判員の選任手続・・・・・・・・・361
裁判官面前調書・・・・・・・・・・445
裁判所に顕著な事実・・・・・・・・378
裁判の確定・・・・・・・・・・・・474
裁判の執行・・・・・・・・・・・・553
罪名・・・・・・・・・・・・・・・232
裁量の求釈明・・・・・・・・・・・275
裁量保釈・・・・・・・・・・・・・50
酒酔い鑑識カード・・・・・・・・・456
差押え・・・・・・・・・162, 171, 195
参考人の取調べ・・・・・・・・・・197
識別説・・・・・・・・・・・・・・237
事件送致・・・・・・・・・・・・・2
事件単位の原則・・・・・・・・・・136
時効期間・・・・・・・・・・・・・222
事後審・・・・・・・・・・・513, 523
自己負罪拒否特権・・・・・・・・・120
自己矛盾供述・・・・・・・・・449, 472
事実記載説・・・・・・・・・・316, 317
事実誤認・・・・・・・・・・・・・518
事実上の推定・・・・・・・・・・・371
自首・・・・・・・・・・・・・・・207
私人による違法収集証拠・・・・・・406
事前準備・・・・・・・・・・・・・263
自然的関連性・・・・・・・・・380, 381
私選弁護・・・・・・・・・・・・・19
実況見分・・・・・・・・・・163, 195
実況見分調書・・・・・・・・・・・454
実質証拠・・・・・・・・・・・・・367
実質説・・・・・・・・・・・・・・426
実質的確定力・・・・・・・・・・・474
実質的挙証責任・・・・・・・・・・369
実質的逮捕・・・・・・・・・・・・109
実体裁判・・・・・・・・・・・・・36

実体的真実主義・・・・・・・・・・・・・・・・・・ 4
自動車検問・・・・・・・・・・・・・・・・・・・・90
自白・・・・・・・・・・・・・・・・・・・・・・ 412
自白法則・・・・・・・・・・・・・・・・・・・・ 412
自判・・・・・・・・・・・・・・・・・・ 522, 529
ＧＰＳ捜査・・・・・・・・・・・・・・・・・・・ 104
事物管轄・・・・・・・・・・・・・・・・・・・・・ 9
司法警察員・・・・・・・・・・・・・・・ 92, 161
司法警察活動・・・・・・・・・・・・・・・・・・84
司法警察職員・・・・・・・・・・・・・・ 92, 161
司法検視・・・・・・・・・・・・・・・・・・・ 200
司法巡査・・・・・・・・・・・・・・・・ 92, 161
司法の廉潔性（無瑕性）・・・・・・・・・・・ 395
写実的証拠・・・・・・・・・・・・・・・・・・ 381
写真・・・・・・・・・・・・・・・・・・・・・ 381
写真・ビデオの撮影・・・・・・・・・・・・・ 100
遮へい措置・・・・・・・・・・・・・・・・・・ 364
臭気選別・・・・・・・・・・・・・・・・・・・ 388
終局裁判・・・・・・・・・・・・・・・・・・・・35
自由心証主義・・・・・・・・・・・・・・・・・ 406
集中審理主義・・・・・・・・・・・・・・・・・ 252
自由な証明・・・・・・・・・・・・・・・・・・ 373
主観的挙証責任・・・・・・・・・・・・・・・・ 370
主観的不可分の原則・・・・・・・・・・・・・ 206
縮小認定・・・・・・・・・・・・・・・・ 320, 334
主尋問・・・・・・・・・・・・・・・・・ 310, 311
主要事実・・・・・・・・・・・・・・・・・・・ 367
準起訴手続・・・・・・・・・・・・・・・・・・ 248
準現行犯逮捕・・・・・・・・・・・・・・・・・ 159
準抗告・・・・・・・・・・・・・・・・・ 534, 536
召喚・・・・・・・・・・・・・・・・・・・ 40, 42
情況証拠・・・・・・・・・・・・・・・・ 367, 439
証言拒絶権・・・・・・・・・・・・・・・・・・67
証言拒否権と黙秘権・・・・・・・・・・・・・ 120
証拠・・・・・・・・・・・・・・・・・・・・・ 366
証拠開示・・・・・・・・・・・・・・・・・・・ 296
証拠禁止・・・・・・・・・・・・・・・・ 379, 394
上告・・・・・・・・・・・・・・・・・・・・・ 526
上告審の裁判・・・・・・・・・・・・・・・・・ 527
上告理由・・・・・・・・・・・・・・・・・・・ 527
証拠決定・・・・・・・・・・・・・・・・・・・ 288
証拠裁判主義・・・・・・・・・・・・・・・・・ 372
証拠書類・・・・・・・・・・・・・・・・・・・ 368
証拠調べ請求義務・・・・・・・・・・・ 303, 497

証拠調べ手続・・・・・・・・・・・・・・・・・ 285
証拠調べの請求・・・・・・・・・・・・ 284, 286
証拠資料・・・・・・・・・・・・・・・・・・・ 366
証拠能力・・・・・・・・・・・・・・・・・・・ 368
証拠の新規性・・・・・・・・・・・・・・・・・ 538
証拠の明白性・・・・・・・・・・・・・・・・・ 539
証拠物・・・・・・・・・・・・・・・・・・・・ 368
証拠方法・・・・・・・・・・・・・・・・・・・ 366
証拠保全・・・・・・・・・・・・・・・・・・・78
情状・・・・・・・・・・・・・・・・・・・・・ 377
上訴・・・・・・・・・・・・・・・・・・・・・ 508
上訴期間・・・・・・・・・・・・・・・・・・・ 510
上訴権者・・・・・・・・・・・・・・・・・・・ 510
上訴の利益・・・・・・・・・・・・・・・・・・ 510
証人・・・・・・・・・・・・・・・・・・・・・ 308
証人尋問・・・・・・・・・・・・・ 66, 199, 308
証人適格・・・・・・・・・・・・・・・・・・・ 309
抄本・・・・・・・・・・・・・・・・・・・・・ 385
証明・・・・・・・・・・・・・・・・・・・・・ 369
証明予定事実・・・・・・・・・・・・・・ 341, 347
証明力・・・・・・・・・・・・・・・・・・・・ 368
証明力の評価・・・・・・・・・・・・・・・・・ 406
証明力を争う証拠・・・・・・・・・・・・・・ 471
職務質問・・・・・・・・・・・・・・・・・・・84
所持品検査・・・・・・・・・・・・・・・・・・87
職権主義・・・・・・・・・・・・・・・・・・・・ 5
職権証拠調べ・・・・・・・・・・・・・・・・・ 284
職権保釈・・・・・・・・・・・・・・・・・・・48
書証・・・・・・・・・・・・・・・・・・・・・ 368
除斥・・・・・・・・・・・・・・・・・・・・・14
白鳥決定・・・・・・・・・・・・・・・・・・・ 539
審級管轄・・・・・・・・・・・・・・・・・・・・ 9
人権擁護説・・・・・・・・・・・・・・・・・・ 413
心証・・・・・・・・・・・・・・・・・・ 369, 373
人証・・・・・・・・・・・・・・・・・・・・・ 368
迅速な裁判・・・・・・・・・・・・・・・・・・・ 6
身体検査・・・・・・・・・・・・・・・・・・・ 163
身体検査令状・・・・・・・・・・・・・・・・・ 163
人定質問・・・・・・・・・・・・・・・・・・・ 275
人的証拠・・・・・・・・・・・・・・・・・・・ 367
審理不尽・・・・・・・・・・・・・・・・・・・ 517
推定・・・・・・・・・・・・・・・・・・・・・ 371
正式裁判・・・・・・・・・・・・・・・・・・・ 552
精神状態の供述・・・・・・・・・・・・・・・・ 439

声紋鑑定・・・・・・・・・・・・・・・・・・387
責問権の放棄・・・・・・・・・・・・・・255
接見交通権・・・・・・・・・・・・26, 150, 154
接見交通の指定・・・・・・・・・・・・・・28
絶対説・・・・・・・・・・・・・・・・・・428
絶対的控訴理由・・・・・・・・・・・・・517
絶対的特信情況・・・・・・・・・・451, 452
「善意の例外」の法理 ・・・・・・・・・399
前科・・・・・・・・・・・・・・・・242, 390
宣誓・・・・・・・・・・・・・・・・・・・68
訴因・・・・・・・・・・・・・・・・232, 317
訴因と公訴時効・・・・・・・・・・・・・228
訴因と公訴事実・・・・・・・・・・・・・315
訴因と訴訟条件・・・・・・・・・・・・・333
訴因の特定・・・・・・・・・・・・・・・236
訴因の予備的記載・択一的記載・・・・・240
訴因変更・・・・・・・・・・・・・・・・317
訴因変更の可否・・・・・・・・・・・・・323
訴因変更の許否・・・・・・・・・・・・・327
訴因変更の要否・・・・・・・・・・・・・317
訴因変更命令・・・・・・・・・・・・・・329
増強証拠・・・・・・・・・・・・・・・・473
捜査・・・・・・・・・・・・・・・・・・・82
捜索・・・・・・・・・・・・・・・・・・162
捜索差押許可状・・・・・・・・・・・・・162
捜索・差押え時の写真撮影・・・・・・・180
捜索・差押えの対象の特定性・・・・・・172
捜査の端緒・・・・・・・・・・・・・・・83
捜査比例の原則・・・・・・・・・・・・・83
相対説（補強証拠に関する）・・・・・・428
相対的控訴理由・・・・・・・・・・・・・517
相対的特信情況・・・・・・・・・・446, 452
送達・・・・・・・・・・・・・・・・・・・39
争点の変更・・・・・・・・・・・・・・・321
相当説（令状によらない捜索差押）・・181
即時抗告・・・・・・・・・・・・・・・・531
続審・・・・・・・・・・・・・・・513, 523
訴訟行為・・・・・・・・・・・・・・・・252
訴訟指揮・・・・・・・・・・・・・・・・279
訴訟指揮権・・・・・・・・・・・・・・・279
訴訟条件・・・・・・・・・・・・・・・・209
訴訟条件の追完・・・・・・・・・・・・・210
訴訟能力・・・・・・・・・・・・・15, 253
訴訟費用・・・・・・・・・・・・・・・・79

即決裁判手続・・・・・・・・・・・・・・502
疎明・・・・・・・・・・・・・・・・・・369
損害賠償命令・・・・・・・・・・・・・・202

タ行

退去強制・・・・・・・・・・・・・・・・448
代行検視・・・・・・・・・・・・・・・・200
逮捕前置主義・・・・・・・・・・・・・・137
逮捕中求令状・・・・・・・・・・・・・・266
逮捕の現場・・・・・・・・・・・・・・・182
逮捕の必要性・・・・・・・・・・・126, 157
逮捕の理由・・・・・・・・・・・・・・・125
代用監獄・・・・・・・・・・・・・・・・136
代用刑事施設・・・・・・・・・・・・・・136
高田事件・・・・・・・・・・・・・・・6, 7
択一的認定・・・・・・・・・・・・・・・481
弾劾主義・・・・・・・・・・・・・・5, 252
弾劾証拠・・・・・・・・・・・・・・・・472
重畳説・・・・・・・・・・・・・・・・・395
直接主義・・・・・・・・・・・・・・・・251
直接証拠・・・・・・・・・・・・・・・・367
追完・・・・・・・・・・・・・・・・・・255
追起訴・・・・・・・・・・・・・・・・・317
通常抗告・・・・・・・・・・・・・・・・531
通常逮捕・・・・・・・・・・・・・125, 160
通信傍受・・・・・・・・・・・・・・・・196
通訳・・・・・・・・・・・・・・・・・・・77
罪となるべき事実・・・・・・・・236, 485
提出命令・・・・・・・・・・・・・57, 195
DNA 型鑑定・・・・・・・・・・・・・・389
適正手続・・・・・・・・・・・・・・・・5
展示・・・・・・・・・・・・・・・・・・368
電磁的記録媒体の差押え・・・・・・・・178
電磁的記録物・・・・・・・・・・・・60, 179
伝聞供述・・・・・・・・・・・・・・・・466
伝聞証言・・・・・・・・・・・・・・・・437
伝聞証拠・・・・・・・・・・・・・・・・437
伝聞と非伝聞の区別・・・・・・・・・・437
伝聞法則・・・・・・・・・・・・・・・・436
伝聞法則の例外・・・・・・・・・・・・・442
同意書面・・・・・・・・・・・・・・・・468
同意の時期・方式・・・・・・・・・・・469
同意録音・・・・・・・・・・・・・・・・103
当事者主義・・・・・・・・・・・・・5, 252

当事者対等主義・・・・・・・・・・・・・・・・・ 252
当事者録音・・・・・・・・・・・・・・・・・・・・ 103
謄本・・・・・・・・・・・・・・・・・・・・・・・・・ 385
毒樹の果実論・・・・・・・・・・・・・・・・・・ 397
特信情況の判断方法・・・・・・・・・・・ 449
特信文書・・・・・・・・・・・・・・・・・・・・・ 465
特別抗告・・・・・・・・・・・・・・・・・・・・・ 535
特別司法警察職員・・・・・・・・・・・・・・92
独立源の法理・・・・・・・・・・・・・・・・・ 399
独立代理権・・・・・・・・・・・・・・・・・・・・34
土地管轄・・・・・・・・・・・・・・・・・・・・・・ 9
取調受忍義務・・・・・・・・・・・・・・・・・ 112
取調べの録音・録画義務・・・・・・・・・・ 302

ナ行

二元説・・・・・・・・・・・・・・・・・・・・・・ 415
二重起訴の禁止・・・・・・・・・・・・・・・ 233
二重逮捕・二重勾留・・・・・・・・・・・・ 137
任意処分・・・・・・・・・・・・・・・・・・・・・94
任意性・・・・・・・・・・・・・・・ 413, 465
任意性一元説・・・・・・・・・・・・・・・・・ 415
任意性説・・・・・・・・・・・・・・・・・・・・・ 414
任意性の挙証責任・・・・・・・・・・ 370, 421
任意性の調査・・・・・・・・・・・・・・・・・ 467
任意捜査・・・・・・・・・・・・・・・・・・・・・94
任意捜査の限界・・・・・・・・・・・・・・・・95
任意捜査の原則・・・・・・・・・・・・・・・・82
任意的保釈・・・・・・・・・・・・・・・・・・・・50
任意同行・・・・・・・・・・・・・・・・・・・・ 108
任意取調べ・・・・・・・・・・・・・・・・・・ 108

八行

破棄差戻し・・・・・・・・・・・・・・ 522, 529
破棄自判・・・・・・・・・・・・・・・・・・・・ 523
破棄判決の拘束力・・・・・・・・・・・・・ 508
派生証拠・・・・・・・・・・・・・・・・・・・・ 396
罰条の記載の要否・・・・・・・・・・・・・ 172
罰条の変更・・・・・・・・・・・・・・・ 321, 331
犯意誘発型・・・・・・・・・・・・・・・・・・・96
判決・・・・・・・・・・・・・・・・・・・・・・・・35
判決の宣告・・・・・・・・・・・ 270, 276, 489
犯行計画メモ・・・・・・・・・・・・・・・・・ 440
犯行再現写真・・・・・・・・・・・・・・・・・ 382
犯行再現状況・・・・・・・・・・・・・・・・・ 383

犯行再現ビデオ・・・・・・・・・・・・・・・ 385
犯罪被害者の刑事手続上の地位・・・・・ 201
反証・・・・・・・・・・・・・・・・・・・・・・・・ 367
反対尋問・・・・・・・・・・・・・・・・・・・・ 310
反対尋問権放棄説・・・・・・・・・・・・・ 469
反復自白・・・・・・・・・・・・・・・・・・・・ 424
判例違反・・・・・・・・・・・・・・・・・・・・ 527
被害者参加・・・・・・・・・・・・・・・・・・ 362
被害者参加制度・・・・・・・・・・・・・・・ 365
被害者等の意見の陳述・・・・・・・・・・ 278
被害者特定事項・・・・・・・・・・・・・・・ 272
被疑者国選弁護人・・・・・・・・・・・・・・20
被疑者取調べ・・・・・・・・・・・・ 112, 113
非供述証拠・・・・・・・・・・・・・・・・・・ 367
被告人勾留・・・・・・・・・・・・・・・・・・ 153
被告人質問・・・・・・・・・・・・・・・・・・ 314
被告人の出頭・・・・・・・・・・・・・ 42, 271
被告人の特定・・・・・・・・・・・・・・・・・ 233
被告人の取調べ・・・・・・・・・・・・・・・ 117
微罪処分・・・・・・・・・・・・・・・・・・・・ 208
非終局裁判・・・・・・・・・・・・・・・・・・・35
非常上告・・・・・・・・・・・・・・・ 545, 546
筆跡鑑定・・・・・・・・・・・・・・・・・・・・ 387
必要的弁護事件・・・・・・・・ 22, 263, 271
必要的保釈・・・・・・・・・・・・・・・ 48, 50
必要な処分・・・・・・・・・・・・・・・・・・ 174
ビデオリンク方式・・・・・・・・・・ 71, 458
非伝聞・・・・・・・・・・・・・・・・・・・・・・ 437
人単位説・・・・・・・・・・・・・・・・・・・・ 136
秘密録音・・・・・・・・・・・・・・・ 103, 195
評議・・・・・・・・・・・・・・・・・・・・・・・・ 359
費用の補償・・・・・・・・・・・・・・・・・・・80
不可避的発見の法理・・・・・・・・・・・・ 399
不告不理の原則・・・・・・・・・・・・・・・ 214
付審判請求手続・・・・・・・・・・・・・・・ 248
物証・・・・・・・・・・・・・・・・・・・・・・・・ 368
物的証拠・・・・・・・・・・・・・・・・・・・・ 367
不任意自白・・・・・・・・・・・・・・ 412, 417
不任意自白に由来する派生証拠・・・・・ 422
部分判決・・・・・・・・・・・・・・・・・・・・ 358
不利益変更の禁止・・・・・・・・・・・・・ 524
併用説・・・・・・・・・・・・・・・・・・・・・・ 413
別件基準説・・・・・・・・・・・・・・・・・・ 145
別件捜索・差押え・・・・・・・・・・・・・ 186

別件逮捕・勾留‥‥‥‥‥‥‥‥‥ 114, 144
弁護人‥‥‥‥‥‥‥‥‥‥‥‥‥‥ 16
弁護人依頼権‥‥‥‥‥‥‥‥‥ 18, 26
弁護人選任権‥‥‥‥‥‥‥‥ 18, 148
弁護人選任届‥‥‥‥‥‥‥‥ 19, 121
弁護人の出頭‥‥‥‥‥‥‥‥‥ 271
弁論主義‥‥‥‥‥‥‥‥‥‥‥ 251
弁論の分離・併合・再開‥‥‥‥ 336
防御権説‥‥‥‥‥‥‥‥‥‥‥ 237
法定管轄‥‥‥‥‥‥‥‥‥‥‥ 9
法廷警察権‥‥‥‥‥‥‥‥ 270, 281
冒頭陳述‥‥‥‥‥‥‥‥‥‥‥ 283
冒頭手続‥‥‥‥‥‥‥‥‥ 274, 275
法律上の推定‥‥‥‥‥‥‥‥‥ 371
法律的関連性‥‥‥‥‥‥‥ 380, 389
補強証拠‥‥‥‥‥‥‥‥‥‥‥ 425
補強証拠適格‥‥‥‥‥‥‥‥‥ 428
補強の程度‥‥‥‥‥‥‥‥‥‥ 428
補強の範囲‥‥‥‥‥‥‥‥‥‥ 426
補強法則‥‥‥‥‥‥‥‥‥‥‥ 425
補佐人‥‥‥‥‥‥‥‥‥‥‥‥ 34
保釈‥‥‥‥‥‥‥‥‥‥‥‥‥ 49
保証金‥‥‥‥‥‥‥‥‥‥‥‥ 49
補助事実‥‥‥‥‥‥‥‥‥ 367, 375
補助証拠‥‥‥‥‥‥‥‥‥ 366, 367
補正‥‥‥‥‥‥‥‥‥‥‥‥‥ 255
ポリグラフ検査‥‥‥‥ 122, 388, 421
本件基準説‥‥‥‥‥‥‥‥‥‥ 145
本証‥‥‥‥‥‥‥‥‥‥‥ 366, 367
翻訳‥‥‥‥‥‥‥‥‥‥‥‥‥ 77

マ行

巻込みの危険‥‥‥‥‥‥‥‥‥ 495
麻酔分析‥‥‥‥‥‥‥‥‥‥‥ 422
密接関連性‥‥‥‥‥‥‥‥‥‥ 398
無罪の推定‥‥‥‥‥‥‥‥‥‥ 369
無罪判決‥‥‥‥‥‥‥‥‥‥‥ 486
無罪判決後の勾留‥‥‥‥‥‥‥ 43
命令‥‥‥‥‥‥‥‥‥‥‥‥‥ 35
面会接見‥‥‥‥‥‥‥‥‥‥‥ 31
免責決定‥‥‥‥‥‥‥‥‥‥‥ 70
免訴判決‥‥‥‥‥‥‥‥‥‥‥ 486
毛髪鑑定‥‥‥‥‥‥‥‥‥‥‥ 387
黙秘権‥‥‥‥‥‥‥‥‥‥‥‥ 120

ヤ行

約束による自白‥‥‥‥‥‥‥‥ 417
有罪判決‥‥‥‥‥‥‥‥‥‥‥ 481
誘導尋問‥‥‥‥‥‥‥‥‥‥‥ 311
要証事実‥‥‥‥‥‥‥‥‥‥‥ 438
余罪取調べ‥‥‥‥‥‥‥‥ 114, 118
余罪と量刑‥‥‥‥‥‥‥‥‥‥ 392
予断排除の原則‥‥‥‥‥‥‥‥ 241
予備的訴因‥‥‥‥‥‥‥‥‥‥ 240
予備的認定‥‥‥‥‥‥‥‥‥‥ 482

ラ行

利益原則‥‥‥‥‥‥‥‥‥‥‥ 369
立証趣旨‥‥‥‥‥‥‥‥‥ 287, 438
略式手続‥‥‥‥‥‥‥‥‥ 506, 549
量刑‥‥‥‥‥‥‥‥‥‥‥‥‥ 484
量刑不当‥‥‥‥‥‥‥‥‥‥‥ 518
領置‥‥‥‥‥‥‥‥‥‥‥ 189, 195
類型証拠の開示‥‥‥‥‥‥‥‥ 348
令状主義‥‥‥‥‥‥‥‥‥‥‥ 82
令状主義潜脱説‥‥‥‥‥‥‥‥ 115
令状によらない捜索・差押え‥‥ 181
令状による捜索・差押え‥‥‥‥ 171
録音テープ・ビデオテープ‥‥‥ 384
論告‥‥‥‥‥‥‥‥‥‥‥‥‥ 276

司法試験&予備試験対策シリーズ

2025年版 司法試験&予備試験 完全整理択一六法 刑事訴訟法

2009年 9 月15日　第 1 版　第 1 刷発行
2024年12月 5 日　第16版　第 1 刷発行

　　　　　編著者●株式会社　東京リーガルマインド
　　　　　　　　　LEC総合研究所　司法試験部

　　　　　発行所●株式会社　東京リーガルマインド
　　　　　　　　　〒164-0001　東京都中野区中野4-11-10
　　　　　　　　　アーバンネット中野ビル
　　　　　　　　　LECコールセンター　　0570-064-464
　　　　　　　　　受付時間　平日9：30～19：30/土・日・祝10：00～18：00
　　　　　　　　　※このナビダイヤルは通話料お客様ご負担となります。
　　　　　　　　　書店様専用受注センター　　TEL 048-999-7581 / FAX 048-999-7591
　　　　　　　　　受付時間　平日9：00～17：00/土・日・祝休み
　　　　　　　　　www.lec-jp.com/

　　　　　カバーデザイン●桂川 潤
　　　　　本文デザイン●グレート・ローク・アソシエイツ
　　　　　印刷・製本●株式会社 シナノパブリッシングプレス

C-Book 【改訂新版】

法律独習用テキスト『C-Book』なら初めて法律を学ぶ方でも、
司法試験&予備試験はもちろん、主要な国家試験で出題される
必要・十分な法律の知識が身につきます。法学部生の試験対策にも有効です。

C-Book 5つの特長

1 「学習の指針」でその節の構成を示しているので、ポイントを押さえた効率的な学習が可能！

2 「問題の所在」と「考え方のすじ道」で論理的思考プロセスを修得。さらに「アドヴァンス」で論点をより深く理解することができます。

3 重要な「判例」と、試験上有益な情報を記載した「OnePoint」で、合格に必要十分な知識を習得できます。

6-5 詐欺

一 意義
二 要件
三 第三者の詐欺（96Ⅱ）
四 効果
五 「善意でかつ過失がない第三者」

学習の指針

詐欺とは、欺罔行為によって人を錯誤に陥れ、それによって意思表示させることをいい、詐欺による意思表示は取り消すことができます（96Ⅰ）。詐欺の結果なされた意思表示は、表示に対応する意思はあるけれども、その意思が、他人の詐欺という不当な行為によって形成されています。そこで、民法は、詐欺による意思表示をした者（表意者）に、その意思表示を取り消す権利を与え、その保護を図ることとしています。その結果、詐欺による意思表示は取り消されるまでは一応有効で、取り消されて初めて無効となります。

この詐欺による意思表示に関しては、第三者による詐欺（96Ⅱ）と、「善意でかつ過失がない第三者」（96Ⅲ）について特別の規定があります。それぞれ、絶対と相対を正確に理解しましょう。

ここでは、特に、96条3項の「善意でかつ過失がない第三者」の意義をしっかりと理解する必要があります。まずは、判例の立場を理解するのがポイントです。なお、詐欺取消前の第三者については96条3項で処理し、詐欺取消後の第三者については対抗問題で処理することになります。

一 意義

詐欺とは、欺罔行為によって人を錯誤に陥れ、それによって意思表示させることをいう。

たとえば、Aが、実際は将来性のない原野を、「近々リゾート開発の対象となることが決まっており、またたく間に値段が上がる」と言って、時価より高い値段で売却した場合などである。

表意者が詐欺を受けてした意思表示は、表示と内心の効果意思との不一致ではないので、これを無効とするには及ばない（上記の事例のように、Bにはこの土地を買う、という効果意思は存在しており、表示との不一致はない。

司法試験&予備試験対策テキストの決定版

4

「短答式試験の過去問を解いてみよう」
では実際に出題された**本試験問題を掲載**。
該当箇所とリンクしているので、効率良く学んだ
知識を確認できます。

5

巻末には「**論点一覧表**」が付
いているので、知識の確認、
総復習に役立ちます。

C-Bookラインナップ

1 憲法Ⅰ〈総論・人権〉	本体3,600円+税
2 憲法Ⅱ〈統治〉	本体3,200円+税
3 民法Ⅰ〈総則〉	本体3,200円+税
4 民法Ⅱ〈物権〉	本体3,500円+税
5 民法Ⅲ〈債権総論〉	本体3,200円+税
6 民法Ⅳ〈債権各論〉	本体3,800円+税
7 民法Ⅴ〈親族・相続〉	本体3,500円+税
8 刑法Ⅰ〈総論〉	本体3,800円+税
9 刑法Ⅱ〈各論〉	本体3,800円+税
10 会社法[2025年5月発刊予定]	

今後の発刊予定は
こちらでご覧になれます(随時更新)
https://www.lec-jp.com/shihou/book/

※上記の内容は事前の告知なしに変更する場合があります。

LEC司法試験・予備試験

書籍のご紹介

INPUT

司法試験＆予備試験対策シリーズ
司法試験＆予備試験
完全整理択一六法

徹底した判例と条文の整理・理解に！
逐条型テキストの究極形『完択』シリーズ。

定価	
憲法	本体2,700円+税
民法	本体3,500円+税
刑法	本体2,700円+税
商法	本体3,500円+税
民事訴訟法	本体2,700円+税
刑事訴訟法	本体2,700円+税
行政法	本体2,700円+税

※定価は2025年版です。

司法試験＆予備試験対策シリーズ
C-Book【改訂新版】

短答式・論文式試験に必要な知識を整理！
初学者にもわかりやすい法律独習用テキストの決定版。

	定価
憲法Ⅰ〈総論・人権〉	本体3,600円+税
憲法Ⅱ〈統治〉	本体3,200円+税
民法Ⅰ〈総則〉	本体3,200円+税
民法Ⅱ〈物権〉	本体3,500円+税
民法Ⅲ〈債権総論〉	本体3,200円+税
民法Ⅳ〈債権各論〉	本体3,800円+税
民法Ⅴ〈親族・相続〉	本体3,500円+税
刑法Ⅰ〈総論〉	本体3,800円+税
刑法Ⅱ〈各論〉	本体3,800円+税
会社法 [2025年5月発刊予定]	

ラインナップと今後の発刊予定は
こちらでご覧になれます。（随時更新）
https://www.lec-jp.com/
shihou/book/

※画像はイメージです。※上記の内容は事前の告知なしに変更する場合があります。

司法試験＆予備試験 単年度版
短答過去問題集
（法律基本科目）

短答式試験（法律基本科目のみ）
の問題と解説集。

	定価
令和元年	本体2,600円+税
令和2年	本体2,600円+税
令和3年	本体2,600円+税
令和4年	本体3,000円+税
令和5年	本体3,000円+税
令和6年	本体3,000円+税

司法試験＆予備試験
体系別短答過去問題集【第3版】

平成18年から令和5年までの
司法試験および平成23年から
令和5年までの予備試験の短
答式試験を体系別に収録。

	定価
憲法	本体3,800円+税
民法(上)総則・物権	本体3,600円+税
民法(下)債権・親族・相続	本体4,300円+税
刑法	本体4,300円+税

司法試験＆予備試験 論文過去問
再現答案から出題趣旨を読み解く。
※単年度版

出題趣旨を制することで論文式
試験を制する！
各年度再現答案を収録。

	定価
令和元年	本体3,500円+税
令和2年	本体3,500円+税
令和3年	本体3,500円+税
令和4年	本体3,500円+税
令和5年	本体3,700円+税

司法試験＆予備試験 論文5年過去問
再現答案から出題趣旨を読み解く。
※平成27年～令和元年

5年分の論文式
試験再現答案
を収録。

	定価		定価
憲法	本体2,900円+税	刑事訴訟法	本体2,900円+税
民法	本体3,500円+税	行政法	本体2,900円+税
刑法	本体2,900円+税	法律実務基礎科目・	本体2,900円+税
商法	本体2,900円+税	一般教養科目(予備試験)	
民事訴訟法	本体2,900円+税		

【速修】矢島の速修インプット講座　　⊖ Inpu

講座概要

本講座（略称：矢島の【速修】）は、既に学習経験がある受験生や、ほとんど学習経験がな ても短期間で試験対策をしたいという受験生が、**合格するために修得が必須となる事項を** 率よくインプット学習するための講座です。**合格に必要な重要論点や判例の分かりやすい** 説により科目全体の**本質的な理解を深める講義**と、覚えるべき規範が過不足なく記載され 然と法的三段論法を身に付けながら知識を修得できるテキストが両輪となって、**本試験に** 応できる実力を養成できます。忙しい毎日の通勤通学などの隙間時間で講義を聴いたり、復 の際にテキストだけ繰り返し読んだり、自分のペースで無理なく合格に必要な全ての重要 識を身に付けられるようになっています。また、本講座は直近の試験の質に沿った学習がで るよう、**テキストや講義の内容を毎年改訂**しているので、本講座を受講することで直近の試 **考査委員が受験生に求めている知識の質と広さ**を理解することができ、試験対策上、誤った 向に行くことなく、**常に正しい方向に進んで確実に合格する**力を修得することができます。

講座の特長

1 重要事項の本質を短期間で理解するメリハリある講義

最大の特長は、**分かりやすい講義**です。全身全霊を受験指導に傾け、寝ても覚めても法律 ことを考えている矢島講師の講義は、思わず惹き込まれるほど面白く分かりやすいので、忙 い方でも途中で挫折することなく受講できると好評を博しています。講義中は、日頃から過 問研究をしっかりとしている矢島講師が、**試験で出題されやすい事項を、試験で出題される** **を踏まえて解説**するため、講義を聴いているだけで確実に合格に近づくことができます。

2 司法試験の合格レベルに導く質の高いテキスト

使用する**テキスト**は、全て矢島講師が責任をもって作成しており、合格に必要な重要知識 体系ごとに整理されています。**受験生に定評のある基本書、判例百選、重要判例集、論証集の** 容が**コンパクト**にまとめられており、試験で出題されそうな事項を「矢島の体系整理テキスト だけで学べます。矢島講師が**過去問をしっかりと分析した上で、合格に必要な知識をイン** トできるようにテキストを作成しているので、**試験に不必要な情報は一切なく、合格に直結** **る知識を短時間で効率よく吸収できる**テキストとなっています。すべての知識に重要度の ク付けをしているため一目で覚えるべき知識が分かり、受験生が講義を復習しやすい工夫 れています。また、テキストの改訂を毎年行い、**法改正や最新判例に完全に対応しています**

講義時間数

216時間

憲法	32時間	民訴法	24時間
民法	48時間	刑訴法	24時間
刑法	40時間	行政法	24時間
会社法	24時間		

通信教材発送/Web・音声DL配信開始日

2024/9/2（月）以降、順次

Web・音声DL配信終了日

2025/9/30（火）

使用教材

矢島の体系整理テキスト2025

※レジュメのPDFデータをWebup致しませんのでご注意ください。

タイムテーブル

講義 4時間	途中10分休憩あり

担当講師

矢島 純一
LEC専任講師

おためしWeb受講制度

おためしWEB受講制度をお申込みいただ くと、講義の一部を無料でご受講いただ けます。

詳細はこちら→

受講料

受講形態	科目	回数	講義形態	一般価格	大学生協・書籍部価格	代理店書店価格	講座コード
					税込（10%）		
通学 通信	一括	54	Web※1	112,200円	106,590円	109,956円	通学：LA24587 通信：LB24597
			DVD	145,750円	138,462円	142,835円	
	憲法	8	Web※1	19,250円	18,287円	18,865円	
			DVD	25,300円	24,035円	24,794円	
	民法	12	Web※1	30,800円	29,260円	30,184円	
			DVD	40,150円	38,142円	39,347円	
	刑法	10	Web※1	26,950円	25,602円	26,411円	
			DVD	35,200円	33,440円	34,496円	
	会社法/民訴法/ 刑訴法/行政法※2	各6	Web※1	15,400円	14,630円	15,092円	
			DVD	19,800円	18,810円	19,404円	

※1音声DL＋スマホ視聴付き ※2いずれか1科目あたりの受講料となります

■一般価格は、LEC各本校・LEC提携校・LEC通信事業本部・LECオンライン本校にてお申込みされる場合の受付価格です。 ■大学生協・書籍部価格とは、LECと代理店契約を結んでいる大学内の生協、購買会、書店にてお 申込される場合の受付価格です。 ■代理店書店価格とは、LECと代理店契約を結んでいる一般書店（大学内の書店は除く）にてお申込される場合の受付価格です。 ■上記大学生協・書籍部価格、代理店書店価格が利用される場 合は、必ず本冊子その他LEC指定窓口にてご持参ください。

【解析・返品について】 1.無対応定要書籍ご提出下さい。実施事項講義、手数料等を深算の上返金します。教材等の返送はお客様でご負担願います（LEC申込規定3条参照）。 2.詳細はLEC申込規定（http://www.lec-jp.com/kouzamoushikomi.html）をご覧下さい。

教材のお届けについて 通信教材発送日が複数回に分けて設定されている講座について、通信教材発送日を通すてお申込みいただいた場合、それまでの教材をまとめてお送りするのに10日程度のお時間を頂いております。また、そのお手元にお持ちいている間に、次回の教材発送日が到来した場合、その教材は通常発送日に送られるため、学習順序や、通信教材の到着順序が前後する場合がございます。予めご了承下さい。●詳細はこちらをご確認ください。→ https://online.lec-jp.com/statics/guide_send.html

【論完】矢島の論文完成講座 Input

講座概要

　本講座（略称：矢島の【論完】）は、論文試験に合格するための**事例分析能力、法的思考力、本番の試験で合格点を採る答案作成のコツ**を、短期間で修得するための講座です。講義で使用する教材は解答例を含め全て矢島講師が責任を持って作成しており、問題文中の事実に対してどのように**評価**をすれば試験考査委員に高評価を受けられるかなど、**合格するためには是非とも修得しておきたいことを分かりやすく講義**していきます。論文試験の答案の書き方が分からないという受験生はもちろん、答案の書き方はある程度修得しているのに本試験で良い評価を受けることができないという受験生が、確実に合格答案を作成する能力を修得できるように矢島講師が分かりやすい講義をします。なお、教材及び講義の内容は、**令和7年度試験の出題範囲**とされている**法改正や最新の判例に全て対応**しているので、情報収集の時間を省略して、全ての時間をこの講座の受講と復習にかけて効率よく受験対策をすることができます。

講座の特長

1 論文対策はこの講座だけで完璧にできる

　限られた時間で論文対策をするには検討すべき問題を次年度の試験の合格に必要なものに限定する必要があります。そこで、本講座は、次年度の論文試験の合格に必要な知識や法的思考能力を効率よく修得するのに必須の司法試験の過去問、近年の試験の形式に合わせた司法試験の改749やオリジナル問題、知識の隙間を埋めることができる予備試験の過去問を、試験対策上必要な数に絞り込んで取り扱っていきます。取り扱う問題を合格に真に必要な数に絞り込んでいるので、途中で挫折せずに合格に必要な論文作成能力を確実に修得できます。

2 矢島講師が責任をもって作成した解答例

　合格者の再現答案には不正確な部分があり、こうした解答例を元に学習をすると、悪いところを良いところだと勘違いして、誤った思考方法を身につけてしまうおそれがあります。本講座で使用する解答例は、出題趣旨や採点実感を踏まえて試験考査委員が要求する合格答案となるよう、矢島講師が責任をもって作成しています。矢島講師作成の解答例は法的な正確性が高く、解答例中の法的な規範のところは、そのまま論証例として使うことができ、あてはめのところは、規範に事実を当てはめる際の事実の評価の仕方を学ぶ解答例として用いることができるため、論文試験用の最強のインプット教材になることは間違いなしです。矢島講師の解答例なら繰り返し復習して正しい法的思考能力を修得することができるので、余計なことを考えずに安心して受験勉強に専念できます。なお、矢島講師作成の解答例は、前年度以前の過去問について以前作成したものであっても、**直近の試験で試験考査委員が受験生に求める能力を踏まえて毎年調整し直しています。**

受講料

受講形態	料目	回数	講義形態	一般価格	大学生協・書籍部価格	代理店書店価格	講座コード
				税込（10%）			
通学・通信	一括	30	Web※1	112,200円	106,590円	109,956円	通学：LA24514 通信：LB24504
			DVD	145,750円	138,462円	142,835円	
	民法/刑法※2	各5	Web※1	28,600円	27,170円	28,028円	
			DVD	36,850円	35,007円	36,113円	
	憲法/商法/民訴法 刑訴法/行政法※2	各4	Web※1	20,350円	19,332円	19,943円	
			DVD	26,400円	25,080円	25,872円	

矢島の短答対策シリーズ

 Inpu

講義時間数

18時間

民事訴訟法	6時間
刑事訴訟法	6時間
商法総則・商行為・手形法	6時間

通信教材発送／Web・音声DL配信開始日

2025/2/3(月)

Web・音声DL配信終了日

2025/7/31(木)

使用教材

○民事訴訟法/刑事訴訟法/
　商法総則・商行為・手形法
【受講料込】
矢島の基本知識プラステキスト2025
※レジュメPDFデータのwebupは致しません。

担当講師

矢島 純一
LEC専任講師

講座概要

本シリーズは、短答試験でのみ出題される分野のみを集中的に学習したいという受験生の□の講座をラインナップしたものです。特に短答試験に特有な事項が多い、民事訴訟法・刑事□法・商法総則・商行為・手形法を扱います。矢島の速修インプット講座で論文試験や短答□の重要基本知識の学習が終わって、いわゆる短答プロパーといわれる短答試験でのみ出題□る分野の学習を本格的にしたいという受験生にお薦めです。

※矢島の短答対策シリーズとして以前まで実施していた「憲法統治」、「家族法」、「会社法」、「行政法」につい□テキストの情報を整理して「矢島の速修インプット講座」のテキストに掲載しました。

講座の特長

1 民事訴訟法

　管轄、移送、送達、争点整理手続、上訴、再審などの民事訴訟法の短答プロパーの他に、民□全法や民事執行法の重要基本部分を修得できます。

2 刑事訴訟法

　告訴、保釈、公訴時効、公判前整理手続、証拠調べ手続、上訴、再審などの短答プロパー□り扱います。

3 商法総則・商行為・手形法

　商法総則・商行為・手形法を取り扱います。手形法については、論文の事例処理ができ□うにどの論点をどの順番で書けばよいのかについてもしっかりと講義していきます。

受講料

受講形態	科目		回数	講義形態	一般価格	大学生協・書籍部価格	代理店書店価格	講座□
					税込 (10%)			
通信	一括		3	Web※1	14,600円	13,870円	14,308円	LB24□
				DVD	19,400円	18,430円	19,012円	
	科目別	民事訴訟法・刑事訴訟法	各1	Web※1	5,500円	5,225円	5,390円	
				DVD	7,300円	6,935円	7,154円	
		商法総則則商行為	各1	Web※2	6,600円	6,270円	6,468円	
				DVD	8,800円	8,360円	8,624円	

※1 音声DL＋スマホ視聴付き
※2 いずれか1科目あたりの受講料となります

スピチェ]矢島のスピードチェック講座

講義時間数

72時間

憲法	8時間	民訴法	8時間
民法	16時間	刑訴法	8時間
刑法	16時間	行政法	8時間
会社法	8時間		

教材発送/Web・音声DL配信開始日

上3法：2025/4/28(月)
下4法：2025/5/12(月)

Web・音声DL配信終了日

2025/9/30(火)

使用教材

矢島の要点確認ノート2025

※レジュメのPDFデータをWebup致しませんのでご注意ください。

タイムテーブル

講義 4時間	途中10分休憩あり

担当講師

矢島純一
LEC専任講師

講座の特長

1 72時間で最重要知識が総復習できる

本講座で必修7科目の論文知識を72時間という短時間で総復習することができます。日ごろから試験考査委員が公表している出題趣旨や採点実感を分析している矢島講師が、直近の試験傾向を踏まえて本番の試験で受けがよい見解や思考方法を講義しますので、「試験直前期に最終確認しておくべき最重要知識」の総まとめには最適なものとなっています。講義時間は矢島の速修インプット講座の2分の1未満で、試験前日まで繰り返し講義を聴くことで最重要知識が修得できるため、試験が近づいてきたのに論文知識に自信がない受験生受験生にもお勧めです。

2 情報量を絞り込み、繰り返し復習することで知識を確実に

講義時間が短いことから、隙間時間を利用して各科目の全体を試験直前期まで続けて復習することができます。全て覚えるまで復習を繰り返せば、本番で重要論点を落とすミスを回避できます。矢島の速修インプット講座を受講されている方でも本講座を受講することにより短時間で論文試験の合格に必要な最重要知識を総復習して確実に合格できる力を身に付けることができます。

3 論証集としても使えるテキスト

本講座のテキストは論文知識の中でも**本試験で絶対に落とせない重要度の高い論点**の要件、効果及び判例ベースの規範と論証例が掲載されています。市販の論証集は読んでも意味が分からないものが多々あるといわれていますが矢島講師作成の本テキストは初学者から上級者まで誰が読んでも分かりやすい論証が掲載されている上に、講義の際に論証の使い方のポイントを説明します。市販の論証集を購入して独学しても身に付けられない論証力を短時間で修得できることをお約束します。

通学スケジュール				

※通学講義は教室で教材を配布します（発送はございません）

科目	回数	日程		
憲法	1	25/3/29	13:00～17:00	
	2		18:00～22:00	
民法	1	4/1(火)	13:00～17:00	
	2		18:00～22:00	
	3	4/3(木)	13:00～17:00	
	4		18:00～22:00	
刑法	1	4/5(土)	13:00～17:00	
	2		18:00～22:00	
	3	4/8(火)	13:00～17:00	
	4		18:00～22:00	
会社法	1	4/10(木)	13:00～17:00	
	2		18:00～22:00	
民訴法	1	4/12(土)	13:00～17:00	
	2		18:00～22:00	
刑訴法	1	4/15(火)	13:00～17:00	
	2		18:00～22:00	
行政法	1	4/17(木)	13:00～17:00	
	2		18:00～22:00	

※休憩時間含む

生講義実施校

水道橋本校　☎03-3265-5001

〒101-0061
千代田区神田三崎町2-2-15
Daiwa三崎町ビル(受付1階)

JR水道橋駅東口より徒歩3分。都営三田線水道橋駅A1出口より徒歩5分。都営新宿線・東京メトロ半蔵門線神保町駅A4出口から徒歩9分。

営業時間
平日11:00～21:00 土・日・祝9:00～19:00

閉館日
月9:00～22:00 土・日・祝9:00～20:00

[通学生限定・欠席WEBフォロー]
講義の翌々日～通常のWEB配信開始日まで、WEB上で講義をご覧いただけます。

講義の復習にご利用ください。
欠席WEBフォロー配信日終了後は、通常のWEB配信またはDVDにて学習してください。

受講料

受講形態	科目	回数	講義形態	一般価格	大学生協・書籍部価格	代理店書店価格	講座コード
					税込(10%)		
通学	一括	18	Web※1	56,100円	53,295円	54,978円	LA24992
			DVD	72,600円	68,970円	71,148円	LA24991
	上3法	10	Web※1	31,900円	30,305円	31,262円	LA24992
			DVD	41,250円	39,187円	40,425円	LA24991
	下4法	8	Web※1	28,600円	27,170円	28,028円	LA24992
			DVD	37,400円	35,530円	36,652円	LA24991
通信	一括	18	Web※1	56,100円	53,295円	54,978円	LB24994
			DVD	72,600円	68,970円	71,148円	
	上3法	10	Web※1	31,900円	30,305円	31,262円	
			DVD	41,250円	39,187円	40,425円	
	下4法	8	Web※1	28,600円	27,170円	28,028円	
			DVD	37,400円	35,530円	36,652円	

※音声DL+スマホ視聴付き

■一般価格とは、LEC各本校・LEC提携校・LEC通信事業本部・LECオンライン本校にてお申込される場合の受付価格です。■大学生・書籍部価格とは、LECと代理店契約を結んでいる大学内の生協、書店にて申し込まれる場合の受付価格です。■代理店書店価格とは、LECと代理店契約を結んでいる一般書店（大学内の書店は除く）にてお申込される場合の受付価格です。※上記大学生協・書籍部価格、代理店書店価格をご利用される場合は、必ず各種子生代理店にてご持参ください。

LEC Webサイト ▷▷ **www.lec-jp.com/**

情報盛りだくさん！

 資格を選ぶときも，
講座を選ぶときも，
最新情報でサポートします！

≫ 最新情報

各試験の試験日程や法改正情報，対策講座，模擬試験の最新情報を日々更新しています。

≫ 資料請求

講座案内など無料でお届けいたします。

≫ 受講・受験相談

メールでのご質問を随時受付けております。

≫ よくある質問

LECのシステムから，資格試験についてまで，よくある質問をまとめました。疑問を今すぐ解決したいなら，まずチェック！

≫ 書籍・問題集（LEC書籍部）

LECが出版している書籍・問題集・レジュメをこちらで紹介しています。

充実の動画コンテンツ！

 ガイダンスや講演会動画，
講義の無料試聴まで
Webで今すぐCheck！

≫ 動画視聴OK

パンフレットやWebサイトを見てもわかりづらいところを動画で説明。いつでもすぐに問題解決！

≫ Web無料試聴

講座の第1回目を動画で無料試聴！気になる講義内容をすぐに確認できます。

LEC 全国学校案内

*講座のお問合せ，受講相談は最寄りのLEC各校へ

LEC本校

北海道・東北

札 幌本校 ☎011(210)5002
〒060-0004 北海道札幌市中央区北4条西5-1 アスティ45ビル

仙 台本校 ☎022(380)7001
〒980-0022 宮城県仙台市青葉区五橋1-1-10 第二河北ビル

関東

渋谷駅前本校 ☎03(3464)5001
〒150-0043 東京都渋谷区道玄坂2-6-17 渋東シネタワー

池 袋本校 ☎03(3984)5001
〒171-0022 東京都豊島区南池袋1-25-11 第15野萩ビル

水道橋本校 ☎03(3265)5001
〒101-0061 東京都千代田区神田三崎町2-2-15 Daiwa三崎町ビル

新宿エルタワー本校 ☎03(5325)6001
〒163-1518 東京都新宿区西新宿1-6-1 新宿エルタワー

早稲田本校 ☎03(5155)5501
〒162-0045 東京都新宿区馬場下町62 三朝庵ビル

中 野本校 ☎03(5913)6005
〒164-0001 東京都中野区中野4-11-10 アーバンネット中野ビル

立 川本校 ☎042(524)5001
〒190-0012 東京都立川市曙町1-14-13 立川MKビル

町 田本校 ☎042(709)0581
〒194-0013 東京都町田市原町田4-5-8 MIキューブ町田イースト

横 浜本校 ☎045(311)5001
〒220-0004 神奈川県横浜市西区北幸2-4-3 北幸GM21ビル

千 葉本校 ☎043(222)5009
〒260-0015 千葉県千葉市中央区富士見2-3-1 塚本大千葉ビル

大 宮本校 ☎048(740)5501
〒330-0802 埼玉県さいたま市大宮区宮町1-24 大宮GSビル

東海

名古屋駅前本校 ☎052(586)5001
〒450-0002 愛知県名古屋市中村区名駅4-6-23 第三堀内ビル

静 岡本校 ☎054(255)5001
〒420-0857 静岡県静岡市葵区御幸町3-21 ペガサート

北陸

富 山本校 ☎076(443)5810
〒930-0002 富山県富山市新富町2-4-25 カーニープレイス富山

関西

梅田駅前本校 ☎06(6374)5001
〒530-0013 大阪府大阪市北区茶屋町1-27 ABC-MART梅田ビル

難波駅前本校 ☎06(6646)6911
〒556-0017 大阪府大阪市浪速区湊町1-4-1 大阪シティエアターミナルビル

京都駅前本校 ☎075(353)9531
〒600-8216 京都府京都市下京区東洞院通七条下ル2丁目
東塩小路町680-2 木村食品ビル

四条烏丸本校 ☎075(353)2531
〒600-8413 京都府京都市下京区烏丸通仏光寺下ル
大政所町680-1 第八長谷ビル

神 戸本校 ☎078(325)0511
〒650-0021 兵庫県神戸市中央区三宮町1-1-2 三宮セントラルビル

中国・四国

岡 山本校 ☎086(227)5001
〒700-0901 岡山県岡山市北区本町10-22 本町ビル

広 島本校 ☎082(511)7001
〒730-0011 広島県広島市中区基町11-13 合人社広島紙屋町アネックス

山 口本校 ☎083(921)8911
〒753-0814 山口県山口市吉敷下東3-4-7 リアライズⅢ

高 松本校 ☎087(851)3411
〒760-0023 香川県高松市寿町2-4-20 高松センタービル

松 山本校 ☎089(961)1333
〒790-0003 愛媛県松山市三番町7-13-13 ミツネビルディング

九州・沖縄

福 岡本校 ☎092(715)5001
〒810-0001 福岡県福岡市中央区天神4-4-11
天神ショッパーズ福岡

那 覇本校 ☎098(867)5001
〒902-0067 沖縄県那覇市安里2-9-10 丸姫産業第2ビル

EYE関西

EYE 大阪本校 ☎06(7222)3655
〒530-0013 大阪府大阪市北区茶屋町1-27 ABC-MART梅田ビル

EYE 京都本校 ☎075(353)2531
〒600-8413 京都府京都市下京区烏丸通仏光寺下ル
大政所町680-1 第八長谷ビル

【LEC公式サイト】www.lec-jp.com/

スマホから
簡単アクセス!

LEC提携校

＊提携校はLECとは別の経営母体が運営をしております。
＊提携校は実施講座およびサービスにおいてLECと異なる部分がございます。

■ 北海道・東北

八戸中央校 【提携校】 ☎0178(47)5011
〒031-0035 青森県八戸市寺横町13 第1朋友ビル
新教育センター内

弘前校 【提携校】 ☎0172(55)8831
〒036-8093 青森県弘前市城東中央1-5-2
まなびの森 弘前城東予備校内

秋田校 【提携校】 ☎018(863)9341
〒010-0964 秋田県秋田市八橋鯲沼町1-60
株式会社アキタシステムマネジメント内

■ 関東

水戸校 【提携校】 ☎029(297)6611
〒310-0912 茨城県水戸市見川2-3079-5

所沢校 【提携校】 ☎050(6865)6996
〒359-0037 埼玉県所沢市くすのき台3-18-4 所沢K・Sビル
合同会社LPエデュケーション内

日本橋校 【提携校】 ☎03(6661)1188
〒103-0025 東京都中央区日本橋茅場町2-5-6 日本橋大江戸ビル
株式会社大江戸コンサルタント内

■ 北陸

新潟校 【提携校】 ☎025(240)7781
〒950-0901 新潟県新潟市中央区弁天3-2-20 弁天501ビル
株式会社大江戸コンサルタント内

金沢校 【提携校】 ☎076(237)3925
〒920-8217 石川県金沢市近岡町845-1
株式会社アイ・アイ・ピー金沢内

福井南校 【提携校】 ☎0776(35)8230
〒918-8114 福井県福井市羽水2-701
株式会社ヒューマン・デザイン内

■ 中国・四国

松江殿町校 【提携校】 ☎0852(31)1661
〒690-0887 島根県松江市殿町517 アルファステイツ殿町
山路イングリッシュスクール内

岩国駅前校 【提携校】 ☎0827(23)7424
〒740-0018 山口県岩国市麻里布町1-3-3 岡村ビル 英光学院内

新居浜駅前校 【提携校】 ☎0897(32)5356
〒792-0812 愛媛県新居浜市坂井町2-3-8
パルティフジ新居浜駅前店内

■ 九州・沖縄

佐世保駅前校 【提携校】 ☎0956(22)8623
〒857-0862 長崎県佐世保市白南風町5-15 智翔館内

日野校 【提携校】 ☎0956(48)2239
〒858-0925 長崎県佐世保市椎木町336-1 智翔館日野校内

長崎駅前校 【提携校】 ☎095(895)5917
〒850-0057 長崎県長崎市大黒町10-10 KoKoRoビル
minatoコワーキングスペース内

高原校 【提携校】 ☎098(989)8009
〒904-2163 沖縄県沖縄市大里2-24-1
有限会社スキップヒューマンワーク内

書籍の訂正情報について

このたびは，弊社発行書籍をご購入いただき，誠にありがとうございます。
万が一誤りの箇所がございましたら，以下の方法にてご確認ください。

1 訂正情報の確認方法

書籍発行後に判明した訂正情報を順次掲載しております。
下記Webサイトよりご確認ください。

www.lec-jp.com/system/correct/

2 ご連絡方法

上記Webサイトに訂正情報の掲載がない場合は，下記Webサイトの
入力フォームよりご連絡ください。

lec.jp/system/soudan/web.html

フォームのご入力にあたりましては，「Web教材・サービスのご利用について」の
最下部の「ご質問内容」に下記事項をご記載ください。

- ・対象書籍名（○○年版，第○版の記載がある書籍は併せてご記載ください）
- ・ご指摘箇所（具体的にページ数と内容の記載をお願いいたします）

ご連絡期限は，次の改訂版の発行日までとさせていただきます。
また，改訂版を発行しない書籍は，販売終了日までとさせていただきます。

※上記「2ご連絡方法」のフォームをご利用になれない場合は，①書籍名，②発行年月日，③ご指摘箇所，を記載の上，郵送
にて下記送付先にご送付ください。確認した上で，内容理解の妨げとなる誤りについては，訂正情報として掲載させてい
ただきます。なお，郵送でご連絡いただいた場合は個別に返信しておりません。

送付先：〒164-0001 東京都中野区中野4-11-10 アーバンネット中野ビル
株式会社東京リーガルマインド 出版部 訂正情報係

- ・誤りの箇所のご連絡以外の書籍の内容に関する質問は受け付けておりません。
　また，書籍の内容に関する解説，受験指導等は一切行っておりませんので，あらかじめ
　ご了承ください。
- ・お電話でのお問合せは受け付けておりません。

講座・資料のお問合せ・お申込み

LECコールセンター ☎ 0570-064-464

受付時間：平日9：30～19：30／土・日・祝10：00～18：00

※このナビダイヤルの通話料はお客様のご負担となります。
※このナビダイヤルは講座のお申込みや資料のご請求に関するお問合せ専用ですので，書籍の正誤に関
　するご質問をいただいた場合，上記「2ご連絡方法」のフォームをご案内させていただきます。